総論	002
症候	099
健診・検査異常への対応	246
循環器疾患	304
呼吸器疾患	352
消化器疾患	444
神経・精神疾患	554
内分泌・代謝疾患	610

外来医マニュアル

●編集代表
加藤なつ江

第5版

Primary Care

医歯薬出版株式会社

This book is originally published in Japanese under the title of :

GAIRAII MANYUARU
(Manual for Outpatient Clinic)

Editors :
KATO, Natsue et al.
KATO, Natsue
　Ota Kyoritsu Clinic

© 2005　1st ed., 2024　5th ed.

ISHIYAKU PUBLISHERS. INC.
　7-10, Honkomagome 1 chome, Bunkyo-ku,
　Tokyo 113-8612, Japan

［ 推薦のことば ］

　多くの臨床医に親しまれてきた「外来医マニュアル」が，今回6年ぶりに改訂されて，新たに第5版として世に出されることとなった.

　外来診療のマニュアル本は他にも多々あるが，本書の特徴は，何と言ってもコンパクトで持ち歩きができる点にある．今回の改訂で新規項目がいくつか加えられたが，「白衣のポケットに入れて持ち歩ける大きさ」という当初の編集姿勢は頑として守られ，調べたいときにすぐに見ることができる．また，ページの余白に設けられたユニークなメモ欄もそのまま維持されており，書き込みを入れることにより，自分だけのオリジナルマニュアルを創りあげることができる.

　第1章 総論編，第2章 症候編，第3章 健診・検査異常への対応編，第4章 疾患編，第5章 小児編，第6章 資料編との構成は基本的に変わっていないが，私が以前から特に気に入っているのは第1章の総論編である．外来初診患者診療の心得から始まり，高齢者診療，女性診療，医療連携，慢性疾患の管理，精神科への紹介，予防接種，緩和ケア，在宅・往診・訪問診療，社会福祉制度・社会資源など，私たちが毎日外来で行っている多様な問題への対応の原則が明快に記されている.

　今回はこの総論編に，コロナ禍を経て「外来における感染対策」（及び第4章 疾患編に「COVID-19罹患後症状」）が加えられ，超高齢社会への対応として「ACP」が加えられた．多忙な診療の中，我流となりがちな場面の対処に関しても，ここに立ち返ることにより，自らの診療姿勢を正しく保つことができる.

iii

今回の改訂では，全項目に対して一通りの見直しが図られたが，特筆すべきは 260 項目を超える全体の膨大な項目のうち，60 以上の項目で執筆者を入れ替え，内容の一新を図ったことである．前版の内容も秀逸であったが，慢性心不全や糖尿病に対する治療薬の選択など，日進月歩の勢いで進化する医学医療の実際に合わせ，最新のエビデンスに基づき，記載が新たに書き換えられた．

　メインとなる第 4 章と第 5 章の疾患編と小児編の基本的な構成は変わらないが，前版から踏襲されているこの本の最大の特徴は，その疾患の領域の専門医ではないプライマリ・ケアの現場の医師が現場で何を行うべきかが，明確に記載されていることである．必ず行うべき To do list，鑑別疾患と対応，専門医へのコンサルトの適切なタイミング，フォローアップの外来での注意など，必要十分な情報がコンパクトにまとめられ，多彩な症候や多種の疾患に対応すべきプライマリ・ケアの外来において，極めて実践的なマニュアルとなっている．

　外来の机の上のブックスタンドに立てても良し，白衣のポケットの中に忍ばせても良し，必要な時にすぐに取り出し，書き込みを自在に加えて，自分だけのオリジナルなマニュアルとして，ボロボロになるまで可愛がっていただきたい．そうすることにより，この一冊は，間違えなくあなたのかけがえのない心強いパートナーとなるであろう．

2024 年 6 月

大阪医科薬科大学総合診療医学教室

鈴木富雄

［ 第 5 版の序 ］

　本書の前身である「プライマリケアマニュアル」が，外来診療における common disease への実践的な対応にフォーカスして「当直医マニュアル」の姉妹版として発行されたのが 1990 年です．その後，2004 年には新しい医師臨床研修制度が導入され，この分野は医師の必須条件として認知が進んできました．それに合わせ本書も 2005 年より「外来医マニュアル」としてリニューアルし，今版で第 5 版を迎えることとなりました．

　今回は 6 年ぶりの改訂にあたり，前版までの白衣のポケットに入るサイズ，可能なかぎりエビデンスに基づいた情報の記載，視認性の追求，研修制度に沿った項目設定の柱は踏襲したうえで，この間の医療情勢をふまえた項目の新設などを行いました．

　おもな改訂の要点は以下のとおりです．

❶ 第 1 章の総論編では超高齢化社会を背景に，最期まで患者本人の尊厳を尊重した生き方ができるよう，適切な医療・ケアが行われることを目的に「人生会議」を持つことは外来医の大きな役割の一つと考え，「ACP（Advance Care Planning）」の項目を新設いたしました．また，世界的流行となった新型コロナウイルス感染症の教訓を経て「外来における感染症対策」の項目も新設いたしました．

❷ 第 4 章の疾患編では最近話題になっており，対応が難しい「COVID-19 罹患後症状（long COVID）」についての項目を新設いたしました．また，治療は専門医ですが初期の診断に関わったりする可能性のある「造血器腫瘍」の項目を新設し外来医に必要な知

v

識をコンパクトにまとめました.

❸一般外来で行うべき初期検査,専門医への紹介のタイミング,一般外来でのフォローのポイントを今版でも分かりやすく簡潔にまとめ,キャッチフレーズにもあるように,このマニュアルが一般外来医と「専門医とのかけ橋」になり,スムーズな医療連携が日常診療の一助となればと考え本書を編集いたしました.

多忙な外来診療の合間に本書を手に取っていただき,知りたい情報がすぐ分かるよう,章立てや各項目の見出し,図表などを工夫しました.常時携帯していただきご活用いただければ幸甚です.皆様からのご意見ご批判をいただき,さらに役立つマニュアルへと改訂を重ねて参りたいと思います.

最後に出版に尽力頂きました医歯薬出版株式会社に深く感謝いたします.

2024 年 6 月

編集代表 加藤なつ江(太田協立診療所)

［編集・執筆・執筆協力者一覧］

（五十音順）

● 編集・執筆

井上賀元 （京都民医連中央病院）

奥永 綾 （いしいケア・クリニック）

加藤なつ江 （太田協立診療所）

河原林正敏 （耳原総合病院）

小出正樹 （彩の国東大宮メディカルセンター）

小畑達郎 （河端病院）

小松孝充 （此花診療所）

近藤克則 （千葉大学/医療経済研究機構）

四方典裕 （京都民医連太子道診療所）

自閑昌彦 （宇治徳洲会病院）

城 嵩晶 （伏見桃山総合病院）

髙木 暢 （多摩ファミリークリニック）

竹田隆之 （京都第二赤十字病院）

中村琢弥 （弓削メディカルクリニック）

宮阪 英 （福山南病院）

● 執筆

池田美佳 （船橋二和病院）

石川順一 （福山医療センター）

井手山晋 （大正病院）

伊藤哲郎 （ヴォーリズ記念病院）

岩田 健 （京都民医連中央病院）

植原亮介 （平和会吉田病院）

浦山 守 （湖北病院）

大江啓史 （福山南病院）

大竹要生 （弓削メディカルクリニック）

大八木誠児 （神戸市立医療センター中央市民病院）

岡田あかね （岡田内科医院）

岡本晃一 （福山医療センター）

奥山 薫 （きたまちクリニック）

小野安希 （明和病院）

蒲池正顕 （姫野病院）

河内英行 （利根中央病院）

川崎 翠 （弓削メディカルクリニック）

河村 愛 （河村医院）

喜多真也 （福山南病院）

北川貢嗣 （信楽中央病院）

金 詩園 （平和会吉田病院）

四方裕子 （京都民医連中央病院）

島田 遼 （千葉大学医学部附属病院）

下山 英 （船橋二和病院）

住井遼平 （福山医療センター）

高木幸夫 （上京診療所）

田中秀一 （岡山大学病院）

田中いつみ （弓削メディカルクリニック）

辻岡洋人 （弓削メディカルクリニック）

徳田嘉仁 （よしき往診クリニック他）

永嶋有希子 （弓削メディカルクリニック）

中務博信 （なかつかさ内科・在宅クリニック）

中西 彬 （香川県立中央病院）

中村光佐子 （京都民医連中央病院）　宮﨑のどか （徳之島徳洲会病院）
名嘉山一郎 （京都民医連中央病院）　宮田　央 （杉本診療所）
永山幹夫 （永山眼科クリニック）　宮本雄策 （聖マリアンナ医科大学）
西田早矢 （湖北病院）　向原千夏 （津ファミリークリニック）
陌間大輔 （市立長浜病院）　森永貴理 （弓削メディカルクリニック）
原　友太 （福山医療センター）　山西　歩 （京都民医連中央病院）
稗田史子 （弓削メディカルクリニック）　吉岡篤志 （耳原総合病院）
平田詞子 （弓削メディカルクリニック）　Pham Nguyen Quy （京都民医連中央病院）

執筆協力

あおば薬局太田店 （群馬県）

『プライマリケアマニュアル』から 『外来医マニュアル』への序

　新しい臨床研修制度が始まり，プライマリケアに対する意識が高まっています．プライマリケアは救急救命処置と common disease の管理の 2 本柱からなりますが，これらの能力は当直診療と外来診療を通じて飛躍的に高まるとされています．現在の卒後臨床研修においては，病棟での研修が中心となっていますが，先進的な研修病院では，当直や外来の研修にも力を入れています．私たちは，1988 年に当直診療や急性疾患診療に対応した『当直医マニュアル』を，1990 年に外来診療や慢性疾患診療に対応した『プライマリケアマニュアル』を出版し，以来改訂を重ねてきました．お陰様で多くの読者の支持を得ることができました．ここに感謝の意を表します．当直診療や外来診療に幅広く対応した医学書が少なかった中で，診療科を超えて幅広さを追求できたことと，白衣のポケットに入るコンパクトなサイズであったことが評価されたようです．

　『プライマリケアマニュアル』は外来診療で役立つようにと書かれたものですが，姉妹編『当直医マニュアル』とセットで使用することを想定していましたので，重複を避けるために，急性疾患のいくつかが項目から外されました．当初は，プライマリケアという言葉が新鮮味をもっていたため，プライマリケアの現場における外来診療のためのマニュアルという意味で，『プライマリケアマニュアル』と名づけたのですが，プライマリケアという言葉が多くの人々に使われるようになった現在，この書名と内容がそぐわないものとなってきた感があります．そこで，急性疾患についても外来診療で頻度の高いものは項目に加えるなど，大幅に

増項目，増頁（30%強）するとともに，目的をより明確化するために，『外来医マニュアル』の名称で新たに出版することになりました．

　本書は外来診療において遭遇する頻度の高い疾患，病態に対して，診療科を超えて幅広く対応できるマニュアルを目指しました．構成は総論編，症候編，検査・健診編，疾患編，資料編の5部からなっています．臨床研修制度で求められる経験目標を可及的に網羅しました．また，外来診療において遭遇する機会の多い健診結果異常への対応も可能なように工夫しました．執筆者はプライマリケア，総合診療，家庭医療といったフィールドで働く第一線の医師たちです．実践ですぐに役立つ内容に富んだものに仕上がったのではないかと自負しております．常時携帯してご活用頂ければ幸いです．また，ご意見，ご批判を頂き，さらに役立つマニュアルへと育てていければと思っております．

　最後に，推薦の言葉をお書き頂いた吉田　修（奈良医大学長）先生，出版にご尽力くださった医歯薬出版株式会社に深く感謝申し上げます．

2005年9月

編 者 一 同

CONTENTS

目 次

第1章 総論編

- 外来初診患者診療の心得 ······················· 2
- ACP（Advance Care Planning） ··············· 4
- 外来における感染対策 ·························· 8
- 高齢者診療の心得 ····························· 10
- 女性診療の心得 ······························· 14
- 妊娠中・授乳中の注意 ·························· 15
- 医療連携―紹介するとき・されるとき ··········· 21
- 精神科への紹介の仕方 ·························· 25
- メディカル・インタビュー ····················· 27
- インフォームド・コンセント ··················· 30
- 診療ガイドライン総論 ·························· 32
- 慢性疾患の管理 ······························· 35
- 運動療法と運動処方指導 ······················· 37
- 禁煙指導・禁煙外来 ···························· 39
- 予防接種 ····································· 45
- クリニカル・オンコロジー ····················· 48
- 緩和ケア ····································· 63
- 在宅・往診・訪問診療 ·························· 82
- 要介護者のマネジメント ······················· 83
- 介護保険制度 ································· 85
- 社会福祉制度・社会資源 ······················· 94

memo

第2章　症候編

(50音順の目次は☞ p. xxii)

- 全身倦怠感 ………………………………… 99
- 発　熱 ……………………………………… 100
- 食思不振 …………………………………… 102
- 体重減少・体重増加 ……………………… 104
- 浮　腫（リンパ浮腫も含む）…………… 106
- リンパ節腫脹 ……………………………… 108
- 黄　疸 ……………………………………… 111
- 搔痒感 ……………………………………… 114
- 発　疹 ……………………………………… 116
- 出血傾向・紫斑 …………………………… 120
- 潮　紅 ……………………………………… 122
- 発汗過剰・寝汗 …………………………… 123
- 頭　痛 ……………………………………… 125
- 頸部痛 ……………………………………… 129
- 咽頭痛 ……………………………………… 131
- めまい ……………………………………… 134
- 動　悸 ……………………………………… 139
- 意識障害 …………………………………… 140
- 失　神 ……………………………………… 144
- ショック …………………………………… 148
- けいれん発作 ……………………………… 150
- 不随意運動 ………………………………… 154
- 四肢脱力 …………………………………… 158
- 歩行障害 …………………………………… 163
- 四肢のしびれ ……………………………… 165
- 嚥下困難 …………………………………… 167
- 味覚障害 …………………………………… 169
- 嗄　声 ……………………………………… 171
- 呼吸困難・息切れ ………………………… 174
- チアノーゼ ………………………………… 180

≪目次≫

- 胸 痛 ……………………………………… 182
- 咳・痰 …………………………………… 186
- 喀血・吐血 ……………………………… 192
- 腹部膨満 ………………………………… 194
- 腹 痛 ……………………………………… 196
- 胸焼け …………………………………… 201
- 悪心・嘔吐 ……………………………… 203
- 下血・血便 ……………………………… 207
- 便通異常（下痢・便秘）………………… 211
- 尿量異常 ………………………………… 216
- 排尿障害 ………………………………… 219
- 血 尿 ……………………………………… 220
- 腰背部痛 ………………………………… 222
- 関節痛 …………………………………… 224
- 認知機能障害 …………………………… 226
- 睡眠障害 ………………………………… 230
- 幻 覚 ……………………………………… 232
- 不安・抑うつ …………………………… 234
- 無月経 …………………………………… 237
- 結膜充血 ………………………………… 239
- 視力障害・視野狭窄・複視 …………… 240
- 鼻 汁 ……………………………………… 241
- 鼻出血 …………………………………… 242
- 聴覚障害 ………………………………… 244

✎ memo

第3章　健診・検査異常への対応

- 検査・健診の見方（含・特定健診）・・・・・・・・・・・・ 246

＜検体検査＞
- 血算（CBC）・・・・・・・・・・・・・・・・・・・・・・・・・・・・・・・・・・ 248
- 肝機能・・ 251
- 腎機能・尿検査異常・・・・・・・・・・・・・・・・・・・・・・・・・・・ 255
- 血糖・尿糖（HbA1c含む）・・・・・・・・・・・・・・・・・ 259
- 脂質（TG，HDL-C，LDL-C）・・・・・・・・・・・・・ 260
- 尿 酸・・・ 261
- ペプシノゲン・・・・・・・・・・・・・・・・・・・・・・・・・・・・・・・・・・・ 262
- 高ガンマグロブリン血症・・・・・・・・・・・・・・・・・・・・・・ 264
- 腫瘍マーカー・・・・・・・・・・・・・・・・・・・・・・・・・・・・・・・・・・・ 266
- 便潜血・・ 269
- 肝炎ウイルス検査・・・・・・・・・・・・・・・・・・・・・・・・・・・・・ 270
- HIV検査・・・・・・・・・・・・・・・・・・・・・・・・・・・・・・・・・・・・・・ 272
- 梅毒検査・・・・・・・・・・・・・・・・・・・・・・・・・・・・・・・・・・・・・・・ 273

＜生理機能検査＞
- 血 圧・・・ 275
- 心電図・・ 277
- 呼吸機能検査・・・・・・・・・・・・・・・・・・・・・・・・・・・・・・・・・・・ 281

＜画像検査＞
- 胸部 Xp/CT・・・・・・・・・・・・・・・・・・・・・・・・・・・・・・・・・・ 286
- 腹部エコー・・・・・・・・・・・・・・・・・・・・・・・・・・・・・・・・・・・・・ 293
- 心エコー図・・・・・・・・・・・・・・・・・・・・・・・・・・・・・・・・・・・・・ 299
- 上部消化管検査・・・・・・・・・・・・・・・・・・・・・・・・・・・・・・・・ 301
- 頭部 MRI・MRA・・・・・・・・・・・・・・・・・・・・・・・・・・・・ 302

✎ memo

≪目次≫

第4章　疾患編

循環器疾患

- 高血圧 ･････････････････････････････ 304
- 不整脈 ･････････････････････････････ 313
- 虚血性心疾患 ･･････････････････････ 321
- 慢性心不全 ･･･････････････････････ 325
- 弁膜症 ･････････････････････････････ 332
- 心筋疾患 ･････････････････････････ 338
- 胸・腹部大動脈瘤 ･････････････････ 344
- 末梢動脈疾患（PAD）･････････････ 347
- 下肢静脈瘤 ･･･････････････････････ 350

呼吸器疾患

- かぜ症候群・急性気管支炎 ･･･････ 352
- インフルエンザ ････････････････････ 357
- 市中肺炎（CAP）･･････････････････ 360
- 医療・介護関連肺炎（NHCAP）･･･ 368
- 呼吸不全 ･････････････････････････ 376
- 胸水・胸膜炎 ････････････････････ 380
- 肺結核（Tb）･････････････････････ 384
- 非結核性抗酸菌症 ･･･････････････ 393
- 慢性咳嗽（咳喘息・アトピー性咳嗽）･･･ 399
- 気管支喘息（BA）･･･････････････ 402
- 慢性閉塞性肺疾患（COPD）･････ 414
- びまん性肺疾患 ･････････････････ 425
- 気管支拡張症 ･･･････････････････ 429
- 肺　癌 ････････････････････････････ 432
- 睡眠時無呼吸症候群（SAS）･････ 436
- COVID-19 罹患後症状（long COVID）･･････ 440

✎ memo

消化器疾患

- 胃食道逆流症（GERD） ……… 444
- 食道癌 ……… 447
- 慢性胃炎 ……… 451
- 消化性潰瘍 ……… 453
- ヘリコバクター・ピロリ除菌療法 ……… 456
- 機能性ディスペプシア ……… 460
- 胃 癌 ……… 463
- 胃切除後症候群 ……… 467
- 感染性胃腸炎 ……… 471
- 虚血性腸炎 ……… 475
- 特発性炎症性腸疾患（IBD） ……… 478
- 過敏性腸症候群（IBS） ……… 484
- 腸閉塞（イレウス） ……… 487
- 大腸憩室 ……… 489
- 大腸ポリープ ……… 490
- 大腸癌 ……… 492
- 痔疾患 ……… 495
- 人工肛門患者の管理 ……… 503
- 急性肝炎 ……… 505
- 慢性肝炎 ……… 510
- アルコール性肝障害 ……… 518
- MASLD・MASH ……… 522
- 薬物性肝障害 ……… 528
- 肝硬変 ……… 533
- 肝腫瘤性病変・肝癌 ……… 539
- 胆石症 ……… 541
- 胆嚢ポリープ ……… 543
- 胆嚢癌・胆管癌 ……… 544
- 慢性膵炎 ……… 547
- 膵腫瘍 ……… 551

≪目次≫

神経・精神疾患

- 頭 痛 …………………………………………………… 554
- 顔面神経麻痺（Bell 麻痺）………………………… 563
- パーキンソン病・パーキンソン症候群 …… 569
- 慢性期脳血管障害の管理 ………………………… 581
- 認知症 ……………………………………………………… 587
- 過労・疲労 ……………………………………………… 596
- 睡眠障害（☞ p.230 症候編）
- 身体症状症（身体表現性障害）…………………… 598
- パニック障害 …………………………………………… 600
- うつ病 …………………………………………………… 602
- アルコール依存症 …………………………………… 605

内分泌・代謝疾患

- 糖尿病（DM）………………………………………… 610
- 脂質異常症 ……………………………………………… 630
- 痛風・高尿酸血症 …………………………………… 636
- 甲状腺機能亢進症 …………………………………… 639
- 甲状腺機能低下症 …………………………………… 643
- 甲状腺腫 ………………………………………………… 645
- メタボリック・シンドローム …………………… 646
- 肥 満 …………………………………………………… 648

膠原病とその類縁疾患

- 関節リウマチ ………………………………………… 650
- 膠原病 …………………………………………………… 655

腎・泌尿器疾患

- CKD（慢性腎臓病）………………………………… 667
- 糸球体疾患 ……………………………………………… 677
- ネフローゼ症候群 …………………………………… 681
- 尿路結石症 ……………………………………………… 684

xvii

- 尿路感染症・男性性器感染症 ･･････････････ 686
- 下部尿路機能障害（排尿障害と蓄尿障害）････ 689
- 泌尿器癌（腎，膀胱，前立腺）･･･････････ 691
- 性行為感染症（STI）････････････････････ 692

血液疾患

- 貧 血 ･･･････････････････････････････ 695
- 赤血球増加症（多血症）･･･････････････ 703
- 白血球減少 ･････････････････････････ 705
- 白血球増多 ･････････････････････････ 707
- 血小板減少症 ･･･････････････････････ 709
- 血小板増多症 ･･･････････････････････ 712
- 汎血球減少 ･････････････････････････ 713
- 造血器腫瘍 ･････････････････････････ 715

女性疾患

- 女性診療の心得（☞ p.14 総論編）
- 妊娠中・授乳中の注意（☞ p.15 総論編）
- 異所性妊娠（子宮外妊娠）･･･････････････ 717
- 腟 炎 ･･･････････････････････････････ 718
- 子宮頸管炎 ･････････････････････････ 720
- 骨盤内炎症性疾患（PID）･････････････ 721
- 機能性月経困難症 ･･･････････････････ 722
- 子宮内膜症 ･････････････････････････ 723
- 更年期障害 ･････････････････････････ 725
- 子宮筋腫 ･･･････････････････････････ 730
- 子宮頸癌 ･･･････････････････････････ 732
- 子宮体癌 ･･･････････････････････････ 733
- 卵巣癌 ･････････････････････････････ 734
- 乳がん ･････････････････････････････ 735
- 骨盤臓器脱 ･････････････････････････ 742

✎ memo

≪目次≫

運動器疾患

- 頸椎症 ·· 744
- 肩関節周囲炎（五十肩）···················· 747
- 急性腰痛/筋・筋膜性腰痛 ·················· 748
- 腰部脊柱管狭窄症 ···························· 750
- 変形性膝関節症 ······························ 753
- 骨粗鬆症 ·· 757
- ロコモティブ・シンドローム ··········· 761

眼・耳鼻咽喉・皮膚疾患

- 白内障 ·· 763
- 緑内障 ·· 765
- 耳 鳴 ·· 770
- アレルギー性鼻炎・結膜炎 ··············· 773
- 鼻副鼻腔炎 ····································· 776
- 蕁麻疹 ·· 780
- 湿 疹 ·· 782
- あせも ·· 783
- 口内炎 ·· 784
- ざ 瘡 ·· 785
- 軟部組織感染症 ······························ 787
- 白癬・カンジタ症 ···························· 789
- 口唇ヘルペス ·································· 791
- 帯状疱疹 ·· 792
- 薬 疹 ·· 794
- 熱傷・化学熱傷・日焼け ·················· 796
- 凍瘡（しもやけ）···························· 799
- 褥 瘡 ·· 800
- 皮膚がん ·· 803

✐ memo

第 5 章　小児編

- 小児診療の心得･･････････････････････････････ 804
- 発　熱････････････････････････････････････ 809
- 咳　嗽････････････････････････････････････ 812
- 胸　痛････････････････････････････････････ 813
- 腹　痛････････････････････････････････････ 814
- 下　痢････････････････････････････････････ 816
- 嘔　吐････････････････････････････････････ 819
- 発疹・伝染性疾患･･･････････････････････････ 822
- かぜ症候群･･･････････････････････････････ 833
- 反復性耳下腺炎，扁桃炎････････････････････ 837
- クループ症候群・急性喉頭蓋炎･････････････ 839
- 急性細気管支炎・肺炎･･･････････････････････ 841
- 気管支喘息（BA）･･････････････････････････ 846
- 川崎病（MCLS）････････････････････････････ 856
- 熱性けいれん・てんかん････････････････････ 858
- IgA 血管炎（アレルギー性紫斑病）･･････････ 862
- 免疫性血小板減少性紫斑病（ITP）････････････ 863
- 尿路感染症･･･････････････････････････････ 864
- 溶連菌感染後　急性（糸球体）腎炎････････････ 866
- ネフローゼ症候群･････････････････････････ 868
- 鼠径ヘルニア････････････････････････････ 869
- 停留精巣････････････････････････････････ 870
- 皮膚疾患････････････････････････････････ 871
- アトピー性皮膚炎･････････････････････････ 874
- 食物アレルギー･･･････････････････････････ 876
- 学校検尿異常所見者の扱い･･････････････････ 879
- 子どもの心臓病･･･････････････････････････ 883
- 起立性調節障害（OD）･･････････････････････ 885
- 小児の心身症････････････････････････････ 887
- よくある相談（ソフトサイン他）････････････ 891

xx

≪目次≫

第6章　資料編

- 薬物血中濃度 ･･････････････････････････ 894
- 抗凝固療法（経口薬）･･････････････････ 896
- ステロイド（経口薬）･･････････････････ 902
- 皮膚外用薬の使い方 ････････････････････ 904
- 薬物相互作用 ･･････････････････････････ 907
- 経口抗菌薬の選択 ･･････････････････････ 915
- 主要な経口抗菌薬 ･･････････････････････ 916
- 届出が必要な感染症 ････････････････････ 922
- 細菌学的検査 ･･････････････････････････ 925
- 感染症に関する各種迅速診断法 ･･････････ 926
- 腎不全に対する薬物投与 ････････････････ 928
- 症候から疑う薬剤副作用 ････････････････ 930

事項索引／931　薬剤索引／948

皮膚疾患（☞p. 780～803）症例写真
このQRコードよりアクセスしてご覧下さい☞

https://www.ishiyaku.co.jp/r/732300/

memo

xxi

第 2 章　症候編（50 音順）

[ア行] 息切れ 174
　　　　意識障害 140
　　　　咽頭痛 131
　　　　嚥下困難 167
　　　　黄 疸 111
　　　　嘔 吐 203
　　　　悪 心 203

[カ行] 喀 血 192
　　　　関節痛 224
　　　　胸 痛 182
　　　　頸部痛 129
　　　　けいれん発作 150
　　　　下 血 207
　　　　血 尿 220
　　　　血 便 207
　　　　結膜充血 239
　　　　下 痢 211
　　　　幻 覚 232
　　　　呼吸困難 174

[サ行] 嗄 声 196
　　　　四肢脱力 158
　　　　四肢のしびれ 165
　　　　失 神 144
　　　　紫 斑 120
　　　　視野狭窄 240
　　　　出血傾向 120
　　　　食思不振 102
　　　　ショック 148
　　　　視力障害 240
　　　　睡眠障害 230
　　　　頭 痛 125
　　　　咳 186
　　　　全身倦怠感 99
　　　　掻痒感 114

[タ行] 体重減少・増加 104
　　　　痰 186
　　　　チアノーゼ 180
　　　　聴覚障害 244
　　　　潮 紅 122
　　　　動 悸 139
　　　　吐 血 192

[ナ行] 尿失禁 219
　　　　尿量異常 216
　　　　認知機能障害 226
　　　　寝 汗 123

[ハ行] 排尿困難 219
　　　　排尿障害 219
　　　　発汗過剰 123
　　　　発 熱 100
　　　　鼻 汁 241
　　　　鼻出血 242
　　　　不 安 234
　　　　複 視 240
　　　　腹 痛 196
　　　　腹部膨満 194
　　　　浮 腫 106
　　　　不随意運動 154
　　　　便通異常 211
　　　　便 秘 211
　　　　歩行障害 163
　　　　発 疹 116

[マ行] 味覚障害 169
　　　　無月経 237
　　　　胸焼け 201
　　　　めまい 134

[ヤ行] 腰背部痛 222
　　　　抑うつ 234

[ラ行] リンパ節腫脹 108

≪目次≫

ミニコラム一覧

たばこの種類について/44
外科手術や全身状態の悪化に伴い絶食を要する時
　（パーキンソン病・パーキンソン症候群）/580
無症候性脳梗塞に対して抗血小板療法は必要か？/586
手術や検査時の対応（慢性期脳血管障害の管理）/586
発育相談/808
胃腸炎関連けいれん/818
小児の新型コロナウイルス感染症（COVID-19）/836

memo

本書掲載の抗菌薬（注射薬のみ）の略語一覧

略　語	一般名
ペニシリン系	
PCG	ベンジルペニシリンカリウム
ABPC	アンピシリンナトリウム
ABPC/SBT	アンピシリンナトリウム/スルバクタムナトリウム
PIPC	ピペラシリンナトリウム
PIPC/TAZ	ピペラシリンナトリウム/タゾバクタムナトリウム
セフェム系	
CEZ	セファゾリンナトリウム
CMZ	セフメタゾールナトリウム
CTM	セフォチアム塩酸塩
CTX	セフォタキシムナトリウム
CAZ	セフタジジム水和物
CTRX	セフトリアキソンナトリウム
CZOP	セフォゾプラン塩酸塩
CFPM	セフェピム塩酸塩水和物
CPZ/SBT	セフォペラゾンナトリウム/スルバクタムナトリウム
カルバペネム系	
IPM/CS	イミペネム水和物/シラスタチンナトリウム
PAPM/BP	パニペネム/ベタミプロン
MEPM	メロペネム
DRPM	ドリペネム水和物
アミノグリコシド系	
AMK	アミカシン硫酸塩
GM	ゲンタマイシン硫酸塩

商品名（代表例）	memo
ペニシリンGカリウム	
ビクシリン	
ユナシンS	
ペントシリン	
ゾシン	
セファメジンα	
セフメタゾン	
パンスポリン	
セフォタックス, クラフォラン	
モダシン	
ロセフィン	
ファーストシン	
セフェピム	
スルペラゾン	
チエナム	
カルベニン	
メロペン	
フィニバックス	
硫酸アミカシン	
ゲンタシン	

略　語	一般名
マクロライド系	
AZM	アジスロマイシン水和物
EM	エリスロマイシンラクトビオン酸塩
リンコマイシン系	
CLDM	クリンダマイシンリン酸エステル
テトラサイクリン系	
MINO	ミノサイクリン塩酸塩
グリコペプチド系	
VCM	バンコマイシン塩酸塩
TEIC	テイコプラニン
ニューキノロン系	
CPFX	シプロフロキサシン
LVFX	レボフロキサシン水和物
PZFX	パズフロキサシンメシル酸塩
オキサゾリジノン系	
LZD	リネゾリド
TZD	テジゾリドリン酸エステル
環状リポペプチド系	
DAP	ダプトマイシン

memo

商品名（代表例）	memo
ジスロマック	
エリスロシン	
ダラシン	
ミノマイシン	
バンコマイシン	
タゴシッド	
シプロキサン	
クラビット	
パシル，パズクロス	
ザイボックス	
シベクトロ	
キュビシン	

memo

［本マニュアル使用の前に］

使用上の注意

本書は携帯性を重視したため頁数に限界がある．使用する際には，以下の点について注意されたい．

❶ ポイントを重視した記述である．実臨床の場では例外的状況や別の治療法がありうる．

❷ 本書は診療所の一般外来，病院総合診療外来等を想定して記述した．各現場で求められる診療レベルは緊急性，時間帯，施設の体制，地域の状況等により異なってくる．状況に応じて補足が必要である．

❸ 本書では，読んだだけでは実行不可能と思われる技術的手技については省いた．他書，実技を通じた研鑽が不可欠である．

❹ 頁数の関係で，common disease と思われる疾患も記載がない場合がある．各自の必要性に合わせ memo スペース等を利用し，補足して頂きたい．

本マニュアルの記載内容については，診療所の一般外来，病院総合診療外来等で有用な最新情報を優先しました．また改訂にあたり，出版時における正確かつコンセンサスが得られる記載内容となるよう，最善の努力をいたしました．実際の医療行為にあたっては，常に最新の知見や添付文書などを併せて確認されることを要望いたします．

医歯薬出版株式会社

薬剤の表記について

❶ 薬剤は，頻用されていると思われる市販名を記載した．また，昨今一般名での処方箋発行も増えていることからそれについても併せて記載した．抗菌薬（注射薬のみ）のように略称で親しまれているものはそれで表記した．

❷ 処方例には各薬剤の薬効分類名を入れているが，薬効または使用目的による薬の分類を表示したもので，添付文書に記載されている薬効分類名と同一とは限らない．

❸ 投与法は下記の略号を用いた．

(静) 静注　(筋) 筋注　(皮下) 皮下注　(点) 点滴静注

(骨髄内) 骨髄内投与　(持続静) 精密持続注

(内) 内服　(吸入) 吸入　(舌下) 舌下　(点眼) 点眼

(塗) 塗布　(貼布) 貼布　(坐) 坐薬　(腟) 腟剤

(注腸) 注腸　(浣腸) 浣腸

A：アンプル，V：バイアル　(頓) 頓用

細：細粒，顆：顆粒

❹ 用量は，特にことわりがなければ腎機能，肝機能などに特に問題のない成人量である．
　※原則として，成人においては1回投与量を，小児においては1日投与量を示した．

❺ 禁忌・副作用・相互作用については，重要と思われるものは処方例に極力記載したが，さらに他書の参照や薬剤師への相談等で十分な薬剤情報の入手に努めて欲しい．

ポイントについて

各項目の冒頭に，①その項目で特に強調したいこと，②忘れてはいけないこと，③Clinical pearls やPitfall などに該当するような「これはぜひ知っておいてほしい」という事項を，数点に絞り記載している．

参照ページ等の表記について

本書中の記載で関連する箇所については，下記例のとおり参照ページと項目名を付した．または，姉妹書である「当直医マニュアル」（最新版）の該当箇所を参照いただければ幸いである．

例：☞ p.222 腰背部痛（症候編）
　　☞ 当直医 M

memo スペースについて

本書は，できるだけメモスペースを確保するよう努めた．これは執筆者らの経験から，満足できるマニュアルは自分自身で工夫して作るものであるとの考えによる．また，勤務先で使っている薬剤や検査キットなど状況に合わせた補足をするスペースとしても役立てていただければ幸いである．

外来医マニュアル

第5版

Primary Care

総論編	002
症候編	099
健診・検査異常への対応	246
循環器疾患	304
呼吸器疾患	352
消化器疾患	444
神経・精神疾患	554
内分泌・代謝疾患	610
膠原病とその類縁疾患	650
腎・泌尿器疾患	667
血液疾患	695
女性疾患	717
運動器疾患	744
眼・耳鼻咽喉・皮膚疾患	763
小児疾患	804
資料編	894

外来初診患者診察の心得

ポイント
1. 医療面接で患者の解釈モデル（患者自身が解釈する病気の枠組み）や，真の受診動機を聞き出すことは，患者-医師の信頼関係構築やその後の方針を決める上で重要である．
2. 限られた時間内で面接，診察，診断を行い，今後の検査計画や振り分け，治療方針の決定を行う．
3. 緊急性と重症度の把握，原因の特定，特殊な治療の必要性，心理的要因の有無，入院適応の判断も要する．
4. 社会的問題，心理的問題も含めて患者を総合的に評価し，次回の外来診療につなげていく．

外来初心患者の分類
1. 初診外来にはさまざまな患者が訪れるため，患者のニーズに合わせて振り分ける役割を担っている．
2. 症状や緊急性，重要度を考えると振り分けがしやすい（図1）．

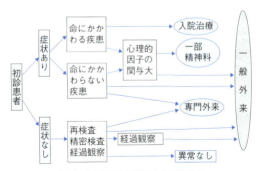

図1　初診患者の振り分けの進め方

第1章　総論編

総論

❸病院や診療所など施設によって患者の医療ニーズは異なるが，初診外来患者はおおむね以下のように分類できる.

①急性疾患

　　気道感染症や急性胃腸炎など軽症から重症までさまざま.

②救急疾患

　　命に関わるような重症患者が訪れることもある.

③健診結果の精査・再検査

　　健診結果から生活習慣病などの慢性疾患治療のきっかけとなることが多い.

④慢性疾患

　　患者自身の意思での受診，他医からの紹介，転医などさまざまな場合がある.

⑤他医からの紹介

　　継続診療や精査の依頼などが多い.

⑥他科からの紹介

　　他科で治療している疾患との関連性のある疾患かどうかを考える.

⑦セカンドオピニオン

　　他医の診断や治療方針に疑問を有する患者が意見を求めて訪れる.

✎memo

ACP（Advance Care Planning）(1)

ポイント
❶ ACP は意思決定能力低下に備えての対応プロセス全体をさす（"もしものための話し合い"）.
❷ 日常診療において，各患者に何をゴールとして治療をどこまで行うか行わないかを決めることを含む ACP は，診療医が習得すべき技術である.
❸ 時間に制約のある外来で，今後の健康や療養への懸念などを傾聴するだけでも，ACP の糸口になりうる.

ACP の目的
事前に話し合っておくことで，個々の患者の価値観を今後の治療とケアに反映させること.

ACP とは
❶ 患者の価値観，人生の目標，今後の医療に関する意向を理解し共有するための「過程」. 厚労省は ACP の愛称を「人生会議」とした（2018 年 11 月 30 日）.
❷ 重篤な疾患や慢性疾患に罹患した際に，価値観や目標，意向に沿った医療ケアを確実に行うことが目的.
❸ ACP には，代理意思決定者の選定を含むことが多い.
❹ ACP はあくまで過程であるため，患者の価値観や人生観は傾聴したが，文章はまだ作成していない，心肺停止時の方針についても決まっていない，という段階もあってよい（図2）. ☞ p. 7

ACP の背景
❶ 治癒不可能ながん患者の約 7 割以上が治癒可能と考えている. →話し合いが十分でない可能性あり.
❷ 終末期において約 7 割の患者で意思決定が不可能. →そのときに話し合えばよいという考えは成り立たない.

ACP の効用（ACP を行うと）
❶ 患者の自己コントロール感が高まる.
❷ 終末期医療の意思決定に患者が関わる割合が改善.
❸ 医師が事前の意思決定について話し合うことが，そ

第1章　総論編

の1年後の患者満足度と相関.

❹より患者の意向が尊重されたケアが実践され，患者が死亡した場合も遺族の不安や抑うつが減少.

❺患者の死亡後に遺族や代理決定者-医師の関係が改善.

ACPの原則

❶話し合う心の準備がある（Readiness, Preparedness）

❷患者中心の相談プロセス（planning ≠ plan）

❸その時の診療やガイドラインに矛盾しない

❹地域のリソースやサービスの面で現実的な内容

❺状況や時期によって繰り返し更新されるべき

ACPの対象

原則として，すべての成人が対象（年齢や健康状態によらない）．そのなかで積極的に行っていくべき対象；

❶50歳以上の定期診察

❷慢性進行性疾患（肺気腫，心不全，がん，認知症など）の診断時

❸虚弱性や医療依存度が増したとき（施設入所時など）

❹慢性疾患の急性増悪や重篤な急性期疾患での入院時

❺高リスクの手術前

※ACPは"代理人"となる家族や近しい人の為にもなる．いつ，誰が患者本人/代理人の立場になるかわからない．現在医療を必要としないような若い人，健康な人にもACPについて知ってもらう必要がある．

ACPに含まれる項目　（図1）

下記について患者・家族と話し合い，医療従事者で共有して記録に保存し，アップデートしていく．

❶治療のゴール　❷予後や病状の理解　❸今後の懸念

❹許容できない状態・具体的なケアの方針

①心肺停止時の方針　　　②搬送の有無

③人工呼吸器の使用の有無　④人工栄養法の選択

⑤輸血や透析などの処置の選択

⑥手術や化学療法の実施の有無　など

ACP (Advance Care Planning) (2)

❺ケアのゴール："Hope for the Best, plan for the Rest."
"Hope for the Best, prepare for the Worst."
　最善の結果となる希望は保ちながら，現実的にはケアのゴールと矛盾せず辛すぎない程度の治療計画を立て，辛すぎる場合，万が一うまくいかない場合には別の治療計画とゴールを提案．

❻Advanced Directive（AD）：生前に前もってしておく医療に関する事前指示書．自ら受ける医療行為について口頭もしくは書面で示しておくこと．
　①米国では50州全てでADが法制化
　②現在の日本では法制化未（自主的なもののみ）
　※ADが自分一人で書類を作成すれば成り立つのに対し，ACPは患者，家族（代理意思決定者），医療従事者が話し合って決めることを重視している点が大きく違う．

❼内容指示
　①Living Will（生前意思）：意思表示ができなくなった時の対応について自分の意思を予め文章に記すこと．もしくはその文書．

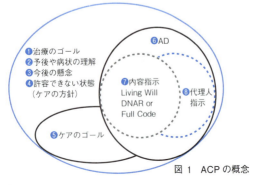

図1　ACPの概念

第1章　総論編

②コードステータス（DNAR または Full Code）：心肺蘇生に関する方針．
※DNAR（Do Not Attempt Resuscitation）：患者または代理者の意思決定をうけて，蘇生処置を試みないこと．

❽代理人指示：意思表示できなくなった時に，自らの信頼する人物（配偶者，両親，子供など）に，意思決定権を委託したことを示す文書．

ACP の注意点

❶事前指示をとることを目的としていないか．
❷患者や家族が"揺れること"を許容できているか．
❸病態・治療・予後等について誤解に基づいていないか．

ACP の課題

❶さまざまな医師が関わっている時にどうするか．
❷地域で紡がれていく（共有する）にはどうするか．

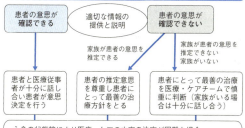

図2　**方針決定の流れ**（人生の最終段階における医療・ケアの決定プロセスに関するガイドライン．2018 より）

外来における感染対策

ポイント

❶ 自身を含めた医療者を守ること，施設内感染を発生させないこと，地域住民への感染拡大を防ぐことが目的．

❷ 未知の病原体の感染拡大が疑われる場合は，空気感染するものと想定し，PPE（マスク，手袋，長袖ガウン，帽子，フェイスシールドなど）と換気を徹底する．

❸ 施設内の導線を決め，ゾーニングを行う．

未知の病原体に対する対応

❶ 無症状でも発症前の可能性を考え，すべての診察の場では患者にサージカルマスクの装着を指示する．

❷ 基本は石鹸による手洗いとアルコールによる手指消毒であり，肌が露出した部位（目や鼻，口の粘膜など）を不用意に触れないようにする（アルコール消毒が無効な病原体がいることを念頭に置く）．

❸ 診察室や待合室は空間的分離や時間的分離を行い，密閉空間にならない工夫をする．

❹ ヒトが触れる部位は定期的に清拭消毒する（電子カルテ，タブレット端末なども含む）．

❺ 医療機器は可能な限り個人専用とし，共有する場合は使用するたびに清拭消毒する．

❻ エアロゾルを発生させる検査，処置を行う場合はPPEと換気，消毒を十分に行う．

❼ 未知の病原体の感染拡大が疑われる場合のPPEは着方よりも脱ぎ方の方が重要である．

❽ PPEは自身を守るためであり，自身から周囲へ感染を広げないためである．

❾ 感染経路が判明し，消毒方法も明確となれば，病原体にあわせた基本的対策を行う．

❿ 患者から排出された体液などの廃棄物は感染性廃棄物とし，遺体からの体液は体外へ漏れないようにする．

第1章　総論編

総論

既知の病原体に対する対応

❶ 主訴に応じて，鑑別される疾患の病原菌に応じた感染経路を念頭に対策を講じる（**表1**参照）.

❷ 手洗い場や水回りの清潔・不潔を定め，ペーパータオルなどの準備と廃棄の方法を決めておく. また，アルコール消毒やその他の消毒薬を準備しておく.

❸ 診察室が普段から換気できるように準備しておく. 換気が困難な場合は，対策が必要な感染症を想起する主訴を訴える患者が来院した場合に診察する場を予め決めておく（普段からゾーニングを検討しておく）.

❹ 検体の提出方法を検査会社も含めて取り決めておく. また，患者に自宅待機期間や入院が必要となった場合の対応について説明を行う.

❺ 必要に応じて，保健所などへ届出る.

表1　感染経路と対策

	主な疾患と原因	対策
空気感染	結核，麻疹，水痘	陰圧個室 N95マスク
飛沫感染	気道感染する多くの疾患 インフルエンザウイルス 風疹，新型コロナウイルス， 髄膜炎菌，A群溶連菌など	陰圧個室は不要 咳エチケット 患者は周囲と1m 以上離れる サージカルマスク
接触感染	皮膚疾患(疥癬，シラミ症など)， 性感染症，流行性角結膜炎 ノロウイルス（例外あり） クロストリディオイデス・ ディフィシル（CD） MRSA，ESBL産生菌，緑膿菌 エボラ出血熱（例外あり）	患者専用の器具 （共用しない） 手袋，エプロン

9

高齢者診療の心得 (1)

ポイント

1. 多様な既往歴と複数の疾患が合併する場合がある.
2. 症状の出現や訴えが非典型的なことがある.
3. 主疾患治療の経過中 ADL が低下することがある.
4. 生活背景が疾患の要因になっている場合がある.
5. 脱水や電解質異常が発生しやすい.

高齢者の診察法

高齢者を診察するにあたっては現在表出している問題点を列挙するだけでは十分ではない. 包括的に評価して問題点を見つけていくことが重要.

評価項目は以下のとおり.

❶身体面
　①日常生活動作　②転倒歴　③栄養状態　④視力
　⑤聴力　⑥尿失禁　⑦便秘

❷認知・心理・精神面
　①うつ病　②認知症　③不眠

❸社会・生活面その他
　①社会的サポート・介護　②薬剤多剤投与
　③Advance Care Planning（ACP）
　④癌スクリーニング

評価の実際

❶身体面の評価
　①日常生活動作
　　　基本日常生活動作（Basic ADL）と道具的日常生活動作（Instrumental ADL）に大別. IADL の低下は背後に認知症, うつ病が隠れていることがある.
　　　BADL：入浴, 着替え, 排泄, 食事, 移動, 身だしなみ→Barthel Index
　　　IADL：買物, 公共移動手段の利用, 食事準備, 家事, 電話利用, 服薬管理
　②転倒歴
　　　在宅高齢者の場合は 1 年間に転倒する人の割合

第1章　総論編

総論

は 10～20％前後．日中，屋外での転倒が多い．歩行中が多く，"つまずく．滑る．"といった外因の関与が強い．また転倒の 10％前後に骨折を伴う．転倒関連要因として有意なものとしては低筋力，ADL 障害，転倒既往，視力障害が挙げられる．

③栄養状態

加齢と共に体重は減少傾向にあるが，悪性疾患などの器質的疾患の存在を見落とさないようにする．また体重減少がうつ病や虐待のサインであることもある．上腕三頭筋皮下脂肪厚などの身体測定やアルブミン，総コレステロールなどの検査所見を評価して，必要カロリー算出を行う．

④視力

加齢に伴う変化として白内障，緑内障，遠視（老眼）があるが，年齢的なものと対処するのではなく，こうした疾患からくる眼からの情報刺激の低下が認知障害やせん妄とも関連しうることを意識する．スクリーニング的に眼科受診を勧める．

⑤聴力

加齢に伴う変化として難聴がある．社会的孤立の原因ともなりうる．視力同様聴覚からの刺激の低下が認知障害やせん妄，うつ病とも関連しうることを考慮して，QOL 改善を目指し，積極的に補聴器の導入，調整を試みる．

⑥尿失禁

羞恥心から患者が隠していたり，年齢的なものと思い込んでいる場合がある．尿回数，1 回尿量，残尿測定などを試みて，切迫性，溢流性，腹圧性，機能性の鑑別を行う．泌尿器科への紹介も考慮する．

⑦便秘

便の性状や排便回数，腹痛の有無，薬物服用状

11

高齢者診療の心得 (2)

況（抗精神薬服用など）などを確認する．直腸指診や便潜血検査などで器質的原因による便秘のスクリーニングを行う．また糖尿病，甲状腺機能低下症や神経系疾患などの全身性疾患による二次的な症候性便秘がないか確認する．

❷認知・心理・精神面

①うつ病 ☞p. 602

65歳以上の10%がうつ病に罹患しているとの報告があり，自殺のリスクにもなるので早期発見が重要．Geriatric Depression Scale（GDS）簡易版の日本語訳で評価する（以下 Webを参照）．

※日本老年医学会：

https://www.jpn-geriat-soc.or.jp/tool/pdf/tool_11.pdf

②認知症 ☞p. 587

代表的な評価方法に改訂長谷川式簡易知能評価スケール（☞p. 589 表1），MMSE（web等を参照）がある．その他 "治療可能な認知症" を見逃さないことが重要．CTなどの画像診断や甲状腺機能，梅毒，ビタミンB_{12}，葉酸などの血液検査によりスクリーニングを行う．

③不眠 ☞p. 230

在宅高齢者の25〜40%に認められる．睡眠時無呼吸や夜間の頻尿の有無，薬剤服用状況，カフェインやアルコールなどの生活習慣に関しても調査する．うつ病の存在や睡眠薬そのものが不眠の原因になっている場合も少なくない．

❸社会・生活面その他

①社会的サポート・介護 ☞p. 85, p. 94

高齢者のニーズに合わせて地域で受けられるサービスを提供していけるように配慮する．このためにケアマネジャーとの情報の交流は極めて重要．

第1章　総論編

総論

②薬剤多剤投与

　　高齢者の多くは複数疾患を抱えている場合があり，このため複数科もしくは複数の医療機関を受診していることがある．個々の薬剤の副作用，多剤の相互作用などに注意を払う．各受診時には必ず薬手帳を持参してもらい，漫然と投与されている薬がないかなど調整，整理を行う．

③Advance Care Planning（ACP）☞p. 4

　　ACPとは，将来の変化に備え，医療・ケアについて，本人を主体に，その家族等及び医療・ケアチームが話し合いを行い，本人の意思決定を支援するプロセスのこと．延命措置の開始・差し控え・変更及び中止等は医学的な妥当性を基にしつつも，本人の意思を基本として行う．

　　（人生の最終段階における医療・ケアに関するガイドライン．日本医師会，令和2年5月）

④癌スクリーニング

　　癌スクリーニングに関しては幅が広く，また明確なエビデンスも確立していないが，男性に対する前立腺癌，女性に対する子宮癌や乳癌の検診スクリーニングは意外と抜け落ち，発見が遅くなる場合もあり，積極的に考慮し，啓蒙をすすめる．

memo

女性診療の心得

ポイント

❶「女性を見たら妊娠と思え」は鉄則である．「まさか妊娠など」と思わない．

❷産婦人科の診療が他科と異なるところは，治療の対象が生殖器であること，すべての患者が女性で，羞恥心が強いということである．診療の目的をよく説明して不安・緊張をやわらげ，また「不妊」「奇形」など不必要な表現は慎む．

❸診察にあたっては，必ず看護師が付き添い，不必要な露出は避け，室温にも注意を払う．

女性診療の実際

❶問診では月経について必ず聞く．

❷内診は行わず，原則として直腸診にとどめる．

❸必要に応じて，採尿し妊娠検査を行う．その場合は検査が自費となる可能性もあることを説明し，同意を得る．現在の妊娠検査薬は高感度（25 mIU/mL）のため，月経が規則的な場合は月経が1日遅れただけでもまず陽性となる．陰性であれば，現時点での妊娠および異所性妊娠は否定できる．また，妊娠検査陽性の場合は異所性妊娠にも注意を払う．☞ p. 717

🖊memo

妊娠中・授乳中の注意 (1)

予定日と妊娠週数の推定

❶最終月経起算

月経周期を 28 日として最終月経の第 1 日から 280 日後（妊娠 40 週 0 日）を算出．妊娠暦や計算機を利用するとよい．簡算法として最終月経 M 月 T 日のとき

予定日＝（M－3）または（M＋9）月（T＋7）日

❷基礎体温起算

基礎体温から排卵日が推定できる場合に，排卵日 14 日前を最終月経 1 日目として上記の方法で算出．

❸CRL（胎児の頭殿長）起算

超音波検査で CRL を測定．妊娠 7〜11 週までに CRL を測定することが最も予定日の信頼性が高い．

薬剤の使用

原則的には薬剤の使用は控える．使用するときは，薬剤情報に基づいて，①ヒトで安全性の確立した薬剤（ほとんどない），②有益性投薬（大半の薬剤，ヒトで安全性を確認していないが催奇形性の報告がない．多くは動物実験で催奇形性の報告がある），③禁忌薬剤（明らかに胎児に有害な薬剤）を確認する．

❶鎮痛解熱剤

①妊娠中期から分娩終了まで禁忌：いわゆる NSAIDs
例：インドメタシン（インテバン®），ジクロフェナクナトリウム（ボルタレン®），メフェナム酸（ポンタール®），エトドラク（ハイペン®），ケトプロフェン，ロキソプロフェンナトリウム（ロキソニン®），ナプロキセン（ナイキサン®），アスピリン，スルピリン，アスピリン・ダイアルミネート（バファリン®）

②妊娠初期から分娩終了まで有益性投与：アセトアミノフェン（カロナール®）

15

妊娠中・授乳中の注意 ⑵

　③授乳期：アセトアミノフェン（カロナール®），
　　NSAIDs は母乳にほとんど移行しないが，DI では
　　控えることになっている．

❷抗菌薬

　　ペニシリン系・セフェム系・マクロライド系薬剤
　は有益性投与（ニューキノロン系は禁忌）．

❸感冒薬

　　総合感冒薬，葛根湯（熱），小青竜湯（鼻汁），麦門
　冬湯（咳），リン酸コデイン（咳）は有益性投与．

❹副腎皮質ホルモン

　　母体の治療にはプレドニゾロンを使用し，新生児
　呼吸窮迫症候群（IRDS）予防にはデキサメタゾンを
　使用．授乳期はプレドニゾロン 30 mg までなら児に
　影響しない．

放射線検査

　　児に影響の出る線量は 100 mGy 以上である．注腸検
　査を長時間行った場合や骨盤 CT を繰り返し行った場
　合を除いて，通常の診断目的での X 線照射は問題とな
　らない．しかし，X 線照射は最小限にする．

ワクチン接種

　　妊娠中の各種生ワクチン接種は原則禁忌．不活化ワ
　クチンは問題ない．授乳期のワクチン接種も問題ない．

❶インフルエンザワクチン，新型コロナワクチン

　　積極的に 12 週以降の妊婦に接種を勧めている．

❷風疹ワクチン

　　妊娠初期に風疹ウイルスに感染すると先天性心疾
　患・白内障・難聴を特徴とする先天性風疹症候群を
　発症することがある．風疹 HI 抗体価が陰性または

第1章　総論編

総論

（単位：mGy＝0.1 rad）

	2〜12週	12〜24週	24〜36週	36週以降
胸部（1撮影当たり）	0.0048	0.01	0.01	0.01
腹部（1撮影当たり）	0.7	2.3	2.8	5.9
尿路造影（1撮影当たり）	7.5			
CT（1スライス当たり）	45			
上腹部消化管造影（1撮影当たり）	0.15	2.1	10	13
（1分当たり）	6.6			
注腸造影（1撮影当たり）	6.3			
（1分当たり）	195			
骨盤計測			18	18

（日本アイソトープ協会編：放射線診断における被曝の管理，第2版．日本医学放射線学会，1980）

低抗体価（HI価16以下）のときは，感染する可能性があり，非妊時に風疹ワクチン接種の対象となる．
①妊娠する前に接種を行う．予防接種は妊娠していないことを確認して行う．接種後は2カ月間避妊．
②妊婦は風疹の予防接種を避けるのが望ましく，同居家族の風疹予防接種が推奨される．
③出産後の入院中もしくは1か月健診時に予防接種を行う．

嗜好品

❶アルコール

アルコール摂取により胎児アルコール症候群（fetal alcohol syndrome：FAS）を発症する可能性がある．少量の飲酒でもFASを発症しうるので妊娠中

妊娠中・授乳中の注意 ⑶

は禁酒を勧める.

❷喫煙

妊娠における喫煙のリスクは,流産,早産,周産期死亡はそれぞれ 1.4〜1.5 倍増加.出生後の発達にも影響するという報告もあり,禁煙が望ましい.妊娠中各種禁煙補助剤は使用できない.

症状出現時の対処

❶出血,帯下の異常,外陰部搔痒,外陰部痛,性器脱出感

症状の強さや週数の如何にかかわらずすべて専門医の診察が必要.

❷腹緊感,腹部のハリ感

運動後に子宮の収縮が起こることは生理的なこと.安静にして収縮がなくなれば全く心配ない.安静にしても収縮が一向におさまらない場合は異常と考えて専門医へ紹介.

❸腰痛,恥骨痛,股関節痛

妊娠性の場合,日常生活に支障をきたすような状態になることは少ないので,痛いところに負担をかけないように,腰痛バンドなどで骨盤を安定させるなどを指導.妊娠前から症状があった場合は,何らかの器質的な疾患が隠れていることがあるので専門医へ紹介.

❹頻尿感

子宮・児頭の圧迫症状と膀胱炎との鑑別が必要.

❺便秘

2,3 日に 1 回排便があれば投薬の必要性はない.食事療法を指導.4 日を超えて排便のない場合,投薬により排便するように指導.第 1 選択は酸化マグネシウムとし,無効時に,ピコスルファートナトリウ

第1章 総論編

総論

ム（ラキソベロン®），レシカルボン坐薬などを選択．浣腸は，子宮の収縮を促すおそれがあるのでできれば避ける．

❻痔・静脈瘤

妊娠中は血行障害により痔や外陰部と下肢の静脈瘤を発症しやすい．痔で痛み，出血がない場合は経過観察でよく，多くの場合保存的に対応できる．

❼めまい

起立性低血圧や仰臥位低血圧症候群によるものが多い．耳鼻科的に問題がなければ，五苓散が効くことがある．

❽頭痛

妊娠15週前後まで頭痛を訴えるケースが増える．一般的に20〜22週ころに軽快する．自制内なら経過観察．薬を希望する場合，アセトアミノフェンを選択．頻繁に起こる激しい頭痛や嘔吐を伴う場合は脳腫瘍や眼科疾患，子癇前症などを鑑別する必要がある．

❾胃痛，右季肋部痛，圧痛

多くは内科的対応で問題ない．しかし hemolysis elevated liver emzyme low platelet（HELLP）症候群の前駆症状のことがあるので妊娠中期以降は専門医へ紹介．

❿胃部膨満感

痛みがなく膨満感のみの場合は子宮の胃圧迫による消化不良と考えてよい．特に28週以降に訴えが増える．

⓫嘔気・嘔吐

妊娠初期は妊娠悪阻．尿所見でケトン体陽性，水分摂取ができない，倦怠感が強い場合は輸液管理が必要となるので，専門医へ紹介．特にビタミン B_1 の欠乏により Wernicke 脳症を発症することがあり要注意．

妊娠中・授乳中の注意 ⑷

⓬こむら返り

　下肢の血流不全が原因．足を冷やさない，体重増加をくい止める，足を疲労させない，就寝時に足を上げることなどを勧める．芍薬甘草湯が効くことがある．

その他

❶自動車，バイク，自転車

　自分で運転するのは自動車は32週ぐらいまでよいが，2輪車は禁止．振動などの問題よりも，むしろ妊婦は運動神経が鈍っているので事故に遭遇する機会が多いことを説明する．

❷旅行

　交通機関の選択は電車，航空機，大型船舶がよい．航空機の場合，国内線は予定日の15〜40日以内は医師の診断書と誓約書が必要．14日以内は誓約書と医師の同伴搭乗が必要．国際線の場合は航空会社に問い合わせること．

❸歯科

　短期間に終了するようなら，積極的に歯科治療を促す．抗菌薬や痛み止めなどを大量に内服しなければならない場合は，週数や治療期間などを考慮して慎重に対応．

❹スイミング

　切迫流早産，腟炎などがない場合は14週〜32週まで可能である．

❺性交渉

　一般的には12週以降32週未満で妊娠経過が順調であれば問題ないとされているが，感染症から流産，早産，破水を起こすことがあり，避けるか，コンドーム使用が望ましい．

医療連携—紹介するとき・されるとき（1）

ポイント

❶ 介護老人保健施設，医師が常勤していない各種老人ホームや看護ステーションなどとも必要に応じた医療連携がある．

❷ 紹介状・返書の記入は，診療情報提供書の書式に従う．医師が常勤していない施設に対しては，患者の医療管理に関する指示（多くは看護職への指示）を行うが，既定の書式があるものは，それに記入する．

❸ 特別養護老人ホームは，医師の常勤が法的に義務づけられてはいないが，診療所を併設している場合が多い．また嘱託医が必ずいるので，診療情報提供書を書き送る．

❹ 紹介する場合は，紹介理由を依頼事項記入欄に簡潔に記述する．返書の場合も，相手機関に依頼事項があるときは簡潔に記入する．

紹介するとき

移送が必要な重症患者や急患は，あらかじめ電話で相手先が受け入れ可能かどうかを直接確認する．

紹介される側の立場に立ってわかりやすく記載する．

❶紹介相手が医療機関の場合

紹介が必要な理由，①患者の希望，②自分の所属する施設の都合．紹介する理由は，必ず記載．

紹介理由の記載は，例えばセカンドオピニオンを求める場合などは最初に依頼事項として記載する．

その他，必要事項を簡潔に記載する．定められた書式があるものはそれに従う．

①診療情報提供書に記載する．地域医師会の書式に従って依頼事項を簡潔に記載．

②患者の背景：禁忌薬（薬物アレルギー）や食物アレルギーの有無で判明しているものは必ず記載．

21

医療連携—紹介するとき・されるとき (2)

例）動脈硬化に起因する疾患で紹介する場合：既往歴には，リスクファクターを意識して喫煙歴や高血圧，糖尿病，脂質異常症，脳血管障害や冠動脈疾患の有無，期間を記載.

③家族歴

例）肝疾患（特にB型肝炎）で紹介する場合：母，同胞のHBVキャリアの有無

④紹介状本文：まず自施設での患者のありようを記載.

例）○○年○月○日，○○を主訴として，当院初診の方です，など.

⑤症例提示（現病歴）：時系列に沿って必要な理学所見，検査値，治療内容. その際，必要な陰性所見は記載するよう心がける.

例）黄疸で紹介する場合：超音波所見で肝内・肝外胆管拡張がない.

⑥仮診断名：診断を相手医療機関に求める場合でも症候名でなく，最も疑う病名を記載. 返書を先方から受け取ったとき，自分の診断プロセスが評価できる.

❷紹介先が医療機関以外のとき

①基本は医療機関の場合と変わらない. 医療文書の本質は医学的記録である.

②医用用語で略語（循環器領域でのPCIなど）は，初出時に日本語で記載する.

③訪問看護指示書やリハビリテーション指示書には既定の書式がある. メディカルスタッフ同士でも申し送りがあるはずなので，医学的側面以外はそちらに記載されるが，ⓐ療養上必要な家族背景（主たる介護者は誰か，自宅で医療管理を担当するのは誰か，背景にどのような家族内の人間関係があるか），ⓑ家屋の状態（階段に手すりがなく，バリアフ

第1章　総論編

総論

リーにするために改造を進めている)などは自ら把握して記入すべき事柄である.

紹介されるとき

紹介理由は紹介する場合と同様に, 大別して, ①患者の都合と, ②医療機関の都合である.

❶患者の都合で紹介される場合
①患者の居住地の関係

ⓐ自施設に近い居住地に転居してきた場合, ⓑ主治医の施設が患者の居住地に遠くて定期的注射や定期的管理を依頼される場合, などに分けられる.

紹介を受ければ直ちに紹介への感謝と今後の診療方針を表明する返書を送り, 患者を管理するにあたって疑問が出てきた場合は速やかにそれを尋ねる照会を電話やファックス, 書面で行う必要がある.

②患者の病状・希望による場合

ⓐ自施設が専門医療機関で, 診断・治療を委ねられてきた場合, ⓑセカンドオピニオンを依頼された場合, ⓒ在宅療養が必要であるが主治医の施設が患者の居住地から遠いか, または在宅医療を行っていない場合, ⓓ患者の転医希望, などに分けられる.

ⓐ初回は紹介への感謝と診断・治療計画を表明する返書を送る. 検査結果および治療結果がある程度出た時点で再び返書を書く.

ⓑセカンドオピニオンを求められている場合は, 主治医の施設で行った検査だけで返書を書ける場合も少なくないので, 返書には自分の意見と, 患者に行った説明を簡潔に書く.

23

医療連携──紹介するとき・されるとき（3）

　　ⓒ上記①患者の居住地の関係で紹介された場合と同様.

　　ⓓ前医での医師-患者関係にトラブルがあった可能性がある. とりあえず紹介への感謝と前施設での治療方針を引き継ぐ旨の返書を送る.

❷医療機関の都合で紹介される場合

　　患者の都合が少しでも含まれる場合は❶と同様. 他に，①紹介施設に検査機器がなく，自施設での検査を求めてきた場合，②紹介施設に専門科がなく，自施設での診療を求めてきた場合などがある.

①自施設での検査を求めてきた場合は，外来で検査を行える場合は検査が終了した後に検査結果を含めて返書を書いてもよい. 入院検査が必要な場合はとりあえず紹介への感謝と検査計画を記した返書を送る.

②自施設の専門科での診療を求めてきた場合も，数回の外来診療で結論が出る場合は結論が出てから返書を出してもよい. それ以上の診療，または入院が必要な場合はとりあえず返書を送る.

✏ memo

精神科への紹介の仕方 (1)

ポイント

❶ 精神疾患を疑い，精神科への紹介を考慮する場面には臨床医ならば必ず遭遇する．

❷ 今の時代においても，患者にとって精神科受診は抵抗が大きいことが多い．

❸ 患者のためを思う誠意が患者に伝わることが重要．患者が「厄介払い」されたと思わないようにすることが重要．

患者への説明

❶ 疾病性より事例性．病気かどうかということを問題にすれば患者は受診に抵抗が大きい．「食欲が落ちてきたから」「眠れないから」と具体的なことを伝えて受診を促すほうが抵抗は小さくなる．

❷ 説明時に「私が心配している」と私を主語にして伝えると，患者はより抵抗が小さくなることが多い．

❸ 精神科に受診をしても治療関係を続けることを保証する．患者は今まで慣れ親しんだ医師から見捨てられるのではないかとの恐怖感をもつことが多い．それが精神科受診への抵抗になる．事実，そのようにして「厄介払い」された経験をもっている患者もいる．

❹ 患者が精神科に対して幻想をもつような説明をしない．「よく話を聞いてくれるから」「よい薬を出してくれるから」などは期待はずれに終わることもある．

❺ 本人が受診しない場合には，家族だけの精神科受診も可能である．家族の対応方法や受診へのつなげ方を相談できる．後に本人が受診する場合，家族の相談を先にしておくと状況をわかってもらいやすい．

紹介の仕方

❶ どの精神科医に紹介するかも大事である．どの医療機関でも，以前に紹介して患者に喜ばれた経験のある精神科を知っている．あらかじめ，先輩医師や看

精神科への紹介の仕方 (2)

護師，ケースワーカーなどに相談するとよい．

❷精神科医や精神科スタッフは身体疾患の治療経験に乏しい．精神科医に身体問題についての治療の方向性をわかりやすく伝える．また，身体問題の悪化時には相談に乗ることも伝える．

❸紹介状は無理に精神医学用語を使用しない．具体的に困っていることを明確にしてポイントをしぼって伝える．

❹紹介状では，発症日時，主訴，当科での検査内容と結果，器質的な異常は認められないことを明記し，今後，当科での併診・フォローも継続していくことを伝える．

📝memo

メディカル・インタビュー (1)

ポイント

❶ メディカル・インタビューとは，病歴聴取を含む患者と医師のコミュニケーションであり，その役割は以下.
　①患者-医師関係（信頼関係）の構築と維持
　②情報収集
　③治療への動機づけと患者教育
❷ 正確な情報収集は，診断のために最も重要である.
❸ 良好な患者-医師関係は，治療効果を上げ，患者，医療者双方の満足度を向上させる.

実際

❶ 環境：静かで，話し声が他に漏れない環境を整える.
❷ インタビューの開始
　①入室時の観察：診察室に入ってくる患者の姿勢，顔つき，動作等にも，診察上重要な鍵が含まれている.
　②あいさつ，氏名の確認と自己紹介
　③視線の位置：相手の目線に合わせるのが基本
　④open-ended questions：「どうされましたか?」「どうですか?」などから開始.
　⑤傾聴しながら，患者の非言語的なコミュニケーション（しぐさ，態度，表情など）をよく観察.
❸ 中間（発展）期
　①open questions：症状の詳細や，「解釈モデル」「受療目的」について聞く. できるだけ患者の言葉で語ってもらう.
　②closed questions または focused questions：補足的な質問で「危険なサイン」を確認しながら鑑別診断を絞る.
　③「仕事」「同居している家族」についてさらりと聞く. また今回の症状で日常生活に「影響」が出ていないか聞く.

27

メディカル・インタビュー ⑵

❹インタビューの終わり
①情報をまとめて確認する.
②言い残したことはないかたずねる.「話し忘れたことはありませんか」
③説明（explain）：診断もしくは診断仮説について説明し，今後必要な検査や治療，日常生活上の留意事項，再診・入院・紹介などについて調整する.
④想定外のことが起こったり，状態が変化した時には速やかに再診するよう伝えておく.（できるだけ具体的に○○の時は□□して下さい. などと伝える）

良好な患者-医師関係

❶良好な患者-医師関係とは，一言でいえば「相互信頼・相互尊敬」である.
❷非言語レベルの患者サポートが温かい雰囲気づくり，安心感を与えるのに有効である.
❸言語レベルの患者サポートとしては，ユーモアと勇気づけを含む，具体的で理解可能な説明が重要である.
❹外来診療では，治療の主体者は患者なので，医師は患者の療養をサポートするという姿勢で関わる.

治療への動機づけと患者教育

❶外来，特に慢性疾患のケアにおいては，運動・食事・生活など，患者のライフスタイルの変更（行動変容）を支援することが重要である.
❷その場合も情報収集が重要である.
①生活状態を知る：1日の生活パターンを知る（朝起きてから夜寝るまでの典型的な一日）
②内服状況を知る：「薬は残っていますか？　どの薬が？」
（生活パターンからズレた薬は残りやすい. 例えば昼

第1章　総論編

総論

食をとらない人に出されている昼食後薬など)

③家族背景を知る：キーパーソンは誰か，協力者として動いてくれそうな人は誰か，抵抗しそうな人は誰かなど

④職業について知る：仕事内容や労働環境などが症状や療養に関係していることも多い.

⑤行動変容のステージの確認：「前熟考期」「熟考期」「準備期」「実行期」「維持期」「再発期」または「確立期（終了期）」. ステージによってアプローチの仕方が変わる.

受療行動・受療目的と解釈モデル

❶受療行動と受療目的：来院までに患者が自分の症状に対してとった対応や，何を求めて受診したのか.

❷解釈モデル：患者が自分の病状について，どのように理解・判断しているのか.

❸これらがわかっていると患者のニーズに合わせた診療が行いやすく，患者満足度も向上する.

患者の「病いの意味」を知る

「か・き・か・え」（英語では "FIFE"）

①解釈（Ideas）：「原因として思い当たることがありますか？」

②期待（Expectations）：「何か希望がありますか？」「検査してみましょうか？」「薬を処方しましょうか？」

③感情（Feelings）：「イライラしていますか？」「すごく不安ですか？」「気持ちが落ちこんでいますか？」

④影響（Functions）：「仕事や生活に何か影響がありますか？」

29

インフォームド・コンセント

ポイント

❶ インフォームドコンセント（IC）は患者および家族のケアの一部である．日常の外来診療でも，患者に対する医療行為は最低限口頭でのICを得なければ施行できないわけであるが，その過程で精神的ケアも行っていくという視点が重要．

❷ 可能な限り文書でのICを得ることが望ましい．

❸ ICを得るべき場面として，日本医師会生命倫理懇談会は7つに分類している（表1）．

ICの満たすべき要件

ICは，患者の自発意志に基づいて得るものである．患者の自発的同意を保障するために以下の要件が必要．

❶ 考えられる病名

❷ 自然経過をみたときに今後予想される予後（生命予後，QOL）

❸ 医療行為のICを得る場合はその医療行為（検査や処置・治療など）が必要な理由

❹ 検査や手術のICを得る場合は，その医療行為の必要性，実際（手技），成功率について説明

❺ 医療行為によって起こりうる患者の不利益（副作用，合併症など）の説明

表1　日常的にインフォームドコンセントが必要な場面

1．病状，処方薬剤および治療内容（の説明）
2．手術あるいは検査の承諾
3．新薬の臨床試験
4．社会医学的処置（予防接種や伝染病の検査，HBV，梅毒反応，HCV，HIVなど）
5．死に至る病をもつ患者への説明（癌やAIDS）
6．リビングウィル
7．エホバの証人などの特殊なケース

（日本医師会生命倫理懇談会「説明と同意」についての報告）

第1章　総論編　　　　　　　　　　　　　　総論

❻他の検査・治療手段との比較
❼同意し，署名した後でも，いつでも患者の自由意志に基づいて同意を取り消すことができること．

望ましいICを得る工夫

❶限られた時間でICを得るために，ICが必要な検査や治療は，必要な要件を満たした書式の「説明・同意書」を作成しておくとよい．
❷個々の患者の主観的なニーズに答えるために，説明の最後に「今の段階でこれだけは聞いておきたいということはないですか」という一言を付け加える．
❸患者の理解を助けるため図や絵をまじえて説明する．
❹長時間かけた説明をするよりは数回に分けて説明する．患者は次回の説明までに考える時間をもてることになる．
❺患者が理解できたか否かを評価するために，患者により身近な存在である看護師などのコメディカルスタッフに同席してもらう．理解の援助はチームアプローチで行うとよい．

memo

診療ガイドライン総論 (1)

ポイント

❶ 診療ガイドラインとは，ある疾患において可能なかぎり科学的な根拠に基づいた診断・治療方針が書かれた文書である.

❷ 我が国においては厚生労働省の支援によって作成されたものが，（財）日本医療評価機構の医療情報サービス Minds (http://minds.jcqhc.or.jp) を通じ web で公開されており，当該疾患や症候群の診療ガイドラインを利用するにあたりまずこの Minds を調べて探す.

❸ 臨床医はこのガイドライン作成に積極的に関わるべきで，Minds ガイドラインを使用して疑問を感じれば意見を Minds に送付（電子メール）することが望まれる.

クリニカルクエスチョン

❶ クリニカルクエスチョンとは，診療ガイドライン全体のスコープを決定するにあたってコアとなる臨床的疑問を並べたものである.

❷ 個々のクリニカルクエスチョンに対し，明らかになっている科学的根拠をその出典が明示されて回答されている.

システマティックレビュー

　システマティックレビューとは，文献をくまなく調査し，ランダム化比較試験（RCT）等の質の高い研究のデータを各種バイアスによるデータの偏りを除き，分析を行うことである．EBM で用いるための情報の収集と吟味の部分を担う.

✎ memo

第1章 総論編

総論

エビデンスレベル分類・推奨グレード分類

多くのガイドラインが**表1, 2**のエビデンスレベルと推奨グレード分類を採用している．ガイドラインの種類によっては異なる基準を採用して推奨グレードを決めている場合があるため，ガイドラインを参照する際は巻頭の序文に引き続くページに注意（エビデンスレベルとグレードの解説がこの付近に明記される）．

表1 エビデンスレベル分類

Level	内容
1a	ランダム化比較試験のメタアナリシス
1b	少なくとも一つのランダム化比較試験
2a	ランダム割付を伴わない同時コントロールを伴うコホート研究（前向き研究，prospective study, concurrent cohort study など）
2b	ランダム割付を伴わない過去のコントロールを伴うコホート研究（historical cohort study, retrospective cohort study など）
3	ケース・コントロール研究（後ろ向き研究）
4	処置前後の比較などの前後比較，対照群を伴わない研究
5	症例報告，ケースシリーズ
6	専門家個人の意見（専門家委員会報告を含む）

memo

診療ガイドライン総論 (2)

表 2　推奨グレード分類

「推奨の強さの分類と表示」

グレード A	行うよう強く勧められる
グレード B	行うよう勧められる
グレード C1	行うことを考慮してもよいが，十分な科学的根拠がない
グレード C2	科学的根拠がないので，勧められない
グレード D	行わないよう勧められる

「根拠の強さ」の分類と表示

グレード A	言いきれる強い根拠がある
グレード B	グレード B：言いきれる根拠がある
グレード C	グレード C：言いきれる根拠がない

注：グレーディングの根拠

グレード A	少なくとも 1 つのレベル 1（1a/1b）の研究がある
グレード B	少なくとも 1 つのレベル 2（2a/2b）の研究がある

memo

慢性疾患の管理 (1)

ポイント

❶慢性疾患の多くは,薬を飲めば完治するという性質の病気ではない.長期にわたる管理が必要になるため,中断させないことが大切である.

❷良好な患者-医師関係が予後改善につながる.

❸治療の目的は,慢性合併症を防ぐことである.何のために治療するのか,時間をかけて患者に理解してもらう.それによって,薬剤内服のアドヒアランスも向上する.

❹治療と,生活習慣や生活環境とのかかわりが大きいため,現実的で具体的,かつ実現可能な目標設定が重要となる.

患者教育の考え方

❶患者が自分の疾患をどのようにとらえ,どのように感じているか(解釈モデル)を知ることが治療への手がかりとなる.

❷患者に病名,病態,治療の目的,治療方法を理解してもらう.

❸病気による合併症や,治療に伴う危険性を理解してもらう.

❹疾患の背景にある生活習慣(仕事内容,食生活,喫煙,身体活動量,家族関係)について聞き取る.1回で聞き取ることは難しいので,受診を重ねる中で少しずつ聞いていく.

❺治療には具体的で,実現可能な目標設定が必要である(例えば,糖尿病患者に対して,まずはジュース類をやめてお茶に変えてみるなど).目標は適宜見直し,修正を加えていくのがよい.

❻病状悪化の陰には,身内の病気や死などのライフイベントがあることが多い.これを知ることは治療方針を決める上で手がかりとなる.

❼患者の,病気以外の健康的な面(地域の老人会で役員

慢性疾患の管理 ⑵

として活躍しているなど）に注目することも大切である.

❽診察室で話すこと自体に治療効果があり，患者のモチベーション維持につながる.

❾患者教育は，看護師や栄養士など，コメディカルスタッフと協力しながら行うことも有効である.

全身管理

❶患者は疾患を複数抱えていることも多いため，必要に応じて他科・他院の医師とも連携する.

❷年に1，2回全身精査を目的とした定期検診を行う. この時に，上部・下部消化管，婦人科などのがん検診も行う. 自治体や職場で行う検診を利用してもよい.

❸ハイリスク患者には，インフルエンザワクチンなどの予防接種も積極的に勧める.

❹慢性疾患は，努力しても完治しないことが多いため，患者は「燃え尽き」からうつ状態に陥ることもある. 患者の精神状態にも注意して，必要ならば専門医の協力を得て診療に当たること.

❺高齢者は認知症や体力低下などのためにしばしば要介護状態にある. 介護者も高齢である場合が多く，介護保険のサービスについて積極的に情報提供し，必要に応じて利用を勧める. また，介護者の健康状態についても気を配る.

✐memo

運動療法と運動処方指導 (1)

ポイント

❶ 高齢化に伴い，サルコペニア，フレイルが社会的な問題となっている．運動療法は糖尿病などの基礎疾患のある人のみならず，すべての人に適応がある．

❷ 身体活動は，運動（体力の維持と向上を目的に意図的に行うもの）と生活活動（運動意外に生活の中で体を動かすこと）からなる．運動習慣のない人は，生活活動を増やすこと，すなわち，安静時間をできるだけ減らすことから始めるとよい．

❸ 長続きさせられるように，患者が日常的に行いやすい方法を指導する（例：ウォーキングやラジオ体操，掃き掃除など）．

運動の種類

❶ 有酸素運動：大きな筋肉群を一定時間持続する全身運動．ウォーキング，ジョギング，サイクリング，水中ウォーキングなど．

❷ レジスタンス運動（筋力トレーニング）：筋力の向上を目的とした，負荷をかける筋力トレーニング．片足立ち，もも上げ，腹筋，腕立て伏せ，スクワットなど．

運動処方

❶ 運動処方の内容は主に以下の4つである．

①運動の種類・生活活動の種類：
　　有酸素運動とレジスタンス運動を組み合わせて行うのが効果的である．

②運動強度（どのくらいの強さで行うのか）：
　　無理なく安全に行える目安として，50代以下は脈拍120/分，60代以上は100拍/分くらいの「人とおしゃべりしながら続けられる程度の」強さが望ましい．

③継続時間と実施頻度（何分間，週何回行うか）：
　　「30分×1回」でも「10分×3回」でもほぼ同じ

37

運動療法と運動処方指導 (2)

効果が得られることがわかっている．1回10〜30分程度の有酸素運動を週3〜5日行うとよい．歩数としては1日当たり7000〜1万歩を目標とするが，今までよりも2000歩多く歩くことを目標にしてもよい．

④実施時間帯（いつ行うか）：

継続するためには，ライフスタイルに合わせ，最もやりやすい時に行うのがよいが，起き抜けや空腹時，体調の悪い時を避けるように指導する．

❷疾病により体力が低下した患者の体力改善目的で

①基本動作訓練：寝返り，座位保持，起坐の自立
②自立できなくても，できるだけ日中は座らせる（座らせっぱなしにはせずに，横になったり，座ったりを繰り返すほうが効果的）．
③歩けるようになったら徐々に歩行量を増やす．同時に，日常生活で必要とされる基本動作（階段昇降，しゃがんで立つ動作など）も症状に合わせて追加して行う．

❸介護保険サービス利用者であれば，デイケア，デイサービス，訪問リハビリテーション，訪問看護などを利用して行うのもよい．

禁煙指導・禁煙外来 (1)

ポイント

❶ 喫煙習慣はニコチン依存症が原因である.
❷ 喫煙は非喫煙者（配偶者, 胎児, 子どもなど）へ影響を与える.
❸ 禁煙補助薬だけでなく, 医師による治療面接技法（動機づけ面接, 認知行動療法など）も重要である.

定義

❶ 喫煙は肺癌などの各種癌だけでなく, 呼吸器疾患, 冠動脈疾患, 消化性潰瘍などの原因となる.
❷ 禁煙は確実にかつ短期的に多くの重篤な疾病や死亡を劇的に減らすことのできる方法である.

背景

❶ 喫煙習慣は一度禁煙できても再喫煙することが多いため, 繰り返し治療することで完治することができる.
❷ タバコの煙には 4,000 種類以上の化学物質が含まれ, 200 種類以上の有害物質がある.
❸ ニコチン, 活性酸素, 一酸化炭素, タールなどにより血行障害（動脈硬化, 血管収縮, 血液濃縮, 血栓形成など）を起こし, 遺伝子変異により癌化を引き起こす.
❹ 禁煙後 10 年で喫煙継続者に比べて肺癌のリスクが 1/3〜1/2 まで減少し, 5〜10 年で冠動脈疾患は非喫煙者のレベルにまで減少する.
❺ 本人や周囲の喫煙は出生児の体重減少, 流産率や早産率の上昇, 常位胎盤早期剥離の発生, 周産期死亡率の上昇などへの影響がある.
❻ 父母に習慣的喫煙がある場合はない場合よりも乳幼児突然症候群（SIDS）の発生率が 4.7 倍程度高い
❼ 禁煙補助薬は禁煙に必須ではないが, 禁煙成功率が上昇する（ニコチンガムで 1.4 倍, ニコチンパッチで 1.7 倍, バレニクリンで 2.3 倍高くなる）.

39

禁煙指導・禁煙外来 ②

❽禁煙治療は「禁煙治療のための標準手順書」に準ずる.

❾施設基準を満たせばニコチン依存症管理料の算定が可能で,オンライン診療の併用も可能である.

❿コロナ禍により禁煙補助薬の流通は不安定である.

非専門医レベルで行うべきチェックリスト

❶喫煙状況の問診

❷禁煙の準備性に関する問診(表1:禁煙治療前の確認事項)

❸ニコチン依存症スクリーニングテスト(表2:Tabacco Dependence Screener:TDS)の実施

❹喫煙に伴う症状や身体所見の問診および診察

❺禁煙の意思がない場合,禁煙アドバイスやセルフヘルプ教材等の資料の提供(禁煙の意思がなければ,禁煙補助薬を使用しても禁煙成功率は低いため).

❻病歴を確認し,精神科への通院歴,特に,うつ病がある場合は禁煙指導がうつ病を悪化させる可能性があるため,主治医に確認する.

禁煙治療

❶標準的禁煙治療プログラム開始のための条件
　①ただちに禁煙しようと考えていること.
　②TDS 5点以上

表 1　禁煙治療前の確認事項

・禁煙を決断した動機
・過去の禁煙失敗歴と失敗した理由
・過去の禁煙治療歴(市販薬も含む)
・喫煙によって失うもの
・禁煙によって得られるもの
・客観的な喫煙の印象
・自身が喫煙する理由
・1日の喫煙行動パターン　など

第1章　総論編

総論

表2　ニコチン依存症スクリーニングテスト（TDS）

問1 自分が吸うつもりよりも，ずっと多くタバコを吸ってしまうことがありましたか

問2 禁煙や本数を減らそうと試みて，できなかったことがありましたか

問3 禁煙したり本数を減らそうとした時に，タバコがほしくてほしくてたまらなくなることがありましたか

問4 禁煙したり本数を減らした時に，次のどれかがありましたか（イライラ，神経質，落ち着かない，集中しにくい，ゆううつ，頭痛，眠気，胃のむかつき，脈が遅い，手のふるえ，食欲または体重増加）

問5 問4で該当する症状を消すために，またタバコを吸い始めることがありましたか

問6 重い病気にかかった時に，タバコはよくないとわかっているのに吸うことがありましたか

問7 タバコのために自分に健康問題が起きていると分かっていても，吸うことがありましたか

問8 タバコのために自分に精神的問題（注）が起きていると分かっていても，吸うことがありましたか

問9 自分はタバコに依存していると感じることがありましたか

問10 タバコが吸えないような仕事やつきあいを避けることが何度かありましたか

(注) 禁煙や本数を減らした時に出現する離脱症状（いわゆる禁断症状）ではなく，喫煙することによって神経質になったり，不安や抑うつなどの症状が出現している状態.

※「はい」1点，「いいえ」0点，10点満点

③35歳以上の場合はブリンクマン指数（＝1日の喫煙本数×喫煙年数）200以上

④禁煙治療を受けることを文章により同意すること.
※加熱式タバコの場合，タバコ葉の形状に応じてブリンクマン指数の算定計算式が異なる.

禁煙指導・禁煙外来 (3)

❷呼気一酸化炭素濃度測定などでニコチン摂取量の客観的評価と喫煙状況を確認する.

❸禁煙開始日を覚えやすい日で設定する.

❹表1を参考に禁煙にあたっての問題点の把握とアドバイスを行う.

❺禁煙補助薬の選択と説明

❻禁煙治療用アプリとCOチェッカー使用の選択と説明

❼3か月の禁煙外来に集中するために,次回の受診日を決める(標準禁煙治療のスケジュールに合わせて,2回目以降の全4回の受診日を決める).

禁煙継続のためのアドバイス

❶禁煙開始当初はつらいが,1か月程たつと禁煙が習慣となるので頑張るように伝える.

❷禁煙中は一時的に体重増加することが多いが,禁煙成功するまでは無理なダイエットをしない.

❸家族を含めた周囲の人々に禁煙を宣言し,喫煙しそうになった場合に喫煙を止めるように依頼する.

❹喫煙しそうになった場合の対処法を決めておく(表3).

❺鏡の中の自分へ話しかけるなど自己暗示をかける.

❻モチベーション維持のために禁煙ノートを記録する.

❼インターネットやアプリなどで禁煙指導のツールを活用する.

禁煙補助薬

❶ニコチン製剤の一部と非ニコチン製剤(バレニクリン)が保険適用である(併用しない).

バレニクリン($\alpha_4\beta_2$ニコチン受容体部分作動薬)

チャンピックス錠 0.5 mg

1〜3日目 1日1回 1回1錠 ㊤

4〜7日目 1日2回 1回1錠 ㊤

(次頁につづく)

第1章　総論編

総論

表3　禁煙治療を成功させるための対処法

1. 行動パターンを変える
   ①朝一番の行動順序を変える（起床時の一服をやめる）
   ②コーヒーやアルコール（飲み会）を避ける
   ③喫煙している人との付き合いをやめる（減らす）
2. 環境の改善
   ①喫煙に関連するグッズを全て処分する
   ②喫煙したくなる場所（喫煙所，居酒屋，パチンコ屋など）
   　を避ける
3. 喫煙の代償となる行動をとる
   ①タバコを吸いたい→水を飲む，深呼吸する，ガムを噛
   　む，軽い運動を行うなど
   ②イライラして落ち着かない→深呼吸する，リラクゼー
   　ション法など
   ③頭痛→足を高くして仰向けに寝るなど
   ④体がだるい，眠い→睡眠を十分にとる，軽い運動を行
   　うなど

チャンピックス錠1mg
　8日目以降　1日2回　1回1錠　内
　　　※投与期間は12週間まで
経皮吸収ニコチン製剤
ニコチネルTTS30　最初の4週間，1日1枚貼付
ニコチネルTTS20　次の2週間，1日1枚貼付
ニコチネルTTS10　次の2週間，1日1回貼付
　　※10週を超えて継続投与しない

❷バレニクリンによる嘔気，便秘，頭痛などの副作用
は対症療法で対応する．
❸バレニクリンによる意識消失発作などの報告があるため，自動車運転などは禁忌
❹市販薬を含むニコチン製剤使用中の喫煙は禁忌

43

禁煙指導・禁煙外来 (4)

コンサルトのタイミング

抑うつが増悪し自殺念慮が出現した場合は速やかに中止し精神科専門医へコンサルトする．

フォローアップ外来

❶ 禁煙治療が成功しても再喫煙のリスクがあるため，定期通院患者の場合は喫煙の有無を適宜確認する．
❷ 禁煙治療中断や終了後，再喫煙した場合は1年以上経過すれば，禁煙治療の再開が可能である．
❸ 禁煙治療に踏み切れない患者にもアドバイスを続ける．

参考資料：禁煙治療のための標準手順書（第8.1版）

たばこの種類について

① ライトたばこ：
タールやニコチンが少ないと表記されている紙巻きたばこは，フィルターに穴が開いているため測定数値が低いが，深く吸えば表記された数値よりも多くタールやニコチンを吸うことになる．

② 電子たばこ：
日本ではニコチン入りの液体は販売されていないため，「たばこ」ではないとされるが，ニコチン入りの液体を個人輸入することは可能．禁煙のための方法として効果は証明されておらず，厚生労働省による「たばこ白書」では一部製品に発がん性物質が含まれ「健康被害に懸念がある」としている．

③ 加熱式たばこ：
たばこ葉を加熱してニコチンを含むエアロゾルを生成する．人体への影響については，紙巻きたばこと加熱式たばこを比較した論文はないが，ラットの研究では差がないことが証明されている．

予防接種 (1)

ポイント

❶ 定期接種（公費）と任意接種（自費）のものがあり，定期接種として公費で接種可能な対象年齢は定められている点に注意する．

❷ 予防接種の種類・スケジュールは最新情報に留意する．下記 Web ページを参照．
※日本小児科学会　https://www.jpeds.or.jp/uploads/files/20230413_vaccine_schedule.pdf

❸ ワクチンの接種間隔は，注射生ワクチンどうしは27日以上あけること以外には制限はない．同じワクチンの接種間隔はそれぞれの規定に従うこと．

接種部位・方法

❶ 一部を除いて原則皮下接種である．上腕外側または大腿前外側を選択し，同側には2.5 cm以上の間隔をあけて接種する．

❷ 筋肉内接種が必要な予防接種はヒトパピローマウイルスワクチン，髄膜炎菌ワクチン，狂犬病ワクチン，帯状疱疹ワクチン（シングリックス®）新型コロナウイルスワクチンである．部位は1歳未満は大腿前外側部，1〜2歳は大腿前外側部または三角筋中央部，3歳以上は三角筋中央部に接種する．詳しい接種部位・方法については下記 Web ページを参照．
※日本小児科学会　https://www.jpeds.or.jp/uploads/files/20220125_kinchu.pdf

主な副反応

❶ 多くは発熱と局所反応（接種部位の発赤・腫脹・硬結）であり，発熱は接種当日から翌日に発熱し1〜2日以内で下がる．

❷ 生ワクチンでは表1の副反応を認めることもある．

memo

予防接種 (2)

表 1　生ワクチンでの副反応

ワクチン	通常の反応および副反応
BCG	接種部位の丘疹，小水疱，痂皮形成，腋窩リンパ節腫脹などで，自然治癒するが数か月かかることもある．コッホ現象*
麻疹ワクチン	接種後7日前後に10〜15％に発熱を認め，発疹を伴うことがあるが，1〜3日で消退する．熱性痙攣．
風疹ワクチン	小児ではほとんどない．成人では接種後1〜3週に発熱，発疹，リンパ節腫脹，関節痛を認めることがあるが，数日〜1週間で消退する
麻疹風疹ワクチン	単独の麻疹ワクチン，風疹ワクチン（上記）での反応が起きる可能性はあるが，2種類のワクチンを混合しているからといって熱などの副反応が強いことはない．
ムンプスワクチン	接種後2〜3週に一過性の耳下腺腫脹や疼痛，発熱．まれに無菌性髄膜炎
水痘ワクチン	ほとんどないが，まれに接種後2〜3週に発熱，水痘様発疹
ロタワクチン	上気道症状，下痢，腸重積，易刺激性の報告がある

* コッホ現象とは，BCG接種後数日で接種部位が赤く腫れ，膿も伴う強い反応を示す状態であり，児が結核に感染している可能性もあるため，接種した病院へ連絡，受診が必要である．

第1章　総論編

総論

新型コロナウイルスワクチン

2023年12月時点での情報を記載するが，必ず最新情報を確認すること．

❶2023年秋開始接種が2023/9/20より開始している．基本的にはオミクロン対応株1価ワクチンを使用．対象は以下をすべて満たす人で1人1回限り可能．
・生後6か月以上
・日本国内で初回接種が完了している
・前回接種から一定期間が経過している
※初回接種のワクチンの種類によって期間が異なるため注意．

❷生後6か月から11歳までの初回/追加接種については年齢，初回接種の有無等により回数・間隔が異なるため下記Webページで詳細を参照のこと．12歳以上で初回接種が未完了の場合についても同ページを参照．

❸インフルエンザワクチンは同時接種または短い間隔での接種が可能である．その他のワクチンは，原則として新型コロナワクチンとは前後13日以上をあけて接種する．

参考Webページ
※厚生労働省　https://www.mhlw.go.jp/stf/seisakunitsuite/bunya/vaccine_00184.html

ヒトパピローマウイルス（HPV）ワクチン

2013年6月から積極的な勧奨が差し控えられていたが，専門家の評価により2022年4月から他の定期接種と同様に個別の勧奨が行われている．なお，キャッチアップ接種世代の公費負担は2025年3月まで．

47

クリニカル・オンコロジー (1)
clinical oncology

がんの確立された治療は手術療法,放射線療法,化学療法,免疫療法(免疫チェックポイント阻害薬:ICI)である.

他科でがん治療中に種々の愁訴で外来受診するケースは多々あり,本項ではその中でも外来医が直面する可能性の高い①細胞傷害性抗癌薬の有害事象,②がん救急(oncologic emergency),及び,③ICI に特有の有害事象につき概説する.

細胞傷害性抗癌薬の有害事象 (図1)

❶悪心・嘔吐

化学療法による嘔吐は,①急性(24時間以内),②遅延性(24時間以降),③予期性の悪心・嘔吐に分類される.急性は投与数時間で認められ,セロトニン(5-HT$_3$)濃度上昇が関与する.遅延性はニューロキニン-1(NK-1)が関与し,投与後24〜72時間で認められる.予期性は精神的要因の強い嘔吐として,抗がん剤投与の約24時間前から認められる.

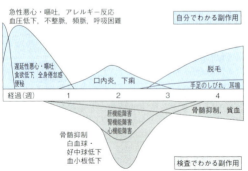

図1 細胞傷害性抗がん薬の副作用と発現時期
(国立がん研究センターがん対策情報センター HP)

第1章　総論編

総論

　急性は5-HT$_3$拮抗薬とステロイドを併用し，遅延性はNK-1受容体拮抗薬が有用である．予期性は抗不安薬で対処する．食思不振などが持続する場合は，適宜，補液，制吐薬の投与を行う．また，味覚障害が主体となる場合は，必要に応じて亜鉛を補充する．

ソルデム3A　500 mL＋プリンペラン1A　㊂
予期性（以下のいずれか）
ソラナックス錠(0.4 mg)　1回1錠　1日2～3回　㊉
ワイパックス錠(0.5 mg)　1回1錠　1日2～3回　㊉
　味覚障害の場合は
プロマックD錠(75 mg)　1回1錠　1日2回　㊉
　　　　　　　　　　　　　　　　朝食後・就寝前

❷下痢

　薬剤による腸管粘膜の障害によるもの，コリン作動性によるもの，好中球減少時の腸管感染によるものがある．基本は対症療法であるが，イリノテカンによる下痢は重篤化する事があり，重症化した場合（24時間以上持続）は大量ロペラミド療法とニューキノロン薬の投与を行い，更に24時間以上改善がない場合は入院の上でオクトレオチド投与も考慮する．

❸便秘

　ビンカアルカロイド（ビノレルビン，ビンクリスチンなど）によるものは，末梢神経障害により麻痺性イレウスを生じうるので注意を要する．

❹脱毛

　アンスラサイクリン系，タキサン系で特に高率に認めるため，ウィッグを予め用意する．成長期脱毛のため可逆的で数か月～1年間かけて再び生えてくる．

❺口腔乾燥・口腔粘膜炎（口内炎）

　好中球減少時に感染源となり得るので注意を要し，メソトレキセートや5-FU系薬剤で頻度が高い．

49

クリニカル・オンコロジー ⑵
clinical oncology

口腔粘膜炎は，予防が重要であり，齲歯の除去，義歯による圧迫の解除などの口腔ケアが中心となるため，化学療法前の歯科受診が望ましい．出来た場合も，紅斑など早期の介入が重要で，びらん形成，潰瘍形成に至ると難治性となる．口腔内の保湿剤（オーラルバランス®）とキシロカイン含有嗽などで対処する．

> デキサメタゾン口腔用軟膏 0.1%／アフタッチ口腔用貼付剤 25 μg　　1回適量，1日3〜5回
> 重度の場合は
> キシロカインゼリー 2%（30 mL）＋アズノール軟膏（150 g）
> 上記を混ぜ，20 g ずつに分注して保存，口腔・頬粘膜に綿棒で塗布

❻血液毒性

①白血球減少は投与後7〜10日で nadir を迎えるが，化学療法を繰り返している場合や腫瘍の骨髄浸潤（播種性骨髄癌腫症）などがある場合は重篤かつ遷延するので注意．CTCAE ver. 4 の Grade 4（好中球数 500/μL 以下），及び Grade 3（好中球数 1,000/μL 以下）で発熱を伴う場合には G-CSF の使用適応．

②血小板数 25,000〜20,000/μL 以下で出血傾向を認める場合に輸血を考慮する．

③赤血球減少（貧血）は，緩やかに進行するが自然に改善する場合が多く，Hb 7〜8 g/dL 以下で輸血を考慮する．

❼末梢神経障害

ビンカアルカロイドでは膀胱直腸障害，麻痺性イレウスを来たす．タキサン系のパクリタキセルでは高頻度に末梢神経障害を引き起こし急激な脱力による転倒等に注意を要する．シスプラチン，オキサリ

第1章　総論編

総論

プラチンなどのプラチナ製剤は総投与量に依存した感覚障害優位の末梢神経障害を生じる．治療抵抗性であり種々の薬剤を併用して治療に当たる．下記を適宜併用する．

メチコバール錠($500\,\mu g$)	1回1錠　1日3回	内
牛車腎気丸	1回1包　1日3回	内
リリカ OD 錠($75\,mg$)	1回1〜2錠　1日2回	内 (漸増する)
オキシコンチン TR 錠($5\,mg$)	1回1錠　1日2回	内 (12時間毎)

❽過敏性反応

　特にタキサン系及びプラチナ製剤（特にオキサリプラチン）にアナフィラキシーが報告されており，予めステロイド剤を併用すると共に投与中の血圧，SpO_2等のモニタリングが重要である．治療の第一選択はエピネフリンである．

❾肺毒性（薬剤性肺障害）

　ほぼ全ての薬剤は薬剤性肺障害を引き起こし，投与終了後の発生もあるため，注意深い経過観察が必要である．肺毒性には間質性肺炎，肺水腫，アレルギー性胞隔炎の形態がある．近年の分子標的薬では細胞傷害性抗癌薬に比して頻度がより高くなる傾向がある（**表1**）．定期的な胸部 Xp，CT 撮影，KL-6，LDH などのモニタリングを行う．

❿心毒性

　投与後数時間〜数日で発症し，一過性で投与量とは関係しない急性心毒性と，総投与量に比例して発症する心筋症としての慢性心毒性に分類される．心毒性の高リスク群として，70歳以上の高齢者，縦隔照射の既往（放射線心筋障害），虚血性心疾患，サイクロフォスファマイドとの併用などが挙げられる．心不全は最終投与から2ヶ月以内に進行することが多く，心不全を呈すると40％以上の致死率とされる．

クリニカル・オンコロジー ⑶
clinical oncology

表 1　各薬剤の間質性肺炎の発生頻度

薬　剤	間質性肺炎の発症頻度（％）
Irinotecan（カンプト®）	0.9%
Gemcitabine（ジェムザール®）	1.0%
Amrubicin（カルセド®）	0.1〜5%未満
Paclitaxel（タキソール®）	0.5%
Docetaxel（タキソテール®）	0.6%
S-1（エスワン®）	0.3%
Pemetrexed（アリムタ®）	3.6%
Vinorelbine（ナベルビン®）	1.4%
Everolimus（アフィニトール®）	11.7%
Bleomycin（ブレオ®）	10%
Gefitinib（イレッサ®）	5.8%
Erlotinib（タルセバ®）	4.5%
Cisplatin（ランダ®）	0.1%未満
Carboplatin（パラプラチン®）	0.1%
Etoposide（ラステット®）	0.1%未満
Imatinib（グリベック®）	5.0%未満

⓫血管外漏出

　　血管外漏出による皮膚障害は，発赤から壊死まで種々の程度をとり，非炎症性抗がん剤（non-irritant drug），炎症性抗がん剤（irritant drug），壊死性抗がん剤（vesicant drug）に分類される．壊死性抗がん剤の場合はステロイド局注（リンデロン 4〜8 mg と 1%キシロカイン 10 mL を混合して）を併用する．

がん救急（Oncologic Emergency）

　Oncologic emergency とは発症後多くは数日以内，場合により数時間以内に非可逆的な機能障害を招来し，performance status の低下や致死的状況をもたらす病態．

第1章　総論編

総論

❶発熱性好中球減少症（febrile neutropenia：FN）

治療関連死の多くは感染症併発であり，FN は迅速な対応を要する．発熱の定義は口腔温で 38.3℃ 以上，若しくは 1 時間以上持続する 38.0℃ 以上で（腋窩温は 0.5℃ 低い），好中球数 500/μL 未満の状態，もしくはそれが予測される際の白血球数 1,000/μL 未満の状態でおこった場合，FN と診断する．頻度が高い原因微生物は，緑膿菌を含むグラム陰性桿菌と黄色ブドウ球菌，腸球菌などのグラム陽性球菌である．感染巣の検索が重要で，肺炎，尿路感染，胆道感染，カテーテル感染，歯周炎，肛門周囲膿瘍などを念頭に置く．身体診察における注意点を**表2**に示す．

明らかな感染巣が認められない場合は，MASCC Risk Index Score（**表3**）に従い，低リスク群の場合は外来での診療が可能である（**図2**）．下記を併用．

> クラビット錠（500 mg）　1回1錠　1日1回　㋤
> ＋
> オーグメンチン配合錠250RS　1回2錠　1日3回
> 　　　　　　　　　　　　　　　　　　　　　㋤

高リスク群の場合は血液培養 2 セット施行し，入院のうえで CFPM，PIPC/TAZ，MEPM の点滴静注（高用量）を，またカテーテル感染や血液培養でグラム陽性菌が検出された場合は VCM を追加する．改善しない場合は β-D-グルカンを参考にし，抗真菌薬を追加する．

> MEPM　1 g　㋫　8 時間ごと

❷脊髄圧迫症候群

全がん患者の 5〜10% を占め，椎体の病的骨折による脊髄損傷の頻度が高い．肺癌，乳癌，前立腺癌，造血器腫瘍が主である．脊髄圧迫は胸髄が 60% を占め，腰仙髄が 30%，頸髄が 10% で，背部痛，後頸部

53

クリニカル・オンコロジー ⑷
clinical oncology

表2　身体診察で注意する点

- 口腔内：歯肉炎，扁桃周囲膿瘍など
- カテーテル（中心静脈カテーテル，尿道バルーン）挿入部：発赤，圧痛，膿瘍など
- 胸部聴診：湿性ラ音，胸膜摩擦音，呼吸音減弱，新規の心雑音出現など
- 腹部：腸蠕動音の変化，圧痛，筋性防御など
- 肛門周囲：肛門周囲膿瘍など
- 皮膚：薬疹，単純ヘルペス・水痘帯状疱疹ウイルス再活性化，グラム陰性菌による壊死性病変など

表3　MASCC Risk Index スコア

項目	スコア
・臨床症状により以下のうち一つを選択	
症状がないか軽度	5
中等度の症状がある	3
重い症状がある	0
・低血圧がない（収縮期圧 90 mmHg 以下）	5
・慢性閉塞性肺疾患がない	4
・真菌感染の既往のない固形腫瘍あるいは造血器腫瘍	4
・補液が必要な脱水がない	3
・外来患者	3
・年齢が 60 歳未満	2

MASCC スコアが 21 未満を高リスク，21 以上を低リスク
（Klastersky J, et al.：*J Clin Oncol* **18**：3038-3051, 2000）

痛といった軽微な症状が，結果として対麻痺，四肢麻痺を生じうるため，発症前の診断・予防が肝要である．

第1章 総論編

総論

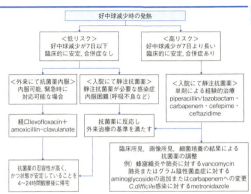

図2 発熱性好中球減少症に対する初期治療

発症した際は,完全麻痺後48時間以内の整形外科手術もしくは放射線療法が推奨される.

❸頭蓋内圧亢進

主にがんの脳転移によるが,がん性髄膜炎,軟膜腫瘍なども原因となる.症状は,頭痛(特に早朝),悪心・嘔吐,痙攣発作,転移巣に一致した巣症状,精神異常などで,肺癌,乳癌,悪性黒色腫などの頻度が高い.眼底検査,頭部造影MRI(・CT)が必須である.

高浸透圧利尿薬(マンニトール,グリセオール),ステロイドの静脈内投与を検討する.

20%マンニットール(300 mL) 1日1~2回 点
1時間で

デカドロン注(8 mg)+生理食塩水100 mL
1日1~2回 点 1時間で

クリニカル・オンコロジー (5)
clinical oncology

❹上大静脈症候群

腫瘍や縦隔リンパ節の腫大，浸潤により上大静脈が狭窄，閉塞することで生じる．症状は，顔面，頸部，上肢の浮腫，胸壁皮下静脈の怒張，呼吸困難，頭痛などである．原因の80％が肺癌である．胸部造影CTで診断し，化学療法及び放射線療法を行うが，難治例ではステント挿入も考慮する．初療としてはステロイドによる対症療法を検討する．

デカドロン注（10 mg）＋生理食塩水100 mL　㊥

❺心タンポナーデ

血液腫瘍，肺癌，乳癌，悪性黒色腫，甲状腺癌などで多く，心囊水による右心系の拡張不全が本態である．心囊ドレナージが第一選択である．

❻癌性胸膜炎

一般に緩徐進行性で，片側胸痛や呼吸困難で発見されることが多い．治療は胸腔ドレナージで，再膨張性肺水腫に留意して行い，引き続いて抗癌剤（ピシバニール）や抗菌薬（ミノサイクリン），タルク等による胸膜癒着術を施行する．

❼気道狭窄・閉塞

中枢気道（気管，左右主気管支）周囲の腫瘍増生による気道の圧排，狭窄による急性の呼吸困難として発症し，緊急な処置を要する．胸部Xp，頸胸部CT，気管支鏡などで狭窄部位を確認する．内因性狭窄は原発性肺腫瘍（肺癌，カルチノイド，腺様嚢腫，粘表皮様癌など），喉頭癌などにより，外因性狭窄は食道癌，縦隔腫瘍（悪性リンパ腫，胸腺癌，胚細胞腫瘍など），甲状腺癌などが挙げられる．喉頭より上位での狭窄では気管切開を施行し，喉頭以下，気管・主気管支レベルでの狭窄に対しては硬性気管支鏡下シリコンステント留置術やレーザー治療，軟性気管支鏡下金属ステント留置術，放射線療法などがある．

第1章　総論編

総論

❽喀血

悪性腫瘍によるものとしては肺癌が多い．CTに加え，気管支鏡は喀血の原因と出血部位の同定に必要であり，止血剤散布を行う．場合によっては気管支動脈塞栓術，レーザー焼灼（アルゴンプラズマ凝固：APC），まれに外科的切除も検討する．

❾癌性リンパ管症

すでに既存の癌が確定している場合が多く，診断はCT画像のみで可能である．CT画像所見としては，非区域性のすりガラス様濃度上昇，小葉中心性粒状影，小葉間隔壁の肥厚，気管支血管周囲束の肥厚といった広義間質への腫瘍浸潤を反映した像が特徴である．治療は有効な化学療法および，ステロイド投与による広義間質の浮腫の軽減などがある．

リンデロン錠（0.5 mg）　1回4錠　1日2回　内
朝昼食後

❿間質性肺炎

薬剤性肺障害は1～6％の頻度で認められ，CT画像上は種々の間質性肺炎像（NSIP, UIP, COP, CEPパターンなど）を呈する．一方，放射線肺炎は一般に放射線治療終了後2～3カ月の後に，CTで放射線照射野に一致したすりガラス様濃度上昇，浸潤影，牽引性気管支拡張像を認めるが，まれに対側肺に認めることがある．いずれも発熱，乾性咳嗽，呼吸困難などが主訴である．プレドニゾロンを1 mg/kgから開始し，重症例ではステロイドパルスを併用する．

プレドニン錠（5 mg）　朝6錠，昼4錠　1日2回　内
1週間で効果判定，以後適宜漸減
パリエット錠（10 mg）　1回1錠　1日1回朝　内
（消化性潰瘍の予防）
バクトラミン配合錠　1回1錠　1日1回朝　内
（ニューモシスチス肺炎の予防）

57

クリニカル・オンコロジー ⑥

clinical oncology

⓫高カルシウム血症

腫瘍随伴症候群として最も高い電解質・代謝異常で，約10％の担癌患者で認められる．扁平上皮癌（肺癌，食道癌，頭頸部癌など），乳癌で40〜60％と高頻度でみられる．骨転移巣によるLOH（local osteolytic hypercalcemia）とPTHrP（parathyroid hormone related protein）によるHHM（humoral hypercalcemia of malignancy）の2経路があり後者が高頻度である．血清カルシウム濃度（アルブミン補正値）が12 mg/dLを超えると意識障害が出現し，多尿，多飲，食思不振，便秘，意識障害，心電図でのQT間隔の短縮が特徴である．

本態は脱水で，脱水補正の為の大量補液（200〜300 mL/hr）と利尿剤によるカルシウム排泄促進に加えて，骨吸収をゾレドロン酸点滴及びその効果発現までの間のエルシトニン筋注で補う．

生理食塩水　200〜300 mL/hr

ラシックス注（20 mg）　1A　1日1〜2回
　　　　　　　　　尿量により増減　㊠（側管から）

ゾメタ点滴静注（4 mg）＋生食100 mL　㊐
　　　　　　　　　30分かけて（3〜4週間 ごとに）

エルシトニン注40単位　1回1A　1日2回
　　　　　　　　　　　　　　㊢（1週間）

⓬低ナトリウム血症

甲状腺機能低下症や糖尿病などによる塩分喪失や塩分の摂取不足が原因の3分の2を占め，残りを抗利尿ホルモン分泌異常症候群（SIADH）が占める．

⓭腫瘍崩壊症候群

小細胞肺癌，悪性リンパ腫，急性白血病など急速増大傾向を示す腫瘍への化学療法が奏効した際に，腫瘍崩壊と共に高カリウム血症，高尿酸血症，高リン酸血症，低カルシウム血症などをきたし，急性腎

第1章　総論編

総論

不全，テタニー，重篤な不整脈などを招来する．高リスク患者を同定し，適切な補液，炭酸水素ナトリウムによる尿のアルカリ化，アロプリノール投与による尿酸産生の抑制により予防することが重要．

⑭播種性血管内凝固症候群（DIC）

悪性リンパ腫，急性白血病（特にM3）が多く，固形癌でも時に見られる．治療は基礎疾患の治療が第一で，抗凝固療法を併用するが，すでに全身状態が悪いことが多く，化学療法を行うかは議論が分かれる．

⑮尿路閉塞

進行悪性腫瘍患者の5％で認められ，閉塞部位により，腎臓から尿管までの上路と，膀胱から尿道の下路に分類され，上路は転移性腫瘍，下路は前立腺癌，膀胱癌が高頻度である．腎後性腎不全では経皮的腎瘻形成術，尿管ステントで対処する．

免疫チェックポイント阻害薬（ICI）

腫瘍免疫で重要なCD8陽性T細胞（細胞傷害性T細胞）に対する抑制性共シグナル因子であるPD-1/PD-L1経路（nivolumab, pembrolizumab）やCTLA-4/CD80（/CD86）経路（ipilimumab）を制御することで，抗腫瘍効果をもたらす．がん抗原（neoantigen）に対する作用増強が主体であるが，種々の割合で自己抗原をもつ場合には自己免疫疾患を誘発し，免疫関連有害事象（immune-related adverse events：irAEs）を引き起こすため注意が必要である．

ICI（immune checkpoint inhibitor）の適応が悪性黒色腫から非小細胞肺癌，腎細胞癌，頭頸部癌，ホジキンリンパ腫などへ拡大し，治療を受ける患者数が増加しており，irAEsの理解は重要である．

種々のirAEsが起こり得るが，irAEsのリスク因子や発現時期などは解明されておらず，ICIを投与中ま

クリニカル・オンコロジー (7)
clinical oncology

たは投与終了後に異常が生じた際は常に irAEs を念頭におく必要がある.

頻度は甲状腺機能異常が多いが, 致命的な irAEs もあり, 主要な irAEs を列記する.

❶内分泌系

①甲状腺機能障害（甲状腺機能低下症/甲状腺中毒症）

倦怠感, 浮腫, 便秘などは甲状腺機能低下症を, 動悸, 発汗, 手指振戦, 体重減少, 下痢などは甲状腺中毒症を示唆するため, TSH, free T3, free T4 をベースラインと比較する.

甲状腺機能低下症：副腎機能低下症を合併していると, ホルモン補充療法により副腎クリーゼを誘発するリスクがあり, 副腎皮質機能の検索（ACTH, コルチゾール）を行い, 副腎機能低下症がある場合にはステロイド補充を併用する. TSH が 10 μU/mL 以上でレボチロキシンの補充療法を行う.

チラーヂンＳ錠（25 μg） 1回1錠 1日1回（TSH を指標に増減） 内

コートリル錠（10 mg） 朝 1.5 錠, 夕 0.5 錠
1日2回 内（副腎機能低下症合併時）

甲状腺中毒症：破壊性甲状腺炎により一過性に甲状腺ホルモン値が上昇するが, 多くの症例では長期経過で甲状腺機能低下症に移行することがあり, 抗甲状腺薬は投与せずに対症療法で経過観察を行う. 持続する場合は専門医にコンサルトする.

インデラル錠（10 mg） 1回1錠 1日2～3回
内（頻脈時）

②1型糖尿病

口渇, 多飲, 多尿, 体重減少などに加えて, 腹痛, 全身倦怠感, 意識障害などが加わった場合には糖尿病性ケトアシドーシス, 劇症1型糖尿病,

第1章　総論編

総論

急性発症1型糖尿病も念頭におく必要があるため，脱水の補正を行いながら専門医へ紹介する．

③副腎機能不全

倦怠感，食思不振，嘔気・嘔吐，血圧低下などを認める．低Na血症（135 mEq/L以下），高K血症，低血糖（70 mg/dL以下）などを認める前に好酸球増多（8%以上）を伴うことが多いため注意する．コルチゾール（4 μg/dL未満で可能性が高く，18 μg/dL以上では副腎機能正常），早朝ACTH（正常～高値：原発性，低値～正常：続発性）を測定する．

コートリル錠（10 mg）
朝0.75～1.5錠，夕0.25～0.5錠　1日2回　内

④副腎クリーゼ：重度の脱水，血圧低下，ショックなどを呈する．

❷間質性肺疾患（薬剤性肺障害）

ICI投与前にベースラインのKL-6を測定し，画像と共に定期的にモニタリングする．（労作時）呼吸困難，咳嗽，発熱などが出現し，fine cracklesの聴取，SpO_2低下，WBC・LDH・CRP・KL-6（/SP-D）の上昇，胸部Xp・CTですりガラス陰影，consolidationなどを認める．

❸下痢・大腸炎

排便回数がベースラインと比較して4～6回/日以上増加し，腹痛，血便を伴う場合は腹部CTで大腸壁肥厚，腸液貯留の検索を行い，採血，便培養，CDトキシン，サイトメガロウイルス抗原（C7-HRP）などで精査し，抗菌薬，ステロイドを適宜，用いる．さらに重症例ではクローン病に準じた治療を検討．

❹神経障害・重症筋無力症

運動麻痺，感覚麻痺，四肢のしびれ感，眼瞼下垂，複視などが生じ日常生活動作に影響があれば，各種抗体検査，髄液検査，末梢神経伝導速度検査を検討．

クリニカル・オンコロジー (8)
clinical oncology

表 4　肝機能障害・肝炎への対処（Grade 別）

Grade 1：（AST［U/L］：男性 43〜126, 女性 24〜69）
● ICI を継続しながらモニタリングを行う.
Grade 2：（AST［U/L］：男性 127〜210, 女性 70〜115）
Grade 3：（AST［U/L］：男性 ＞210, 女性 ＞115）
● ICI の投与を中止して, Grade 2 では上昇が 5〜7 日, Grade 3
では上昇が 3〜5 日を超えて持続の場合は PSL 0.8 mg/kg の投
与を行う.
5 日毎に 10 mg ずつ漸減, 20 mg/日以降は 5 日毎に 5 mg ずつ
漸減する.
なお, 総ビリルビンが 3 mg/dL 以上または PT が 60％以下の
場合はステロイドパルス療法を行い, PSL 0.8 mg/kg で後療
法とする.

❺肝機能障害・肝炎
　　食思不振, 嘔気・嘔吐, 黄疸, 発熱が生じ, 総ビ
リルビン, LDH, ALP, γ-GTP, CRP の上昇, PT
の低下を呈する. ウイルス性肝炎を除外して, 重症
度分類に従い対処する（**表 4**）.

> **✎ memo**

緩和ケア (1)

ポイント

1. 末期がん患者の約60～90%が疼痛を経験するががん性疼痛の治療における原則に従って行えば，ほとんどの痛みが緩和できると考えられている．
2. がん患者の苦痛は全人的に捉えることが重要(**図1**)．
3. 緩和ケアは治療終了からでなく癌の治療に伴う苦痛や精神的苦痛なども支えていくことも含まれる．治療継続が困難となっても心のケア，家族も含めてケアを行うことが重要．
4. 予後予測はケアを行っていくうえで本人や家族に今後の変化を伝えるにあたり重要となる．次に示すような，PPS (**表1**：中期的な月単位予後)，PPI (**表2**：短期的な終末期がん患者予測) などの予後予測ツールを使用する．
5. 介護保険制度を利用し，自宅療養を支えることも可能である．しかし，介護的な問題や看取りが自宅で困難な場合緩和ケア病棟の入院も選択できることも考慮する．

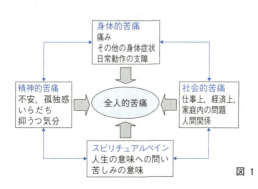

図 1

緩和ケア ②

予後予測の指標

表 1　Palliative Prognostic Score

臨床的な予後の予測	1〜2 週	8.5
	3〜4 週	6.0
	5〜6 週	4.5
	7〜10 週	2.5
	11〜12 週	2.0
	>12 週	0
Karnofsky Performance Scale*	10〜20	2.5
	≧30	0
食思不振	あり	1.5
	なし	0
呼吸困難	あり	1.0
	なし	0
白血球数（/mm³）	>11000	1.5
	8501〜11000	0.5
	≦8500	0
リンパ球%	0〜11.9%	2.5
	12〜19.9%	1.0
	≧20%	0

＊：Karnofsky Performance Scale（該当部分の抜粋）

普通の生活・労働が可能. 特に看護する必要はない		100
		90
		80
労働はできないが，家庭での療養が可能. 日常生活の大部分で床上に応じて介助が必要		70
		60
		50
自分自身の世話 ができず，入院 治療が必要. 疾 患がすみやかに 進行している	動けず，適切な医療・介護が必要	40
	全く動けず，入院が必要	30
	入院が必要. 重症，精力的な治療が必要	20
	危篤状態	10

【使用方法】
　臨床的な予後予測，Karnofsky Performance Scale，食思不振，呼吸困難，白血球数，リンパ球%の該当得点を合計する．合計得点が0〜5.5，5.6〜11，11.1〜17.5の場合，30日生存確率（生存期間の95%信頼区間）が，それぞれ，>70%（67〜87 日），30〜70%（28〜39 日），<30%（11〜18 日）である．
　（Maltoni M, et al. J Pain Symptom Mnage 1999 より）

第 1 章　総論編

総論

表 2　Palliative Prognostic Index

Palliative Performance Scale*	10〜20	4.0
	30〜50	2.5
	≧60	0
経口摂取		
消化管閉塞のために高カロリー輸液を受けている場合は「正常」とする	著明に減少（数口以下）	2.5
	中程度減少（減少しているが数口よりは多い）	1.0
	正常	0
浮腫	あり	1.0
	なし	0
安静時の呼吸困難	あり	3.5
	なし	0
せん妄 原因が薬物単独によるものは含まない	あり	4.0
	なし	0

* Palliative Performance Scale

	起　居	活動と症状	ADL	経口摂取	意識レベル
100	100％起居している	正常の活動が可能 症状なし	自立	正常	清明
90		正常の活動が可能 いくらかの症状がある			
80		いくらかの症状はあるが努力すれば正常の活動が可能		正常または減少	
70	ほとんど起居している	何らかの症状があり通常の仕事や業務が困難			
60		明らかな症状があり趣味や家事を行うことが困難	ときに介助		清明または混乱
50	ほとんど座位か横たわっている		しばしば介助		
40	ほとんど臥床		ほとんど介助		清明または混乱
30	常に臥床	著明な症状がありどんな仕事もすることが困難	全介助	減少	混乱または傾眠
20				数口以下	傾眠
10				マウスケアのみ	傾眠または昏睡

【使用方法】
　Palliative Performance Scale, 経口摂取量, 浮腫, 安静時呼吸困難, せん妄の該当得点を合計する．合計得点が 6 より大きい場合，患者が 3 週間以内に死亡する確率は感度 80％，特異度 85％，陽性反応適中度 71％，陰性反応適中度 90％である．（Morita T, et al. Support Care Cancer 1999 より）

緩和ケア (3)

告知とコミュニケーション

告知後の患者の心の変化：

第一段階：衝撃段階（2〜3日）

まさか，やっぱり，ショック，頭の中が真っ白

第二段階：不安定段階（1〜2週間）

心の動揺，楽観的になったり悲観的になったり

第三段階：適応段階（2週間以降）

がんに対して正面から取り組むようになる.

その時期を過ぎても不安定な状況の場合，適応障害と
考えられ精神科の対応も考慮.

各ターミナル期の特徴

表3 各ターミナル期の特徴

	生命予後	患者に対するケア	家族に対するケア
ターミナル前期	数か月	疼痛マネジメント その他の症状（倦怠感・食欲不振など）のマネジメント 身辺整理への配慮	死の受容への準備（辛いことだが残された時間が多くないことを家族に伝える）
ターミナル中期	数週間	ステロイドの使用 高カロリー輸液の中止（代謝が低下しており，カロリー・水分は負担になるだけ） スピリチュアルケア（自分でも残された時間が少ないことに気付く）	予期悲嘆への配慮（十分に悲しみを表現できるようにする）
ターミナル後期	数日	安楽ポジションの工夫 セデーションの考慮	看病疲れへの配慮
死亡直前期	数時間	非言語的コミュニケーション（手を握る・傍にいる）	聴覚は残ることを伝える

✎ memo

第1章　総論編

総論

がん患者の疼痛評価のポイント

❶まずは患者の疼痛に関する訴えを信じる.
疼痛を訴えなくても抑うつな表情を呈することがあるので注意深く観察する.
❷医療面接と身体診察を十分に行う.
疼痛部位の程度，性質，変化，前治療の効果の評価
❸疼痛の強さの評価（VAS，NRS など）.
❹患者ごとに適切な鎮痛治療を行う.
疼痛の強さや治療による効果，副作用の有無を繰り返し評価することが重要.

がん性疼痛に対する治療の基本原則

❶疼痛の評価を十分に行い，可能であれば疼痛の原因を治療.可能な限り癌自体に対する治療を患者と共に検討し実行することが必要.
❷疼痛段階に合わせた鎮痛療法
WHO 3 段階除痛ラダーを参考に（図2）.
❸患者の反応をみながら鎮痛剤を調整
❹定時投与
❺可能な限り経口投与が原則
❻副作用予防の徹底
❼最大限の効果を得るために鎮痛補助剤を併用

治　療

❶非オピオイド鎮痛剤（NSAIDs，アセトアミノフェン）
①癌の軟部組織・筋組織への浸潤や骨転移の痛みに有効.
②胃腸障害，腎障害，肝障害などに注意（必ず PPI または H_2 受容体拮抗薬を併用する）.COX-2 選択性のものは胃腸障害・腎障害が起こりにくい.
③NSAIDs の注射剤（ロピオン）が有効な場合がある.

67

緩和ケア ⑷

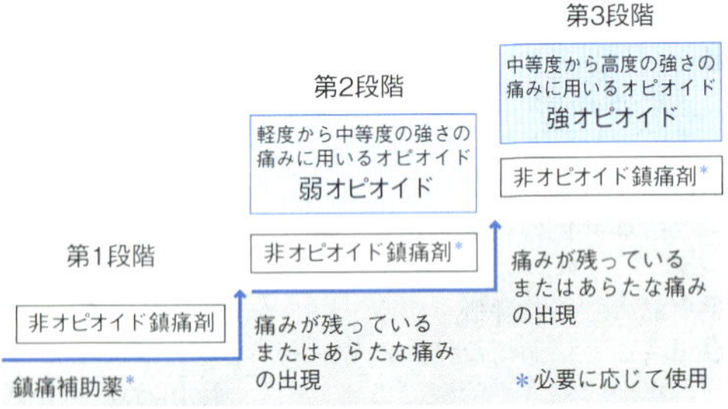

WHOがん疼痛治療指針（2018）
1. 経口投与を基本として（by the mouth）
2. 時刻を決めて規則正しく（by the clock）
3. 個人の特性にあわせて（for the individual）
4. 細かい配慮をする（attention to detail）

図 2　WHO 3段階除痛ラダー

「WHOがん性疼痛に関するガイドライン」が 2018 年改訂され，改訂前のガイドラインでは「段階的にラダーにそって効力の順に」となっていたが，今回の改訂では患者ごとに詳細な評価を行い，それに基づいて治療を選択することが推奨された．非オピオイド投与では痛みの残存が強ければ強オピオイドの使用も考慮する．

WHO 方式3段階除痛ラダーは疼痛コントロールの基本であることに変わりなく，個別性に配慮した治療が求められている．

プロピオン酸系 NSAIDs：ロキソプロフェンナトリウム
　ロキソニン錠（60 mg）　1回1錠　1日3回　　内

プロピオン酸系 NSAIDs：フルルビプロフェン アキセチル
　ロピオン静注（50 mg）　1回50 mg　1日3～4回　　静

プロピオン酸系 NSAIDs：ジクロフェナクナトリウム
　ジクトルテープ（75 mg）　1回1～2枚　　貼付
　　各種癌における鎮痛へは1回2枚，1日最高3枚まで

第1章　総論編

総論

アミノフェノール系解熱鎮痛薬：アセトアミノフェン

アセトアミノフェンは肝障害のない症例に対し1回10 mg/kg，1回量1,000 mg までの範囲で内服

　　最大 4,000 mg/day まで．

---

❷弱オピオイド

　①鎮痛効果が十分に得られない場合は速やかに強オピオイドに変更する（titration に手間取ると信頼関係を壊すきっかけにもなる）．

非麻薬性オピオイド：トラマドール塩酸塩

トラマール OD 錠（25 mg）1回1錠 ㊜ 4時間ごと

　　1回 100 mg，1日 400 mg を超えない

---

❸強オピオイド

　①癌性疼痛の治療で正しく使用すれば，耐性や依存性が臨床上問題となることはない．

　②外来で開始する場合は，即効性のある塩酸モルヒネを使用し，至適量を決定したうえで徐放性モルヒネに変更．

　③NSAIDs やアセトアミノフェンは原則中止しない．

［処方例］

オキシコンチン TR 錠（5 mg）1回2錠　1日2回　8時，20時

オキノーム散（2.5 mg）1回1包　頓用

ロキソニン錠（60 mg）1回1錠　1日3回

タケプロン OD 錠（30 mg）1回1錠　1日1回

副作用

❶便秘

　①モルヒネを投与したほぼすべての患者に発生する．

　②モルヒネにより腸管蠕動が低下することが原因．

　③緩下剤としては末梢性 μ オピオイド受容体拮抗薬や蠕動刺激薬であるセンナ製剤がよく用いられる．

69

緩和ケア ⑤

④管理困難な場合は酸化マグネシウムやグリセリン
浣腸を適宜用いる.

末梢性μオピオイド受容体拮抗薬：ナルデメジントシル酸塩

スインプロイク錠(0.2 mg)　1回1錠　1日1回　㋑
オピオイド中止の際は本剤も中止

緩下剤：センノシド

プルゼニド錠　1回1～2錠　㋑　眠前

緩下剤：ピコスルファートナトリウム

ラキソベロン内用液　1回10～15滴　㋑　眠前

緩下剤：酸化マグネシウム

マグラックス錠(330 mg)　1回1～2錠　1日3回　㋑

浣腸：グリセリン

グリセリン浣腸　1回60 mL　浣腸

❷悪心・嘔吐
①オピオイド投与患者の約30％にみられる.
②投与開始から1～2週で自然耐性を獲得する場合
が多い.

制吐剤：プロクロルペラジン

ノバミン錠（5 mg）　1回1～2錠　1日3回　㋑

制吐剤：メトクロプラミド

プリンペラン錠(5 mg)　1回1～2錠　1日3回　㋑
食前

④嘔気が強くなる場合は消化管蠕動促進薬を食前に
服用.

第1章　総論編

総論

消化管蠕動促進薬：ドンペリドン

ナウゼリンOD錠(10 mg)　1回1錠　1日3回　内
食前

　⑤モルヒネ注射剤への変更も有効.

❸眠気

　①モルヒネ代謝産物（M6G）により起こるが，過量
　　投与でなければ2週間以内に耐性をもつことが多
　　い.

　②過量投与による場合は20～30％減量する.

　③肝機能障害，腎機能障害のある患者は傾眠になり
　　やすい.

　④管理困難な場合はオピオイドローテーションも考
　　慮.

オピオイド導入時の説明のポイント

　オピオイド（麻薬）に対する患者・家族のイメージ
は，がん末期の最後の手段・頭がおかしくなる・中毒
になる・廃人になる・命が縮むなどであるが，これら
はすべて誤解であり，導入時には以下のような説明を
することが望ましい.

❶使用する薬剤は"医療用の"麻薬である.

❷麻薬中毒や寿命が縮むような副作用はない.

❸鎮痛効果が維持できるように一定の間隔で内服する.

❹鎮痛効果には個人差があり，適切量への調整（タイ
　トレーション）期間が必要.

❺副作用として，便秘はほぼ必発. 3～6割の患者で嘔
　気・嘔吐が出現するが1週間程度で落ち着く.

✎**memo**

71

緩和ケア (6)

各オピオイドの特徴

表4 各オピオイドの特徴

	長所	短所
モルヒネ	製剤が揃っている エビデンスが豊富 呼吸困難に有効	嘔気・嘔吐，便秘，せん妄の副作用 活性代謝物蓄積による影響（傾眠，呼吸抑制，せん妄） 神経障害性疼痛への効果が小
オキシコドン	嘔気・嘔吐，せん妄などの副作用が弱い 活性代謝物がほとんどない	CYP3A4を介して代謝されるためCa拮抗薬，ニューキノロン抗菌薬との併用に注意
フェンタニル	嘔気・嘔吐，せん妄などの副作用が弱い 活性代謝物がほとんどない 脂溶性が高い（皮膚からの吸収が良好）	呼吸困難に対する効果は弱い 貼付剤のため用量調節が難しい
ヒドロモルフォン	腎機能の影響はモルヒネよりは受けにくい．1日1回製剤でありアドヒアランスの向上に寄与．呼吸困難に対しても一定の有効性がある．	嘔気・便秘等はモルヒネと同じ．

レスキュー

❶ 基本となるオピオイドが定期投与されている状態で，痛みが残存または出現した場合に追加投与できる速放性のオピオイド．
❷ 頓服ではなく，1日必要量（定常量）を決定するために必要．
❸ 1日に要したレスキューの合計を定常量に加算して，翌日の定常量を決定する．
❹ 我慢せずにレスキューを使用できる環境設定が重要．

第1章 総論編

代表的なオピオイドの比較と換算

成分	投与経路	薬剤放出	薬剤名	レスキュー	効果判定	定期投与間隔	等鎮痛投与量
モルヒネ	経口	速放性	オプソ	1日投与量の1/6	1時間	4時間	30 mg
モルヒネ	経口	徐放性	MSコンチン	使用不可	2~4時間	8時間(12時間)	30 mg
モルヒネ	注射	—	モルヒネ	1日投与量の1/24	随時	—	10 mg
モルヒネ	坐薬	—	アンペック	○	1~2時間	8時間	15 mg
オキシコドン	経口	速放性	オキノーム	1日投与量の1/4~1/8	1時間	4~6時間	20 mg
オキシコドン	経口	徐放性	オキシコンチン	使用不可	2~4時間	12時間(8時間)	20 mg
オキシコドン	注射	—	オキファスト	1時間量を早送り	随時		15 mg
ヒドロモルフォン		徐放性	ナルサス	使用不可	×	24時間毎	注1
ヒドロモルフォン		速放性	ナルラピド	旧投与量の1/6	1時間	4時間	
フェンタニル	貼付	—	デュロテップMT	使用不可	24時間	72時間	2.1 mg
フェンタニル	貼付	—	フェントステープ	使用不可	48時間	24時間	1 mg
フェンタニル	貼付	—	ワンデュロパッチ	使用不可	48時間	24時間	0.84 mg
フェンタニル	頬粘膜吸収	—	イーフェン	50μg(モルヒネ経口換算30~60 mg未満)または100μg(モルヒネ経口換算60 mg以上)より開始 800μgまで増量可	30分	4~6時間	—
フェンタニル	舌下	—	アブストラル	100μgより開始 800μgまで増量可	30分	2~6時間	

注1:ヒドロモルフォン2 mgはモルヒネ経口10 mgに相当し、少量より開始可能.

73

緩和ケア (7)

オピオイドローテーション (図3)

❶オピオイドを変更することで,副作用の軽減,鎮痛効果の増強,投与経路の変更を目的とする.

❷オピオイドの効果,副作用には個人差がある.

❸ローテーション後には鎮痛効果の減弱がみられることがある(退薬症状に注意).

❹新しい薬剤を望むよりも,まずはモルヒネに習熟し,副作用対策などオピオイド使用のスタンダードを学ぶ.

❺鎮痛効果,症状緩和効果の増強
　呼吸困難:現在エビデンスがあるのはモルヒネだが,オキシコドン,ナルラピドも使用可.

❻副作用の軽減
　眠気,嘔気,便秘などの副作用はモルヒネ・オキシコドンよりフェンタニルパッチのほうが軽度である.

❼投与経路の変更
　内服困難な場合に注射剤や貼布剤等への変更を検討.

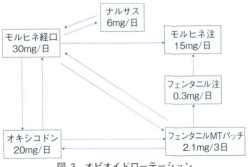

図3　オピオイドローテーション

第1章 総論編

❽経済的負担の軽減

モルヒネ徐放剤よりオキシコドン,フェンタニルのほうが安価である.

❾オピオイドスイッチングのタイミング

薬剤の投与形態の変更の際にはタイミングに注意を要するため下記の方法を参考に行う.

<貼付剤への変更>

① 1日2回徐放内服薬 ⇒ 貼付剤

※貼付剤を徐放内服薬の最終投与と同時に貼付する.

② 1日1回徐放内服薬 ⇒ 貼付剤

※貼付剤を徐放内服薬の最終投与12時間後に貼付開始.

③ 持続皮下注射または持続点滴 ⇒ 貼付剤

※貼付剤貼付後6時間後に持続注射中止.

<内服への変更>

① 貼付剤 ⇒ 徐放剤

※貼付剤剥離後12時間後に内服開始

(徐放剤開始までは基本的にレスキュー薬で疼痛のコントロール行う)

② 持続皮下注射 ⇒ 徐放剤

※内服開始と同時に持続皮下注射中止.

<皮下注射への変更>

① 貼付剤 ⇒ 持続皮下注射

※貼付剤剥離6時間後に注射投与量半量で開始,その後12時間後全量で継続.

② 経口剤 ⇒ 持続皮下注射

※経口薬使用時間に内服せずに持続皮下注射開始.

鎮痛補助薬

❶オピオイドの効果が少ないと思われる疼痛,特に神経障害性疼痛など異常感覚を伴う症状に対して使用を考える.

❷神経障害性疼痛や骨転移にオピオイドのみを増量しても眠気のみ強く除痛が不十分となりやすい,その

緩和ケア (8)

時も鎮痛補助剤を検討する.
（目安としてモルヒネ経口換算 120 mg/day 使用しても効果不十分で眠気が強い場合）

神経痛治療薬：プレガバリン

リリカ OD 錠（25 mg）　1 回 2 錠　内
朝後・夕後または眠前

※眠気やふらつきがみられることもあり少量から開始する. 効果をみながら 2〜3 日ごとに増量 100 → 150 → 200 → 250 → 300（mg）と増量していく.
※ただし，腎機能低下例では慎重な量の調節が必要.

抗うつ薬（SNRI）：デュロキセチン塩酸塩

サインバルタカプセル（20 mg）　1 回 1Cap　内　朝後
効果をみながら 1 日 40 mg まで増量可

抗うつ薬（NaSSA）：ミルタザピン

リフレックス錠（15 mg）　1 回 1 錠　内　眠前

※食欲の充進も期待できる.
※投与開始 1 週間以内に効果発現すると言われ，うつ病の治療量よりも低用量で鎮痛効果が認められる. 口渇，便秘，眠気の副作用に注意.

その他の症状緩和

❶倦怠感
①末期がん患者の食欲不振や倦怠感に対してステロイドが有効である場合があるが，1〜2 週で効果が弱くなる. 使用する場合は感染のリスクが増したり，高血糖等の副作用に注意する.

副腎皮質ホルモン：ベタメタゾン

リンデロン　1 回 2〜4 mg　1 日 2 回　内
朝・昼後（夕以降の投与は避ける）

第1章 総論編

総論

❷呼吸困難

①癌末期の呼吸困難感には，ステロイド，モルヒネが使用されることがある．

②ステロイドは癌の肺浸潤，炎症，浮腫を抑制し症状を緩和し，モルヒネは呼吸中枢の感受性の低下，呼吸数減少による酸素消費量の減少，鎮咳作用，中枢性の鎮静作用があるとされる．

副腎皮質ホルモン：ベタメタゾン

リンデロン　1回2〜4 mg　1日2回　内
　　　　　　　　　　朝・昼後（夕以降の投与は避ける）

鎮痛・鎮咳剤：モルヒネ塩酸塩

モルヒネ塩酸塩　3〜5 mg/日　1日4回　内

※すでにモルヒネが投与されている場合は30〜50%増量．

❸骨転移痛

①骨の脆弱化や転移巣による神経浸潤や圧迫による疼痛，後者の場合は前述の神経障害性疼痛の対処を行う．

②前立腺癌，乳がん，肺癌の転移の頻度が高い．

③体動時の疼痛増強がみられることが多い．

④薬剤のみでは対処困難な例もあるので放射線治療やコルセットの使用なども疼痛軽減の一助になることもある．

＜骨転移痛に対する薬物療法＞

①NSAIDs，アセトアミノフェン，ステロイドを禁忌や状況が許す限り使用していく．

②オピオイドも使用するが，レスキュー使用のタイミングはあらかじめ疼痛を増強させそうな状況（例えば体動が予想されるとき，体交前など）の場合は予防的にレスキューを使用するなど考慮が必要．

77

緩和ケア ⑨

ビスホスホネート製剤：ゾレドロン酸水和物

生食 100 mL＋ゾメタ注（4 mg）　点　15分かけて
　　　　　　　　　　　　　　　　　3〜4週ごと

破骨細胞活性化抑制（RANKL阻害剤）：デノスマブ

ランマーク皮下注（120 mg）　1A　皮下　4週ごと

【注意点】

※腎機能低下時は使用に注意必要.

※上記2剤とも数日から1週間くらいで低カルシウム血症をきたす可能性があるため血液検査を行い，カルシウム製剤を補う必要がある.
(ランマーク使用の場合はデノタスチュアブル配合錠を1日1回 1回2錠)

※顎骨壊死が起こり得るので抜歯などの歯科処置などが必要と思われる時は事前に処置を行っておく.

❹嘔気・嘔吐

＜病　態＞

①嘔気・嘔吐の病態で重要なのは，脳と消化管で化学受容体トリガーゾーンの刺激が嘔吐中枢を刺激して嘔吐に至る.

②嘔気・嘔吐は癌と直接関連するものでは転移性脳腫瘍，消化管閉塞，代謝性（高Caなど）や他不安に伴うもの，オピオイドに起因するものなどがある．可能な限り嘔気・嘔吐の原因を侵襲のかからない範囲で検索し対処を考えていく.
(オピオイドによる副作用と考える際は☞ p.70)

＜処　方＞

①頭蓋内圧充進（脳転移など）から出現するもの
　　頭蓋内圧充進が考えられる場合はステロイドが第一選択

第1章 総論編 　　　　　　　　　　　　　　　総論

副腎皮質ステロイド：ベタメタゾン

リンデロン錠（0.5 mg）　1回4錠　1日2回　㊅

　　　　　　　　　　　　　　　　　　　朝・昼後

②めまいや体動で悪化するもの

中枢性制吐・鎮暈薬：ジフェンヒドラミン・ジプロフィリン配合

トラベルミン配合錠　1回1錠　1日3回　㊅

③消化管閉塞から出現するもの

消化管運動改善薬：ドンペリドン

ナウゼリン坐薬（60 mg）　㊤

　　　　　　（完全閉塞が疑われる場合は避ける）

　　あるいは

副腎皮質ステロイド：ベタメタゾン

リンデロン錠（0.5 mg）　1回4錠　1日2回　㊅

※ステロイド使用の場合は可能であれば抗潰瘍薬を併用する.

④上記にても症状の改善が乏しい場合に試みる薬剤

非定型抗精神病薬（MARTA）：オランザピン

ジプレキサ錠（2.5 mg）　1回1錠　㊅　眠前

　　糖尿病がある場合

非定型抗精神病薬（SDA）：リスペリドン

リスパダール錠（1 mg）　1回1錠　㊅　眠前

❺不眠

　　不眠は癌患者にとっても苦痛症状の増強やQOLを低下させるため対処を必要とする．睡眠の状況を本人より聴取し抑うつやせん妄を伴っているときは

79

緩和ケア ⑩

睡眠導入剤のみでは効果が得られないこともあり注
意を要する.

①入眠障害，中途覚醒を伴うとき

非ベンゾジアゼピン系睡眠導入剤：ゾルピデム酒石酸塩

マイスリー錠（5 mg）　1回1錠　内　就寝前
　　または
ルネスタ錠（1 mg）　1回1錠　内　就寝前

　　上記にても中途覚醒が問題となれば

ベンゾジアゼピン系睡眠導入剤：フルニトラゼパム

サイレース錠（1 mg）　1回1錠　内　就寝前

※作用時間が長いので翌日の持ち越しに注意.

②抑うつによる不眠

抗うつ薬（NaSSA）：ミルタザピン

リフレックス錠（15 mg）　1回1錠　内　就寝前

③せん妄の合併と思われるとき

非定型抗精神病薬（MARTA）：クエチアピンフマル酸塩

セロクエル錠（25 mg）　1回1錠　内　就寝前

　　糖尿病があるときは

非定型抗精神病薬（SDA）：リスペリドン

リスパダール錠（1 mg）　1回1錠　内　眠前

苦痛緩和のための鎮静

＜鎮静の定義＞

❶患者の苦痛緩和を目的として患者の意識を低下させ
る薬剤を投与すること.

❷患者の苦痛緩和のため投与した薬剤によって生じた
意識の低下を意図的に維持すること.

第1章　総論編

総論

<鎮静様式>
①持続的鎮静：意識の低下を継続して維持する鎮静
②間欠的鎮静：一定期間意識の低下をもたらすが薬剤を中止・減量して覚醒を促すもの
（夜間の睡眠を確保する目的など）

<鎮静の深さ>
①深い鎮静：言語的・非言語的コミュニケーションが困難な意識の低下をもたらす鎮静.
②浅い鎮静：言語的・非言語的コミュニケーションができる程度意識の低下をもたらす鎮静.

<鎮静の適応基準・妥当性>
①症状コントロールが医療用麻薬や他薬剤使用下でも効果が乏しいと考えられるとき.
②患者の希望と全身状態から考え苦痛を治療抵抗性と評価される場合.
③苦痛緩和が目的であること.
④鎮静の実施に関し本人の意思表示があること.
⑤本人の意志決定が困難な場合，苦痛が耐え難いことが家族や医療チームにより十分推測される場合.

<抗不安薬>

ベンゾジアゼピン系抗不安薬：ブロマゼパム

ブロマゼパム坐剤（3 mg）　1個　挿肛

※抗不安作用，鎮静作用をもつ. 半減期が約20時間と比較的長いが最高血中濃度は約1時間で達する. 軽度～中等度の鎮静に使用. 坐剤であるので自宅でも使用しやすい.

<抗てんかん薬>

バルビツール酸系抗てんかん薬：フェノバルビタール

ワコビタール坐剤（100 mg）　1日2～3回　挿肛

※比較的効果発現には24時間程度かかるため導入時に比較的即効性のあるブロマゼパム坐剤の併用も考える.

81

在宅・往診・訪問診療

ポイント
❶ 在宅医療は在宅という「場に規定される医療」であり，そのことに応じた様々な利点や制約が存在する．
❷ チームアプローチと社会資源活用を外来段階から意識する．

在宅医療の適応（最低でも以下の条件を満たすこと）
❶ 本人（家人）が在宅医療を望む．
❷ 様々な理由で外来通院が困難で在宅に利点がある．

在宅医療の利点と限界（外来医として認識必要）
❶ 在宅医療では入院医療に比べ，患者が慣れた空間で医療が展開されるため，精神的な安楽が得られるなど利点も多い．
❷ しかし，在宅医療は入院や外来に比べ，在宅という環境故に検査項目や治療項目が通常は制限される．
❸ 急変時の対応は即応性/確実性に欠けることが前提.

在宅医側へ外来医として確認し伝えたい情報
- [ ] 本人家人が希望する在宅医療のイメージ
- [ ] ACP（Advance Care Planning）の状況
- [ ] 悪性疾患の告知の有無/現疾患への理解状況
- [ ] 現在の ADL・IADL
- [ ] 主介護者，家人，周辺関係者の状況
- [ ] 社会的資源活用状況（特に介護保険）
- [ ] 病歴，既往歴，治療歴，評価と予後
- [ ] 検査データ（在宅では施行困難なものは重要）
- [ ] リハビリや嚥下評価状況
- [ ] デバイス（胃瘻や CV ポートなど）の有無，交換サイクルや方法
- [ ] 定期処方権の在宅医側への委譲について
- [ ] 今後の外来通院継続の必要性の有無／主な併診先

✎memo

要介護者のマネジメント (1)

ポイント

❶治療しても元通りに回復しなかった結果が要介護状態. 要介護者に対し医師が目指すべきは治癒ではなく, QOL を高めることである.

❷高い QOL の実現のためには, 身体面だけでなく心理・社会的側面への配慮や支援が必要である.

チェックリスト

❶身体面での留意点

①栄養管理, 尿路管理, 合併症 (尿路・呼吸器感染症, 褥瘡) 管理が重要

②虐待 (心理的なものも含む) や介護放棄が疑われる例は, 在宅要介護者の 20% 弱にも及ぶ. 疑ったら地域包括支援センターなどに通報する.

❷療養の場所の選択

①外来通院が困難になってきたら, 訪問診療・訪問看護の導入を検討. ☞ p.82 在宅・往診・訪問診療

②在宅療養が困難になってきた場合, 入院・入所先の選択を支援. ☞ p.85 介護保険制度

❸生活圏の拡大

①通院以外に外出先がない場合には, デイケアやデイサービスを勧め, 介護保険を紹介. ☞ p.85 介護保険制度

②福祉センターなどで行われている障害者福祉サービスなどを紹介. ☞ p.94 社会保障制度・社会資源

③旅行は生活圏の拡大だけでなく, 気分転換, 歩行量拡大の機会となる. 患者会などの旅行もある.

❹社会資源の活用 ☞ p.85 介護保険制度, ☞ p.94 社会保障制度・社会資源

❺環境整備

①住環境:歩行が可能であれば, 手すりの設置, スロープによる段差解消, 段差解消機などを導入し, 外出し続けられるよう整備する.

要介護者のマネジメント (2)

②ベッド回り：ベッド上生活レベルになったら，ギャッジベッドの導入，移乗用手すり，滑り止めマット，ポータブルトイレ，車椅子などの導入を検討．「座位保持可能」にすることで「寝たきり」による廃用症候群の防止や介護負担の軽減を期待できる．座位保持も不能になったら，エアマットなどで，体位交換による介護者の負担軽減を図る．

③人的環境：介護負担感をもつ介護者の死亡率は高いという報告もある．介護者への配慮は重要．ショートステイなどの介護サービスを活用し負担の軽減を図る．また，医師や他の家族からの「ねぎらい」の言葉が予想以上に介護者の励みになることがある． ☞ p. 94 社会保障制度・社会資源

❻福祉専門職などとの協力

医療ソーシャルワーカーや地域包括支援センター，ケアマネジャーなどと協力して支援策を練るとよい．

memo

介護保険制度 (1)

ポイント

❶ 介護保険は，主に65歳以上の高齢者を対象とし，介護サービスと慢性期医療を給付する社会保険である．したがって，高齢患者を診療する医師であれば，かかわらざるをえない制度である．

❷ 主治医として最小限知っておくべき点は，サービス利用に至るまでの流れと，その中で医師が果たすべき役割である．

❸ サービスの利用には，申請，要介護認定，ケアプラン作成などの手続きが必要である．

❹ 医師が果たす役割には，申請の援助，主治医意見書の記載，介護支援専門員（ケアマネジャー）との連携，サービスの提供などがある．

5年に1度，制度の見直しがされる．介護報酬改定は3年毎

被保険者

❶ 被保険者は，65歳以上の第1号被保険者と40〜64歳の第2号被保険者の2つに分けられる．

❷ 65歳以上であれば，要介護状態の原因によらず給付を受けられる．

❸ 40〜64歳の第2号被保険者の場合は，その原因が表1に示す16種類の特定疾病でなければならない．

給付までの流れ

図1に示すような段階を経なければ介護サービスを利用できない．以下，図1に沿って説明．

❶ 申請

① おおむね6か月以上要介護状態が続く状態と推定できれば申請できる．

② 申請は各市町村の介護保険担当窓口に行う．

③ 介護支援専門員などが要介護者本人・家族から委託を受けて代理申請することもできるので，必要なら紹介．

介護保険制度 (2)

表 1 特定疾病に該当する 16 疾病

1   がん（がん末期）
2   関節リウマチ
3   筋萎縮性側索硬化症
4   後縦靱帯骨化症
5   骨折を伴う骨粗鬆症
6   初老期における認知症（アルツハイマー病，脳血管性認知症等）
7   進行性核上性麻痺，大脳皮質基底核変性症及びパーキンソン病（パーキンソン病関連疾患）
8   脊髄小脳変性症
9   脊柱管狭窄症
10 早老症（ウェルナー症候群等）
11 多系統萎縮症
12 糖尿病性神経障害，糖尿病性腎症及び糖尿病性網膜症
13 脳血管疾患（脳出血，脳梗塞等）
14 閉塞性動脈硬化症
15 慢性閉塞性肺疾患（肺気腫，慢性気管支炎等）
16 両側の膝関節又は股関節に著しい変形を伴う変形性関節症

❷要介護認定

　各市町村に設置される介護認定審査会において行われる．要介護認定に使われる資料は，訪問調査結果と主治医意見書の 2 点．

　①訪問調査：市町村の調査員が約80項目にわたる訪問調査を行う．

　②主治医意見書：主治医は，意見書の記載を求められる．記載に必要な自立度判定基準は**表 2，3** を参照．

　③介護認定審査会：介護認定審査会は，医療・保健・福祉の専門職 5 人前後からなる合議制で，申請者の要介護度を認定．

第1章 総論編

総論

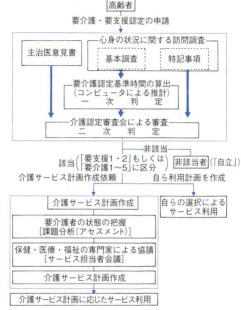

図1 介護保険給付を受けるまでの流れ (厚生労働省)

④要介護状態区分(要介護度)認定
  ⓐ要介護度は,自立(非該当),要支援1・2,要介護1〜5(数字が大きいほど重度)の8段階に区分され判定(**表4**).
  ⓑその程度により,給付される(利用できる)サービスの種類や限度額上限(**表5**)が異なってくる.

介護保険制度 (3)

表 2　障害老人の日常生活自立度判定基準

生活自立	ランク J	なんらかの障害等を有するが，日常生活はほぼ自立しており独力で外出する 1. 交通機関等を利用して外出する 2. 隣近所へなら外出する
準寝たきり	ランク A	屋内での生活はおおむね自立しているが，介助なしには外出しない 1. 介助により外出し，日中はほとんどベッドから離れて生活する 2. 外出の頻度が少なく，日中も寝たり起きたりの生活をしている
寝たきり	ランク B	屋内での生活はなんらかの介助を要し，日中もベッド上での生活が主体であるが，座位を保つ 1. 車いすに移乗し，食事，排泄はベッドから離れて行う 2. 介助により車いすに移乗する
	ランク C	1日中ベッド上で過ごし，排泄，食事，着替えにおいて介助を要する 1. 自力で寝返りをうつ 2. 自力では寝返りもうたない

(厚生省大臣官房老人保健福祉部長通知，1991 年 11 月 18 日)

　　ⓒ判定は一次と二次の2段階．一次判定は，訪問
　　調査の基本調査項目を全国一律の基準に基づき
　　コンピュータを用いて要介護時間（分）を推定
　　し行う．二次判定は，訪問調査の自由記載欄で
　　ある特記事項と主治医意見書に基づき審査会の
　　判断で行われる．
❸介護サービス計画（ケアプラン）作成
　　多くは介護支援専門員にケアプランの作成を依
頼．多種類の介護サービス（表6）を要介護者のニー

第1章　総論編

総論

表3　認知症性老人の日常生活自立度判定基準

ランクⅠ	なんらかの認知症症状を有するが，日常生活は家庭内および社会的にほぼ自立している．在宅生活が基本であり，一人暮らしも可能．
ランクⅡ	日常生活に支障をきたすような症状・行動や意志疎通の困難さが多少みられても，誰かが注意していれば自立できる． a．家庭外でこの状態がみられる．道に迷う，金銭管理などができない． b．家庭内でこの状態がみられる．服薬管理，電話対応などができない．
ランクⅢ	日常生活に支障をきたすような症状・行動や意志疎通の困難さがみられ，介護を必要とする．更衣，食事，排泄が上手にできず，徘徊，不潔行為，失禁などが見られるが，一時も目を離せないほどではない． a．日中を中心としてこの状態がみられる． b．夜間を中心としてこの状態がみられる．
ランクⅣ	日常生活に支障をきたすような症状・行動や意志疎通の困難さが頻繁にみられ，常に介助を必要とする．このため常に目を離すことができない状態である．
ランクM	著しい精神症状や問題行動あるいは重篤な身体疾患がみられ，専門医療を必要とする．せん妄，妄想，興奮，自傷，他害などの問題行動が継続し，医療機関での治療が必要な状態．

（厚生省老人健康福祉局長通知，1993年10月26日より改変）

ズに合わせたケアプラン（ケアパッケージ）を給付限度額上限を考慮して作成する．

主治医意見書記載上の注意

❶主治医の記載の仕方しだいで，給付額上限が年間数十万円異なりうるので，要介護者に不利にならないよう注意して記載．ただし，介護サービスを多く利用すると自己負担額が増えることにも留意．

介護保険制度 (4)

表4 要介護度別の状態の説明例 (厚生労働省)

要支援	(社会的支援を要する状態) ・居室の掃除などの身の回りの世話の一部に何らかの介助(見守りや手助け)を必要とする. ・立ち上がりや片足での立位保持などの複雑な動作に何らかの支えを必要とすることがある. ・排泄や食事はほとんど自分ひとりでできる.
要介護1	(部分的な介護を要する状態) ・みだしなみや居室の掃除などの身の回りの世話に何らかの介助(見守りや手助け)を必要とする. ・立ち上がりや片足での立位保持などの複雑な動作に何らかの支えを必要とする. ・歩行や両足での立位保持などの移動の動作に何らかの支えを必要とすることがある. ・排泄や食事はほとんど自分ひとりでできる. ・問題行動や理解の低下がみられることがある.
要介護2	(軽度の介護を要する状態) ・みだしなみや居室の掃除などの身の回りの世話の全般に何らかの介助(見守りや手助け)を必要とする. ・立ち上がりや片足での立位保持などの複雑な動作に何らかの支えを必要とする. ・歩行や両足での立位保持などの移動の動作に何らかの支えを必要とする. ・排泄や食事に何らかの介助(見守りや手助け)を必要とすることがある. ・問題行動や理解の低下がみられることがある.
要介護3	(中等度の介護を要する状態) ・みだしなみや居室の掃除などの身の回りの世話が自分ひとりでできない. ・立ち上がりや片足での立位保持などの複雑な動作が自分ひとりでできない. ・歩行や両足での立位保持などの移動の動作が自分でできないことがある. ・排泄が自分ひとりでできない. ・いくつかの問題行動や理解の低下がみられることがある.
要介護4	(重度の介護を要する状態) ・みだしなみや居室の掃除などの身の回りの世話がほとんどできない. ・立ち上がりや片足での立位保持などの複雑な動作がほとんどできない. ・歩行や両足での立位保持などの移動の動作が自分ひとりではできない. ・排泄がほとんどできない. ・多くの問題行動や全般的な理解の低下がみられることがある.
要介護5	(最重度の介護を要する状態) ・みだしなみや居室の掃除などの身の回りの世話がほとんどできない. ・立ち上がりや片足での立位保持などの複雑な動作がほとんどできない. ・歩行や両足での立位保持などの移動の動作がほとんどできない. ・排泄や食事がほとんどできない. ・多くの問題行動や全般的な理解の低下がみられることがある.

第1章 総論編

総論

表5 要介護状態区分別支給限度額とサービス利用事例

	支給限度額	サービス利用事例 （通所サービスに重点を置いた組み合わせ）	
要支援1	月 5.0万円	○デイサービスまたはデイケア ○ホームヘルプ	週1回 週1回
要支援2	月 10.5万円	○デイサービスまたはデイケア ○ホームヘルプ	週2回 週2回
要介護1	月 16.8万円	○ホームヘルプ ○デイサービスまたはデイケア ○ショートステイ	週1回 週3回 6か月に2週
要介護2	月 19.7万円	○ホームヘルプ ○デイサービスまたはデイケア ○ショートステイ	週1回 週3回 月に3日
要介護3	月 27.0万円	○訪問看護 ○デイサービスまたはデイケア ○ショートステイ	週2回 週3回 月に4日
要介護4	月 30.9万円	○ホームヘルプ ○訪問看護 ○デイサービスまたはデイケア ○ショートステイ	週6回（午前）＋7回（巡回型：午後～夜） 週2回 週1回 6か月に3週
要介護5	月 36.2万円	○ホームヘルプ ○訪問看護 ○デイサービスまたはデイケア ○ショートステイ	週5回（昼）＋7回（巡回型：朝）＋7回（巡回型：夕方） 週2回 週1回 6か月に6週

（厚生労働省資料などから作成）

❷第2号被保険者の場合，診断名が特定疾病であることを明記.

❸リハビリテーションを受けることで，要介護度を軽減できる者が少なくない．リハビリテーションを受

介護保険制度 (5)

表6 介護保険で給付される主な介護サービス

● 居宅サービス

家庭を訪問するサービス	日帰りで通うサービス	施設等への短期入所サービス	福祉用具住宅改修	その他
訪問介護 ホームヘルパーの訪問 **訪問看護** 看護師等の訪問 **訪問リハビリテーション** リハビリの専門職の訪問 **訪問入浴介護** 入浴チームの訪問 **居宅療養管理指導** 医師等による指導	**通所介護** デイサービスセンター等への通所 **通所リハビリテーション** 介護老人保健施設等への通所	**短期入所生活介護** 介護老人福祉施設等への短期入所 **短期入所療養介護** 介護老人保健施設等への短期入所	**福祉用具貸与** 車いす、特殊寝台などをレンタル **福祉用具購入費支給** 腰かけ便座などの購入費を支給 （上限額：年間10万円） **住宅改修費支給** 手すりの取付や段差の解消などの改修費支給 （上限額：同一住居で20万円）	**特定施設入居者生活介護** 有料老人ホーム等での介護 ※一部負担（1割負担）のほかに、食費・共益費・事務費などの料金について負担する必要あり

● 地域密着型サービス

定期巡回・随時対応型訪問介護看護	夜間対応型訪問介護 夜間の定期的な巡回訪問介護。緊急の通報にも対応。要支援者は利用不可	認知症対応型通所介護 認知症高齢者向けの通所介護 ・一部負担のほかに食費負担あり	認知症対応型共同生活介護（グループホーム） 小規模住居での認知症高齢者の共同生活を支援	地域密着型介護老人福祉施設 小規模な特別養護老人ホームにおいて生活支援を行う
小規模多機能型居宅介護 利用者登録した1カ所の事業所から、訪問介護、通所介護、短期入所を複合的に提供 ・通所介護の場合は食費負担あり。短期入所の場合は食費・居住費負担あり） ・複数の事業所の利用は不可			**地域密着型特定施設入居者生活介護** 小規模な特定施設入居者生活介護 要支援者は利用不可	

● 施設サービス（入所）
（利用者負担割合分＋食費・居住費）

介護老人福祉施設（特別養護老人ホーム）
介護老人保健施設
介護療養型医療施設
介護医療院

memo

第1章　総論編　　　　　　　　　　　　　　　総論

けているか否かを確認し，受けていない場合，その旨とリハビリテーションの必要性を記載するとともに，最寄りのリハビリテーションが可能な医療機関への紹介も行う．

❹一次判定ですでに評価されている訪問調査と同じ内容を，ていねいに書いても意味がない．要介護認定は，推定要介護時間に基づき判定されるので，介護に通常より長時間かかる状況を客観的に表現した内容を書いてこそ意味がある．

❺「△△のために□□が日（週）に○回必要である」とか状態像の例示と比較し「要介護○の例□に似ている」など具体的に記載したほうが，介護認定審査委員会が要介護度を変更する根拠になると思われる．

介護保険で給付されるサービスの種類

全国一律のサービスは，大きく分けて，予防給付と介護給付の2つある．後者に在宅サービスと地域密着型サービス，施設サービス（3種）とがある（表6）．要支援レベルの者は，居宅サービスと地域密着型サービスの一部を利用できるが，施設サービスは利用できず要介護レベルであることが必要．特別養護老人ホーム（特養）には要介護3以上が必要である．利用者負担額は原則1割（一定以上の所得者は2～3割）このほか非該当の虚弱高齢者や要支援者を対象とした介護予防・日常生活支援総合事業など市町村毎の基準によるサービスもある．

文献
1) 厚生労働省：[九訂] 介護支援専門員基本テキスト．長寿社会開発センター，2021．

memo

社会保障制度・社会資源 (1)

ポイント

❶社会保障制度・社会資源には，社会保険・福祉制度，所得補償，患者・介護者組織，NPO・ボランティア，福祉専門職などいろいろある．

❷社会保険・福祉制度には，要介護認定を受けた者への介護サービス（介護保険法），身体障害者手帳（身体障害者福祉法），精神障害者保健福祉手帳（精神保健福祉法），障害者総合支援制度，指定難病などがある．

❸所得補償には（障害）年金，特別障害者手当，生命保険（疾病・障害特約），生活保護制度などがある．

❹詳細は，WAM NET（www.wam.go.jp）や福祉専門職（医療ソーシャルワーカー，社会福祉士，精神保健福祉士，ケアマネジャー）や，地域包括支援センター，福祉事務所や社会保険事務所，障害福祉課などに相談する．

利用を検討すべき社会保険・福祉制度

❶介護保険：要介護認定を受けた者への介護サービス給付 ☞ p. 85 介護保険制度

❷身体障害者手帳（身体障害者福祉法）：視覚障害，聴覚障害，音声言語・咀嚼機能の障害，肢体不自由，心臓・腎臓・呼吸器・膀胱または直腸の機能の障害，AIDS などに対して交付．

  ①申請法

    ⓐ数か月以上にわたって症状が固定したと判断されたときに手続きできる．

    ⓑ居住地の役所・役場福祉課で申請の手続きをする．身体障害者診断書・意見書は，都道府県の指定医のみが記載できる．

  ②等級：1〜7級に分けられ，障害が重複する場合には，障害等級を加算して認定等級を定める．床か

第1章　総論編

総論

表 1　主な指定難病（冒頭番号は厚生労働省の告示番号）

2. 筋萎縮性側索硬化症	57. 特発性拡張型心筋症
6. パーキンソン病	60. 再生不良性貧血
8. ハンチントン病	63. 特発性血小板減少性紫斑病
11. 重症筋無力症	65. 原発性免疫不全症候群
13. 多発性硬化症	66. IgA 腎症
18. 脊髄小脳変性症	69. 後縦靱帯骨化症
19. ライソゾーム病	70. 広範脊柱管狭窄症
21. ミトコンドリア病	71. 特発性大腿骨頭壊死症
22. もやもや病	83. アジソン病
23. プリオン病	84. サルコイドーシス
24. 亜急性硬化性全脳炎	85. 特発性間質性肺炎
28. 全身性アミロイドーシス	86. 肺動脈性肺高血圧症
34. 神経線維腫症 I 型	87. 肺静脈閉塞症
35. 天疱瘡	88. 慢性血栓塞栓性肺高血圧症
36. 表皮水疱症	90. 網膜色素変性症
37. 膿疱性乾癬（汎発型）	91. バッド・キアリ症候群
38. スティーブンス・ジョンソン症候群	93. 原発性胆汁性胆管炎
40. 大動脈炎症候群	96. クローン病
42. 結節性多発動脈炎	97. 潰瘍性大腸炎
44. 多発血管炎性肉芽腫症	111. 先天性ミオパチー
46. 悪性関節リウマチ	113. 筋ジストロフィー
47. バージャー病	159. 色素性乾皮症
49. 全身性エリテマトーデス	167. マルファン症候群
51. 全身性強皮症	171. ウィルソン病
52. 混合性結合組織病	191. ウェルナー症候群
53. シェーグレン症候群	300. IgG4 関連疾患
56. ベーチェット病	325. 遺伝性自己炎症疾患

（2021 年 12 月時点で 338 疾患）

社会保障制度・社会資源 ⑵

ら起立が困難なもので 2 級相当.

③利用できる主な制度：等級や納税額などで異なるが，以下の制度が利用できる.

 @補装具（義肢・装具・車椅子・杖）や日常生活用具に対する経済的補助

 ⑥医療費の自己負担分の免除，所得税の控除など

 ©その他，各地方自治体により，タクシー券の給付やオムツ代助成などが受けられることもある.

❸精神障害者保健福祉手帳（精神障害者保健福祉法）：すべての精神疾患による精神障害のため，長期にわたり日常生活または社会生活への制約がある人が対象．精神科通院医療費の公費負担や，所得税・自動車税など税制上の控除などが受けられる．市町村に申請.

❹障害者総合支援法：若年障害者で重要.

❺指定難病：難病情報センターの web ページ（www. nanbyou.or.jp）に，一般利用者向けと医療従事者向け（診断・治療指針）に解説がある.

①2021 年 12 月時点で，338 疾患が指定されている．主なものを**表 1** に示す.

②難病指定医が記載する所定の診断書〔疾患によっては，申請のための条件（重症度など）がある〕，地元の保健所を経由して都道府県知事に提出.

③保険医療費の自己負担分が国庫補助対象となる.

所得補償

❶障害基礎年金

①公的年金制度に加入していれば，障害等級表の定められた障害に該当する者は申請することができる.

②申請時期は，初診日から 3 か月以上経過したうえ

第1章　総論編

総論

で症状が固定したとき，もしくは，症状が固定していなくても1年6か月たったとき．

③補装具の一部も支給される．

④障害基礎年金1級で年額約99万円（2023年度）や障害手当金（一時金）が支給される．

⑤市区町村役所・役場の国民年金担当窓口，年金事務所，日本年金機構などに問い合わせするよう指導．

❷特別障害者手当

20歳以上の在宅の障害者で，常時特別の介護を必要とする人に月額27,980円（2023年度）が支給される（所得制限あり．入所および3か月以上入院しているものには支給されない）．役所の窓口または福祉事務所に問い合わせる．

❸生命保険（疾病・入院・障害特約など）

任意加入の民間生命保険で，疾病・入院・障害を負った場合などに，保険給付金が支払われる特約に加入している人は多い．住宅ローンに付帯の場合がある．

❹生活保護制度

最後のセーフティネット（安全網）とも表現される

他の資源

❶患者・介護者組織

患者や家族の苦悩は，その立場にならないとわからない面がある．セルフヘルプグループによるピアカウンセリング効果も期待できる．

患者・家族の会は1,000以上ある．難病情報センターのwebページ（www.nanbyou.or.jp/dantai/）を参照．

97

社会保障制度・社会資源 (3)

❷NPO・ボランティア

　NPO法人のおよそ6割は医療福祉関連の活動をしている．法人格をもたないボランティア組織も増えている．地域で利用可能な組織があるかもしれない．社会福祉協議会に問い合わせすると登録されているボランティアを紹介してくれる．

❸その他

①塵肺患者など労働災害認定患者，公害病認定患者，被爆者には，それぞれの健康管理基準と救済法 (所得補償など) がある．老人福祉法や介護保険法に基づく，生きがい支援や介護予防のための事業などもある．

②肝疾患の一部には，北海道，東京都，長野県などで自治体独自の医療費助成制度あり．

全身倦怠感

鑑別疾患

①感染症
急性感染症, 慢性感染症（結核など）

②臓器障害
心不全, 肝障害, 腎障害

③代謝・内分泌異常
糖尿病, 甲状腺異常, 副腎不全, 成長ホルモン分泌異常

④貧血（鉄欠乏性貧血, 消化管出血など）

⑤電解質異常
低Na血症, 低K血症, 高Ca血症

⑥悪性疾患
悪性リンパ腫, 抗がん剤, 腫瘍随伴症候群

⑦慢性炎症性疾患
膠原病, 血管炎など

⑧その他
精神疾患（うつ病, 不眠など）, フレイル, 睡眠時無呼吸症候群など

鑑別のポイント

❶バイタルサイン, 発性時期から緊急疾患がないかまずは確認する.
❷随伴する症状から鑑別を考える.
❸慢性的な症状であっても, 体重減少やESR亢進を伴う場合は, 悪性疾患や慢性炎症疾患を考え, 積極的に原因を精査する.

発　熱

鑑別疾患

①感染症

　ⓐ感染症法で指定されている疾患：肺結核，麻疹など

　ⓑ致死的な疾患：細菌性髄膜炎，急性化膿性胆管炎など

　ⓒ感冒を含む局所や全身など様々な感染症（細菌，ウイルス，真菌，寄生虫，リケッチア，細菌性毒素，ウイルス小胞体など）

②膠原病・膠原病類似疾患

　関節リウマチ，リウマチ熱，成人発症 Still 病，結節性多発動脈炎，全身性エリテマトーデス，大動脈炎症候群（高安動脈炎），過敏性肺炎，サルコイドーシスなど

③悪性腫瘍

④その後（HIV 関連不明熱，内分泌疾患，外傷，高体温，薬物など）

鑑別のポイント （図1，表1）

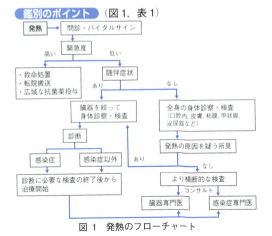

図 1　発熱のフローチャート

第2章 症候編

症候

表1 「なんとなくおかしい」と思った場合のチェックリスト

- ☐ 熱型（4日以上続く，1日の中での変動，解熱薬の服用の有無など）
- ☐ 測定の正確性（暖房器具使用の有無，発汗の状態など）
- ☐ 随伴症状：疼痛，気道症状，消化器症状，皮膚，関節，排尿状況など
- ☐ 既往歴，受診歴，入院歴（歯科や精神科も含む）
- ☐ sick contact，入院先や入所施設内での流行
- ☐ sex contact（不特定多数，同性など）
- ☐ 薬剤投与状況（抗腫瘍薬，ワクチン，市販薬も含む）
- ☐ 生活環境（室温，外気温，ペットの有無など）
- ☐ 海外渡航歴
- ☐ 感染リスクのあるデバイス（CVカテーテル，尿道カテーテルなど）

※免疫力低下を疑うキーワード：高齢者，癌，透析，糖尿病，脾摘，HIV感染症，COPD，自己免疫疾患，ステロイド，免疫抑制剤，生物学的製剤の使用

治療・処置

❶院内感染のリスクが高ければ隔離を検討する．

❷全身状態良好な場合は各種検査を行いクーリングや解熱鎮痛薬で対応して翌日の再受診を指示する．

❸各種培養のための検体採取と適切な抗菌薬投与，3〜4日投与して改善ない場合は精査・紹介を検討する．

✎ memo

食思不振

鑑別疾患 （太字：Common/重要な疾患）

悪性腫瘍	代謝・内分泌疾患
①**肺/胃/大腸/膵臓癌** ②骨髄腫 ③骨転移 ④PTH 類似ホルモン産生腫瘍 ⑤リンパ腫　など	①**糖尿病**☞ p.610　②副腎不全 ③亜鉛欠乏症　④低 Na 血症 ⑤高 Ca 血症　など （原因：副甲状腺機能亢進症/悪性腫 瘍/薬剤性/サルコイドーシス・結核 といった肉芽腫性疾患　など）

基礎疾患の進行	消化器疾患
①**心不全**☞ p.325 ②**慢性呼吸不全**☞ p.378 ③貧血　④神経筋疾患（脳梗塞 後/パーキンソン病/筋ジストロ フィ/ALS/多発性硬化症　など）	①胃潰瘍 ②慢性膵炎 ③上腸間膜動脈症候群 ④炎症性腸疾患　など

感染症	自己免疫疾患
①**結核**☞ p.384　②**HIV** ③亜急性・慢性心内膜炎 ④深部感染症（肝・腎・肛門周囲・ 腸腰筋など） ⑤ウイルス性肝炎　⑥腸管寄生虫 ⑦肺アスペルギルス症　など	①リウマチ性多発筋痛症（PMR） ②血管炎 ③成人 Still 病 ④関節リウマチ　など

その他
①**うつ病**☞ p.602　②ストレス反応（死別など）　③**認知症**☞ p.587 ④老衰（正常な生理的変化）　⑤薬剤性（表1を参照）

鑑別のポイント

❶体重減少の定義や初診時スクリーニング検査の「食欲はあるが食べられない」項目の鑑別など☞ p.104

❷鑑別を進める上で大切なことは「病歴と身体所見」．盲目的な過剰検査とならないよう注意する．

❸精神社会的要因の検索も同時に進めること．貧困やネグレクトはないか，入れ歯は合っているか，などの確認を．またうつ病・認知症の評価も必ず行う．

第2章　症候編

症候

表1　体重減少・食思不振をきたす薬剤

副作用	代表的な薬剤
味覚嗅覚の変化	アロプリノール・ACE 阻害薬・抗菌薬・抗コリン薬・抗ヒスタミン薬・Ca 拮抗薬・レボドパ・プロプラノロール・MAO-B 阻害薬・スピロノラクトン・リフヌア
食欲不振	アマンタジン・抗菌薬・抗けいれん薬・抗精神病薬・ベンゾジアゼピン・ジゴキシン・レボドパ・メトホルミン・オピオイド・SSRIs・テオフィリン
口腔内の乾燥	抗コリン薬・抗ヒスタミン薬・クロニジン・ループ利尿薬・三環系抗うつ薬
嚥下障害	ビスホスホネート・ドキシサイクリン・金/鉄製剤・NSAIDs・カリウム製剤
嘔気嘔吐	アマンタジン・抗菌薬・ビスホスホネート・ジゴキシン・ドパミンアゴニスト・メトホルミン・SSRIs・スタチン・三環系抗うつ薬

(Gaddey HL, et al. *Am Fam Physician* 89：718-722, 2014 より)

❹実際の食事状況や量を客観的に評価する

　栄養状態の評価として，MNA（Mini Nutritional Assessment）があり，以下サイトから日本語版 PDF が無料取得可（www.mna-elderly.com/mna_forms.html）．

❺安易な腫瘍探し（tumor hunt）はしない

　悪性腫瘍が原因となる頻度は 19～36％*と頻度は多いが，他にも多くの原因が挙げられる．また高齢患者で原因が悪性腫瘍の場合，スクリーニング検査で異常を呈することが多く，スクリーニング検査が全て正常の場合，追加のワークアップは必要ないとされる*．その場合，3～6 カ月毎の厳密な経過観察をすればよい．（*Eur J Intern Med 19：345-9, 2008）

❻初診時はっきりしない場合は「注意深い」経過観察

　初診時で全ての診断をしようとすることや，逆にすぐ「異常なし」と思ったりしないように注意する．

103

体重減少・体重増加

体重減少

定　義
❶通常 6〜12 カ月間で体重が 5％以上減少すること．
❷ただし，①栄養状態が悪い②基礎疾患がある③高齢者等は，より少ない体重減少でも予後不良なため要注意．

鑑別疾患

意図した体重減少がある	食欲あり食事もとれる
①ダイエット ②摂食障害 　（神経性食思不振症/過食症など）	①甲状腺機能亢進症 ②褐色細胞腫 ③糖尿病（特に 1 型に注意） ④吸収不良症候群（強皮症やアミロイドーシスに続発する腸蠕動低下/胃術後/慢性膵炎/乳糖不耐症，など）

食欲はあるが食事がとれない	食欲もない
①咀嚼嚥下機能不全 　（脳卒中後/顎関節症/アカラシア/球麻痺，など） ②歯科的問題 　（味覚障害/口内炎/入れ歯が合わない，など） ③環境や社会的問題 　（孤立/貧困/ネグレクト，など）	☞ p. 102 食思不振
	その他，見逃してはいけない疾患
	①悪性腫瘍 ②認知症 ③精神・依存疾患（うつ病/アルコール中毒/薬物中毒など） ④医原性（必ず薬剤歴の確認を） ⑤感染症 ☞ p. 102 食思不振

鑑別のポイント
❶「体重減少」に気付くこと
　①訴えない（訴えられない）患者も多い．
　②外来で体重測定を行うことや自宅で体重測定を行うように指示することが重要
　③健診やデイサービスなどでの体重，洋服のサイズの変化等の情報収集

第2章　症候編

症候

❷一方で「体重減少」は非特異的な主訴
　①盲目的な過剰検査とならないよう注意.
　②病歴聴取と身体所見を詳細に行い, 要因を絞ること.
❸積極的に行ってよい鑑別/スクリーニング
　①高齢者には必ず, うつと認知症のスクリーニングを
　　☞ p. 602 うつ病,　p. 587 認知症
　②アルコール摂取者には CAGE score を☞当直医 M
　③詳細な薬剤歴聴取☞ p. 103 食思不振　表 1
　④若年者では HIV 感染症を鑑別にあげる.
❹初診時, 一般スクリーニング検査として以下を考
　慮. 血算・生化学（Na/K/Cl/Ca/P/血糖/BUN/Cr/
　AST/ALT/Bil/ALP/γ-GTP）・ESR・甲状腺機能・
　HbA1c・便潜血反応・尿検査・胸部 Xp・腹部エコー

体重増加

鑑別疾患

Commonな疾患（頻）	その他の鑑別
①一次性肥満（単純性肥満）	①クッシング病（症候群）
②液体貯留　③糖尿病	②成長ホルモン欠損症
④薬剤性	③視床下部性肥満
⑤甲状腺機能低下症	④副腎性器症候群
⑥多嚢胞性卵巣症候群（PCOS）	⑤インスリノーマ　など

鑑別のポイント

❶急速な体重増加は通常浮腫が原因であることがほと
　んど. 心不全/腎不全/肝不全など浮腫をきたす疾患
　を念頭に鑑別を進める☞ p. 106 浮腫
❷肥満患者のほとんどは一次性であり二次性は 1%未満
❸薬剤歴の聴取は念入りに.
❹体重増加の程度が, 患者の生活変化や過去の体重増
　加のパターンにそぐわない場合, 二次性を考える.

105

浮　腫（リンパ浮腫も含む）

鑑別疾患

全身性浮腫

①心原性	うっ血性心不全☞ p. 325，肺高血圧
②腎性	急性糸球体腎炎，慢性腎不全☞ p. 667
③低アルブミン血症	肝硬変☞ p. 533，ネフローゼ症候群☞ p. 681，低栄養，吸収不良症候群，タンパク漏出性胃腸症
④薬剤性	Ca拮抗薬，NSAIDs，血糖降下薬（ピオグリタゾン），ステロイド
⑤内分泌異常	甲状腺機能低下症☞ p. 643，Cushing症候群
⑥女性ホルモン関連	月経前浮腫，妊娠浮腫
⑦塩分過剰摂取	
⑧特発性	特発性浮腫

局所性浮腫

①静脈性	深部静脈血栓症，血栓性静脈炎，静脈弁不全・静脈瘤，腫瘍浸潤
②炎症性	蜂窩織炎，血管性静脈炎，血管炎
③リンパ性	一時性（特発性），二次性（手術，放射線治療後，がん転移など）
④血管神経性	Quincke浮腫
⑤手足の関節炎に伴うもの	痛風・偽痛風，慢性関節リウマチ☞ p. 650，リウマチ性多発筋痛症，PS3PE，パルボウイルスB19感染など
⑥その他	Baker囊胞破裂

第2章 症候編

症候

鑑別のポイント

❶全身性浮腫と局所性浮腫に分けて考える(両下肢の浮腫は通常全身性浮腫の徴候のことが多い).

❷全身性浮腫は,心原性,腎性,肝性の頻度が高い.病歴として既往歴,薬剤使用歴を確認する.検査として,尿たんぱく,低アルブミン血症,肝機能,腎機能,甲状腺機能,胸部 Xp,心エコー,腹部エコーなどの結果を総合して鑑別を進める.

❸低アルブミン血症の浮腫は下腿の凹みが 40 秒以内で元に戻る fast edema であることが多く,心不全や静脈閉塞ではくぼみが戻りにくい slow edema であることが多い.

❹局所性浮腫は,部位,治療歴,局所症状や拡大の仕方が鑑別の手掛かりになる.

107

リンパ節腫脹 (1)

鑑別疾患

リンパ節腫脹を認める主な疾患

①感染症	ウイルス性：伝染性単核球症，風疹，麻疹，流行性耳下腺炎，水痘，HIV感染症，など 細菌性：局所の感染，梅毒，ネコひっかき病 抗酸菌性：結核 寄生虫：トキソプラズマ
②感染症以外の反応性	自己免疫性：SLE，慢性関節リウマチ，皮膚筋炎，Sjögren症候群，IgG4関連疾患，キャッスルマン病 全身性疾患：サルコイドーシス，川崎病 その他：薬剤性（フェニトインなど），血清病，亜急性壊死性リンパ節炎
③腫瘍性	リンパ節原発：悪性リンパ腫 リンパ節転移：固形癌の転移，多発性骨髄腫，白血病
④内分泌疾患	甲状腺機能亢進症，Addison病

第 2 章　症候編

症候

リンパ節腫脹の部位別原因疾患	
①頸部リンパ節	感染症：咽頭炎，口腔内感染症，中耳炎・外耳炎，伝染性単核球症，サイトメガロウイルス感染，トキソプラズマ感染，アデノウイルス感染，風疹 悪性腫瘍：悪性リンパ腫，頭頸部癌 その他：亜急性壊死性リンパ節炎
②鎖骨上リンパ節	胸腹部悪性腫瘍，甲状腺疾患，抗酸菌感染
③腋下リンパ節	感染症：上肢皮膚の細菌感染，ネコひっかき病 悪性腫瘍：乳癌，悪性リンパ腫，悪性黒色腫
④鼠径リンパ節	悪性腫瘍：悪性リンパ腫，悪性黒色腫，陰部悪性腫瘍 感染症：蜂窩織炎，生殖器感染症
⑤全身のリンパ節	悪性腫瘍：悪性リンパ腫，慢性リンパ性白血病，急性リンパ性白血病 感染症：伝染性単核球症，サイトメガロウイルス感染症，HIV 感染症，結核，トキソプラズマ感染，ヒストプラズマ症，ブルセラ症，リケッチア感染症 自己免疫性：SLE，慢性関節リウマチ 全身性疾患：サルコイドーシス

鑑別のポイント

❶問診：部位，リンパ節腫脹の出現時期，増大・縮小の傾向，全身症状（発熱，盗汗，体重減少），局所症状，既往歴，薬剤使用歴，アレルギー歴，悪性腫瘍の治療歴，ペット飼育，結核や HIV 感染の有無などを確認する．

109

リンパ節腫脹 (2)

❷血液検査：血算，生化学一般，赤沈，自己抗体，感染症関連抗体（EBV抗体，CMV抗体，トキソプラズマ抗体，HTLV-1抗体，HIV抗体など），可溶性インターロイキン2受容体抗体（sIL-2R），梅毒反応

❸画像検査：胸部Xp，腹部超音波，CT，MRI，Gaシンチグラム

❹組織検査：骨髄穿刺・生検（血液疾患を疑うときには必須），リンパ節生検（なるべく頸部で）

❺全身性の場合は，ウイルス感染症，自己免疫疾患，白血病，悪性リンパ腫などを考える．

❻局所性リンパ節腫脹の場合は，局所炎症，癌の転移，結核などを考える．

❼炎症性の場合，表面は平滑でやわらかく可動性があり，強い自発痛・圧痛を認める．

❽癌の転移では，表面が不整で硬く，相互に癒合し可動性がなく，自発痛・圧痛のないことが多い．

❾悪性リンパ腫では，表面は平滑であるが，弾性硬で，可動性があり，圧痛はないことが多い．

memo

黄　疸 (1)

鑑別疾患

直接ビリルビン上昇

①胆管拡張（＋）	②胆管拡張（−）
・結石 ・腫瘍 ・胆道感染	・肝硬変　・急性肝炎　・PBC ・胆汁うっ滞型薬物性肝障害 ・体質性黄疸（Dubin-Johnson 症候群， 　Rotor 症候群）

間接ビリルビン上昇

①溶血（＋）	②溶血（−）
・溶血性貧血	・体質性黄疸（Gilbert 症候群，Crigler- 　Najjar 症候群） ・劇症肝炎　・非代償性肝硬変

鑑別のポイント

❶ 肝前性黄疸（溶血性黄疸），肝細胞性黄疸，肝後性黄疸（閉塞性黄疸），に体質性黄疸を鑑別.

❷ まず，直接ビリルビン優位か間接ビリルビン優位かをチェック. さらに，前者では胆管閉塞機転の有無を，後者では溶血機転の有無をチェック.

❸ 一般に，血清ビリルビンが 2.5 mg/dL 前後を超えないと顕性黄疸にはならない.

鑑別のための検査

❶ 直接ビリルビン上昇

まず腹部エコーを実施し，胆管拡張の有無を検索.
エコーが不明瞭なら，（造影）CT を施行.
　①胆管拡張（＋）：閉塞性黄疸を想定. ALP, γ-GTP,
　　LAP など胆道系酵素の上昇を確認.
　　ⓐ結石か腫瘍かを鑑別：造影 CT や MRI・MRCP
　　　など. ほかに，腫瘍マーカー（CEA, CA19-9 など）.
　　ⓑ胆道系由来か膵臓由来かを鑑別：（血中・尿中）

黄　疸 (2)

アミラーゼやリパーゼ，エラスターゼI，CA19-9などを参考にする．

　　ⓒ胆道感染を見落とさない：特に，急性閉塞性化膿性胆管炎は緊急性が高い．発熱のほか白血球・CRP高値は救急搬送．☞ p.196 腹痛

②胆管拡張 (−)：肝細胞性黄疸や直接ビリルビン優位の体質性黄疸を想定．

　　ⓐ肝硬変：腹部エコーでの肝表面凹凸・脾腫や血小板減少・AST＞ALT（AAR上昇）など．CTやMRIで肝臓癌の有無も検索．☞ p.533 肝硬変

　　ⓑ急性肝炎：（著明な）ASTやALTの上昇をみれば，プロトロンビン時間を必ず検査．☞ p.505 急性肝炎

　　ⓒ肝内胆汁うっ滞の病態：胆汁うっ滞型薬物性肝障害やPBCを考慮する．ALP，γ-GTP，LAPなど胆道系酵素の上昇を確認．p.510 慢性肝炎

　　ⓓ直接ビリルビン優位の体質性黄疸：Dubin-Johnson症候群はMRP2の欠損が，Rotor症候群はリガンディンの欠損が原因と推定される（図1）．

❷間接ビリルビン上昇

溶血所見を確認．血算，網状赤血球，LDH，ハプトグロビン，尿中ウロビリノーゲン，赤血球形態などを検索．

①溶血所見 (＋)：溶血性貧血を想定．腹部エコーでの脾腫があり得る．専門医に紹介．肝硬変による脾腫・汎血球減少と間違わないこと．

②溶血所見 (−)

　　ⓐ間接ビリルビン優位の体質性黄疸：UGT1A1によるグルクロン酸抱合能は，Gilbert症候群で30%以下に低下，Crigler-Najjar症候群I型で失活，Ⅱ型は10%以下（図1）．肝臓での薬物

112

第2章 症候編

症候

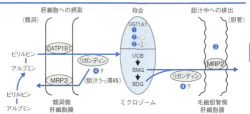

図1 肝でのビリルビン代謝経路
❶Gilbert症候群の異常箇所
❷-①Crigler-Najjar症候群Ⅰ型の異常箇所
❷-②Crigler-Najjar症候群Ⅱ型の異常箇所
❸Dubin-Johnson症候群の異常箇所
❹Rotor症候群の異常箇所
UCB:非抱合型ビリルビン(≒間接ビリルビン)
BMG+BDG:抱合型ビリルビン(≒直接ビリルビン)
(足立幸彦・他:胆道 23:174-180, 2009より改変)

代謝を考えるとき,CYPによる第Ⅰ相,グルクロン酸抱合による第Ⅱ相を常に念頭におく.第Ⅱ相は,意外に盲点となる.原因不明の肝障害をみたら,「患者がGilbert症候群で,かつグルクロン酸抱合が代謝に関わる薬剤が使われている」か否かを一考してみる.何もこれはイリノテカンに限ったことではない.

ⓑ劇症肝炎や非代償性肝硬変など:UGT1A1活性が低下し,間接(非抱合型)ビリルビンの比率が増加.急性肝不全で,高ビリルビン血症とともに,D/T比が0.6を割ってくると予後不良.

memo

113

掻痒感

鑑別疾患 (全身性疾患で高頻度のものを**太字**で示す)

皮膚疾患	炎症性, 続発疹, 乾皮症, 熱傷・創傷	**内分泌代謝**	甲状腺疾患(亢進・低下), 糖尿病, カルチノイド
腎疾患	末期腎不全	膠原病	皮膚筋炎, 強皮症, Sjögren症候群
肝疾患	原発性胆汁性胆管炎, 胆汁鬱滞性黄疸, C型肝炎, 妊娠時胆汁鬱滞	感染症	真菌感染症, 疥癬, HIVなど
		神経疾患	腕橈骨部掻痒症, 背部錯感覚症, 帯状疱疹後神経痛, 多発性硬化症, 脳血管障害
血液疾患	真性多血症, 鉄欠乏性貧血, 肥満細胞症, 悪性リンパ腫, 多発性骨髄腫		
		精神疾患	うつ病, 心因性, 寄生虫妄想

memo

第2章 症候編

症候

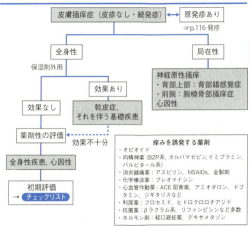

図 1 掻痒感：鑑別の流れ

(Fazio SB, et al. Pruritus：Etiology and patient evaluation. UpToDate. 2022, 日本皮膚科学会：皮膚掻痒症ガイドライン 2020 より改変)

鑑別のポイント （図1）

皮疹の有無がポイント．
① 皮疹ありの場合☞p.116 発疹
② 皮疹なしの場合は全身疾患等も考慮．（ただし，皮疹がある場合でも続発疹（結節性痒疹，苔癬化）の際には評価が必要）．

チェックリスト

❶ 病歴（発熱，体重減少，盗汗，肝・腎・甲状腺・悪性疾患の既往，薬剤歴，同居者同症状の有無）
❷ 初期評価として検査（血算，白血球分画，肝機能，TSH，腎機能，胸部 Xp など）

発疹 (1)

鑑別疾患

Killer Rash	Common Rash
敗血症疹	アトピー性皮膚炎
電撃性紫斑病	接触性皮膚炎
(髄膜炎菌感染症など)	(オムツ皮膚炎含む)
感染性心内膜炎	真菌症
トキシック・ショック症候群	脂漏性湿疹
スティーブンス・ジョンソン症候群	帯状疱疹
中毒性表皮壊死症	褥瘡
川崎病	伝染性単核球症
アナフィラキシー・ショック	溶連菌感染症
血栓性微小血管障害／DIC／血液疾患など	梅毒など

鑑別のポイント

❶Killer rash とされる重要緊急疾患に注意（図1）.
　①Killer rash を疑う "red flag sign"
　・バイタルサインに異常がある.
　・アナフィラキシー症状がある. ☞ p.148 ショック
　・急速に拡大する皮疹, 特に水疱, 血疱, 紫斑がある.
　・髄膜刺激徴候を認める.
❷急性の発疹か亜急性・慢性の経過か
❸発熱の有無
　①発熱があれば感染症が原因の多くを占める.
　②例外として川崎病, SLE, Still 病などの膠原病, 血管炎, 薬疹などを把握.
❹全身性か局所性か（図2）

memo

第2章 症候編

症候

表 1 主な Killer Rash と Common Rash

疾患名	病態概説	ポイント
敗血症疹	炎症，菌血症による局所，全身性の紫斑，血疱	qSOFA スコア，バイタルサインに留意
感染性心内膜炎	発熱がないこともある．心雑音に注意	眼瞼結膜，足の裏までしっかり診察
川崎病	小児における見逃してはいけない重要鑑別	皮疹性状が非定型もあることに注意．症状が揃わない非定型川崎病でも冠動脈瘤を形成することもある ☞ p. 856 川崎病
アナフィラキシー	皮膚症状以外の意識，呼吸，消化器症状に留意	アドレナリン筋注を． ☞ p. 148 ショック
アトピー性皮膚炎	既往歴，家族歴の聴取を	漫然とステロイド塗布を継続しない ☞ p. 874 アトピー性皮膚炎
真菌症	接触性皮膚炎と鑑別を	KOH 法を実施．抗真菌薬で増悪する場合は薬剤での接触性皮膚炎を考慮
帯状疱疹	HZV の再活性化	皮疹の前に疼痛のみ先行することも ☞ p. 792 帯状疱疹

✐ memo

発 疹 (2)

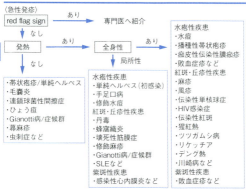

図 1 急性発疹:フローチャート

❺その他,問診察にて以下の内容を確認する
・随伴症状(疼痛,発熱,リンパ節腫脹,関節痛,粘膜所見,髄膜刺激徴候,全身の虫刺痕の確認など)
・予防接種歴　・地域の流行状況
・渡航歴　　　・動植物との接触歴
・川,海,山での曝露歴
・既往歴　・性交歴(2021年以降梅毒が増加傾向)
・内服薬(特にアロプリノール,ST合剤,抗てんかん薬,NSAIDsなど)
・外用薬の使用歴
❻麻疹など地域の流行状況を把握しておく.

第2章 症候編

症候

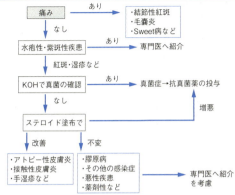

図2 亜急性・慢性皮疹：フローチャート

出血傾向・紫斑

鑑別疾患

1. 血小板減少 ☞ p.709

2. 血小板減少＋凝固系の異常

①DIC（播種性血管内凝固症候群）

②TMA（血栓性微小血管症）　③肝硬変・重度肝障害

3. 凝固系の異常

①PT 単独延長→肝障害，第Ⅶ因子欠乏，ワルファリン投与中

②APTT 単独延長→血友病 A,B，後天性血友病 A,B，von Willbrand 病，抗リン脂質抗体症候群，ヘパリン投与中

③PT，APTT 共に延長→第ⅡⅤⅩ因子欠乏，ビタミン K 欠乏，フィブリノゲン欠乏，アミロイドーシス（Ⅹ因子欠乏）

4. その他，血管脆弱性など

①老人性紫斑；前腕や手背に好発，皮膚や血管の脆弱性による.

②ステロイドによる紫斑；皮膚の菲薄化による.

③壊血病；ビタミン C 欠乏，血管の脆弱性

④アレルギー性血管性紫斑病（IgA 血管炎）；第ⅩⅢ因子低下

鑑別のポイント

❶病歴

①抜歯・手術・外傷・出産で「血が止まりにくかった」episode あるか

②内服薬；抗血小板薬・抗凝固薬・NSAIDs・抗菌薬・ヘパリンなど

③食事；偏食はないか．VitC，K 欠乏を示唆.

④家族歴；「母方男性の出血傾向」は血友病を示唆.

❷身体所見

①点状出血か，筋肉・関節内出血か．粘膜出血はあるか（表1）.

②盛り上がりのある紫斑（palpable purpura）は血管炎を疑う.

第2章 症候編

症候

表1 出血部位からの鑑別診断

出血症状	血小板・血管壁の異常	凝固系の異常
点状出血	特徴的	まれ
筋肉,関節内出血	まれ	特徴的
外傷,手術後の出血	直後からみられる	遅延する
粘膜出血	誘因なしにみられる	外傷後にみられる

　③肝脾腫・リンパ節腫脹
❸血液検査
　①血小板数,PT,APTT,フィブリノゲン,肝機能検査,ビタミンC,K
　②Cross-mixing test(凝固因子欠乏パターンか,インヒビター存在パターンか)
　・正常血漿と患者血漿を混合し,その割合(横軸)とAPTT値(縦軸)をグラフ化する(図1).
　・上に凸パターン→インヒビター,下に凸→因子欠乏
　③各凝固因子・インヒビター(特に第Ⅷ,Ⅸ因子)
　④ループスアンチコアグラント,抗カルジオリピン抗体,β2API
❹骨髄検査:骨髄疾患(特に白血病)を疑うときは躊躇せず積極的に行う.
❺皮膚生検:典型的な点状出血では皮膚生検は不要だが,palpable purpuraでは皮膚生検を行う.

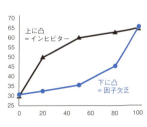

図1 Cross-mixing testの結果判定

潮 紅

鑑別疾患

自律神経によるもの	
・体温上昇に伴う（発熱，運動，日射など） ・更年期障害 ・情動に伴うもの	・中枢神経関連 　（脳腫瘍，てんかん，群発頭痛，パーキンソン病，三叉神経痛，片頭痛）

血管拡張によるもの	
・酒さ ・薬剤性（カルシウム拮抗薬，ニコチン酸，アルコール等） ・温かい食事摂取 ・カルチノイド ・肥満細胞腫症 ・褐色細胞腫 ・甲状腺髄様癌	・セロトニン症候群 ・アナフィラキシー ・VIPoma ・ダンピング症候群 ・腎細胞癌 ・サルコイドーシス ・甲状腺機能亢進症

鑑別のポイント

❶病歴と身体診察が鑑別に重要
　①最低2週間の日記が有効（エピソードと症状出現記載）
　②血圧異常，皮膚所見，甲状腺腫，腹部腫瘤などが診断の一助になる．
　③誘因が明らかならば原因除去が症状改善に最も有効．

❷次に考慮すべき血液・尿検査
　①血算，肝機能
　②5-HIAA（24時間蓄尿）→カルチノイド症候群
　③ヒスタミン，プロスタグランジン D_2→肥満細胞腫症
　④カテコラミン分画→褐色細胞腫

❸明らかな原因不明の場合
　①腎細胞癌，VIPoma，甲状腺癌などの可能性を考慮．
　②症状が落ち着いていれば精査は不要なことが多い．

発汗過剰・寝汗 (1)

鑑別疾患

1. 最初に除外すべきもの	3. 診断に検査が必要なもの
①発熱疾患（解熱時），②高温環境，③運動，④香辛料（激辛食），⑤特発性多汗症（いわゆる汗かき）	①感染症（代表的なもの）：膿瘍，感染性心内膜炎，結核，非結核性抗酸菌症，肝炎，HIV感染症，等
2. 病歴・診察から診断可能なもの	②悪性腫瘍（代表的なもの）：悪性リンパ腫，白血病，充実性腫瘍（腎細胞癌，胚細胞腫瘍，前立腺腫瘍など）等
①更年期障害　②ストレス ③不眠症　　　④うつ病 ⑤不安神経症 ⑥パニック障害 ⑦月経前症候群　⑧妊娠 ⑨肥満　⑩自律神経失調症 ⑪パーキンソン症候群 ⑫薬物（代表的なもの） （抗うつ薬，解熱鎮痛薬，ホルモン療法薬，コリン作動薬，β作動薬，β遮断薬，トリプタン，オピオイド，カフェイン，インターフェロン，予防接種）	③内分泌疾患：甲状腺機能亢進症，糖尿病，低血糖，副腎不全，副甲状腺機能亢進症，褐色細胞腫，インスリノーマ，末端肥大症，等 ④膠原病：関節リウマチ，SLE，血管炎，大動脈炎症候群，等 ⑤その他：胃食道逆流，睡眠時無呼吸症候群，ダンピング症候群，カルチノイド症候群，脊髄疾患，肥満細胞腫，等

鑑別のポイント

❶ 鑑別疾患に挙げたように，①最初に除外すべきもの，②病歴・診察から診断可能なもの，③診断に検査が必要なもの，3群に分けてアプローチするとよい．

❷ 更年期障害，気分障害，逆流性食道炎，甲状腺機能亢進症，肥満は頻度が高い疾患である．

❸ 結核，膿瘍，HIV などの感染症，悪性リンパ腫などの悪性腫瘍を見逃さない．

発汗過剰・寝汗 (2)

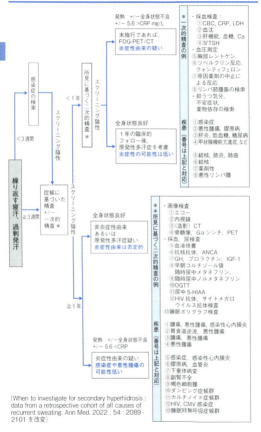

(When to investigate for secondary hyperhidrosis: data from a retrospective cohort of all causes of recurrent sweating. Ann Med. 2022 ; 54 : 2089-2101 を改変)

図 1 診断アルゴリズム：発汗過剰をきたす疾患と検査

頭　痛 (1)

鑑別疾患

一次性頭痛

①片頭痛　②緊張型頭痛　③三叉神経・自律神経性頭痛　④その他の一次性頭痛

二次性頭痛

⑤頭頸部外傷・傷害による頭痛（頭蓋内血腫，むち打ち，開頭術によるものなど）

⑥頭頸部血管障害による頭痛（非外傷性脳内・くも膜下出血，動脈解離など）

⑦非血管性頭蓋内疾患による頭痛（頭蓋内圧亢進，低髄液圧，脳腫瘍など）

⑧物質またはその離脱による頭痛（一酸化炭素・アルコール・ヒスタミン誘発性，トリプタン・鎮痛薬・オピオイド乱用，カフェイン・オピオイド離脱など）

⑨感染症による頭痛（髄膜炎，脳膿瘍，全身性感染症によるものなど）

⑩ホメオスターシス障害による頭痛（低酸素血症，高炭酸ガス血症，高血圧によるものなど）

⑪頭蓋骨，頸，眼，耳，鼻，副鼻腔，歯，口あるいはその他の顔面・頸部の構成組織の障害による頭痛あるいは顔面痛（急性緑内障，副鼻腔炎，顎関節症など）

⑫精神疾患による頭痛

有痛性脳神経ニューロパチー，他の顔面痛およびその他の頭痛

⑬有痛性脳神経ニューロパチーおよび他の顔面痛（三叉神経痛など）

⑭その他の頭痛性疾患

memo

頭　痛 (2)

鑑別のポイント

❶緊急対応が必要となる危険な頭痛（そのほとんどが二次性頭痛）を見逃さない（**表1**）.

❷問診（発症様式，性状，持続時間・頻度・日内変動，発症中または発症前の労作の有無，疼痛部位，随伴症状，同様の頭痛の経験の有無，誘因，家族歴，既往歴，服薬歴など），身体診察（バイタルサイン，髄膜刺激症候，神経局所症候など）から鑑別を進め，頭部CTや髄液検査等の必要性を検討する（**図1**）.

✎ memo

第2章　症候編

症候

**表 1　SNNOOP10 リスト：二次性頭痛のレッドフラッグ
（およびオレンジフラッグ）**

① S： Systemic symptoms including fever　発熱を含む全身症状．例：項部硬直，意識レベルの低下，神経脱落症状．（発熱のみの場合はオレンジフラッグ）

② N： Neoplasm in history　新生物の既往

③ N： Neurologic deficit or dysfunction (including decreased consciousness)　神経脱落症状または機能不全（意識レベルの低下を含む）

④ O： Onset of headache is sudden or abrupt　急または突然に発症する頭痛

⑤ O： Older age (after 50 years)　高齢（50 歳以降）

⑥ P： Pattern change or recent onset of headache　頭痛パターンの変化または最近発症した新しい頭痛

⑦ P： Positional headache　姿勢によって変化する頭痛

⑧ P： Precipitated by sneezing, coughing, or exercise　くしゃみ，咳，または運動により誘発される頭痛

⑨ P： Papilledema　乳頭浮腫

⑩ P： Progressive headache and atypical presentations　進行性の頭痛，非典型的な頭痛

⑪ P： Pregnancy or puerperium　妊娠中または産褥期

⑫ P： Painful eye with autonomic features　自律神経症状を伴う眼痛

⑬ P： Posttraumatic onset of headache　外傷後に発症した頭痛

⑭ P： Pathology of the immune system such as HIV　HIV などの免疫系病態を有する患者

⑮ P： Painkiller overuse or new drug at onset of headache　鎮痛薬使用過多もしくは薬剤新規使用に伴う頭痛

（日本神経学会・他：頭痛診療ガイドライン 2021 より）

頭 痛 (3)

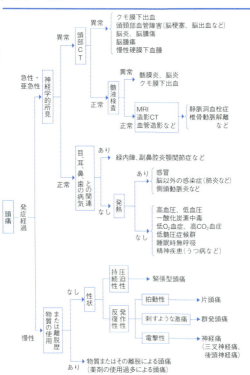

図 1 頭痛患者診断のフローチャート

頸部痛 (1)

鑑別疾患 (咽頭痛と重複する部分は省略. 常に意識すること)

見逃してはいけない (緊)

- ・細菌性髄膜炎
- ・化膿性椎体炎
- ・急性冠症候群

- ・脊椎硬膜外血腫
- ・硬膜外膿瘍
- ・椎骨脳底動脈解離

Common な鑑別 (頻)

- ・亜急性甲状腺炎
- ・偽痛風 (crown dens syn)
- ・頸椎捻挫

- ・筋緊張性頭痛
- ・頸椎症

その他の鑑別

- ・脊椎腫瘍/脊椎硬膜外腫瘍/
  脊椎転移性腫瘍
- ・食道癌
- ・乾癬性関節炎
- ・透析アミロイドーシス

- ・多発性骨髄腫
- ・大動脈炎症候群 (高安
  動脈炎)
- ・リウマチ性多発筋痛症
- ・多発性硬化症
- ・組織球性壊死性リンパ
  節炎☞p.108 リンパ節
  腫脹

鑑別のポイント

❶重症感染症, 心血管疾患, 悪性腫瘍の関連に注意.
　①危険な随伴症状 (発熱, 悪寒, 体重減少, 食欲不振,
　　神経脱落症状など) の確認
　②突然発症, 増悪傾向, 人生最悪の疼痛は緊急性高
　　い.
　③6週以上持続する頸部痛は悪性腫瘍を念頭におく.
❷神経学的な異常所見の有無を確認.
　麻痺, 意識障害, 知覚異常, 筋力低下, 深部腱反
　射の有無について確認.
❸咽頭痛の鑑別も参照☞p.131

頸部痛 (2)

処置・治療

❶検査
　①重症感染症：血液検査，血液培養，頸部単純/造影CT
　②心血管疾患：胸腹部造影CT，頭部CT/MRI，心電図
　③脊椎/脊髄疾患：脊髄CT/MRI
　④その他：頸椎単純X線，上部消化管内視鏡検査など

❷治療
　①筋骨格系疼痛：鎮痛，加温/冷却，早期のリハビリ
　②それ以外：原疾患の治療

咽頭痛 (1)

鑑別疾患

Killer sore throat (緊)	その他の鑑別
①急性喉頭蓋炎	①伝染性単核球症
②扁桃周囲膿瘍	②異物 (魚骨ほか)
③咽後膿瘍	③淋菌性咽頭炎
④Lemierre 症候群	④HIV 感染 (初期)
（化膿性血栓性内頸静脈炎）	⑤ジフテリア
⑤Ludwig angina	⑥急性甲状腺炎
（口腔底蜂窩織炎）	⑦特発性縦隔気腫
⑥アナフィラキシー	⑧高安動脈炎
⑦無顆粒球症	⑨川崎病
⑧心筋梗塞 (放散痛)	⑩ヘルペス口内炎
Common な鑑別 (頻)	⑪アデノウイルス感染症
①溶連菌性咽頭炎	⑫PFAPA 症候群
②急性上気道炎	

鑑別のポイント （図 1 参照）

❶ "Killer sore throat" とされる重要緊急疾患に注意.
　①Killer sore throat を疑う事項
　　ⓐ液体が嚥下できない. ⓑStridor の有無
　　ⓒ含み声 (Hot potato voice・muffled voice)
　②心筋梗塞など迅速対応必要な鑑別→冷汗, 胸痛,
　　血管リスクなどの確認.
❷原因は咽頭に限らず多臓器にわたり多彩な鑑別を考
　慮.
　①咽頭以外の要因検討
　　ⓐ心臓, 歯肉などの他臓器の検討.
　　ⓑ心因性 (生活背景・ストレス因子にも着目)
　②Oral sex など性交渉の確認：各種性感染症の考慮.
❸日常外来診療での頻出トピックは「溶連菌性か否か」.
　抗菌薬の有無を問われる重要鑑別. ☞ p.827 溶連菌感染
　①modified Centor Criteria の利用 （表 1 参照）

咽頭痛 ②

表 1　modified Centor Criteria
（溶連菌扁桃腺炎の治療方針のためのスコア）

症状		合計点	溶連菌扁桃腺炎のリスク	推奨される管理
38℃以上の発熱のエピソード	1点	≦0点	1～2.5%	抗菌薬や検査は必要ない.
圧痛のある前頸部リンパ節の腫脹	1点	1点	5～10%	
咳の欠如	1点	2点	11～17%	抗原検査を行う. 抗原陽性なら抗菌薬投与.
白苔を伴う扁桃の発赤	1点	3点	28～35%	
年齢		4点≦	51～53%	抗菌薬を経験的投与もしくは抗原検査. 両方行ってもよい.
3～14歳	1点			
15～44歳	0点			
45歳以上	1点			

表 2　咽頭痛をきたすおもな疾患

疾患名	病態概説	ポイント
急性上気道炎	多くの上気道炎は咽頭痛をきたす.	他疾患除外が肝要.
溶連菌感染症	日常外来診療における抗菌薬使用是非のターニングポイントとなる高頻度疾患.	培養/迅速検査 ☞p. 827 溶連菌感染
急性喉頭蓋炎/咽後膿瘍/扁桃周囲膿瘍/Ludwig angina（口腔底咽頭窩織炎）	各種感染から気道閉塞などの急変をきたしうる要注意緊急疾患.	声音変化. 液体嚥下の可否.
Lemierre症候群（化膿性血栓性内頸静脈炎）	嫌気性菌の口腔咽頭部感染による血栓性静脈炎.	多臓器にわたる敗血症性塞栓に注意.
心筋梗塞	放散痛から咽頭痛の訴えあり.	血管リスク確認. ☞p. 321 心筋梗塞
伝染性単核球症	EBウイルス誘因. リンパ節腫大や肝障害伴う.	脾腫大に注意. 抗菌薬誘因の発疹注意.
淋菌性咽頭炎	Oral sexなどにより感染する疾患の一例	性交渉の確認必要.
川崎病	小児における重要鑑別. 診断基準の確認必要.	イチゴ舌, 非特異的発疹, 両目眼球結膜充血など

②軟口蓋の点状出血（風疹の Forchheimer spot は溶連菌性もあり）

③迅速キット（感度 96.8%　特異度 100.0%　ラピッドテスタ® の場合）☞ p. 926

第2章 症候編

症候

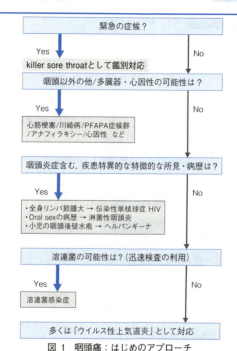

図1 咽頭痛：はじめのアプローチ
(Up to date：Evaluation of sore throat in children より和訳改変)

133

めまい (1)

鑑別疾患 (図1, 表1〜2を参照)

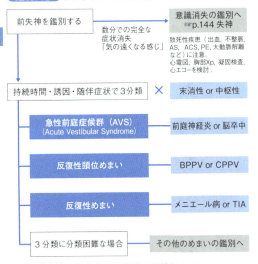

図1 めまいの鑑別フロー

*常に前失神・脳卒中の可能性を再検討する

3分類の特徴

❶ AVS：24時間以上持続する，急性発症の激しいめまい．HINT+にて末梢性と中枢性を鑑別する．
　※ HINT+は，BPPVを否定した，AVSにおいて適応となる点に注意．
❷ 反復性頭位めまい：1回のめまいは数分程度で，頭位変換により繰り返し引き起こされる．末梢性と中枢性のめまいの鑑別点 (表2) を参考に，BPPVとCPPV (中枢性発作性頭位めまい) を鑑別．

第2章　症候編

症候

❸反復性めまい：1回数時間程度で，誘因なく発症し，低音域を中心とした可逆性難聴を伴う．血管リスクを認め，難聴を認めない場合は TIA も鑑別．

❹3分類が困難な場合，その他のめまいを鑑別（**表1**）．

チェックリスト

※失神・末梢性めまいを疑うときは，該当項目も参照．

❶問診：発症様式，持続時間，内耳症状，動脈硬化リスク（糖尿病，脂質異常症，高血圧，喫煙），既往（頸部外傷，心疾患，精神疾患・過換気），薬剤（抗うつ薬，抗コリン薬，抗ヒスタミン薬，降圧薬）

❷診察：HINTS＋，4D，その他の神経所見，眼振，姿勢保持，歩行，Dix–Hallpike，Jackson・Spurling test

❸検査：採血（特に血糖・電解質・甲状腺機能），頭部CT・MRI を考慮

鑑別のポイント

特に一般外来では，慢性経過のめまいを訴える場合が多く，AVS・反復性頭位めまい・反復性めまいに分類できない疾患頻度が高くなる．

表 1　その他のめまいの鑑別疾患

平衡障害	Parkinson 病（起立性低血圧），末梢神経障害（深部感覚障害），頸椎症（姿勢保持障害）
非特異的めまい	精神疾患（うつ病，不安障害・パニック障害，身体化障害，アルコール使用障害），過換気 ＊過換気で症状が再現されうる
	低血糖，甲状腺機能低下症，電解質異常，薬剤（抗うつ薬・抗コリン薬・抗ヒスタミン薬・降圧薬，離脱症状）
高齢者のめまい	多感覚障害性めまい（リスク：不安・抑うつ，平衡障害，陳旧性心筋梗塞，起立性低血圧，5剤以上内服，聴覚障害）

135

めまい ⑵

表 2　末梢性めまいと中枢性めまいの鑑別点

観察項目	末梢性	中枢性
HINTS＋ [*1]		
Head Impulse Test（前庭機能）	異常	正常
Nystagmus（眼振）	回旋性水平眼振	垂直眼振 純粋回旋性眼振
Test of Skew（斜偏位）	なし	あり
＋（難聴）	なし	あり
4D [*2]・その他の神経症状 [*3]	認めない	しばしば認める
眼振		
方向	一方向性	方向交代性
固視による眼振抑制	あり	なし
Dix-Hallpike 法による眼振		
潜時 [*4]	あり（2-20 秒）	なし（同時）
持続時間	1 分未満	1 分以上
慣れの現象 [*5]	あり	なし
程度	重度	軽度～無症状
その他		
その他の内耳症状 [*6]	認める場合がある	認めない場合が多い
姿勢障害	一方向性	重度
歩行	保たれる	しばしば転倒する

[*1] HINTS＋：全て末梢性ならば，中枢性はほぼ否定される

[*2] 4D：脳幹障害を示唆．Dysesthesia 感覚障害，Dysphonia 構音障害，Dysarthria 嚥下障害，Diplopia 複視

[*3] その他の神経症状：運動障害，体幹平衡障害，測定障害

[*4] 潜時：眼振が誘発されるまでの時間

[*5] 慣れの現象：頭位変換などで，2 回目以降，症状の程度が軽くなること

[*6] 内耳症状：耳鳴，耳閉，難聴

第2章 症候編

症候

疾患別の特徴

AVS	疾患別ポイント
前庭神経炎	約半数はかぜ症状に続いて生じる. 内耳症状は伴わない. 激しい症状は数日から1週間で落ち着くが, 完治までに数週〜数か月かかる. 例外的に診断される.
内耳炎	中耳炎や髄膜炎に続発して生じる. 内耳症状を伴う. 内耳炎自体の痛みはない. 中耳炎の早期治療が重要.
脳卒中	小脳・脳幹の出血・梗塞などによる症状. 突発発症で, 持続性の症状. めまいの他に, 脳神経障害の所見を認めるため, 小脳症状（測定障害・体幹失調・協調運動の障害）, 脳幹症状（構音障害・内耳症状・複視）に注意. 動脈硬化のリスクが高い場合により疑う.
反復性頭位めまい	
BPPV	三半規管内の耳石の浮遊による. 頭位変換時に出現し, 静止すれば30秒以内に消失. 内耳症状は伴わない. 1〜2週以内に改善. 回転性めまいで最多.
CPPV（脳腫瘍・脱髄疾患）	小脳・脳幹部の腫瘍・変性疾患による症状で, 頭位変換によって眼振が誘発される場合, 中枢性疾患である. なお, 健側を下にした場合に, 上下方向の眼振が出るのが典型例である. 慢性発症, 緩徐進行の経過となる.
鎖骨下動脈盗血症候群	動脈硬化や動脈炎が原因. 椎骨動脈より近位の鎖骨下動脈の狭窄により, 同側の上肢の運動に伴い, 椎骨動脈の血流が逆流して虚血を生じる. 前大神が多いが, 回転性めまいもきたしうる. 上肢血圧の左右差があれば, 血管造影で閉塞部位を確認.
反復性めまい	
メニエール病	30分〜数時間の回転性めまいを繰り返す. 繰り返す頻度は, 数日に1度から1年に1度までさまざま. 片側性の耳鳴を必ず伴う.
突発性難聴	突然発症する難聴. ほとんどが片側性. 耳鳴や回転性めまいが主訴になることもあるので注意. すぐに耳鼻科に紹介.
脳底型片頭痛	片頭痛の前兆として, 数分〜1時間の回転性めまいを認める. 運動失調, 複視, 構音障害, 意識障害などを伴うこともある. 若年女性, とくに女児に多い.
TIA	脳卒中と同様の発症様式・症状・リスクだが, 持続時間は数時間程度で改善し, MRI所見も認めない点が異なる.
その他	
Ramsay Hunt症候群	耳周囲の帯状疱疹の炎症が顔面神経に波及して, 顔面神経麻痺をきたしたもの. 難聴, 耳鳴, 回転性めまいを伴うこともある.
外リンパ瘻	内耳窓が破れ, 外リンパ液が中耳に漏れたもの. 内耳窓が破れるときの破裂音と続く水が流れるような耳鳴が特徴. 難聴, 耳鳴, 回転性めまいも生じうる. 気圧の急激な変化や鼻かみがきっかけになる.
薬剤性（耳毒性）	アミノグリコシド, VCM, シスプラチンには不可逆的な腎毒性と耳毒性がある. NSAIDs, ループ利尿薬は可逆的な内耳障害をきたす. 内耳症状がまだが, 回転性めまいも生じうる.
頸性めまい	椎骨変形による椎骨動脈圧迫が原因. 頭部の回旋で誘発されやすい. MRIや血管造影で診断.
視覚性めまい	眼球運動障害, 視力左右差, 視野欠損により生じる. 片目で消失するのが特徴.

137

めまい (3)

治　療

❶回転性末梢性めまいに対して
　嘔気が強いとき

消化器機能異常治療剤：メトクロプラミド
　プリンペラン注（10 mg/2 mL/A）　1 A　静

不安が強ければ

抗アレルギー性精神安定剤：ヒドロキシジン塩酸塩
　アタラックス-P注（25 mg/1 mL/A）　1 A ⎫
　生食　100 mL　　　　　　　　　　　　　　⎭ 点

　　　　　　　　　　　　　　　　　※妊婦には禁忌

　　※呼吸抑制がなくセルシン®注よりも使用しやすい.
　　または

ベンゾジアゼピン系抗不安薬：ジアゼパム
　セルシン注（10 mg/2 mL/A）　1 A　筋

アシドーシス補正用製剤：炭酸水素ナトリウム
　7％メイロン注　（20 mL/A または 250 mL/袋）
　　　　　　　　　　　　　　40 mL～250 mL　静
　ほか対症療法として ATP やビタミン B_{12} 製剤など.
❷急性期で内服が可能な時，以下のいずれかを投与

中枢性制吐・鎮暈薬：ジフェンヒドラミン・ジプロフィリン配合
　トラベルミン配合錠　1回1錠　頓

ドパミン受容体拮抗薬：ドンペリドン
　ナウゼリン錠（10 mg）　1回1錠　頓

不安感が強い場合

ベンゾジアゼピン系抗不安薬：ジアゼパム
　セルシン錠（2 mg）　1回1錠　頓

動　悸

鑑別疾患

①不整脈に伴う動悸

洞性頻脈，上室性期外収縮，心室性期外収縮，心房細動，心房粗動，発作性上室性頻拍，心室頻拍
（徐脈性不整脈で動悸を訴えることは稀）

②組織の酸素不足に伴う動悸

　ⓐ酸素供給の低下：心不全，呼吸不全
　ⓑ酸素需要の増大：発熱，脱水，甲状腺機能亢進症，
　　貧血，脚気，褐色細胞腫

③外因性動悸

薬剤（カテコラミン，テオフィリンなど），アルコール，カフェイン，喫煙

④精神的動悸

興奮，不安，心臓神経症，パニック発作

鑑別のポイント

❶動悸＋失神など自覚症状がある場合，致死性不整脈を見逃さない．☞ p. 313 不整脈

❷不整脈による動悸は，病歴や検脈が有用なことがある．不規則な不整脈は心房細動，規則性のある不整脈は期外収縮，突発性の動悸は発作性上室性頻拍の可能性がある．

❸既往に心電図異常がないかの問診が大切，動悸時と比較できたらなおよい．

❹動悸時に心電図異常がない場合，原因が鑑別疾患①以外の可能性がある．健診異常，動悸の頻度，精査歴・内服治療歴など鑑別疾患②③④を意識した解釈モデルや背景聴取が必要である．☞ p. 234 抑うつ，☞ p. 600 パニック障害

139

意識障害 (1)

鑑別疾患

頻度が高い	頻度が低い
<頭部疾患>	
・脳血管障害(梗塞, 出血) ・頭部外傷 ・てんかん ・髄膜脳炎	・脳腫瘍 ・水頭症 ・脳血管炎 ・急性散在性脳脊髄炎 ・Creutzfeldt-Jakob病
<代謝異常>	
・低血糖, 高血糖 ☞ p.610 糖尿病 ・電解質異常 (Na, Ca, Pi, Mg) ・尿毒症 ☞ p.667 CKD ・肝性脳症 ・低酸素, 高二酸化炭素	・ウェルニッケ脳症 ・低体温, 高体温 ・甲状腺機能亢進 ☞ p.639 ・甲状腺機能低下 ☞ p.643 ・副腎不全
<中毒・薬物>	
・アルコール ・鎮静薬, 睡眠薬 ・抗精神病薬 ・オピオイド	・一酸化炭素 ・シアン化物 ・サリチル酸 ・メトヘモグロビン血症
<その他>	
・敗血症 ・ショック ・低血圧 ・高血圧 ☞ p.304 ・精神疾患	・血栓性血小板減少性紫斑病 ・播種性血管内凝固症候群

memo

第2章　症候編

症候

鑑別のポイント

❶原因は多臓器にわたり多彩な鑑別を考慮する.
　　特に頭部疾患を鑑別に挙げる場合は, 下記どちらかの障害で意識障害が生じることを念頭におく.
　①上行性網様体賦活系（橋・中脳−間脳−大脳皮質）
　②広範囲の両側大脳皮質

❷患者への問診は困難である場合が多く, 以下を参考に.
　①目撃者の証言（発症様式, 随伴症状, 外傷歴等）
　②所有物, カルテ情報（既往歴, 服薬歴等）
　③失神（☞ p. 144）とけいれん（☞ p. 150）を除外.

❸診察では, まずバイタルサイン〔とくに呼吸パターン, 意識レベル（JCS ☞**表 1**, GCS ☞**表 2**）〕を確認し, 緊急処置が必要かを判断.
　　問題がなければ, 以下のとおり鑑別診断を進める.

表 1　JCS（Japan Coma Scale）

0	意識清明
Ⅰ	覚醒している
1	だいたい意識清明だが今ひとつはっきりしない
2	見当識障害がある
3	自分の名前・生年月日が言えない
Ⅱ	刺激すると覚醒する
10	普通の呼びかけで容易に開眼する
20	大声または揺さぶりで開眼する
30	痛みを加えつつ呼びかけを繰り返すとかろうじて開眼
Ⅲ	刺激しても覚醒しない
100	痛みを与えると払いのけ動作をする
200	痛みを与えると少し手足を動かしたり顔をしかめたりする
300	痛みに全く反応しない

141

意識障害 (2)

表2 GCS (Glasgow Coma Scale)

開眼（E） Eye Opening	
自発的に開眼する	4
呼びかけで開眼する	3
痛み刺激で開眼する	2
開眼しない	1

最良言語反応（V） Best verbal response	
見当識あり	5
混乱した会話	4
混乱した言葉	3
理解不明の音声	2
発語なし	1

最良運動反応（M） Best motor response	
命令に従う	6
痛み刺激で疼痛部へ	5
痛み刺激に逃避する	4
痛み刺激で異常屈曲（除皮質硬直）	3
痛み刺激で異常伸展（除脳硬直）	2
動かない	1

①一般診察（外傷，髄液鼻漏，皮膚の色，呼気臭等）
②神経診察（項部硬直，脳幹反射，局所徴候等）
③眼の診察（うっ血乳頭，視野欠損，瞳孔不同，対光反射，眼球偏位，角膜反射）

memo

第 2 章 症候編

処置・治療 (図1)

❶ 血液検査（血算，血糖，BUN，クレアチニン，Na，Ca，Pi，Mg，肝機能，アンモニア，PT，APTT，甲状腺機能，副腎機能，ビタミンB_1等）
❷ 動脈血液ガス（pH，pO_2，pCO_2，CO-Hb 等）
❸ 尿検査（尿一般，ケトン体，シグニファイ™ER等）を測定し，必要な処置，治療を同時並行で行う．また，高次機関への紹介も考慮．

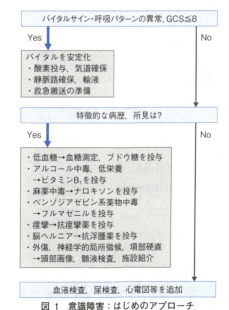

図 1 意識障害：はじめのアプローチ

(Up to date : Stupor and coma in adults-management より和訳改変)

失　神 (1)

鑑別疾患

1. 心原性失神 (緊急性が高く予後が悪い)

不整脈 (心室頻拍/心室細動, QT 延長, 洞不全症候群, 高度
房室ブロック, Brugada 症候群), 薬剤性 (抗不整脈薬, ジギ
タリス, Ca 拮抗薬, β遮断薬, マクロライド/ニューキノロン
系, 三環系抗うつ薬など)

急性冠症候群, 大動脈疾患, 弁膜症, 心不全, 肥大型心
筋症, 緊張性気胸, 肺塞栓症, 心タンポナーデ

2. 起立性低血圧 (出血は緊急性が高い)

出血 (消化管出血, 大動脈瘤破裂, 子宮外妊娠破裂, 大腿骨/
骨盤骨折), 貧血, 脱水

薬剤性 (アルコール, 降圧薬, 血管拡張薬, 利尿薬, 抗不整
脈薬, 向精神病薬, 抗パーキンソン病薬)

自律神経障害 (糖尿病, パーキンソン病, レビー小体型認知
症, 多系統萎縮症, アミロイドーシス, 脊髄損傷)

3. 神経調節性失神 (緊急性は低いが頻度が多い)

状況性失神 (特定の状況下で発症)

血管迷走神経反射 (緊張, 不眠, 疲労, 起立負荷)

頸動脈洞性失神 (ネクタイ, 髭剃り, 頸部の過伸展)

4. その他 (脳血管性失神)

くも膜下出血, 脳底動脈循環不全, 鎖骨下動脈盗血症候
群など

5. 非失神の一過性意識障害

けいれん, 脳震盪, アルコール, 心因性, カタプレキ
シー, 低血糖, 過換気症候群, 低酸素血症など

鑑別のポイント

❶意識障害のうち, 一過性の脳血流低下によるものを
失神と呼ぶ. 多くは 30 秒以内, 長くとも 5 分以内で
自然に元の状態に戻る. 来院時も症状が遷延する場

第2章　症候編

症候

表1　各失神の特徴

心原性	・臥位，労作時，早朝，ストレス，喫煙時，寒冷曝露時の発症 ・前駆症状で胸痛/動悸，息切れ ・心疾患既往，心血管リスク，心臓突然死の家族歴
起立性低血圧	・起立直後～2分以内の発症 ・出血や自律神経障害のエピソード ・入浴直後，熱中症，アルコール（末梢血管拡張） ・食後（門脈血流増加）
神経調節性	・長時間の立位・座位保持，不眠，疲労，恐怖など交感神経過緊張状態→血管迷走神経性失神 ・咳，疼痛，嘔気，排泄後→状況性失神 ・頸部過伸展，髭剃り，ネクタイによる頸動脈洞圧迫→頸動脈洞性失神

合は意識障害として対応．☞ p.140 意識障害

❷目撃者を探し，失神までの様子，失神の状況と時間，意識が戻った後の様子などを徹底的に聴取することが鑑別の鍵（**表1**）．

❸失神が起こった時，必ず外傷の検索も行う．失神後に受傷した場合と，頭部外傷などによって失神した場合がある．

❹緊急性の高い心原性失神，循環血液量減少失神を除外するため，心電図，胸部Xp，血液検査は必ず行う．

❺血液検査で貧血や脱水の有無，D-ダイマー，電解質，血糖値，腎機能，アンモニア，CK，代謝性アシドーシス，乳酸などを確認．

❻起立試験，直腸診，心エコー図等も参考になる．

❼初診時の心電図で異常がなくとも，病歴から致死的不整脈を疑えば，携帯型心電計や植え込み型ループ心電計，場合によっては心臓電気生理学的検査の適

145

失　神 ⑵

表 2　失神患者の高リスク基準

1. 重度の器質的心疾患あるいは冠動脈疾患

・心不全，左室駆出分画低下，心筋梗塞歴

2. 臨床上あるいは心電図の特徴から不整脈性失神が示唆されるもの

・労作中あるいは仰臥時の失神
・失神時の動悸
・心臓突然死の家族歴
・非持続性心室頻拍
・二束ブロック（左脚ブロック，右脚ブロック＋左脚前枝 or 左脚後枝ブロック），QRS≧120 ms のその他の心室内伝導異常
・陰性変時作用薬や身体トレーニングのない不適切な洞徐脈（<50/分），洞房ブロック
・早期興奮症候群
・QT 延長 or 短縮
・Brugada パターン
・不整脈源性右室心筋症を示唆する右前胸部誘導の陰性 T 波，イプシロン波，心室遅延電位

3. その他

・重度の貧血，電解質異常等

（日本循環器学会：失神の診断・治療ガイドライン（2012 年度改訂版）より一部改変）

応になる．

❽降圧薬や抗不整脈薬による失神も多いため，必ずお薬手帳を確認する．

❾神経調節性失神は病態を説明し，誘因となる状況を回避し，前兆を自覚した時の回避法を指導する（その場でしゃがむまたは横になる，足を交差して組む，両手を握り強く引っ張り合うなど）．

第2章 症候編

❿ 神経調整性失神は失神の原因として最多で予後良好だが，基本的に除外診断．

⓫ くも膜下出血など中枢性失神はまれだが，前兆頭痛や神経巣症状を伴う場合などに考慮する．

⓬ 失神とけいれん発作の鑑別も重要になる．

①失神であれば発作時の顔面は蒼白で，脱力し姿勢を保っていられず転倒し，脳血流が回復することで速やかに意識が回復する．

②けいれん発作であれば，舌側縁の咬傷，失禁の存在，発作後の意識障害遷延などが特徴的．舌の診察は延舌させ，中央を見るのではなく必ず横から創の有無を確認する． ☞ p.150 けいれん発作

ショック

鑑別疾患 ☞当直医 M

（下線：頻度高，**太字**：緊急度高）

分　類	原因疾患・病態
心原性ショック	<u>心筋梗塞，弁膜症，心筋症</u> <u>不整脈</u>（心室細動，心室頻拍，心房細動，心房粗動，房室ブロック，SSS など）
循環血液量減少性ショック	<u>出血</u>（外出血，消化管・胸腔・腹腔・骨盤内・後腹膜出血など），体液喪失（脱水，血管透過性亢進，脱水，熱傷，腹膜炎など）
心外閉塞性・拘束性ショック	**緊張性気胸** 心タンポナーデ，収縮性心内膜炎 肺血栓塞栓症
血液分布異常性ショック	**アナフィラキシーショック（薬物，食事，ハチ）** 敗血症性ショック（感染症），神経原性ショック（頸髄損傷，腫瘍などによる脊髄圧迫など）

※ショック類似疾患：各種ストレスにより内分泌クリーゼ（急性副腎不全，甲状腺クリーゼ）

鑑別のポイント（図 1 参照）

❶ ショックの原因は 1 つとは限らないことを考慮.（例：急性胆嚢炎と心不全など）.

❷ 一般外来でショックの原因を特定するよりは，救急外来(ER)や救急対応の可能な病院への搬送を優先.搬送前（中）にすべきことは，外出血に対する圧迫止血，酸素投与，モニター装着，AED の準備，輸液（うっ血の著明な心不全では静脈路確保のみ，その他のショックでは「全開滴下」）.

❸ 上記❷の搬送より優先すべき処置は，アナフィラキシーショックに対するアドレナリンの筋注，緊張性気胸の脱気.

第2章 症候編

症候

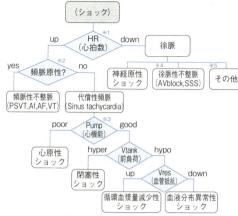

図1 ショックアルゴリズム

※1 β遮断薬などの降圧薬を内服している場合は必ずしも当てはまらないので注意.
※2 代償性頻脈でHR>160になることは稀. 基本的に鑑別には12誘導心電図検査を行う.
※3 ベットサイドエコーを行う.
※4 徐脈を伴うショックにも, 致死的で, 緊急の治療が必要なものが多い. 迅速な検査（例：生化学, 心電図）及び治療が必要. ペースメーカの適応の検討. ☞ p.313 不整脈, p.139 動悸
※5 高K血症, 高Mg血症, 下壁梗塞, 薬剤性, 低体温, 血管迷走神経反射, 副腎不全, 甲状腺機能低下, 脳圧亢進など.

149

けいれん発作 ⑴

鑑別疾患

見逃してはいけない疾患(緊)	Common な鑑別 (頻)
①Adams-Stokes 症候群（心室細動，心室頻拍，徐脈） ②低酸素 ③脳血管障害 ④髄膜脳炎	①(特発性) てんかん ②症候性てんかん ③熱性けいれん（小児では大半） ④低・高血糖 ⑤電解質異常(低 Na 血症，高 Na 血症，低 Ca 血症，低 Mg 血症など) ⑥薬剤性（抗うつ薬・抗精神病薬，抗ヒスタミン薬，抗菌薬など） ⑦ベンゾジアゼピン系抗不安薬の離脱・アルコール離脱

その他の鑑別
頭部外傷，脳腫瘍，脳膿瘍，Wernicke 脳症，尿毒症，肝不全，甲状腺クリーゼ，膠原病（SLE，血管炎），ヒステリー，子癇，熱中症，破傷風，ポルフィリン症，など

鑑別のポイント

❶けいれん発作とてんかんが混同されやすい．てんかんはけいれん発作を繰り返し起こす疾患の名称．

❷失神や不随意運動，シバリングと鑑別を要する．失神や意識障害という主訴で来院した患者には，必ずけいれん発作がなかったか確認．失神は原則，数分程度で完全に回復するが，けいれん発作は数分以上かけて徐々に回復することが多い．

❸一般外来では，けいれん中よりもけいれん後に遭遇することの方が多い．その際は目撃者の情報が重要である．目撃者がいないと，本当にけいれん発作があったかどうかの判断が難しい．眼球偏位，舌咬傷，失禁，失神後の混迷などがあれば疑わしく，乳酸，アンモニア，プロラクチン，CPK などが上昇することも参考にする．

第2章 症候編 　　　　　　　　　　　　　症候

❹ けいれん発作の鑑別は原則，意識障害（の AIUEO-TIPS）と同様に考えればよい．ただし意識障害の原因頻度と異なり，けいれん発作の原因としては圧倒的にてんかんが多い．すでに診断のついている患者では診断も容易であり，その場合は抗てんかん薬の飲み忘れがないかどうかをチェックする．しかし，とくに初発の場合，抗けいれん薬が無効なけいれん発作（Adams-Stokes 症候群，低血糖，低酸素など）に注意．

❺ Adams-Stokes 症候群を見逃さないため，心疾患の既往歴，突然死の家族歴，けいれん前の前駆症状（胸痛，動悸）などを聴取する．また Adams-Stokes 症候群によるけいれんでは，意識回復までの時間が通常のけいれんより短いことが多い．

❻ 発熱がある場合は，髄膜脳炎を常に疑う．膠原病や血管炎も忘れない．

処置・治療（けいれん中）

❶ まずは ABC の確認．気道確保し，酸素投与を行う．けいれん中は呼吸が止まっていることが多く，低酸素はけいれんを助長する．

❷ 抗けいれん薬が無効なけいれん（Adams-Stokes 症候群，低血糖など）の除外をしながら抗けいれん薬の投与

①第1選択

ベンゾジアゼピン系抗不安薬：ジアゼパム
セルシン注（10 mg/2 mL/A）
　　　　　　　　1/2 A〜1 A　 静　ゆっくり
　　　　　　　　　　　　　　　または 筋

memo

けいれん発作 ②

あるいは

ベンゾジアゼピン系催眠鎮静導入剤：ミダゾラム

ドルミカム注（10 mg/2 mL/A）

　　　　　0.1～0.3 mg/kg　静　ゆっくり

※いずれも呼吸抑制に注意．バッグバルブマスクを手元に置く．数分して止まらなければ反復可．
※静脈路の確保困難な場合：ジアゼパム注射液（10～30 mg）の注腸，またはミダゾラム注射液（10 mg）の鼻腔内投与．

②第2選択

ヒダントイン系抗てんかん薬：フェニトイン

アレビアチン注（250 mg/5 mL/A）　1～2 A　点

※フェニトインは添付文書上 15～20 mg/kg を 50 mg/min より遅い速度で静注となっているが，静注だと血圧低下，徐脈，房室ブロックなどの副作用があり，生理食塩水 50～100 mL に溶解し点滴静注が無難．

あるいは

フェニトイン系抗てんかん薬：ホスフェニトイン

ホストイン注（750 mg/10 mL/V）

・初期投与：22.5 mg/kg　静
　投与速度は 3 mg/kg/分または 150 mg/分のいずれか低い方を超えないこと．
・維持投与：5～7.5 mg/kg/日を1回または分割にて　静
　投与速後は 1 mg/kg/分または 75 mg/分のいずれか低い方を超えないこと．

※維持投与は初回投与から 12～24 時間あけて行う．
※最近は副作用の観点からホストインが好まれる．

第2章 症候編

症候

③第3選択：けいれんが治まらない場合，人工呼吸管理下で

バルビツール系全身麻酔薬：チオペンタール
ラボナール注射用　初回 3〜5 mg/kg　(静)
その後 3〜5 mg/kg/時　(持続静)

※保険適用外使用
※重症喘息患者では禁忌

処置・治療（けいれん後）

❶ てんかんの診断がついていないケースでは，Adams-Stokes発作を除外するため心電図，心エコー図，24時間心電図などを行う．また低血糖や電解質異常などがないかチェックをするため採血や血液ガス分析を行う．脳血管障害除外のため撮影が可能な施設では頭部CT，MRIも検討．

❷ その上で，てんかんが疑わしいケースでは，脳波検査を行う．てんかんの診断は重いものであり，脳波異常を確認しないのに安易に診断しない．

memo

不随意運動 (1)

鑑別疾患

頻度の多いもの

①パーキンソン症候群　②ジストニア　③振戦

まれではないが，見逃されやすいもの

④チック　⑤ミオクローヌス　⑥遅発性ジスキネジア
⑦むずむず脚症候群　⑧舞踏運動　⑨小脳失調

比較的まれなもの

⑩攣縮 (spasm)　⑪線維束攣縮 (fasciculation)
⑫筋痙攣 (stiff-muscle, cramp)

（梶　龍兒：不随意運動の診断と治療. 診断と治療社, 2016 より
一部改変）

定　義

❶通常抑制できないか，部分的にしか抑制できない運動.

❷てんかん発作や小脳失調などは含めない. 意識低下があればまずてんかん発作を疑う.

原　因

❶錐体外路障害（主に大脳基底核）が多い.

❷原因は神経疾患とは限らず，内服薬や基礎疾患（肝・腎不全などの代謝異常），脳炎・脳梗塞による二次性を見逃さない.

鑑別のポイント

以下を確認しながら，図1，表1を用いて分類.

❶病歴：運動精神発達障害の有無，発症様式，持続性，睡眠時の症状有無，緊張やストレス，運動で誘発や増悪があるか，随意的に抑制可能か，家族歴，合併疾患（抗精神病薬の服用歴や肝腎疾患，脳血管病変，てんかんの既往など）を聴取

❷身体所見：出現部位，誘発増悪寛解因子，律動性（規則的なら頻度も），拮抗筋の共収縮があるか（真似でき

第2章　症候編

症候

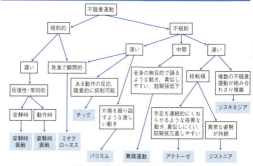

図1　鑑別フローチャート

るか），運動の速さ，運動の大きさ，持続時間，捻転要素，常同性（一定のパターンがあるか），筋緊張の程度，distraction（健側で他の動きをさせると患側も健側の動きに近づく→心因性の可能性）などを確認

※可逆的に変化する場合や分類困難な場合も多く，ビデオ記録も検討．

❸検査
①脳画像：基底核，脳幹，小脳の萎縮や変形，脳血管/腫瘍/脱髄病変を確認．
②専門医での検査：表面筋電図，脳波

memo

不随意運動 (2)

表 1　不随意運動の分類と特徴

分類	部位	特徴
安静時振戦	上下肢に多いが頭頸部でもみられる.	反復性, 常同的に共動筋と拮抗筋を交互に収縮 (2～6 Hz). pill-rolling, re-emergent tremor
動作・姿勢時振戦	上肢に多い	目標に向かう運動や, ある姿勢を保つと出現. 主に 7～11 Hz.
ミオクローヌス	四肢, 体幹, 顔面関節運動伴わない	突発性で持続の短い筋収縮. 通常不規則だが, 規則的にみえることも多い
チック	一側の目, 口, 肩など	局所の不快な違和感を前駆症状とし, 素早く小さな常同的動作が繰り返し起きる. 随意的に抑制可
バリスム	四肢近位筋, 片側が多い	上下肢全体を投げだすまたは振り回すような持続的で激しい運動. 抑制困難.
舞踏運動	全身. 1つの部位から他所へ次々と流れるように生じる	不規則で振幅の大きな目的のない早い運動. 筋緊張低下. 真似しやすい.
アテトーゼ	四肢遠位に多いが, 頸部・顔面・舌でもみられる	舞踏様運動よりも緩徐で, 体を捻らせ, タコの足が這うような休みない動き. 真似困難. 筋緊張亢進しやすい.
ジストニア	四肢, 体幹, 脳神経支配領域などすべてに生じる. 痙性斜頸, 書痙, 眼瞼痙攣が多い.	間歇性・反復性の持続する筋収縮により, 捻じれを伴う異常姿勢をとる. 特定の動作や姿勢で増悪し, 一定のパターンをとる. 早期は感覚トリックあり
ジスキネジア	一定部位に限局	舞踏病, ジストニア, 振戦, バリスム, ミオクローヌスなどが混在し分類困難な比較的速い運動.
攣縮	片側顔面痙攣が代表疾患	片側の顔面表情筋が痙攣. 周期的で一定パターンあり, 血管の拍動に影響される.
筋痙攣 (cramp)	下肢が多いが, 全身性疾患の場合はびまん性.	筋固縮や痙縮によらずに連続して筋線維が発火する病態. 痛みを伴う.
線維束攣縮 (fasciculation)	四肢や舌	自発的な発火により筋線維束が不規則かつ微細に収縮. 随意運動や打腱器等で軽く筋を叩くと誘発. 睡眠中も出現.
むずむず脚症候群	下腿が 8 割	夕方以降, 安静時に不快な異常感覚. 運動で軽快.

第2章　症候編

症候

原因	治療
パーキンソン病や脳幹病変	パーキンソン病であれば抗パ薬に反応. 改善に乏しい場合や難病認定時は専門家に紹介
本態性振戦が多い. その他甲状腺機能亢進症, アルコール中毒や薬剤性.	本態性振戦では β 遮断薬, リボトリール等の抗不安薬を用いる
代謝性（肝・腎不全）, 感染性, 薬物性, CJD, 低酸素脳症などによる中枢病変	原因が皮質性では各種抗てんかん薬, 皮質下性ではクロナゼパム, バルプロ酸等を用いる.
多くの場合背景疾患のないチック症	根本的な治療法なし. 専門家に紹介.
対側の視床下核〜淡蒼球路の脳血管障害, 高血糖.	血管障害が原因の場合自然寛解が多い. ハロペリドールやバルプロ酸などが有効.
線状体または赤核, 視床病変で生じる. 遺伝性, 錐体外路障害, DM, 薬剤性など	一次性舞踏症に対してはハロペリドールやペルフェナジンが有効.
錐体外路（線状体, 視床, 淡蒼球）の病変. 原因のほとんどが脳性麻痺	ダントロレン, レボドパ, 抗コリン薬, ジアゼパム, ハロペリドール等
特発性が最多. 錐体外路病変（脳血管性, パーキンソン症候群, 薬剤, 外傷, Wilson など）がみつかることもある.	原因治療, 原因薬剤の中止. 全身性では抗コリン薬等が用いられる. 局所性ではボツリヌス毒素療法が第一選択.
進行期パーキンソン病, 薬剤性（レボドパ, 向精神薬, ドパミン受容体遮断薬）, 特発性, 脳血管障害	薬剤性の場合, 中止可能であるなら漸減. ただし薬剤を中止しても1カ月は症状が持続
顔面神経が血管により圧迫され異常興奮	ボツリヌス毒素治療や神経血管減圧術. 軽症時はカルバマゼピンなどの抗てんかん薬も選択肢.
熱中症, 電解質異常, 破傷風, 神経根疾患, 種々の神経筋疾患（糖尿病性ニューロパチー, stiff-person 症候群）など多岐.	原疾患の治療. 神経筋疾患を疑う場合紹介.
筋萎縮性側索硬化症の初期や脱髄疾患.	電気生理学的検査が必要. 紹介が望ましい.
二次性ではパーキンソン病, 慢性腎不全, 鉄欠乏性貧血, ビタミン欠乏, 薬剤性等多岐にわたる	欠乏があれば鉄剤. 他抗パ薬, クロナゼパムなど

157

四肢脱力 (1)

鑑別疾患 (①〜⑩は次頁の表中の番号と対応)

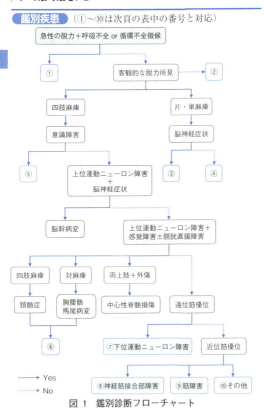

図 1 鑑別診断フローチャート

第2章　症候編　　　　　　　　　　症候

（下線：頻度高，**太字**：緊急度高）
（①～⑩は**図1**フローチャート中の番号と対応）

①急性の呼吸・循環不全をきたしうる神経筋疾患

脳卒中，髄膜炎，脊髄圧迫，脊髄炎，ギラン・バレー症候群，重症筋無力症クリーゼ，皮膚・多発筋炎，多発性硬化症，有機リン中毒，ボツリヌス中毒，ふぐ毒

②客観的な麻痺なし

神経筋疾患以外の救急疾患	ショック，<u>低酸素血症</u>，敗血症，ACS，<u>脱水</u>，貧血，<u>薬物中毒</u>，内分泌異常（DKA，副腎不全），強い疼痛など
神経筋疾患	小脳，錐体外路，深部知覚の障害

③脳神経症状あり	高次脳障害 脳神経症状と麻痺が同側	**梗塞**，**出血**，腫瘍，膿瘍，外傷，肉芽腫病変，多発性硬化症，サルコイドーシス，真菌，寄生虫，血管奇形など	
	患側の脳神経障害 対側の不全麻痺		
	不全片麻痺，失調，巧緻運動障害	<u>ラクナ梗塞</u>	
	頭痛，痙攣，進行性に増悪，多彩な症状	脳静脈洞血栓症	
	神経筋疾患以外	**低血糖**，**大動脈解離**	
片麻痺	**④脳神経症状なし**	同側片麻痺	**特発性硬膜外血腫**，多発性硬化症など
		同側の運動障害 対側の温痛覚障害	ブラウンセカール症候群
		神経支配に一致した運動感覚障害	脊椎変性疾患，脊髄腫瘍，脱髄疾患など
		障害神経叢に一致した四肢症状	外傷，悪性腫瘍，胸郭出口症候群など
		特定の神経支配に一致しない	
		単麻痺（単神経障害）	循環障害	**急性動脈閉塞**，**大動脈解離**，**コンパートメント症候群**，血管炎
			圧迫性障害	手根管症候群，肘部管症候群，腓骨神経麻痺など

159

四肢脱力 ⑵

⑤意識障害あり		
広範な脳血管障害，閉じ込め症候群，半球間裂溝の障害，**髄膜脳炎**		
⑥重要な脊髄・脊椎病変		
外傷	**脊椎骨折**，血腫	
変性	椎間板ヘルニア	
炎症	**化膿性脊椎炎**，横断性脊髄炎，ウイルス性脊髄炎，多発性硬化症，膠原病性脊髄炎，放射線性脊髄症，HTLV-1関連性脊髄症，梅毒，サルコイドーシス，結核	
虚血	**脊髄梗塞，前脊髄動脈症候群**（大動脈解離，瘤手術後，血管奇形）	
腫瘍	硬膜外転移，髄内腫瘍，**硬膜外膿瘍**	
その他	VitB 12欠乏（亜急性連合性脊髄変性症），脊髄空洞症，ALS	

四肢麻痺	遠位筋優位	⑦下位運動ニューロン障害	
		末梢から上行する対称性運動，感覚麻痺，先行感染，重症時は呼吸筋麻痺	ギランバレー症候群
		アルコール摂取歴，糖尿病既往	多発神経炎
		その他	**尿毒症，** VitB 1，B 6，B 12欠乏，アミロイドーシス，ヘルペス，肝炎ウイルス，重金属・有機物中毒，
	近位筋優位	⑧神経筋接合部疾患	
		重症筋無力症，Lambert-Eaton症候群，**ボツリヌス症，有機リン中毒**	
		⑨筋障害	
		多発筋炎・皮膚筋炎，ウイルス性筋炎，封入体筋炎，筋ジストロフィー，サルコイドミオパチー	
		⑩その他	
		薬剤性ミオパチー（ステロイド，スタチン，アルコール），甲状腺中毒性ミオパチー，**電解質異常（K, Mg, P）**，周期性四肢麻痺（K），ミトコンドリア機能異常	

✐ **memo**

第2章　症候編

症候

鑑別のポイント

❶急性発症の筋力低下，呼吸筋麻痺は救急対応.

❷客観的な筋力低下があれば，大脳皮質から筋肉まで
の経路でどのレベルで障害されているかを系統的に
評価.

※小脳，錐体外路，深部知覚の異常や疼痛，全身疾患で
も脱力と訴える場合あり.

※痺れる，歩きにくいなどの主訴でも筋力低下を疑う.

※Mingazzini 試験でのみ異常が認められる場合もある.

①単麻痺，片麻痺，対麻痺，四肢麻痺か．四肢麻痺
であれば遠位優位（シャツのボタンかけられない，
ドアノブ回せない）か，近位優位（髪をすけない，階
段登れない）か.

②障害レベルの推測

障害部位	身体所見	検査
上位運動ニューロン（大脳，脊髄の錐体路）	遠位筋有意，筋萎縮なし（二次的に廃用），腱反射亢進，Babinski 徴候陽性 筋痙直，巧緻運動障害 感覚異常の分布にばらつき（孤立性～四肢すべて）	頭部 CT・MRI 脊髄 MRI 髄液検査
下位運動ニューロン（脊髄前角細胞，末梢神経）	遠位筋有意，筋萎縮あり，筋緊張低下，線維束攣縮，反射減弱，脊髄分節・神経分布に沿った感覚障害	髄液検査
神経筋接合部	近位筋有意，反復運動での易疲労性，日内変動，眼球運動障害，球麻痺症状	
筋肉	近位筋有意，後期に筋萎縮，筋痛，感覚障害なし	CK 上昇
廃用性萎縮	筋萎縮あり，隣接する関節疾患や外傷あり	

161

四肢脱力 (3)

③発症経過

分〜時間単位	電解質や代謝異常, 中毒, 脳卒中
日単位	重症筋無力症, ギラン・バレー症候群, ダニ麻痺, ポルフィリン症
1週間以上	末梢神経障害, 神経筋接合部障害
頻繁に再発	多発性硬化症, 周期性四肢麻痺, 重症筋無力症
一過性	絞扼性神経障害, 片頭痛, 周期性四肢麻痺

④家族歴

ジストロフィー, 周期性四肢麻痺, ポルフィリン症, 腫瘍随伴症候群など

⑤薬歴（筋障害）

スタチン, アルコール, プロカインアミド, インターフェロンα, コルヒチン, アミオダロン, ステロイド, 抗腫瘍薬等

歩行障害 (1)

鑑別疾患

歩　行	特　徴	障害部位	主な疾患
小脳性酩酊様歩行	両足を広げ酔っ払ったように歩く	小脳障害，前庭神経障害	脊髄小脳変性症，小脳腫瘍など
踵打歩行	両足を広げ足下を見ながら踵を打ち付けて歩く	深部感覚障害による位置覚や振動覚の障害	脊髄癆，多発性硬化症，脊髄腫瘍，多発神経炎など
ぶん回し歩行（痙性片麻痺歩行）	麻痺側の関節が動かず下肢が進展したまま振り回すように歩く	錐体路障害，上位運動ニューロン	脳血管障害，変形性頸椎症など
はさみ歩行（痙性対麻痺歩行）	両膝を挟むように歩く	両側錐体路障害	脳性小児麻痺
鶏歩	足を高く上げてつま先から投げ出すように歩く	下位運動ニューロン	総腓骨神経麻痺，糖尿病性神経炎など
動揺性歩行	腰を振りながら歩く	肢帯筋の障害	筋ジストロフィー，多発筋炎など
小刻み歩行	前屈み，小刻み，一歩目がでない，すくみ足，突進様，加速歩行	錐体外路障害	パーキンソン病，パーキンソン症候群など
間欠性跛行	歩行途中で下肢の疼痛のため歩行中止し，小休止後に歩行可能となる	下肢動脈の血流障害，下肢神経の障害	閉塞性動脈硬化症，閉塞性血栓性血管炎，腰部脊柱管狭窄症など
歩行失行	すり足，足を床から離すことができない	前頭葉の障害など	正常圧水頭症，両側前頭葉腫瘍など
疼痛による歩行障害	疼痛部位をかばうような歩き方	関節・骨格の異常	骨折，変形性関節症，関節の脱臼，関節の拘縮など
心因性歩行	立てない，歩けない	身体表現性障害	身体機能に異常なし

歩行障害 (2)

鑑別のポイント

❶ 神経疾患，筋疾患，骨・関節疾患のいずれが原因か鑑別する．
❷ 歩幅，歩隔，歩調，姿勢，腕の振りなど歩行の様子観察が重要．
❸ つぎ足歩行（tandem gait），方向転換（on turn），かかと歩行（gait on heels），つま先歩行（gait on toes）などの所見をとる．
❹ パーキンソン病やパーキンソン症候群を疑う場合は姿勢保持が可能かどうか確認．
❺ 上肢，体幹も含めた歩行以外の障害や随伴症状，身体所見をまとめる．
❻ 神経筋疾患を疑う場合は神経内科へ，骨・関節の異常を疑う場合は整形外科へ紹介．

四肢のしびれ (1)

鑑別疾患 (図1)

しびれは多様な神経・内科疾患の一部分症状．糖尿病・癌・膠原病などの初発症状の場合もある．

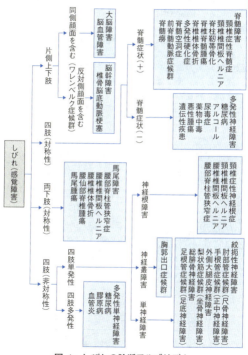

図1 しびれの診断アルゴリズム

165

四肢のしびれ (2)

鑑別のポイント

❶ 他の神経症状（運動障害・筋萎縮・協調障害・錐体路症状・錐体外路症状・自律神経障害・高次脳機能障害など）の合併の有無．病変のレベルが末梢神経なのか脊髄なのか，脳幹や大脳なのかを大まかに把握．

❷ 患者の「しびれ」を正確に把握．運動麻痺をしびれと訴える場合もある．感覚鈍麻か感覚脱出か感覚過敏か．

❸ 感覚障害の領域を把握（図2）．脊髄分節の分布に一致するか，または固有の末梢神経支配領域に一致するか．感覚障害は表在感覚（触覚・温痛覚）と深部感覚（位置覚・振動覚）を分けて評価．

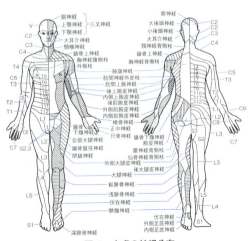

図 2 皮膚の神経分布

嚥下困難 (1)

鑑別疾患

	口腔・咽頭・喉頭	食道	全身性または食道周囲臓器
炎症性疾患	口内炎，舌炎，舌潰瘍，急性咽喉頭炎，扁桃炎，扁桃周囲膿瘍，喉頭結核	食道炎（好酸球性・感染性・薬剤性・放射線性）	頸部リンパ節腫脹，縦隔炎，肺膿瘍，滲出性胸膜炎，滲出性心膜炎，強皮症，皮膚筋炎，シェーグレン症候群
腫瘍性疾患	舌癌，咽頭癌，喉頭癌	食道癌，良性腫瘍	甲状腺腫瘍，縦隔腫瘍
神経筋障害	急性球麻痺，進行性球麻痺，急性灰白髄炎，脊髄空洞症，多発性硬化症，ジフテリア後麻痺，重症筋無力症	食道痙攣，アカラシア	横隔膜弛緩症
その他	異物	食道裂孔ヘルニア，先天性食道閉鎖，瘢痕狭窄，異物，Plummer-Vinson症候群	心拡大，大動脈瘤，血管走行異常，アミロイドーシス，糖尿病，ヒステリー球（咽喉頭異常感症），慢性閉塞性肺疾患，薬剤性（抗精神薬・抗コリン薬・抗ヒスタミン薬・降圧薬など），パーキンソン病

✏️memo

嚥下困難 ⑵

鑑別のポイント

❶嚥下困難は嚥下障害（嚥下の際の主観的な異常感覚）・嚥下痛・グロバスセンセーション（痛みを伴わないしこり・異物感）に定義される.

❷原因は口腔，咽頭，喉頭，食道に限らず多彩な鑑別を要する.

❸問診
　①経過：いつから，どのような嚥下困難が生じたか. 固形物 or 液状物，急性 or 慢性.
　②既往歴，異物・強酸・アルカリの誤飲はないか. アルコールや香辛料の過剰摂取はないか.
　③症状：嚥下痛（嚥下時に疼痛の有無，疼痛の部位・持続時間），音声障害（嗄声・構音障害の有無☞ p.171），口臭（腐敗臭や酸敗臭の有無）

❹身体診察
　発熱，貧血，るいそう，眼瞼下垂，症候群，浮腫，頸部腫瘤，咽頭腫瘤や炎症，心肺雑音，運動障害，感覚障害，精神症状，胸焼け，体重減少，呼吸器症状など

❺口腔内疾患や耳鼻咽喉科疾患を疑えば専門医へ紹介.

❻プライマリケア医としては血液，尿検査，胸 Xp，心電図検査を行い，貧血，悪性腫瘍，膠原病，内分泌疾患，炎症性疾患，感染症，心血管疾患，呼吸器疾患を鑑別する.

❼液体のみ，もしくは固体・液体の両方の嚥下障害は，食道の運動障害によるものを疑う.

❽食道疾患が疑われる場合は，造影 CT，上部消化管内視鏡，上部消化管造影を行う.

❾食道周囲臓器疾患が疑われる場合は，胸腹部造影 CT，各種エコー（心エコー図，腹部エコー，甲状腺エコーなど）を行う.

味覚障害 (1)

鑑別疾患 （下線：頻度高）

味物質の味蕾への伝達障害	唾液分泌低下，舌苔など
味蕾の障害	<u>亜鉛欠乏</u>，薬剤性，舌炎（扁平舌（鉄欠乏性貧血）やハンター舌炎（ビタミンB$_{12}$欠乏）など），放射線治療後，義歯，加齢など
末梢神経の障害	顔面神経（中耳手術後など），舌咽神経（扁桃摘出術後など），三叉神経の障害（三叉神経障害では「舌触り」の変化），感冒など
中枢神経の障害	脳血管障害，腫瘍，外傷など
全身疾患に伴うもの	糖尿病，肝障害，甲状腺機能低下症，シェーグレン症候群，消化管疾患（消化管切除後，炎症性腸疾患など）ビタミン欠乏症，微量元素欠乏症など
心因性，精神疾患に伴うもの	うつ病など
その他	逆流性食道炎，嗅覚障害（風味障害で本来の味覚障害ではない），特発性味覚障害，妊娠，新型コロナウイルス感染症・罹患後症状（後遺症）など

鑑別のポイント

❶問診
　①味覚障害をどのように自覚しているか，嗅覚障害による「風味の障害」ではないかも尋ねる．
　②味覚障害の原因（上記「鑑別疾患」を参照）を意識しながら，**表1**のような項目を聴取する．
❷診察では口腔内・舌の状態（義歯，舌苔，舌炎，熱傷など）も忘れない．

味覚障害 (2)

表 1　味覚障害での問診

①味覚障害の自覚について
・いつから：感染や内服変更などのきっかけ
・どのように：味覚低下/消失/異味（錯味）
・風味について：嗅覚障害の自覚はあるか
②具体的な原因検索のための項目
・偏食（食の嗜好，ファストフードやインスタント食品の摂取が多いか）
・過度に刺激の強い食品を摂取しているか
・ダイエットをしているか
・アルコール多飲の有無　・喫煙の有無
・既往歴：歯科・口腔外科や耳鼻咽喉科での手術歴，放射線治療歴にも注意
・現在の病歴：これまでに判明している全身疾患とその治療状況
・内服歴（亜鉛キレート作用のある薬剤や苦みの強い薬剤，口渇を生じる薬物など；表2），サプリメント類も確認

表 2　薬物性味覚障害の原因となる薬剤の例

消化性潰瘍治療薬，睡眠導入薬，利尿薬，降圧薬，抗菌薬，抗ヒスタミン薬，抗パーキンソン薬，抗うつ薬，抗腫瘍薬，免疫抑制剤など．
（数百種類の薬剤がある．添付文書のほか，厚生労働省の「重篤副作用疾患別対応マニュアル　薬物性味覚障害（令和4年2月改定）」などを参照）

❸味覚検査（濾紙ディスク検査や電気味覚検査），嗅覚検査，唾液分泌検査は耳鼻咽喉科に依頼する．
❹原因疾患を意識して検査を進める．低亜鉛血症に対しては，酢酸亜鉛水和物（ノベルジン®錠）が保険適用になっていることからも血清亜鉛値の測定も考慮．

嗄　声 (1)

鑑別疾患

炎症性病変

①急性喉頭炎（**最頻**）　②急性喉頭蓋炎
③慢性喉頭炎（胃食道逆流症，後鼻漏，慢性的アル
　コール摂取，声帯酷使，ガス吸入など）

良性腫瘤性病変

①声帯ポリープ　②声帯結節　③ポリープ様声帯

加齢性変化

①声帯萎縮（声帯溝症）

良性腫瘍

①喉頭乳頭腫など

悪性腫瘍

①喉頭癌　②下咽頭癌

反回神経麻痺

①外科手術後（甲状腺，肺，心臓，縦隔，食道など）
②悪性腫瘍（甲状腺，肺，食道）の神経浸潤，圧排
③大動脈瘤　④気管内挿管

披裂軟骨脱臼

①気管内挿管　②外傷

機能性発声障害

①心因性（ヒステリー）　②痙攣性
③ホルモン音声障害（男性化音声）　④声変わり障害

memo

嗄　声 ⑵

鑑別のポイント

❶問診のポイント
　①嗄声の発生時期，突然か緩徐か，改善増悪の程度
　②上気道炎先行の有無
　③随伴症状（咳嗽，咽頭痛，嚥下時痛，耳痛，喘鳴，嚥
　　下困難など）
　④音声酷使を伴う職業あるいは機会の有無
　⑤喫煙，飲酒の習慣
　⑥悪性腫瘍（頭頸部癌，甲状腺癌，食道癌）の既往
　⑦精神的ストレスの有無
　⑧気管内挿管の既往
　⑨男性ホルモン，蛋白同化ホルモン投与の既往

❷身体診察のポイント
　①耳，上気道粘膜，口腔（舌の可動性を含む），脳神
　　経機能，および呼吸の評価
　②甲状腺機能低下症，本態性振戦，パーキンソン病，
　　筋萎縮性側索硬化症，多発性硬化症，重症筋無力
　　症などの症状がないか

コンサルトのタイミング

❶咽頭痛や嚥下時痛，含み声が先行する場合は，すぐ
　に専門医コンサルト（急性喉頭蓋炎疑い）．

❷急性呼吸器感染症の症状がなく，2週間以上続けば，
　できるだけ早く専門医コンサルト．

❸頸部または反回神経を含む手術，または気管挿管を
　受けていれば，できるだけ早く専門医コンサルト．

✎memo

第 2 章 症候編

呼吸困難・息切れ (1)

鑑別疾患 (図1, 2参照)

慢性経過の代表的疾患はCOPD.
随伴症状からみた鑑別疾患を以下にあげる.

咳	肺炎, 気胸, 喘息, COPD, 間質性肺炎, 過敏性肺炎, 胸膜炎, うっ血性心不全, 肺血栓塞栓症など
発熱	気道感染症, 間質性肺炎, 過敏性肺炎, ARDS, 胸膜炎
浮腫	心不全, COPD, 肺血栓塞栓症 (右心不全)
喘鳴	気管支喘息, 肺気腫などの閉塞性肺疾患, 肺水腫, 腫瘍による気道狭窄, 異物, アナフィラキシー
胸痛	肺血栓塞栓症, 気胸, 胸膜炎, 虚血性心疾患
血痰	肺血栓塞栓症, 肺水腫, 気管支拡張症, 肺腫瘍, 気管・気管支腫瘍, 肺炎, 肺結核など
動悸	貧血, 甲状腺機能亢進症, うっ血性心不全
しびれ	過換気症候群, Ⅰ型呼吸不全
腹痛	肺炎, 胸膜炎, 急性膵炎によるARDS

鑑別のポイント

❶急性発症なのか, 慢性進行性の経過なのかを区別する. 呼吸不全または循環不全を伴う急性発症の呼吸困難 (心筋梗塞, うっ血性心不全, ARDS, 肺血栓塞栓症, 気管支喘息発作, 気道異物など) には迅速に対応.

❷喘鳴・チアノーゼ・浮腫の有無, 患者の呼吸状態や体位, 随伴所見 (発熱, 咳, 胸痛など) を把握. 急性発症で呼吸不全を伴う場合には, 酸素吸入, 血管確保, モニタリング (心電図, 酸素飽和度測定) を行いつつ, 血液ガス分析, 胸部Xpを実施し鑑別診断に努める. 既往歴の問診も重要.

❸呼吸器疾患・循環器疾患以外の病態も鑑別に挙げる (貧血, 甲状腺機能亢進症, 神経・筋疾患など).

❹患者によって呼吸困難を感じる閾値は様々であるため, 呼吸不全を伴わない場合もある. 呼吸困難の程度と評価には, Fletcher, Hugh-Jones分類や修正

第2章　症候編

症候

MRC（mMRC）が用いられている（☞ p. 414 COPD 表1）．自覚症状に基づくため，呼吸機能検査や血液ガス分析とこれらが相関しないこともある．

検査

❶必ず実施：血液生化学一般，動脈血ガス分析，胸部Xp
❷必要に応じて実施：胸部CT，呼吸機能，心電図・心エコー，痰細胞診・培養（感染症疑い）

初期治療

呼吸不全を生じている場合には，PaO_2 60 torr 以上に保てるように酸素療法を実施しつつ，原疾患の治療を行う．ただし，CO_2ナルコーシスに留意し，$PaCO_2$貯留例には低流量酸素吸入から開始．換気不全による呼吸不全では機械的呼吸管理を怠らない（侵襲的人工呼吸管理・非侵襲的呼吸管理）．

❶気胸：安静，必要に応じて脱気
❷心不全：利尿薬，強心薬など
❸肺炎：抗菌薬　☞ p. 361〜
❹喘息増悪：短時間作用性 β_2刺激薬吸入，ステロイド，テオフィリン製剤
❺COPD：長時間作用性抗コリン薬吸入，長時間作用性 β_2刺激薬吸入，ステロイド，テオフィリン製剤☞ p. 417〜
❻過換気症候群：抗不安薬
❼気道異物：酸素吸入，気道確保→専門医へ
❽クループ・アナフィラキシー：エピネフリン 0.1〜0.3 mL 皮下注
❾心筋梗塞　☞ p. 321
❿ARDS：呼吸管理を行い，専門医へ相談．

✐memo

呼吸困難・息切れ (2)

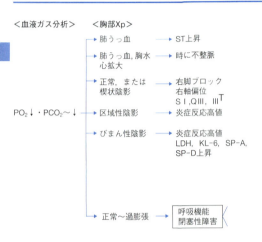

図 1 呼吸困

第2章 症候編

```
    <診断>              <病歴・随伴所見>
──→ 急性心筋梗塞          胸痛, 心筋酵素逸脱

──→ うっ血性心不全        浮腫, 喘鳴, 起坐呼吸, 乏尿

──→ 肺血栓塞栓症          下肢静脈瘤, 長期臥床,
                          エコノミークラス症候群

──→ 肺炎                  発熱, 咳, 痰, coarse crackles

──→ ・ARDS               急速進行性の重症呼吸
    ・間質性肺炎           不全, fine crackles
      ・特発性間質性肺炎
      ・急性間質性肺炎
      ・過敏性肺炎
      ・薬剤性肺障害など
    ・ニューモシスチス肺炎  β-D-グルカン高値
β刺激薬に可逆性あり
    ──→ 気管支喘息       痰好酸球, 非特異的IgE高値,
         (軽～中等症)     特異的IgE陽性
    ──→ COPD            喫煙歴, CTで低吸収
可逆性なし                 領域, 口すぼめ呼吸,
                          呼気延長
```

難の鑑別 (1) (次頁につづく)

177

呼吸困難・息切れ (3)

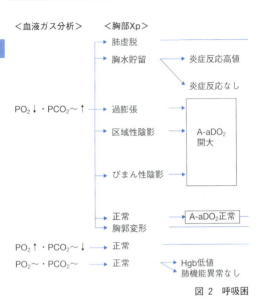

図 2 呼吸困

/memo

第2章 症候編　　　　　　　　　　　　症候

<診断>	<病歴・随伴所見>
⟶ 気胸	胸痛，患側の呼吸音低下
⟶ 胸膜炎（細菌性・癌性） 膿胸	患側の呼吸音低下，胸膜摩擦音 胸腔穿刺で膿汁
⟶ 漏出性胸水	肝硬変，ネフローゼ， 心不全など
⟶ 喘息重症発作 COPD増悪	｛意識レベル低下，体動不能 傾眠，会話困難｝
⟶ 無気肺 ⟶ 重症肺炎	気管支腫瘍，異物誤飲 呼吸数低下，ショック
⟶ 心不全，ARDS びまん性汎細気管支炎 気管支拡張症	
⟶ 神経・筋疾患・薬物中毒	
⟶ 脊椎彎曲，胸郭形成術後	
⟶ 過換気症候群	しびれ，産科医の手
⟶ 貧血 ⟶ 心因性	労作時の息切れ 不安定愁訴

難の鑑別（2）

memo

チアノーゼ

鑑別疾患（下線：頻度高，**太字**：緊急度高）

中枢性チアノーゼ：動脈血の酸素飽和度が低下する病態

① 吸入酸素分圧低下（高地など）
② 肺疾患〔肺胞低換気，換気血流不均衡，（酸素）拡散障害〕
③ 解剖学的シャント（右→左）の存在
・先天性心疾患
・肺動静脈瘻，他の肺内シャント
④ ヘモグロビン異常・変異
・メトヘモグロビン血症〔先天性，後天性（薬剤誘発性の例：リドカイン，サルファ剤）〕
・スルフヘモグロビン血症
・ヘモグロビンの酸素への低親和性（例：ヘモグロビンカンザス）
・ヘモグロビンM症
・シアン化合物中毒
・一酸化炭素中毒※

末梢チアノーゼ：末梢循環障害がある病態

・**心拍出量減少**
・**ショック**
・動脈閉塞（閉塞性動脈硬化症など）
・静脈うっ滞（＋/−）静脈閉塞
・寒冷曝露，レイノー現象

※一酸化炭素中毒では皮膚は鮮紅色を呈し，真のチアノーゼではない．

memo

第2章 症候編

症候

鑑別のポイント

❶ 5 g/dL 以上の還元ヘモグロビン（脱酸素化ヘモグロビン）が存在すると皮膚や粘膜が青紫色になる．よって貧血ではチアノーゼは呈しにくく，多血では呈しやすい．
（メトヘモグロビンは1.5 g/dL 以上でチアノーゼを呈する）．

❷ 心拍出量減少やショックでは，特に緊急対応が必要． ☞当直医 M

❸ 動脈血酸素分圧が低下していないのに酸素飽和度が低下し，チアノーゼを呈する場合は，ヘモグロビンの異常・変異を考慮．

❹ チアノーゼが局在する場合は，その支配動脈の狭窄・閉塞，静脈のうっ滞・閉塞などの局所の循環障害の原因を検索．

memo

胸　痛 ⑴

鑑別疾患　（表1）

❶ 5 killer chest pain（心筋梗塞，肺血栓塞栓症，大動脈解離，緊張性気胸，食道破裂）を見逃さない.

❷ 胸膜炎，逆流性食道炎といった内科疾患も重要な疾患かつ胸痛の原因として比較的多い.

❸ 一方で，プライマリ・ケア領域における胸痛の25〜50%は筋骨格系疾患のため熟知が必要.

❹ 心血管，呼吸器，消化器，筋骨格，皮膚のどこに胸痛があるかを意識する.

❺ 胸痛の "OPQRST" を問診することは重要.

- ・Onset（発症様式）
- ・Provocative/palliative（増悪，寛解因子）
- ・Quality（痛みの性質）
- ・Region/radiation/related symptoms
  （部位，放散痛，随伴症状）
- ・Severity（重症度）
- ・Time course（時間経過）

❻ 緊急搬送すべき疾患の可能性低く，来院時に胸痛持続時は，皮膚・筋骨格系評価のために，まず視診と触診から始めると効率がよい.

❼ 来院時に胸痛がない場合，狭心症らしい症状がないかの有無を丁寧に問診する（表2）.

鑑別のポイント

❶ 緊急性のある5 killer chest pain（心筋梗塞，肺血栓塞栓症，大動脈解離，緊張性気胸，食道破裂）の可能性を除外する.

❷ 胸痛の問診では "OPQRST" が重要である.

❸ 解剖に沿って系統的に疾患の鑑別を考える.

✎memo

第2章　症候編

症候

表 1　鑑別疾患

❶心血管；労作時・安静時の胸部絞扼・圧迫感	
急性冠症候群 ☞ p. 321	胸骨下の圧迫感や絞扼感．肩や腕，頸に放散することがある，労作時に増強する．高齢者，女性，糖尿病患者では，呼吸困難などの非定型になることがある．
急性大動脈解離	突然の急激な胸部痛．この痛みは背中から腰部へと移動することが多い．典型的な裂けるような痛みは半数
肺血栓塞栓症	呼吸困難（85%），咳（50%），血痰（30%），失神（10%）など症状が多彩で診断が難しい．まず，疑うことが大事．体動と症状発現時期の関連の有無も重要．
労作性狭心症 ☞ p. 321	階段を昇った時，坂道を登った時など身体に負荷がかかる運動をした時に，胸部圧迫感，絞扼感が少し休むと治る．症状の持続時間は，数十秒から数分程度で治る
冠攣縮性狭心症 ☞ p. 321	安静時の（特に夜間〜早朝）に胸の中央辺りに圧迫感，絞扼感が起こる．
大動脈弁狭窄症 ☞ p. 335	階段を昇った時，坂道を登った時など身体に負荷がかかる運動をした時に，胸部圧迫感，絞扼感が出現し，少し休むと治る．労作性狭心症と症状だけは区別は難しい．
❷胸膜，心膜，吸気の痛み	
気胸，緊張性気胸	突然の胸痛，息切れ，COPD，自然気胸の既往．息み，咳，喘息発作が誘因になる．
胸膜炎 ☞ p. 380	発熱，咳，膿性痰などの肺炎が胸膜に波及する病歴．吸気の胸痛
心膜炎	発熱や咽頭痛などの感冒症状，吸気の胸の痛み
❸消化器	
逆流性食道炎 ☞ p. 444	食後に増悪する胸やけや呑酸症状があること，労作時の胸部症状ない．
食道痙攣 （食道スパズム）	嚥下を伴わない間欠的な嚥下困難，冷水や炭酸飲料が誘因になることがある．
特発性食道破裂	嘔吐からの胸痛，飲酒やアルカリ腐蝕が原因となりうる．
胃・十二指腸潰瘍 ☞ p. 453	一般的に心窩部痛であるが，胸痛を主訴とするものも存在する．食事との関連の問診する．
胆石発作 ☞ p. 541	胆石症の既往，肥満の女性，食後に増悪，右肩への放散
❹神経・筋・骨格；触ると痛み，動かすと痛い	
帯状疱疹 ☞ p. 792	片側のピリピリとした痛み　皮疹より疼痛が先行することが多い． 神経領域に沿った感覚過敏を見逃さない．
肋軟骨炎	急性だが，発症までは明確でないことが多い．比較的若年，咳や息ごらえで増悪． 胸骨と肋軟骨の接合部あるいは肋骨と肋軟骨の接合に限局した圧痛を呈する．
頸椎症 ☞ p. 744	慢性的頸頸部，上背部の違和感（デルマトームに一致しない場合もある．
❺精神	
パニック障害 ☞ p. 600	過去に同様の発作歴がある．動悸，めまい，しびれ，全身倦怠感の合併，短時間に増悪を繰り返す．他の器質的疾患の否定が重要

183

胸　痛 (2)

表 2　胸痛へのアプローチ

STEP1；緊急度の把握 ショック，突然，人生最大の痛み，バイタル異常	●突然の発症（痛みが出現した瞬間を覚えている） ➡ 直ぐに病院紹介 ・急性冠症候群　・急性大動脈解離 ・特発性食道破裂　・肺血栓塞栓症 ・緊張性気胸 ●急性の発症（痛みの出現した時間帯を覚えている） ➡ 病院紹介を検討 ・急性胸膜炎　・胆道・胆嚢結石，感染
STEP2；持続する痛み →　今，痛い 視診・触診・聴診を行う 視診；皮疹，打撲の有無 触診；圧痛，アロディニアの有無	●胸壁痛（外からの刺激で痛みが増強） 　筋骨格筋系；圧痛あり 　帯状疱疹；擦れると痛い，アロディニア ●胸膜痛（呼吸や体位で痛みの増強） 　気胸・胸膜炎→吸気で痛み 　心膜炎　　　→臥位で痛い
STEP3；持続しない痛み →　今，痛くない 狭心症を見逃さない 消化器疾患，精神疾患	●狭心症症状 ➡ 循環器科に紹介 ・手の平（面積として感じる） ・分単位から〜 ・痛みではなく，胸部締扼感　圧迫感じる ・発作が落ち着くと症状がない 　不安定狭心症を見逃さない（安静時，新規発作，増悪） ●その他の胸痛 ・GERD，胆石症，不安神経症など

memo

第 2 章　症候編

症候

memo

咳・痰 (1)

鑑別疾患

湿性咳嗽の原因	乾性咳嗽の原因
副鼻腔気管支症候群	咳喘息
亜急性細菌性副鼻腔炎	アトピー咳嗽
後鼻漏症候群	ACE 阻害薬による咳嗽
慢性気管支炎	逆流性食道炎
気管支拡張症	感染後咳嗽症候群
気管支喘息	百日咳
気管・気管支腫瘍	マイコプラズマ感染
気管・気管支結核	クラミジア肺炎
気道内異物	間質性肺炎
	喉頭アレルギー
	心因性咳嗽
	気管・気管支結核
	気管・気管支腫瘍
	気道内異物

鑑別のポイント

❶咳嗽の持続期間が3週間以内の急性咳嗽，3～8週間の遷延性咳嗽，8週間以上の慢性咳嗽に分類．

❷安易に対症療法を行って，肺癌，肺結核を見落としてはならない．1週間以上持続の際は胸部 Xp は必須．

問 診

❶経過

①急性：外来で遭遇するほとんどは感冒や急性気管支炎・クループ・肺炎などの感染症．それ以外では気道異物，気胸，気管支喘息，間質性肺炎の増悪，うっ血性心不全，刺激ガス吸入など．

②遷延性，慢性：3週間以上持続する咳は感染症の頻度が低い．8週間以上は，咳喘息，アトピー咳嗽，後鼻漏が多い（**表1**）☞ p.399 慢性咳嗽

第2章　症候編

症候

❷夜間～早朝の症状増悪：気管支喘息，咳喘息．臥位
　直後の増悪は心不全．
❸痰の有無と性状
　①乾性咳嗽
　　感冒・気管支炎，気管支喘息，COPD，胸膜炎，
　　間質性肺炎，過敏性肺炎，気胸，異物，刺激ガス
　　吸入，クループ
　②湿性咳嗽
　　ⓐ膿性痰：肺炎，急性気管支炎，慢性気管支炎，
　　　気管支拡張症
　　ⓑ粘性痰：感冒，急性気管支炎，肺炎，気管支喘
　　　息，うっ血性心不全，肺癌
　　ⓒ血痰：肺結核，肺癌，気管支拡張症，肺梗塞，
　　　うっ血性心不全，肺炎
　※血痰の場合は，速やかに呼吸器専門医へ紹介．
❹ペット飼育：気管支喘息，鳥飼病，オウム病
❺喫煙：肺癌，慢性閉塞性肺疾患

表 1　持続性咳嗽の原因疾患と治療

原因疾患	治療
①咳喘息・気管支喘息	吸入ステロイド，気管支拡張薬
②アトピー咳嗽	ヒスタミン H_1 拮抗薬±吸入ステロイド
③後鼻漏	マクロライド系抗菌薬
④逆流性食道炎	プロトンポンプ阻害薬
⑤感冒後咳嗽	麦門冬湯＋ヒスタミン H_1 拮抗薬
⑥COPD	抗コリン薬吸入，気管支拡張薬
⑦間質性肺炎	ステロイド（専門医の判断）
⑧薬剤性	薬剤の中止
⑨百日咳	マクロライド系抗菌薬など

その他：肺癌，気管支拡張症，気道異物，肺結核，心因性．

咳・痰 ⑵

❻職業歴：職業性喘息，職場環境に伴う過敏性肺炎，じん肺

❼薬歴：ACE 阻害薬による咳，薬剤性肺障害

❽居住環境：転居，新築で悪化→気管支喘息．木造建築→夏型過敏性肺炎．エアコン→空調病．羽毛布団→慢性過敏性肺炎（鳥飼病）．温泉旅行・24 時間風呂→レジオネラ肺炎

随伴症状

❶発熱：呼吸器感染症，間質性肺炎，過敏性肺炎，胸膜炎など

❷喘鳴：気管支喘息，心不全，COPD，気道異物

❸胸痛：気胸，胸膜炎，肺炎

❹起坐呼吸：喘息増悪，うっ血性心不全

❺胸焼け：逆流性食道炎

❻後鼻漏：副鼻腔炎

❼咽頭痛：感冒，感冒後に持続する咳は感冒後咳嗽

❽喉頭違和感：咽喉頭異常感症，アトピー咳嗽

検査・鑑別診断

❶急性発症の初診患者で，全身状態が良好な場合，普通感冒や急性気管支炎として加療も許容（必要に応じて抗菌薬）．喫煙者には必ず禁煙を指導．

高熱，高齢者，聴診所見異常，再診患者，慢性の経過，などの場合，血液生化学一般と胸部 Xp を実施．

※結核と肺癌を念頭におき，喀痰培養・細胞診を．

①血液生化学一般：感染症の有無・程度の把握，治療後の経過観察の指標にもなる．

慢性咳嗽の場合は IgE や特異的 IgE 抗体を測定（高額なため費用が許す限り患者の了解を得て実施）．

②胸部 Xp

ⓐ肺虚脱：気胸

ⓑ区域性浸潤影：肺炎，無気肺

ⓒ腫瘤陰影：肺癌

第2章 症候編　　　　　　　　　　　症候

ⓓびまん性陰影：過敏性肺炎, 間質性肺炎, 薬剤性肝障害, 気管支拡張症, びまん性汎細気管支炎
ⓔ肺うっ血, 心拡大：うっ血性心不全
ⓕ肺透過性亢進・過膨張：肺気腫
ⓖ胸水貯留：胸膜炎（細菌性, 癌性）, 膿胸

❷胸部Xpで異常所見（−）かつ血液検査で炎症所見（−）の場合

呼吸機能検査と喀痰検査（細胞診, 培養）を実施. 痰を喀出できない場合には生理食塩水で誘発する. 副鼻腔炎や喉頭炎所見などの耳鼻科疾患も考慮.

①呼吸機能検査
　ⓐ拘束性換気障害：胸部CT検査（胸部Xpでは見出せない網状陰影や粒状陰影が描出されることがある）.
　ⓑ閉塞性換気障害：気管支喘息, 慢性閉塞性肺疾患（β_2刺激薬の吸入で1秒量が12%以上かつ200 mL以上改善すれば気管支喘息を示唆）
　ⓒ閉塞性換気障害の基準ではないが, 末梢気道の閉塞を示す指標（$\dot{V}_{25}$）が低下している場合（☞ p.283 閉塞性換気障害）：咳喘息の可能性

②喀痰検査
　ⓐ細胞診で異型細胞：胸部CTおよび気管支鏡の適応（専門医へ）
　ⓑ細胞診で好酸球比率増加：好酸球性の気道炎症（咳喘息, アトピー咳嗽, 気管支喘息）
　ⓒ結核菌の検出：専門医へ

以上でも診断がつかなかったり, 抗菌薬の投与や中枢性鎮咳薬, 気管支拡張薬（テオフィリン製剤やβ_2刺激薬）, 抗アレルギー薬（主にH_1拮抗剤）によっても改善しなければ, 呼吸器専門医へ紹介.

咳・痰 (3)

図 1　咳・痰鑑別

注：肺結核，肺癌を見落とさないように痰培養・細胞診は最初から実施することが望ましい．

memo

第2章 症候編

症候

のフローチャート

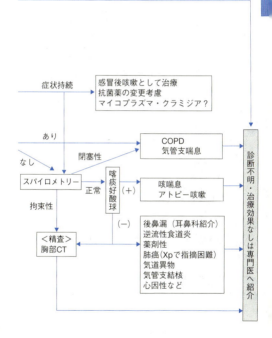

/memo

喀血・吐血

鑑別疾患（喀血）

見逃してはいけない疾患（緊）	Common な鑑別（頻）
①肺結核 ②肺癌 ③肺血栓塞栓症 ④胸部大動脈瘤破裂 　（の肺実質への穿破） ⑤気管内異物	①気管支拡張症 ②非結核性抗酸菌症 ③肺炎・肺化膿症 ④間質性肺炎 ⑤頻回の咳嗽などによる 　上気道由来の出血

その他の鑑別
①特発性肺胞出血　②肺アスペルギルス症　③膠原病 　（SLE，RA など）　④Wegener 肉芽腫症　⑤外傷 ⑥うっ血性心不全　⑦出血傾向

鑑別疾患（吐血）

見逃してはいけない疾患（緊）	Common な鑑別（頻）
①食道静脈瘤破裂 ②胃静脈瘤破裂 ③消化性潰瘍　④胃癌 ⑤大血管腸管瘻（大動脈瘤の 　腸管穿破）	①逆流性食道炎・食道潰 　瘍 ②Mallory・Weiss 症候群 ③急性胃粘膜病変

その他の鑑別
①毛細血管拡張症　②門脈圧亢進症性胃症　③胆道出血 ④生検後の出血

鑑別のポイント

❶ まず喀血なのか吐血なのかを同定する（表1）．吐血の場合，口腔内出血や鼻出血を飲み込んでの出血のこともあるので注意深く問診．

❷ 喀血においては，肺結核と肺癌を見逃さないため，体重減少，微熱，食欲低下等を聴取．

❸ 吐血においては，まず食道静脈瘤や大血管腸管瘻など大量出血を起こす原因でないかをチェック（具体的には肝疾患の既往歴，飲酒歴，腹部大動脈瘤手術歴など）．

第2章　症候編

症候

表 1　喀血と吐血の鑑別

	喀血	吐血
随伴症状	咳，胸痛，呼吸困難	嘔吐，心窩部痛
色調	鮮紅色	暗赤色，タール様
性状	泡沫状	食物残渣含む
pH	中性	酸性

処置・治療

❶喀血でも吐血でも，ABC の安定化が最優先．喀血・吐血に伴う窒息に注意し，輸液路から細胞外液を投与．

❷喀血で結核が除外できない段階では，感染対策として患者隔離やマスク着用（患者：サージカルマスク，周囲の者：N 95 マスク）．

❸喀血で大量出血になる例は多くはないが，出血が止まらない場合は，緊急気管支鏡検査あるいは気管支動脈塞栓術を行う．それ以外では健側肺への血液の垂れ込みによる呼吸不全を避けるため腰部を高位とし，患側肺と下にした側臥位とする．その上で止血剤を投与．

血管強化・止血薬：カルバゾクロム／抗プラスミン剤：トラネキサム酸

アドナ注（100 mg/20 mL/A）　1 A
トランサミン注（10％，250 mg/2.5 mL/A）
　1 A　1日1回　慮　＋生食　500 mL

※アドナに関してはエビデンスレベルが低いことに注意．

❹吐血の場合は，ショックバイタル，食道静脈瘤を疑う，新鮮血吐血の場合は緊急で上部消化管内視鏡検査が必要．内視鏡以外の治療については☞ p. 453 消化性潰瘍

193

腹部膨満

鑑別疾患

見逃してはいけない疾患（緊）	Common な鑑別（頻）
①腸閉塞（S 状結腸軸捻転症含む）	①便秘
②腹水貯留	②麻痺性イレウス
③腹膜炎	③急性腸炎
④腹部腫瘤（癌，腹部大動脈瘤など）	④過敏性腸症候群（ガス型）

その他の鑑別

①腸管気腫症　②空気嚥下症　③肥満　④妊娠

鑑別のポイント （図 1）

❶腹部膨満の原因として主に気体（ガス貯留），液体（水分貯留），固体（腹部腫瘤）と考えると整理がしやすい.

❷まず腹部腫瘤が触れるかどうかが重要であり，その場合は固体の存在が疑われる. 次に波動があれば液体，打診で鼓音であれば気体と考える.

❸急性の経過では，腸閉塞を見逃さないことが最も重要である. 特にS状結腸軸捻転症は腹痛がなく腹部膨満のみの場合も多いので注意.

❹亜急性～慢性の経過では，腹水貯留や腹部腫瘤を見逃さないことが重要であるが，多くは便秘や麻痺性

ガス貯留		水分貯留（腹水）		腹部腫瘤	
急性	慢性	腹痛なし	腹痛あり	上腹部	下腹部
↓	↓	↓	↓	↓	↓
腸閉塞	便秘	心不全	腹膜炎	胃癌	腹部大動脈瘤
急性腸炎	薬剤性	肝硬変		肝腫瘍	子宮腫瘍
	過敏性腸症候群	ネフローゼ症候群		脾腫	卵巣腫瘍
	空気嚥下症				
	腸管気腫症				

図 1　鑑別フローチャート

第2章　症候編

症候

イレウス，過敏性腸症候群（ガス型）．薬剤（抗菌薬，α-GI，麻薬など）によるものを必ず鑑別に入れる．

❺急性腸炎で，軽症であれば腹痛や嘔気・嘔吐がなく腹部膨満のみのことがある．Sick contact や嘔吐・下痢の有無を聴取．

処置・治療

❶腹部膨満での緊急疾患は嘔吐することも多く，まず嘔吐による誤嚥が起きないように注意．

❷腸閉塞であれば，NGチューブを入れて減圧をはかる．

❸緊急性の高い疾患でなければ，基本的には対症療法．
　頻度が多いのは便秘であるが，多くの場合は食事指導，排便習慣を守るように指導した上で以下の処方を．

塩類下剤：酸化マグネシウム

酸化マグネシウム　1回0.5g〜1g　1日3回　内
食後

※高齢者および腎不全患者の高Mg血症に注意．

大腸刺激性下剤：ピコスルファート

ラキソベロン内服液（0.75%）　1回10〜15滴
1日1回まで　頓 内

※ラキソベロンなど大腸刺激性下剤は弛緩性便秘に有効．

・麻痺性イレウスの場合
腸管蠕動を抑制する薬物を可能な限り中止した上で

漢方薬

大建中湯　1回2.5g　1日3回　内　食前
入院になるなら

パントテン酸（VitB5）：パンテノール

パントール注　1回100〜300mg　1日2〜3回　静

・腹部ガスが目立つとき

消化管ガス駆除薬：ジメチコン

ガスコン錠（40mg）　1回1錠　1日3回　内　食後

腹痛 (1)

鑑別疾患

図1 腹痛部位と主な疾患

※以下の①〜④は図1中の番号に対応
(**太字**：手術を考慮する疾患)

①心窩部	胃・十二指腸潰瘍，胃アニサキス症，急性胃腸炎，胆石・**胆嚢炎**，急性胃拡張，**急性虫垂炎初期**，肺炎，膵炎，**膵仮性嚢胞出血**，GERD，心膜炎
②右季肋部	胃・十二指腸潰瘍，胆石・胆嚢炎・胆管炎，肝炎，**肝膿瘍**，**肝癌腹腔内破裂**，尿路結石，腎盂腎炎，腎梗塞，肺炎，胸膜炎，**急性虫垂炎**，膵炎(膵頭部)，腸重積，Fitz-Hugh-Curtis症候群，**横隔膜下膿瘍**，Budd-Chiari症候群，子癇前症
③右側腹部	尿路結石，腎盂腎炎，**急性虫垂炎**，大腸炎，卵巣出血
④左側腹部	付属器炎，急性大腸炎，尿管結石，潰瘍性大腸炎，**大腿/閉鎖孔ヘルニア嵌頓**

第2章 症候編

症候

ポイント

❶急性腹症に該当するか否かを迅速に判断.
　①急性腹症とは，急激におこる激烈な，緊急外科手術の適応決定を急ぐ腹部疾患．ショック状態を呈することがある.
　②緊急手術の対象となることが多いため，必要な救急処置を行いつつ，早期に外科にコンサルトする.
❷急性腹症でなければあわてる必要はない.
❸最終的に器質的な原因が見当たらない場合，機能性ディスペプシア（☞ p.460）や過敏性腸症候群（☞ p.484）なども考慮してみること.

非専門医でのチェックリスト

❶問診：疼痛の部位，性状，時間（食事との関係，女性では月経との関係），薬物服用歴（特に NSAIDs），下痢・嘔吐・発熱など随伴症状の有無，最近の食事内容など.
❷理学所見：黄疸，貧血の有無，体温，腹痛の部位，反跳痛・筋性防御の有無，腸雑音，CVA（肋骨脊柱角）叩打痛の有無，直腸指診など.
❸検査：まず，検尿一般検査（可能なら尿アミラーゼも），血算，血糖，AST，ALT，ALP，γ-GTP，LDH，CPK，アミラーゼ，CRP，胸部単純 Xp（立位），腹部単純 Xp（立位，臥位），腹部エコー，心エコー，心電図など.

鑑別のポイント

　急性腹症の成因：腹腔臓器の炎症，血行障害（梗塞・捻転など），穿孔，破裂，および閉塞などがある.
　部位別に診て（ただし，絶対的ではない），急性腹症とCommon な疾患との鑑別診断を行う．以下に，緊急性が高いと思われるものを**太字**にして列挙（非消化器疾患含む．重複記載あり）.
❶心窩部痛：責任臓器として，胃十二指腸，膵臓の他，

197

腹　痛 ⑵

消化器疾患ではないが心臓疾患，大動脈疾患など考慮.

①消化性潰瘍，急性胃炎：胃潰瘍では食後の痛み，十二指腸潰瘍では空腹時の痛みが典型だが，非典型例もある．NSAIDs 内服歴などを聴取．

②胃十二指腸潰瘍穿孔：古典的には，立位の胸部 Xp で free air をみる．感度は高くなく，CT 施行．

③胃アニサキス症：内視鏡を施行．

④胃癌，膵癌

⑤急性膵炎：左季肋部痛，背部痛も多い．前屈位や座位での疼痛改善があり得る．飲酒歴，胆石の有無を確認．慢性膵炎急性増悪もあり得る（病歴確認）．

⑥急性虫垂炎：初期に，しばしば心窩部痛，嘔気から始まる．しだいに右下腹部へ限局していく．

⑦上腸間膜動脈（SMA）血栓症：心房細動の有無を確認．ゴールデンタイムは 10〜12 時間.

⑧急性心筋梗塞　☞ p. 321

⑨急性閉塞隅角緑内障：頭痛，嘔気など．☞ p. 769

❷右季肋部痛：責任臓器として，まず胆嚢・胆管を考慮.

①胆石発作・急性胆嚢炎：Murphy 徴候（右季肋部を圧迫し深呼吸させると，疼痛のあまり途中で息を止めてしまう徴候）．腹部エコーが必須．

②胆管炎：腹痛も認めるが，発熱（悪寒戦慄）や意識障害などの感染徴候に注意（シャルコー3徴ないしはレイノルズ5徴）．胆道系酵素（LAP，ALP，γ-GTP）上昇，黄疸など．腹部エコー，腹部 CT．急性閉塞性化膿性胆管炎では緊急ドレナージが必要．

③腎結石（腎疝痛）：腰背部痛が多い．一定間隔での周期的な強い痛みが典型．CVA（肋骨脊柱角）叩打痛．血尿，腹部 Xp・CT での結石，腹部エコー・

第2章　症候編　　　症候

CTでの水腎症や**急性腎盂腎炎**を鑑別する(膿尿). これらの疾患は, 当然左側でもあり得る.

④クラミジア肝周囲炎：Fitz-Hugh-Curtis症候群. 淋菌でもあり得る. 造影CT早期相の肝皮膜濃染など.

❸**右下腹痛**：責任臓器として, 虫垂, 上行結腸, 尿管, 卵巣・卵管などを考慮.

①**急性虫垂炎**：圧痛点 (McBurney, Lanz). 腹膜炎での筋性防御. 穿孔直後に一旦痛みが軽減する場合があり要注意. 妊婦は圧痛点が変化することがあり.

②憩室炎：上行結腸に多い. 保存的治療の方が多い.

③**ヘルニア嵌頓**：鼠径部を必ず診る癖をつける.

④**異所性妊娠**：絶対に見落とさないこと. 妊娠可能年齢の女性では, 最終月経, 月経周期と妊娠の可能性 (自己申告は絶対的ではない) など聴取. 尿中hCGを確認する方がよい. ☞ p.717

⑤卵巣出血：ほとんどは黄体期 (生理開始から15〜28日) に起こり, 基本的には腹膜刺激症状を伴う下腹部痛.

⑥**卵巣嚢腫** (腫瘍) **茎捻転**：卵巣嚢腫 (腫瘍) 合併妊娠では, 妊娠初期と産褥期に起こりやすい.

⑦骨盤内炎症性疾患 (PID)：子宮付属器炎など. ☞ p.721

❹**左下腹痛** (左側腹部痛)：責任臓器として, 下行結腸, S状結腸, 卵巣などを考慮.

①虚血性腸炎：突発的な腹痛で始まり, 血便 (鮮血のみもあり)をみる場合が典型. しぶり腹もよくある.

②S状結腸憩室炎：憩室出血も鑑別にいれる.

③(大腸型) 感染性腸炎：小腸型に比し, 細菌性腸炎が少なからずある. 疑いが強い場合, 便培養を行

199

腹　痛 ⑶

う．集団食中毒などでは，保健所へ届ける．

④その他：虫垂炎を除き右下腹部痛で挙げた疾患．

❺腹部全体の疼痛：対応する臓器は特定しがたい．

①**イレウス（腸閉塞）**：腹部単純 Xp でのニボーを認めない場合もあるし，腹部エコーでキーボードサインがあっても確定診断ではない．絞扼性を疑えば造影 CT は必須だが，時間経過で変化するため，撮影時点での情報であることに注意．CK，LDH の上昇は，壊死物質が既に体循環に流入したことを示す．☞ p. 487

②**大動脈解離／大動脈瘤破裂**：造影 CT.

③**急性腹膜炎**：消化管穿孔などで多い．

④**糖尿病性ケトアシドーシス**：☞当直医 M

⑤**(急性) 副腎不全**：医原性では，問診が鍵となる．ステロイドの離脱期かを聴取．

⑥**非閉塞性腸管虚血症（NOMI）**：腸間膜動静脈は開存しているにもかかわらず，スパスムにより腸管虚血に陥る病態とされる．血管造影がゴールドスタンダード．時間経過によっては，腸管の生存能力が失われている症例もあり，腸管切除を余儀なくされる場合も多々見受けられる．

⑦**感染性腸炎**：下痢，嘔吐，腹痛の 3 症状に，発熱を伴う場合も多い．☞ p. 471

処置

急性腹症の場合：外科的処置のできる専門施設へ搬送．『急性腹症診療ガイドライン 2015』では，「疼痛と緊急度の評価」を行い，「原因にかかわらず診断前の早期の鎮痛薬使用を推奨する」．

解熱鎮痛剤：アセトアミノフェン

アセリオ静注液　1,000 mg バッグ　㊐

　　　　　　　　　　15 分かけて静脈内投与

胸焼け (1)

鑑別疾患

見逃してはいけない疾患(緊)	Commonな鑑別 (頻)
①心筋梗塞・狭心症 ②特発食道破裂 ③上部消化管穿孔 ④食道炎 ⑤胃癌	①胃食道逆流症（逆流性食道炎含む） ②食道裂孔ヘルニア ③消化性潰瘍 ④Mallory・Weiss症候群 ⑤薬剤性（NSAIDs, ビスホスホネート, テトラサイクリンなど）
その他の鑑別	
①暴飲暴食	

鑑別のポイント (図1)

❶身体所見はそこまで鑑別に役に立つことは多くなく，問診が最も重要．原因としては圧倒的に胃食道逆流症が多いが，心筋梗塞を見逃してはいけない．胃食道逆流症の典型的な症状は以下である．
　①慢性的な経過　②食後に症状が強い
　③臥位で悪化し，座位で改善
　④呑酸や噯気（げっぷ）など

図1　鑑別フローチャート

胸焼け (2)

　これらがあれば胃食道逆流症の可能性が高い．一方，特に高齢者で「急性発症で食事と関係ない胸焼け」など非典型例では心筋梗塞を常に考えるべき．典型的な胸焼けでない限りは「胸痛」として鑑別することを常に念頭におく．

❷胸焼けはうまく訴えられない患者が多いことに注意．胃酸が上がってくる感じと訴える患者もいる．逆に心筋梗塞で胸焼けと訴えたり，自律神経失調症での胸がざわざわする感じを胸焼けのように表現する患者もいる．

❸制酸薬で改善するからといって，胃食道逆流症といえない（心筋梗塞を否定できない）．「高齢」「女性」「既往に糖尿病あり」など非典型的な症状をきたしやすい患者が，急性経過の胸焼けで来院したら一度は心電図をとるべき．

❹特発食道破裂や，上部消化管穿孔は一般には激烈な痛みを伴うことが多い．急性発症で異常な胸焼け感や痛みを訴える場合は考慮する．特発食道破裂は内視鏡治療後，外傷後の胸焼けでは常に疑うべきだが，原因としては大量飲酒後が最も多い．

❺食道癌は，PPIで胸焼けが改善しないことが多い．体重減少や嚥下困難などの病歴を聴取

処置・治療

❶胃・食道逆流症が疑わしい時は以下を処方

プロトンポンプ阻害薬：ランソプラゾール

　タケプロン OD 錠（30 mg）　1日1回　㊐　食後

　　※これと同時に生活指導も重要である．飲酒，喫煙，カフェイン摂取，Ca拮抗薬，亜硝酸薬など下部食道括約筋圧（LES圧）を低下させるものを避ける．また肥満や，妊娠，腹水などによる腹圧上昇も原因になるので注意．

悪心・嘔吐 (1)

鑑別疾患

見逃してはいけない疾患(緊)	Commonな鑑別(頻)
①腸閉塞	①急性腸炎
②腹膜炎（大腸穿孔）	②虫垂炎
③心筋梗塞	③腎盂腎炎
④心筋炎	④急性胆管炎・胆嚢炎
⑤脳卒中	⑤迷路障害
⑥髄膜炎	（末梢性めまい症）
⑦緑内障	⑥薬剤性
⑧ケトアシドーシス	⑦機能性胃腸症
（糖尿病，アルコール）	⑧心因性嘔吐
⑨アナフィラキシー	

鑑別のポイント （表1）

❶消化器以外の疾患を見逃してはいけないし，消化器以外の疾患が多い主訴であることを認識すること．

❷悪心・嘔吐以外の症状を確認することが診断につながる一歩．急性の経過であれば具体的には以下．
　①腹痛：腸閉塞，腹膜炎，急性腸炎，急性胆管炎・急性胆嚢炎，機能性胃腸症
　②下痢：急性腸炎，アナフィラキシー
　③頭痛：脳卒中，髄膜炎，緑内障
　④視野異常：緑内障
　⑤発熱：急性腸炎，腎盂腎炎，急性胆管炎・急性胆嚢炎，心筋炎，髄膜炎
　⑥めまい：メニエール病，前庭神経炎，BPPV

❸次に嘔吐と食事の間隔も診断につながることがある．
　①食直後：上部消化管の閉塞起点
　②約1時間後：炎症性疾患
　③数時間後：糖尿病胃無力症など胃の蠕動低下によるものは食事の数時間後に嘔吐することがある．
　④早朝空腹時：妊娠悪阻，尿毒症

203

悪心・嘔吐 (2)

表 1　一般的な悪心・嘔吐の原因(太字は頻度高の重要疾患)

① 消化器疾患
　・**消化性潰瘍** ☞ p. 453，**食道裂孔ヘルニア**，**逆流性食道炎** ☞ p. 444，**急性虫垂炎**，急性肝炎，慢性肝不全，薬物性肝障害，アルコール性肝障害，**急性胆管炎**，**急性胆嚢炎**，**急性膵炎**，慢性膵炎，上腸間膜動脈症候群，腹部手術後
　　腸管の虚血(上腸間膜動脈血栓閉塞症など)，**腸閉塞** ☞ p. 487，胃蠕動の低下，**機能性胃腸症**

② **急性胃腸炎** ☞ p. 471
　・ウイルス性：ロタウイルス，ノロウイルス，アデノウイルス
　・細菌性：カンピロバクター，サルモネラ，ビブリオ，大腸菌

③ 薬物
　・化学療法剤(シスプラチン，5-FU など)，**NSAIDs**，経口避妊薬，**ジギタリス**，抗不整脈薬，β遮断薬，**抗菌薬**(マクロライド系，テトラサイクリン系，ST 合剤)，サラゾピリン，アザチオプリン，抗パーキンソン薬，テオフィリン，**麻薬**

④ 中枢神経疾患
　・頭蓋内圧亢進(脳腫瘍，**脳炎・髄膜炎**，ヘルペス脳炎，**脳血管障害**，頭部外傷)
　・**片頭痛** ☞ p. 554
　・心因性嘔吐
　・周期性嘔吐症候群
　・神経性食欲不振症／過食症
　・迷路障害(**メニエール症候群**，**良性発作性頭位性めまい症**，めまい)

⑤ その他
　・**虚血性心疾患** ☞ p. 321
　・心筋炎
　・腎盂腎炎，尿路結石
　・**妊娠悪阻**
　・アナフィラキシー
　・急性緑内障発作
　・尿毒症
　・**糖尿病ケトアシドーシス**，アルコールケトアシドーシス
　・高カルシウム血症
　・アジソン病，副腎不全
　・急性アルコール中毒

❹吐物の性状がコーヒー残渣様であれば上部消化管出血を考え，便臭がしたら腸閉塞を考える．

第2章　症候編　　　　　　　　　　　　　　　　　症候

---

❺もっとも多い原因は，特に若年者ではウイルス性胃腸炎であるが，下痢がないのに，安易に急性腸炎とは診断しないこと．逆に頻回の嘔吐に加えて頻回の下痢があれば腸管に主座があると考えてよい．

❻慢性の経過であれば成人では機能性腸症が相当数をしめる．

❼多臓器に渡る症候であり腹部所見（腹部圧痛），腹部腸音（腸雑音消失，金属音→腸閉塞）だけでなく，髄膜炎，中枢神経疾患除外のため神経学的所見をとるなど，系統的に診察することを忘れない．

検査

❶血液検査：血算，CRP，赤沈，肝・胆道系酵素，アミラーゼ，BUN，Cr，電解質，血糖，CK

❷腹部単純 Xp：異常ガス像や鏡面像，free air

❸腹部エコー/CT：患者の体格でどちらを優先するか決める（女性では CT を選択する前に妊娠の可能性をチェックすること）．肝胆膵だけでなく，腸管や胃壁の状態も判読する．

❹セカンドラインの検査
①上部・下部消化管内視鏡や，頭部 CT/MRI．心電図・心エコー図など．
②妊娠反応チェック：最近のキットは妊娠4週でほぼ100%診断可能．

処置・治療

❶脱水所見があれば開始液または細胞外液でまず補正

輸液：開始液

ソリタ-T 1号　500 mL　点　60〜120分で

❷対症療法
①胃・腸管運動蠕動低下がある場合，以下のいずれかを（機械的な腸閉塞がある場合：禁忌）

205

悪心・嘔吐 (3)

消化器機能異常治療薬:メトクロプラミド
プリンペラン錠(5 mg)　1回1錠　1日2～3回　内
　　　　　　　　　　　朝・夕食前または毎食前

消化管運動改善剤:ドンペリドン
ナウゼリン錠(10 mg)　1回1錠　1日2～3回　内
　　　　　　　　　　　朝・夕食前または毎食前

即効性を期待の時,以下のうちいずれか

消化器機能異常治療薬:メトクロプラミド
プリンペラン注(10 mg/2 mL/1 A)　1 A　静

消化管運動改善剤:ドンペリドン
ナウゼリン坐剤(30 mg)　1回1個　坐

②中枢神経系や精神的要因の考えられる場合,以下のうちいずれか

フェノチアジン系精神安定剤:クロルプロマジン塩酸塩
コントミン糖衣錠(12.5 mg)　1回1錠
　　　　　　　　　　　　　　1日2～3回
　　　　　　　　　内　朝・夕食後または毎食後

フェノチアジン系精神安定剤:クロルプロマジン塩酸塩
コントミン注(25 mg)　1 A　筋

memo

下血・血便 (1)

鑑別疾患

	緊急性が高い	頻度が多い	その他
上部消化管	食道静脈瘤破裂 消化性潰瘍 大血管腸管瘻	逆流性食道炎・食道潰瘍 Mallory・Weiss症候群 胃癌, 急性胃粘膜病変	毛細血管拡張症 門脈圧亢進症性胃症 胆道出血, 生検後の出血
下部消化管	大腸憩室出血 出血性直腸潰瘍 SMA血栓症	大腸癌, 痔核, 急性腸炎 アメーバ赤痢, 炎症性腸疾患 虚血性腸炎	小腸出血, Angio-dysplasia(血管形成異常), 放射線性腸炎

定義

欧米では, 下血(=tarry stool)は本来上部消化管からの出血を意味し, 血便(hematochezia)は下部消化管からの出血を意味する. しかし日本では肛門から血液が排出される両者をまとめて下血ということが多い.

鑑別のポイント (図1)

❶ 原則, 黒色タール様であれば上部消化管からの出血を, 暗赤色や鮮血であれば下部消化管からの出血を疑う. 吐血を伴う場合はトライツ靭帯より口側からの出血.

❷ 上部消化管出血では食道静脈瘤が緊急性が高く, かつ頻度も多い. 必ず肝疾患歴の有無や飲酒歴を聴取する.

❸ 下部消化管出血では, 大量出血をきたしうる代表的な疾患は大腸憩室出血と出血性直腸潰瘍であり両者とも腹痛を伴うことは少ない. 出血性直腸潰瘍は寝たきり患者に多いが大腸憩室出血は健康な人でも発症する.

下血・血便 (2)

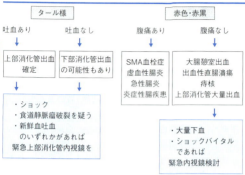

図 1　鑑別フローチャート

　一方，腹痛を伴うのは急性腸炎や炎症性腸疾患，虚血性腸炎など出血量としては少ない疾患である．ただし SMA 血栓症は下血量が少なくとも重篤になりうるので心房細動のある患者で強い腹痛を訴える場合は常に疑う．

処置・治療

❶輸液：末梢血管ルートを確保し，特に重篤な心・腎疾患のないかぎり細胞外液で開始．（総投与量は推定出血量の 3 倍を限度に）

輸液：細胞外液

　フィジオ　500 mL　点　全開で
　　血圧 90 mmHg 程度を目標

　※血圧を上げ過ぎると出血を助長するので注意．

第2章 症候編

症候

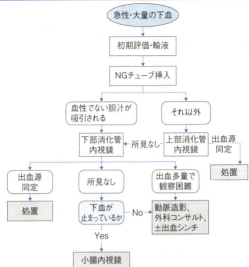

図2 急性・大量下血の初期対応アルゴリズム
(2012UpToDate "Approach to patient with lower GI bleeding"
Adapted from Zuccaro, G., *Am J Gastroenterol* 1998;**93**:1202)

❷上部消化管出血が疑われる場合

プロトンポンプ阻害薬：オメプラゾール

オメプラゾール注(20 mg/V) 1回1V
生食 20 mL　　　　　　　　　　　㊼ 12時間ごと

 memo

下血・血便 (3)

❸止血剤投与（以下のいずれか）

血管強化・止血薬：カルバゾクロム／抗プラスミン剤：トラネキサム酸

アドナ注（100 mg/20 mL/A） 1 A
トランサミン注（10%，250 mg/2.5 mL/A）
1 A 1日1回 点 ＋生食 500 mL

※ただし，アドナの有効性のエビデンスレベルは低い．

❹輸血
①出血持続中なら Hb 10 mg/dL 維持
止血されていれば Hb 7 mg/dL まで許容
②活動性出血や凝固障害（Plt<5 万 or PT-INR>1.5）があれば FFP と血小板輸血も必要．

❺原因疾患による対策
①上部消化管出血であれば，早期に緊急上部消化管内視鏡検査が望ましい．特にショックバイタル，新鮮血吐血を伴う，食道静脈瘤が疑われる場合は緊急性が高い．
②下部消化管出血であれば80％以上自然止血可能で経過観察できることが多いが，大量下血，ショックバイタルなどあれば緊急下部消化管内視鏡検査を行う．出血源が不明の場合や，小腸出血などを疑う場合まず造影 CT を行う．

✎memo

便通異常（下痢・便秘）⑴

下　痢

鑑別疾患

1．急性の下痢（2週間以内）

①感染性胃腸炎　☞ p. 471 感染性胃腸炎
・ウイルス性：ノロウイルス，ロタウイルス，アデノウイルスなど
・細菌性：カンピロバクター，サルモネラ，ビブリオ，腸管出血性大腸菌など
・その他：CD 腸炎・偽膜性腸炎，アメーバ症，寄生虫症
②消化器疾患
・急性虫垂炎，炎症性腸疾患，虚血性腸炎
③薬剤性
・抗菌薬，下剤，NSAIDs，PPI，コリン作動薬など
④その他
・アナフィラキシーなど

2．慢性の下痢（4週間以上）

①消化器疾患
・過敏性腸症候群（IBS）　☞ p. 484 過敏性腸症候群
　炎症性腸疾患（IBD），大腸癌，吸収不良症候群（慢性膵炎，乳糖不耐症など）など
②薬剤性
・抗菌薬，下剤，NSAIDs，PPI，コリン作動薬など
③その他
・アルコール依存症，糖尿病，甲状腺機能亢進症，HIV 関連下痢症など

鑑別のポイント

＜急性の下痢＞

❶ウイルス性胃腸炎が多いが，薬剤性や細菌性腸炎を見逃さない．内服歴，疑わしい食品の摂取がないか，同居家族や同じ施設の入居者に消化器症状がないかなど，問診で確認．

211

便通異常（下痢・便秘）(2)

❷便培養検査は行わずに数日間経過をみてよい場合が多いが、以下の場合には便培養検査を検討．
・重症の場合（24時間あたり6回以上の水様性下痢、重度の腹痛、循環血漿量低下の兆候、症状が一週間以上継続、入院の必要性あり）
・炎症性下痢の特徴を認める場合（血性下痢、少量の粘液便、発熱）
・ハイリスクな患者の場合（高齢者、免疫不全状態、炎症性腸疾患、妊娠中）
・渡航歴がある場合
・公衆衛生上の懸念がある場合（食品取扱者、医療従事者、集団発生時など）

❸ノロウイルス迅速キットは保険適用が3歳未満と65歳以上に限られるため、基本的には検査を行わないが、他疾患との鑑別が困難な場合や集団感染が疑われる場合、食品衛生関係の仕事をしている患者の場合には自費での検査を考慮．☞ p.927

❹抗菌薬使用歴がある場合はCD腸炎・偽膜性腸炎を疑い、便CD毒素検査を施行．☞ p.927

❺急性の下痢で難治性の場合や、感染性胃腸炎以外の原因が考えられる場合には、下部消化管内視鏡や腹部画像精査などの追加検査や専門医への紹介を検討．

＜慢性の下痢＞

❻図1を参照．大腸癌や炎症性腸疾患（IBD）、薬剤性を見逃さない．

処置・治療

❶感染性胃腸炎、過敏性腸症候群については別項参照．

☞ p.471 感染性胃腸炎、p.484 過敏性腸症候群

❷脱水を認めれば、補液を検討する．

/memo

第2章 症候編

症候

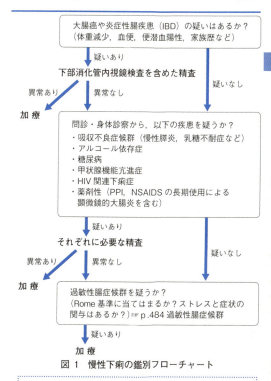

図1 慢性下痢の鑑別フローチャート

便通異常（下痢・便秘）⑶

便　秘

鑑別疾患

①機能性便秘

②消化器疾患

・過敏性腸症候群（IBS），大腸癌，腸閉塞，痔疾患

③薬剤性

・オピオイド，抗コリン薬，抗精神病薬，抗パーキンソン病薬，抗ヒスタミン薬，鉄剤，カルシウム拮抗薬，抗てんかん薬など

④その他

・糖尿病，パーキンソン病，甲状腺機能低下症，高カルシウム血症など

鑑別のポイント　（図2）

❶多くが機能性便秘だが，器質性疾患・全身性疾患・薬剤性便秘を見逃さないように，丁寧な問診・診察を心がける．

❷必要に応じて，便潜血検査，血液検査（病歴によりカルシウム・血糖・TSHを考慮），腹部Xp検査などを施行．大腸癌などの器質的疾患の疑いのある場合は，下部消化管内視鏡検査を施行．詳細は図2を参照．

処置・治療

＜機能性便秘の場合＞

❶水分や食物繊維の多い野菜・穀物などを積極的に摂るように指導．

❷上記で効果が乏しい場合は，浸透圧性下剤（酸化マグネシウムやポリエチレングリコールなど）の内服を検討．ただし酸化マグネシウムは，腎機能が低下している患者には高マグネシウム血症をきたす可能性があるため注意．

❸刺激性下剤（センノシド，ピコスルファートなど）は長期使用により電解質異常などの副作用が生じること

第 2 章 症候編

症候

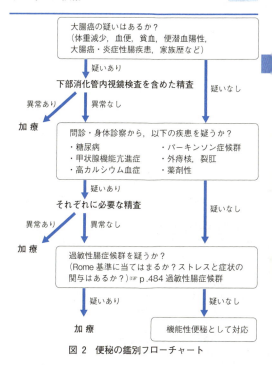

図 2 便秘の鑑別フローチャート

があり,頓服で使用.
❹上記の対応でもコントロールが困難な場合は,ビサコジル坐剤やグリセリン浣腸を検討.宿便がある患者には,摘便を行うことも有効.

尿量異常 (1)

鑑別疾患

＜尿量増加＞		＜尿量低下＞	
・尿崩症	・糖尿病	①腎後性	
	・高 Ca 血症	尿閉（あらゆる器質疾患）	
	・慢性腎不全 （初期）	②腎前性	③腎性
	・利尿薬	・脱水	・糸球体疾患
	・多飲	・ショック	・急性尿細管壊死
		・虚血	・急性間質性腎炎

定　義

　尿量異常には尿量増加（多尿：3,000 mL/日以上）と尿量低下（乏尿：400 mL/日以下，無尿：100 mL/日以下）が挙げられ，特に尿量低下は緊急性を要する例があり注意.

鑑別のポイント（尿量増加）

❶多尿の一番の鑑別ポイントは尿の比重である.

　①高張尿：糖尿病

　②等張尿（約 1.010）：慢性腎不全初期，急性腎不全利尿期

　③低張尿：電解質異常による尿細管障害（高 Ca 血症，低 K 血症），尿崩症，多飲，薬剤性（炭酸 Li，SGLT 2 阻害薬）

鑑別のポイント（尿量低下）

❶鑑別の順序

　①急激な尿量低下は，必ず腎後性（尿閉）から考える．これを解除しない限り，輸液しても利尿薬をかけても効果がないためである.

　②次に腎前性を考える．腎前性としては脱水，ショック，虚血などが挙げられるがこれらはそのまま放置すると急性尿細管壊死から腎性腎不全となる.

第2章　症候編

③腎性としては糸球体疾患によるものを除外すべきであるが, ほとんどは薬剤や腎前性腎不全からの急性尿細管壊死などである.

❷腎後性：腹部エコーやブラダースキャンなどで尿閉になっていないか確認する.

❸腎前性：脱水所見がないか, 口腔内乾燥, 腋窩乾燥, ツルゴール低下, エコーでの IVC 虚脱などを評価する. 腎性との鑑別として FENa, FEUN（利尿薬使用時）などが有用である.

❹腎性：腎後性, 腎前性がなければ可能性が高い. ほとんどは腎前性腎不全からの移行や薬剤による急性尿細管壊死であるが, 糸球体疾患を見逃さないようにする. 見分けるポイントとしては尿検査で蛋白尿, 血尿が出ていることであり, 急速進行性腎炎症候群などが挙げられる. 急性間質性腎炎は薬剤によるアレルギーや感染症でみられ, 尿中好酸球が上昇する（感度, 特異度は高くない）のが特徴.

処置・治療（尿量減少）

❶腎後性
まず導尿, 尿道バルーン挿入などで対応. その際に急激に排尿され脱水となることがあるので, 輸液を同時に行う.

輸液：開始液

ソリタ–T 1 号　500 mL　点　2～3 時間で

❷腎前性＝脱水所見があれば, 細胞外液でまず補正

輸液：細胞外液

フィジオ　500 mL　点　60～120 分で

❸腎性
腎前性の要素を排除したうえで, 腎臓に有害な薬剤（NSAIDs）や一部の抗菌薬などを中止する. 十分輸

217

尿量異常 (2)

液をしても尿量確保が得られない時，特に尿細管壊死で目詰まりしている時には利尿薬が有効なことがある．

最終手段は血液透析であり，急性腎不全の場合の導入の目安は以下．

①利尿薬にも不応で3日以上の無尿状態
②心不全合併
③BUN 60 mg/dL 以上，Cre 6.0 mg/dL 以上
④保存的治療も K が 6 mEq/L 以上，B.E. が −15 mEq/L 以下

memo

排尿障害

鑑別疾患 （特に頻尿を伴う場合）

Common	他の鑑別
過活動膀胱 前立腺肥大 尿路感染症	中枢神経障害（脳梗塞，多発性硬化症など），脊髄圧迫病変，末梢性神経障害（糖尿病など），薬剤性（抗コリン作用のある鎮痙薬・抗うつ薬・抗ヒスタミン薬・利尿薬など），
重 要	骨盤内腫瘍（悪性腫瘍，子宮筋腫，卵巣腫瘍，子宮頸癌，膣癌など），浮腫状態（心不
尿路上皮がん （膀胱癌など）	全，肝不全，腎不全，ネフローゼ症候群），睡眠障害（睡眠時無呼吸症候群，むずむず脚症候群）

鑑別のポイント

❶ 頻尿（1日8回以上，夜間頻尿2回以上）は，まずは感染症の除外を行い，悪性腫瘍の可能性を考慮する．

❷ 次に，頻度の非常に高い過活動膀胱を想定する．

❸ 男性では，前立腺肥大が関連している可能性もある．

❹ 高齢者であれば神経因性膀胱の可能性も高くなり，基礎疾患の除外につとめる．

❺ 尿が出ていても，溢流性尿失禁の場合があり，過活動膀胱として加療する時は特に尿閉を必ず除外する必要がある．頻回の少量排尿であることが多い．

❻ 多尿を伴わない頻尿では，悪性腫瘍，感染症，膀胱痛，機械的狭窄等を疑う．

❼ 多尿を伴う頻尿では，糖尿病や薬剤性，代謝性疾患も加えて疑われる．

❽ 排尿困難を感じる排尿時の時期（開始時，維持），排尿の勢いの低下，尿の切れの悪さなど症状の聴取は鑑別に有用である．排尿開始と維持の困難は尿流の妨害となる異物の存在を疑い，排尿筋の筋力低下の可能性もある．

血　尿

鑑別疾患

血尿　尿沈渣 RBC 5 個/HPF 以上

糸球体性血尿	非糸球体性血尿
慢性糸球体腎炎（IgA 腎症など）・菲薄基底膜病・急速進行性糸球体腎炎（RPGN）	尿路悪性腫瘍・尿路感染症・尿路結石・腎梗塞

試験紙のみ尿潜血陽性　尿沈渣 RBC 5 個/HPF 未満

ミオグロビン尿（横紋筋融解），ヘモグロビン尿（溶血）

鑑別のポイント

❶ 尿路感染，月経，激しい運動後などでは後日に尿検査を再検する．

❷ 試験紙法で尿潜血陽性の場合には遅くとも採尿 4 時間以内に尿沈渣を行い，尿中赤血球 5 個/HPF 以上を真の血尿と考える．

❸ 尿沈渣で変形赤血球もしくは赤血球円柱があれば糸球体性血尿，なければ非糸球体性を疑い鑑別を行う．

❹ 腎臓内科紹介

　　糸球体性血尿，顆粒円柱，細胞性円柱，ろう様円柱，蛋白尿陽性があれば腎臓内科へ紹介（図 1）．進行性の腎機能低下，持続する発熱，発疹，CRP 高値は RPGN を疑い早期に紹介する．

❺ 泌尿器科紹介

　　非糸球体性血尿で以下の悪性腫瘍リスク因子*を 1 つ以上満たす場合には膀胱鏡，CT urography のため泌尿器科へ紹介（図 1）．リスク因子がなければ半年後の検尿もしくは膀胱鏡と超音波検査を提案する．膀胱鏡を希望しなければ感度が低いことを説明の上で腹部超音波検査と尿細胞診を行う．

*リスク因子：男性 40 歳以上，女性 50 歳以上，喫煙歴 10 箱年以上，尿沈渣 RBC11/HPF 以上，肉眼的血尿の既往，下部尿路刺激症状，尿路上皮癌家族歴，有機溶剤曝露歴，シクロホスファミド治療歴

第 2 章 症候編

症候

〈成人の場合〉

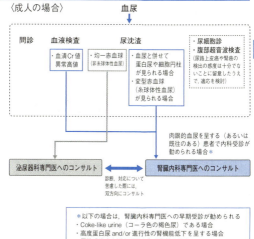

図 1 血尿診断のフローチャート
(日本腎臓学会他:血尿診断ガイドライン 2023 より改変)

❻原因精査で異常を認めない場合でも血尿の増強,肉眼的血尿,尿路症状の出現時は再度の精査を提案する.

腰背部痛

鑑別疾患 (図1)

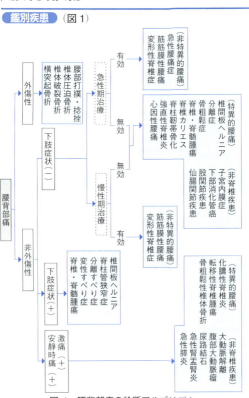

図1 腰背部痛の診断アルゴリズム

第2章　症候編

症候

鑑別のポイント

❶ red flags（**表1**）を伴う腰背部痛は速やかに鑑別を進める.

❷ 腰痛は非特異的腰痛と特異的腰痛とに大別され，非特異的腰痛が多くを占める.

❸ 非特異的腰痛は脊椎と周囲支持組織由来の腰痛で，下肢神経症状がなく，重篤な脊椎疾患が除外されるもの.

❹ 特異的腰痛は，下肢神経症状を伴うもの，感染症，腫瘍など. 膀胱直腸機能障害を伴うものは早急に対応.

❺ 脊椎腫瘍は転移性（乳癌，前立腺癌，甲状腺癌，肺癌，膀胱癌，腎癌）が多い. 原発性の脊椎腫瘍は脊索腫，骨髄腫，軟骨肉腫など. 血中 Ca，骨型 ALP（BAP），画像検査（骨シンチグラフィー，MRI，PET/CT）.

❻ 発熱や炎症反応の上昇があれば脊椎感染症を疑う. 血液培養，MRI，針生検.

❼ 非脊椎疾患に由来する腰背部痛の鑑別に注意. 心大血管系疾患や消化器系疾患の除外が特に重要.

表1　重篤な脊椎疾患（腫瘍，炎症，骨折など）の合併を疑うべき red flags（危険信号）

- 発症年齢＜20歳または＞55歳
- 時間や活動性に関係のない腰痛
- 胸部痛
- 癌，ステロイド治療，HIV*感染の既往
- 栄養不良　・体重減少
- 広範囲に及ぶ神経症状
- 構築性脊柱変形　・発熱

*HIV：Human Immunodeficiency Virus

（日本整形外科学会編：腰痛診療ガイドライン2019）

関節痛

鑑別疾患 (図1)

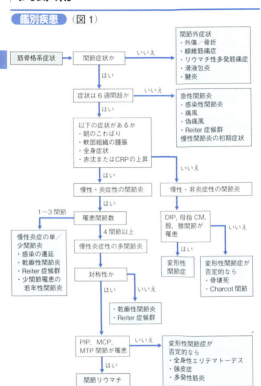

図1 筋骨格系症状の診断アルゴリズム
(Kasper DL, et al. eds : Harrison's Principles of Internal Medicine, 16th ed. p.2030, McGraw-Hill, 2004 より改変)

第2章 症候編

症候

鑑別のポイント

❶頻度的には変形性関節症など退行変性によるものが多数を占める. 鑑別上問題となるのは, 関節リウマチ, 膠原病, 痛風などの全身性疾患と感染性関節炎.

❷問診

①年齢, 性別, 家族歴, 既往歴, 投薬歴, 外傷歴.

②発症からの期間：急性か慢性（6週間以上）か.

③単関節罹患なのか, 多関節罹患なのか. 症状は左右対称か.

④関節症状：朝のこわばり, 運動による症状の改善・増悪, 疼痛の部位の移動, 痛みは間欠的か持続的か, 自発痛, 夜間痛.

⑤関節外症状：発熱, 皮疹, 体重減少, 視力障害, 呼吸困難, 下痢, 排尿障害, 感覚障害, 筋力低下.

❸理学的所見

①関節外所見：皮膚・粘膜・眼の病変. 筋力低下や筋萎縮.

②関節所見：圧痛, 熱感, 発赤, 腫脹, 水腫, 変形, 動揺性, 可動域制限, 軋音.

❹臨床検査

①血算, 血沈, CRP, RF, 抗CCP抗体, MMP-3, 抗核抗体, 尿酸, CK, 腎機能, 肝機能.

②関節液穿刺吸引・分析：外観, 粘稠度, 細胞数（WBC 5万/μL以上だと化膿性関節炎を疑う）, 偏光顕微鏡による結晶分析, グラム染色, 細菌培養検査.

③画像検査：単純Xp, 超音波, CT, MRI, RI

memo

認知機能障害 (1)

鑑別疾患

Common な鑑別 (頻)	その他の鑑別
①Alzheimer 型認知症	①せん妄
②甲状腺機能低下症	②低血糖/高血糖
③うつ病	③低 Na 血症/高 Na 血症
④頭蓋内疾患（正常圧水頭	④低酸素血症
症，脳腫瘍，慢性硬膜下血腫）	⑤貧血
	⑥甲状腺機能亢進症
その他の認知症	⑦敗血症
①Parkinson 病	⑧てんかん
②Lewy 小体型認知症	⑨アルコール離脱症状
③前頭側頭型認知症	⑩反復性局所性脳虚血発作
④アルコール性認知症	⑪薬剤性（コリン作動薬，ベ
⑤血管性認知症	ンゾジアゼピン系睡眠薬）
⑥Creutzfeld-Jakob 病	

鑑別のポイント （図1）

❶ 日常診療でまず問題となるのは，認知機能低下が認知症によるものであるかどうか． ☞ p. 587 認知症

❷ 発症形式に注目
　①認知症を疑う：Gradual onset，緩徐に進行
　②それ以外を疑う：Sudden onset
　→急激に進行する認知症を診たら重要緊急疾患に注意．各種検査を考慮する（表1）．

❸ 症状に注目（表2）
　①認知症を疑う：短期記憶低下，日常生活動作困難
　②それ以外を疑う：意識レベル低下，過睡眠，昏迷
　→ただし，症状に関わらず全例に血液一般検査（ビタミン B$_{12}$ 含む）・頭部画像検査（CT/MRI）が推奨．
　（American Academy of Neurology：ANN）

❹ 診療にあたり知っておくべき事柄
　①軽度認知障害（mild cognitive impairment：MCI）

第2章 症候編

症候

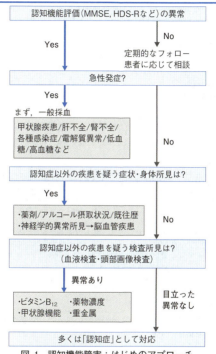

図1 認知機能障害:はじめのアプローチ

物忘れを自覚/他覚している人の中で,物忘れ以外の症状や日常生活への支障がなく,認知症とは診断されていない人を指す.2024年3月現在,MCIへの薬物療法は保険診療では認められていない.

認知機能障害 ⑵

表 1　急速に進行する認知機能障害を診たら

まず，すべての患者に施行すべき検査

①血液検査	血算，血糖，Na, K, Cl, AST, ALT, BUN, Cre, CRP, TSH, FT4, HbA1c, ビタミンB1・B2・B12
②尿一般	
③頭部画像検査	CT, MRI（FLAIR, DWI ☞ p. 302 頭部 MRI, MRA）

次に多くの患者に施行すべき検査

①脳脊髄液検査	細胞数，蛋白，糖，髄液 VDRL, 髄液 FTA-ABS
②脳波	

患者の状態・各種検査結果に応じて追加する検査 ※

①脳脊髄液検査	クリプトコッカス抗原，培養（抗酸菌含む），細胞診，ウイルス PCR, 14-3-3 蛋白，ライム病ボレリア抗体
②血液検査	赤沈，抗核抗体，抗 HIV 抗体，抗 Tg 抗体，抗 TPO 抗体，ライム病ボレリア抗体，腫瘍随伴神経症候群関連自己抗体，Cu, セルロプラスミン，Whipple 病 PCR
③尿検査	Cu, 重金属
④画像検査	造影検査，PET, SPECT
⑤脳生検	まれ

※外来で速やかに検査提出できない場合は，骨髄や血清を凍結保存する．

②改正道路交通法

　2017 年 3 月 12 日に施行された改正道路交通法では，75 歳以上の認知機能低下のおそれがある高齢者に対し医師の診察を義務付けることになった．

　また，2022 年 5 月 13 に施行された同法では，一定の違反歴のある 75 歳以上の高齢者は運転技能試験（実車試験）を受検することになった．

第 2 章 症候編

症候

表 2 認知機能障害をきたす主な疾患の症状

よくある原因疾患	症状
アルツハイマー型認知症	緩徐に進行する，短期記憶障害と日常生活動作（ADL/IADL）の低下
脳血管系疾患	混乱，嚥下機能低下，運動麻痺，不明瞭言語などを伴う，段階的に進行する認知機能低下 ☞ p. 581 慢性期脳血管障害患者の管理
せん妄	傾眠傾向，著しい集中力の低下などを伴う，急激な認知機能低下．急性発症で症状は変動するが，基本的に一時的なものである．
うつ病	患者自らが以下のように訴える． 記憶障害，集中力の低下，判断力の低下，朝の体調不良，希望がもてないなど ☞ p. 602 うつ病，p. 234 不安・抑うつ

memo

睡眠障害

鑑別疾患

```
睡眠の問題がある
    ↓
身体疾患・薬剤による睡眠障害
```

身体疾患
慢性心不全, 虚血性心疾患, COPD, 気管支喘息, 消化性潰瘍, GERD, CKD, 皮膚疾患など

薬剤・物質
ステロイド, ドパミン作動薬, 降圧薬, テオフィリン, アルコール, カフェインなど

鑑別疾患	鑑別のポイント	治療方針
うつ病	抑うつ症状（食指不振, 興味減退など）☞ p.602 うつ病	☞ p.602 うつ病
睡眠時無呼吸症候群（SAS）	SASのスクリーニング（肥満, 小顎, 短頸など）☞ p.436 SAS	☞ p.438 SAS
睡眠関連運動障害（むずむず脚症候群など）	入眠前の四肢の異常感覚と, 運動による症状軽快 二次性（鉄欠乏, 末期腎不全, 妊娠, リウマチ, 神経障害など）を鑑別する	第一選択は, ドパミンアゴニスト, 増悪因子（カフェイン, 抗うつ薬, 抗ヒスタミンなど）を避ける
ナルコレプシー	十分な睡眠にも関わらず, 日中の過剰な眠気, 情動脱力発作などを認める	専門医へ紹介；十分な睡眠と, 積極的な昼寝
レム睡眠行動障害	夢と一致した言動をし, 覚醒刺激で速やかに覚醒する. 薬剤性（抗精神病薬, SSRIなど）や神経疾患（パーキンソン病・レビー小体病・多系統萎縮症など）が疑われる	各疾患を鑑別する
概日リズム障害	睡眠時間帯の異常：通常生活への動機付けが強い場合も覚醒 入眠時間の修正が困難.	専門医へ紹介；高照度光療法, メラトニン, 覚醒刺激の強化
原発性不眠症	ストレス等による不眠の慢性化により, 不眠への恐怖が不眠を増悪させる（精神生理性不眠症）. 正常な睡眠が確保されているものの, 不眠感が強い（逆説性不眠症）.	睡眠衛生指導（表2） 薬物治療（表1）

memo

第2章　症候編

症候

表 1　睡眠障害治療薬

系統	主な薬品名	特徴
オレキシン受容体拮抗薬	スボレキサント	覚醒系を抑制．依存性なし．副作用は悪夢，転倒，健忘，せん妄などのリスクはない．第1選択．
メラトニン受容体作動薬	ラメオルテン	体内リズムの調整．依存性なし．慨日リズム障害では第一選択．副作用もほぼなし．ただ効果は乏しい場合が多い
非BZ系	ゾルピデムゾピクロン	抑制系の増強．α1選択性あり．依存性あり，転倒・せん妄リスクあり．効果はある．使用頻度多い．第2選択
BZ系	トリアゾラムフルニトラゼパム	抑制系の増強．依存性，転倒・せん妄・健忘リスク高い．現在はあまり使用されない．
抗ヒスタミン薬	ジフェンヒドラミン	抗ヒスタミン薬の副作用である眠気を利用．早期に耐性形成．副作用に体重増加あり．

表 2　睡眠衛生指導

1. 睡眠時間は人それぞれ，日中の眠気で困らなければ十分
2. 刺激物を避け，眠る前には自分なりのリラックス法
   （カフェインは4時間前まで，喫煙は1時間前まで）
3. 眠たくなってから床に就く，就床時刻にこだわりすぎない
4. 同じ時刻に毎日起床
5. 光の利用でよい睡眠
6. 規則正しい3度の食事，規則的な運動習慣
7. 昼寝をするなら，15時前に20〜30分
8. 眠りが浅いときは，むしろ積極的に遅寝・早起きに
9. 睡眠中の激しいイビキ・呼吸停止，足のぴくつき・むずむず感は要注意
10. 十分眠っても日中の眠気が強い時は専門医に
11. 睡眠薬代わりの寝酒は不眠のもと
12. 睡眠薬は医師の指示で正しく使う

非専門医レベルで行うべきチェックリスト

❶身体疾患による症状の可能性を常に意識することが重要．

❷いずれの場合も睡眠環境に改善点があるかは必ず確認すること．

❸睡眠薬は，必ず漸減するように指導する．

231

幻 覚

鑑別疾患 (図1および表1)

図1 幻覚のフローチャート
(高橋三郎・監訳：DSM V鑑別診断ハンドブック. 医学書院, 2015 より一部改変)

第2章 症候編

症候

表 1 "MINT"で考えると想起しやすい

Mental（精神疾患）	統合失調症，双極性障害
Intoxication（中毒）	アルコール，大麻，LSD
Inflammation（炎症）	脳炎〔細菌，ウイルス，自己免疫，傍腫瘍性（卵巣奇形腫に伴う抗NMDA受容体抗体）〕，梅毒，HIV
Idiopathic（特発性）	てんかん，認知症
Neoplasm（悪性腫瘍）	脳腫瘍
Trauma（外傷）	脳挫傷，硬膜外血腫，硬膜下血腫

鑑別のポイント

❶幻覚とは外的刺激がないにもかかわらず生じる，誤った感覚的知覚である．
❷急性発症の幻覚は，まず器質的疾患を除外する．
❸意識清明下で了解不能な幻覚は，精神病症状を疑う．
❹意識障害の一症状のこともある．☞ p.140 意識障害
❺統合失調症の特徴的症状は，①妄想，②幻覚，③まとまりのない発語，④ひどく異常な精神運動性の行動，⑤陰性症状，のうち2つ以上（うち1つは①～③のいずれか）が1カ月以上存在し，障害が6カ月続く．
❻気分に一致した幻覚（例：うつ病に非難する声）は双極性障害やうつ病の可能性が高い．一致していなければ双極性障害と統合失調症の両方の可能性もある．

問 診

①どの五感の幻覚か（視覚，聴覚，味覚，嗅覚，触覚），②妄想は了解可能か不能か，③時間経過，④物質使用（アルコール，薬物）の中毒と離脱症状，⑤認知症，⑥気分エピソード・睡眠と幻覚との関連，⑦てんかん，⑧外傷歴．

memo

不安・抑うつ (1)

鑑別疾患 (図1, 2を参照)

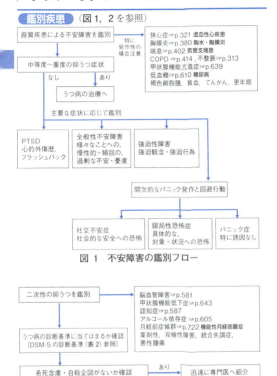

図1 不安障害の鑑別フロー

図2 抑うつの鑑別フロー

第2章　症候編

症候

鑑別のポイント

❶不安障害とは，身体・心理的恐怖（不安）の程度が強く，頻回で，ADL障害をきたしている状態．

❷パニック発作とは，表1にある症状が，大抵10分以内にピークになるもの．

❸抑うつとは，憂鬱な気分がほぼ1日中ほとんど毎日続く状態．

❹薬剤性には，IFN，ステロイド，降圧薬（レセルピン，プロプラノロール，メチルドパ，クロニジン），抗パーキンソン薬，抗がん剤，経口避妊薬，定型抗精

表1　パニック発作の症状

・窒息感	・悪心	・めまい
・現実感喪失	・コントロールを失う恐怖	・死の恐怖
・動悸	・息切れ	・胸痛
・冷感/熱感	・異常感覚	・発汗　・身震い

表2　うつ病の診断基準（DSM-5）

①抑うつ気分②興味もしくは喜びの喪失が少なくとも1つ以上あり，以下の項目が，病前からの変化として5つ以上が2週間以上存在する．

①1日中毎日の抑うつ気分
②1日中毎日のほとんどの活動における興味喜びの減退
③食事療法ではない著しい体重の増加もしくは減少
④ほとんど毎日の不眠もしくは睡眠過多
⑤ほとんど毎日の精神運動性の焦燥もしくは制止
⑥ほとんど毎日の易疲労性もしくは気力の減退
⑦ほとんど毎日の無価値観もしくは過剰や不適切な罪悪感
⑧ほとんど毎日の思考力，集中力の低下もしくは決断困難
⑨死についての反復思考，希死念慮，自殺企図

DSM：Diagnostyic and Statistical Manual of Mental Disorders

235

不安・抑うつ (2)

神病薬などが挙がる.
❺双極性障害を鑑別するため,躁エピソード(全能感,睡眠が不要,浪費,多弁など)を確認.
❻統合失調症を鑑別するため,精神病症状(注視感,幻覚,幻聴,会話が迂遠など)を確認.

無月経 (1)

鑑別疾患

	原発性	続発性 (頻度高)
視床下部性	Kallmann 症候群 Laurence-Moon-Biedl 　症候群 Frohlich 症候群など	体重減少性無月経 神経性食思不振症 Frohlich 症候群 Chiari-Frommel 症候群 視床下部機能障害など
下垂体性	先天性ゴナドトロピン 　欠損症など	Sheehan 症候群 下垂体腺腫(高プロラクチン 　血症)など
卵巣性	Turner 症候群など	多嚢胞性卵巣症候群 早発卵巣機能不全(早発閉 　経) 卵巣摘出術後など
子宮性	子宮奇形 Rokitansky-Kuster- 　Hauser 症候群など	Asherman 症候群 子宮内膜炎など
腟性	処女膜閉鎖症 腟閉鎖症	

鑑別のポイント

❶ 原発性無月経 (18 歳までに初経が来ない) より続発性無月経 (それまであった月経が 3 カ月以上停止) の方が頻度は高い.

❷ 生理的無月経 (妊娠, 授乳期, 閉経後など) は病的無月経ではないので注意. 問診等で最初に除外すべき.

❸ 無月経ではどこに原因があるか, 診断には血中ホルモン濃度測定や, ホルモン負荷試験, 場合により頭部 MRI, 染色体検査等を行う必要があるが, 診断がついていない場合は婦人科へ紹介すべき.

❹ 高プロラクチン (PRL) 血症の原因は下垂体腺腫の

無月経 (2)

表 1 薬剤性高プロラクチン血症の主な原因薬剤

降圧薬・抗不整脈薬	メチルドパ, レセルピン, ベラパミル
制吐薬・抗潰瘍薬	メトクロプラミド, ドンペリドン, スルピリド, H_2ブロッカー（シメチジン, ラニチジン等）
抗精神病薬	ハロペリドール, クロルプロマジン
抗うつ薬	三環系抗うつ薬（イミプラミン, アミトリプチン等）

他に，甲状腺機能低下による二次性高プロラクチン血症や，薬剤によるもの（**表1**）もある．服薬歴を確認し，休薬によるPRLの下降と月経の回復が確認できれば薬剤性と診断できる．

memo

結膜充血

鑑別疾患

疾患名	毛様充血	症状
急性緑内障発作（閉塞隅角緑内障）（緊）	+	++
ぶどう膜炎（感染性/非感染性）	+	+
強膜炎（緊）	+	++
結膜炎（感染性/アレルギー性）		水疱に
表層性角膜炎（外傷/感染/コンタクトレンズ/ドライアイ）		注意
翼状片		±
結膜下出血		なし

鑑別のポイント

❶症状の有無を確認.（緊）視野障害・視力低下

❷毛様充血（緊）か結膜充血か
　①角膜周囲結膜が主体の充血は毛様充血（緊）
　②眼瞼結膜や眼球結膜周辺主体の充血は結膜充血

❸毛様充血に片側の散瞳→急性緑内障発作（緊）を疑う
　※1週以内に失明の危険があり，眼科救急疾患である.

❹毛様充血があるが散瞳がなければ（縮瞳が多い）ぶどう膜炎を疑う. 疼痛が強ければ強膜炎（緊）を考える. いずれにせよ眼科紹介必須である.
　※ぶどう膜炎の原因は感染症，外傷，自己免疫性疾患等

❺眼痛がある場合は眼周囲に水疱がないか確認. あれば単純ヘルペス（HSV）結膜炎/角膜炎を考える. 感染性結膜炎/角膜炎の殆どは自然治癒するがHSV関連では抗ウイルス薬が強く推奨される. 要眼科紹介.

❻アデノウイルス結膜炎；咽頭結膜熱（プール熱）. 感染力が非常に強く sick contact 重要. ☞ p. 823

❼（common）両側の結膜充血に鼻汁・くしゃみ伴う場合はアレルギー性結膜炎の可能性が高い.

❽翼状片は多くが無症状，結膜組織が角膜に侵入すると乱視の原因となる. 症状あれば眼科紹介.

❾結膜下出血は見た目より無症状が多く経過観察で可.

239

視力障害・視野狭窄・複視

鑑別疾患

①視力障害	屈折異常（近視，遠視，乱視），老視，白内障，眼底疾患，網膜中心動脈閉塞症，視神経炎，網膜剝離，硝子体出血，ぶどう膜炎，虹彩炎，角膜炎，外傷，異物など．
②視野狭窄	緑内障，網膜色素変性症，網膜剝離，網膜出血，一酸化炭素中毒，ヒステリーなど．
③複視	眼筋麻痺（動眼神経麻痺，外転神経麻痺），水晶体脱臼，虹彩離断，乱視，白内障，バセドウ病，眼窩腫瘍，脳梗塞，下垂体腺腫，神経筋接合部の障害（重症筋無力症）など．

鑑別のポイント

❶突然発症ならば視覚障害（視力障害，視野狭窄，複視など）は本人から訴えがあることが多いが，緩徐進行の場合は本人からの訴えは少ない．

❷見え方の症状として，暗い，まぶしい，かすむ，ゆがむ，視野の欠損（周囲からの指摘），眼を動かすことによる痛みなどの症状の有無．

❸見え方の症状が日内変動する場合もある．

❹全身症状として，頭痛，嘔吐，感覚障害，てんかん発作，月経異常，勃起障害，体重減少，動悸，息切れなどの有無．

❺不十分な視野や視力がケガや事故の原因となる場合もある．

治療・処置

❶失明の原因となる急性緑内障や，緊急な対応を必要とする網膜中心動脈閉塞症などの場合は迅速に専門医へ紹介．

❷随伴症状から内分泌疾患や頭蓋内病変を疑う場合は内科や脳神経外科への紹介も検討．

鼻　汁

鑑別疾患

Common	①鼻炎（急性，慢性），②副鼻腔炎（急性，慢性），③アレルギー性鼻炎，④血管運動性鼻炎
他の鑑別	⑤好酸球増多性鼻炎，⑥髄液漏，⑦鼻腔異物，⑧老人性鼻漏（old man's drip），⑨味覚性鼻炎，⑩冷気吸入性鼻炎，⑪副鼻腔や咽頭などの悪性腫瘍

鑑別のポイント

❶問診：鼻汁が出る頻度，性質（水性か膿性か粘性か），鼻閉の有無，症状のある時間帯や場面，特定の誘因の有無，熱や鼻のかゆみ・くしゃみなどの随伴症状

❷検査：鼻鏡検査，内視鏡検査，鼻副鼻腔 Xp，鼻汁好酸球検査，皮膚テスト，抗原特異的血清 IgE 抗体，鼻粘膜抗原誘発テスト

❸アレルギー性鼻炎の診断
　　鼻のかゆみ・くしゃみ，鼻漏，鼻閉の 3 主徴があり，鼻汁好酸球検査，皮膚テスト，鼻粘膜誘発テストのうち 2 つ以上陽性の場合に診断する．

❹感染性か非感染性か，アレルギー性か非アレルギー性か鑑別する．

処置・治療

❶感染性であれば抗菌薬を含めた治療．

❷アレルギー性であれば抗原への暴露を避け，抗アレルギー薬を投与する．難治性の場合はアレルゲン免疫療法も念頭に専門医へ紹介．☞ p.773

❸老人性鼻漏に対して抗ヒスタミン薬やステロイド点鼻薬を続けない．

❹髄液漏や悪性腫瘍は速やかに専門医へ紹介．

✎**memo**

鼻出血 　当直医 M

鑑別疾患

局所的要因	全身的原因
局所外傷（例：鼻をかむ），粘膜の乾燥，炎症（急性鼻炎，慢性副鼻腔炎，萎縮性鼻炎，鼻アレルギーなど），鼻中隔の奇形・穿孔，腫瘍（若年男性では鼻咽腔血管線維種，中高年では上顎癌）など．	血液疾患，肝疾患，AIDS，抗凝固内服，遺伝性出血性毛細管拡張症など．
	他の鑑別
	顔面骨骨折などの外傷，髄液漏，異物

鑑別のポイント

❶全身疾患の一症状としての鼻出血でないかの確認．
❷外傷の場合，髄液漏でないかの確認が必要．ダブルリングサインの有無や CT 検査等．

非専門医レベルで行うべきチェックリスト

❶バイタルサイン
　　鼻出血のみでもショックに陥ったり，気道トラブルを起こすことがある．まずは救急の ABC の確認・安定化．高血圧も止血困難，再出血のリスク
❷出血量の推定（例：床や衣類の 30 cm 四方の血液≒100 mL）
❸出血部位の評価：多いのが鼻中隔前下方の Kiesselbach 部位（70〜80％），下鼻甲介後端部.
　　発見しにくく多量の後鼻出血をきたす部位としては，鼻腔後部の下鼻道側壁，中鼻道後端部，鼻中隔後上部
❹基礎疾患：肝疾患，血液疾患など
❺内服歴：抗血小板薬，抗凝固薬など
❻広範囲の浸出，出血部位複数，頻回の出血，他部位の点状出血・紫斑，抗凝固薬内服中などでは以下を考慮
血液検査：血算，生化学（肝酵素中心に），凝固系

第 2 章　症候編　　　　　　　　　　　　　症候

❼外傷の場合，CT 等の画像検査で骨折など合併症評価.

専門医での検査・処置

＜非専門医でも可能なレベルの対応＞

❶出血が続いている際は，顎を引き口腔内へ垂れこませない．口腔内の血液も嚥下させずに膿盆に出させる．血液の誤飲による悪心や血液の口腔内の貯留による喉頭蓋の腫れなどに注意する.

❷少量の出血では，出血側の鼻孔に綿球を挿入し両側から鼻翼を強く圧迫．拡張する鼻腔タンポンの挿入でも可.

❸5,000 倍希釈のアドレナリンとワセリン基質の軟膏を混ぜたガーゼを出血側の鼻に充填する.

❹出血が激しい場合にはバルーンカテーテル（フォーリーカテーテルなども可）を充填し応急処置とする.

❺止血剤の投与（下記を 3 日分処方）

抗プラスミン薬：トラネキサム酸

トランサミンカプセル（250 mg）
1 回 1〜2 Cap　1 日 3〜4 回　内　食後

❻拮抗薬の投与（ワーファリン使用中の場合）

止血機構賦活ビタミン K₂：メナテトレノン

ケイツー N 静注用 1 回 10〜20 mg
生理食塩水　100 mL　　点　ゆっくり

＜専門医での処置＞

❼硝酸銀棒で焼灼　　❽電気的焼灼術
❾内視鏡的焼灼術　　❿血管収縮薬の口蓋を通した注射
⓫外科的結紮　　　　⓬塞栓術（TAE）

フォローアップ外来

早期に耳鼻科紹介．詰め物による続発性の副鼻腔炎の発症予防のためにも 2 日以内が望ましい.

243

聴覚障害

鑑別疾患

伝音性難聴：外耳・中耳に原因

①耳垢塞栓　②外耳道異物　③外傷性鼓膜穿孔　④中耳炎など

感音性難聴：内耳・聴神経・聴覚中枢に原因

①先天性・慢性の感音難聴（老人性難聴）
②急性感音難聴：早期の治療が重要
　ⓐ原因が明らかな難聴
　　・ムンプスウイルス（流行性耳下腺炎）
　　・帯状疱疹ウイルス（Hunt 症候群）
　　・細菌感染による内耳炎
　　・強大音暴露による音響外傷
　　・外リンパ瘻
　　・薬剤（AG 系抗菌薬利尿薬など）による内耳障害
　　・メニエール病
　ⓑ突発性難聴

聴覚障害の定義

❶音がまったく聞こえない状態が聾（ろう）または全聾.

❷音が聞こえづらい状態が難聴.

鑑別のポイント

❶急性の難聴は，早期診断と治療が予後を決定. 耳鏡検査と聴力検査はできるだけ早期に実施を.

❷両側性の難聴やめまい，脳神経学的症状，頭痛を伴う場合は頭蓋内病変を疑い精査する.

❸急性片側性感音性難聴の多くは突発性難聴.
　①突然発症，②一側性高度難聴，③原因不明
　72 時間以内に発症，増悪. 60 歳代に発症ピーク. 約40％にめまいを伴う.

❹治療は可能なかぎり速やかに耳鼻科専門医に依頼.

第2章　症候編

症候

難聴の検査

❶両側性の難聴やめまい，脳神経学的症状，頭痛を伴う場合は頭蓋内病変を精査．

❷指こすり音聴取検査：左右各々の耳から約30 cm離れた位置で指を擦って音を出し，聞こえるかどうか．

❸耳鏡を用いた検査
　①外耳道：耳垢，耳漏（血性，膿性），異物の存在
　②鼓膜：穿孔，液体貯留，真珠腫の有無

❹音叉を用いた検査
　①Weber試験：額の中央におき，音の偏りを調べる．
　　ⓐ伝音性難聴：患側に強く聞こえる．
　　ⓑ感音性難聴：健側に強く聞こえる．
　②Rinne試験：乳様突起に音叉を当て（骨導），聞こえなくなったら耳の近くにもっていき（気導），音を聞かせる．
　　ⓐ伝音性難聴：骨導が長く聞こえる（陰性）．
　　ⓑ正常，感音性難聴：気導が長く聞こえる（陽性）．

❺標準純音聴力検査

難聴の治療

❶伝音性難聴では耳鼻科的処置，手術により改善する可能性が高い．

❷先天性・慢性の感音難聴では，補聴器・人工内耳など対症療法．

❸感音性難聴でも早急な耳鼻科的治療を要する場合が多く，可及的速やかに耳鼻科受診を勧める．

❹救急外来や当直における難聴の対応☞当直医 M

📝 memo

245

検査・健診の見方（含・特定健診）

ポイント

❶ 健診受診者は健康で就労可能であることを想定しているため，病的でない異常値も存在する．

❷ 病的な異常値はただちに診療対象にする．

❸ 血糖値や脂質の値などは人間ドック学会の基準値と各学会の基準値が異なるため，どちらを使用しているかに注意が必要である．

❹ LDL-C のように診断のための基準値と管理目標が異なる場合があるので注意する．

特定健診について

❶ 一般的な健診が，体の健康状態を総合的に確認する目的であることに対して，特定健診はメタボリックシンドロームの人を見つけ出し，保健指導で生活習慣の改善を促すことを目的としている．

❷ 特定健診の対象は，医療保険に加入する 40 歳以上 74 歳以下の人である（75 歳以上の人の健診は，後期高齢者医療広域連合の健康診査として実施されている）．

❸ 受診者は内臓脂肪の蓄積やリスク要因数などにより

表 1　特定保健指導

①動機付け支援

対象者が自らの健康状態を自覚し，生活習慣を振り返り，生活習慣変容のための行動目標を設定でき，すぐに実践に移りその生活が継続できることを目指した支援を実施．

②積極的支援

「動機付け支援」に加えて，定期的・継続的な支援を行うことにより，生活習慣変容のための行動目標の達成に向けた実践に取り組みながら，その生活習慣が継続できることを目指した支援を実施（3 か月以上の継続的な支援を行う）．

第3章　健診・検査異常への対応

表2　特定健診の健診項目

- 問診（自覚症状，既往歴，服薬歴，喫煙習慣等），身長，体重，BMI，腹囲，血圧，身体診察
- 脂質（TG，HDL-C，LDL-C または Non HDL-C）
- 肝機能（AST，ALT，γGTP）
- 糖代謝（空腹時血糖あるいは HbA1c，尿糖）
- 腎機能（尿蛋白）
- その他（RBC，Hb，Ht，Cr，心電図，眼底検査は医師の判断で行う）

「情報提供」，「動機付け支援」，「積極的支援」に階層化される．「動機付け支援」や「積極的支援」では（**表1**）のような特定保健指導を受ける．

❹特定健診における健診項目は**表2**の通りである．貧血検査やクレアチニン，心電図などが必須でないため，簡単な全身チェックとして利用するには十分とは言えない．

❺マイナンバーカードを用いたオンライン資格確認等システムを利用し，本人が同意すれば，特定健診の結果を医療機関や薬局で閲覧できるようになった．

memo

血算（CBC）⑴
Complete Blood cell Count

ポイント

❶自動血球分析装置による計算では正しい値が出ないこともある.

❷その場合は，目視検査を行う.

❸過去の受診歴，健診，献血などからCBCの推移を把握するように努める（**表1**）.

❶赤血球（RBC：Red blood cell）

①RBC数（$10^6/\mu L$），Hb（g/dL），Ht（%）のいずれかが減少した状態を貧血という.

②貧血の分類はMCV（fL：Ht/RBCで計算），MCH（pg：Hb/RBCで計算），MCHC（%：Hb/Htで計算）

表1　CBCの基準値（各施設で異なる）

	検査項目	略語	基準範囲 男性	女性	単位
全血球算定検査	白血球数	WBC	3.3～8.6		$10^3/\mu L$
	赤血球数	RBC	435～555	386～492	$10^4/\mu L$
	ヘモグロビン濃度（血色素濃度）	Hgb	13.7～16.8	11.6～14.8	g/dL
	ヘマトクリット値	Ht	40.7～50.1	35.1～44.4	%
	平均赤血球容積	MCV	83.6～98.2		fL
	平均赤血球ヘモグロビン量	MCH	27.5～33.2		pg
	平均赤血球ヘモグロビン濃度	MCHC	31.7～35.3		g/dL
	血小板数	PLT	15.8～34.8		$10^4/\mu L$
	網状赤血球	RET	3.6～20.6	3.6～22.0	‰
白血球分画	好塩基球	Baso	0.0～5.0	0.0～3.0	%
	好酸球	Eos	0.0～10.0	0.0～5.0	%
	桿状核球	Stab	1.1～8.9	0.9～6.5	%
	分節核球	Seg	44.1～59.9	48.8～66.2	%
	好中球	Neut	45.2～68.8	49.7～72.7	%
	リンパ球	Lymp	26.8～43.8	24.5～38.9	%
	単球	Mono	2.7～7.9	1.7～8.7	%

第3章　健診・検査異常への対応

検体検査

から，小球性低色素性，正球性正色素性，大球性高色素性の3つに分けるのが一般的.

③Hb が 16.5 g/dL（男性），16.0 g/dL（女性）を超える状態を多血という.

④形態異常：菲薄赤血球→鉄欠乏性貧血，涙滴赤血球→骨髄線維症，破砕赤血球→TTP，球状赤血球→自己免疫性貧血・遺伝性球状赤血球症，連銭形成→多発性骨髄腫，標的赤血球→鉄欠乏性貧血・サラセミア

⑤貧血 ☞ p.695

⑥赤血球増多 ☞ p.703

❷網状赤血球

①骨髄から末梢血に放出された直後の大型で幼弱な赤血球．約1日で成熟赤血球になる.

②骨髄での赤血球産生の指標となる.

③正常では 1～2%（‰表示の場合は×10）

④RI（網状赤血球指数）＝網状赤血球×（患者 Ht/45）/成熟因子

（成熟因子：患者 Ht（%） 36～45→1.0，26～35→1.5，16～25→2.0，15 以下→2.5）

⑤著明な高値または RI 2 以上は，溶血性貧血・出血や鉄欠乏性貧血の治療直後など

❸白血球

①自動分析装置では，5 分類（好中球・好酸球・好塩基球・単球・リンパ球）を測定.

②好中球の中でも，桿状核球の割合が増加している状態を核の左方移動という.

③未成熟な白血球（前骨髄球 promyelocyte，骨髄球 myelocyte，後骨髄球 metamyelocyte）は通常末梢血にはほとんど出現しないため，多く見られる場合は血液疾患を考える.

④骨髄芽球が見られる場合は，急性白血病の可能性

249

血算（CBC）⑵
Complete Blood cell Count

　　　が高く緊急対応が必要.
　　⑤形態異常：過分葉好中球→巨赤芽球性貧血，低分
　　　葉好中球→骨髄異形成症候群，異型リンパ球→伝
　　　染性単核球症，異常リンパ球→リンパ系増殖性疾
　　　患，花びら様異常リンパ球→HTLV-1 感染症
　　⑥白血球増多 ☞ p. 707
　　⑦白血球減少 ☞ p. 705
❹血小板
　　①血小板の減少があるときは，目視で血小板凝集や
　　　形態異常（特に巨大血小板）をまずは確かめる.
　　②EDTA 採血管で測定している場合は，偽性血小板
　　　減少の可能性あり，一度はヘパリン採血管での測
　　　定を行う
　　③ITP の診断は除外診断であるため，血小板減少を
　　　きたす他の疾患を除外する.
　　④血小板減少 ☞ p. 709
　　⑤血小板増多 ☞ p. 712

コンサルトのタイミング

❶典型的な鉄欠乏性貧血以外の貧血，その他の血球増
　加を伴う多血症や血小板増多，進行する血小板減少
　（7〜8 万/μL 以下）は専門医へのコンサルトを行う.
❷骨髄芽球や未成熟白血球が見られる場合は白血病を
　考慮し至急にコンサルトを行う.

フォローアップ外来

❶診断がついており血球増減が安定している場合は，
　専門医から指示通りにフォロー可能.
❷病状の増悪傾向，合併症があれば，専門医に再紹介
　を検討.

✐memo

肝機能 (1)

ポイント

① 健診受診者は健康で就労可能であることを想定して検査されているため，病的でない異常値も存在．

② 健診で見つかる肝障害で最も多いものは，MASLD（いわゆるメタボ脂肪肝）で，続いてアルコール性肝障害，慢性ウイルス肝炎．

③ したがって，飲酒歴の聴取と，肝炎ウイルスマーカー，腹部エコーを二次検査として行う．

検査値の評価

健診受診者の約半数が異常値を示す．AST（GOT），ALT（GPT）でのスクリーニングと同時に問診，および種々の検査値を参考に異常値の原因を探る（表1）．

異常が確認された場合，腹部エコーと各種肝炎ウイルスマーカーその他によって肝（胆道）疾患の診断を

表 1　肝疾患と機能検査の関係

肝疾患	主な関係	肝機能検査	
肝細胞障害（急性肝炎）		AST，ALT，LDH	(↑)
（肝細胞変性，壊死）		血清フェリチン	(↑)
		アルブミン，コリンエステラーゼ	(↓)
間葉系反応（慢性肝炎，肝硬変）		プロトロンビン時間	(↓)
		ICG の停滞	(↑)
（細胞浸潤，線維増生）		直接型ビリルビン	(↑)
限局性肝障害（肝癌，肝膿瘍）		免疫グロブリン，膠質反応	(↑)
		AFP	(↑)
胆汁うっ滞（閉塞性黄疸）		ALP	(↑)
		γ-GTP，LAP	(↑)
（細胆管性肝炎）		血清コレステロール	(↑)
溶血性黄疸		間接型ビリルビン	(↑)

上記以外で関係ある検査：中性脂肪，胆汁酸，血糖，TTT，アミノ酸，アンモニア

（日野原重明・他編：人間ドックマニュアル第3版．医学書院，2003．より改変）

肝機能 (2)

表 2　肝診断の進めかた（健診として）

人間ドック（一次）	①既往歴：肝炎，輸血，手術，薬剤，飲酒など ②診察（自他覚症状）：腹部単純・消化管X線を含めて ③生化学的検査（肝機能検査）
人間ドック（二次）	④肝炎ウイルスマーカー・腫瘍マーカー ⑤超音波検査
専門科（二次・精検）	⑥肝シンチグラフィー ⑦X線検査：CT，ERCP，EUSなど ⑧肝生検

（日野原重明・他編：人間ドックマニュアル第3版．医学書院，2003．より改変）

進めることになる（**表2**）.

　※膠質反応（ZTT，TTT）のみの異常値の解釈に困ることがあるが，これら ZTT，TTT は γGlb など蛋白分画のほうが正確なため，欧米では行われない．まず，蛋白分画の（再）検査を指示すればよい．

追加検査

❶肝炎ウイルスマーカー：HBs 抗原，HCV 抗体
❷脂質マーカー（健診で施行されていない場合）：TG，LDL-C，HDL-C，T-Chol.
❸耐糖能検査：HbAlc
❹腹部エコー

✎memo

第3章 健診・検査異常への対応　　検体検査

鑑別疾患（図1）

❶ 健診で指摘されるものは大半が慢性肝疾患．ALT＞300 IU/Lでは，急性肝疾患も考慮．☞ p.505急性肝炎
❷ 腹部エコーで肝臓への脂肪沈着を確認．
❸ エコーで肝臓への脂肪沈着が確認されれば，脂肪性肝疾患．飲酒歴の有無でアルコール性肝障害（☞ p.518）か，MASLD・MASH（☞ p.522）かを鑑別．
❹ ウイルスマーカーでHBV・HCVキャリアであるか（☞ p.506）を確認．

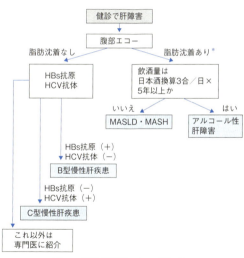

図1　肝障害診断のアルゴリズム
＊：エコーで脂肪沈着があってもウイルス肝炎（特にC型肝炎）がありうる．

253

肝機能 (3)

対 処
アルコール性肝障害（☞p.518），MASLD・MASH（☞p.522），慢性肝炎（☞p.510）の項を参照．

コンサルトのタイミング
上記以外の疾患は，専門性が高いので肝臓専門医に紹介する．

腎機能・尿検査異常 (1)

腎機能

ポイント

① 腎機能の評価は，血清クレアチニン（Cr）値をもとにした推算糸球体ろ過量（eGFR）を用いる.

② Cr は筋肉量の影響を受けるが，シスタチン C は受けにくい.

③ 24 時間蓄尿によるクレアチニンクリアランスは蓄尿が不十分だと不正確な評価となる.

eGFR

① GFR 推算式（日本人の推算式による）

$$eGFR(mL/分/1.73 m^2)＝194×Cr^{-1.094}×(年齢)^{-0.287}$$
（18 歳以上，女性は×0.739）

② 標準的体表面積（1.73 m² とは，だいたい 173 cm, 63 kg）に補正されている.

③ 実測 GFR の±30％に入る程度の正確性がある.

④ 筋肉量が極端に少ない例では，過大評価される.

シスタチンC

① 筋肉量や食事の影響を受けにくいため，筋肉量が少ない高齢者でも比較的正確な腎機能の推定が可能.

② 正常値（単位は異なることに注意）はほぼ Cr 値と同じ 0.9 mg/L 以下.

③ 腎機能の早期の障害（GFR 60～90 程度）でも上昇する.

④ 末期腎不全になっても 5～6 mg/L 程度で頭打ちになる.

⑤ 腎後性腎不全ではCr値よりも大きく下回る例が多い.

その他の腎機能評価

① 内因性クレアチニンクリアランス

$$Ccr(mL/分)＝Ucr(mg/dL)×V(mL/日)/Scr(mg/dL)×1,440(分/日)$$

（Ucr：尿中 Cr 濃度，V：1 日尿量，Scr：血清 Cr 濃度）

腎機能・尿検査異常 (2)

※不十分な蓄尿により，過小評価する可能性がある．
※クレアチニンが尿細管より分泌されるため過大評価する．
  （GFR = 0.715 × Ccr）

尿検査異常

尿比重

❶水分摂取にかなり影響される．高度糖尿，SGLT 2阻害薬内服時は高値．
❷腎機能が悪化すると等張尿（1.010）となる．

尿中 pH

❶通常腎では尿酸性化能があり pH 5.0 となる．尿路感染でアルカリに傾く．
❷尿酸結石ではアルカリ化，横紋筋融解は pH 6.5 以上で管理など．

尿中白血球

❶細菌感染症を疑う．
❷高齢女性・尿道バルンカテーテル挿入例は感染が成立していなくても陽性となることがあり，細菌尿を認めても経過観察とする（無症候性細菌尿）．
❸亜硝酸塩が陽性であれば，グラム陰性桿菌が関連する感染症の可能性がある．

尿　糖

❶血糖が 160〜180 mg/dL 以上で陽性となる．
❷空腹時で陽性であれば異常，随尿では正常でも陽性となりうる．
❸血糖が全く問題なく，尿糖が持続する場合は，腎性糖尿を疑う．
❹SGLT-2 阻害薬内服時

尿中ビリルビン・ウロビリノーゲン

❶尿中ビリルビンは，血中のビリルビン濃度上昇を反映し，肝疾患や閉塞性胆道疾患を疑う．

第3章　健診・検査異常への対応

検体検査

❷尿中ウロビリノーゲンは正常は（±），肝疾患や溶血性貧血で（＋），閉塞性胆道疾患で（−）になる．

尿潜血

❶尿沈渣にて赤血球を認めない場合は，ミオグロビン尿かヘモグロビン尿．

❷幼少時より顕微鏡的血尿のみが持続している場合はほとんどが良性．

尿蛋白

❶定義は1日に150 mg以上

❷試験紙法は尿中蛋白のうちのアルブミンを検出するため，グロブリン（Bence Jones蛋白など）は検出しにくい．

　※1＋は30 mg/dL，2＋は100 mg/dL，3＋は300 mg/dLにそれぞれ相当する．

❸スルホサリチル酸法はすべての尿蛋白に反応し，感度も高いため，少量のBence Jones蛋白も検出できる．定量ではなく定性（1＋〜3＋）である．

❹24時間蓄尿を行うと，一日尿蛋白量を算出できるが，蓄尿そのものが不十分であると過小評価につながる．

　※通常の体格で1日のクレアチニン排泄量が1 gを大幅に下回っていたら，蓄尿は不十分であると結論する．

❺随時尿から一日尿蛋白量を推定する．一日クレアチニン排泄量を1 gと推定し，随時尿蛋白濃度（mg/dL）/随時尿クレアチニン濃度（mg/dL）で算出・推定する．一般外来時ではこれで十分．体格が小さければ，尿蛋白量を多く見積もることになるので留意．

円柱類

❶赤血球円柱は糸球体性血尿の診断的価値が高い．

❷硝子円柱は正常でも認められる．

❸顆粒円柱や上皮円柱は，多数出現すれば腎障害を示唆する．

腎機能・尿検査異常 (3)

❹ろう様円柱は慢性腎障害を示唆する．

尿細管酵素

❶NAG と β_2 ミクログロブリンがある．
❷随尿（クレアチニン補正）でも評価可能　蓄尿検査では酸性蓄尿要．
❸NAG は尿細管の逸脱酵素なので，急性期の尿細管障害（急性尿細管壊死，尿細管間質性腎炎，糸球体腎炎にともなう尿細管障害など）を表す．
❹β_2 ミクログロブリンは尿細管の機能を反映するので，慢性の腎障害では上昇しやすい．

尿中アルブミン定量

❶アルブミンは尿蛋白の主成分であり，多くの腎疾患において微量な尿蛋白を鋭敏に検出できる．
❷特に糖尿病性腎症の早期診断に優れるが原疾患にかかわらず鋭敏な指標である．
❸保険診療では糖尿病性腎症第1期又は第2期に適応が限られ，測定回数も3カ月に1回に限られている．

血糖・尿糖（HbA1c 含む）

ポイント

❶ 血糖値や HbA1c は耐糖能の指標であり，その異常は動脈硬化性疾患発症のリスクである．

❷ 血糖値，HbA1c とも日本糖尿病学会と日本人間ドック学会では基準値が異なり，注意を要する．

基準

❶ 日本糖尿病学会の基準
　①空腹時血糖：110 mg/dL 未満
　②HbA1c：4.6〜6.2%

❷ 日本人間ドック学会判定区分　2023 年度版

A：異常なし
空腹時血糖 99 mg/dL 以下かつ HbA1c 5.5%以下

B：軽度異常（1，2 のいずれか）
1．空腹時血糖 100〜109 mg/dL かつ HbA1c 5.9%以下
2．空腹時血糖 99 mg/dL 以下かつ HbA1c 5.6〜5.9%

C：要再検査・生活改善（1〜4 のいずれか）
1．空腹時血糖 110〜125 mg/dL
2．HbA1c 6.0〜6.4%
3．空腹時血糖 126 mg/dL 以上かつ HbA1c 6.4%以下
4．空腹時血糖 125 mg/dL 以下かつ HbA1c 6.5%以上

D：要精密検査・治療
空腹時血糖 126 mg/dL 以上かつ HbA1c 6.5%以上

❸ 日本人間ドック学会判定区分2023年度版では尿糖（−）が A 異常なし，（±）以上が B 軽度異常となっている．

異常を認めた場合の対応

❶ 日を変えて再検査するか，積極的に 75gOGTT を行う．☞ p. 610　75g OGTT

❷ 過去にも異常を認めたことのある場合は，耐糖能の異常として治療を検討する．☞ p. 610　糖尿病

259

脂質（TG, HDL-C, LDL-C）

ポイント
1. 脂質代謝の指標であり，その異常は動脈硬化性疾患発症のリスクである．
2. 日本動脈硬化学会と日本人間ドック学会では診断のための基準が異なり，注意を要する．
3. 治療開始基準や管理目標はその他の動脈硬化リスクファクターによって異なる．☞ p.630 脂質異常症

正常値

❶日本動脈硬化学会「脂質異常症診断基準」
（動脈硬化性疾患予防ガイドライン2022年版）

LDL-C	140 mg/dL 以上	高 LDL コレステロール血症
	120〜139 mg/dL	境界域高 LDL コレステロール血症
HDL-C	40 mg/dL 未満	低 HDL コレステロール血症
TG	150 mg/dL 以上 （空腹時採血） 175 mg/dL 以上 （随時採血）	高トリグリセライド血症
Non-HDL-C	170 mg/dL 以上	高 Non-HDL コレステロール血症
	150〜169 mg/dL 以上	境界域高 Non-HDL コレステロール血症

❷日本人間ドック学会「判定区分2023年度版」

	A：異常なし	B：軽度異常	C：要再検査・生活改善	D：要精密検査・治療
LDL-C	60〜119 mg/dL	120〜139 mg/dL	140〜179 mg/dL	50 mg/dL 以下 180 mg/dL 以上
HDL-C	40 mg/dL 以上		35〜39 mg/dL	34 mg/dL 以下
TG	30〜149 mg/dL	150〜299 mg/dL	300〜499 mg/dL	29 mg/dL 以下 500 mg/dL 以上
Non-HDL-C	90〜149 mg/dL	150〜169 mg/dL	170〜209 mg/dL	89 mg/dL 以下 210 mg/dL 以上

memo

尿　酸

ポイント

❶高尿酸血症はメタボリックシンドロームの診断基準には含まれていないが，メタボリックシンドローム有する頻度が高く，メタボリックシンドロームの周辺徴候であることが示唆さされている．

❷痛風患者はメタボリックシンドロームの各構成要素を高頻度に有し，メタボリックシンドロームに該当する場合が多い．

❸日本痛風・尿酸核酸学会と日本人間ドック学会では基準値が異なるため，注意を要する．

基準値

❶日本痛風・尿酸核酸学会
　①基準値：7 mg/dL 以下
　②薬物療法導入目安：8 mg/dL 以上

❷日本人間ドック学会判定区分 2023 年度版

A：異常なし	B：軽度異常	C：要再検査・生活改善	D：要精密検査・治療
2.1～7.0	7.1～7.9	2.0 以下，8.0～8.9	9.0 以上(mg/dL)

✎memo

ペプシノゲン

ポイント

❶ ペプシノゲン検査は,あくまで胃粘膜の萎縮を検出するためで,胃癌そのものを検出するわけではない.
❷ 健診での胃癌発見率は間接撮影での胃透視とほぼ同等.萎縮性胃炎,胃粘膜異型皮化生を背景とする胃癌であれば,早期胃癌の段階でも検出可能.
❸ ペプシノゲン値の異常値が1回でも出れば,たとえその年は内視鏡で胃癌が見つからなくとも,少なくとも5年間は胃癌のハイリスクとしてフォローすべき.
❹ 抗ヘリコバクターピロリ抗体との組み合わせにより効率的な胃がん検診を追求している地域がある.

検査値の評価

❶ ペプシノゲン I ≦70 かつペプシノゲン I / II 比≦3.0 を陽性(異常値)とし,この値での胃癌診断率は約1%.
❷ ペプシノゲン I ≦30 かつペプシノゲン I / II 比≦2.0 を強陽性とし,この値での胃癌診断率は約2%.

萎縮性胃炎と胃癌の関係 (図1)

胃粘膜が萎縮すると,ペプシノゲン I の分泌低下が起こり,血中ペプシノゲン I とペプシノゲン I / II 比

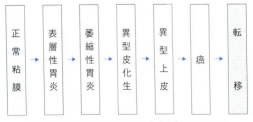

図1 萎縮性胃炎と胃癌の関係(胃癌発生の仮説)

第3章　健診・検査異常への対応

検体検査

が低下する．ペプシノゲンはこの胃粘膜変化（胃癌になりやすさ）を検出するので，癌そのものを検出するのではない．また，萎縮性胃炎を経ない，未分化癌はペプシノゲン陰性である．

追加検査

ペプシノゲン異常値の被験者には必ず上部消化管内視鏡で精密検査を行う．1回の内視鏡で胃癌が見出せなくとも，胃癌の高リスク群なので最低5年間は内視鏡で年1回フォローアップする．

ペプシノゲン検査で注意すべきこと

❶ 胃癌のうち未分化癌はペプシノゲン陰性．たとえ進行癌でも未分化癌はペプシノゲンは陽性にならないので要注意.

❷ プロトンポンプ阻害薬服用中の患者はペプシノゲン値が高値に出る.

❸ 胃切除後の被検者はペプシノゲン値が低値に出るのでペプシノゲンでの胃癌検診は適応外.

❹ 腎機能障害があるとペプシノゲン値は高値に出る.

✎ memo

高ガンマグロブリン血症

ポイント
1. 単クローン性であれば多発性骨髄腫の可能性がある．
2. MGUS か多発性骨髄腫かは骨髄穿刺にて診断する．
3. MGUS であれば多発性骨髄腫に進展する可能性があり定期的に follow する必要がある．

鑑別疾患 (図1)
1. 多クローン性高ガンマグロブリン血症
   膠原病などの自己免疫性疾患，慢性炎症，肝疾患など
2. 単クローン性高ガンマグロブリン血症
   多発性骨髄腫，原発性マクログロブリン血症，MGUS，アミロイドーシスなど

鑑別のポイント
1. 健診では蛋白分画検査による偶然の発見が多い
2. TP がアルブミンに対して 2 倍以上であれば，蛋白分画検査を考慮する
3. 単クローン性 (monoclonal) か多クローン性 (polyclonal) の鑑別
   単クローン性→蛋白分画にて幅の狭い M-peak を認める，免疫電気泳動，免疫固定法にて M 蛋白を認める (免疫固定法のほうが感度高い)．
4. M 蛋白の同定
   ①IgG, IgM, IgA (まれに IgD) を測定し，異常に上昇している免疫グロブリンを同定する．単ク

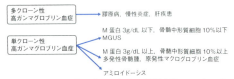

図 1 高ガンマグロブリン血症の鑑別疾患アルゴリズム

第3章　健診・検査異常への対応 　　検体検査

　　　ローン性の場合，1種類以外は低下していることが多い．

　　②いずれも低下している場合は，BJP型または非分泌型のこともあり，尿中 BJP を check．また，遊離軽鎖（free light chain）にて単クローン性を証明する（κ/λ比の異常）．

❺多発性骨髄腫（☞ p. 716）かどうか，症候性骨髄腫かどうか

　　①M蛋白が3 g/dLを超えるか，骨髄穿刺を行い骨髄内（形質細胞）の割合が10％を超えていれば多発性骨髄腫の診断となる．さらに，貧血，高Ca血症，腎障害，骨病変があれば，症候性骨髄腫として治療対象となる．

　　②10％を下回っている場合，アミロイドーシスなどが除外できれば，MGUS（monoclonal gammopathy of uncertained significance）と考える．

❻MGUSは年齢が上がるほど多く認められ70歳では5％と言われる．年に1％程度，多発性骨髄腫に進展する可能性があり，定期的に経過観察する必要がある．とくにIgM型は進展がはやい．

❼原発性マクログロブリン血症は，小型B細胞リンパ球，形質細胞への分化傾向にあるリンパ球，形質細胞が混在しているリンパ系腫瘍であるリンパ形質細胞性リンパ腫（LPL）のうち，骨髄浸潤とIgM型M蛋白血症を認めるものをいう．

コンサルトのタイミング

　単クローン性ガンマグロブリン血症であれば専門医への紹介を行う．

フォローアップ外来

　MGUSのfollowについては，多発性骨髄腫への進展リスクが症例により異なることから，専門医の指示の上行うのが望ましい．

腫瘍マーカー（1）

ポイント

❶ 腫瘍マーカーのみで悪性か良性かを区別することはできず，単独検査では悪性腫瘍を診断することもできないので，補助的に使用されることが多い．

❷ 悪性腫瘍の病勢評価に定期に測定することが多いが，単独検査で治療効果を判定することができず，画像検査を併用することが必須である．

❸ 予後予測や再発の早期発見に役に立つ場合があるが，偽陽性の場合，患者に相当な心配を与え，過剰検査と過剰治療につながる可能性があることにも注意する必要がある．

表 1　一般的な腫瘍マーカーの臨床的な意義

悪性腫瘍	腫瘍マーカー	臨床的役割
乳癌	CA15-3，CEA	P，M，R
大腸癌，胃癌	CEA，CA19-9	P，M，R
膵癌	CA19-9，SPan-1，DUPAN-2，CEA	D，P，M，R
肺癌	腺癌：SLX；扁平上皮癌：CYFRA，SCC；小細胞癌：ProGRP，NSE	D，P，M
絨毛癌	β-hCG	D，P，M
胚細胞腫瘍	AFP，β-hCG	D，P，M
肝細胞癌	AFP，PIVKA-II	D，P，M
卵巣癌	CA125	D，P，M，R
前立腺癌	PSA	S，D，P，M，R
甲状腺癌	Thyroglobulin，Calcitonin，CEA	M

M＝Monitoring；R＝Recurrence；S＝Screening；P＝Prognosis；D＝Diagnosis

第3章 健診・検査異常への対応

検体検査

表2 一般的な腫瘍マーカーの基準値（参考値）

マーカー	検査法	基準値
AFP	RIA 法	≦10.0 ng/mL
CEA	RIA 法	≦5.0 ng/mL
CA19-9	RIA 法	≦37.0 U/mL
CA125	RIA 法	≦35.0 ng/mL
CA15-3	RIA 法	≦28.0 U/mL
PSA	EIA 法	≦4.0 ng/mL
β-hCG	RIA 法	≦0.5 mLU/mL
CYFRA	RIA 法	≦2.2 ng/mL
ProGRP	RIA 法	<81.0 pg/mL
SLX	RIA 法	≦38.0 U/mL

注意点

❶がんの早期発見に役に立つ腫瘍マーカーがないの
で，国が推奨するがん検診には含まれない．

❷いくつかの腫瘍マーカーを同時に測定することで診
断の感度，特異度を上げる可能性があるが，他の検
査を代用することはできない．費用の問題，DPC診
療も考慮すべきである．

チェックリスト

❶臓器特異性のあるマーカーか否かをよく確認する．

❷偽陽性をきたす病態を鑑別に挙げる．

❸各腫瘍マーカーの代謝，排泄，半減期等を知っておく．
半減期の例：PSA 3〜4 日，AFP 5〜6 日，
　　　　　　　CEA 3〜11 日，CA125 5〜10 日

❹同じ腫瘍マーカーでも，検査法と実際に使用された
キットで異なる結果が出る可能性があるため注意が
必要．病勢評価に継続的にフォローする場合，同じ
方法で測定するのが望ましい．

腫瘍マーカー (2)

表3 偽陽性をもたらす病態

	偽陽性をもたらす病態
CEA	喫煙，大腸ポリポーシス，IBD，肝硬変，膵炎，透析，糖尿病増悪期
AFP	肝硬変，慢性肝炎（特に急性増悪期），妊娠時，精巣腫瘍
CA19-9	膵炎（特に急性増悪期），胆道系疾患
CA125	卵巣嚢腫，子宮内膜症，子宮筋腫，妊娠時，PID，腹膜刺激
β-hCG	妊娠時
PSA	前立腺炎，前立腺肥大症
SLX	慢性呼吸器疾患（びまん性汎細気管支炎），肝炎・肝硬変，膵良性疾患
ProGRP	腎機能障害，間質性肺炎
SCC	皮膚疾患，腎不全，肝炎・肝硬変
NSE	溶血，腎機能障害，神経芽細胞腫

memo

便潜血

便潜血反応には化学法と免疫法がある．免疫法には，①ラテックス凝集法，②酵素免疫法（enzyme immunoassay：EIA法），③免疫発色法があり，ラテックス凝集法が最もよく使われている．化学法（グアヤック法，オルトトルイジン法）は肉や魚の血に反応するため食事制限が必要である．現在では化学法はほとんど行われていない．

問題点

❶時間経過による感度低下：特に高温下では感度低下が著しい．夏季に郵送法の場合ポスト内が高温のため，陽性から陰性に変わる危険が指摘されている．

❷採便量による誤差：採便量が少ないと偽陰性に，多すぎると偽陽性になる．

❸プロゾーン現象：便中に大量の血液が含まれる場合，偽陰性を呈することがある．ラテックス凝集法でみられる．この場合は検体を希釈して測定し直す．

臨床的意義

❶1992年より老人保健法で便潜血が大腸癌検診に使われるようになった．便潜血陽性率は7％である．精検受診率は60％，精検受診者のうち大腸癌は3～4％，大腸ポリープは25％．便潜血陽性者の半数以上は大腸に腫瘍性疾患はなく痔や直腸炎である．

❷逆に偽陰性もある．大腸進行癌の5～10％，早期癌の40～60％で偽陰性となる．逐年検診が推奨される所以である．

✎ memo

肝炎ウイルス検査

ポイント

❶ 肝炎ウイルス検査で，現在の感染と既往感染の区別が可能である．何を知りたいのか明確にして指示し判定する．

❷ コストを無視すれば全例 PCR 検査すればよいのだが，cost-benefit を考慮して検索範囲を設定すべきである．

表 1　必須の肝炎ウイルスマーカー検査値とその評価

HBV マーカー	陽性であった場合の解釈
HBs 抗原（CLIA 法）	現在ウイルス血症（＋）
HBs 抗体（CLIA 法）	感染の既往またはワクチン接種の既往
HBc 抗体（CLIA 法）	感染の既往，高値（≧10.0）でキャリアの可能性
HBV-DNA（リアルタイム PCR 法）	現在ウイルス血症（＋）
HCV マーカー	
HCV 抗体（LPIA 法または CLEIA 法）	現在のウイルス血症（＋），または感染の既往
HCV-RNA（リアルタイム PCR 法）	現在のウイルス血症（＋）

※指定した検査法以外は過去の古い検査法で，現在は意義が不明確なもの．こういった検査法は，概ね検出感度が低いので，陽性の場合は最近の検査法と同じ意義をもつ．

【各ウイルスマーカーとウインドウピリオド】
HBV-DNA（リアルタイム PCR 法）：34 日，HBs 抗原：59 日，HCV-RNA（リアルタイム PCR 法）：6〜9 日，HCV 抗体：3.3 カ月

第3章 健診・検査異常への対応　　検体検査

表2 その他のウイルスマーカー検査とその意義

ウイルスマーカー		検査意義
HBV	ゲノタイプ	HBVの遺伝子型を決定する
	コア関連抗原	核酸アナログ治療における各種判断 肝発癌高危険群の推定
HCV	セログループ	HCV遺伝子型の推定
	コア蛋白	現在のウイルス血症の有無

memo

HIV 検査

ポイント

❶ HIV 感染症の検査は大きくスクリーニング検査と確認検査に分かれる.

❷ スクリーニング検査陽性者は HIV 感染症専門施設に紹介.

表 1　HIV 感染症診断に用いられる検査法

検査の種類		検査の対象	その他
スクリーニング	第 3 世代	HIV-1/2　IgG/M	偽陽性あり
	第 4 世代	第 3 世代＋HIV-1 p24 抗原	
確認法	ウエスタンブロット法	HIV 粒子の構成タンパクに対する IgG 抗体	特異度が高い
	HIV-1/2 抗体確認検査（Geenius™ HIV1/2 キット）	HIV リコンビナントタンパク（HIV-1 GP41・GP160・P24・P31，および HIV-2GP36・GP140）に対する IgG 抗体	特異度が高く，HIV-1 と HIV-2 の交差反応がウエスタンブロット法より少ない
	核酸増幅検査（PCR 法）	HIV-1 RNA（HIV-2 RNA については研究室レベルの検査）	稀に偽陽性

※ウィンドウピリオドは，スクリーニングに用いられる
第 3 世代：22 日，第 4 世代：17 日.

（国立国際医療研究センター：HIV 感染症とその合併症　診断と治療ハンドブックより一部改変）

https://www.acc.ncgm.go.jp/medics/treatment/handbook/part 3/sec12.html

梅毒検査 (1)

ポイント

❶非特異的検査と特異的検査の結果を組み合わせて判断する（**表1**）.

❷感染後時間が経っていないと考えられる場合には，数週間後に再検査が必要である.

❸感染を診断すれば，5類感染症としての届出とHIVなど他の性感染症のチェックも行う.

梅毒血清検査の種類と特徴

❶非特異的検査：STS (serologic test for syphilis) 法.

　①*Treponema pallidum* と共通抗原をもつ脂質抗原を用いている. 現在本邦ではRPR法が主で，スクリーニングに用いられることが多い.

　②感染から4～6週間後に陽性化し，治療により一定期間後に陰性化する（ただし，第3期以降の治癒では陰性化しないことがある）.

　③定量検査で疾患の活動性や治療効果や再感染の指標となる.

　④BFP（生物学的偽陽性）を生じる疾患・状態：妊娠，膠原病（特にSLE），麻疹，水痘，伝染性単核球症，Hansen病，HIV感染など

表1　梅毒血清検査の判定

STS法	TP抗原法	判　定
−	−	感染なし，感染直後（〜4週間）
+	−	BFP，※
+	+	梅毒感染（非治癒）， 梅毒治癒後（STS定量低値の場合）
−	+	梅毒治癒後， TP抗原法偽陽性（まれ）

※この検査結果の組み合わせで，感染初期を示すことは無くなってきているので注意（☞本文中，❷-②参照）

273

梅毒検査 (2)

❷特異的検査：トレポネーマ（TP）抗原法
　①TP抗原を用いる方法で，TPHA，FTA-ABSなどがある．
　②検査法の進歩により，従来よりも感染から陽性になるまでの期間が短縮されてきた．従来は感染後陽性化するまで時間がかかり，STS法より1～3週間遅くなるとされてきたため，結果の解釈に注意が必要（**表1**の※）．
　③治癒後も陰性化しないので，陽性＝治療対象ではない（一度陽性であれば同じ方法での再検の必要はない）．

梅毒血清検査の解釈

STS法とTP抗原法を組み合わせ，治療歴などと合わせて判断する（**表1**）．

コンサルト・フォローアップ

❶感染を診断すれば，5類感染症としての届出のうえ，治療を行う．
❷他の性感染症のチェックや，パートナーの梅毒感染の検査が必要となる．
❸治療開始後のSTS法の検査値の低下などで効果を確認する．
❹再感染のリスクがあることを説明し，必要時はSTS法の再検査をする．

✎memo

血　圧（1）

診察室，外来血圧測定

❶ 診察室（外来）においては電子圧力柱（擬似水銀）血圧計またはアネロイド血圧計を用いた聴診法，あるいはそれと同程度の精度を有する上腕式自動血圧計を用いる．成人ではカフ内ゴム嚢の幅 13 cm，長さ 22〜24 cm のカフを用いる．

❷ 測定はカフを心臓の高さに保ち，数分以上の安静座位の状態で行い，測定前のカフェイン含有物の摂取や飲酒，喫煙は禁止．

❸ 1〜2 分の間隔をおいて複数回測定し，安定した値（測定値の差が 5 mmHg 未満）を示した 2 回の平均値を血圧値とする．

❹ 初診時には両側上腕で測定し，左右差があれば高い方の血圧値を採用．

❺ 下肢血圧は，今日ではカフ・オシロメトリック法による足首における測定が一般的．

❻ 高血圧の診断は少なくとも 2 回以上の異なる機会における血圧値に基づいて行う．高血圧治療ガイドライン 2019（JSH2019）では 140/90 mmHg 以上を高血圧としている．

家庭血圧測定

❶ 家庭では高血圧患者を含めた集団で聴診法との較差が 5 mmHg 以内であることが確認された上腕カフ・オシロメトリック法に基づく装置を用いる．座位でカフが心臓の高さに維持できる環境で測定する．現状では手首，指血圧計の使用は避けるべき．

❷ 測定時間は，朝は起床後 1 時間以内，排尿後，降圧薬服用前，朝食前，座位 1〜2 分の安静後に，また晩は就床前，座位 1〜2 分の安静後が推奨されている．

血 圧 (2)

1機会原則2回測定し平均をとる（1回のみでも可）が全ての値を記録しておく．

❸家庭血圧による高血圧，正常血圧，降圧薬の効果の判定には週5～7日間の平均値を用いる．JSH2019では135/85 mmHg以上を高血圧としている．

24時間自由行動下血圧測定

❶カフ・オシロメトリック法による自動血圧計を用い，非観血的に15分～30分間隔で24時間自由行動下に血圧を測定する．

❷患者には行動記録表を渡し，日常生活の記録（就寝と起床時間，食事，排便排尿，服薬等）を指示．

❸患者へは，測定時には上腕を安静に保つこと，カフ加圧時に上腕痛，しびれ感がある場合は測定を中止すること，運転などの危険を伴う操作を行う場合は測定しないことなどを説明しておく．また開始時にはカフ装着後必ず血圧測定を行い体験させる．

❹JSH2019では24時間血圧平均値で130/80 mmHg以上，昼間血圧平均値で135/85 mmHg以上，夜間血圧平均値で120/70 mmHg以上を，各血圧値における高血圧とした．

家庭血圧・ABPMで得られる情報

家庭血圧およびABPMは，高血圧，白衣高血圧，仮面高血圧の診断や薬効持続時間の判断，治療抵抗性高血圧の診断などに有用であり，日常診療の参考になる．

心電図 (1)

ポイント

❶ 健康診断で心電図異常を指摘されても，必ずしも心臓に異常があるわけではない．問診や診察所見，過去のデータとの比較などから精査が必要なもの，経過観察でよいものを判定する．

❷ 精査において，心エコー図では先天性心疾患や弁膜症，壁運動異常，肥大等の有無と心機能を，Holter心電図では不整脈や心筋虚血を評価して，専門医へコンサルトすべきか判断する．

主要所見・精査・治療のポイント

❶ リズムの異常（不整脈）

洞性頻脈	甲状腺機能，貧血，低酸素，心エコー図，Holter心電図
洞性徐脈	失神歴など自覚症状なければ経過観察
洞停止	失神歴，Holter心電図，3秒以上ならば，専門医に相談
上室性期外収縮（PAC）	Holter心電図（PAfの有無），必要があれば心エコー図
心室性期外収縮（PVC）	Holter心電図，必要があれば心エコー図
心房細動（Af）	Holter心電図，心エコー図（心腔内血栓の有無），甲状腺機能．抗血栓療法，カテーテルアブレーション検討
心房粗動	Holter心電図，心エコー図，カテーテルアブレーション検討
発作性上室性頻拍（PSVT）	Holter心電図，心エコー図，薬物療法，カテーテルアブレーション検討
心室頻拍（VT）	Holter心電図，心エコー図，専門医に至急相談

心電図 (2)

❷伝導の異常

①PQ 延長

Ⅰ度房室ブロック	経過観察
Ⅱ度房室ブロック Wenckebach 型	失神歴, Holter 心電図, 経過観察
Ⅱ度房室ブロック Mobitz 2 型	失神歴, ペースメーカ植込み相談
高度房室ブロック	失神歴, ペースメーカ植込み相談
Ⅲ度房室ブロック	失神歴, ペースメーカ植込み相談

②PQ 短縮

WPW 症候群 (Δ波あり)	頻拍発作歴, Holter 心電図 (PSVT, PAf の有無), カテーテルアブレーション相談
LGL 症候群 (Δ波なし)	頻拍発作歴, Holter 心電図 (PSVT の有無), カテーテルアブレーション相談

③QRS 増大

不完全右脚ブロック	軸偏位を伴えば, 心エコー図 (ASD, ECD の除外)
完全右脚ブロック	初めてならば, Holter 心電図 (VT の有無), 心エコー図. 以前からならば, 経過観察.
左脚ブロック	心エコー図, Holter 心電図, 専門医に相談.

④QT 延長

QT 延長延長症候群	突然死の家族歴, 常用薬(とくに抗不整脈薬), 低K, 低Mg のチェック, 専門医に相談. ICD 検討

✎ **memo**

第3章　健診・検査異常への対応　　生理機能検査

❸軸の異常

右軸偏位	心エコー図（右心負荷の有無）．やせ型の健常者でもみられる
左軸偏位	心エコー図（左心負荷の有無）．肥満者，高齢者でもみられる

❹低電位

肢誘導の低電位	浮腫，甲状腺機能低下等のチェック，心エコー図（心嚢液貯留の有無）
V1〜3の低電位	心エコー図（前壁梗塞の有無）
V5, 6の低電位	左気胸のチェック

❺心房負荷

右房負荷	心エコー図，呼吸器疾患（肺性心）のチェック
左房負荷	心エコー図

❻心室肥大

右室肥大	心エコー図，呼吸器疾患（肺性心）のチェック
左室肥大	心エコー図（左室肥大の有無）．健常者でもみられる

❼異常Q（梗塞，心筋の脱落）

異常Q	心エコー図（梗塞巣の有無）

memo

心電図 (3)

❽ST-T 変化（心筋障害）

ST 上昇	AMI の除外，心筋マーカー，心エコー図（梗塞巣の有無）
ブルガダ型心電図	失神歴，突然死の家族歴，心エコー図，Holter 心電図．ブルガダ症候群が疑われたら専門医に相談
ST 低下	胸痛歴，心エコー図，Holter 心電図，運動負荷心電図の検討．軽微のものは健康女性にもみられる
高い T	胸痛があれば，AMI の除外．高 K のチェック．健常者にもしばしば見られる
陰性 T，平低 T	胸痛歴，低 K のチェック，心エコー図（壁運動異常，心筋症の有無），Holter 心電図

memo

呼吸機能検査(1)

スパイロメトリー (spirometry)

❶最大吸気位から最大呼気位まで呼出させ,横軸に時間,縦軸に肺気量を記入した呼吸曲線(図1).
❷臨床で評価に必要な測定値
  VC:vital capacity(肺活量)

図1 呼吸機能障害の分類
(日本呼吸器学会:呼吸機能検査ガイドライン.2004より)

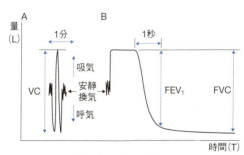

図2 スパイログラム
VC(A)とFVC(B)の記録
(日本呼吸器学会:呼吸機能検査ガイドライン.2004より)

呼吸機能検査 (2)

%VC：対標準肺活量（肺活量を予測肺活量で除したもの）
FVC：forced vital capacity（努力肺活量）
FEV_1：forced expiratory volume in one second（1秒量）
FEV_1%：1秒率（FEV_1をFVCで除したもの）
%FEV_1：対標準1秒量
❸評価（図2）

フローボリューム曲線(flow volume curve)

❶最大呼出の状態を流量と呼気量で表したもの（図3）
❷臨床で評価に必要な測定値
PEF：peak expiratory flow（最大呼気速度）
$\dot{V}_{50}$：maximal expiratory flow rate at 50% of vital capacity
$\dot{V}_{25}$：maximal expiratory flow rate at 25% of vital capacity

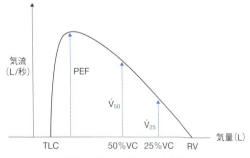

図3 フローボリューム曲線
（日本呼吸器学会：呼吸機能検査ガイドライン．2004より）

第3章　健診・検査異常への対応　　生理機能検査

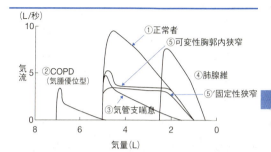

図4　フローボリューム曲線のパターン分析
(日本呼吸器学会：呼吸機能検査ガイドライン．2004 より)

❸パターン別評価（図4）

臨床評価

❶閉塞性換気障害：1秒率と1秒量の低下を認める．閉塞性換気障害と判定されれば，その閉塞性の程度を評価するには対標準1秒率（%FEV_1）を用いる．初めから%FEV_1で評価すると，VC低下のある患者（拘束性換気障害）も%FEV_1の低下に含まれるため．1秒率や1秒量の低下を認めなくとも，フローボリューム曲線の$\dot{V}_{50}$，$\dot{V}_{25}$が低下している場合には，閉塞性換気障害の早期段階を考える．($\dot{V}_{50}/\dot{V}_{25}$が4以上で末梢気道閉塞を示唆)

①気道可逆性の評価

　気管支拡張薬吸入前後の1秒量の改善の程度は，絶対量の変化と改善率で判定．

改善量＝吸入後の FEV_1 − 吸入前の FEV_1（mL）

改善率＝$\dfrac{吸入後の FEV_1 − 吸入前の FEV_1}{吸入前の FEV_1} \times 100$（%）

呼吸機能検査 (3)

改善量200 mL以上かつ改善率12%以上をもって気道可逆性ありと判定.改善率が5%以下では喘息の素因は否定的.

閉塞性肺障害で可逆性を認めれば,気管支喘息を示唆するが,気管支喘息が慢性持続性でリモデリングをきたした場合,可逆性を認めないことがある.逆に,COPDでも可逆性を認めることもある.

②気管支拡張剤:ⓐまたはⓑ
　ⓐスペーサーを用いる場合:以下のいずれか

気管支拡張β₂刺激剤:サルブタモール硫酸塩/プロカテロール塩酸塩

サルタノールインヘラー(100 μg) 1回2吸入　吸
メプチンエアー (10 μg) 1回2吸入　吸

　ⓑネブライザーを用いる場合

気管支拡張β₂刺激剤:サルブタモール硫酸塩

ベネトリン吸入液 (0.5%) 1回0.3~0.5 mL　吸

❷**拘束性換気障害**:肺活量が減少する病態.肺線維症をはじめとした肺が固くなる病態や胸郭運動制限,神経筋疾患による呼吸筋低下などがあげられる(**表1**).

memo

第3章 健診・検査異常への対応　　　生理機能検査

表1　スパイロメトリーに異常をきたす代表的な疾患

障害の パターン	病　態		代表的疾患
閉塞性 換気障害	気道 閉塞	上気道	口腔内腫瘍，咽頭・喉頭腫瘍，喉頭（蓋）炎
		下気道	気管支喘息，COPD，びまん性汎細気管支炎，再発性多発軟骨炎，気管異物，気管腫瘍，肺リンパ脈管腫瘍症，閉塞性細気管支炎（特発性，続発性），肺水腫
	支持組織の脆弱性		COPD
拘束性 換気障害	肺の弾性の低下		特発性肺線維症，間質性肺炎，放射線肺炎，過敏性肺炎，ランゲルハンス細胞組織球症（好酸球性肉芽腫症），じん肺症，サルコイドーシス，肺胞蛋白症，肺胞微石症，肺アミロイドーシス
	肺容量の減少		肺葉切除後，肺腫瘍
	胸郭，胸膜病変		胸膜炎，胸膜肥厚，胸膜中皮腫，気胸，血胸
	呼吸運動，呼吸筋力の障害		重症筋無力症，神経筋疾患，肥満による低換気症候群
	高度の胸郭の変形		後側彎症，横隔神経麻痺
	浮腫		肺水腫
	その他		肥満

（日本呼吸器学会：呼吸機能検査ガイドライン．2004 より）

memo

胸部 Xp/CT (1)

胸部単純 X 線写真（胸部 Xp）

ポイント（見逃さないための読影の流れ）

❶ 骨性胸郭：肋軟骨・胸骨柄など
 軟部組織：乳房，乳頭など（図1）
❷ 縦隔，心陰影，横隔膜，胸膜：気管の偏位シルエットサイン，横隔膜低位（第11肋骨下縁が見える）・挙上（無気肺はないか），肋骨横隔膜角，胸膜肥厚，胸水
❸ 上肺野：肺尖部の左右差（以下図2）
❹ 中肺野：肺門から末梢へ気管支，血管影を追う．
❺ 下肺野：心陰影，横隔膜と重なる部分の左右差，血管影が明瞭に追えるか．

肺野病変の読影

❶ **透過性亢進**（肺野が黒い）
 ① 肺野全体：慢性閉塞性肺疾患，気管支喘息増悪，びまん性汎細気管支炎，まれに閉塞性細気管支炎
 ② 肺野の一部：肺嚢胞，肺血栓塞栓症，乳房切除後
 ③ 肺の虚脱：気胸
❷ **透過性低下**（肺野が白い）
 ① 浸潤影（縦隔や葉間線の偏位は通常認めない）
  ⓐ 肺胞性陰影（斑状影，塊状影，細葉結節影）
   ・区域性：肺炎
   ・非区域性：肺水腫，肺上皮癌，びまん性肺胞出血，好酸球性肺炎，特発性器質化肺炎，日和見感染症（ニューモシスチス肺炎・サイトメガロウイルス肺炎），肺胞蛋白症
   ・蝶形陰影：肺水腫
  ⓑ 間質性陰影
   ・すりガラス陰影：ウイルス性肺炎，過敏性肺炎，ニューモシスチス肺炎，薬剤性肺障害，急性間質性肺炎，各種病初期に認められることがある．

第3章 健診・検査異常への対応

画像検査

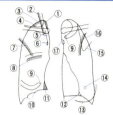

図1 異常でない陰影

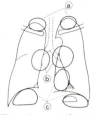

図2 チェックポイント
（見逃しやすい部位）

異常影に間違えやすい陰影

①腕頭動脈，②胸鎖乳突筋，③胸膜線維性肥厚（5mm以下），④鎖骨上の軟部組織，⑤奇静脈葉，⑥奇静脈，⑦大胸筋，⑧肋骨下溝の辺縁，⑨肋軟骨石灰化，⑩横隔膜筋束の部分萎縮（scalloping），⑪下大静脈，⑫心外膜靱帯と脂肪，⑬乳房，⑭乳頭（辺縁がシャープなことが多い），⑮肩甲骨，⑯腋窩の軟部組織，⑰胸骨柄
ⓐ肺尖部，ⓑ肺門部，ⓒ心臓・横隔膜と重なる部分

- びまん性粒状影
  急性経過：ウイルス性肺炎，肺水腫，粟粒結核
  慢性経過：肺結核，塵肺，過敏性肺炎，びまん性汎細気管支炎
- 網状陰影：間質性肺炎，肺水腫，膠原病肺，薬剤性肺障害，サルコイドーシス，癌性リンパ管症
②胸水（病変の反対方向に縦隔が偏位）：胸膜炎，膿胸，心不全（両側胸水）
③無気肺（病変のあるほうに縦隔や葉間線が偏位）：腫瘍や喀痰による気管支閉塞
④結節（3cm未満），腫瘤影（3cm以上）
  ⓐ単発：肺癌，その他良性腫瘍や炎症性肉芽腫性疾患（結核，真菌）

胸部 Xp/CT (2)

- ・悪性の根拠：関与血管（特に肺静脈），胸膜陥入，spicula，notch
- ・良性の根拠：周囲の散布巣や内部の石灰化（まれに石灰化を有する悪性腫瘍が存在）
- ・空洞を有する場合：肺癌，抗酸菌感染症，肺膿瘍
- ⓑ多発：転移性肺腫瘍，ブドウ球菌による肺炎，肺結核，塵肺，アスペルギルス，クリプトコックス，日和見感染，肺血栓塞栓症

⑤線状陰影：炎症後の瘢痕であることが多いが，肺癌による胸膜陥入であることに要注意．

⑥肺門または縦隔腫大
- ⓐ両側肺門リンパ節：サルコイドーシス，珪肺，肺結核，リンパ腫，転移性腫瘍
- ⓑ片側肺門リンパ節：肺癌，リンパ腫，転移性腫瘍
- ⓒ両側肺動脈拡大：肺高血圧（肺性心，僧帽弁狭窄症，心不全）
- ⓓ片側肺動脈拡大：肺血栓塞栓症
- ⓔ縦隔開大：縦隔腫瘍，肺癌をはじめ他臓器の縦隔，肺門リンパ節転移，大動脈解離など

胸部 CT

ポイント（胸部 CT の適応）

以下の目的のため，以前に比して胸部 CT の適応が増加している．

❶腫瘍性病変の精査
❷び漫性肺疾患の精査
❸呼吸器感染症の精査

肺野病変の読影

❶腫瘍性病変

第3章　健診・検査異常への対応　　　画像検査

①肺癌（原発性・転移性）：原発性肺癌は spicula, notch, 胸膜陥入を伴うと共に, 肺静脈を越えた進展を呈することが重要である（区域間を境する肺静脈を越える場合は悪性を示唆）. また, 肺腺癌で肺胞置換性に進展する場合は中心部の consolidation を主体とした腫瘤の周辺にすりガラス陰影を伴う. 転移性肺癌は, 肺区域と無関係な, random distribution を呈する（小葉中心性, 小葉辺縁性など様々な分布）.

②肺癌以外の孤立性結節：肺の潰れ（板状無気肺）, 肺内リンパ節, 炎症性結節/腫瘤, 限局性質化肺炎（肺炎の治癒機転が遷延して陰影の消失が遅くなる病態）, 肉芽腫性病変（肺結核症, 非結核性抗酸菌症）, 肺真菌症, 炎症性偽腫瘍, 良性腫瘍（肺過誤腫, 肺硬化性血管腫など）, 肺動静脈瘻（動静脈奇形）など

③肺結節の判定と経過観察：「肺がん CT 検診ガイドライン」（日本 CT 検診学会）による「低線量マルチスライス CT による肺がん検診：肺結節の判定と経過観察図 第4版」を参考に, 充実型か否か, 喫煙者か否か, 充実型でない場合は結節の最大径と充実部分の最大径などを組み合わせてリスクを判断して, HRCT によるフォロー期間を変更して対応する（図3）.

❷び漫性肺疾患

①区域性と非区域性：区域性進展は経気道性進展を示唆, 区域を越えた非区域性分布は間質性肺炎を示唆. HRCT 所見として, 前者は「気管支肺動脈束の腫大と小葉中心性分布」が, 後者は「気管支肺動脈束と小葉辺縁構造の両者の腫大/あるいは結節」が典型的で, 「汎小葉性病変」は程度により両者とも呈し得る.

289

胸部 Xp/CT (3)

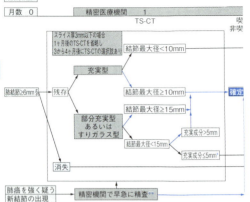

図 3 低線量マルチスライス CT による肺がん検診：
§ 大きさの基準は，検診 CT 上での測定の際は，最大径と短径径を使う．
TS-CT：thin-section CT
増大†：2 mm 以上
増大¶：結節全体 2 mm 以上，あるいは，充実成分 2 mm 以上
*充実成分≤5 mm の場合，原則として経過観察とする．ただし，
**精密機関でなるべく早く TS-CT を撮影する．

②病変の性状：間質性肺炎では
  ⓐ「網状影，すりガラス陰影，線状影」が主体で，特発性器質化肺炎を除いて consolidation が主体となることは少ない．
  ⓑ小葉中心性陰影はまれ（経気道性進展：慢性過敏性肺炎では認める）．
③頭尾方向での優位性：間質性肺炎では下肺野優位

第3章 健診・検査異常への対応　　　画像検査

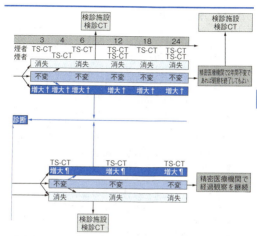

肺結節の判定と経過観察 第4版(日本CT検診学会)

の平均値を使う．医療機関における精密検査の際の大きさは最大

施設の方針により確定診断も選択肢の一つである．

　　の分布を示す(慢性過敏性肺炎，上葉優位型肺線維症を除く)．
　④横断面での優位性：間質性肺炎では外層(末梢側)優位の分布を示す．
❸呼吸器感染症
　①病変分布の正確な把握：胸部 Xp に比して空間分解能が格段に向上する．

胸部 Xp/CT (4)

②病変の性状・随伴所見・合併症の早期同定：空洞, 壊死 (low density area), 散布巣, CT halo sign (肺真菌症など), リンパ節腫脹, 胸水, 胸膜肥厚, 気胸などの合併を指摘可能.

③胸部 Xp で指摘困難な陰影の同定：好中球減少性発熱時などの日和見感染症は淡いすりガラス陰影など CT で初めて指摘可能な場合も多い.

④基礎疾患の同定：肺癌による閉塞性肺炎は胸部 Xp では肺炎像が前面に出て CT で初めて中枢気道閉塞の指摘がなされることも多い, 気管支拡張などを伴うと非結核性抗酸菌症, アレルギー性気管支肺アスペルギルス症, 膠原病肺などの合併も念頭に置く必要がでる.

⑤肺炎像を呈する非感染性疾患の鑑別：特発性器質化肺炎, 慢性好酸球性肺炎を含む間質性肺疾患, 肺血栓塞栓症, 無気肺 (種々の原因による), 腫瘍性病変, 肺水腫などを念頭に置くことができる.

memo

腹部エコー (1)

ポイント

1. 腹部エコーだけで診断確定する疾患もあるが,診断確定までにさらに精査を要する場合が多い.
2. 悪性疾患の疑いがあれば速やかに専門医に紹介.
3. 腫瘤性病変は一般に3～6カ月後再検.それ以外は基本1年後にフォローアップ.

常用略語と正常値

1. R (L) SC = 右 (左) 肋弓下走査 (図1-①, ②)
2. R (L) IC = 右 (左) 肋間走査 (図1-③, ④)
3. R (C, L) S = 右 (中央, 左) 矢状走査 (図1-⑤)
4. 総胆管径: <8 mm
5. 膵管径: <3 mm
6. 門脈径: <13 mm
7. 門脈・脾静脈移行部径: <12 mm
8. splenic index (図2): $a \times b \leq 20$ cm^2

図1 矢印の方向が画面右側に出る

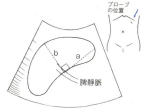

図2 splenic index (a×b) の算定

memo

腹部エコー (2)

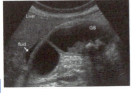

図 3

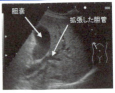

図 4

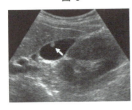

図 5

エコーで確定診断できる疾患

❶胆石：急性胆嚢炎（図 3）や閉塞性黄疸（図 4）の合併がなければ経過観察可能．ただし胆嚢癌合併に注意．

❷胆嚢ポリープ ☞ p.543

　コレステロールポリープを示す以下の特徴が欠けていれば CT 撮影か消化器内科紹介（高輝度，有茎性，表面顆粒状，直径 5 mm 以下：図 5）．

❸水腎症：腎セントラルエコー内に無エコー帯を認める．
　腎皮質希薄化傾向があれば泌尿器科紹介．また，尿管結石や尿路系腫瘍探索を探るため CT（可能なら造影，要すれば膀胱まで）を指示．

❹腎結石：胆石同様，高輝度の結石エコーとその背後に音響陰影がある．φ5 mm 未満では必ずしも音響陰影はない例もある．水腎・水尿管があれば泌尿器科紹介．

第3章　健診・検査異常への対応

画像検査

❺脾腫：splenic index＞20 cm^{2}を脾腫とする（千葉大方式）．
　　無症候の脾腫に関しては**表1**，診断アルゴリズム
　　は**図6**参照

❻脂肪肝
　　肝実質の高輝度化，特に右腎との肝腎コントラス
　トが際立てば診断は確実となる．透析症例では腎皮
　質の輝度上昇があるため肝脾コントラストで診断す
　る．

❼肝嚢胞，腎嚢胞
　①それぞれ，境界明瞭な無エコー野として描出され
　　る．
　②多発し，肝実質・腎実質面積が縮小するとそれぞ
　　れの機能不全が生じ，とくに腎嚢胞が多発する
　　ADPKD（常染色体優性多発性嚢胞腎）は長期予後不
　　良で腎臓専門医紹介．

❽膵嚢胞
　　膵癌（☞ p.551）の鑑別が重要．単純な単発嚢胞以
　外はCTなどで精査．IPMNなど消化器内科でフォ
　ローアップが必要な疾患もありうるため．

❾卵巣嚢腫 ☞ p.734
　①境界明瞭な無エコー野が，膀胱，子宮近傍にみえ
　　れば疑う．
　②壁在性に充実性の腫瘤があれば，癌である可能性
　　がある（たとえ若年女性でも婦人科に紹介）．

❿子宮筋腫 ☞ p.730
　①膀胱を強く圧排し子宮壁が腫大して見えれば疑う．
　②子宮体癌との鑑別は必ずしも容易でない例もある．

⓫前立腺肥大症 ☞ p.689
　①膀胱を圧排し横径6cm厚み2cmを超えれば疑う．
　②内部に石灰化を見ることがある．
　③境界不明瞭なものは前立腺癌鑑別のためPSAを
　　採血して泌尿器科紹介．

295

腹部エコー (3)

表1 脾腫をきたす疾患
(太字・下線：巨脾を示すもの、青字：無症候性でありうるもの)

分類	疾患
炎症（感染性）	結核, 感染性心内膜炎, 敗血症, マラリア, 伝染性単核症など
炎症（非感染性）	サルコイドーシス, SLE, Felty症候群
血液疾患	**急性白血病**, 慢性骨髄性白血病, 骨髄線維症, 真性多血症, 溶血性貧血, 悪性貧血など
門脈圧亢進症	肝硬変, 特発性門脈圧亢進症, 門脈血栓症
代謝疾患	アミロイドーシスなど

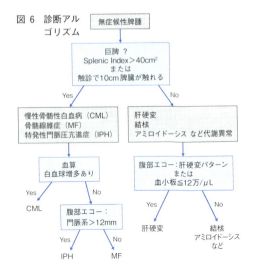

図6 診断アルゴリズム

第3章　健診・検査異常への対応

画像検査

エコーが診断上有用な疾患

❶肝細胞癌，肝腫瘍 ☞ p. 539

❷胆嚢腺筋症

本態は胆嚢壁内に Rakitansky-Aschoff sinus（RAS）が増殖し嚢腫状に拡張して，胆嚢粘膜上皮及び筋組織の過形成をする疾患．**図7** のように分類．病理組織学的に診断されれば悪性転化することはないが，**図10，11** のように，コメット様エコーやRASが明瞭でなく，所属リンパ節や周囲臓器への浸潤・転移を造影CTで確認すべきケースがある．

❸胆嚢・胆管癌 ☞ p. 544

エコーパターンはさまざまである．結石を伴う場合もあり胆嚢・胆管壁の充実性腫瘤では常に疑診となる．

❹膵癌 ☞ p. 551

エコーパターンはさまざまである．膵管上皮から出るので，膵管との関係に注意する．
充実性腫瘤エコーでは常に疑診となる．

❺腎癌，子宮癌，卵巣癌，乳癌，甲状腺癌

エコーレベル，パターンはさまざまであるが，充実性腫瘤エコーでは常に疑診となる．専門医に紹介．

❻その他

①慢性膵炎：主膵管≧3 mm 径では疑う．☞ p. 547

②虫垂炎：右下腹部の厚い低エコー外皮をもつ高エコーとして描出される．糞石の存在や病変の回盲部との連続性が確認されれば確実．

③慢性肝炎：肝実質エコーの乱れ，肝縁鈍化など．

④肝硬変：肝表面の凹凸不整，内部エコーのむら，脾腫，肝縁鈍化，肝門部門脈径の拡大（＞12 mm）など．

腹部エコー（4）

びまん型(diffuse type)

分節型(segmental type)

底部型(fundal type)

図 7　胆嚢腺筋症の分類

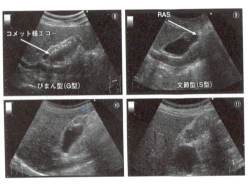

図 8〜11

出典
図 3　http://www.chiringi.or.jp/k_library/kaishi/kaishi2011_2/index.htm
図 4　http://toyotauozu.seesaa.net/category/1949737-1.html
図 5　http://healthil.jp/26789
図 7　http://xn--o1qq22cjlllou16giuj.jp/archives/16105
図 8〜11　http://xn--o1qq22cjlllou16giuj.jp/archives/16105

心エコー図（1）

ポイント

❶心エコー図で得られる情報はあくまでも患者の病態の情報の1つ．病歴，心電図などの情報を収集し，身体所見と考え合わせて総合的に評価を行うこと．

❷具体的には基本断面の全体像・壁運動の様子，また径や逆流量などの計測，パルスドプラ法による血行動態などの評価・解釈を行う．

常用略語と正常値

常用略語	正常値
Ao（大動脈径）	≦3.7 cm
LA（左房径）	≦3.7 cm
Dd（拡張末期左室内径）	≦5.2 cm
Ds（収縮末期左室内径）	≦3.7 cm
IVS（心室中隔壁厚）	≦1.1 cm
PW（左室後壁壁厚）	≦1.1 cm
%FS（内径短縮率）	≧30%
EF（駆出率）	≧55%

各指標の評価

❶左室壁運動の評価：虚血性心疾患

　左室の壁運動異常（asynergy）は心筋虚血の結果として迅速に出現する指標の1つ．部位と広がり，程度，輝度などの評価を行う．壁運動異常領域が冠動脈灌流域と一致しない場合には心筋炎などの非虚血性心疾患を念頭におく．心室壁を16セグメントに分割し，それぞれのセグメントの局所壁運動を以下のスコアで評価．

normal（正常収縮）1点　　hypokinesis（低収縮）2点
akinesis（無収縮）3点　　dyskinesis（奇異性運動）4点
aneurysm（瘤形成）5点

❷壁厚の評価：虚血性心疾患，心筋症，左室肥大など

　OMIでは障害心筋の器質化が進み，慢性期には壁運動異常や壁厚減少に加えて壁エコー輝度の増強が

心エコー図 (2)

みられる．非対称性の心筋肥大がある場合は心筋症を疑う．

❸ 圧較差：弁膜症，心筋症など

弁狭窄，弁逆流，短絡などの高流速の異常血流がみられたとき，異常血流が生じる前後の心腔内および弁前後の圧較差が推定できる．

圧較差 $\Delta P = 4 \times$ 通過血流速 $(V)^2$

❹ 左室流入速波形

E：拡張早期波，A：心房収縮波，IRT：等容性拡張時間，Dct：減速時間，Ad：A波持続時間．

E，Aの関係やE波の減衰時間などから下図のどのパターンにあてはまるのか評価する．ただし心拍数，僧帽弁逆流の有無，薬物などによってE，Aの速度は変わりうる．症状がはっきりしない場合など状態の把握に役立つ．

もともとE<AであったパターンがE>AとなりDctの短縮がみられた場合は心不全への移行期と考えられる（偽正常化）．

正常波形　　左室弛緩障害波形　　偽正常化波形　　拘束型波形

(増山 理：スタートアップ心エコーマニュアル 改訂第3版. 南山堂, 2020)

❺ 下大静脈径からの右房圧推定
・呼気末期最大下大静脈径≦2.1 cm かつ虚脱率≧50%の場合：3 mmHg
・呼気末期最大下大静脈径≦2.1 cm かつ虚脱率≧50%の場合：15 mmHg
・これらの所見に一致しない場合，8 mmHg

上部消化管検査

ポイント

1. 胃がん検診として胃X線検査（胃透視）と内視鏡検査が行われる．一次検診で内視鏡を行う施設も増加しているが，現在も主流は胃X線検査である（表1）．
2. 悪性疾患の早期発見が目的であり，異常を指摘された場合は内視鏡検査を行う．
3. 実際には，胃X線検査で異常を指摘されても内視鏡検査では異常がないことも多い．

胃X線検査で指摘される主な異常

1. 陥凹性病変：粘膜が欠損した病変．
2. 隆起性病変：内腔に突出した病変．
3. 粘膜不整：平滑ではない凹凸のある粘膜．
4. 陰影欠損：胃陰影の辺縁が部分的に欠損した所見．
5. ひだ（レリーフ）集中：潰瘍や瘢痕部に向かい周囲のひだが集中した現象．
6. 透亮像：隆起性病変がバリウムをはじいて黒く抜けた所見．
7. 伸展不良：胃壁の硬化などで伸展が悪い状態．

表1 胃X線検査と上部消化管内視鏡検査

	胃X線検査	上部消化管内視鏡
正確さ	胃全体の変形をとらえやすい	平坦な病変も診断可能，咽頭，食道，十二指腸も観察可能
負担	放射線被ばく，バリウムによる便秘	喉の痛みや違和感

memo

頭部 MRI・MRA

　脳卒中の死亡数は激減しているが，脳卒中後の後遺症で介護が必要となる患者は多い．脳ドックを受ける方も多く，脳ドックにおける MRI・MRA についての注意点を本項では解説する．

MRI

　撮像法は T1 強調画像（T1WI），T2 強調画像（T2WI），FLAIR 画像またはプロトン密度強調画像（PDWI），ならびに T2*強調画像（T2*WI）の4種併用を必須とする．

読影結果

❶明らかな頭蓋内病変が見られる場合，脳神経外科・脳神経内科等の専門医の診察が必須となる．

❷脳ドックでは，「脳小血管病」と関連の深い以下の所見に留意する．
　①ラクナ梗塞　②拡大血管周囲腔　③大脳白質病変
　④脳微小出血

　①〜④の脳小血管病は中高年者にしばしば認められる無症候性脳病変である．これらは，脳卒中の発症や再発，認知機能障害や抑うつ状態と関連することが知られており，高血圧・糖尿病・高コレステロール血症・心房細動・心疾患の既往・頸動脈狭窄などが危険因子として報告されており，管理が重要である．

　①〜③の鑑別を**表1**に示す．

　④については，T2*強調画像にて低信号を認める．

❸正常圧水頭症の鑑別として以下がみられ，これをDESH といい，特発性正常圧水頭症の特徴的な画像所見となる．
　①脳室の拡大
　②シルビウス裂の開大
　③高位円蓋部・正中部の脳溝・くも膜下腔の狭小化

第3章　健診・検査異常への対応

画像検査

表 1　頭部 MRI による鑑別

	ラクナ梗塞	血管周囲腔	大脳白質病変
T1 WI	低信号	低～等信号	等～灰白質程度
T2 WI	明瞭な高信号	明瞭な高信号	淡い高信号
PDWI	明瞭な高信号	低～等信号	淡い高信号
FLAIR	等～高信号	低～等信号	明瞭な高信号
大きさ	3～15 mm	3 mm 未満	さまざま
形状	不整形	点状～線状	点状～斑状

MRA

　未破裂脳動脈瘤ならびに頭部の主幹動脈の閉塞・狭窄病変の検索のために，ウイリス輪を中心にして，①左右方向に回転させた画像と，②前後方向に回転させた再構成画像を作成する．

　脳動脈瘤の三大好発部位は，①前交通動脈，②内頸動脈後交通動脈分岐部，③中大脳動脈分岐部となっている．

読影結果

❶未破裂脳動脈瘤は 30 歳以上の成人に比較的高頻度（3％強）に発見される．発見された場合には，むやみに不安をあおることなく，専門医に紹介すべきである．未破裂脳動脈瘤の自然経過や治療適応，治療法の選択についてはいまだ確立されていないため，十分な説明を行い，患者の意見も尊重しつつコンセンサスを得る必要がある．

❷頸部・脳主幹動脈狭窄については，検査の精度の影響が多くみられるため，CT angiography 等の 2 次スクリーニングが必要であり，専門医の診察を勧めるべきである．

高血圧 (1)

ポイント

❶高血圧治療の目的は，脳心血管病の発症・進展・再発の抑制，それらによる死亡の減少，QOL の維持.

❷治療前に二次性高血圧を除外する（表1）．手術などで根治可能なものもある.

❸血圧レベル，予後影響因子からリスクを層別化（表2, 3）し，治療計画を立てる（表4）治療は生活習慣の修正を含む非薬物治療と薬物療法がある.

非専門医レベルで行うべきチェックリスト

<問診・診察>

❶問診：飲酒，喫煙，運動習慣，食習慣（塩分過剰など），過労，ストレス，いびき，日中の眠気，若年（50歳未満）発症の脳心血管病の家族歴，常用薬（NSAIDs, 甘草，ステロイドなど：表1）

❷診察：血圧左右差，血圧上下肢差，頸部や腹部の血管雑音，浮腫，体重，腹囲，家庭血圧

<検　査>

❶危険因子，合併症チェック：尿一般，尿中アルブミン，血算，Cr，尿酸，電解質，糖代謝，脂質，肝機能，心電図，胸部 Xp，眼底検査，心エコー図，頸動脈エコーなど

❷二次性高血圧のスクリーニング検査：血漿レニン活性 PRA，血漿アルドステロン PAC，コルチゾール，ACTH，カテコラミン3分画，メタネフリン2分画（血中または尿中），TSH，IGF-1，腹部エコー，夜間経皮酸素分圧モニタリングなど

※午前中安静臥床後採血等測定条件ある検査あり.

<リスクの評価（層別化）>

診察室血圧レベルと予後影響因子の有無から脳心血管病リスクの層別化を行う（表2, 3）.

<初診時の管理計画>

リスク別に治療計画を立てる（図1）．治療は生活習

第4章　疾患編

循環器疾患

表1　二次性高血圧の診断のポイント

腎実質性高血圧	血清Cr↑，蛋白尿，血尿，腎疾患の既往で疑う．血清免疫学的検査，腎生検などで診断
腎血管性高血圧（腎動脈狭窄）	腹部血管雑音，低K，RA系阻害薬投与後の急激な腎機能悪化，腎臓サイズの左右差で疑う．腹部CTA，MRAで診断
原発性アルドステロン症	低Kで疑う．血漿アルドステロン高値，血漿レニン活性低値で診断．CT，MRIで副腎腫瘍を検索．PAC（CLEIA法）/PRA≧200 かつ PAC≧60 pg/mL
クッシング症候群	中心性肥満，満月様顔貌，高血糖で疑う．コルチゾール高値．デキサメタゾン抑制試験，頭MRIで下垂体腫瘍を，腹部CT，MRIで副腎腫瘍を検索．
褐色細胞腫	血漿カテコラミン，尿中カテコラミン，尿中VMAの高値で疑う．CT，MRIで腫瘍を検索（9割は副腎）．
甲状腺機能低下症	FT 3，FT 4低値から診断．大半はTSHは高値で，低値ならば下垂体機能低下症を疑う．
甲状腺機能亢進症	FT 3，FT 4高値から診断．TSHは低値．
副甲状腺機能亢進症	高Ca血症，夜間多尿，口渇で疑う．副甲状腺ホルモン高値で診断．
大動脈縮窄症	血圧上下肢差，腹部血管雑音で疑う．胸腹部CT，血管造影による大動脈の狭窄から診断．
頭蓋内圧亢進	脳血管障害，脳腫瘍，脳炎などが原因．頭部CT，MRIで診断．
脳幹部血管圧迫	交感神経の中枢である頭側延髄腹外側野の周辺血管による脳幹部の圧迫．頭MRI，MRAで診断．
睡眠時無呼吸候群	肥満，いびき，昼間の眠気で疑う．睡眠ポリグラフ検査で診断．
薬剤誘発性高血圧	NSAIDs，甘草（偽性アルドステロン症），副腎皮質ホルモン，女性ホルモン，エリスロポイエチン，シクロスポリン，タクロリムス，交感神経刺激作用を有する薬剤（三環系，四環系抗うつ薬，フェニルプロパノール，モノアミン酸化酵素阻害薬）などの使用歴を確認．

305

高血圧 ⑵

表 2 脳心血管病に対する予後影響因子

A. 血圧レベル以外の脳心血管病の危険因子

高齢（65 歳以上）

男性

喫煙

脂質異常症

肥満（BMI≧25 kg/m²）（特に内臓脂肪型肥満）

若年（50 歳未満）発症の脳心血管病の家族歴

糖尿病

B. 臓器障害/脳心血管病

脳	脳出血，脳梗塞 一過性脳虚血発作
心臓	左室肥大（心電図，心エコー図） 狭心症，心筋梗塞，冠動脈再建術後 心不全 非弁膜症性心房細動
腎臓	蛋白尿 eGFR 低値（＜60 mL/分/1.73 m²） 慢性腎臓病（CKD）
血管	大血管疾患 末梢動脈疾患（足関節上腕血圧比低値：ABI≦0.9） 動脈硬化性プラーク 脈波伝播速度上昇（baPWV≧18 m/秒，cfPWV＞10 m/秒） 心臓足首血管指数（CAVI）上昇（≧9）
眼底	高血圧性網膜症

青字：リスク層別化に用いる予後影響因子

第4章　疾患編

循環器疾患

表3　診察室血圧に基づいた脳心血管病リスク層別化

血圧分類　リスク層	高値血圧 130-139/ 80-89 mmHg	Ⅰ度高血圧 140-159/ 90-99 mmHg	Ⅱ度高血圧 160-179/ 100-109 mmHg	Ⅲ度高血圧 ≧180/ ≧110 mmHg
リスク第一層 予後影響因子がない	低リスク	低リスク	中等リスク	高リスク
リスク第二層 年齢（65歳以上），男性，脂質異常症，喫煙のいずれかがある	中等リスク	中等リスク	高リスク	高リスク
リスク第三層 脳心血管病既往，非弁膜症性心房細動，糖尿病，蛋白尿のあるCKDのいずれか，または，リスク第二層の危険因子が3つ以上ある	高リスク	高リスク	高リスク	高リスク

表4　降圧目標

	診察室血圧 （mmHg）	家庭血圧 （mmHg）
75歳未満の成人 脳血管障害患者 　（両側頸動脈狭窄や脳主幹動脈 　　閉塞なし） 冠動脈疾患患者 CKD患者（蛋白尿陽性） 糖尿病患者 抗血栓薬服用中	<130/80	<125/75
75歳以上の高齢者 脳血管障害患者 　（両側頸動脈狭窄や脳主幹動脈 　　閉塞あり，または未評価） CKD患者（蛋白尿陰性）	<140/90	<135/85

307

高血圧 (3)

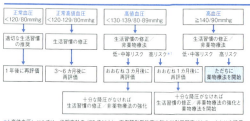

*1 高値血圧レベルでは、後期高齢者（75 歳以上）、両側頸動脈狭窄や脳主幹動脈閉塞がある、または未評価の脳血管障害、蛋白尿のない CKD、非弁膜症性心房細動の場合は、高リスクであっても中等リスクと同様に対応する。その後の経過で症例ごとに薬物療法の必要性を検討する。

図 1 初診時の血圧レベル別の高血圧管理計画

慣の修正と薬物療法からなる．

<降圧目標>
年齢や合併症などを考慮し降圧目標を立てる（表4）．

<治　療>
❶生活習慣の修正：全ての高血圧患者に対して行う（表5）．
❷薬物療法：降圧薬の脳心血管病抑制効果の大部分は降圧度により規定される．
　①Ca 拮抗薬，ARB，ACE 阻害薬，少量利尿薬，β遮断薬を主要降圧薬とし，積極的適応，禁忌，慎重投与，併用薬との相互作用などを考慮しながら使用薬剤を選択する（表6）．
　②積極的適応がない場合，第一選択薬としては Ca 拮抗薬，ARB，ACE 阻害薬，利尿薬の中から選択する．
　③1 日 1 回投与のものを優先．
　④一般的には単剤から緩徐に降圧．
　⑤20/10 mmHg 以上の降圧を目標にする場合は初期から併用を考慮．
　⑥コントロール不良の場合は MR 拮抗薬や ARNI の

第4章 疾患編　　　　　循環器疾患

使用も検討.
⑦主な降圧薬と用法を一覧に示す（**表7**）.

表5　生活習慣の修正項目

1. 食塩制限 6 g/日未満
2. 野菜・果物の積極的摂取*
   飽和脂肪酸，コレステロールの摂取を控える
   多価不飽和脂肪酸，低脂肪乳製品の積極的摂取
3. 適正体重の維持：BMI（体重[kg]÷身長[m]^2）25 未満
4. 運動療法：軽強度の有酸素運動（動的および静的筋肉負荷運動）を毎日 30 分，または 180 分/週以上行う
5. 節酒：エタノールとして男性 20-30 mL/日以下，女性 10-20 mL/日以下に制限する
6. 禁煙

生活習慣の複合的な修正はより効果的である
*カリウム制限が必要な腎障害患者では，野菜・果物の積極的摂取は推奨しない
　肥満や糖尿病患者などエネルギー制限が必要な患者における果物の摂取は 80 kcal/日程度にとどめる

memo

高血圧 (4)

表 6　降圧薬の禁忌・慎重投与と積極的適応（JSH 2019 一部改変）

	禁忌	慎重投与	積極的適応
Ca 拮抗薬	非ジヒドロピリジン系では徐脈	心不全	左室肥大　狭心症 非ジヒドロピリジン系で頻脈
ACE 阻害薬 ARB	妊娠 （ACE 阻害薬では血管神経性浮腫，特定の膜を用いるアフェレーシス/透析）	腎動脈狭窄症[*1] 高 K 血症	左室肥大 LVEF の低下した心不全[*2] 心筋梗塞後 蛋白尿/微量アルブミン尿を有するCKD
サイアザイド系利尿薬	体液中の Na, K が明らかに減少している病態	痛風 妊娠 耐糖能異常	LVEF の低下した心不全
β遮断薬	喘息 高度徐脈 未治療の褐色細胞腫	耐糖能異常 COPD 末梢動脈疾患	LVEF の低下した心不全[*2] 頻脈 狭心症[*3] 心筋梗塞後

[*1] 両側性腎動脈狭窄の場合は原則禁忌.
[*2] 少量から開始し，注意深く漸増する.
[*3] 冠攣縮には注意.

専門医での検査・処置

❶ 二次性高血圧の確定診断：各種ホルモン負荷試験，腹部 CT/MRI，副腎静脈サンプリング，大動脈/腎動脈造影，頭 MRI/MRA，睡眠ポリグラフィーなど
❷ 高血圧緊急症での臓器障害のチェック，経静脈的薬物投与による降圧.

コンサルトのタイミング

❶ 二次性高血圧が疑われ鑑別を要する場合.
❷ 高血圧緊急症が疑われる場合は迅速にコンサルト.

第 4 章　疾患編

循環器疾患

表 7　主要降圧薬一覧

一般名	商品名	用法
Ca 拮抗薬		
アムロジピン	ノルバスク・アムロジン (2.5) (5) (10)	1 日 2.5-10 mg　分 1
ニフェジピン徐放錠	アダラート L (10) (20)	1 日 20-40 mg　分 2
長時間作用型ニフェジピン徐放錠	アダラート CR (10) (20) (40)	1 日 10-40 mg　分 1
ニトレンジピン	バイロテンシン (5) (10)	1 日 5-10 mg　分 1
ニカルジピン徐放錠	ペルジピン LA (20) (40)	1 日 40-80 mg　分 2
アゼルニジピン	カルブロック (8) (16)	1 日 8-16 mg　分 1
シルニジピン	アテレック (5) (10)	1 日 5-20 mg　分 1
ベニジピン	コニール (2) (4) (8)	1 日 2-8 mg　分 1
ジルチアゼム徐放カプセル	ヘルベッサー R (100) (200)	1 日 100-200 mg　分 1
ARB		
ロサルタン	ニューロタン (25) (50) (100)	1 日 25-100 mg　分 1
カンデサルタン	ブロプレス (2) (4) (8) (12)	1 日 2-12 mg　分 1
バルサルタン	ディオバン (20) (40) (80) (160)	1 日 20-160 mg　分 1
テルミサルタン	ミカルディス (20) (40) (80)	1 日 20-80 mg　分 1
オルメサルタン	オルメテック (5) (10) (20) (40)	1 日 5-40 mg　分 1
イルベサルタン	イルベタン・アバプロ (50) (100) (200)	1 日 50-200 mg　分 1
アジルサルタン	アジルバ (10) (20) (40)	1 日 10-40 mg　分 1
ARB と利尿薬の合剤		
カンデサルタン/ヒドロクロロチアジド	エカード配合錠 LD/HD	1 日 1 錠, カンデサルタン 4 mg/8 mg/ヒドロクロロチアジド 6.25 mg
バルサルタン/ヒドロクロロチアジド	コディオ配合錠 MD/EX	1 日 1 錠, バルサルタン 80 mg/ヒドロクロロチアジド 6.25 mg/12.5 mg
テルミサルタン/ヒドロクロロチアジド	ミコンビ配合錠 AP/BP	1 日 1 錠, テルミサルタン 40 mg/80 mg/ヒドロクロロチアジド 12.5 mg
ARB と Ca 拮抗薬の合剤		
オルメサルタン/アゼルニジピン	レザルタス配合錠 HD/LD	1 日 1 錠, オルメサルタン 20 mg/10 mg/アゼルニジピン 16 mg/8 mg
イルベサルタン/アムロジピン	アイミクス配合錠 HD/LD	1 日 1 錠, イルベサルタン 100 mg/アムロジピン 10 mg/5 mg
アジルサルタン/アムロジピン	ザクラス配合錠 HD/LD	1 日 1 錠, アジルサルタン 20 mg/アムロジピン 5 mg/2.5 mg
テルミサルタン/アムロジピン	ミカムロ配合錠 BP/AP	1 日 1 錠, テルミサルタン 80 mg/40 mg/アムロジピン 5 mg
ACE 阻害薬		
カプトプリル	カプトリル (12.5) (25)	1 日 37.5-150 mg　分 3
エナラプリル	レニベース (2.5) (5) (10)	1 日 2.5-10 mg　分 1
ペリンドプリル	コバシル (2) (4)	1 日 2-4 mg　分 1

（次頁につづく）

高血圧 (5)

(前頁よりつづき)

一般名	商品名	用法
イミダプリル	タナトリル (2.5) (5) (10)	1 日 2.5-10 mg 分 1
レニン阻害薬		
アリスキレン	ラジレス (150)	1 日 150-300 mg 分 1
利尿薬		
トリクロルメチアジド	フルイトラン (1) (2)	1 日 0.5-2 mg 分 1
トリアムテレン	トリテレン (50)	1 日 50 mg 分 1
フロセミド	ラシックス (10) (20) (40)	1 日 10-40 mg 分 1
アルドステロン拮抗薬		
エプレレノン	セララ (25) (50) (100)	1 日 25-100 mg 分 1
スピロノラクトン	アルダクトン A (25) (50)	1 日 25-100 mg 分 1
β 遮断薬		
アテノロール	テノーミン (25) (50)	1 日 1 回 25-100 mg
プロプラノロール	インデラル (10)	1 日 30-120 mg 分 3
ビソプロロール	メインテート (5)	1 日 5 mg 分 1
ベタキソロール	ケルロング (5) (10)	1 日 5-20 mg 分 1
セリプロロール	セレクトール (100) (200)	1 日 100-400 mg 分 1
αβ 遮断薬		
カルベジロール	アーチスト (10) (20)	1 日 10-20 mg 分 1
アロチノロール	アロチノロール (5) (10)	1 日 10-30 mg 分 2
α 遮断薬		
ドキサゾシン	カルデナリン (0.5) (1) (2) (4)	1 日 0.5-8 mg 分 1
プラゾシン	ミニプレス (0.5) (1)	1 日 1-6 mg 分 2-3
中枢性交感神経抑制薬		
メチルドパ	アルドメット (125) (250)	1 日 250-2000 mg 分 1-3
血管拡張薬		
ヒドララジン	アプレゾリン (10) (25) (50)	1 日 30-200 mg 分 3-4
選択的ミネラルコルチコイド受容体ブロッカー (MR 拮抗薬)		
エサキセレノン	ミネブロ (1.25) (2.5) (5)	1 日 2.5-5 mg 分 1
アンジオテンシン受容体ネプリライシン阻害薬 (ARNI)		
サクビトリルバルサルタンナトリウム	エンレスト (100) (200)	1 日 200-400 mg 分 1

フォローアップ外来

❶ 無症状でも年に数回は尿一般, 血算, 生化学, 胸部 Xp, 心電図を施行.

❷ 内服薬を変更した場合は 1 か月以内に再診, 評価が望ましい.

❸ フォロー中は家庭血圧の記録をチェックし, 日内変動, 季節変動などにも対応する.

出典 (図 1 および表 2〜7)
高血圧治療ガイドライン 2019 (JSH2019) より (一部改変あり)

不整脈 (1)

ポイント

1. 不整脈の診療は詳細な病歴聴取と身体診察が重要.
2. 全ての不整脈において，減酒，肉体的・精神的ストレスの回避が重要．禁煙も勧める．
3. 患者は不整脈を強く心配する傾向がある．緊急性，危険性の有無を確認して安心させるようにする．

鑑別疾患（図1）

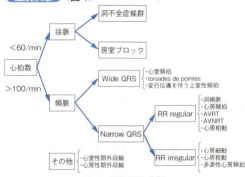

図1 不整脈の分類

一般外来で扱う機会が多い不整脈

心室性期外収縮（PVC）

1. 器質的心疾患があれば，その管理を優先．
2. 器質的疾患がなければ，数が多くとも危険性は少ない．自覚症状もなければ，投薬は不要．十分な説明で患者の不安を取り除くことが大切．ただし，R on Tや4連発以上では，専門医に相談するほうがよい．
3. 器質的心疾患はないが，自覚症状が強い場合には，投薬を検討してもよい．

不整脈 (2)

①症状が軽微であったり，夜間，安静時に起きるの
であれば抗不安薬を考慮.

ベンゾジアゼピン系抗不安薬：クロチアゼパム

リーゼ錠（5 mg）　1回1錠　1日3回　㊅　朝昼夕食後

②昼間や運動時に多い場合は，β遮断薬もよい.

β1 遮断薬：ビソプロロールフマル酸塩

メインテート錠（2.5 mg）　1回1～2錠　㊅　朝食後

フェニルアルキルアミン系 Ca 拮抗薬：ベラパミル塩酸塩

ワソラン錠（40 mg）　1回1～2錠　1日3回　㊅
　　　　　　　　　　　　　　　　　　　　朝昼夕食後

③これらの投薬が無効の場合は，比較的副作用の少
ない下記のいずれかを検討するとよい.

Ⅰ群抗不整脈薬：メキシレチン塩酸塩

メキシチールカプセル（100 mg）　1回1Cap
　　　　　　　　　　　　　　1日3回　㊅　朝昼夕食後

Ⅰ群抗不整脈薬：アプリンジン塩酸塩

アスペノンカプセル（20 mg）　1回1Cap　1日3回
　　　　　　　　　　　　　　　　　　　　　　　㊅

❹心機能低下例では，抗不整脈薬による催不整脈作用
や心機能抑制作用が問題となりやすい. 専門医に相
談するのが望ましい.

❺心機能低下例ではⅠ群の使用は避け，アミオダロン
を検討.

Ⅲ群抗不整脈薬：アミオダロン塩酸塩

アンカロン錠（100 mg）　1回1錠　1日2回　㊅
　　　　　　　　　　　　　　　　　　　　朝・夕食後

　※肺線維症，甲状腺機能異常をきたしやすいので，胸
　部 Xp，甲状腺機能は定期的にチェック.

第4章　疾患編

循環器疾患

心房性期外収縮（PAC）

❶器質的心疾患があれば，その管理を優先．
❷危険性がない不整脈なので，できるだけ投薬は避ける．危険性がないことを説明することが大切．
❸投薬が必要となりうるのは，自覚症状が強い場合と，PAF の誘因となる場合だけ．
❹PAF を頻回に誘発する場合は，後述の PAF の洞調律維持のための薬物療法に準じて投薬．

発作性上室性頻拍（PSVT）

❶停止方法は☞当直医マニュアル
❷発作を繰り返す場合は，薬物療法よりも，カテーテルアブレーション（成功率95%以上）を検討するほうがよい．
❸薬物療法による予防は以下のとおり．
　①以下のいずれか

フェニルアルキルアミン系 Ca 拮抗薬：ベラパミル塩酸塩
　ワソラン錠（40 mg）　1回1～2錠　1日3回　㊂
　　　　　　　　　　　　　　　　　　　　　朝昼夕食後

β遮断薬：ビソプロロールフマル酸塩
　メインテート錠（2.5 mg）　1回1～2錠　㊂　朝食後

　②または以下のいずれかを，単独あるいは上記に加えて投与．

I 群抗不整脈薬：シベンゾリンコハク酸塩
　シベノール錠（100 mg）　1回1錠　1日3回　㊂
　　　　　　　　　　　　　　　　　　　　　朝昼夕食後

I 群抗不整脈薬：ジソピラミドリン酸塩
　リスモダン R（150 mg）　1回1錠　1日2回　㊂
　　　　　　　　　　　　　　　　　　　　　朝・夕食後

315

不整脈 (3)

I群抗不整脈薬：ピルジカイニド塩酸塩水和物
サンリズムカプセル(50 mg)　1回1 Cap　1日3回
　　　　　　　　　　　　　　　㈲　朝昼夕食後

発作性心房細動（PAF）

❶停止方法は☞当直医M
❷発作が初回の場合は，慎重経過観察をすることもある．
❸アルコールや甲状腺機能亢進が原因の場合は，それに対する対処を優先．
❹抗不整脈薬による洞調律維持に難渋する場合は，カテーテルアブレーションで改善する症例もあるので（非高齢者で左房拡大のない症例の成功率は高い），専門施設に相談するとよい．症候性の発作性もしくは持続性心房細動に対して，抗不整脈薬を経ずにカテーテルアブレーションを第一選択として選択する場合もある．また，洞調律維持のための投薬をあきらめ，chronic AFと同様に管理するほうが安全なことも多い．
❺抗不整脈薬による予防（洞調律維持）は以下のとおりであるが，実際は試行錯誤で選択していくことが多い．
　①若年者や運動誘発性の場合は，まずβ遮断薬を検討．

β遮断薬：ビソプロロールフマル酸塩
メインテート錠(2.5 mg)　1回1～2錠　㈲　朝食後

　②高齢者では，副作用の比較的少ない以下を検討．

I群抗不整脈薬：アプリンジン塩酸塩
アスペノンカプセル（20 mg)　1回1～2 Cap
　　　　　　　　　　1日3回　㈲　朝昼夕食後

第4章　疾患編

循環器疾患

③夜間や食後（迷走神経優位）に多発する場合は，抗コリン作用を有する以下を検討．

Ⅰ群抗不整脈薬：シベンゾリンコハク酸塩

シベノール錠（100 mg）　1回1錠　1日3回　㊤
　　　　　　　　　　　　　　　　　　　　朝昼夕食後

Ⅰ群抗不整脈薬：ジソピラミドリン酸塩

リスモダンR錠（150 mg）　1回1錠　1日2回　㊤
　　　　　　　　　　　　　　　　　　　　朝・夕食後

④運動時（交感神経優位）に誘発される場合は，β遮断作用を有する以下を検討．腎不全例でも使いやすい．

Ⅰ群抗不整脈薬：プロパフェノン塩酸塩

プロノン錠（150 mg）　1回1錠　1日3回　㊤
　　　　　　　　　　　　　　　　　　　　朝昼夕食後

⑤その他，以下のいずれかも検討．

Ⅰ群抗不整脈薬：ピルジカイニド塩酸塩水和物

サンリズム錠（25 mg）　1回1～2 Cap　1日3回
　　　　　　　　　　　　　　　　　㊤　朝昼夕食後

Ⅰ群抗不整脈薬：フレカイニド酢酸塩

タンボコール錠（50 mg）　1回1～2錠　1日2回
　　　　　　　　　　　　　　　　　㊤　朝・夕食後

⑥HOCMに合併するPAFは重篤な心不全を生じやすい．上記の抗不整脈薬が無効の場合は，アミオダロンを検討．

Ⅲ群抗不整脈薬：アミオダロン塩酸塩

アンカロン錠（100 mg）　1回1錠　1日2回　㊤
　　　　　　　　　　　　　　　　　　　　朝・夕食後

※肺線維症，甲状腺機能異常をきたしやすいので，胸部Xp，甲状腺機能は定期的にチェック．

❻発作時の心拍数コントロールはchronic AFを参考にする．ただし，徐脈頻脈症候群に伴うPAFでは洞停止を助長するので要注意．病歴，Holter心電図

不整脈 ⑷

を参考に否定しておくこと.

慢性心房細動（chronic AF）

❶ 3カ月以上持続する AF は chronic AF として，停止治療は行わないことが多い．心拍数コントロールと血栓塞栓予防の2点を主に管理していく.

❷ 心拍数コントロールはジギタリス，Ca 拮抗薬，β遮断薬を用いる．心拍数は自覚症状，血行動態を参考に決める．おおむね安静時 60〜80/分，運動時 120/分以下を目標にする．徐脈に注意.

① 以下のいずれかを投与.

ジギタリス強心配糖体：ジゴキシン

ジゴシン錠（0.25 mg）　1回 1/2〜1錠　内

朝食後

フェニルアルキルアミン系 Ca 拮抗薬：ベラパミル塩酸塩

ワソラン錠（40 mg）　1回 1〜2錠　1日3回　内

朝昼夕食後

※ WPW 症候群に生じた心房細動では，ジギタリスとワソラン® は心室応答を増加させるので禁忌.

β遮断薬：ビソプロロールフマル酸塩

メインテート錠（0.625〜2.5 mg）1日1回　1回 1〜2錠

内　朝食後

※0.625 mg 錠は保険適用外使用.

② $CHADS_2$ スコアに準じて，抗凝固療法を行う.

抗凝固薬：ワルファリンカリウム

ワーファリン錠　1回 1〜5 mg　1日1回　内

PT-INR 値 1.6〜2.6 を目標に投与量を調節

（僧帽弁狭窄症，機械弁置換後は 2.0〜3.0 目標）

※ビタミン K の多い食物（特に納豆，クロレラ，青汁）は効果を下げるので避ける.

第4章　疾患編

循環器疾患

　　または

第Xa因子阻害薬：リバーロキサバン

イグザレルト錠(15 mg)　1回1錠　1日1回　内

　　※腎機能障害の程度に応じて, 10 mg 錠に減量.

徐脈性不整脈とペースメーカ適応

❶ペースメーカ適応
- ①洞不全症候群, 徐脈性心房細動：症候性 (眼前暗黒感, 失神, 心不全), 最大 RR 間隔 3 秒以上, 心拍数 40/分以下が持続
- ②房室ブロック：高度房室ブロック, 3 度房室ブロック, 2 度房室ブロック Mobitz Ⅱ型

❷上記の病態を認めた場合は, 専門医に相談すること.

❸上記の病態では一時ペーシングを行い, 改善がみられなければ, ペースメーカ植込術を行う.

専門医での検査・処置

❶検査
- ①ホルター心電図：移動型の心電図モニターで 24～48 時間の記録が可能
- ②植込み型ループレコーダー (ILR)：目撃のない不整脈精査目的の体内植込み型のデバイス
- ③電気生理学的検査 (EPS)：カテーテルを用いて不整脈の誘発, 機序の解明, 診断を行う

❷処置
- ①循環動態の破綻があれば電気的治療(経皮的ペーシング, カーディオバージョン)
- ②抗不整脈薬の検討
- ③カテーテルアブレーション

コンサルトのタイミング

❶頻脈でも徐脈でも, 循環動態の破綻 (意識障害, 心不

不整脈 (5)

全，ショックなど）の徴候があれば，すぐに専門医コンサルト．
❷動悸症状の強く上記内服でのコントロール不良な場合は，薬剤選択，カテーテルアブレーション適応なども含めて専門医コンサルト．
❸徐脈で失神，心不全徴候を認める場合も，ペースメーカ治療を見越して専門医コンサルト．

フォローアップ外来
❶ホルター心電図は3～6カ月ごとにチェックする．症状落ち着いている場合は長期も可．
❷抗不整脈薬使用時は徐脈，催不整脈作用に注意して経過を追う．血中濃度測定が有効．
❸ペースメーカ心では，3～6カ月ごとにペースメーカ機能（リード閾値，電池残量など）のチェックを行う（ペースメーカ外来）．

虚血性心疾患 (1)

ポイント

❶問診が診断上重要．胸痛を伴う他疾患との鑑別をする．

❷不安定狭心症か否かで行動が大きく変わる．不安定狭心症の場合は急性心筋梗塞への移行を警戒する．

疫　学

❶虚血性心疾患は多くの先進国において成人の主要な死因である．

❷典型的な狭心痛で受診しない患者も10～30％程いる．

鑑別疾患（表1）

表 1　胸痛を伴うおもな疾患

部　位	原因疾患
心臓由来	①　狭心症，心筋梗塞 ②　心膜炎 ③　心筋炎 ④　大動脈弁疾患
心臓以外の 胸腔内臓器	①　急性大動脈解離 ②　肺血栓塞栓，肺炎，肺腫瘍，肺高血圧 ③　胸膜炎，自然気胸 ④　縦隔気腫，腫瘍 ⑤　食道腫瘍，潰瘍，食道炎，食道痙攣
胸　壁	①　帯状疱疹（ヘルペス），筋膜炎 ②　脊椎骨・肋骨・胸骨などの骨折 ③　肋間神経痛 ④　乳腺炎，乳癌
腹　部	①　消化性潰瘍，胃炎 ②　急性肝炎，膵炎，胆石

＜問　診＞

①発症形式，増悪/寛解因子，痛みの性状，放散痛，痛みの程度，時間経過，随伴症状

②不安定狭心症の徴候は？；安静時狭心痛，人生初発の狭心痛，程度/頻度の増悪傾向

虚血性心疾患 ⑵

冠攣縮性狭心症の徴候は？：日本人に多い，夜間～早朝安静時に多い発作，ストレス，寒冷
③冠危険因子は？：高血圧，糖尿病，脂質異常症，喫煙，肥満，加齢，家族歴など

非専門医で行うべきチェックリスト

❶検査

①安静時心電図：虚血性変化（ST-T変化，異常Q波など）の有無

②胸部Xp：心拡大，肺うっ血，大動脈疾患，肺疾患の有無

③負荷心電図：トレッドミルが有効．急性冠症候群では禁忌

④血液検査：血算，生化学（心筋逸脱酵素含む）

⑤心エコー図：壁運動異常，弁膜症，大動脈弁狭窄症，心筋肥大の有無など

⑥Holter心電図：有症状時の虚血性変化，不整脈の有無など

❷治療

→不安定狭心症，心筋梗塞を疑う場合☞当直医M

一般療法：ストレス・喫煙・睡眠不足・寒冷・急激な労作を避ける．糖尿病，高血圧，脂質異常の治療．飲酒で誘発の場合は禁酒．肥満があれば減量．

＜労作性狭心症＞

①発作時

冠動脈拡張薬：ニトログリセリン

ニトロペン舌下錠0.3mg　1回1錠　(舌下)
　5分間隔で3回までであれば追加可能

②予防

β遮断薬：カルベジロール/ビソプロロール

アーチスト錠（2.5mg）　1回1錠　1日1回　(内)　朝食後
　または
メインテート錠（0.625mg）　1回1錠　1日1回　(内)

第4章　疾患編

循環器疾患

※β遮断薬は，①気管支喘息，糖尿病，脂質異常症，徐脈には要注意，②冠攣縮性狭心症への単独投与は禁忌（攣縮誘発例あり）．Ca拮抗薬との併用が望ましい．

※2.5 mg錠，0.625 mg錠は保険適用外使用．

③β遮断薬が禁忌または使用困難時は，硝酸薬やCa拮抗薬

冠動脈拡張薬：一硝酸イソソルビド

アイトロール錠（20 mg）　1回1錠　1日2回　㊅
朝・夕食後

※硝酸剤の経口の徐放剤やテープ剤は，持続的に血中濃度を維持すると耐性が生じやすい．労作性ならば昼間のみ，異型狭心症なら夜から早朝までよく効くように工夫．

非ジヒドロピリジン系Ca拮抗薬：ジルチアゼム塩酸塩

ヘルベッサーRカプセル（100 mg）　1回1Cap
1日1回　㊅　朝食後

※Ca拮抗薬は陰性変力作用をもつことに注意．

④心筋梗塞の予防に

サリチル酸系抗血小板薬：アスピリン

バイアスピリン錠（100 mg）　1回1錠　1日1回
㊅　朝食後

＜冠攣縮性狭心症＞

①発作時

冠動脈拡張薬：ニトログリセリン

ニトロペン舌下錠0.3 mg　1回1錠　(舌下)
5分間隔で3回までであれば追加可能

②予防

非ジヒドロピリジン系Ca拮抗薬：ジルチアゼム塩酸塩

ヘルベッサーRカプセル（100 mg）　1回1Cap
1日1回　㊅　就寝前

＜その他の薬物療法＞

①ニコランジル（シグマート®）

硝酸薬としての作用とKチャネル開口薬として

虚血性心疾患 (3)

の作用の両方を有する. 著明な血圧低下や心拍数
増加を生じにくい. 耐性の出現が起こりにくい.

狭心症治療薬：ニコランジル

シグマート錠（5 mg）　1回1錠　1日3回　内
　　　　　　　　　　　　　　　　　　　朝昼夕食後

②脂質異常治療薬

冠動脈疾患があるときはLDL-C 100 mg/dLを目標
に, スタチン（HMG-CoA 還元酵素阻害薬）を使う.

＜血行再建術の適応＞→専門医にコンサルト.

専門医での検査・処置

❶運動負荷または薬剤負荷心筋シンチ, 冠動脈CT

❷冠動脈CT

・外来でも施行可能（β遮断薬, 亜硝酸薬を前投薬と
して使用する）.

・血管壁の性状（プラークの様子など）の診断も可能.

・高度石灰化例は読影困難.

・呼吸コントロールができない人は画像の精度が低下.

・非代償性心不全や慢性腎臓病患者に対しては, 慎
重に適応を検討する.

コンサルトのタイミング

❶不安定狭心症を疑う病歴があればすぐにコンサルト.

❷簡易検査（心電図, 血液検査）が正常でも, 病歴から
疑わしければコンサルト.

❸負荷心電図が正常でも重篤な病変のことがある. 問
診上典型的な症状があるのに, 負荷心電図陰性の場合
は専門医にコンサルト.

フォローアップ外来

❶冠動脈治療後は6カ月から1年おきにフォローが必
要. 適宜専門医にコンサルトする.

❷1, 2カ月ごとには血液検査を行い, 脂質異常症, 糖
尿病, 高尿酸血症などリスクのコントロールを行う.

慢性心不全 (1)

ポイント

❶症状, 身体所見, 既往歴・患者背景, 検査から心不全の診断を行い, 左室駆出率 (LVEF) による分類を行う. 経時的に LVEF が変化している場合もある.

❷背景となる原因疾患 (**表1**) および増悪因子 (**表2**) を検索する. 進展ステージ (**図1**) を評価する.

❸LVEF に応じた治療薬の検討を行う (**図2**).

非専門医レベルで行うべきチェックリスト

❶症状

①末梢血流低下による, 四肢冷感 (皮膚), 倦怠感 (全身), 食欲不振 (消化管), 夜間多尿 (腎臓) がないか.

②肺うっ血による, 息切れ, 喘鳴, 起坐呼吸がないか.

③頸静脈怒張, 肝腫大, 下肢浮腫がないか.

❷聴診

Ⅲ音, Ⅱp の亢進がないか.

❸胸部 Xp

①心陰影拡大と肺静脈拡張像, 胸水の評価を行う.

②肺静脈圧 15 mmHg 以上で Antler's sign (肺尖部への血流再分布), 20 mmHg 以上で Kerley B line (間質性肺水腫), 30 mmHg 以上で Butterfly shadow (肺胞性肺水腫).

❹心電図

虚血性心疾患, 左室肥大, 心房細動など不整脈の評価を行う.

❺心エコー図

①心室・心房径, 左室壁厚・壁運動, 左室収縮・拡張機能, 弁逆流・狭窄の評価を行う.

②LVEF は 50% 以上 (HFpEF), 40 以上 50% 未満 (HFmfEF), 40% 未満 (HFrEF) に分類する.

❻血液検査

BNP は心不全の存在診断, 重症度, 予後の診断に

325

慢性心不全 ⑵

表 1　心不全の原因疾患

心筋の異常による心不全	血行動態の異常による心不全
虚血性疾患 虚血性心筋症，スタニング，ハイバネーション，微小循環障害	**高血圧**
	弁膜症，心臓の構造異常 ・先天性 　先天性弁膜症，心房中隔欠損，心室中隔欠損，その他の先天性心疾患 ・後天性 　大動脈弁・僧帽弁疾患など
心筋症（遺伝子異常を含む） 肥大型心筋症，拡張型心筋症，拘束型心筋症，不整脈原性右室心筋症，緻密化障害，たこつぼ心筋症
心毒性物質など ・習慣性物質：アルコール，コカイン，アンフェタミン，アナボリックステロイド ・重金属：銅，鉄，鉛，コバルト，水銀 ・薬剤：抗癌剤（アントラサイクリンなど），免疫抑制薬，抗うつ薬，抗不整脈薬，NSAIDs，麻酔薬 ・放射線障害	**心外膜などの異常** 収縮性心外膜炎，心タンポナーデ
	心内膜の異常 好酸球性心内膜疾患，心内膜弾性線維症
	高心拍出心不全 重症貧血，甲状腺機能亢進症，パジェット病，動静脈シャント，妊娠，脚気心
	体液量増加 腎不全，輸液量過多
感染性 ・心筋炎：ウイルス性・細菌性・リケッチア感染など，シャーガス病など	不整脈による心不全
	・頻脈性 　心房細動，心房頻拍，心室頻拍など ・徐脈性 　洞不全症候群，房室ブロックなど
免疫疾患 関節リウマチ，全身性エリテマトーデス，多発性筋炎，混合性結合組織病など
妊娠 ・周産期心筋症：産褥心筋症を含む
浸潤性疾患 サルコイドーシス，アミロイドーシス，ヘモクロマトーシス，悪性腫瘍浸潤
内分泌疾患 甲状腺機能亢進症，クッシング病，褐色細胞腫，副腎不全，成長ホルモン分泌異常など
代謝性疾患 糖尿病
先天性酵素異常 ファブリー病，ポンペ病，ハーラー症候群，ハンター症候群
筋疾患 筋ジストロフィ，ラミノパチー

（表1，2出典：日本循環器学会他：急性・慢性心不全診療ガイドライン＜2017年改訂版＞.）

第4章　疾患編

循環器疾患

表2　心不全の増悪因子

- 急性冠症候群
- 頻脈性不整脈（心房細動，心房粗動，心室頻拍など）
- 徐脈性不整脈（完全房室ブロック，洞不全症候群など）
- 感染症（肺炎，感染症心内膜炎，敗血症など）
- アドヒアランス不良（塩分制限，水分制限，服薬遵守などができない）
- 急性肺血栓塞栓症
- 慢性閉塞性肺疾患の急性増悪
- 薬剤（NSAIDs，陰性変力作用のある薬剤，癌化学療法など）
- 過度のストレス・過労
- 血圧の過剰な上昇
- ホルモン，代謝異常（甲状腺機能亢進・低下，副腎機能低下，周産期心筋症など）
- 機械的合併症（心破裂，急性僧帽弁閉鎖不全症，胸部外傷，急性大動脈解離など）

有用．BNPでは100 pg/mL以上，NT-proBNPでは400 pg/mL以上が治療対象となる心不全の可能性あり．その他腎・肝機能，電解質，ヘモグロビンの評価を行う．

❼進展ステージ（図1）

ステージA（リスクステージ），B（器質的心疾患ステージ）が心不全症候のない状態で，ステージC（心不全ステージ）では予後改善と症状軽減が目標．標準治療に対する反応が乏しく増悪を反復するようになるとステージD（治療抵抗性心不全ステージ）となる．

❽NYHA心機能分類

運動耐容能を示す指標であり，症状がない状態をⅠ度，安静にしていても症状がある状態をⅣ度として，平地を歩くだけでは息切れしない状態をⅡ度，息切れしてしまう状態がⅢ度．

治　療

❶生活指導

①体重測定（浮腫・体液貯留を知るために）．

②呼吸器感染症の予防．

③減塩（随時尿から一日あたりの塩分摂取量推定は可能）．

慢性心不全 (3)

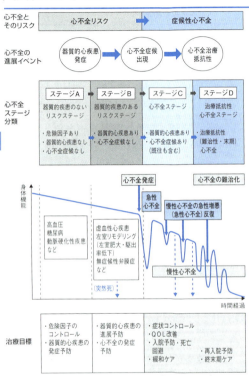

図1 心不全とそのリスクの進展ステージ
(日本循環器学会他：急性・慢性心不全診療ガイドライン2017改訂版)

第4章 疾患編

循環器疾患

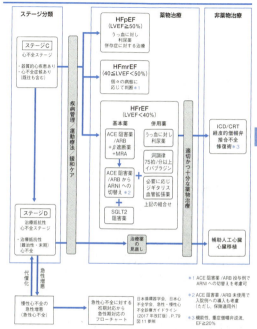

図2 心不全治療アルゴリズム
(2021年 JCS/JHFS ガイドライン フォーカスアップデート版 急性・慢性心不全診療)

❷薬物療法(図2)
　①HFpEF に対しては,うっ血に対し,症状緩和目的のために利尿薬の投与を考慮.症状緩和には寄与して,再入院および心血管死亡率を下げる薬は限られており,SGLT2 阻害薬のみが予後改善効

慢性心不全 ⑷

果あり.

②HFrEF に対しては，予後改善が示されている
ACE 阻害薬/ARB + β 遮断薬を忍容性がある限り
最大限に用いる．これらに MRA，SGLT2 阻害
剤，ARNI を考慮.

ループ系利尿薬：フロセミド

ラシックス錠（20 mg） 1回1〜2錠 1日1回 ㊊
朝食後

※可能な限り少量投与を検討．症状のコントロール目的
であり，予後の改善効果は乏しい.

ACE 阻害薬：エナラプリルマレイン酸塩

レニベース錠（5 mg） 1回1〜2錠 1日1回 ㊊
朝食後

ATⅡ受容体拮抗薬：テルミサルタン

ミカルディス錠（20 mg） 1回1〜2錠 1日1回 ㊊
朝食後

※ACE 阻害剤，ATⅡ受容体拮抗剤とも腎機能の増悪，
カリウムの上昇がないか確認する.

β遮断薬：ビソプロロールフマル酸塩

メインテート錠（0.625 mg） 1回1錠 1日1回 ㊊
朝食後

※上記用量で 2 週間以上経口投与して，忍容性がある場
合は 1 日 1 回 1.25 mg へ増量.

ミネラルコルチコイド受容体機構薬（MRA）：スピロノラクトン

アルダクトンA錠（25 mg） 1回1錠 1日1回 ㊊
朝食後

SGLT2 阻害薬：ダパグリフロジン

フォシーガ（10 mg） 1回1錠 1日1回 ㊊
朝食後

※特に高齢者では脱水，尿路感染に注意を要する.

第4章 疾患編

循環器疾患

アンギオテンシン受容体ネプリライシン阻害薬 (ARNI)：サクビトリルバルサルタン

エンレスト（50 mg） 1回1錠 1日2回 内
朝夕食後

専門医での検査・処置

❶原因検索のための精査：心臓CT, 心臓カテーテル検査, 心臓MRI, 核医学検査など
❷非薬物療法
　①心臓再同期療法：推奨クラスIはNYHA Ⅲ/Ⅳ度で, 最適な薬物治療のもと, LVEF35%以下, 左脚ブロックQRS幅150 mm以上, 洞調律の場合とNYHA Ⅱ度で, 最適な薬物治療のもと, LVEF30%以下, 左脚ブロックQRS幅120 mm以上の場合.
　②運動療法：HFrEFで, 自覚症状の改善と運動耐容能改善を目的として, 薬物療法と併用して実施（クラスI）.

コンサルトのタイミング

❶心不全の原因疾患として, 非薬物療法の適応がある場合.
❷虚血性心疾患（高度冠動脈狭窄）, 弁膜症（高度狭窄・逆流）, 拡張型心筋症（EF35%以下）など.
❸薬物療法においても, 多剤および高用量の服用を要する場合.

フォローアップ外来

家庭血圧, 脈拍, 酸素飽和濃度, 体重の確認. 症状（労作時, 夜間, 動悸）の確認. 服薬状況. 血液検査（電解質, 腎機能, BNP）, 検尿（1日推定塩分量, 尿蛋白）, 心電図, 胸部Xp

memo

弁膜症 (1)

ポイント

❶病歴，症状，身体所見，心エコー図検査から手術適応の重症度ではないかどうか．

❷心不全を発症した時，弁膜症が重症であることが誘因なのか．心房細動の合併がないか．

❸感染性心内膜炎予防目的に，侵襲的処置前の抗菌薬投与を考慮する．

非専門医レベルで行うべきチェックリスト

❶身体所見

①心雑音を聴取した場合，時相，最強点，性状を評価する．

②視診（頸静脈，下肢浮腫の観察），触診（心尖拍動，頸動脈拍動，肝腫大，手末梢の温度）を併せて行うことが重要．

❷心電図

虚血性心疾患，左室肥大，心房細動など不整脈疾患の合併の有無の評価を行う．

❸血液検査

BNP は弁膜症（特に無症候性）の重症度評価や予後予測に有用．

❹心エコー図

経胸壁心エコー図検査（TTE）は弁膜症の確定診断，血行動態評価，治療方法決定に必須の検査法．TTE で評価が不十分な場合やさらに精査が必要な場合は経食道心エコー図検査（TEE）による評価が推奨される．

フォローアップ外来

❶心エコー図検査のフォローアップ頻度の目安（**表1**）

狭窄，逆流の評価に加えて，症状や予後と関連する肺高血圧（推定肺動脈収縮期圧 35 mmHg 以上）の有無を確認．

第4章　疾患編

循環器疾患

表 1　無症候性弁膜症患者に対する心エコー図検査のフォローアップの頻度の目安

| | 弁膜症の種類 | | | |
	AS	AR	MS	MR
軽症	3～5年ごと	3～5年ごと	3～5年ごと	3～5年ごと
中等症	1～2年ごと	1～2年ごと	1～2年ごと	1～2年ごと
重症	6～12ヵ月ごと	6～12ヵ月ごと 左室拡大症例は, より頻回	1年ごと	6～12ヵ月ごと 左室拡大症例は, より頻回

(表1～4出典：日本循環器学会他：2020年改訂版　弁膜症治療のガイドライン)

僧帽弁閉鎖不全症/僧帽弁逆流症(MR)

非専門医レベルで行うべきチェックリスト

❶症状：自覚症状がないことが多いが, 進行すれば倦怠感, 呼吸困難感などがみられる.

❷急性 MR の成因としては, 外傷性による腱索断裂, 急性心筋梗塞に伴う乳頭筋断裂等を考える.

❸心エコー図：左室機能, 形態, 左房形態の評価. 逸脱症では逆流ジェットの方向を観察.

コンサルトのタイミング

＜手術適応＞

・有症候性慢性一次性重症 MR では EF30% 以上であれば, 手術適応. EF30% 以下の著明な左室機能低下例も一度はコンサルトを行う.

・無症候性慢性一次性重度 MR では僧帽弁逸脱による場合は近年積極的に形成術を行う方向であり, コンサルトを行う. EF60% 以下, 左室収縮末期径40 mm以上では手術適応.

・急性重度 MR は内科的コントロールが難しく, 早急にコンサルトを行う.

・二次性 MR の中で CABG の適応があり, EF30% 以

333

弁膜症 (2)

上の場合は手術適応.

専門医での治療

EF30％以上の重度一次性，二次性 MR の中で，外科的開心術が困難な場合も MitraClip（カテーテル治療）の適応例がある.

僧帽弁狭窄症 （MS）

非専門医レベルで行うべきチェックリスト

❶症状：左房，肺静脈圧上昇に伴う症状が主. 呼吸困難感，咳，動悸，喀血など.

❷心電図：心房細動を合併していないか.

❸心エコー図：左房の拡大，左房内血栓の有無を確認（表2）.

コンサルトのタイミング

＜手術適応＞

・重症，中等症 MS で，有症状であれば，手術適応.

表2　MS の重症度評価

	軽症	中等症	重症
MVA	1.5～2.0 cm^2	1.0～1.5 cm^2	<1.0 cm^2
mPG*	<5 mmHg	5～10 mmHg	>10 mmHg
拡張期 PHT*	<150 ミリ秒	150～220 ミリ秒	>220 ミリ秒

*mPG および拡張期 PHT は血行動態の影響を受けるため，参考程度とする.

✎memo

第4章　疾患編

循環器疾患

大動脈弁閉鎖不全症（AR）

非専門医レベルで行うべきチェックリスト

❶症状：長期間無症状で経過し，非代償期に呼吸困難感など心不全症状がみられる．

❷急性ARの成因としては，感染性心内膜炎，大動脈解離等をあげられる．頻脈，チアノーゼなど重篤感が強いが，慢性ARでみられる特徴的所見（コリガン脈，クインケ徴候など）に乏しい．

❸心エコー図：左室機能，形態，上行大動脈の評価．

コンサルトのタイミング

＜手術適応＞
・有症候性慢性重症ARは手術適応．
・無症候性慢性重度ARでは，EF50％以下は手術適応．
・急性重度ARは内科的コントロールが難しく，早急にコンサルトを行う．

大動脈弁狭窄症（AS）

非専門医レベルで行うべきチェックリスト

❶症状：重度となると心不全症状，胸痛，失神がみられる場合がある．突然死も起こりうる．

表3　心エコー検査によるAS重症度評価

	大動脈弁硬化	軽症AS	中等症AS	重症AS	超重症AS
Vmax（m/秒）	≦2.5	2.6〜2.9	3.0〜3.9	≧4.0	≧5.0
mPG（mmHg）	—	<20	20〜39	≧40	≧60
AVA（cm²）	—	>1.5	1.0〜1.5	<1.0	<0.6
AVAI（cm²/m²）	—	>0.85	0.60〜0.85	<0.6	
Velocity ratio	—	>0.50	0.25〜0.50	<0.25	

AVAI：AVA index，Vmax：大動脈弁最大血流速度，Velocity ratio：左室流出路血流速と弁通過血流速の比

弁膜症 ③

表 4　AS 患者の治療方針決定において弁膜症チームで協議

	SAVR を考慮する因子
患者背景に関する因子	・若年 ・IE の疑い ・開胸手術が必要な他の疾患が存在する 　CABG が必要な重症冠動脈疾患 　外科的に治療可能な重症の器質的僧帽弁疾患 　重症 TR 　手術が必要な上行大動脈瘤 　心筋切除術が必要な中隔肥大 　など
SAVR, TAVI の手技に関する因子	・TAVI のアクセスが不良 　アクセス血管の高度石灰化，蛇行，狭窄，閉塞 ・TAVI 時の冠動脈閉塞リスクが高い 　冠動脈起始部が低位・弁尖が長い・バルサルバ洞が小さいなど ・TAVI 時の弁輪破裂リスクが高い 　左室流出路の高度石灰化があるなど ・弁の形態，サイズが TAVI に適さない ・左室内に血栓がある

SAVR/TAVI の治療の選択は患者の希望も十分に考慮して行う

❷身体所見：頸部に放散する収縮期駆出性雑音．最強点は胸骨右縁第 2 肋間．遅脈．

❸心エコー図：左室肥大，大動脈近位部拡大の有無を確認．大動脈弁二尖弁ではないか（表 3）．

コンサルトのタイミング

＜手術適応＞
・有症候性重症 AS は手術適応．
・無症候性重症 AS で，EF50％未満あるいは他の開心術を施行する場合は手術適応．

専門医での治療

　SAVR（外科治療）と TAVI（カテーテル治療）の選択がハートチームにより，検討される（表 4）．

第4章 疾患編

循環器疾患

すべき因子

TAVIを考慮する因子

- 高齢
- フレイル
- 全身状態不良
- 開胸手術が困難な心臓以外の疾患・病態が存在する
    - 肝硬変
    - 呼吸器疾患
        - 閉塞性肺障害（おおむね1秒量<1L）
        - 間質性肺炎（急性増悪の可能性）
    - 出血傾向

- TF-TAVIに適した血管アクセス
- 術野への外科的アプローチが困難
    - 胸部への放射線治療の既往（縦隔内組織の癒着）
    - 開心術の既往
    - 胸骨下に開存するバイパスグラフトの存在
    - 著しい胸郭変形や側弯
- 大動脈遮断が困難（石灰化上行大動脈）
- PPMが避けられないような狭小弁輪

memo

337

心筋疾患 (1)

ポイント

❶ 左室肥大，拡張がみられた場合，機能として収縮能/拡張能の評価，家族歴/遺伝子変異の有無，治療方法のある二次性心筋症 (☞ p.343) ではないかなど検討した後，4つの特発性の心筋症に分類される (**図1**).

❷ 分類後，予後・自然経過が異なるが，心不全，不整脈，突然死の予防などの管理を要する．

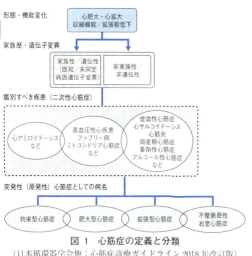

図 1 心筋症の定義と分類
(日本循環器学会他：心筋症診療ガイドライン 2018 年改訂版)

✎ memo

第4章　疾患編

循環器疾患

肥大型心筋症（HCM）

非専門医レベルで行うべきチェックリスト

❶ 症状
　①労作時息切れ，呼吸困難など心不全症状の有無．
　　左室拡張障害に伴う左房圧上昇に起因．
　②心房細動の合併による動悸の有無．
　③約2割の患者でみられる失神の有無．

❷ 心電図
　　説明のつかない異常Q波の有無，左室肥大，心房
　細動など不整脈の評価を行う．

❸ 心エコー図
　　心室・心房径，左室壁厚・壁運動，左室収縮・拡
　張機能，弁逆流・狭窄の評価を行う．左室壁のいず
　れかの場所で15 mm以上の非均等型壁肥厚を確認．
　左室流出路圧較差が50 mmHg以上かどうか．

治　療

左室流出路圧較差50 mmHg未満の非閉塞性の薬物
療法

β遮断薬：ビソプロロールフマル酸塩

メインテート錠（0.625 mg）　1回1錠　1日1回　㊅
　　　　　　　　　　　　　　　　　　　　　　朝食後

※上記用量で2週間以上経口投与して，忍容性がある場
　合は1日1回1.25 mgへ増量．

カルシウム拮抗薬：ベラパミル塩酸塩錠

ワソラン錠（40 mg）　1回1〜2錠　1日3回　㊅
　　　　　　　　　　　　　　　　　　　　　　毎食後

※陰性変力作用により収縮性を悪化させ，心不全が増悪
　する可能性もあり注意を要する．

ループ系利尿薬：フロセミド

ラシックス錠（20 mg）　1回1錠　1日1回　㊅
　　　　　　　　　　　　　　　　　　　　　　朝食後

339

心筋疾患 (2)

※肺うっ血が高度で息切れが持続する場合に少量投与.
閉塞性では前負荷減少による圧較差増大をもたらす可
能性あり,一般的に用いない.

ATⅡ受容体拮抗薬：テルミサルタン

ミカルディス錠(20 mg)　1回1～2錠　1日1回　内
　　　　　　　　　　　　　　　　　　　　　朝食後

※閉塞性では,血管拡張作用を有する薬剤は左室流出路
狭窄を増強させる可能性があり,慎重に投与を検討.

専門医での検査・処置

❶突然死の予防

突然死の5つの危険因子：①HCMに伴う突然死
の家族歴,②原因不明の失神,③著明な左室肥大(≧
30 mm),④心室頻拍,⑤運動中の血圧異常反応と修
飾因子(左室流出路狭窄,心室瘤など)をもとにICD
植え込みを検討.

❷症候性かつ薬剤抵抗性HOCMに対する圧較差軽減

①薬物療法：推奨クラスⅠはα遮断作用(血管拡張
作用)を有しない$\beta1$選択性β遮断薬(ビソプロロー
ルなど),カルシウム拮抗薬(ベラパミル),ジソピ
ラミドの投薬.

②中隔縮小治療：NYHA Ⅲ-Ⅳの心不全で,左室流出
路圧較差が50 mmHg以上(クラスⅠ).中隔心筋切
除術もしくは経皮的中隔心筋焼灼術(PTSMA)の
選択.

コンサルトのタイミング

❶左室流出路圧較差50 mmHg以上の閉塞性の場合.
❷心房細動など不整脈を合併している場合.

フォローアップ外来

家庭血圧,脈拍,酸素飽和濃度,体重の確認.症状
(労作時,夜間,動悸)の確認.服薬状況.血液検査(電
解質,腎機能,BNP),検尿(1日推定塩分量,尿蛋白),
心電図,胸部Xp

第4章　疾患編 　　　　　　　　　　　　循環器疾患

拡張型心筋症（DCM）

非専門医レベルで行うべきチェックリスト

❶症状

①呼吸困難，浮腫など両心不全症状の有無．

②心房細動，心室性不整脈の合併による動悸の有無．

③心室頻拍，徐脈性不整脈の合併によるめまい，失神の有無．

❷心電図：R波減高，QRS幅延長，左室肥大，左脚ブロック，心房細動など不整脈の評価を行う．

❸心エコー図：心室・心房径，左室壁厚・壁運動，左室収縮・拡張機能，弁逆流・狭窄の評価を行う．左脚ブロック，QRS幅延長例では左室収縮非同期がみられる．

治　療

❶左室駆出率の低下した心不全（HFrEF）に対する薬物治療．

β遮断薬：ビソプロロールフマル酸塩

メインテート錠（0.625 mg）　1回1錠　1日1回　内
　　　　　　　　　　　　　　　　　　　　　　朝食後

※上記用量で2週間以上経口投与して，忍容性がある場合は1日1回1.25 mgへ増量．

ループ系利尿薬：フロセミド

ラシックス錠（20 mg）　1回1～2錠　1日1回　内
　　　　　　　　　　　　　　　　　　　　　　朝食後

※特に高齢者は腎機能障害，脱水，骨粗鬆症の進行をきたしやすい．可能な限り少量投与を検討する．あくまでも症状のコントロール目的であり，予後の改善効果は乏しいので注意．

ACE阻害薬：エナラプリルマレイン酸塩

レニベース錠（5 mg）　1回1～2錠　1日1回　内
　　　　　　　　　　　　　　　　　　　　　　朝食後

341

心筋疾患 (3)

ATⅡ受容体拮抗薬：テルミサルタン

ミカルディス錠（20 mg）　1回1〜2錠　1日1回　内
朝食後

※ACE阻害薬，ATⅡ受容体拮抗薬とも腎機能の増悪，カリウムの上昇がないか確認する.

ミネラルコルチコイド受容体機構薬（MRA）：スピロノラクトン

アルダクトンA錠（25 mg）　1回1錠　1日1回　内
朝食後

SGLT2阻害薬：ダパグリフロジン

フォシーガ（10 mg）　1回1錠　1日1回　内
朝食後

※特に高齢者では脱水，尿路感染に注意を要する.

専門医での検査・処置

❶ICD植え込みによる突然死の予防

ICD植え込み推奨クラスⅠは①心室頻拍中に失神を伴う場合，②頻拍中の血圧が80 mmHg以下，あるいは脳虚血や胸痛を訴える場合，③多形性心室頻拍，④血行動態の安定している単形性心室頻拍であっても薬剤治療が無効あるいは副作用のため使用不可の場合.

❷拡張型心筋症に合併した心室性不整脈への対応

薬物療法，カテーテルアブレーションの検討.

❸左室非同期の収縮障害に対する心臓再同期療法（CRT）の適応

CRT植え込み推奨クラスⅠはNYHA Ⅲ/Ⅳ例で，以下のすべてを満たす患者.

①最適な薬物治療　②LVEF≦35%
③左脚ブロック QRS幅120ミリ秒以上
④洞調律

コンサルトのタイミング

❶NYHA Ⅱ，EF35%以下など非薬物療法の適応があ

342

第4章　疾患編

循環器疾患

る場合.

❷薬物療法においても，β遮断薬にて EF の改善が得られない場合.

フォローアップ外来

家庭血圧，脈拍，酸素飽和濃度，体重の確認. 症状（労作時，夜間，動悸）の確認. 服薬状況. 血液検査（電解質，腎機能，BNP），検尿（1 日推定塩分量，尿蛋白），心電図，胸部 Xp

二次性心筋症

<心サルコイドーシス>

血清 ACE，sIL-2R の上昇. 病変部に限局した心室壁の菲薄化が認められる. 心室中隔基部に生じると，心室中隔基部菲薄化，心室自由壁に生じた場合は心室瘤. 刺激伝導系障害.

<心アミロイドーシス>

トランスサイレチン由来の ATTR アミロイドーシスは加齢が発症に関与している野生型と遺伝子変異が原因である変異型に分かれる. 心基部に比して心尖部収縮が相対的に保たれる.

<ファブリー病>

α ガラクトシダーゼ A 欠損あるいは低下により発症. びまん性左室肥大，進行すると左室後壁基部を中心とした壁運動低下. 酵素補充療法があり，専門医に紹介.

📝 memo

胸・腹部大動脈瘤 (1)

ポイント

❶ 多くは動脈硬化が原因. 診断したら虚血性心疾患, PAD, 脳血管疾患の有無も合わせてチェック.

❷ 破裂前は無症候が多く, 偶発的に発見されることが多い.

❸ 破裂前に侵襲的治療 (人工血管置換術, ステントグラフト内挿術) を. 保存的には降圧が重要.

非専門医レベルで行うべきチェックリスト

❶ 高血圧や糖尿病の存在, 喫煙歴. 胸部では反回神経圧排による嗄声, 食道圧迫による嚥下困難感, 腹部では拍動性腹部腫瘤, 血管雑音.

❷ 破裂例では胸痛, 腹痛, 出血性ショック.

❸ 胸・腹部 Xp (胸部は側面像も):大動脈陰影拡大, 石灰化

❹ 超音波検査:スクリーニングとして有用.

❺ CT (可能なら):可能な限り造影 CT を.

❻ 侵襲的治療適応:瘤径 (最大短径) 胸部で 55 mm 以上, 腹部で男性 55 mm 以上, 女性で 50 mm 以上, 急速な拡大 (5 mm 以上/半年), 囊状瘤.

❼ 保存的治療:脂質異常症, 糖尿病など動脈硬化性危険因子の管理も重要. ☞ p. 630 脂質異常症, p. 610 糖尿病
　①禁煙:禁煙で動脈瘤拡大と破裂のリスクは低下する. ☞ p. 39
　②降圧:130/80 mmHg 未満を目標に. ☞ p. 304 高血圧

専門医での検査・処置

❶ 3D CT:瘤の形状, 内腔構造, 分枝との関係等の詳細な情報が得られる.

❷ 侵襲的治療
　①人工血管置換術
　②ステントグラフト内挿術:手術ハイリスク例 (高齢, 併存疾患, 開腹手術困難例等) などに施行. 最近は適応が拡大され施行例が増えている.

第4章 疾患編　循環器疾患

③分枝バイパス＋ステントグラフトなどのハイブリッド手術も施行されるようになっている．

フォローアップ外来

侵襲的治療の対象外の場合は半年後にまずCT再検．瘤の急速な拡大傾向なければ，瘤径によりCT再検の間隔決定，5mm以上/半年の拡大なら侵襲的治療を検討する（図1, 2）．

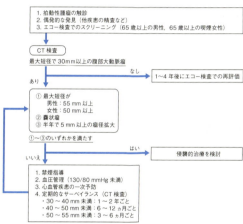

図1　腹部大動脈瘤の診断・治療カスケード

胸・腹部大動脈瘤 (2)

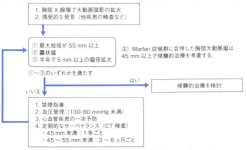

図 2 胸部大動脈瘤の診断・治療カスケード

出典（図 1, 2）
日本循環器学会・他. 2020 年改訂版 大動脈瘤・大動脈解離診療ガイドライン

/ memo

末梢動脈疾患（PAD）(1)
peripheral artery disease

ポイント

① 全身的な動脈硬化症の一部分症であるので，心・脳血管のチェックも合わせて行う．
② 下肢 PAD は，間歇性跛行や下肢機能低下のある場合，評価は問診と診察，ABI をもとにさらなる検査，血行再建などの治療方針を決める．

非専門医で行うべきチェックリスト

① 問診：間歇性跛行（何メートル歩けるか），安静時疼痛，勃起障害，喫煙，糖尿病，脂質異常症，高血圧の有無，脳・心・腎疾患の既往．
② 理学所見：患肢の蒼白，チアノーゼ，皮膚温低下，動脈（足背，後脛骨，膝窩）拍動減弱・消失，血管雑音，皮膚潰瘍．
① 基本的検査法
　下肢の動脈（図1），Fontaine 分類（表1）

(a) 膝窩動脈の触診　(b) 足背動脈の触診　(c) 後脛骨動脈の触診

図 1　下肢動脈の触診

② ABI（ankle Brachial pressure index）

$$ABI = \frac{足背または後脛骨動脈の収縮期血圧}{上肢収縮期血圧}$$

・0.9〜1.4：正常（0.91〜0.99 はボーダーライン）
・0.9 以下で下肢症状があればすみやかに専門医へ紹介．

末梢動脈疾患（PAD）⑵
peripheral artery disease

表 1 Fontaine 分類（PAD の重症度分類）

Ⅰ度	冷感，しびれ感，無症状
Ⅱ度	間欠性跛行
Ⅲ度	安静時疼痛
Ⅳ度	潰瘍・壊死

■ 専門医での検査・処置 ■

＜検 査＞

血算，血糖，LDL-C，Lp（a），TG，HDL-C，腎機能，胸部 Xp，ECG，負荷 ECG，CT アンギオ，血管エコー

＜鑑別疾患＞

急性虚血か慢性虚血なのか，器質的病変（動脈硬化性，非動脈硬化性）か，機能的病変なのか（表 2）

＜治 療＞

❶運動療法：跛行を生じる強度で歩行し，病変が中等度になれば休むことを繰り返し，1 回 30〜60 分間，週 3 回行なうことが推奨される．

❷薬物療法
特に間欠性跛行に対して

抗血小板剤：シロスタゾール

プレタール（100 mg）　1 回 1 錠　1 日 2 回　㊙
朝・夕食後

■ コンサルトのタイミング ■

❶間欠性跛行患者に対する血行再建適応
（ただし，心拍数上昇をきたす可能性があり，心不全がない場合の第一選択）

・腸骨動脈病変は EVT（血管内治療）を第一選択とする．
・総大腿動脈病変は外科的内膜摘除術を第一選択とする．
・大腿膝窩動脈病変は，短〜中区域病変は EVT，長区域病変は外科的血行再建を第一選択とする．
・膝下動脈病変の血行再建は推奨されない．

第4章 疾患編　　　　　　　　　　　循環器疾患

表2　PADの鑑別疾患

	非動脈硬化性疾患 バージャー病	動脈硬化性疾患 下肢閉塞性動脈疾患	機能性病変 レイノー現象
発症年齢	30歳代	40歳以上	15〜35歳
性別	ほとんど男性	ほとんど男性	若年女性
罹患肢	上下肢	ほとんど下肢	四肢末端左右対称, 時に一側
動脈の石灰化	なし	多発	なし
潰瘍の発生	多い	比較的少ない	少ない
血清脂質の異常	まれ	多い	まれ
たばこ	ヘビースモーカー	関連あり	やや関連あり
糖尿病	まれ	20%の症例に認められる	まれ
冠・脳動脈硬化症の合併	まれ	多い	まれ

❷包括的高度慢性下肢虚血（CLTI）

　CLTIとは, 下肢虚血, 組織欠損, 神経障害, 感染などの肢切断リスクをもち, 治療介入が必要な下肢の総称.

　以下のいずれかの症候を有していることが条件となる.

・血行動態検査で確定された安静時疼痛
・糖尿病性潰瘍または2週間以上継続する下肢潰瘍
・下肢または足部の壊疽→専門医へ速やかに相談

フォローアップ外来

ABIの経時的変化と下肢の症状を確認する.

文献：末梢閉塞性動脈疾患の治療ガイドライン（2022年改訂版）

memo

下肢静脈瘤

ポイント

❶ 一次性下肢静脈瘤と二次性下肢静脈瘤に大別される.

❷ 多くが一次性であるが, 深部静脈血栓症（DVT）などの二次性（続発性）を否定しておくことが臨床上重要.

❸ 長時間立位や肥満といった誘因を避ける. 中等～高度の場合は, 硬化療法や手術療法を検討する.

非専門医レベルで行うべきチェックリスト

❶ 多くは無症状であり, 時に疼痛, 色素沈着, うっ滞性皮膚潰瘍をきたす. 下腿の遠位 1/3 から足背に生じることが多い. 皮膚の色調の評価も行う.

❷ 深部静脈血栓症に合併したもの（二次性静脈瘤）であるかどうかを鑑別することが重要.

❸ 下肢静脈エコー検査：超音波断層法で静脈や瘤の走行, 分枝や穿通枝の局在診断を行う.

❹ 長時間の立ち仕事や肥満といった誘因を避ける. 臥床時の下肢挙上が有効である.

❺ 基本的治療方法としては弾性包帯, 弾性ストッキングである.

❻ 病状にあわせて適切な治療法を選択することが重要. →専門医へ相談

専門医での検査・処置

❶ トレンデレンブルグ検査（Trendelenburg test）：大・小伏在静脈および穿通枝の弁機能を調べる保存的検査.

【方法】

①下肢静脈瘤患者を臥位で下肢挙上して表在静脈と静脈瘤を空虚にする（このとき静脈瘤が空虚にならなければ, 深部静脈の閉塞か静脈瘤自体が血栓で充満している）.

②挙上したまま大腿部に駆血帯（ゴムバンドなど）を巻き立位にさせ静脈瘤が充満するかどうかを観察

350

第4章　疾患編

循環器疾患

する（このときすぐに充満してくる場合は駆血帯より足側に不全交通枝があるか，または小伏在静脈の逆流が考えられる．静脈瘤が目立ってこない場合は，大伏在静脈の逆流のみで，それが駆血帯で阻止されている）．

③駆血帯を除去し静脈瘤が膨隆するかどうか観察する（膨隆することが確認できれば，大伏在静脈の弁不全と考えられる）．

❷病態別に硬化療法やストリッピング手術，高位結紮術，血管内焼灼術などが選択される．

❸深部静脈血栓があれば，その治療を行う．

❹血管内レーザー治療，血管内高周波治療　下肢静脈瘤に対する血管内レーザー治療による血管閉塞法（レーザーストリッピング）が保険診療可能．また新たに血管内高周波治療が保険収載された．

　これらは静脈瘤発生の原因となる大伏在静脈や小伏在静脈の血管内空にカテーテルを挿入し，レーザー光や高周波で血管内壁を焼いて血管を焼き縮めて閉塞することにより，血液の逆流を無くして静脈瘤治療をする方法である．

コンサルトのタイミング

症状が強く，手術希望があるとき．

フォローアップ外来

下肢，特に下腿の外観，皮膚の色調を確認する．

文献

・日本皮膚科学会：下腿潰瘍・下肢静脈瘤診療ガイドライン 2011
・日本静脈学会：下肢静脈瘤に対する血管内焼灼術のガイドライン 2019

✍ memo

かぜ症候群・急性気管支炎 (1)

ポイント
安易に抗菌薬を処方しない.

かぜ症候群

原因微生物
冬期：インフルエンザウイルス，RS ウイルス
夏期：コクサッキー，エコー，エンテロウイルス
通年：パラインフルエンザ，ライノウイルス，コロ
　　　ナウイルス，アデノウイルス，新型コロナウ
　　　イルス

非専門医レベルで行うべきチェックリスト
❶症状
　鼻汁，鼻閉，くしゃみ，微熱，咽頭痛，咳嗽など.
症状のピークは1〜3日. 通常1週間以内に治癒する.
咳のみが持続する場合は 🔖 p.186 咳・痰, 🔖 p.399 慢性
咳嗽
❷検査
　細菌感染が疑われる場合には，咽頭または喀痰培
養，白血球数（分画），CRP 値，胸 Xp なども考慮.
　インフルエンザ抗原迅速検査，A 群溶血連鎖球菌迅
速検査，SARS-CoV-2 抗原検査は必要に応じて施行.
🔖 p.926

治療
　対症療法を行う.
❶安静，保温，栄養補充，総合感冒薬，うがい薬，ト
　ローチ

総合感冒剤
　PL 配合顆粒　1回1g　1日3回　㊤　朝昼夕食後

口腔・咽喉感染予防剤：デカリニウム塩化物
　SP トローチ　1回1錠　1日3回　㊤　食間
❷解熱剤（頓用）はアセトアミノフェンを選択（インフ
　ルエンザにも使用可能）

第4章　疾患編

呼吸器疾患

アミノフェノール系解熱鎮痛剤：アセトアミノフェン

カロナール錠（200 mg）　2錠　頓　発熱時

❸抗菌薬の適応

　　①高熱が3日以上持続，②膿性咯痰，膿性鼻汁，③扁桃腫大と白苔付着，④中耳炎，副鼻腔炎合併，⑤炎症反応高値（他の細菌感染合併を考慮して検査すること），⑥ハイリスク患者（高齢者，慢性呼吸器疾患など）

　　ⓐ若年者，基礎疾患のない患者：ペニシリン系

合成ペニシリン：アモキシシリン

サワシリン錠（250 mg）　1回1錠　1日3回　内
　　　　　　　　　　　　　　　　　　　　　　朝昼夕食後

　　※ EBウイルス感染症を疑う場合は禁忌．☞ p. 132 伝染性単核球症

　　ⓑ高齢者，基礎疾患のある患者：ニューキノロン系

ニューキノロン系抗菌薬：レボフロキサシン

クラビット錠（500 mg）　1回1錠　1日1回　内
　　※ニューキノロン使用時は酸性解熱剤を使用しない．

　　ⓒ慢性呼吸器疾患患者：ニューキノロン系

ニューキノロン系抗菌薬：レボフロキサシン

クラビット錠（500 mg）　1回1錠　1日1回　内

❹インフルエンザウイルス☞ p. 357

　　①発症早期（48時間以内）にいずれかを使用．

❺新型コロナウイルス（COVID-19）

　　①基本的に対症療法．

　　②重症化リスクが高い場合は，以下の処方を検討する．ただし，自己負担額が高い旨を説明する必要がある．

ニルマトレルビル/リトナビル：パキロビッド

ニルマトレルビル（150 mg）　1回2錠　1日2回
リトナビル（100 mg）　1回1錠　1日2回　内
　　　　　　　　　　　　　　　　　　　　　　5日間

　　※パキロビッドパック 600 としてパック製剤となって

353

かぜ症候群・急性気管支炎 ⑵

いる.
※発症から5日以内に開始する.
※併用禁忌薬，併用注意薬に注意.
※ 30≦eGFR＜60 の場合，パキロビットパック 300.

モルヌピラビル：ラゲブリオ

ラゲブリオ 200 mg　1回4 Cap　1日2回　㊤
5日間

※発症から72時間以内に開始する.

コンサルトのタイミング
酸素化不良や経口摂取不良の場合.

フォローアップ外来
発熱が3日以上続く場合や胸痛，呼吸困難が出現するなど全身状態の悪化を認める場合は再受診を促す.

急性気管支炎

原因微生物
インフルエンザウイルス，アデノウイルス，細菌（肺炎球菌，インフルエンザ菌，モラクセラカタラーリス，連鎖球菌），非定型病原体（マイコプラズマ，クラミジア）.

非専門医レベルで行うべきチェックリスト
❶症状：咳嗽，喀痰，発熱，喘鳴など.
❷検査：喀痰培養，白血球数（分画），CRP 値．必要に応じてインフルエンザ抗原迅速検査（ただし，偽陰性があることを考慮），SARS-CoV-2 抗原検査，マイコプラズマ LAMP 法（咽頭・鼻咽頭ぬぐい液），クラミジア抗体検査を行う.

鑑別（表1）
ウイルス性か細菌性かを区別する．細菌性の場合には，非定型性か一般細菌性かを鑑別（☞ p. 360 市中肺炎）．聴診でcracklesや呼吸音の低下を聴取したら肺炎を疑い胸Xpを撮る．また，基礎疾患を有する患者の場合，

第4章　疾患編

呼吸器疾患

表1　普通感冒と急性気管支炎の鑑別

	普通感冒	インフルエンザ	細菌感染
発症	緩徐	急激	緩徐
咽頭痛	多い	少ない	少ない
痰	白色	白色	黄色膿性
悪寒	少ない	高度	あり
倦怠感	少ない	高度	あり
筋肉痛	少ない	あり	少ない
白血球	正常～減少	正常～減少	増加
好中球	正常～減少	正常～減少	増加
リンパ球	相対的増加	相対的増加	相対的減少
CRP値	陰性～軽度	陰性～軽度	高値

基礎疾患の悪化がないかについても検査.

治　療

❶ウイルス性：対症療法.

❷インフルエンザ：対症療法に加え, 発症早期（48時間以内）にオセルタミビル（タミフル®）内服または, ザナミビル（リレンザ®）あるいはラニナミビル（イナビル®）吸入. 解熱剤はアセトアミノフェンを選択.
予防投与は☞ p. 359～

❸細菌性：ペニシリン系またはセフェム系を使用. 慢性呼吸器疾患を基礎に有する場合はニューキノロン系. 以下のいずれか.

合成ペニシリン：アモキシシリン／ニューキノロン系抗
菌薬：レボフロキサシン

サワシリン錠（250 mg）	1回1錠	1日3回	内
		朝昼夕食後	
クラビット錠（500 mg）	1回1錠	1日1回	内

355

かぜ症候群・急性気管支炎 (3)

❹非定型：マクロライド系，ニューキノロン系

マクロライド系抗菌薬：クラリスロマイシン／ニューキノロン系抗菌薬：レボフロキサシン

　クラリシッド錠(200 mg)　1回1錠　1日2回　内
　　　　　　　　　　　　　　　　　　　　　朝・夕

　　または

　クラビット錠 (500 mg)　1回1錠　1日1回　内

❺入院を要する重症例（脱水，呼吸困難や呼吸不全）
　以下のいずれか
　ABPC/SBT　1.5〜3 g　点　6時間ごと
　　または
　CPR　1 g　点　12時間ごと
　　または
　MEPM　0.5〜1.0 g　点　8〜12時間ごと

　発熱が3日以上続く場合，呼吸苦が出現したり，症状が改善しない場合は再診するよう説明．

文献

日本呼吸器学会：成人気道感染症診療の基本的考え方．2003．

/ memo

インフルエンザ (1)

ポイント

❶ ノイラミニダーゼ阻害薬は発症 48 時間以内に有効.

❷ インフルエンザ脳症発症の中枢神経障害出現までの時間はきわめて短い.

❸ 高病原性鳥インフルエンザウイルスへの対応は異なる. ☞ 当直医 M

背景

❶ 感染力が強く飛沫(核)感染が主. 接触感染しない.

❷ インフルエンザワクチンによる発病防止効果は 30〜70%である.

❸ 死亡率が高いハイリスク群は, 65 歳以上の高齢者, 慢性肺疾患, 心疾患, 腎疾患, 糖尿病, 免疫不全状態などの患者, 施設入所中の高齢者, 妊婦, 乳幼児.

❹ 高齢インフルエンザ患者の 25%が肺炎を合併する.

❺ 冬季が流行の中心だが流行時期以外も海外からの帰国者や旅行者を含め発症している可能性がある.

❻ 小児や学生は学校保健安全法による登園・登校制限はあるが, 社会人には法的拘束力はない.

症状

❶ 感染者と接触してから, 1〜3 日程度の潜伏期間ののちに発熱(急激な高熱), 悪寒, 頭痛, 筋肉痛, 関節痛, 全身倦怠感, 脱力などが出現する.

❷ 次第に鼻水, 咽頭痛, 咳などが認められる.

❸ 下痢, 腹痛, 嘔吐などが認められることもある.

❹ インフルエンザ感染症による合併症

　①呼吸器合併症(ウイルス性肺炎, 細菌性肺炎, ARDS)

　②中枢神経合併症(異常行動, インフルエンザ脳症, 無菌性髄膜炎, 急性小脳失調症, 横断性脊髄炎, Guillain-Barré 症候群, 急性散在性脳脊髄炎など)

　③筋炎(下腿三頭筋に多い), 心筋炎

鑑別疾患

発熱をきたしうる様々な疾患 ☞ p. 100 発熱

357

インフルエンザ ②

非専門医レベルで行うべきチェックリスト

❶ 発症時期，熱型，症状の経過，sick contact など

❷ 内服薬（アスピリン製剤，NSAIDs，テオフィリン製剤，バルプロ酸，抗ヒスタミン薬など）の確認（インフルエンザ脳症や痙攣を誘発する可能性）．

❸ 抗原検査の実施（鼻汁，鼻腔ぬぐい液，咽頭ぬぐい液で70〜90％の感度がある）．検査はウイルス量が多くなると考えられる発症から12時間ほどが最適．

❹ バイタルサインから緊急度を判断し，全身状態により血液検査，点滴，胸 Xp，心電図，頭部 CT などを施行．

❺ インフルエンザウイルス感染症と診断した場合，対症的に経過観察とするかノイラミニダーゼ阻害薬を処方する．なお，ペラミビルは他のノイラミニダーゼ阻害薬の投与を十分に検討した上で必要に応じて投与する．

ノイラミニダーゼ阻害薬：オセルタミビル

タミフル（75 mg）　1回1 Cap　1日2回　㊇

5日間

ノイラミニダーゼ阻害薬：ザナミビル

リレンザ　1回10 mg　1日2回吸入　5日間

ノイラミニダーゼ阻害薬：ラニナミビル

イナビル　1回40 mg　1回のみ吸入

ノイラミニダーゼ阻害薬：ペラミビル

ラピアクタ　1回300 mg を15分以上かけて

点滴1回のみ

❻ ザナミビル，ラニナミビルは吸入によって気管支攣縮を起こす可能性があるため，短時間作用型気管支拡張薬の処方を検討する．

❼ 経過中，特にノイラミニダーゼ阻害薬服用後2日間

第4章　疾患編

呼吸器疾患

は異常行動を起こさないか経過をみるように指示.

❽二次感染症としては黄色ブドウ球菌による細菌性肺炎の報告が多いが，全身状態に応じて血液培養やグラム染色などをもとに抗菌薬投与する.

❾予防投与（保険適用外使用）は適応を十分に検討した上で，感染者と接触して48時間以内に投与する.

ノイラミニダーゼ阻害薬：オセルタミビル

タミフル（75 mg）　1日1回1 Cap　Ⓝ　7～10日間

ノイラミニダーゼ阻害薬：ザナミビル

リレンザ　1回10 mg　1日1回吸入　10日間

ノイラミニダーゼ阻害薬：ラニナミビル

イナビル　1回20 mg　1日1回吸入　2日間

専門医での検査・処置

❶呼吸障害，ARDSを疑えば，胸部CTを行い，抗菌薬やステロイドを中心に治療する.

❷意識障害を疑えば，頭部CT，頭部MRI，脳波，血液検査，尿検査を行い，他の疾患を除外してインフルエンザ脳症を疑えばステロイドやγグロブリンを中心に治療.

コンサルトのタイミング

❶呼吸困難が強い，酸素化不良など重症化を疑う場合には呼吸器内科へコンサルトする.

❷「普段と様子が異なる」場合や意識障害，異常行動を疑う場合は神経内科へコンサルトする.

フォローアップ外来

解熱までの期間は個人差があるが，5日以上続く熱や咳などの症状が続く場合は胸Xpなどの精査を行う.

📝memo

市中肺炎（CAP）⑴

ポイント

❶ 重症度を判定し，入院治療の適否を考え，通常の細菌性肺炎と非定型肺炎との鑑別を行う．

❷ 治療開始後3日目に最初の効果判定（発熱，白血球数，CRP値，画像所見）．

❸ 的確な治療を行っているのに改善しないと判断したら，呼吸器専門医へ紹介．

診断

咳嗽，喀痰，発熱などの自覚症状や呼吸音低下，coarse crackles などの聴診所見および，胸部画像で新たに出現した浸潤影を認めたとき．

非専門医レベルで行うべきチェックリスト

❶ 自覚症状：咳嗽，喀痰，胸痛，呼吸困難などの胸部症状と発熱，頭痛，食欲不振などの全身症状．

❷ 身体所見：呼吸数増加，頻脈〔ウイルス，マイコプラズマ，クラミドフィラ（クラミジア），レジオネラは比較的徐脈〕，重症化すると呼吸不全を生じる．聴診所見で肺胞呼吸音の減弱，coarse crackles を聴取．

❸ 画像所見：区域性の浸潤影やスリガラス陰影，気管支透亮像を伴う均等陰影．

❹ 血液検査所見：炎症反応陽性（白血球増加，CRP陽性）．ウイルス性やマイコプラズマ，クラミドフィラ肺炎では白血球数は正常〜低下．

❺ グラム染色・喀痰培養：抗菌薬投与前に実施して，起因菌の同定を行う．肺結核の除外を常に念頭に．

❻ 血液培養：重症例では敗血症を念頭に実施．

❼ 抗原検査：マイコプラズマ LAMP 法（咽頭ぬぐい後など），尿中肺炎球菌抗原，尿中レジオネラ抗原など．

重症度分類

ショックは超重症に分類．**表1**に従って重症度分類を行い，入院治療か外来治療かを考慮．実臨床においてはSpO_2低下，意識障害，血圧低下があれば入院が無難．

第4章 疾患編　呼吸器疾患

表1 身体所見，年齢による肺炎の重症度分類（A-DROPシステム）

使用する指標
1. 男性70歳以上，女性75歳以上
2. BUN 21mg/dL以上または脱水あり
3. SpO$_2$ 90％以下（PaO$_2$ 60Torr以下）
4. 意識障害
5. 血圧（収縮期）90mmHg以下

重症度分類
軽症：　　上記5つの項目のいずれも満足しないもの
中等症：　上記項目の1つまたは2つを有するもの
重症：　　上記項目の3つを有するもの
超重症：　上記項目の4つまたは5つを有するもの
ただし，ショックがあれば1項目のみでも超重症とする

治療（図1，2）

❶軽症・中等症：通常の細菌性肺炎と非定型肺炎との鑑別（図3）を行い，抗菌薬を選択．
①非定型肺炎：以下のいずれか

マクロライド系抗菌薬：アジスロマイシン

ジスロマック（250 mg）　1回2錠　1日1回　㊅
　　　　　　　　　　　　　　　　　　　　　3日間

テトラサイクリン系抗菌薬：ミノサイクリン塩酸塩

ミノマイシン（100 mg）　1回1錠　1日2回　㊅
　　　　　　　　　　　　　　　　　　　朝・夕食後

※マイコプラズマやレジオネラを疑う場合にはマクロライド，オウム病，肺炎クラミドフィラを疑う場合にはニューキノロンを使用．

memo

市中肺炎 (CAP) (2)

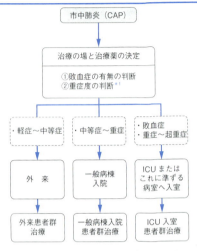

図1 成人市中肺炎初期治療の基本フローチャート
[*1]：市中肺炎の重症度判定：市中肺炎では A-DROP により重症度を判定する（☞ p.361 表1）．
（日本呼吸器学会：成人肺炎診療ガイドライン 2017 より改変）

ニューキノロン系抗菌薬：モキシフロキサシン塩酸塩
アベロックス錠（400 mg） 1回1錠 1日1回 ㊮
体重 40 kg 未満では1回 200 mg へ減量

ニューキノロン系抗菌薬：ラスクフロキサシン塩酸塩
ラスビック錠（75 mg） 1回1錠 1日1回 ㊮

※ラスクフロキサシンは腎機能障害でも減量を要さない．

第4章　疾患編　　呼吸器疾患

外来患者群

内服薬
- β-ラクタマーゼ阻害薬配合ペニシリン系薬*1
- マクロライド系薬*2
- レスピラトリーキノロン*3*4

注射薬
- セフトリアキソン
- レボフロキサシン*4
- アジスロマイシン

一般病棟入院患者群

注射薬
- スルバクタム・アンピシリン
- セフトリアキソンorセフォタキシム
- レボフロキサシン*4

※非定型肺炎が疑われる場合
- ミノサイクリン
- レボフロキサシン*4
- アジスロマイシン

集中治療室入院患者群

注射薬
A法†：カルバペネム系薬*5or
タゾバクタム・ピペラシリン

B法†：スルバクタム・アンピシリンor
セフトリアキソンor
セフォタキシム

C法：A or B法+アジスロマイシン

D法：A or B法+レボフロキサシン*4,*6

E法：A or B or C or D法+
抗MRSA薬*7

＊1：細菌性肺炎が疑われる場合：スルタミシリン、アモキシシリン、クラブラン酸。
＊2：非定型肺炎が疑われる場合：クラリスロマイシン、アジスロマイシン。
＊3：慢性の呼吸器疾患がある場合は第一選択薬：ガレノキサシン、モキシフロキサシン、レボフロキサシン、シタフロキサシン、トスフロキサシン。
＊4：結核に対する抗菌力を有しており、使用に際しては結核の有無を慎重に判断する。
＊5：メロペネム、ドリペネム、ビアペネム、イミペネム・シラスタチン。
＊6：代替薬：シプロフロキサシン*4, orパズフロキサシン*4
＊7：MRSA肺炎のリスクが高い場合で選択する：リネゾリド、バンコマイシン、テイコプラニン、アルベカシン。
†：緑膿菌を考慮し用い、患者で選択する場合。

図2　CAPのエンピリック治療抗菌薬

市中肺炎（CAP）(3)

図3 細菌性肺炎と非定型肺炎の鑑別

②細菌性肺炎
　ⓐ起因菌不明：以下で経験的治療を開始
　　ⅰ軽症肺炎の場合

アンピシリン・スルバクタム相互プロドラッグ：スルタミシリントシル酸塩水和物

ユナシン（375 mg）　1回1錠　1日3回　内
　　　　　　　　　　　　　　　　　朝昼夕食後

　　ⅱ中等症肺炎で外来通院可能な場合
CTRX　1～2g　点　24時間ごと
　ⓑ起因菌判明時：各起因菌に応じて（感受性結果も参考），表2に従い抗菌薬を選択

抗菌薬の効果判定

❶3日後：発熱や呼吸状態などから抗菌薬が有効か，変更すべきかを判定．変更前に喀痰グラム染色・培養を再採取．
❷7日後：肺炎が治癒して抗菌薬を終了できるか，他

第 4 章　疾患編

呼吸器疾患

表 2　起因菌判明時の抗菌薬選択

- **ペニシリン感受性肺炎球菌**
  ペニシリン系，セフェム系，ニューキノロン，ペネム系
  注射：ペニシリン系，セフェム系
- **ペニシリン耐性肺炎球菌**
  セフェム系，カルバペネム系，ニューキノロン
  注射：セフトリアキソン，カルバペネム系，ニューキノロン
- **インフルエンザ菌**
  βラクタマーゼ阻害剤配合ペニシリン，第 3 世代セフェム系
  注射：第 3 世代セフェム
- **クレブシエラ**
  セフェム，ニューキノロン
  注射：第 1，2 世代セフェム
- **緑膿菌**
  セフェム，ニューキノロン
  注射：第 3 世代セフェム，ニューキノロン
- **モラクセラカタラーリス**
  βラクタマーゼ阻害剤配合ペニシリン，フルオロキノロン，
  マクロライド系
  注射：第 3 世代セフェム，カルバペネム，フルオロキノロン
- **嫌気性菌**
  フルオロキノロン，マクロライド系，テトラサイクリン
  注射：βラクタマーゼ阻害剤配合ペニシリン，カルバペネム系

の抗菌薬に変更すべきかを判定.
　発熱→白血球数→CRP→胸部画像の順に改善.

予後

　市中肺炎の死亡率は 5〜10％，若年性で基礎疾患の
ない肺炎の場合は 1％以下.

コンサルトのタイミング

❶呼吸不全時（☞ p.376），または☞当直医 M
❷抗菌薬無効例や非区域性の浸潤影など診断困難な場
　合は，呼吸器専門医にコンサルト.

365

市中肺炎（CAP）(4)

専門医での検査・処置
抗菌薬無効例では特に以下を鑑別する．

❶ 微生物以外の要因による浸潤影：心不全，肺癌（特に肺胞上皮癌），気管支内異物や腫瘍による無気肺，びまん性肺疾患（薬剤性肺臓炎，特発性肺線維症，膠原病肺，過敏性肺炎，好酸球性肺炎，サルコイドーシス，COPなど）

☞ p.425 びまん性肺疾患

❷ 感染症：結核，真菌，ニューモシスチス肺炎，サイトメガロウイルスなどの日和見感染症，MRSAや耐性緑膿菌，膿瘍形成

❸ 宿主の要因：誤嚥，慢性呼吸器疾患，糖尿病，肝硬変，担癌患者

フォローアップ外来
画像検査で腫瘍影を否定できなかった時は，数か月以内に画像フォローする．

文献
1) 日本呼吸器学会：成人肺炎診療ガイドライン 2017.

第4章 疾患編

呼吸器疾患

医療・介護関連肺炎（NHCAP）⑴

ポイント

❶ 医療・介護関連肺炎（NHCAP：nursing and health-care-associated pneumonia）は，市中肺炎（CAP：community acquired pneumonia）と院内肺炎（HAP：hospital acquired pneumonia）と重なり合いをもちつつ両者の合間に位置するため，重症肺炎（予後不良肺炎）・高齢者肺炎と，耐性菌肺炎という２つの側面を併せもつ.

❷ 発生機序は，①誤嚥性肺炎，②インフルエンザ後の二次性細菌性肺炎，③透析などの血管内治療による耐性菌性肺炎（MRSA を中心とした），④免疫抑制剤や抗がん化学療法による治療中に発症する日和見感染としての肺炎，が主体.

❸ NHCAP は「終末期の肺炎」としての側面をもち，重症であっても集中治療や入院治療を患者・家族が望まない場合があるため，治療の場所は重症度のみでなく，患者・家族の希望，介護力，経済力を含めた社会的背景を包括した「治療区分」に従う.

❹ NHCAP の予防は，日常での嚥下機能の把握と誤嚥の予防，ワクチン接種が重要.

非専門医レベルで行うべきチェックリスト

＜問　診＞

咳嗽，喀痰，胸痛，呼吸困難などの胸部症状，発熱，食思不振，意識障害などの全身症状があるが，高齢者では胸部症状を欠いて全身症状のみを呈する割合が比較的多い.

＜理学所見＞

①バイタルサイン測定：体温，血圧，脈拍（頻脈が大半だが，非定型病原体は比較的徐脈），呼吸数，SpO_2 など.

②聴診所見：断続性ラ音（coarse crackles, squawk），肺胞呼吸音の減弱，胸膜摩擦音（胸膜炎併発時）

第4章 疾患編　　　　　呼吸器疾患

<検　査>

①画像検査（胸部 Xp, 胸部 CT）

　すりガラス陰影，consolidation などを認め，誤嚥性肺炎は下葉背側に好発する．

②血液検査

　白血球増加（ウイルス，非定型病原体は 10,000 以下が多い），CRP 高値．高齢者では心不全を併発することもあり，BNP も適宜測定．また，化学療法中の場合，各種ウイルス迅速抗原検査，β-D-グルカン（真菌，ニューモシスチスで上昇），CMV C7-HRP（サイトメガロウイルス）なども検討．

③細菌学的検査

　喀痰培養（一般細菌培養・抗酸菌塗抹・培養），血液培養（ショック，CRP≧20 など重症例で有用）．

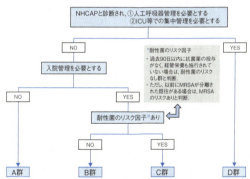

図 1　NHCAP 治療区分アルゴリズム

memo

医療・介護関連肺炎(NHCAP)(2)

治療区分の設定（病院紹介のタイミング）

❶NHCAP 治療区分は，①人工呼吸管理や ICU 管理などの集中治療を要するか否か，②入院管理を要するか否か，③薬剤耐性菌のリスク因子の有無，の3つの要件により A～D 群に分類され（図1），B～D 群は入院加療が望ましいが，B～D 群でも社会的背景により，在宅での治療を選択する場合も．

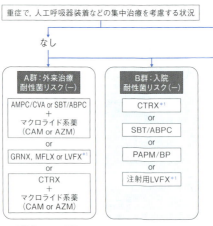

†：耐性菌のリスク因子
・過去90日以内に抗菌薬の投与がなく，経管栄養も施行されていない場合は，耐性菌のリスクなし群と判断．
・ただし，以前にMRSAが分離された既往がある場合は，MRSAのリスクありと判断．

*1：嫌気性菌に抗菌力が不十分なため，誤嚥性肺炎疑いでは不適．
*2：嫌気性菌に抗菌力が不十分なため，誤嚥性肺炎疑いでは嫌気性菌に抗菌活性を有する薬剤(MTZ, CLDM, SBT/ABPC等)と併用する．

図 2 NHCAP 治療区分に応

第4章　疾患編

呼吸器疾患

❷入院の必要性は，改訂版市中肺炎ガイドライン重症度分類（A-DROP ☞ p.361 市中肺炎）を参考にするが，実臨床では SpO_2，意識障害，血圧低下があれば入院加療が妥当．☞ 当直医 M

非専門医レベルで行うべき治療

❶治療区分 A・B 群では CAP の治療に準じて狭域の抗菌薬を用い，C 群では耐性菌を念頭に広域の抗菌

じた治療薬選択アルゴリズム

医療・介護関連肺炎(NHCAP)(3)

薬を選択する（図2）. ☞ p.361 市中肺炎

①耐性菌のリスクがない場合

肺炎球菌, 黄色ブドウ球菌 (MSSA), クレブシエラ属, 大腸菌, インフルエンザ菌, 口腔内連鎖球菌, 非定型病原体など.

＜A群治療例＞

（下記ⓐⓑのいずれか＋ⓒかⓓ, もしくはⓔかⓕ単剤）

βラクタマーゼ阻害薬配合抗菌薬：アモキシシリン・クラブラン酸／マクロライド系抗菌薬：クラリスロマイシン／アジスロマイシン／ニューキノロン系抗菌薬：レボフロキサシン

ⓐユナシン錠(375 mg) 1回1錠 1日3回 内 毎食後
ⓑオーグメンチン配合錠250RS 1回1錠 1日3〜4回 内
ⓒクラリス錠(200 mg) 1回1錠 1日2回 内 朝夕食後
ⓓジスロマック錠(250 mg) 1回2錠 1日1回 内 3日間
ⓔクラビット錠(500 mg) 1回1錠 1日1回 内
ⓕCTRX 1〜2 g×1〜2回 静

＜B群治療例＞

CTRX 1回1g 1日1回 静

＋

マクロライド系抗菌薬：アジスロマイシン

ジスロマック錠(250 mg) 1回2錠 1日1回 内 3日間

②耐性菌のリスクありや透析患者の場合

上記①に加えて, 緑膿菌, MRSA, アシネトバクター属, ESBL産生腸内細菌なども考慮.

memo

第4章　疾患編

呼吸器疾患

＜C群治療例＞

CTRX　1回1g　1日1回　㊥

　　＋

ニューキノロン系抗菌薬：モキシフロキサシン塩酸塩
アベロックス錠(400 mg)　1回1錠　1日1回　㊥

　入院歴などからMRSAのリスクがある場合は，VCM，TEICを併用．

VCM　1回1g　1日1回　㊥

③悪性疾患の化学療法中の場合
　免疫能低下に伴い，①に加えて緑膿菌，ステノトロフォモナス・マルトフィリア，ノカルジア属が増加し，ウイルス感染（RSウイルス，パラインフルエンザウイルス，インフルエンザウイルス，サイトメガロウイルスなど），真菌（アスペルギルス，フザリウム，ムコール属），ニューモシスチスなども念頭に．
④免疫不全患者の場合
　上記②に加えて抗酸菌も念頭に，免疫不全のタイプ（好中球減少，液性免疫不全，細胞性免疫不全）により原因微生物のスペクトラムを検討．
⑤重症患者の場合（D群）
　まれだがレジオネラ属などの非定型もカバー．ただし集中治療を要する場合，「終末期の肺炎」として看取りも念頭に．
❷抗菌薬の投与期間は7～10日程度が一般的．
❸基礎疾患や病態などにより（不顕性）誤嚥の関与が疑われる場合，後述の対策を行う．

✎**memo**

医療・介護関連肺炎(NHCAP)⑷

予防・フォローアップ外来

❶ワクチン接種

①23価肺炎球菌ポリサッカライドワクチン（PPV）

原因菌として肺炎球菌は重要で，65歳未満でも在宅医療，心・呼吸器の慢性疾患，腎不全，肝機能障害，糖尿病などの基礎疾患で接種を検討．有効期間は5年で再接種可能．

②インフルエンザワクチン

高齢者や基礎疾患を伴うハイリスク群ではインフルエンザウイルス感染に伴う二次性細菌性肺炎が多くみられ，PPVの併用で上乗せ効果．

❷嚥下機能の把握と誤嚥の予防

①誤嚥性肺炎には食事や経管栄養の注入時にムセとして明らかな顕性誤嚥と，夜間・睡眠時を中心として起こる不顕性誤嚥があり，後者は見逃されやすい．

②基礎疾患として脳血管障害後遺症，パーキンソン病が重要で，唾液反復嚥下試験や簡易嚥下誘発試験（Simple Swallowing Provocation Test：SSPT）で評価．

③嚥下機能障害がある場合，口腔ケア，摂食・嚥下リハビリテーション，薬物療法（ACE阻害剤，シロスタゾール，アマンタジンなど），鎮静剤・睡眠導入剤の中止，就寝時の上半身の軽度挙上などの対策を行う．

ACE阻害薬：イミダプリル塩酸塩／エナラプリルマレイン酸塩

タナトリル錠（5 mg）　1回0.5〜1錠　内　朝食後
レニベース錠（5 mg）　1回1錠　内　朝食後

抗血小板薬：シロスタゾール

プレタールOD錠（100 mg）　1回1錠　1日2回　内

第4章 疾患編　　　　　　　　　　　呼吸器疾患

抗パーキンソン病薬：アマンタジン塩酸塩
シンメトレル錠（50 mg）　1回1錠　内　朝食後

文献
1) 日本呼吸器学会：医療・介護関連肺炎（NHCAP）診療ガイドライ 2011
2) 日本呼吸器学会：成人肺炎診療ガイドライン 2017

呼吸不全 (1)

ポイント

❶ 高流量の酸素投与を行っても $PaO_2 > 60$ torr を維持できない場合や換気不全を伴う場合は，人工呼吸器管理をためらわない．

❷ まず高炭酸ガス血症の有無を検索する．

定義

肺においてガス交換が障害され，室内気吸入時の PaO_2 が 60 torr 以下になった状態．血液ガス分析が実施できない場合，経皮酸素飽和度（SpO_2）が 90% 以下であれば呼吸不全と判断．PaO_2 70 torr 以下 60 torr 以上は呼吸不全に容易に陥るため，準呼吸不全と診断．

❶ 高炭酸ガス血症を伴わない場合（$PaCO_2 \leqq 45$ torr）：Ⅰ型呼吸不全

❷ 高炭酸ガス血症を伴う場合（$PaCO_2 > 45$ torr）：Ⅱ型呼吸不全

❸ 呼吸不全の原因は①肺胞低換気（換気不全），②換気・血流不均衡，③シャント血流，④拡散障害，⑤吸入酸素濃度低下に分類（CO_2 貯留は①のみで招来）．

急性呼吸不全

1 カ月以内の急性の経過で発症し，速やかな対応を必要とするような場合を急性呼吸不全という．

鑑別のポイント

急性呼吸不全をみた場合，①ガス交換障害（Ⅰ型呼吸不全）と，②換気不全（Ⅱ型呼吸不全）に分けて考える．前者には酸素吸入，後者には人工呼吸器を含めた換気改善を考慮．Ⅱ型呼吸不全は換気不全のみならず，ガス交換障害の併存も考慮（混合型）．$A-aDO_2$ の計算をすれば混合型と換気不全のみのⅡ型呼吸不全とを区別できる．$A-aDO_2$ の開大を認める場合は混合型で，認めない場合には換気不全のみのⅡ型呼吸不全．

第 4 章　疾患編

呼吸器疾患

$$A\text{-}aDO_2 = 714 \times FiO_2 - PaO_2 - PaCO_2/0.83$$

（正常：10 以下）

鑑別疾患

Ⅰ型	気管支喘息，肺炎，間質性肺炎，肺血栓症，ARDS や肺癌による癌性リンパ管症など
Ⅱ型	神経筋異常（重症筋無力症，筋ジストロフィー，ギラン・バレー症候群など）や薬物による中枢抑制，外傷や気道異物による胸郭運動制限
混合型	重症気管支喘息発作や COPD の増悪であるが，肺炎や無気肺でも混合型を呈することあり

治　療　☞当直医 M

呼吸不全に対する酸素療法（±人工換気），原因疾患に対する治療，全身管理（循環，栄養，電解質補正など）を適切に行う．

❶急性Ⅰ型呼吸不全

積極的な酸素吸入を行う．同じ酸素流量であれば，鼻カニューレ→単純マスク→リザーバつきマスクの順に吸入酸素濃度は上昇を期待できる．ただし，口鼻呼吸状態や呼吸回数，1 回換気量により吸入酸素濃度は一定しない．最高流量の酸素を吸入させても最低目標値である $PaO_2 > 60$ torr を達成できないようであれば人工呼吸器管理を実施．

❷急性Ⅱ型呼吸不全

安易な酸素吸入は CO_2 ナルコーシスの危険を生じる．換気不全主体で血液ガス分析の結果が悪く意識障害や循環動態が不安定な場合には，最初から非侵襲的陽圧換気療法（NPPV）や人工呼吸器管理を要する．ガス換気障害を有する混合型呼吸不全と判断された場合（A-aDO2開大を伴う），低流量の酸素吸入を開始し 30 分後に血液ガス分析で再評価．

呼吸不全 (2)

　アシドーシスの進行や $PaCO_2$ の上昇, PaO_2 低下, 意識障害の進行を認めれば, 速やかに人工呼吸器管理 (NPPV を含む) を実施.

慢性呼吸不全

　呼吸不全の状態が1カ月以上持続したものを慢性呼吸不全という.
　慢性呼吸不全を呈する基礎疾患を**表1**に示す. COPD, 肺結核後遺症, 肺線維症によるものが多い.

表1　慢性呼吸不全の原因疾患

①慢性閉塞性肺疾患 (COPD): 肺気腫, 慢性気管支炎, 気管支喘息 (慢性非可逆性), びまん性汎細気管支炎
②拘束性肺疾患
　・肺コンプライアンス低下: 肺線維症, 肺結核後遺症, 胸膜炎
　・胸郭運動障害: 胸郭成形術後, 脊椎彎曲, 高度肥満, 腹水, 胸水
　・神経筋疾患: 重症筋無力症, ギラン・バレー症候群, 横隔神経麻痺
③循環器疾患: うっ血性心不全, 肺血栓塞栓症, 肺高血圧症

第4章 疾患編　　　　　　　　　　　呼吸器疾患

治療

❶在宅酸素療法を中心として原疾患に対する薬物療法や栄養管理，呼吸リハビリテーション，禁煙指導などの包括的治療が必要．在宅酸素療法は慢性呼吸不全患者の予後，QOLを改善する（Ⅰ型，混合型のⅡ型呼吸不全の場合）．

❷在宅酸素の保険適用基準は，「PaO_2 が 55 torr 以下の者，および 60 torr 以下で睡眠時や運動時に著しい低酸素血症をきたす者であって，医師が必要と認めたもの」となっている．しかし，実際は安静時の酸素分圧や酸素飽和度は基準を満たさないものの労作時の呼吸困難が著しい患者にも導入される．

在宅酸素療法時の酸素吸入量決定手順を示す．
①酸素を鼻カニューレで 0.5〜2.0 L/分で開始
②30 分後血液ガス分析
③$PaO_2 > 60$ torr かつ $PaCO_2$ の著しい上昇のない範囲で流量を決定（流量は 0.5 L/分の単位で増減）

❸在宅酸素療法導入後，少なくとも 4 週間ごとの通院または往診管理を要する．その際，SpO_2 測定を実施．測定値に変動があったり，状態が不安定と判断したならば，採血（血液生化学一般，血液ガス分析）や胸部 Xp を実施して呼吸不全の評価・治療を行う．Ⅱ型呼吸不全では NPPV を検討．

memo

胸水・胸膜炎 (1)

ポイント

❶ 結核 (Tb) 性胸膜炎, 癌性胸膜炎 (Ca), 膿胸, 細菌性胸膜炎, 心不全, 肝硬変の鑑別が重要.

❷ 正面 Xp 上の肋骨横隔膜角の鈍化で疑い (300 mL 以上で検出可能), デクビタス (患側下の側臥位) Xp (10 mL 以上で検出可能) にて確定. 大量胸水の場合, 無気肺との鑑別が問題となる (胸水では縦隔が健側に偏位).

❸ 胸水の存在が明らかになれば, 少量で安全に穿刺できないもの, 明らかな心不全などを除き, 鑑別および, 持続ドレナージの適応決定のため, 胸腔穿刺を速やかに行う (エコー下に穿刺点を明らかにして行う).

❹ 鑑別には, 胸水所見が最も重要であるが, 症状経過 (一般的に Tb, Ca では慢性的, 肺炎随伴性, 心不全では急性), 心不全, 肝硬変, ネフローゼ, 膠原病を示唆する症状・所見の有無, T-SPOT, CRP・ESR など総合的に判断する.

非専門医レベルで行うべきチェックリスト

<検 査>

❶ 胸水検査：pH, TP, LDH, 糖, ADA (アデノシンデアミナーゼ), CEA, ヒアルロン酸, 胸水塗抹・培養 (一般, 抗酸菌, 嫌気性菌), 細胞分画, 細胞診.

❷ 血算・ESR・CRP, TP・LDH などの採血を行う.

<鑑別方法>

❶ 胸水の性状

　　①血性：悪性腫瘍の 60%, 結核性の 20%.

　　②膿性：膿胸

　　③乳び性：乳び胸

❷ 滲出性・漏出性の鑑別と細胞分画

　　Light の基準 (表1)：ただし, 心不全の利尿薬使用後は, 漏出性のものが滲出性の基準に入りやすい.

　　①滲出液＋リンパ球優位：結核・悪性腫瘍・膠原病

第4章　疾患編

呼吸器疾患

表1　滲出性胸水の診断基準と診断精度

	感度(%)	特異度(%)
胸水 TP/血清 TP　　　　　>0.5	86	84
胸水 LDH/血清 LDH　　　　>0.6	90	82
胸水 LDH>0.75×血清 LDH 正常上限	82	90
1項目あるいはそれ以上の該当	98	83

(Light, RW : *N Engl J Med* **346** : 1971-1976, 2002)

②滲出液＋好中球優位：肺炎随伴性・膿胸・急性膵炎

③滲出液＋好酸球優位：肺梗塞・寄生虫・血胸・気胸に伴うもの

④漏出性：心不全・肝硬変・ネフローゼ

❸胸水培養検査

　結核性の培養陽性率は，20％以下にすぎない．一般菌も陽性率は低いが，陽性に出れば診断が確定．Tb-PCR法の感度は30％以下であることに留意．

❹細胞診

　悪性腫瘍の場合の細胞診陽性率は，1回目60％，2回目70％，3回目80％弱程度と繰り返し穿刺することが重要．

❺生化学

①糖：結核性 100 以下，膿胸 40 以下，リウマチ性 10 以下のことが多い．

②ADA：50 以上は，結核性を示唆．ADA 40～50 は gray zone. この条件に加え，T-SPOT 陽性，リンパ球優位ならば Tb と考える．

③CEA：悪性腫瘍を示唆，ただし，軽度高値例は結核性，膿胸でもあり．

＜処　置＞

❶入院適応は，症状の強い場合，大量胸水，膿胸，血

胸水・胸膜炎 (2)

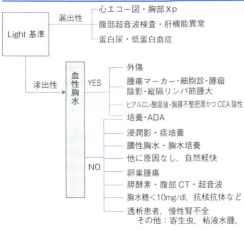

図 1 胸水の鑑別診

胸，心不全などの場合．胸水も少量で，症状も軽ければ，外来での精査・加療も可能だが，胸腔穿刺およびこまめな経過観察が必要．

❷持続ドレナージの適応は，滲出性の大量胸水，膿胸，血胸の場合．また肺炎随伴性で以下の基準をいずれか満たす場合（pH 7.10 以下，糖 40 以下，細菌塗抹陽性）．一度に 1,000 mL 以上はひかない（再膨脹性肺水腫を招く危険あり）．30 分ぐらいかけてゆっくりひく．咳，胸部不快などが生じれば中止．

専門医での検査・処置

❶ 1 回の穿刺で鑑別できないときは胸腔鏡検査．ただし，肺内病変存在時は，気管支鏡による生検を優先．
❷膿胸や被包化胸水などでは，外科的治療が必要な場

第4章 疾患編　　　　　　　　　　　　　　呼吸器疾患

──────→ 心不全☞p.325
──────→ 肝硬変☞p.533
──────→ ネフローゼ☞p.681

──────→ 血胸
──────→ 肺癌☞p.432
──────→ 胸膜中皮腫
──────→ 肺結核☞p.384
──────→ 肺炎随伴胸水
──────→ 膿胸
──────→ ウイルス性胸水
──────→ Meigs症候群（漏出性のこともある）
──────→ 膵炎☞p.547
──────→ リウマチ関連胸水
──────→ 尿毒症性胸膜炎

腹腔内膿瘍，薬剤誘起性胸水を考える

断のフローチャート

合がある．

フォローアップ外来

胸水の再貯留がないか呼吸症状，体重，貯留速度に応じて定期的にチェック．

肺結核 (Tb) (1)
tuberculosis

ポイント
❶ 発見が遅れやすい．疑いの閾値を低くする．
❷ 診断したら直ちに保健所に届け出る．

非専門医レベルで行うべきチェックリスト

＜問診・症状＞
❶ ハイリスクグループは，60歳以上（新患の半数以上），男性，肺結核既往者，糖尿病，ステロイド・抗癌剤投与中，透析，胃切除など．
❷ 発症が緩徐で，初期には自覚症状が乏しい．長引く咳，血痰，肺炎患者，胸膜炎（胸水），不明熱など．ただし，無症状の検診発見例が2割．

＜検　査＞
❶ 結核菌検査
　①喀痰の抗酸菌塗抹が陽性者は隔離（非結核性抗酸菌症との鑑別はPCR，培養結果で）．
　②喀痰が取れない場合は，生食吸入による喀痰採取，胃液培養（早朝空腹時）．
　　必要に応じて気管支鏡を考慮．
　③PCR法は感度が高く，早期診断に有用．（死菌でも陽性）．
❷ 胸Xp
　区域性の浸潤影や散布巣を伴う結節陰影が上肺野に認められることが多い．空洞形成を伴うことがある．粟粒結核はびまん性に粒状影が認められる．
❸ ツベルクリン反応
　結核発症の有無ではなく感染の有無を判断する．日本ではBCG接種の影響で，補助的な検査になり，現在はQFT-3G/T-SPOTが頻用．また，予防投与の判断基準になる．ただし以下の例は偽陰性に注意を要する：粟粒結核，重症結核，麻疹・風疹，低栄養（低蛋白血症），悪性腫瘍，サルコイドーシス，ステロイド剤・免疫抑制剤・抗癌剤投与中．

第4章 疾患編

呼吸器疾患

表1 結核病学会病型分類

a. 病巣の性状
 Ⅰ型（広汎空洞型）：空洞面積の合計が広がり1（後記）をこし，肺病変の広がりの合計が一側肺に達するもの
 Ⅱ型（非広汎空洞型）：空洞を伴う病変があって，上記Ⅰ型に該当しないもの
 Ⅲ型（不安定非空洞型）：空洞は認められないが，不安定な肺病変があるもの
 Ⅳ型（安定非空洞型）：安定していると考えられる肺病変のみがあるもの
 Ⅴ型（治癒型）：治癒所見のみのもの
 以上のほかに次の3種の病変があるときは特殊型として，次の符号を用いて記載する
 H（肺門リンパ節腫脹）
 Pl（滲出性胸膜炎）
 Op（手術のあと）
b. 病巣の拡がり
 1：第2肋骨前端上縁を通る水平線以上の肺野の面積をこえない範囲
 2：1と3の中間
 3：一側肺野面積をこえるもの
c. 病　　側
 γ：右側のみに病変のあるもの
 l：左側のみに病変のあるもの
 h：両側に病変のあるもの
d. 判定に際しての約束
 ⅰ）判定に際し，いずれに入れるか迷う場合には，次の原則によって割り切る
 ⅠかⅡはⅡ，ⅡかⅢはⅢ，ⅢかⅣはⅢ，ⅣかⅤはⅣ
 ⅱ）病側，広がりの判定は，Ⅰ～Ⅳ型に分類しうる病変について行い，治癒所見は除外して判定する
 ⅲ）特殊型については，広がりはなしとする
e. 記載の仕方
 ⅰ）（病側）（病型）（広がり）の順に記載する
 ⅱ）特殊型は（病側）（病型）を付記する．特殊型のみのときは，その（病側）（病型）のみを記載すればよい
 ⅲ）Ⅴ型のみのときは病側，広がりは記載しないでよい

memo

肺結核（Tb）⑵
tuberculosis

①ツベルクリン判定基準（表2）

表2　ツベルクリン反応の判定基準

判　　　定		符号	反　　　応
陰　　性		（−）	発赤の長径9mm以下の場合
陽性	弱　陽　性	（＋）	発赤の長径10mm以上の場合
	中等度陽性	（＋＋）	発赤の長径10mm以上で硬結を伴うもの
	強　陽　性	（＋＋＋）	発赤の長径10mm以上で硬結に二重発赤・水疱・壊死を伴うもの

②記載方法

下線部に発赤長径（二重発赤の場合は外側）を記入し，副反応が認められたら，（　）内を丸で囲む．

$\left(\dfrac{硬結の長径×短径}{発赤の長径×短径} \right)$ （二重発赤の長径×短径）

水疱・壊死があれば記入．

❹クォンティフェロン（QFT）/T-SPOT

BCGの影響を受けずツ反よりも感度・特異度ともに向上しており，接触者健診で有用．

❺血液検査

赤沈は有症状者の90%，無症状者の50%が陽性．

＜処　置＞

結核と診断したら，感染症法に基づき所定の「結核患者届出表」で診断後直ちに保健所に届ける．医療費が負担区分に応じて公費負担となる．

コンサルトのタイミング

❶見つけたら全例コンサルト

❷以下の患者は専門病院への入院適応の有無をコンサルトする．

①喀痰塗抹陽性患者：原則として全例が入院を要する．

第4章　疾患編

呼吸器疾患

②喀痰塗抹陰性であるが，胃液・気管支鏡検体で塗抹または培養，PCR が陽性で，かつ

　ⅰ）呼吸器症状があり感染防止に入院が必要

　ⅱ）外来治療中に排菌量の増加

　ⅲ）不規則治療や治療中断による再発

専門医での検査・処置

＜薬剤治療＞

①初回治療の標準療法（日本結核病学会：結核医療の基準の見直し．2008 より）

　(1)抗結核薬の区分

　　ⅰfirst-line drugs(a)：最も強力な抗菌作用を示し，菌の撲滅に必須の薬剤（RFP, INH, PZA）

　　ⅱfirst-line drugs(b)：おもに静菌的に作用し，ⅰとの併用で効果が期待される薬剤（SM, EB）

　　ⅲsecond-line drugs：ⅰⅱに比し抗菌力は劣るが，多剤併用で効果が期待される薬剤（KM, TH, EVM, PAS, CS）

　(2)標準的治療法

　　first-line drugs（a）3剤と first-line drugs（b）のいずれか1剤を加えた4剤併用療法が最強かつ6カ月（180日）間で治療を完了しうる最短の治療法．まず下記（A）法を用いて治療を行うこととし，副作用のため，PZA が投与不可の場合に限り，（B）法を用いる．

　・（A）法：RFP＋INH＋PZA に SM or EB の4剤併用で2カ月間治療後，RFP＋INH で4カ月間

　・（B）法：RFP＋INH＋SM or EB で2か月間治療後，RFP＋INH で7カ月間

　(3)治療期間

　　（A）法は6カ月（180日）間，（B）法は9カ月（270

387

肺結核（Tb）⑶
tuberculosis

日）間を標準的治療期間とする．

ただし，粟粒結核や病型分類Ⅰ型などの重症
例，3 カ月を超える培養陽性例，糖尿病や塵肺
合併例，全身的なステロイド薬・免疫抑制剤併
用例などでは各々3 カ月（90 日）間延長できる．

抗結核薬：リファンピシン（RFP）

リファジンカプセル（150 mg）　1 回 3 Cap
　　　　　　　　　　　　　　　　　㋤　朝食前

（10 mg/kg/day で，最大量 600 mg/day）

抗結核薬：イソニアジド（INH）

イスコチン錠（100 mg）　1 回 3 錠　㋤　食後
（4〜10 mg/kg/day で，最大量 500 mg/day）

INH の副作用予防（末梢神経障害）のために，
ビタミン B_6 も補充して行う．

活性型ビタミン B_6 製剤：ピリドキサールリン酸エステル

ピドキサール錠（30 mg）　1 回 1 錠　㋤　朝食後

抗結核薬：ピラジナミド（PZA）

ピラマイド末　1 回 1.2〜1.5 g　㋤　食後
（25 mg/kg/day で，最大量 1,500 mg/day）

抗結核薬：ストレプトマイシン硫酸塩（SM）

硫酸ストレプトマイシン注（1 g）　㋴　週 2 回投与
（15 mg/kg/day で，最大量 1,000 mg/day）

抗結核薬：エタンブトール塩酸塩（EB）

エブトール錠（250 mg）　1 日 3 錠　1 日 1〜3 回　㋤
（15 mg/kg/day で，最大量 750 mg/day）　朝昼夕食後

※いずれも副作用，薬剤相互作用に注意し，体重などに
合わせて投与量を増減．

第4章　疾患編

呼吸器疾患

②効果判定のため，検痰（2日連続）は毎月施行．胸部 Xp は，1～3 カ月おきに評価．
治療終了後，1 年間は 3 カ月おきに胸部 Xp 撮影し，その後，年 1 回で合わせて 3 年間経過観察．

＜副作用のチェック＞

①肝機能障害（RFP・PZA・INH）：AST・ALT 検査を最初の 2 カ月は 2 週おきに行う．いずれも 100 以下であれば，中止の必要なし．自覚症状（悪心・嘔吐，頭痛，黄疸）があり，重篤な肝障害が認められればいったんすべて中止．

②血小板減少・顆粒球減少・溶血性貧血（RFP）

③末梢神経炎（INH）：ビタミン B_6 投与にて予防．

④視神経炎（EB）：視野検査を投与前に行い，有症状時に再検．投与中止にて改善．

⑤高尿酸血症（PZA）：半数の患者で認められるが，2 カ月の短期投与では症状を起こすことはまれ．

＜その他＞

❶生活指導

①塗抹陰性・空洞なし・病巣の広がりが第 2 肋骨前端上縁水平線上一側肺の容積以下の 3 条件を満たせば，過激な労働でなければ就労可能．ただし，教員・病院勤務者・飲食業などの対人接触の機会の多い職種は，培養陰性が就労条件．

②①の条件を満たさない場合，3 カ月内服後，胸部 Xp 改善・抗酸菌塗抹陰性を確認して就労可．

③学校については，塗抹陰性であれば通学可．塗抹陽性の場合も，1 か月の薬剤治療後，4 週培養陰性で通学可能．通学可能の場合，体育・課外活動も可能．

④妊娠は，増悪因子になるため，治療中は避妊を．

⑤最も大事なのは，薬剤を確実に服用させること．

肺結核（Tb）⑷
tuberculosis

表 3　感染危険度の判定（3 回の喀痰検査で）

感染危険度	＝Gaffky 号数×咳の持続月数
最重要	10 以上
重要	0.1～9.9
その他	0 および肺外結核

注：喀痰塗抹（−）では気管支ファイバー，塗抹（＋）で
　　は「その他」として扱う．

❷接触者検診

　結核発症患者と同居中，職場など濃厚な接触を受
けたと考えられる人が保健所の指導で医療機関を受
診．また，院内で濃厚な接触を受けた医療従事者も
接触者検診が必要．表 3 に従って発症患者の重症度
を分類し，表 4 に従って接触者検診を実施．

❸潜在性結核感染症（latent tuberculosis infection：
LTBI）の治療

　結核発病への進展阻止を目的として行われる．治
療効果は 60～80％ で治療中も発病がないかモニ
ターが必要である．

＜対象者＞

・排菌結核患者との接触があり，LTBI として治
療が必要な者．以前は表 5 を参考に行っていた
が，現在は排菌結核患者に接触直後（もしくは，
以前にとられたベースライン値）と，8～12 週後の
2 回にわたって QFT-3G/T-SPOT を行い，陽
転化していれば LTBI として対処することを検
討する．

　なお，濃厚接触から 2 年経過すれば，その接触に
よる発病のリスクはなくなると考えてよい．

・既感染者で，ステロイドや免疫抑制剤などを使
用する者．

第4章 疾患編

呼吸器疾患

表4 接触者検診の対象，時期および内容

時期	初発患者の カテゴリー \ 接触者の年齢	0〜14歳 （中学生以下）	15〜29歳	30歳〜
登録直後から2カ月以内	最重要	①直後にツ反応 ②①で化学予防または治療となった者以外は，2カ月後に再度ツ反応を行う ①②とも，ツ反応陽性者にはX線検査を行う	直後にX線検査 ツ反応は，必要に応じて2カ月後に行う（15〜18歳の者ではできるだけツ反応を行うことが望ましい	直後にX線検査 ツ反応は，特別な場合を除いて不要
	重要	同上 （BCG接種歴がある場合は，直後を省略して2カ月後に1回のみでもよい）	2カ月以内にX線検査 ツ反応は，原則として不要	2カ月以内にX線検査 ツ反応検査は不要
	その他	2カ月以内にツ反応．必要に応じてX線検査を行う	2カ月以内にX線検査 ツ反応は不要	2カ月以内にX線検査 ツ反応は不要
登録後8〜14カ月	最重要	X線検査（※）	X線検査（※）	X線検査（必ず）
	重要	X線検査（※）	X線検査（※）	X線検査（必ず）
	その他	不要	不要	不要
登録後15〜24カ月	最重要	X線検査（※）	X線検査（※）	X線検査（必ず）
	重要	できればX線検査（※）	できればX線検査（※）	できればX線検査（※）
	その他	不要	不要	不要

※：登録直後〜2カ月以内のツ反応で感染が否定された者以外は，全員に必ず行う．
注：初発患者が治癒，転出，死亡などによって削除されている場合でも，登録後8〜14カ月および15〜24カ月の健診は初発患者のカテゴリーに応じて必ず行う．

memo

391

肺結核（Tb）⑸
tuberculosis

表5　予防投与の判定基準

結核患者との接触	BCG 未接種	BCG 既接種
あり	ツ反 10 mm 以上	ツ反 30 mm 以上
なし	ツ反 30 mm 以上	ツ反 40 mm 以上

＜治　療＞
　INH または RFP を使用．INH は 6 カ月，RFP は 4 カ月使用する．なお，治療量は活動性結核の場合と同じである．

フォローアップ外来
専門医と保健所の指示に従う．＜副作用のチェック＞を参照．☞ p. 389

✎memo

非結核性抗酸菌症 (1)

ポイント

① 土壌，水系に存在し，本邦で増加中である．

② 非結核性抗酸菌症は，*M. kansasii* を除いて薬物療法での根治は困難．

③ 多剤併用療法で有害事象も多岐に渡り，治療開始時期を見極める必要がある（画像での経過観察もオプション）．

総論・疫学

❶ 非結核性抗酸菌症（nontuberculosis mycobacteriosis：NTM）は，抗酸菌属から結核菌（*M. tuberculosis*），ウシ型菌（*M. bovis*），*M. africanum*，*M. microti*，癩菌（*M. leprae*），*M. lepraemurium*，*M. paratuberculosis* を除外した抗酸菌の総称で，水系や土壌に生息する環境菌による感染である．

❷ 本邦でしばしば認められる菌種は *M. avium*，*M. intracellulare*，*M. kansasii*，*M. abscessus* の4種で，その他，稀に見られる菌種もある．

❸ 20年間で漸増傾向を示し人口10万対7〜8程度の発生頻度で，*M. avium*，*M. intracellulare* を合わせた *Mycobacterium avium* complex（MAC）が約8割，*M. kansasii* が約1割を占める．「ヒト−ヒト感染」や「動物−ヒト感染」は認められていない．

病型

結節・気管支拡張型，線維空洞型（結核類似型），全身播種型，過敏性肺炎型(Hot tub lung)の4型がある．

❶ 結節・気管支拡張型：近年増加傾向で，中葉・舌区や上葉を中心とした気管支拡張を伴う経気道散布性病変で50歳以上の女性に多い．

❷ 線維空洞型：男性の喫煙者で多く，糖尿病や大酒家などに好発．

❸ 全身播種型：CD4陽性細胞数が50 cells/mm^{3}以下のAIDS など，細胞性免疫が低下した患者で認め，主

393

非結核性抗酸菌症 ⑵

に消化管から感染し，血行性播種により肝臓，脾臓，骨髄，リンパ節などに感染巣を形成．胸部では縦隔リンパ節腫大などで疑い血液培養により同定．

❹過敏性肺炎型：特殊な病型で，基礎疾患をもたない健常人が多量の MAC 菌を吸入することで発症し，両側びまん性に小葉中心性粒状影，汎小葉性すりガラス影ないし consolidation を認め，過敏性肺炎に類似した病態．井戸水や 24 時間循環型水槽などの MAC 菌を含む汚染水をシャワーとして使用，工事現場などで工具の洗浄を行う際に汚染された水をシャワー状に吹き付ける，などで MAC 菌を含むエアロゾル粒子が発生するため，生活歴や職業歴の問診が重要．

非専門医レベルで行うべきチェックリスト

＜症 状＞

喀痰，咳嗽，発熱（37℃台の微熱が多い）や食思不振，体重減少などの非特異的な症状，検診発見例など無症状の場合もある．

＜検 査＞

❶画像診断

①結節・気管支拡張型：胸部 CT で中葉・舌区や上葉を中心とした気管支拡張を伴う経気道散布性を呈する小葉中心性粒状影，結節影が特徴的である．

②線維空洞型：胸部 CT で上肺野の空洞・コンソリデーションを呈して肺結核に類似する画像を呈し，陳旧性肺結核，COPD，塵肺などの基礎疾患をもつ男性に多い．

③全身播種型：縦隔リンパ節腫大を認める以外，特異的な所見はない．

④過敏性肺炎型：胸部 CT（HRCT）で両側びまん性に胸膜直下が保たれた小葉中心性粒状影や汎小葉性すりガラス影ないし consolidation を認め，air

第 4 章　疾患編

呼吸器疾患

表 1　肺非結核性抗酸菌症の診断基準

A．臨床的基準（以下の 2 項目を満たす）

1．胸部画像所見（HRCT を含む）で，結節性陰影，小結節性陰影や分枝状陰影の散布，均等性陰影，空洞性陰影，気管支または細気管支拡張所見のいずれか（複数可）を示す．ただし，先行肺疾患による陰影が既にある場合は，この限りではない．

2．他の疾患を除外できる．

B．細菌学的基準（菌種の区別なく，以下のいずれか 1 項目を満たす）

1．2 回以上の異なった喀痰検体での培養陽性．

2．1 回以上の気管支洗浄液での培養陽性．

3．経気管支肺生検または肺生検組織の場合は，抗酸菌症に合致する組織学的所見と同時に組織，または気管支洗浄液，または喀痰での 1 回以上の培養陽性．

4．まれな菌種や環境から高頻度に分離される菌種の場合は，検体種類を問わず 2 回以上の培養陽性と菌種同定検査を原則とし，専門家の見解を必要とする．

以上の A，B を満たす．

（日本結核病学会・日本呼吸器学会）

trapping による末梢の過膨張（モザイクパターン）など，急性過敏性肺炎に類似した所見を認める．

❷細菌学的検査

環境生息菌であるため，臨床検体から検出されても必ずしも感染症とは限らず，喀痰では 2 回，気管支鏡検体であれば 1 回以上の同定で診断（**表 1**）．

❸血清診断法

画像から肺 MAC 症を疑い，喀痰が出ない症例では，抗 MAC 抗体（キャピリア MAC）で，感度が約 80％，特異度はほぼ 100％とされ有用．

非結核性抗酸菌症 ③

専門医での検査・処置

＜検　査＞

　気管支鏡：喀痰検査で確定できない場合に下気道検体の採取として施行，侵襲性が強く適応を検討．過敏性肺炎型では気管支肺胞洗浄でリンパ球分画の増加，CD 4/CD 8 比の上昇を認め，経気管支の肺生検では非乾酪性類上皮肉芽腫を認める．

＜治　療＞

❶ 肺 MAC 症

①肺 MAC 症は後述する多剤併用療法でも根治ができないため，胸部 Xp・CT で 1〜3 カ月程度経過観察し，増悪した時点での治療開始を検討．

②RFP, CAM, EB の 3 剤による多剤併用が基本で，抵抗性の場合は SM または KM を併用する（**表2**）．

③CAM が key drug で，CAM に対する薬剤感受性検査を行い，MIC が μg/mL 以下を感受性，32 μg/mL 以下を耐性，8〜16 μg/mL は判定保留とし，CAM 耐性の場合は AZM で代用．

④治療期間は「菌陰性化後約 1 年」とされるがエビデンスはなく，2 年程度の長い期間が望ましい．

⑤有害事象としては，味覚障害，胃腸障害，数カ月以内に軽度の骨髄抑制がみられる場合があり，白血球 2000/mm³, 血小板 10 万/mm³以下で RFP を

表 2　肺 MAC 症化学療法の用法・用量

RFP	10 mg/kg（600 mg まで）/日　分 1
EB	15 mg/kg（750 mg まで）/日　分 1
CAM	600〜800 mg/日（15〜20 mg/kg）　分 1 または分 2（800 mg は分 2 とする）
SM または KM の各々 15 mg/kg 以下（1,000 mg まで）を週 2 回または 3 回筋注	

第4章　疾患編

呼吸器疾患

中止．EB による視神経障害は投与期間が長いため注意を要し，眼科へコンサルト．

クラリス錠（200 mg）　1回3錠　1日1回　㉑　朝食後
　　または1回2錠　1日2回　㉑　朝夕食後
リファジンカプセル（150 mg）　1回3 Cap　㉑　1日1回
　　　　　　　　　　　　　　　　　　　　　　朝食前
エブトール錠（250 mg）　1回3錠　㉑　1日1回　朝食後

⑦特殊型である「過敏性肺炎型」では，過敏性肺炎に準じた抗原回避を行い，経口ステロイド内服を併用．感染症としての位置付けが確立されていないが，肺 MAC 症に準じて RFP，EB，CAM の3者療法を1年間程度併用で奏効率が上昇．

❷*M. kansasii*

①肺カンサシ症は薬剤効果が最も高い非結核性抗酸菌症で，INH，RFP，EB による多剤併用化学療法を排菌陰性化から1年間継続でほぼ治癒が見込める．

②RFP 耐性肺カンサシ症は1％未満で，初回治療例ではほぼ認められないため，再発例もしくは標準治療で効果が乏しい場合には結核用の薬剤感受性検査を検討する．

イスコチン錠（100 mg）　3錠　㉑　朝（5 mg/kg：300 mg まで）
リファジンカプセル（150 mg）　3 Cap　㉑　朝食前（10 mg/kg：600 mg まで）
エブトール錠（250 mg）　3錠　㉑　朝（15 mg/kg：750 mg まで）
（INH による末梢神経障害予防にビタミン B6 ☞ p. 388）

❸その他の菌種：希少疾患であり，基本的には結核専門病院での治療が望ましい．

397

非結核性抗酸菌症 (4)

フォローアップ外来
専門医の指示に従う.
❶治療開始から一度も塗抹検査が陰性化しない例は予後が悪い. 治療終了後再検査を行う.
❷緑膿菌含めた市中細菌の混合感染や真菌症（特にアスペルギルス）の合併に注意.
❸喀血することがあり, 患者説明を行っておく.
❹「肺結核」項目の＜副作用のチェック＞を参照.
☞ p.389

memo

慢性咳嗽（咳喘息・アトピー咳嗽）(1)

ポイント

❶ 原因が特定できず8週間以上持続する咳を慢性咳嗽といい，その多くは咳喘息や逆流性食道炎が占め，アトピー咳嗽も一部に含まれる．

❷ 胸部Xpで異常なく，血液検査でも炎症所見なく，抗菌薬や中枢性鎮咳剤が無効な症例で疑う．

❸ 咳喘息は喘息に準じて治療．一方，アトピー咳嗽は気管支拡張薬が無効であり，抗ヒスタミン薬で治療開始．

❹ 咳を生じる他の疾患を除外せず，安易に咳喘息と診断して治療を継続しない（鑑別は☞ p.186咳・痰）．

概念

咳喘息，アトピー咳嗽は共に好酸球性気管支炎．

非専門医レベルで行うべきチェックリスト

＜症　状＞

どちらも乾性咳嗽が唯一の症状であり，特に夜間から早朝に頻発し，タバコの煙や寒暖の差，会話で咳が誘発される．他のアレルギー疾患の合併といったアトピー素因を有することが多い．

＜検　査＞

胸部Xpや炎症反応に異常はなく，FeNO高値，IgE高値，特異IgE抗体陽性．

＜咳喘息とアトピー咳嗽の鑑別＞（表1）

一般臨床では，鑑別のために，中間量以上の吸入ス

表1　咳喘息とアトピー咳嗽の鑑別

	咳喘息	アトピー咳嗽
気道過敏性	亢進	正常
咳感受性	正常	亢進
気管支拡張薬	有効	無効
ヒスタミンH₁拮抗剤	一部有効	有効
喘息への移行	30%	なし

慢性咳嗽（咳喘息・アトピー咳嗽）(2)

テロイド薬／長時間作用性 β_2 刺激薬を処方してその
効果を評価し，咳喘息と診断する．

＜治　療＞

❶咳喘息

①以下を処方．

喘息治療配合剤：ビランテロール・フルチカゾン

レルベア 100 または 200　1日1回　㊶

※FeNO 高値例はレルベア 200

ロイコトリエン受容体拮抗剤：プランルカスト水和物

オノンカプセル（112.5 mg）　1回2 Cap　1日2回
　　　　　　　　　　　　　　　　　　㊬　朝・夕食後

②咳嗽・喀痰が強い症例は長時間作用性抗コリン薬
を併用．

3 成分配合喘息治療剤：フルチカゾン・ウメクリジニウム・ビランテロール

テリルジー100 または200　1回1吸入　1日1回　㊶

③重症例にはプレドニゾロン 20 mg/日 短期間内服
を考慮．

※咳喘息の一部に咳感受性亢進しているタイプが認め
られ，十分な効果が得られなければ，ヒスタミン H_1
拮抗薬の併用も考慮．

❷アトピー咳嗽

①ヒスタミン H_1 拮抗薬（60％に有効）

アレルギー性疾患治療剤：アゼラスチン塩酸塩

アゼプチン錠（1 mg）　1回2錠　1日2回　㊬
　　　　　　　　　　　　　　　　　　朝・夕食後

②上記で効果なければステロイド吸入（上記参照）．

③重症例にはプレドニゾロン20 mg/日 短期間内服.
咳喘息と異なり，症状が消失したら治療終了．

第4章　疾患編

呼吸器疾患

コンサルトのタイミング

　原因が特定できない，治療に反応しない時は専門医へコンサルト．

フォローアップ外来

　咳喘息では，症状が消失しても，約30％が喘息に移行するので，適切な治療が重要．

✎memo

気管支喘息（BA）(1)
bronchial asthma

ポイント

❶発作性の咳嗽，喘鳴，呼吸困難を特徴とし，可逆性を示す．夜間から早朝にかけて症状の出現が多い．

❷維持療法の基本は ICS/LABA で，必要に応じて LAMA を併用する．

チェックリスト

❶問診（**表1**）：①アトピー素因（小児喘息，アトピー性皮膚炎，蕁麻疹，アレルギー性鼻炎），②ペット飼育，③増悪因子（感冒，アレルゲン，運動，気象，食品，月経，ストレス），④薬歴（特に NSAIDs や β 遮断薬），⑤喫煙状況，⑥妊娠など．

❷身体所見：高調性連続性ラ音（wheeze），低調性連続性ラ音（rhonchi），発作が重症になるにつれ呼気延長，努力性呼吸，起坐呼吸を認めるようになる．

検 査

❶胸部 Xp（必要なら胸部 CT も），パルスオキシメーター，血液ガス分析，スパイロメトリー・ピークフロー測定，FeNO（22 ppb 以上），特異的 IgE 抗体，痰の抗酸菌検査など

❷ピークフロー：①喘息の診断のためにピークフローとその日内変動の測定，②初診時の重症度分類や，治療の経過の判定あるいは自己管理のためにはスパイロメトリーまたはピークフローを測定（**表2**）．

鑑別診断

❶心不全，COPD，過換気症候群，肺癌，気胸，気管支結核，気道異物，GERD，ACE 阻害薬による咳などの除外．

❷喘息の診断アルゴリズム（**図1**）に従い，
　①問診チェックリストから喘息を疑う．
　②喘息に対する特異的治療治療として中用量以上の ICS/LAMA を使用する．
　③反応性により喘息の診断を行う．

第4章 疾患編

呼吸器疾患

表 1 喘息を疑う患者に対する問診チェックリスト

大項目		■ 喘息を疑う症状(喘鳴,咳嗽,喀痰,胸苦しさ,息苦しさ,胸痛)がある.
小項目	症状	□ 1. ステロイドを含む吸入薬もしくは経口ステロイド薬で呼吸器症状が改善したことがある. □ 2. 喘鳴(ゼーゼー,ヒューヒュー)を感じたことがある. □ 3. 3週間以上持続する咳嗽を経験したことがある. □ 4. 夜間を中心とした咳嗽を経験したことがある. □ 5. 息苦しい感じを伴う咳嗽を経験したことがある. □ 6. 症状は日内変動がある. □ 7. 症状は季節性に変化する. □ 8. 症状は香水や線香などの香りで誘発される.
	背景	□ 9. 喘息を指摘されたことがある(小児喘息も含む). □ 10. 両親もしくはきょうだいに喘息がいる. □ 11. 好酸球性副鼻腔炎がある. □ 12. アレルギー性鼻炎がある. □ 13. ペットを飼い始めて1年以内である. □ 14. 血中好酸球が 300/μL 以上. □ 15. アレルギー検査(血液もしくは皮膚検査)にてダニ,真菌,動物に陽性を示す.

大項目+小項目(いずれか1つ以上)があれば喘息を疑う
→喘息の診断アルゴリズム

- 喘息は小児から高齢者まですべての年代において発症し得る疾患である.
- 喘息の診断には臨床症状が重要であるため,詳細な問診が必要である.
- 喘息の診断には"ゴールドスタンダード"となり得る客観的な指標はない.
- 喘息を疑う症状(喘鳴,咳嗽,喀痰,胸苦しさ,息苦しさ,胸痛)がある場合にはチェックリスト(表)に従い問診を行う.
- 喘息症状の中で最も特異性が高いのは"喘鳴"であり,頻度が高いのは"咳嗽"である.

(日本喘息学会:喘息診療実践ガイドライン 2022)

memo

気管支喘息（BA）⑵
bronchial asthma

表 2　喘息管理のために有用な検査

検査	概要	解釈
①スパイロメトリー[*1]	最も基本的な呼吸機能検査 ・努力性肺活量（FVC） ・1秒量（FEV$_1$） ・1秒率（FEV$_1$%＝FEV$_1$/FVC） 予測値に対する1秒率（%FEV$_1$）が主要な評価項目である	FEV$_1$%70％以上かつFEV$_1$80％以上で正常範囲とする．治療を進めても正常値まで回復しない症例は自己最良値の80％以上を目標とする．治療によりFEV$_1$が12％かつ200 mL以上改善すれば気道可逆性があると判断する
②ピークフロー（PEF）[*2]	簡便なPEFメータで測定するため自宅などで患者自身が気流制限を評価するのに適している．喘息の悪化が数値で判断できるためにより早く治療を強化できる．朝の服薬前と夜のPEF測定を継続することで気道過敏性と関連が深いPEFの日（週）内変動率を求めることができる	予測値に対するPEFが80％以上で正常範囲内とする．80％未満では長期管理薬の強化を考慮する．またPEF変動率が20％以上であれば発作を起こしやすい状態（気道過敏性亢進）のため長期管理薬の強化を検討する
③喘息日誌，質問票 ・Asthma Control Questionnaire（ACQ）	症状（5項目），発作治療薬使用（1項目），1秒量（1項目）から構成される質問票である	平均値が0.75以下でコントロール良好，1.5以上でコントロール不十分と判定する
・Asthma Control Test（ACT）	症状（5項目），発作治療薬使用（1項目），総合的評価（1項目）から構成される質問票である	合計点数が25点で十分なコントロール，20〜24点で良好なコントロール，19点以下でコントロール不良と判断する

［付記］
*1　気流制限の程度や気道可逆性を調べる際に推奨される方法であり診断とモニタリングに有用である．モニタリングにおいては年に数回程度実施することが望ましい

*2　気流制限の程度や変動性を在宅で調べる際に推奨される方法であり，診断とモニタリングに有用である．特に症状の不安定な患者や発作時に自覚症状の乏しい患者では定期測定を継続するべきである．呼出時の努力に大きく依存するため過小評価には注意を払う必要がある

第4章 疾患編

呼吸器疾患

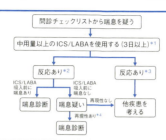

図1 喘息の診断アルゴリズム

(日本喘息学会:喘息診療実践ガイドライン 2022)

治療

❶患者教育

増悪因子やアレルゲンの回避．アドヒアランスの重要性を指導．可能な限りピークフローメーターを使用し客観的に治療管理する．また，自覚症状のスコア化には ACQ, ACT があり (**表2**)，その評価で治療変更の判断材料とする．

❷薬物治療

表3に示す基準で評価しコントロール良好を目指す．長期管理薬 (コントローラー) は吸入ステロイド (ICS), 長時間作用性 β_2 刺激薬 (LABA), 長時間作用性抗コリン薬 (LAMA), 徐放性テオフィリン製剤, ロイコトリエン受容体拮抗薬 (LTRA) などの抗

気管支喘息（BA）③
bronchial asthma

表3　コントロール状態の評価

	コントロール良好（すべての項目が該当）	コントロール不十分（いずれかの項目が該当）	コントロール不良
喘息症状（日中および夜間）	なし	週1回以上	コントロール不十分の項目が3つ以上当てはまる
発作治療薬の使用	なし	週1回以上	
運動を含む活動制限	なし	あり	
呼吸機能（FEV₁およびPEF）	予測値あるいは自己最高値の80%以上	予測値あるいは自己最高値の80%未満	
PEFの日（週）内変動	20%未満※1	20%以上	
増悪	なし	年1回以上	月1回以上※2

※1　1日2回測定による月内変動の正常上限は8%
※2　増悪が月1回以上あれば他の項目が該当しなくてもコントロール不良と評価する

アレルギー薬，経口ステロイドなどがある．基本治療はフローチャート（図2）に従い，中用量以上のICS/LABAから開始し，効果が乏しい場合は咳嗽，喀痰，呼吸困難が強い時はLAMAを鼻汁・鼻閉はLTRAなど他剤の併用を検討する．

　喫煙歴があり，喘息とCOPDの側面を併せもつ患者がおり，ACO（Asthma and COPD overlap）と呼ぶ．ACOではICSを基本に，COPDの治療としてLAMAやLABAの併用を考慮する．

❸処方例

①短時間作用性 β_2 刺激薬（SABA）：あくまで発作時

第4章 疾患編

呼吸器疾患

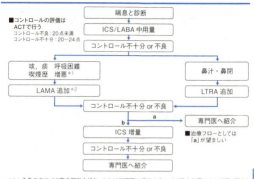

*1: 全身ステロイド薬の静脈内投与、または短期間の経口ステロイド薬を必要とする増悪 (発作)
*2: 咳, 痰, 呼吸困難のいずれかが強い場合は LAMA 併用可

図 2 喘息治療のフローチャート
(日本喘息学会: 喘息診療実践ガイドライン 2022)

頓用として処方する.

短時間作用型 β₂刺激薬: サルブタモール

サルタノールインヘラー (100 μg)　1回2吸入
　　　　　　　　　　　　　　　　1日4回吸入まで

②吸入ステロイド (ICS) (低/中/高はそれぞれ低用量・中用量・高用量の意)

吸入ステロイド薬: ブデソニド/フルチカゾン

パルミコート　1回 100〜800 μg　1日2回吸入
(低: 200〜400 μg/day, 中: 800 μg/day, 高: 1600 μg/day)
フルタイド　1回 100〜400 μg　1日2回吸入
(低: 100〜200 μg/day, 中: 400 μg/day, 高: 800 μg/day)

③テオフィリン/ロイコトリエン受容体拮抗薬 (LTRA): テオフィリン使用時は血中濃度に注意.

気管支喘息（BA）⑷
bronchial asthma

キサンチン誘導体：テオフィリン/ロイコトリエン受容体拮抗剤：プランルカスト

ユニフィル LA 錠　1回200～400 mg　㉑　夕食後

オノンカプセル（112.5 mg）　1回2 Cap　1日2回
㉑　朝・夕食後

④吸入ステロイド/長時間作用型 β_2 刺激薬配合剤
（ICS/LABA）

喘息治療配合剤：ビランテロール・フルチカゾン/サルメテロール・フルチカゾン/ブデソニド・ホルモテロール

レルベア 100/200　1回1吸入　1日1回吸入

低～中：100 製剤を1吸入/day，中～高：200 製剤を
1吸入/day

アドエア 100/250/500

低：100 製剤　1回1吸入　1日2回吸入

中：250 製剤　1回1吸入　1日2回吸入

高：500 製剤　1回1吸入　1日2回吸入

シムビコート

低：1回1吸入　1日2回吸入

中：1回2吸入　1日2回吸入

高：1回4吸入　1日2回吸入

⑤LAMA（閉塞隅角緑内障は禁忌，前立腺肥大症は稀に
排尿障害がある程度）

長時間作用型抗コリン薬：チオトロピウム

スピリーバ 2.5 μg レスピマット　1回2吸入
1日1回吸入

⑥SITT（single inhaler triple therapy）

ICS/LABA/LAMA を1剤で投与する SITT が普
及しており，以下の2剤が使用可能.

3成分配合喘息治療剤：フルチカゾン・ビランテロール・ウメクリジニウム

テリルジー 200 または 100　1日1回吸入
（FF/VI /UMEC）

第4章　疾患編　　　呼吸器疾患

表4　喘息増悪の強度と目安となる発作治療ステップ

発作強度[2]	呼吸困難	動作	検査値[1]				選択する発作治療ステップ
			PEF	SpO₂	PaO₂	PaCO₂	
喘鳴/胸苦しい	急ぐと苦しい 動くと苦しい	ほぼ普通	80%以上	96%以上	正常	45 mmHg未満	発作治療ステップ1
軽度（小発作）	苦しいが横になれる	やや困難					
中等度（中発作）	苦しくて横になれない	かなり困難 かろうじて歩ける	60〜80%	91〜95%	60 mmHg超	45 mmHg未満	発作治療ステップ2
高度（大発作）	苦しくて動けない	歩行不能 会話困難	60%未満	90%以下	60 mmHg以下	45 mmHg以上	発作治療ステップ3
重篤	呼吸減弱 チアノーゼ 呼吸停止	会話不能 体動不能 錯乱 意識障害 失禁	測定不能	90%以下	60 mmHg以下	45 mmHg以上	発作治療ステップ4

1）気管支拡張薬投与後の値を参考とする.
2）発作強度は主に呼吸困難の程度で判定する（他の項目は参考事項）. 異なる発作強度の症状が混在する場合は発作強度の重い方をとる.

3成分配合喘息治療剤：モメタゾン・インダカテロール・グリコピロニウム

エナジア吸入用カプセル高用量または中用量（MF/IND/GLY）1日1回吸入

※MF/IND/GLY の方がブリーズヘラーのため吸引流量が少なくても可.

❹増悪時の治療：増悪時はまず発作治療薬（リリーバー）の短時間作用性 β₂刺激薬（SABA）を使用する. 喘息発作の強度（**表4**）と目安となる「発作治療ステップ（**表5**）」を参照. ☞当直医 M

409

気管支喘息（BA）⑸
bronchial asthma

表 5　喘息の発作治療ステップ

治療目標：呼吸困難の消失，体動，睡眠正常，日常生活正常，PEF 値が予測値または自己最良値の 80%以上，酸素飽和度>95%（気管支拡張薬投与後の値を参考とする），平常服薬，吸入で喘息症状悪化なし

ステップの目安：治療目標が 1 時間以内に達成されなければステップアップを考慮する．

	治療	自宅治療可，救急外来入院，ICU 管理[1]
発作治療ステップ 1	β_2刺激薬吸入，頓用[2] テオフィリン薬頓用	自宅治療可
発作治療ステップ 2	β_2刺激薬ネブライザー吸入反復[3] アミノフィリン点滴静注[4] ステロイド薬点滴静注[5] 酸素吸入（鼻カニューレなどで 1〜2 L/分） ボスミン® （0.1%アドレナリン）皮下注[6] 抗コリン薬吸入考慮	救急外来 ・1 時間で症状が改善すれば帰宅 ・2〜4 時間で反応不十分 ─→入院治療 ・1〜2 時間で反応なし 入院治療：高度喘息症状治療として発作治療ステップ 3 を施行
発作治療ステップ 3	アミノフィリン持続点滴[7] ステロイド薬点滴静注反復[5] 酸素吸入（PaO₂ 80 mmHg 前後を目標に） ボスミン® （0.1%アドレナリン）皮下注[6] β_2刺激薬ネブライザー吸入反復[3]	救急外来 1 時間以内に反応なければ入院治療 悪化すれば重篤症状の治療へ
発作治療ステップ 4	上記治療継続 症状，呼吸機能悪化で挿管[1] 酸素吸入にもかかわらずPaO₂ 50 mmHg 以下および/または意識障害を伴う急激な PaCO₂の上昇 人工呼吸[1]，気管支洗浄 全身麻酔（イソフルラン・セボフルラン・エンフルランなどによる）を考慮	直ちに入院，ICU 管理[1]

第4章 疾患編

呼吸器疾患

1）ICU または，気管内挿管，補助呼吸，気管支洗浄などの処置ができ，血圧，心電図，パルスオキシメーターによる継続的モニタが可能な病室．重症呼吸不全時の挿管，人工呼吸装置の装着は，時に危険なので，緊急処置としてやむを得ない場合以外は複数の経験ある専門医により行われることが望ましい．

2）β_2刺激薬 pMDI：1～2パフ，20分おき2回反復可．無効あるいは増悪傾向時には β_2刺激薬1錠，またはアミノフィリン 200 mg 頓用．

3）β_2刺激薬ネブライザー吸入：20～30分おきに反復する．脈拍は130/分以下に保つようにモニタする．

4）アミノフィリン6 mg/kg と等張補液薬 200～250 mL を点滴静注，1/2量を15分間程度，残量を45分間程度で投与し，中毒症状（頭痛，吐き気，動悸，期外収縮など）の出現で中止．発作前にテオフィリン薬が十分に投与されている場合は，アミノフィリンを半量もしくはそれ以下に減量する．通常，テオフィリン服用患者では可能な限り血中濃度を測定．

5）ステロイド薬点滴静注：ヒドロコルチゾン 200～250 mg，メチルプレドニゾロン 40～125 mg，デキサメタゾン，あるいはベタメタゾン4～8 mg を点滴静注．以後ヒドロコルチゾン 100～200 mg またはメチルプレドニゾロン 40～80 mg を必要に応じて4～6時間ごとに，あるいはデキサメタゾンあるいはベタメタゾン4～8 mg を必要に応じて6時間ごとに点滴静注，またはプレドニゾロン 0.5 mg/kg/日，経口．ただし，アスピリン喘息の場合，あるいはアスピリン喘息が疑われる場合は，コハク酸エステル型であるメチルプレドニゾロン，水溶性プレドニゾロンの使用を回避する．

6）ボスミン®（0.1%アドレナリン）：0.1～0.3 mL 皮下注射 20～30分間隔で反復可．原則として脈拍は130/分以下に保つようにモニタすることが望ましい．虚血性心疾患，緑内障〔開放隅角（単性）緑内障は可〕，甲状腺機能亢進症では禁忌，高血圧の存在下では血圧，心電図モニタが必要．

7）アミノフィリン持続点滴：最初の点滴（上記6）参照）後の持続点滴はアミノフィリン 250 mg（1筒）を5～7時間で（およそ 0.6～0.8 mg/kg/時）で点滴し，血中テオフィリン濃度が 10～20 µg/mL（ただし最大限の薬効を得るには 15～20 µg/mL）になるよう血中濃度をモニタし，中毒症状の出現で中止．

✎**memo**

411

気管支喘息（BA）(6)
bronchial asthma

コンサルトのタイミング

❶ICS/LABA（高用量）やLRTA，LAMAなどを組み合わせてもコントロール不良（入院・救急外来受診を繰り返すなど）である難治例では，原則専門医への紹介が望ましい．専門医において経口ステロイド投与，抗IgE抗体（オマリズマブ：IgE値が30～1,500 IU/mLで適応），抗IL-5抗体（メポリズマブ）の併用等を検討する．

他，特殊な検査が必要な場合（アレルゲンテスト，誘発試験など），症状が典型的ではなく鑑別を要する場合などでも専門医へ紹介を考慮する．

❷急性発作治療の救急外来受診の目安としては，①中等度以上の喘息症状の時，②β_2刺激薬の吸入を1～2時間毎に必要とする時，③対処しても3時間以内に症状が改善しない時，④症状が悪化していく時，の4項目が挙げられ，患者教育が重要である．

表6　喘息治療におけるハイリスクグループ

ハイリスクグループとは，以下のいずれかがあてはまるものである．
① ステロイド薬の全身投与中あるいは中止したばかりである
② 過去の1年間に喘息発作による入院の既往がある
③ 過去の1年間に喘息発作により救急外来を受診している
④ 喘息発作で気管内挿管をされたことがある
⑤ 精神障害を合併している
⑥ 喘息の治療計画に従わない
⑦ 現在吸入ステロイド薬を使用していない
⑧ 短時間作用性β_2刺激薬の過度依存がある

memo

第4章　疾患編

呼吸器疾患

フォローアップ外来

　安定している患者の外来フォローは1〜3カ月毎でよいが，ハイリスクグループ（表6）は外来管理中に特段の注意を払う必要があり，長期処方は避け2〜4週毎の外来フォローが望ましい.

アスピリン喘息（NSAIDs過敏喘息）

　成人喘息の約10%はNSAIDs過敏性を有するといわれている. 患者の多くは30〜40歳代に発症する. 慢性鼻炎，慢性副鼻腔炎，鼻茸を合併することが多い. 喘息発症後にNSAIDs内服で発作がなければ否定的であるが，NSAIDsの初回内服によって発作が誘発される症例が40%あることに留意が必要である. 喘息発症後にNSAIDs未服用症例であれば，アスピリン喘息として対処することが無難である. 耳鼻科で副鼻腔炎・鼻茸が否定されると，アスピリン喘息の確率は低下する. 急性増悪時の治療はコハク酸エステル型ステロイド剤（サクシゾン®，ソル・メドロール®など）を静注すると喘息を増悪させたり，誘発させたりすることがあるため，アスピリン喘息が否定できないときはリン酸エステル型ステロイド剤（リンデロン®，デカドロン®など）を使用. 鎮痛効果を必要とするときはアセトアミノフェンやペンタゾシン，モルヒネなどを用いる.

文献
1) 日本アレルギー学会：喘息予防・管理ガイドライン2021.
2) 日本喘息学会：喘息診療実践ガイドライン2022.

✏ **memo**

慢性閉塞性肺疾患（COPD）⑴

chronic obstructive pulmonary disease

ポイント

❶ 40歳以上の喫煙者に，慢性の咳，喀痰，労作時呼吸困難などを伴う時に疑う．

❷ 診断基準は気管支拡張薬投与後に FEV_1/FVC（1秒率）＜70％を満たし，その他の疾患を除外することによる．

❸ mMRCやCATを用いて症状を評価し，増悪頻度を踏まえてABCDアセスメントにより治療方針を立てる．

❹ ワクチン接種，併存疾患の確認/介入も重要．

臨床所見

❶ 病歴：①40歳以上，②喫煙歴がある，③慢性の湿性咳嗽がある（慢性または反復性の湿性咳嗽が，少なくとも2年以上連続し，年間3カ月以上大部分の日に認める），④労作時呼吸困難がある，⑤風邪の後に咳の治りが悪い，などによりCOPDを疑う．

❷ 評価：呼吸困難の客観的評価方法として，modified British Medical Research Council（mMRC：MRC息切れスケール）（表1），COPDアセスメントテスト（CAT）（図1）が多く用いられる．

表1　mMRC息切れスケール

Grade 0	負荷のかかる運動のときのみ息切れがある
Grade 1	高所へのぼるときや平地を急ぐときに息切れがある
Grade 2	呼吸苦のため同年代の人よりゆっくり歩いている，または自分のペースで歩いていても呼吸のために休憩しないといけない
Grade 3	100mあるいは数分の歩行で休憩しないといけない
Grade 4	外出や着替えだけで息切れがある

第4章 疾患編　　　　　　　　　　　　　　呼吸器疾患

図1　COPDアセスメントテスト（CAT）質問表

低得点ほどCOPDの状態は良好と判断され，9点以下は影響レベルが「低い」，10〜20点は「中等度」，21〜30点は「高い」，31点以上は「非常に高い」と判断され，15点以下でのコントロールを目指す．

❸理学所見：樽状胸郭，口すぼめ呼吸，呼吸補助筋（胸鎖乳突筋や斜角筋）を使用する努力性呼吸．重症になると，チアノーゼ，奇異性呼吸，右心不全所見（浮腫，頸静脈怒張）．聴診では呼吸音の低下，呼気延長．気道狭窄例ではwheezeを聴取する．

❹全身合併症と肺合併症
①全身合併症
　　COPDは全身性炎症性疾患であるため，全身に種々の影響を及ぼす．骨粗鬆症，骨折，心筋梗塞，狭心症，GERD，消化性潰瘍，うつ病，睡眠障害，緑内障などの併存リスク上昇を伴う．それぞれの有無についてのスクリーニングを行う．

慢性閉塞性肺疾患（COPD）⑵
chronic obstructive pulmonary disease

②肺合併症

肺炎の併存リスクを 16.00 倍とするほか，肺高血圧症，気胸，肺癌などがある．

診断

慢性咳嗽，慢性喀痰，労作時呼吸困難のいずれかあるいは，長期間の喫煙歴や職業性粉塵曝露歴があれば COPD を疑う．気管支拡張薬投与後に FEV_1/FVC （1秒率）<70% であり，他の気流制限をきたす疾患（喘息，びまん性汎細気管支炎，気管支拡張症，塵肺，閉塞性細気管支炎，肺結核など）を除外できれば COPD と診断する．

検査

❶画像所見：軽症の場合には所見を認めないこともある．胸部 Xp で透過性亢進，横隔膜平坦，滴状心，胸部 CT では気腫型 COPD（肺気腫病変優位型）と非気腫型 COPD（末梢気道病変優位型）の分類が可能となる．気腫型 COPD では CT で気腫性陰影（肺過膨張所見，CT で上葉優位の低吸収領域（LAA：Low Attenuation Area））がみられる．

❷呼吸機能検査：短時間作用性 β_2 刺激薬（SABA）を 2 吸入して 15 分経過後のスパイロメトリーで FEV_1/FVC （1秒率）<70% を満たす．%FEV_1 （対標準1秒量）は病期分類で用いる（表2）．DLco（CO 拡散能）の低下．静肺コンプライアンスの高値．

❸血液ガス分析：呼吸不全の程度の把握

❹6 分間歩行試験：低酸素血症の検出は HOT 導入に有用であるため，必要時には行う．

❺終夜睡眠ポリグラフィー：夜間低酸素血症患者は HOT 導入の対象となる．また，睡眠時無呼吸症候群は COPD 増悪のリスク因子であるので持続陽圧呼吸療法（CPAP）による治療介入が重要である．

❻右心不全兆候が出現した場合には，BNP/NT-

第4章　疾患編

呼吸器疾患

表2　COPDの病期分類

	病　期	特　徴
I期	軽度の気流閉塞	%FEV$_{1.0}$≧80%
II期	中等度の気流閉塞	50%≦%FEV$_{1.0}$<80%
III期	重度の気流閉塞	30%≦%FEV$_{1.0}$<50%
IV期	きわめて高度の気流閉塞	%FEV$_1$<30%

気管支拡張薬投与後の1秒率（FEV$_1$/FVC）70%未満が必須条件.

proBNPに加えて可能であれば心エコーによる肺性心・肺高血圧症の評価も検討する.

治療

❶禁煙：禁煙は，呼吸機能の低下を抑制し，増悪の頻度，死亡率の抑制に重要である.

❷安定期の治療

①薬物療法：症状と増悪頻度からグループ分けし（図2），投薬方針を決める. ICSを含んでいる場合は，患者の状態に応じて治療のde-escalationを考慮する. ただし気管支喘息合併例であるACO（Asthma and COPD Overlap）ではICSを基本としLABA/LAMAを併用する. また，吸入薬はその手技によって効果が大きく変わるため，定期的に吸入方法の指導・確認をすべきである.

ⓐ気管支拡張薬（抗コリン薬，β2刺激薬）

Ⅰ）LAMA（緑内障は禁忌，前立腺肥大症は稀に排尿障害がある程度）（以下のいずれか）

長時間作用性抗コリン薬：チオトロピウム臭化物

スピリーバ2.5μgレスピマット　1回2吸入
1日1回吸入

417

慢性閉塞性肺疾患（COPD）(3)
chronic obstructive pulmonary disease

(a) COPD 症状/リスク評価

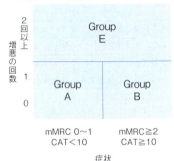

図 2　ABCD grading system

長時間作用性抗コリン薬：ウメクリジニウム臭化物
エンクラッセ（62.5 μg）　エリプタ　1回1吸入
　1日1回吸入
　　II）LABA

長時間作用性β₂刺激薬：インダカテロールマイレン酸塩
オンブレス吸入用カプセル（150 μg）　1回1 Cap
　1日1回吸入

第 4 章 疾患編 **呼吸器疾患**

Ⅲ）LAMA/LABA 配合剤（以下のいずれか）

抗コリン薬・β 刺激薬配合剤：グリコピロニウム・インダカテロール

ウルティブロ吸入カプセル　1回1Cap　1日1回吸入

抗コリン薬・β 刺激薬配合剤：ウメクリニジウム・ビランテロール

アノーロエリプタ　1回1吸入　1日1回吸入

抗コリン薬・β 刺激薬配合剤：チオトロピウム・オロダテロール

スピオルトレスピマット　1回2吸入　1日1回吸入

Ⅳ）LAMA/LABA/ICS（以下のいずれか）

3成分配合喘息・COPD 治療剤：フルチカゾン・ウメクリジニウム・ビランテロール

テリルジー（100）　1回1吸入　1日1回

3成分配合喘息・COPD 治療剤：インダカテロール・グリコピロニウム・モメタゾン

エナジア吸入用カプセル中用量　1回1吸入　1日1回

3成分配合喘息・COPD 治療剤：ブデソニド・グリコピロニウム・ホルモテロール

ビレーズトリエアロスフィア　1回2吸入　1日2回

Ⅴ）SABA（労作時の assist use として，労作の 15〜30分前に2吸入）

短時間作用性 $β_2$ 刺激薬：サルブタモール硫酸塩

サルタノールインヘラー（100 μg）　1回2吸入　1日4回吸入まで

419

慢性閉塞性肺疾患（COPD）⑷
chronic obstructive pulmonary disease

　　ⓑ喀痰調整薬
　　　　一部の患者（喀痰量が多い）では，喀痰調整薬
　　　は COPD の増悪頻度と増悪の罹病期間を改善
　　　する．

気道粘液調整・粘膜正常化剤：L-カルボシステイン

　ムコダイン錠（500 mg）　1回1錠　1日3回　㋑

気道潤滑去痰剤：アンブロキソール塩酸塩

　ムコソルバン錠（15 mg）　1回1錠　1日3回　㋑

　　ⓒマクロライド（以下のいずれか）
　　　　Grade D で LAMA，LABA，ICS の併用をし
　　　ていても増悪を繰り返す患者に導入を考慮する．

マクロライド系抗菌薬：エリスロマイシン/クラリスロマイシン

　エリスロシン錠（200 mg）　1回1錠　1日2〜3回　㋑
　クラリシッド錠（200 mg）　1回1錠　1日1〜2回　㋑

　②非薬物療法
　　ⓐ呼吸リハビリテーション：呼吸リハビリによ
　　　り，呼吸困難の軽減，運動耐容能の改善，健康
　　　関連 QOL（HRQOL）並びに ADL の改善が見込
　　　まれる．
　　ⓑ予防接種
　　　①インフルエンザワクチン
　　　　　65歳以上に対する接種で入院を30%，死亡
　　　　率を50%減少させるため，COPD 患者にはイ
　　　　ンフルエンザワクチン接種が推奨される．
　　　②23価肺炎球菌ポリサッカライドワクチン
　　　　（PPSV 23：ニューモバックス）
　　　　　65歳以上もしくは65歳未満で%FEV_1が
　　　　40%以下の患者では PPSV 23接種が推奨さ

第4章　疾患編　　　呼吸器疾患

れる．65歳以上を対象に指定の年齢で定期接種の対象となっているので，該当する患者には積極的に接種を勧める．

ⓒ栄養治療

COPDの患者では安静時エネルギー消費量が増加するなどの要因により栄養障害を来たしやすい．管理栄養士に依頼し，高エネルギー・高蛋白食を基本とした栄養指導を受けてもらうとよい．

ⓓ酸素療法（HOT：home oxygen therapy/LTOT：long-term oxygen therapy）

COPDでの在宅酸素療法の適応は，ⅰ）高度慢性呼吸不全で安静時 PaO_2 が 55 Torr 以下の者，および 60 Torr 以下で睡眠時または運動負荷時に著しい低酸素血症をきたす者，ⅱ）肺高血圧症を有する者（肺心性）である．SpO_2 から推測した PaO_2 を用いることは可能だが，pH，$PaCO_2$ を確認する意味でも動脈血液ガス分析が望ましい（PaO_2 55 Torr＝SpO_2 88％，PaO_2 60 Torr＝SpO_2 90％）．

酸素投与による目標は，安静時と睡眠時は PaO_2 60 Torr 以上，運動時はパルスオキシメータによるモニタリングで SpO_2 90％以上を保つ流量とする．

ⓔ換気補助療法

常時高 CO_2 血症を伴うような場合や夜間低換気による低酸素血症が問題となる場合，在宅での非侵襲的陽圧換気（NPPV）の適応を考慮する．

ⓕ外科療法・内視鏡療法

進行した重症のCOPD症例で検討しうるが，適応はごく限定的である．

慢性閉塞性肺疾患（COPD）⑤
chronic obstructive pulmonary disease

---

❷増悪期の治療☞当直医 M

「息切れの増加，咳や喀痰の増加，膿性痰の出現，胸部不快感，違和感の出現あるいは増強などを認め，安定期の治療内容の変更あるいは追加が必要となる状態」を「COPD 増悪」と呼ぶ．

①酸素療法

室内気吸入時で PaO_2 60 Torr 未満，あるいは SpO_2 90% 未満の場合，酸素療法の適応となる．CO_2貯留の検索は，血液ガス分析を行うことが望ましい．

酸素療法の目標は PaO_2 60 Torr 以上（SpO_2 90% 以上）とするが，増悪期は病状安定までは PaO_2 80 Torr 以上（SpO_2 95% 以上）でもよい．この際，II 型呼吸不全（$PaCO_2$が 45 Torr を超えるもの）は CO_2ナルコーシスを回避すべく，ベンチュリーマスクを用いて低濃度酸素（24%）から漸増する．ただし，CO_2ナルコーシスを恐れて低酸素状態を放置すべきでなく，CO_2ナルコーシスの兆候（意識障害，自発呼吸の減弱，呼吸促迫，不随意運動など）に留意し，酸素化が経鼻カニューレ，マスクで得られない場合は NPPV を考慮する．

NPPV の適応基準，除外基準は表 4 を参照．初期設定は，S/T モードで IPAP 8〜10 cm H_2O，EPAP 4 cm H_2O 程度とする．

②気管支拡張薬

ⓐ短時間作用性 β_2刺激薬（SABA）：2 プッシュ吸入し，症状に応じて 1 時間ごとに反復吸入するが，気道攣縮が強く心疾患など問題がなければ 30 分程度ごとの頻回吸入も可能である．院内ならネブライザーを使用する．

ⓑ短時間作用性抗コリン薬（SAMA）：SABA で十分な効果が得られない，もしくは心疾患などで

第4章　疾患編

呼吸器疾患

表 4　COPD 急性増悪における NPPV の選択基準

① 選択基準（2項目以上該当）
- 呼吸補助筋の使用と奇異性呼吸を伴う呼吸困難
- pH<7.35 かつ $PaCO_2$>45 Torr を満たす呼吸性アシドーシス
- 呼吸回数>25 回/分

② 除外基準
- 呼吸停止，極端に呼吸循環状態が不安定な患者
- 患者の協力が得られない場合
- 気道確保が必要な場合
- 頭部・顔面もしくは胃・食道の手術直後
- 頭部・顔面に外傷あるいは火傷がある場合

SABA が回避される場合に考慮する.

③ステロイド薬：プレドニゾロン 30〜40 mg/日を
5〜7 日間投与する.

④抗菌薬：膿性痰を認める場合は，気道感染の原因
菌であるインフルエンザ菌，肺炎球菌，*Moraxella
catarrhalis*，緑膿菌などをターゲットに，在宅で
は経口ペニシリン薬，レスピラトリーキノロン薬
を 5〜7 日間投与する.

コンサルトのタイミング

❶病期分類Ⅲ，Ⅳ期患者が増悪した場合.

❷病期分類Ⅰ，Ⅱ期患者で次のいずれかに該当した場合.
- ①室内気 SpO_2<90％または PaO_2<60 torr
- ②意識レベルの低下
- ③重症徴候の出現（呼吸補助筋使用，チアノーゼ，奇異性胸壁運動，浮腫，循環不全）.

❸合併症（心不全，肺炎，気胸，胸水など）が存在する場合.

423

慢性閉塞性肺疾患（COPD）(6)
chronic obstructive pulmonary disease

フォローアップ外来

❶ 毎回SpO₂を測定する．年1回気管支拡張薬吸入後のスパイロメトリー，画像診断や血液検査を実施．重症・最重症では血液ガスを年1回測定．（右）心不全徴候を認めたら（浮腫，体重増加，呼吸困難の増悪など），心電図，心エコー，BNP測定を行う．

❷ 呼吸機能障害に相当する場合，税金や医療費の軽減・免除，交通費・公共料金援助の可能性があるので，積極的に活用する（表5）．例えばLTOT患者では4級以上に該当する可能性が高い．

表5 呼吸機能障害等級の目安

	活動能力の程度	予測肺活量1秒率	PaO₂
1級	自己の身辺の日常生活活動が極度に制限	測定不能/20以下	50 Torr以下
3級	家庭内での日常生活活動が著しく制限	20〜30以下	50〜60 Torr以下
4級	社会での日常生活活動が著しく制限	30〜40以下	60〜70 Torr以下

文献

1) 日本呼吸器学会：COPD（慢性閉塞性肺疾患）診断と治療のためのガイドライン第4版．2013．
2) Global Initiative for Chronic Obstructive Lung Disease： Pocket Guide to COPD Diagnosis, Management, and Prevention. 2017.

びまん性肺疾患 (1)

ポイント

❶ 原因，重症度，経過は様々．急性経過で呼吸不全となる場合や確定診断に専門的手技を要する場合があり，専門医への紹介のタイミングを逸しない．

膠原病肺，特に amyopathic dermatomyositis（ADM：筋症状を伴わない皮膚筋炎）では急激な呼吸状態の悪化を認めるため，注意を要する．

❷ 最初に COVID-19 肺炎，異型肺炎や結核，日和見感染症（ウイルス，真菌）などの呼吸器感染症を区別．

❸ 免疫抑制療法を行うか，抗線維化薬を選択するかについて検討を要するため，専門医へ紹介する．

非専門医レベルで行うべきチェックリスト

日常診療でみられるびまん性肺疾患を**表1**に示す．

＜問　診＞

職業歴（塵肺，過敏性肺炎），居宅環境/黒カビ（過敏性肺炎），羽毛布団（慢性過敏性肺炎），鳥飼育歴（鳥飼病），薬歴（薬剤性肺障害），喫煙歴（ランゲルハンス細胞組織球症，急性好酸球性肺炎）．COVID-19 についても問診．

膠原病（膠原病肺，日和見感染症）や免疫不全（ニューモシスチス肺炎，サイトメガロウイルスなどのウイルス性肺炎）などの基礎疾患の確認．

＜身体所見＞

間質性肺炎の多くは fine crackles を両側下肺野背側で聴取．感染症や肺水腫の場合には coarse crackles を聴取．胸部 Xp が肺水腫パターンの場合には心不全や腎不全を考慮にいれた身体所見をとる（体重の増加，浮腫，尿量の把握，頸静脈怒張や夜間の発作性呼吸困難）．その他，膠原病を視野にいれ，皮疹，Raynaud 現象，光線過敏症，関節所見の確認．また，サルコイドーシスのように眼症状（ぶどう膜炎）を呈する疾患もある．

＜検　査＞

❶ 血液検査

びまん性肺疾患 ②

表 1　びまん性肺疾患の鑑別診断と検査

疾患	一般臨床で行う検査と診断推定のヒント
ARDS	急性発症の呼吸不全．心不全なし
マイコプラズマ肺炎	マイコプラズマ抗体，寒冷凝集素価，炎症所見
日和見感染症	サイトメガロ抗体，HIV 抗体
びまん性汎細気管支炎	副鼻腔炎の既往，炎症所見，CT 所見（小葉中心性粒状影，分岐影，中枢側の気管支拡張），閉塞性肺障害
粟粒結核/肺結核	ツ反，痰培養（粟粒結核の診断は肺生検を要す）
過敏性肺炎	職歴，加湿器使用の有無，鳥飼育歴，羽毛布団，居宅環境調査，炎症反応，KL-6，トリコスポロン抗体，帰宅試験
COP（特発性器質化肺炎）	移動性の浸潤影を示すことがある COP・CEP：CT で肺野外層の非区域性浸潤影（COP/EP パターン）
慢性好酸球性肺炎（CEP）	経過中に好酸球増多を認める
急性好酸球性肺炎	初回喫煙後の発症，胸水貯留
薬剤性肺障害	薬歴，DLST，KL-6
膠原病肺	抗 ARS 抗体を含む各種自己抗体，KL-6
サルコイドーシス	ACE，リゾリーム，カルシウム，リンパ節生検，皮膚生検，ガリウムシンチ
特発性間質性肺炎肺線維症	LDH，KL-6，SP-D，SP-A CT 画像で蜂巣肺あれば特発性肺線維症
石綿肺	職業歴
転移性肺腫瘍	原発巣の評価，腫瘍マーカー
浸潤性粘液産生性腺癌	喀痰細胞診，腫瘍マーカー，抗菌薬不応性の浸潤影
癌性リンパ管症	喀痰細胞診，腫瘍マーカー

第4章　疾患編　　　　　　　　　呼吸器疾患

①CRP 値，LDH，白血球数，赤沈：一般的な炎症
マーカーの意味合い．

②KL-6：間質性肺炎の炎症マーカーとして特発性
肺線維症・膠原病肺・過敏性肺炎・サルコイドー
シス・薬剤性肺障害などで上昇する．疾患特異性
はなく，感染症との鑑別に有用であるが，ニュー
モシスチス肺炎やレジオネラ肺炎で上昇をきたす
ことがある．SP-D，SP-A も間質性肺炎のマー
カーとして測定．

③マイコプラズマ LAMP 法，クラミジアニューモ
ニエ抗体

④自己抗体：抗核抗体やリウマトイド因子，各種自
己抗体を測定．特発性肺線維症の一部で陽性にな
ることもある．一般的には膠原病関連の肺疾患を
疑った場合，その膠原病に特異性の高い自己抗体
の測定が必要．また，肺病変先行型膠原病肺（結
合組織疾患）として，関節リウマチ，多発性筋炎/
皮膚筋炎（ADM を含む），全身性強皮症，混合性
結合組織症，ANCA 関連血管炎が比較的多く，膠
原病を示唆する所見がなくても抗 CCP 抗体，抗
ARS 抗体，抗 Scl-70 抗体，抗 RNP 抗体，MPO-
ANCA の測定を考慮．

⑤その他：ACE（サルコイドーシス），PR3-ANCA（多
発血管炎性肉芽腫症），トリコスポロン抗体（夏型過
敏性肺炎），疑わしい薬剤の DLST（薬剤性肺障害）

❷画像診断：胸 Xp に加え CT 撮像による肺病変を評
価．Xp，CT では陰影の分布が重要．特発性肺線維
症，NSIP は下葉肺底区優位，COP，慢性好酸球性
肺炎では肺野外層優位，慢性過敏性肺炎，サルコイ
ドーシス，じん肺では上肺優位，ニューモシスチス
肺炎ではスリガラス陰影を主に一部に浸潤影が混在
した陰影が地図上に分布するのが特徴的．粟粒結

427

びまん性肺疾患 ⑶

核，悪性腫瘍の血行性肺転移は random distribution pattern を示す．

①蜂巣肺：HRCT 所見のみで特発性肺線維症と診断が可能であるが，線維性過敏性肺炎，関節リウマチ，顕微鏡的多発血管炎でも認める．

②肺底区優位の線維化：下葉肺底領域に網状陰影や蜂巣肺を認める．特発性肺線維症，膠原病肺の一部，慢性過敏性肺炎，CPFE（気腫合併肺線維症）など

③多発する浸潤影：COP（特発器質化肺炎）がその代表．時に浸潤影は移動することもある．肺炎と同様の陰影を示すので区別が困難なこともある．慢性好酸球性肺炎・薬剤性肺障害との鑑別も必要．

④線維化を伴う浸潤影：肺底区に認める浸潤影で線維化が強いため病変の収縮傾向をみる．蜂巣肺は認めない．non-specific interstinal pneumonia（NSIP）を主とし一部の膠原病肺，薬剤性肺障害にも認める．

⑤すりガラス陰影：ニューモシスチス肺炎やウイルス性肺炎，急性間質性肺炎，過敏性肺炎，薬剤性肺障害，急性好酸球性肺炎，ARDS，肺水腫など．

⑥びまん性粒状陰影：粟粒結核，転移性肺腫瘍，過敏性肺炎，サルコイドーシス，塵肺など．

コンサルトのタイミング

❶呼吸不全を伴う進行性の経過を示す症例や診断がつかない症例は専門医へ速やかに紹介．

❷明らかな心不全，ARDS，非定形肺炎以外は専門医による気管支鏡などの検査や治療が必要となる可能性が高い．

❸抗線維化薬の適応が拡大したため，慢性経過の場合も専門医への紹介が望ましい（特発性肺線維症：ニンテダニブ・ピルフェニドン：進行性線維化を伴う間質性肺疾患・全身性強皮症に伴う間質性肺疾患：ニンテダニブ）．

気管支拡張症 (1)

ポイント

❶細菌感染による増悪では，10〜14 日間の抗菌薬治療（緑膿菌の検出歴の有無に応じた）を行う.

原因

先天的な要素をもった副鼻腔気管支症候群，幼小児期の肺炎，肺結核後遺症などが多い.

非専門医レベルで行うべきチェックリスト

＜症状＞

❶慢性の湿性咳嗽・多量の膿性痰を伴う wet bronchiectasis と，しばしば乾性咳嗽に血痰・喀血を伴う dry bronchiectasis に分けられる.

❷聴診所見は coarse crackle.

＜検査・診断＞

上記症状に加え，Xp 上の輪状影・小嚢胞影・tram line，および CT 上，気管支拡張所見で確定.

治療

喀痰量の減少と排痰促進を目的に治療. また，副鼻腔炎が合併している場合にはその治療も行う.

＜wet bronchiectasis＞

❶副鼻腔炎を伴うものでは，EM 少量長期療法（400〜600 mg）が有効で，喀痰量が著明に減少する. 効果発現には，月単位でかかることに注意.

マクロライド系抗菌薬：エリスロマイシン

エリスロシン錠(200 mg)　1回1錠　1日2〜3回

（内）

消化器症状など有害事象の際は CAM に変更.

マクロライド系抗菌薬：クラリスロマイシン

クラリシッド錠(200 mg)　1回1錠　1日1〜2回

（内）

❷喀痰調整薬，吸入療法. 重症例では，加圧式ネブライザーを購入してもらい（自費で1〜3万円かかる），1日2〜4回吸入.

気管支拡張症 (2)

気道粘液調整・粘膜正常化剤：L-カルボシステイン

ムコダイン錠（500 mg）　1回1錠　1日3回　内
朝昼夕食後

吸入用溶解剤：チロキサポール／気管支拡張β₂刺激剤：サルブタモール硫酸塩

アレベール　0.5 mL ┐
ベネトリン　0.3 mL ├ 1日2〜4回　吸
生食　　　　1.0 mL ┘

❸排痰のための体位ドレナージは有効．散歩などの運動によって自然に痰が出てくることが多い．
　また，排痰を促すフラッターという器械は，喀痰の多い場合に効果が認められることが多い（1万円ほどの自費購入）．

❹気道感染による急性増悪時には，喀痰量の増大，発熱，労作時呼吸困難などを認める．呼吸不全時はもちろん，症状の強いときは，入院．
　①外来治療の際は，培養検査など施行後，ペニシリン系が第1選択，主要起因菌は肺炎球菌・インフルエンザ桿菌で，平時に年1〜2回，喀痰モニタリング．
　②以前よりペニシリン耐性のインフルエンザ桿菌が検出されていれば，βラクタマーゼ阻害剤配合ペニシリン・第3世代セフェムを使う．
　③緑膿菌が検出されていれば，内服ではニューキノロンしかないが，それでも効果不十分または重症の場合，入院治療となり，アミノグリコシドなどの複数剤を用いた治療を要することが多い．
　④冬期は，モラクセラ・カタラーリス菌感染が増えるため，ペニシリンが効かないときには，上記以外に，ミノサイクリン，マクロライド，βラクタマーゼ阻害剤配合ペニシリンなどの使用を検討．

第4章 疾患編　　　　呼吸器疾患

<dry bronchiectasis>

基本的には経過観察のみでよいが，血痰出現時や感染合併時に治療を行う．

❶血痰の出る場合，少量ならば，細胞診・喀痰（抗酸菌含む）塗抹培養で他疾患の除外を行い，止血剤を処方．

抗プラスミン剤：トラネキサム酸

トランサミンカプセル（250 mg）　1回2Cap
　　　　　　　　　　　　1日3回　内　朝昼夕食後

❷喀血時の対処（入院対応）
　①バイタルサインと，呼吸不全の有無の確認
　②聴診・Xpにて，出血側が判明したら，出血側を下にした側臥位をとり，健側への血液流入を防ぐ．

抗プラスミン剤：トラネキサム酸

トランサミン注(250 mg)　1～2A ｝点　1時間かけて
生食　100 mL

　③止まっても経過観察のための入院を要す．
　④喀血時の抗菌薬：口腔内細菌の吸引を考慮して，嫌気性菌に有効な抗菌薬を選択．

ABPC/SBT　1.5 g　点　6時間ごと
　または
MEPM　0.5 g　点　8～12時間ごと

コンサルトのタイミング

大量に喀血し，持続する場合は，気管支鏡・気管支動脈塞栓術・肺葉切除術などを要することあり，可能な施設に入院．

memo

431

肺　癌 (1)

疫　学

肺癌は各種がんの部位別罹患率の第3位 (2012年)，部位別がん死亡率の1位（2005年以降）を占める．

非専門医レベルで行うべきチェックリスト

＜問　診＞

❶リスク：喫煙歴・石綿曝露歴・がんの既往歴，がんの家族歴

❷症状：体重減少，呼吸困難，胸痛，嗄声など．中枢型では咳嗽，喀痰，血痰など

＜身体所見＞

ばち指，頸部・鎖骨上窩リンパ節腫大の有無もチェック．

＜検　査＞

❶画像

検診では通常 Xp で判定するが，高リスク患者や有症状患者では CT 実施．

❷喀痰細胞診

高リスク群（喫煙，石綿曝露など）や中枢型を疑う時は併用．

❸腫瘍マーカー

CEA，CYFRA，Pro-GRP を補助診断として．

専門医での検査・処置

＜気管支鏡検査＞

画像診断で肺癌を疑う場合(☞ p. 286胸部単純Xp/CT)，診断および組織型〔非小細胞肺癌か（さらに，扁平上皮癌か非扁平上皮癌か）小細胞肺癌か〕，さらに非扁平上皮非小細胞肺癌ではドライバー遺伝子（EGFR，ALK，ROS1，BRAF，KRAS-G12C，METex14 skipping，RET など），PD-L1 発現率を検索する．細胞診陽性で画像所見なしの患者に対して中枢型肺癌の診断目的で実施．細胞診陰性かつ画像所見なしの患者でも持続性の咳や血痰を伴えば適応．

第４章　疾患編

呼吸器疾患

＜病期分類＞

TNM 分類および病期分類（第８版）を**表１, ２**に示す.

気管支鏡所見, 胸腹部造影CT, 頭部MRI, PET/CT（または骨シンチグラフィ）.

＜治　療＞

❶非小細胞肺癌

Ⅰ, Ⅱ期, ⅢAの一部（T3N1）は外科切除, その他のⅢA期, ⅢB期は化学放射線療法. Ⅳ期は化学療法または免疫チェックポイント阻害薬. 患者の全身状態（呼吸機能, PS, 心機能, 腎機能, 肝機能）も合わせて決定. なお, ⅠB期は術後UFT内服, Ⅱ期以降はシスプラチン＋新規抗癌剤による術後補助化学療法を行う.

なお, 非小細胞肺癌は「非扁平上皮非小細胞肺癌（Non-Sq）」と「扁平上皮癌」とに分けることで, Ⅳ期進行, 再発例で使用する薬剤がかわり（Non-Sqでは pemetrexed, 適応があれば bevacizumab の併用を考慮）, Non-Sqではドライバー遺伝子に応じた分子標的の薬を使用する. ドライバー遺伝子を認めない場合は複合免疫療法を検討する.

❷小細胞肺癌

Ⅰ期, Ⅱ期-ⅢB（限局型）には化学放射線療法. Ⅳ期（進展型）は化学療法. 外科切除はⅠ期の中でも適応はかなり限定的である.

フローアップ外来

専門医の指示に従う.

✎**memo**

肺　癌 (2)

表 1　TNM 分類第 8 版（IASLC）

[T 因子]

TX		原発腫瘍の局在同定が不可能か，あるいは画像上や気管支鏡では観察できないが，喀痰または気管支洗浄液中に悪性細胞が存在する場合
T0		原発腫瘍を認めない
Tis		上皮内癌または充実成分径 0 cm かつ病変全体径≦3 cm
T1		充実成分径が 3 cm 以下で，病変が主気管支に及んでいない
	T1mi	微少浸潤性腺癌（充実成分径≦0.5 cm かつ病変全体径≦3 cm）
	T1a	充実成分径が 1 cm 以下で，Tis，T1mi に該当しない
	T1b	充実成分径が 1 cm 超かつ 2 cm 以下
	T1c	充実成分径が 2 cm 超かつ 3 cm 以下
T2		充実成分径が 3 cm 超かつ 5 cm 以下，または主気管支に浸潤が及ぶが，気管分岐部には及ばないもの，臓側胸膜への浸潤，随伴する無気肺または閉塞性肺炎が肺門領域まで達し，片肺の部分または全体に及ぶもの
	T2a	充実成分径が 3 cm 超かつ 4 cm 以下
	T2b	充実成分径が 4 cm 超かつ 5 cm 以下
T3		充実成分径が 5 cm 超かつ 7 cm 以下，または胸壁（superior sulcus tumour を含む），壁側胸膜，横隔神経，心膜に直接浸潤，または原発巣と同一肺葉内の不連続な副腫瘍結節
T4		充実成分径が 7 cm 超，または横隔膜，縦隔，心臓，大血管，気管，反回神経，食道，椎体，気管分岐部に浸潤，または同側の異なる肺葉内の副腫瘍結節

[N 因子]

NX		所属リンパ節評価不能
N0		所属リンパ節転移なし
N1		同側の気管支周囲かつ/または同側の肺門・肺内リンパ節転移（原発腫瘍の直接浸潤を含む）
N2		同側縦隔リンパ節転移
N3		対側縦隔，対側肺門，同側あるいは対側の前斜角筋，鎖骨上窩リンパ節転移

[M 因子]

M0		遠隔転移なし
M1		遠隔転移あり
	M1a	対側肺内の副腫瘍結節；胸膜または心膜の結節，悪性胸水，悪性心嚢水
	M1b	肺以外の一臓器への単発遠隔転移
	M1c	肺以外の一臓器または多臓器への多発遠隔転移

（日本肺癌学会（編）：臨床・病理 肺癌取扱い規約．第 7 版，2010 より一部を改変）

第4章 疾患編　呼吸器疾患

表2 病期分類

	N因子 N0	N1	N2	N3	M因子 anyN, M1a	anyN, M1b	anyN, M1c
Tx	occult						
Tis	0						
T1mi	ⅠA1						
T1a	ⅠA1	ⅡB	ⅢA	ⅢB	ⅣA	ⅣA	ⅣB
T1b	ⅠA2	ⅡB	ⅢA	ⅢB	ⅣA	ⅣA	ⅣB
T1c	ⅠA3	ⅡB	ⅢA	ⅢB	ⅣA	ⅣA	ⅣB
T2a	ⅠB	ⅡB	ⅢA	ⅢB	ⅣA	ⅣA	ⅣB
T2b	ⅡA	ⅡB	ⅢA	ⅢB	ⅣA	ⅣA	ⅣB
T3	ⅡB	ⅢA	ⅢB	ⅢC	ⅣA	ⅣA	ⅣB
T4	ⅢA	ⅢA	ⅢB	ⅢC	ⅣA	ⅣA	ⅣB

(左端列見出し: T因子)

memo

睡眠時無呼吸症候群（SAS）(1)
sleep apnea syndrome

ポイント
長期間 SAS を放置しておくと，循環器系の合併症（高血圧，不整脈，虚血性心疾患，肺性心，脳血管障害）のリスクが高くなる．

病型　（図1）
❶閉塞型：上気道閉塞による口鼻の呼吸が停止しても胸腹部の換気運動が消失しないもの．
❷中枢型：口鼻呼吸の停止と同時に胸腹部の換気運動も停止するもの．
❸混合型：1つの無呼吸周期中に中枢型のタイプが先行して閉塞型のタイプへ移行するもの．

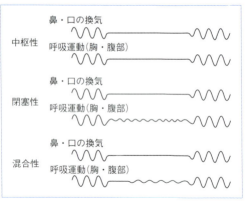

図 1　睡眠時無呼吸症候群の病型

第4章 疾患編

呼吸器疾患

閉塞型

上気道閉塞により10秒以上持続する無呼吸が生じ，睡眠分断と睡眠中の酸素飽和度低下を認める．

非専門医レベルで行うべきチェックリスト

＜問　診＞

❶ リスク，原因として肥満（SASの8割），小顎，上気道の狭小化，扁桃肥大などがある．

❷ いびき，日中の傾眠，集中力の欠如，睡眠中の窒息感，夜間頻尿，覚醒時の頭痛や口渇など．無症状の場合，ベッドパートナーから無呼吸やいびきを指摘されて来院するケースもある．

❸ Epworth sleepiness score（エプワース睡眠尺度，**表1**）：11点以上を異常な眠気と判定．

表1　Epworth sleepiness score

以下の状況でうとうとしてしまったり，眠ってしまうことがありますか．

（0：絶対にない　1：時々ある　2：よくある　3：大体いつも）

1．座って読書中（0　1　2　3）
2．テレビを見ているとき（0　1　2　3）
3．人が大勢いる場所（会議や映画館など）で座っているとき（0　1　2　3）
4．他の人が運転する車に乗っていて，1時間ぐらい休憩なしでずっと乗っているとき（0　1　2　3）
5．午後じっと横になって休んでいるとき（0　1　2　3）
6．座って人とおしゃべりをしているとき（0　1　2　3）
7．昼食後，静かに座っているとき（0　1　2　3）
8．自分で車の運転をしていて，信号待ちをしているとき（0　1　2　3）

睡眠時無呼吸症候群 (SAS) (2)
sleep apnea syndrome

専門医での検査・処置

＜検　査＞
終夜睡眠ポリグラフィー（PSG）：1時間当たりの無呼吸低呼吸指数（Apnea-Hypopnea Index）AHI≧5

＜治　療＞（図2）

❶生活指導

　肥満の改善，側臥位睡眠，アルコールや睡眠薬の禁止，禁煙．鼻閉患者の治療は耳鼻科で行う．

❷経鼻的持続陽圧呼吸療法（nasal continuous positive airway pressure：nCPAP）

　保険適用記載を解釈すると，精密ポリグラフ検査でAHI≧20かつ日中の眠気などの臨床症状を伴う場合，または簡易モニター上AHI≧40かつ臨床症状を伴う場合を適応と考えられる．導入は専門医のもとで行う．

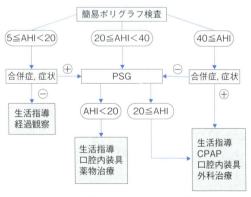

図2　ポリグラフ検査と治療指針

第4章　疾患編

呼吸器疾患

❸口腔内装具による下顎前方固定

歯列不良（義歯，差し歯も含む）や顎関節症，扁桃腫大などの咽頭狭窄には使用できない．歯科医に相談．

❹外科治療

扁桃腫大，軟口蓋狭窄に対して考慮される．

中枢型

原　因

脳血管障害後，心不全，神経筋疾患による呼吸筋低下などがある．

治　療

nCPAPを基本とする．薬物療法（アセタゾラミド）が試されることもあるが，効果は乏しく勧奨されない．

フォローアップ外来

基本は1か月に1度通院し，SpO_2を測定．

CPAP装置に保存されたデータを解析し，コンプライアンスや治療効果などをチェック．

✎memo

COVID-19 罹患後症状(long COVID)(1)

ポイント

❶ COVID-19 の重症度に関わらず罹患後症状がみられることが多く，特別な医療を要さない軽度の症状から長期にわたるサポートを必要とする症状までである.

❷ 時間経過とともに罹患後症状は改善することが多いが，年単位で推移したり再燃する場合もある.

❸ 病態は不明な点も多く，症状によっては単一の病態ではなく複数の病態が絡み合っている可能性がある.

定義

❶ SARS-CoV-2 に罹患した人にみられ，少なくとも 2 か月以上持続し，また，他の疾患による症状として説明がつかないもの.

❷ 急性期から回復した後に新たに出現する症状と，急性期から持続する症状がある（**表 1**）.

鑑別疾患

❶ 呼吸器症状：器質化肺炎，気胸・縦隔気腫，心疾患（心不全，虚血性心疾患など），肺炎，肺血栓塞栓症，うつ・不安症など.

❷ 循環器症状：虚血性心疾患，心不全，心筋炎・心膜炎，不整脈，血栓塞栓症など.

❸ 味覚・嗅覚症状：鼻副鼻腔炎，嗅裂炎，口腔乾燥症，口腔真菌症などの局所の病変，亜鉛欠乏，薬物，鉄欠乏性貧血，ビタミン B_1 や B_{12} の欠乏，糖尿病，肝疾患，腎疾患，悪性腫瘍，心因性など.

❹ 神経症状：脳卒中，神経・筋疾患，体位性頻脈症候

表 1 代表的な罹患後症状

・呼吸困難	・息切れ	・胸痛	・動悸	・頭痛
・咳	・喀痰	・咽頭痛	・嗅覚障害	・味覚障害
・疲労感	・倦怠感	・記憶障害	・集中力低下	
・抑うつ	・睡眠障害	・関節痛	・筋肉痛	・筋力低下
・脱毛	・皮疹	・下痢	・腹痛	

第4章 疾患編　　呼吸器疾患

群，筋痛性脳脊髄膜炎，慢性疲労症候群，認知症（認知機能の低下），うつ病などの精神疾患など．
❺精神症状；器質的疾患
❻痛み；器質的疾患（神経痛の場合もある）
❼皮膚症状；器質的疾患，薬物

非専門医レベルで行うべきチェックリスト

❶COVID-19の急性期の病歴（発症日，症状の経過，症状の期間と重症度，酸素投与や人工呼吸器使用の有無，療養場所，基礎疾患，合併症の種類，薬物治療の内容），急性期以降の症状の変化，体重の変化，新型コロナワクチンの接種歴．
❷SpO_2などのバイタルサイン（必要に応じて臥位と立位の血圧測定），身体診察（起坐呼吸，喘鳴，頚静脈怒張，下腿浮腫など）（図1参照）．

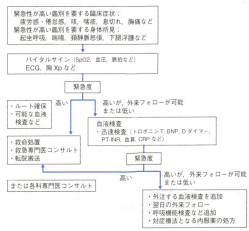

図1　COVID-19罹患後症状の緊急性が高い場合のフロー

441

COVID-19罹患後症状(long COVID)(2)

❸緊急性の高い疾患を鑑別するための検査(血液検査,画像検査,生理機能検査など)(図1参照).

❹後遺症を疑わせる症状でも,悪性腫瘍などの器質的な疾患や神経・筋疾患などを除外する.必要に応じて,各科専門医への紹介を検討する.

❺症状による社会生活への影響について確認する.

❻リハビリテーションが必要な場合,導入が可能かどうか,心機能や血栓症の有無など臓器別の評価を行う.

コンサルトのタイミング

❶致死的な疾患や早急な治療が必要な疾患が疑われる場合は速やかに救急専門医コンサルト.

❷原因精査の段階で各科専門医の精査が必要な場合.

❸自身でフォローできない場合.

外来フォローが可能な場合や専門医受診が難しい場合

❶心不全 ☞ p. 325 慢性心不全

❷気管支炎,肺炎 ☞ p. 354 急性気管支炎,☞ p. 360 市中肺炎

❸不安,抑うつ ☞ p. 234

①Brain fog(脳の霧)と呼ばれる「頭がボーっとする」ような症状や集中力の低下などに対して,倦怠感に対する治療に準じて治療する.

②規則正しい生活を勧めるなどの環境調整や,リハビリテーションの導入.

❹倦怠感:貧血,甲状腺機能など内科的疾患を除外したあと漢方薬などによる対症療法や,リハビリテーションの導入.

補中益気湯 1回2.5g 1日3回 Ⓝ

❺味覚障害:亜鉛を補充する(適応病名に注意)か,嗅覚異常を伴っていれば嗅覚異常に対する治療を併用する.

442

第4章　疾患編

呼吸器疾患

亜鉛含有胃潰瘍治療剤：ポラプレジンク

　プロマックD錠（75 mg）　1回1錠　1日2回　内

　　　または

低亜鉛血症治療剤：酢酸亜鉛水和物製剤

　ノベルジン錠（50 mg）　1回1錠　1日2回　内

❻嗅覚障害：エビデンスは低いが，漢方薬以外にもステロイド点鼻や内服，亜鉛製剤なども試されている．

　当帰芍薬散　1回2.5 g　1日3回　内

　　　または

　人参養栄湯　1回3.0 g　1日3回　内

❼脱毛：急性休止期脱毛の場合は時間経過を待つが，円形脱毛との鑑別が難しい場合などはアレルギー反応を抑制する意図で以下を検討（適応病名に注意）．

アレルギー性疾患治療剤：オロパタジン

　アレロック錠（5 mg）　1回1錠　1日2回　内

フォローアップ外来

❶原因に対する治療と，根治が難しい症状への対症療法を行いながら長期的な全人的フォローを行う．

❷3～6か月で症状が改善することが多いが，それ以上続く場合もある．改善が難しい場合は，各科専門医へ紹介を検討する．

❸アルコールや薬物への依存，うつ病の発症に注意する．

❹高齢者の場合，認知症の発症予防を意識する．

❺臓器別のリスク評価後，リハビリテーション導入．

❻就労について職域連携を念頭におく．

✏**memo**

胃食道逆流症（GERD）(1)

※本項は「胃食道逆流症（GERD）診療ガイドライン 2021
改訂第3版」（日本消化器病学会・他編）に準拠.

ポイント
❶日本では，逆流性食道炎の有病率は10%程度.
❷GERDには，食道粘膜障害を有する逆流性食道炎
と，非びらん性逆流症（NERD）がある.
❸非定型症状として，非心臓性胸痛，咽頭炎，咳嗽，
喘息，酸蝕歯などがある. 非心臓性胸痛以外では
PPIの治療効果は限定的.

鑑別疾患
❶好酸球性食道炎：つかえ感. アレルギー機序. 指定
難病. 気管支喘息や家族歴をチェック.
❷アカラシア：食道運動障害の代表的疾患. 食道扁平
上皮癌のリスクファクターである.
❸Barrett食道：「バレット粘膜（胃から連続的に食道に
伸びる円柱上皮で，腸上皮化生の有無を問わない）の存
在する食道」（第11版食道癌取扱い規約）. 酸や胆汁の
逆流が発症に関連. Barrett粘膜3cm以上のLSBE
はわが国ではBarrett食道の1%以下との報告が多
いが，要経過観察（食道腺癌頻度が本邦推定1.2%/年）.

非専門医レベルで行うべきチェックリスト
問診：定型症状は胸やけと呑酸. 自己記入式アン
ケートは有効（**表1**）.

専門医での検査・処置
2〜4週のPPI投与で改善がないケース，改善後に再
発したケースは，一旦は専門医による内視鏡が必要.
❶上部消化管内視鏡
①ロサンゼルス分類（**表2**）が有用.
②minimal changeの客観的診断，臨床的意義は十分
には確立していない.
③内視鏡の重症度と自覚症状は必ずしも相関せず.
④食道裂孔ヘルニアとは，密接に関連.

第4章　疾患編

消化器疾患

表1　Fスケール問診票

質問	記入欄				
	ない	まれに	時々	しばしば	いつも
1　胸やけがしますか？	0	1	2	3	4
2　おなかがはることがありますか？	0	1	2	3	4
3　食事をした後に胃が重苦しい（もたれる）ことがありますか？	0	1	2	3	4
4　思わず手のひらで胸をこすってしまうことがありますか？	0	1	2	3	4
5　食べたあと気持ちが悪くなることがありますか？	0	1	2	3	4
6　食後に胸やけがおこりますか？	0	1	2	3	4
7　喉（のど）の違和感（ヒリヒリなど）がありますか？	0	1	2	3	4
8　食事の途中で満腹になってしまいますか？	0	1	2	3	4
9　ものを飲み込むと、つかえることがありますか？	0	1	2	3	4
10　苦い水（胃酸）が上がってくることがありますか？	0	1	2	3	4
11　ゲップがよくでますか？	0	1	2	3	4
12　前かがみをすると胸やけがしますか？	0	1	2	3	4

※8点以上で，GERDの可能性が高いとされる．

（Kusano M, et al. *J Gastroenterol.* **39**, 888, 2004 を改変）

表2　GERDのロサンゼルス分類（改訂版）

粘膜障害とは，より正常に見える周囲粘膜と明確に区別される，白苔ないし発赤を有する領域．

Grade N　内視鏡的に変化を認めないもの．

Grade M　色調変化型（minimal change）

Grade A　長径が5mmを超えない粘膜障害のあるもの．

Grade B　少なくとも1カ所の粘膜障害の長径が5mm以上あり，それぞれ別の粘膜ヒダ上に存在する粘膜障害が互いに連続していないもの．

Grade C　少なくとも1カ所の粘膜障害は2条以上のヒダに連続して広がっているが，全周の3/4を超えないもの．

Grade D　全周の3/4以上にわたる粘膜障害

（臨床消化器内科 **11**：1563，1996 および *Gastroenterology* **111**：85，1999 を改変）

胃食道逆流症（GERD）(2)

❷P-CABテストは，治療的診断法ではあるが，PPIテストより有用な可能性はある．保険適用なし．

❸生活習慣の改善：肥満者の体重減少，夜間症状者に遅い夕食の回避のほか就寝時頭位挙上，禁煙など．

❹酸分泌抑制薬：逆流性食道炎およびNERDの両者に有効．

酸分泌抑制剤（PPI）：エソメプラゾール
ネキシウムカプセル（20 mg）1回1 Cap 1日1回 内

または

酸分泌抑制剤（P-CAB）：ボノプラザンフマル酸塩
タケキャブ錠（20 mg） 1回1錠 1日1回 内

※重症逆流性食道炎の初期治療には，ボノプラザン20 mg/日の4週間投与を提案．効果不十分なら同用量で8週まで延長．これでも改善しない場合は，「P-CAB抵抗性GERD」として対応する．重症逆流性食道炎の長期管理には，ボノプラザン10 mg/日を提案．

❺常用量のPPI抵抗性の場合，種類の変更，ガスモチン®・アコファイド®・六君子湯の追加などを検討．

❻PPI（P-CAB）は，長期に及べば，カルチノイドや消化管感染症増加（腸内細菌叢への影響）を考慮すべきで，最小限の用量での維持を提案．

コンサルトのタイミング

❶診断困難な場合やP-CAB抵抗性GERDの場合：食道インピーダンス・pHモニタリングが，非酸逆流も捉えられ，極めて有用．

❷外科的治療：腹腔鏡下Toupe法など．

memo

食道癌 (1)

ポイント

❶本項は「食道癌診療ガイドライン 2022 年版」(日本食道学会編) に準拠して記載.

❷表在癌は無症状のことが多く, 軽度のつかえ感, 食物通過時にしみる感じや痛みを訴えることがある.

❸進行癌では, つかえ感 (狭窄感) や嚥下困難, 播種性転移による胸・腹水, 縦隔リンパ節転移による反回神経麻痺 (嗄声) や, 肺・気管支浸潤による呼吸器症状.

❹危険因子としては, 組織学的に 90% 以上を占める扁平上皮癌では飲酒と喫煙など. 腺癌では GERD の存在 (Barrett 食道含む) など. ☞ p. 444 GERD

❺重複癌が多く, 日本食道学会の全国登録 (3rd) では, 約 20% の症例に認めた (約半数が同時性, 約半数が異時性).

疫 学

60～70 歳代が多い. 好発部位は, 胸部中部食道が 47%, 次いで胸部下部食道が 28% である. 人口動態統計では, 2019 年の粗死亡率は男性 15.9 (人口 10 万対), 女性 3.2 である.

鑑別疾患

好酸球性食道炎やアカラシア (☞ p. 444 GERD). ほかに強皮症 (CREST 症候群) など.

非専門医レベルで行うべきチェックリスト

問診:固形物での嚥下困難感など (アカラシアでは流動物でもありうる). 食道癌を疑えば, 早急に内視鏡を施行. 食道腺癌を除いた壁深達度を図 1 に, その進行度を図 2 に示す.

専門医での検査・処置

❶内視鏡:ヨード染色は, 癌の存在診断等に有用.
T1b-SM1 以浅 T1b-SM2 以深の鑑別に, NBI/BLI 併用拡大内視鏡を実施.

食道癌 (2)

- TX　原発巣の壁深達度が判定不可能
- T0　原発巣としての癌腫を認めない
- T1　表在癌（原発巣が粘膜内もしくは粘膜下層にとどまる病変）註1)
- T1a　癌腫が粘膜内にとどまる病変註2)
  - T1a-EP　癌腫が粘膜上皮内にとどまる病変（Tis）
  - T1a-LPM　癌腫が粘膜固有層にとどまる病変
  - T1a-MM　癌腫が粘膜筋板に達する病変
- T1b　癌腫が粘膜下層にとどまる病変（SM）註3)
  - T1b-SM1　粘膜下層を3等分し、上1/3にとどまる病変
  - T1b-SM2　粘膜下層を3等分し、中1/3にとどまる病変
  - T1b-SM3　粘膜下層を3等分し、下1/3に達する病変
- T2　原発巣が固有筋層にとどまる病変（MP）
- T3　原発巣が食道外膜に浸潤している病変（AD）註4)
- T4　原発巣が食道周囲臓器に浸潤している病変（AI）註5, 6, 7)

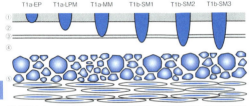

①粘膜上皮、②粘膜固有層、③粘膜筋板、④粘膜下層、⑤固有筋層

註1) 表在癌：癌腫の壁深達度が粘膜下層までにとどまるものを表在癌 superficial carcinoma と呼ぶ。リンパ節転移の有無を問わない。
註2) 早期癌：原発巣の壁深達度が粘膜内にとどまる食道癌を早期食道癌 early carcinoma of the esophagus と呼ぶ。リンパ節転移の有無を問わない。
註3) 内視鏡的に切除された標本では粘膜下層を3等分することが困難であるため、粘膜筋板から200μm以内の粘膜下層にとどまる病変を T1b-SM1 とし、粘膜筋板から200μmを超える粘膜下層に浸潤する病変をすべて T1b-SM2 とする（SM3は定義されない）。
註4) T3の亜分類は臨床診断のみに記載する。
註5) T4の亜分類は病理診断でのみ使用し、臨床診断では記載しない。
　　pT4a　心膜、横隔膜、肺、胸管、奇静脈、神経、胸膜、腹膜、甲状腺
　　pT4b　大動脈（大血管）、気管、気管支、肺静脈、肺動脈、椎体
註6) 原発巣が浸潤した臓器を明記する。
　　例：cT4（肺）、cT4（大動脈）、pT4a（肺）、pT4b（気管）
註7) リンパ節転移巣が食道以外の臓器に浸潤している場合は T4 扱いとし、「T4（転移リンパ節番号-浸潤臓器）」の順に記載する。
　　例：T4b（No.112aoA-大動脈）

図 1　壁深達度：Depth of tumor invasion (T)

（日本食道学会編：臨床・病理　食道癌取扱い規約　第12版、2022より改変）

第4章　疾患編

消化器疾患

A：臨床的進行度 clinical-stage 分類

壁深達度 ＼ 転移	N0	N1	N(2-3) M1a	M1b
T0,T1a	0	II	IIIA	IVB
T1b	I	II	IIIA	IVB
T2	II	IIIA	IIIA	
T3r	II	IIIA	IIIA	
T3br	IIIB			
T4	IVA			

B：病理学的進行度 pathological-stage 分類

壁深達度 ＼ 転移	N0	N1	N2	N3 M1a	M1b
T0	0	IIA	IIA	IIIA	IVB
T1a	0	IIA	IIB	IIIA	IVB
T1b	I		IIIA	IIIA	
T2	IIA	IIB	IIB		IIIB
T3	IIB	IIIA	IIIB	IVA	
T4a	IIIB	IIIB	IVA		
T4b	IVA				

図 2　進行度：Stage

（日本食道学会編：臨床・病理　食道癌取扱い規約　第 12 版, 2022 より改変）

❷造影 CT，MRI，PET などで，リンパ節転移，臓器浸潤，遠隔転移などを検索.

❸扁平上皮癌の内視鏡的切除（ER）：適応は全周性・5 cm 超以外の T1a-EP/LPM. 一方，非全周性の cT1a-MM（/cT1b-SM1）は，ER 後に病理学的検討をし，pT1b-SM 等は化学放射線療法（CRT）か食道切除を追加.

❹cStage I（T1b）は，食道切除（5 年全生存割合 86.5%）か根治的化学放射線療法（CRT）（同 85.5%）で，cStage II，III は手術療法を中心とした治療で，この

449

食道癌 (3)

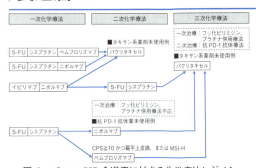

図 3 cStage ⅣB 食道癌に対する化学療法レジメン
(日本食道学会編:食道癌診療ガイドライン 2022 年版より改変)

場合,DCF(ドセタキセル+シスプラチン+5-FU)3 剤併用での術前化学療法を強く推奨.cStage ⅣA は,PS 良好等の条件で,根治的 CRT の適用があるが,致死的合併症も 10~20% に起こる.cStage ⅣB の化学療法レジメンは,図3 に示す.

フォローアップ外来

❶根治的 CRT で完全奏功となっても,1 か月後の内視鏡検査を施行し,その後も 1 年以内は 2~3 か月毎,以後 4~6 か月毎に施行.

❷根治切除後,米国 NCCN のガイドライン (2021) では,T1b は術後 3 年までは年 1 回の胸腹部 CT,T2-T4 は術後 2 年目までの半年毎(および有症状時)の胸腹部 CT.

❸重複癌が多いので,その早期発見も念頭におく.

memo

慢性胃炎 (1)

ポイント

❶ 臨床症状では，典型的には（空腹時の）心窩部痛と，時に胃酸逆流症状を伴う．

❷ 本来は病理学的に胃炎を慢性的に示す病気を指し，典型的なものはピロリ菌感染を伴い，胃粘膜の萎縮を伴うものを指す．

❸ 臨床症状を伴うのに，内視鏡的あるいは病理組織学的に胃炎を伴わないものは機能性ディスペプシア（☞ p. 460）である．

定　義

❶ 胃粘膜内に炎症細胞が浸潤し，それが慢性的に持続するものが慢性胃炎である．

❷ 炎症細胞浸潤により，粘膜に赤みがさし，腫れているのが特徴だが，経過が長いものには粘膜の萎縮のみが目立つものがある．びらんを伴うものを内視鏡的にはびらん性胃炎と呼ぶ．

非専門医レベルで行うべきチェックリスト

❶ 問診

　自覚症状がない慢性胃炎も少なくない．空腹時の心窩部痛が典型的な症状．食直後に心窩部痛を伴うものは機能性ディスペプシア（☞ p. 460）を疑う．食思不振や悪心を伴うこともあるが，発熱を伴うことはほぼない．

❷ 理学所見

　心窩部の圧痛を確認する．腹部全体に圧痛がある場合は他疾患を考える．

❸ 上部消化管内視鏡：内視鏡的に胃炎を認めることがピロリ菌陽性時は除菌療法の必須条件．

　☞ p. 456 ヘリコバクター・ピロリ除菌療法

❹ 腹部エコー：心窩部痛以外の症状がある場合は胆石や慢性膵炎を除外するために行う．

451

慢性胃炎 (2)

治療 ☞ p.456 ヘリコバクター・ピロリ除菌療法

❶胃酸の抑制

H2受容体拮抗剤：ファモチジン
ガスター錠（10 mg）　1回1錠　1日1回　内

　　または

プロトンポンプ阻害剤：ラベプラゾールナトリウム
パリエット錠（10 mg）　1回1錠　1日1回　内

❷胃粘膜保護剤：原則不使用でもよい．

胃炎・胃潰瘍治療剤：レバミピド
ムコスタ錠（100 mg）　1回1錠　1日3回　内
　　　　　　　　　　　　　　　　　　食後

専門医での検査・処置
　上部消化管内視鏡，腹部エコーなど．

コンサルトのタイミング
　上記治療やヘリコバクター・ピロリ除菌療法を行っても症状や所見に改善が認められない場合．

フォローアップ外来
❶自覚症状が続く場合は定期受診で内服を継続する．
❷胃癌検診を受ける．

memo

消化性潰瘍 (1)

※「消化性潰瘍診療ガイドライン2020（改訂第3版）」（日本消化器病学会編）に準拠.

ポイント

❶ 消化管出血や穿孔がなければ外来で治療が可能（GBS（**表1**）が1点以下は，緊急内視鏡での介入は不要とされる）.

❷ 内視鏡的止血困難例には，IVRは有用である.

非専門医レベルで行うべきチェックリスト

初見では，タール便や貧血症状の有無を問診し，shock index（心拍数/収縮期圧，ショック指数）が1.0以上なら救急搬送を考慮する. BUNやHbは検査している余裕がない場合がある. 上部消化管検査で，出血性潰瘍，悪性所見，ピロリ菌感染などの有無を確認.

治療・処置

❶ ピロリ菌除菌：消化性潰瘍の再発予防に除菌療法は有効. 除菌成功後の消化性潰瘍再発は非常に低率（1〜2%）で，再発予防のための抗潰瘍薬は不要. 同じく，ピロリ菌の再陽性化率も年率2%以下. 除菌後，一時的にGERD症状が出現・増悪するかもしれないが，それが除菌療法の妨げにはならない. ただし，除菌成功後も胃癌の発生リスクはあり，上部消化管検査は必須. ☞ p.456 ヘリコバクター・ピロリ除菌療法

❷ 非除菌治療（初期治療）：胃潰瘍および十二指腸潰瘍の初期治療での第一選択はPPIないしはボノプラザン（タケキャブ®）で，PPIに防御因子増強薬を併用しても，上乗せ効果は得られず，両潰瘍とも単独投与.

酸分泌抑制剤（P-CAB）：ボノプラザンフマル酸塩

タケキャブ錠（20mg）1回1錠　1日1回　内
※ボノプラザン20mg/日を，胃潰瘍では8週間，十二指腸潰瘍では6週間投与する.

❸ 非除菌治療（維持療法）：胃潰瘍ではH₂ブロッカーやアルサルミン®で1年を目安に，十二指腸潰瘍では

消化性潰瘍 ⑵

表 1　Glasgow-Blatchford スコア（GBS）

収縮期圧（mmHg）	点数	BUN（mg/dL）	点数
100〜109	1	18.2 以上 22.4 未満	2
90〜99	2	22.4 以上 28.0 未満	3
<90	3	28.0 以上 70.0 未満	4
男性 Hb（g/dL）	点数	70 以上	6
12 以上 13 未満	1	その他	点数
10 以上 12 未満	3	脈拍≧100/分	1
10 未満	6	黒色便	1
女性 Hb（g/dL）	点数	失神	2
10 以上 12 未満	1	肝疾患	2
10 未満	6	心不全	2

※点数が高いほど再出血や死亡のリスクが高い.
※1 点以下は緊急内視鏡での介入は不要とされる.
(Blatchford O, et al. *Lancet* 2000：356：1318 より単位を改変)

PPI・H$_2$ ブロッカーやアルサルミン® で 2 年を目安にする.

❹ NSAIDs〔LDA（low dose aspirin：低用量アスピリン）含む〕による薬物性潰瘍
　①予防治療がされていないと胃潰瘍の発生頻度は 10〜15％, 十二指腸潰瘍の発生頻度は 3％, 消化管出血の発生頻度は約 1％.
　②発生時期は継続的も, 特に開始後 3 か月以内.
　③NSAIDs 座薬と経口の NSAIDs 製剤を比較しても, 潰瘍発生率には差がない.
　④NSAIDs 単独や LDA 単独より, 併用にて潰瘍リスクが上昇.
　⑤NSAIDs 潰瘍治療中において, ピロリ菌除菌は, 治癒を促進するという報告はないが, 初めて

第4章　疾患編　　　　　　　　　　消化器疾患

NSAIDs を投与開始する場合は，明らかに事前の除菌は潰瘍予防に有効．また，LDA による上部消化管出血再発抑制には，除菌して PPI の投与が有効も，本 PPI は本出血の二次予防には保険適用なし．

⑥治療は NSAIDs の中止と抗潰瘍薬投与である．即ち，投与継続は禁忌．中止不可能なら，第一選択は PPI．一方，LDA 潰瘍は，できれば LDA を休薬せず PPI で治療．

⑦NSAIDs 潰瘍発生予防は潰瘍既往歴がない患者でも PPI で行うべきだが，本予防投薬は保険未適用．LDA 服用例でも一次予防の PPI は保険未適用（ネキシウム® のみ LDA 服用時の予防投与に保険適用あり）．

⑧セレコックス® などの COX-2 選択的阻害薬は，非選択的 NSAIDs に比し，潰瘍の発生率は低率．

❺NSAIDs 以外による薬物性潰瘍

①骨粗鬆症治療薬のアレンドロン酸，抗癌剤（シクロホスファミド＋メトトレキサート＋フルオラシルないしは，フルオラシル単剤）および選択的セロトニン再取り込み阻害薬．

②「糖質ステロイドは，消化性潰瘍発生のリスクファクターとはならない」が，NSAIDs 併用では注意を要する．つまり，あくまで NSAIDs がリスクファクター．

フォローアップ外来

❶非ピロリ菌・非 NSAIDs 潰瘍の大部分は特発性潰瘍で，本邦では胃潰瘍の 12%，十二指腸潰瘍の 11% で，増加中．

❷胃潰瘍および十二指腸潰瘍の非除菌維持療法中は，潰瘍再発や胃癌早期発見のため，内視鏡が必要で，治療終了後も同様に定期的に内視鏡で観察すること．

455

ヘリコバクター・ピロリ除菌療法 (1)

ポイント

❶ 「*H. pylori* 感染の診断と治療のガイドライン」(日本ヘリコバクター学会) は 2016 から改訂がない. 故に, 準拠しつつ記載するも, 除菌レジメンなどは「消化性潰瘍診療ガイドライン 2020」(日本消化器病学会) に則し記載. ☞ p. 453 消化性潰瘍

❷ 感染者全員が, 原則的に治療対象.

❸ 本邦, 海外とも, 主な感染時期は乳幼児期で, 主な経路は家族内感染.

診断

❶ 感染の診断:除菌前および除菌後のピロリ菌感染の診断には, 次の検査法があり, 複数の検査を組み合わせることで診断精度が向上する.

　　①迅速ウレアーゼ試験 (ヘリチェック® など), ②鏡検法, ③培養法, ④尿素呼気試験, ⑤抗ピロリ菌抗体測定, ⑥便中ピロリ菌抗原測定, ⑦核酸増幅法. ※このうち①〜③および⑦は内視鏡が必要.

　　ただし, ピロリ菌に静菌作用を有する薬剤 (PPI, P-CAB など) の投与は少なくとも 2 週間の中止が望ましい.

❷ 除菌判定:除菌治療薬中止後 4 週以降に行う.

❸ 診断の補助:ペプシノゲン (PG) 法 ☞ p. 262

非専門医レベルで行うべきチェックリスト

＜除菌適応疾患 (表 1)＞

❶ ピロリ菌感染胃炎:わが国の萎縮性胃炎の大部分はピロリ菌感染による. 除菌により胃粘膜炎症の改善, 胃粘膜萎縮の改善, 腸上皮化生の進展抑制などがみられる. 胃癌の一次予防の観点からも除菌を推奨.

❷ 胃潰瘍・十二指腸潰瘍:ピロリ菌陽性の非 NSAIDs 潰瘍は, 除菌により潰瘍再発の抑制が見られる.

❸ 早期胃癌に対する内視鏡的治療後胃:エビデンスは

第 4 章　疾患編

消化器疾患

表 1　ピロリ菌除菌療法適応疾患

ピロリ菌感染症	
ピロリ菌除菌が強く勧められる疾患	ピロリ菌感染との関連が推測されている疾患
1. ピロリ菌感染胃炎 2. 胃潰瘍・十二指腸潰瘍 3. 早期胃癌に対する内視鏡的治療後胃 4. 胃 MALT リンパ腫 5. 胃過形成性ポリープ 6. 機能性ディスペプシア （ピロリ菌関連ディスペプシア） 7. 胃食道逆流症 8. 免疫性（特発性）血小板減少性紫斑病（ITP） 9. 鉄欠乏性貧血	1. 慢性蕁麻疹 2. Cap polyposis 3. 胃びまん性大細胞型 B 細胞性リンパ腫（DLBCL） 4. 直腸 MALT リンパ腫 5. パーキンソン症候群 6. アルツハイマー病 7. 糖尿病

（日本ヘリコバクター学会：*H. pylori* 感染の診断と治療のガイドライン 2016 改訂版.）

　確立している. しかし, 除菌後も胃癌スクリーニングは定期的に必要.

❹胃 MALT リンパ腫：胃限局期の多くは, 除菌後寛解が得られる.

❺胃過形成性ポリープ：除菌によりポリープの消失や縮小が期待できる. しかし, 20 mm 超えの場合は癌化の可能性があり, 内視鏡的切除を考慮する.

❻ピロリ菌関連ディスペプシアは, FD 項を参照のこと. ☞ p. 460 機能性ディスペプシア

❼その他：GERD については, 治療の妨げにならないと, 決着（☞ p. 453 消化性潰瘍）. ほか, ITP（☞ p. 710）など.

ヘリコバクター・ピロリ除菌療法 (2)

治　療

　除菌療法中は禁煙させる（除菌率の低下がありえる）．また，除菌後に GERD 症状が出現または増悪することがあることを事前に説明．

❶一次除菌療法：代表的処方を示す．

P-CAB：ボノプラザンフマル酸塩

　タケキャブ錠（20 mg）　1回1錠　1日2回　内

　and

合成ペニシリン：アモキシシリン（AMPC）/マクロライド系抗菌薬：クラリスロマイシン（CAM）

　サワシリン（250 mg）　1回3 Cap（錠）　1日2回　内
　クラリス（200 mg）　1回1〜2錠　1日2回　内

　※以上を7日間服用のこと．ボノサップパック®（タケキャブ錠®，アモリンカプセル，クラリス錠®の組み合わせ）として一括処方できる．ガイドラインでは，CAM の用量は，200 mg 1日2回を推奨した．副作用は，最多は下痢・軟便，他に味覚異常，舌炎，口内炎など．偽膜性大腸炎，出血性大腸炎には注意．

❷二次除菌療法：代表の処方を示す．

P-CAB：ボノプラザンフマル酸塩

　タケキャブ錠（20 mg）　1回1錠　1日2回　内

　and

合成ペニシリン：アモキシシリン（AMPC）/抗原虫剤：メトロニダゾール（MNZ）

　サワシリン（250 mg）　1回3 Cap（錠）　1日2回　内
　フラジール内服錠（250 mg）　1回1錠　1日2回　内

　※ボノピオンパック®（タケキャブ錠®，アモリンカプセル，フラジール内服錠®の組み合わせ）として一括処方

第4章　疾患編

消化器疾患

できる．MNZは禁酒が必要（ジスルフィラム–アルコール反応のため）．MNZは，特に妊娠3ヵ月以内は禁忌．

コンサルトのタイミング

❶除菌後に逆流性食道炎やGERD症状が増悪した場合．

❷二次除菌が不成功の場合．三次除菌としては，PPIにSTFX（グレースビット®）と，AMPCかMNZを組み合わせたレジメンがある（保険適用外）．ボノプラザン使用レジメンは不詳．

❸中学生の場合．国内でのピロリ菌感染者は人口の約35％で，有病率は低下している．一方，感染のスクリーニングは中学生以降は可能とあり，青少年期の除菌治療は次世代への感染対策に有効．詳細は日本ヘリコバクター学会作成「中学生ピロリ菌検査と除菌治療 自治体向けマニュアル」（2023年4月24日改訂）を参照．

フォローアップ外来

除菌後も胃癌などの発症リスクが続くため，胃カメラなどでのフォローは必須である．

📝**memo**

機能性ディスペプシア (1)
functinal dyspepsia (FD)

※「機能性消化管疾患診療ガイドライン 2021―機能性ディスペプシア (FD) 改訂第2版」(日本消化器病学会編) に準拠.

ポイント

❶ FD は, 器質的疾患を除いた, ディスペプシアを呈する疾患である. ディスペプシアとは, 心窩部を中心とした疼痛や胃もたれなどの症状をさす. GERD による症状は含めない.

❷ FD の有病率は, 健診受診者の 11〜17%, 上腹部症状を訴え受診した患者の 45〜53%.

定 義

❶ 2021 年の本邦のガイドラインでは, Rome Ⅳ の提唱した4症状 (**表1**) 以外の症状を訴える患者も少なからず存在するとした上で, 患者の主訴がディスペプシアに該当するかどうかの判断を, 現場の医師に委ねた.

❷ 加えて, Rome Ⅳ の「症状発現は診断から遡ること

表1 RomeⅣ基準における機能性ディスペプシア

診断基準	分類
1. 以下1項目以上を認める a. 不快な食後膨満感 b. 不快な早期満腹感 c. 不快な心窩部痛 d. 不快な心窩部灼熱感 かつ 2. 症状を説明しうる器質的疾患を認めない(上部消化管内視鏡検査を含む) *症状発現は診断から遡ること6ヶ月以上以前で, 少なくとも過去3ヶ月以上続いている	B1a. 食後愁訴症候群 (PDS:postprandial distress syndrome) a. および/または b. が週3日以上 B1b. 心窩部痛症候群 (EPS:epigastric pain syndrome) c. および/または d. が週1日以上

(Stanghellini V, et al. Gastroenterology **150**:1380, 2016 より改変)

第4章　疾患編

消化器疾患

6ヶ月以上前で，少なくとも過去3ヶ月以上続いている」との期間定義も，必ずしも日本人には適さないとし，それすら現場の医師に委ねた．医師患者関係の重要なFDにおいて，ある意味画期的である．

❸対比のために，Rome ⅣのFDの定義を**表1**に示す．Rome Ⅲを基本的に踏襲しており，やはりPDSとEPSの呼称からは，治療指針が自ずと見える．

❹Rome Ⅳではピロリ菌除菌後症状が改善した場合，ピロリ菌関連ディスペプシアとしてFDと区別したが，今回のガイドラインも，ピロリ菌を伴うディスペプシアをピロリ菌関連ディスペプシアとした．

非専門医レベルで行うべきチェックリスト

❶ガイドラインに記載された警告症状（アラームサイン）の有無をチェック．警告症状とは，①高齢での新規発症，②体重減少，③再発性の嘔吐，④出血，⑤嚥下障害・嚥下痛，⑥腹部腫瘤，⑦発熱，⑧食道癌・胃癌の家族歴など．

❷器質的疾患を除外：血液検査，上部消化管内視鏡，腹部エコーに便潜血検査，腹部Xp，腹部CTなど．

❸ピロリ菌感染の有無を検索．NSAIDs，低用量アスピリン（LDA）による薬剤起因性疾患を除外．

治療

FD治療は，患者が満足しうる症状改善を主要目標とし，生活習慣指導や食事療法を行う．プラセボ効果も大きく，良好な患者-医師関係構築が重要．これらを踏まえつつ，以下に，主な薬物療法について記載する．

❶一次治療

　　①酸分泌抑制薬：特に心窩部痛を主訴とする症例で考慮．PPIかH₂ブロッカー（およびP-CAB）．

　　②消化管運動機能改善薬（アコチアミド）：特に消化管運動機能障害を疑わせる症例で考慮．

461

機能性ディスペプシア ②
functinal dyspepsia（FD）

機能性ディスペプシア（FD）治療剤：アコチアミド塩酸塩

アコファイド錠（100 mg）1回1錠　1日3回　內
　　　　　　　　　　　　　　　　　　　　　食前

※アセチルコリンエステラーゼ（AChE）を阻害し胃運動
　および胃排出能を促進.

※保険病名「機能性ディスペプシア」に対し適用.

※上部消化管内視鏡検査等を前もって施行することが義
　務づけられている. 施行日と施行施設の記載が要る.
　保険病名「慢性胃炎」では適応がない.

※食前投与を行うこと. 食後投与では血中濃度が低下.

　③漢方薬：六君子湯.

❷二次治療

　①三環系抗うつ薬, 一部の抗不安薬.

　②消化管運動機能改善薬（アコチアミド以外）：

　　ⓐD$_2$受容体拮抗薬：ナウゼリン®・プリンペラ
　　　ン®・ガナトン®.

　　ⓑ5-HT4 レセプター刺激薬：ガスモチン®.

　③漢方薬（六君子湯以外）：半夏厚朴湯など.

コンサルトのタイミング

　治療抵抗性 FD は, 4〜8 週で, 例えば一次治療から
二次治療へなどの, 治療変更を考慮. それでも難しい
時は専門医へのコンサルトも考慮.

専門医での検査・処置

　胃排出機能検査などの消化管機能検査や, 心理社会
因子を評価しつつ心療内科的治療へつなげる.

フォローアップ外来

　FD は治療終了後の再発が一定数あるが, FD がある
だけでは生命予後は悪化しないと考えられている.

✎memo

胃 癌 (1)

※本項は「胃癌治療ガイドライン 医師用 2021 年 7 月改訂第 6 版」(日本胃癌学会編) に準拠して記載.

ポイント

① 2021 年の癌死亡数順位は男性で 3 位, 女性で 4 位.
② 胃底腺型胃癌などを除くと, ほぼ全ての胃癌は, ピロリ菌感染による組織学的胃炎が基盤で生じる.
③ 治療は外科的切除ないしは内視鏡的切除による病巣の完全切除が基本. アルゴリズムを図 1, 表 1 に示す.
④ 胃癌リスク評価として, ペプシノゲン法 (☞ p.262) と HP 抗体価を組み合わせた ABC 分類がある.

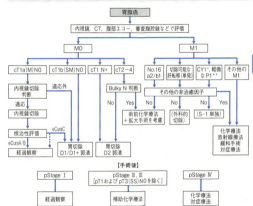

図 1 日常診療で推奨される治療法選択のアルゴリズム
(ただし, T/N/M および Stage の定義は胃癌取扱い規約第 15 版による)
N1:領域リンパ節 (No.1〜12, 14v) の転移個数が 1〜2 個, N2:3〜6 個, N3a:7〜15 個, N3b:16 個以上
M1:領域リンパ節以外の転移がある (CY1* も含む)
Stage:表 1 参照
*:腹腔洗浄細胞診陽性, **:腹膜転移

胃　癌 ⑵

表 1　進行度分類（Stage）

臨床分類
（cTNM, cStage：画像診断，審査腹腔鏡または開腹所見による総合診断）

	M0		M1
	N0	N（＋）	Any N
T1（M, SM）/T2（MP）	I	IIA	IVB
T3（SS）/T4a（SE）	IIB	III	
T4b（SI）	IVA		

病理分類（pTNM, pStage：胃切除後の病理所見による診断）

	M0					M1
	N0	N1	N2	N3a	N3b	Any N
T1a（M）/T1b（SM）	IA	IB	IIA	IIB	IIB	IV
T2（MP）	IB	IIA	IIB	IIIA	IIIB	
T3（SS）	IIA	IIB	IIIA	IIIB	IIIC	
T4a（SE）	IIB	IIIA	IIIA	IIIB	IIIC	
T4b（SI）	IIIA	IIIB	IIIB	IIIC	IIIC	

（図1〜2，表1出典：日本胃癌学会編：胃癌治療ガイドライン医師用 2021 年 7 月改訂 第 6 版より改変）

非専門医レベルで行うべきチェックリスト

❶胃 X 線透視，内視鏡：内視鏡での組織診断が必須．
❷体重，血算，生化学検査，CEA，CA 19-9 など．
❸腹部 CT，腹部エコー，胸部 Xp など：転移の検索．

専門医での検査・処置

❶内視鏡的切除の絶対的適応
　①EMR・ESD 適応：2 cm 以下の肉眼的粘膜内癌（cT1a），分化型癌，UL0.
　②ESD 適応：ⓐ2 cm 超えの肉眼的粘膜内癌（cT1a），分化型癌，UL0.　ⓑ3 cm 以下の肉眼的粘膜内癌（cT1a），分化型癌，UL1.　ⓒ2 cm 以下の肉眼的粘膜内癌（cT1a），未分化型癌，UL0.

第4章 疾患編

消化器疾患

図 2 切除不能進行・再発胃癌の推奨される化学療法レジメン

[略語] S-1：テガフール・ギメラシル・オテラシルカリウム，CDDP：シスプラチン，Cape：カペシタビン，SOX：S-1＋オキサリプラチン併用療法，CapeOX：カペシタビン＋オキサリプラチン併用療法，FOLFOX：5-FU+ロイコボリン＋オキサリプラチン併用療法，T-mab：トラスツズマブ，weekly PTX：パクリタキセル毎週投与法，RAM：ラムシルマブ，FTD/TPI：トリフルリジン・チピラシル，IRI：塩酸イリノテカン，T-DXd：トラスツズマブ デルクステカン

❷内視鏡的切除の相対的適応：外科的切除が標準治療も年齢等何らかの理由で困難で，かつ内視鏡的切除で治癒の可能性がある際，標準治療は外科的切除であること，リンパ節転移の危険性等の説明を十分に行い，患者の同意が得られた時のみに施行．

❸術後補助化学療法の適応

①pStage Ⅱに，S-1（ティーエスワン®）の1年間投

胃　癌 (3)

与（5 年 OS 89.7％）．
②pStage Ⅲに，S-1＋ドセタキセル併用療法ないしは CapeOX（カペシタビン（ゼローダ®）＋オキサリプラチン（エルプラット®）併用療法）．

❹切除不能進行・再発症例あるいは非治癒切除（R2）症例への化学療法：PS 0-2，主要臓器機能が保たれていることなどが対象．詳細は図 2 参照．

❺腺腫：Group 3（腺腫）は内視鏡所見（大きさなど）を参考に，必要ならば EMR・ESD などを行う．

フォローアップ外来

第 5 版までは進行別フォローアップ計画が提示されてきたが，今回，胃癌根治切除後に計画的フォローは有用とはいえないとのコメントが出た．故に，一般論的な記載に留める．一般的には，CT，腫瘍マーカー（CEA，CA19-9 など），内視鏡，腹部エコーなど．

胃切除後症候群 (1)

ポイント

❶ 胃切除後症候群は機能障害と器質的障害に大別され，前者には消化吸収障害，貧血，ダンピング症候群，骨代謝異常など，後者には逆流性食道炎，輸入脚症候群，胆石症などがある．

❷ ダンピング症候群は適切な食事指導で改善が期待できる．薬物療法での症状改善は期待できない．

❸ 輸入脚症候群は外科的治療が必要なことが多い．疑えば外科医に相談．

❹ 胃切除後に起こる貧血には，鉄欠乏性貧血とビタミンB_{12}欠乏性貧血がある．胃癌（の再発），他の消化器癌による消化管出血を除外．

早期ダンピング症候群

概　念　（図1）

❶ 臨床症状から判断．

❷ 早期ダンピング症候群の症状は食後30分以内に起こる．

非専門医レベルで行うべきチェックリスト

多くの場合，術後1年ほどすれば，適応によって症状は軽快．これを患者に伝え，食事に対する恐怖感をとることが重要．

治　療

食事療法：高蛋白，高脂肪，低炭水化物を基本とし，分割食（5〜6回/日に分ける）とする．食事中はできるだけ水分をとらず，食後30分は横になるように指導．

専門医での検査・治療

効果的な薬物療法はない．手術を検討する．

コンサルトのタイミング

食事指導が守られても症状が軽快しない場合は，再手術を考慮し，外科に紹介．

胃切除後症候群 (2)

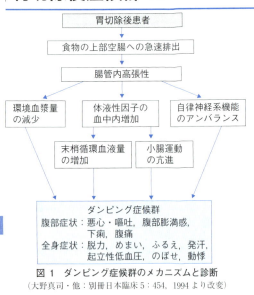

図1 ダンピング症候群のメカニズムと診断
(大野真司・他：別冊日本臨床5：454, 1994より改変)

フォローアップ外来

症状がなければ不要．

第4章　疾患編

消化器疾患

後期ダンピング症候群（低血糖症候群）

概念

❶機序：食後一過性の高血糖が起こり，インスリンがこれに反応して過分泌されることによるといわれているが，詳細は不明．

❷診断：症状から容易．発作時に血糖を測定．または糖質（角砂糖，飴など）投与で治療的診断．

非専門医レベルで行うべきチェックリスト

食後2〜3時間後の空腹時に発汗，動悸，ふるえ，脱力，錯乱，まれに失神発作などの症状が出現．胃腸症状は全くないかあっても軽度．

治療

早期ダンピング症候群の食事指導に準じる．発作予防のためすぐに補給できる糖質を携帯しておくように指導．

コンサルトのタイミング

改善が認められない場合．

フォローアップ外来

症状がなければ不要．

慢性輸入脚症候群

概念

胃切除後 Billroth Ⅱ法で再建したか，または癌などによる幽門狭窄で胃空腸吻合（バイパス）がされている場合．

原因

❶輸入脚の過長，過短，癒着による捻転

❷内ヘルニア

❸吻合部潰瘍による瘢痕狭窄

❹横行結腸による屈曲，圧排

胃切除後症候群 (3)

非専門医レベルで行うべきチェックリスト

❶右上腹部痛，食後の腹部膨満感

❷嘔吐：機序は食事刺激により閉鎖ループとなった輸入脚に胆汁，膵液が急速に貯留し，食後15分～1時間後にこの内圧が高まることで排出されるために起こる．噴射状で，食物残渣が認められないのが特徴．長期間にわたって続くと，胆汁喪失に伴う消化吸収障害などの栄養障害をきたす．また，半閉塞状態にある輸入脚内では腸内細菌が増殖し，ビタミンB_{12}欠乏をきたす．このため，巨赤芽球性貧血が生じることもある．

治療

効果的な薬物療法はないので治療の中心は食事指導ということになる．少量頻回食，胆汁や膵液の分泌抑制のために低脂肪食とする．

専門医での検査，処置

腹部単純Xpや腹部エコーにて拡張腸管（輸入脚）を確認．また，胃透視にて輸入脚への造影剤の流入途絶を確認．その他，DICや胆道シンチグラフィーでも輸入脚の拡張を確認できる．

コンサルトのタイミング

症状が軽快せず，外科的治療を余儀なくされることが多いので外科医と相談する．

フォローアップ外来

症状がなければ不要．

胃切除後の貧血

鉄欠乏性貧血は，術後数か月から発症し(☞ p.697)，ビタミンB_{12}欠乏性貧血は術後4～5年たってからで，胃全摘後にのみ発症(☞ p.700)．診断治療は ☞ p.695 貧血

感染性胃腸炎 (1)

ポイント

❶ 感染性胃腸炎は，冬季～春のウイルス性胃腸炎から夏季の食中毒を含む．頻度は圧倒的に前者が多い．

❷（嘔吐）下痢症で最頻が急性ウイルス性胃腸炎．発熱が37℃台に留まることが多いことも特徴の一つ．

❸ 症状に加えて，潜伏期間，発症の季節，sick contact の有無，生ものの摂取歴で起因微生物を絞り込む．

❹ 脱水の処置を誤ると，高齢者ではウイルス性であっても生命を脅かされることがある．

起因微生物による分類

❶ ロタウイルスによる胃腸炎は，一般には小児期，特に2歳までの乳幼児に冬季～春にみられるが，成人でも起こり，集団発生もある．便中抗原検査が保険で可能． ☞ p. 926 迅速検査

❷ ノロウイルスによる胃腸炎は冬季に全年齢に起こる．若年者では悪心・嘔吐が強い．食中毒（カキなどの二枚貝）や接触感染による施設内集団発生もある．便中抗原は健常成人では自費． ☞ p. 926 迅速検査

❸ 血性または便潜血による原因微生物（表1）．

❹ アメーバ性腸炎と寄生虫症は，流行地への最近の海外渡航歴と免疫能低下をもたらす基礎疾患に留意．

問　診　（問診で病原微生物を推測：表1～3）

❶ 悪心・嘔吐，下痢，腹痛，発熱の有無・程度．下痢便の性状と排便回数

❷ 疑わしい食物（特に生もの）の病歴（いつ食べたか，同じ食物を食べた人の症状はどうか？）も含む．

❸ 38.5℃を超える発熱，血便，強い腹痛を伴うものは処置を優先する．さらに悪心・嘔吐を伴って経口で水分補給ができないものは入院適応．

❹ インドを含む東南アジアやアフリカ，中南米への最近の渡航歴では，その土地で流行している感染症（旅行者下痢症），寄生虫症を考慮する．

感染性胃腸炎 ⑵

表 1　血性下痢の有無による微生原因微生物

①血性下痢（＋）
　　赤痢菌，病原性大腸菌（EHEC，EIEC），カンピロバクター，サルモネラ，赤痢アメーバ，抗菌薬起因性大腸炎
②血性下痢（－）
　　ウイルス（ノロ，ロタ，アデノ等）
　　細菌：軽症の赤痢，サルモネラ，カンピロバクター，ETEC，EPEC，コレラ，*C. difficile*
　　原虫：ジアルジア

EHEC：腸管出血性大腸菌　ベロ毒素による激しい出血性腸炎
EIEC：腸管侵入性大腸菌　腸細胞に侵入し赤痢のような症状
ETEC：毒素原性大腸菌　エンテロトキシンよるコレラ様の水様下痢
EPEC：腸管病原性大腸菌　下痢腹痛がサルモネラ様の腸炎

理学所見
❶脱水のチェック，補正.
❷腹部所見：強い圧痛と反跳痛を伴うものは入院適応.
❸血便：重症の可能性があり，入院適応.

チェックリスト・検査
❶便中白血球の存在：炎症性腸炎の存在を意味し，細菌性腸炎または IBD（☞ p. 478 IBD）. ウイルス性ではまず白血球は出現しない.
❷便中ロタウイルス抗原：短時間でロタウイルス感染を診断. ☞ p. 926 迅速検査
❸CD 抗原・トキシン迅速検査：抗菌薬使用歴のある患者に施行. ☞ p. 926 迅速検査
❹便培養：陽性率は 40〜60％.

治療
❶脱水所見のある者：hypovolemia の程度にあわせて

輸液：細胞外液補充液
　　ラクテック　500 mL　⊙　30 分〜90 分

輸液：開始液
　　生理食塩水　500 mL　⊙　60〜120 分　など

第4章　疾患編

消化器疾患

表2　問診内容と推定しうる原因

問診内容		考えうる原因・病原体
食事摂取歴	焼肉（牛肉） 生卵（卵ごはん）	カンピロバクター，EHEC （非チフス）サルモネラ
	すき焼き，鶏肉 生魚 おにぎり チャーハン 生牡蠣	腸炎ビブリオ，アニサキス 黄色ブドウ球菌 セレウス菌 ノロウイルス，HAV
周囲に同様の症状の者		とくにノロウイルス
海外渡航		病原性大腸菌
薬剤の使用　抗菌薬（直近2か月以内）		*C. difficile*

表3　潜伏期間と病原微生物

およその潜伏期間	原因微生物
1〜6時間	黄色ブドウ球菌，セレウス菌
半日〜2日	サルモネラ，腸炎ビブリオ
1日〜3日	ノロウイルス，ロタウイルス
3日前後	カンピロバクター，EHEC

❷悪心・嘔吐が強いとき：なるべく使用しない

消化器機能異常治療薬：メトクロプラミド
プリンペラン注（10 mg）　1A　静

または

消化管運動改善薬：ドンペリドン
ナウゼリン（30 mg）　1回1個　坐

❸止瀉薬
　　原則不使用．止瀉剤使用で腸管の自浄作用を妨げ，病原微生物の排除を遅らせる．

473

感染性胃腸炎 (3)

表 4 抗菌薬の必要な胃腸炎

①常に抗菌薬が必要
　赤痢,コレラ,チフス,パラチフス A,ランブル鞭毛虫,赤痢アメーバ,偽膜性腸炎
②患者の状態によって抗菌薬の必要なもの
　非チフスサルモネラ(菌血症),キャンピロバクター(重症例),腸管病原性大腸菌各種,MRSA
③通常は必要が無いもの
　ウイルス性,腸炎ビブリオ,ウェルシュ菌など上記以外の菌

❹抗菌薬(表 4)

　大半の急性胃腸炎では抗菌薬は必要ない.使用する場合は,細菌性を想定する場合,便培養を施行したうえで

ニューキノロン系抗菌薬:レボフロキサシン
クラビット(500 mg)　1回1錠　1日1回　⑰
　　　　　　　　朝食後　3～7 日間にとどめる

　アメーバ赤痢の時
ニトロイミダゾール系抗菌薬:メトロニダゾール
フラジール(250 mg)　1回1錠　1日3回　⑰
　　　　　　　　毎食後　5～7 日間

　ランブル鞭毛虫の時
フラジール(250 mg)　1回1錠　1日3回　⑰
　　　　　　　　毎食後　5～7 日間

　偽膜性腸炎の時
グリコペプチド系抗菌薬:バンコマイシン塩酸塩
バンコマイシン塩酸塩(0.125 g)　1日4回　⑰
　　　　　　　　6 時間ごと　10～14 日

memo

虚血性腸炎 (1)

ポイント

❶ 典型的には，50歳以上で生活習慣病があり，便秘がちの女性が突然の左下腹部痛（72.3〜95％）で発症し，間もなく頻回の水様下痢（27.7〜68％）を認め，最終的に真っ赤な鮮血便（84.4〜96.9％）を認める場合に強く疑われる．

❷ 壊疽型や急性腸間膜虚血である場合もあり，身体所見に乏しい強い腹痛や，腹膜刺激症状がある場合は注意．

鑑別疾患

感染性腸炎，薬剤関連性腸炎，炎症性腸疾患，閉塞性大腸炎，直腸潰瘍，痔疾患，大腸癌・ポリープ，腸間膜動静脈血栓症，憩室出血など

非専門医レベルで行うべきチェックリスト

❶ 問診
　①リスク：65歳以上，女性，便秘，生活習慣病，喫煙歴，内服薬，腹部手術歴，過敏性腸炎既往，血栓形成傾向，COPD既往など．
　②症状：典型的には，上記リスクがあり，突然の左下腹部痛発症後，頻回の水様下痢を認め，最後に鮮血便．

❷ 身体所見
　左半〜S状結腸部位に多く発症．壊疽型を疑うような強い腹痛，腹膜刺激症状，バイタル不良がないことを確認．

❸ 検査所見
　①血液検査：壊疽型や急性腸間膜虚血の場合，遅れてCK，LD，乳酸の上昇，代謝性アシドーシス，腎機能障害，低Na血症を認める．
　②便検査：便培養，CDトキシン検査
　③腹部（造影）CT：脾湾曲部から下行結腸にかけて

475

虚血性腸炎 ⑵

（Griffith's 点）と S 状結腸（Sudek's 点）にかけての領域に，連続した壁の浮腫性肥厚．その他，穿孔や門脈内-腸管壁内ガス所見がないか確認．

④ホルター心電図，心エコー図：心房細動による塞栓やうっ血を除外

専門医での検査・処置

❶大腸内視鏡検査：病理診断や分類，悪性腫瘍など他疾患の除外目的．通常は待機的に施行．

❷診断（表 1 参照）

❸分類（Marston らの分類：**表 2**）

表 1　特発性虚血性大腸炎の診断基準

①腹痛と下血で急激に発症
②直腸を除く左側結腸に発生
③抗生物質の未使用
④糞便あるいは生検組織の細菌培養が陰性
⑤特徴的な内視鏡像とその経時的変化
　　急性期：発赤，浮腫，出血，縦走潰瘍
　　慢性期：正常～縦走潰瘍瘢痕（一過性型）
　　　　　　管腔狭小化，縦走潰瘍瘢痕（狭窄型）
⑥特徴的な Xp 像とその経時的変化
　　急性期：母指圧痕像，縦走潰瘍
　　慢性期：正常～縦走潰瘍瘢痕（一過性型）
　　　　　　管腔狭小化，縦走潰瘍瘢痕，嚢形成（狭窄型）
⑦特徴的な生検組織像
　　急性期：粘膜上皮の変性・脱落・壊死，再生，出血，
　　　　　　水腫，蛋白成分に富む滲出物
　　慢性期：担鉄細胞

③，④は必須項目
（Williams らの基準：飯田三雄・他：胃と腸 **28**：899-911, 1993より一部改変）

第 4 章　疾患編

消化器疾患

表 2　虚血性腸炎の分類・治療・予後

重症度とその経過から 3 つに分類（Marston らの分類）

	内視鏡所見	治療	予後
一過性型 （60％）	縦走発赤・びらん・潰瘍，出血，浮腫性粘膜など	・数日間（寛解まで）の絶食，補液 ・薬剤，循環不全，血栓閉塞などの原因除去	多くが 24〜48 時間以内に臨床的改善がみられ，1 週間程度で正常に回復
狭窄型 （30％）	全周性潰瘍．治癒後に病変部の狭窄や変形		1〜2 週間後に大腸内視鏡で再評価．待機的手術が必要な場合も
壊疽型 （10％）	広範囲に灰色〜緑黒色粘膜	・大量補液，広域抗菌薬 ・発症から 12 時間以上経過，腹膜刺激状あれば緊急手術	穿孔や腹膜炎，敗血症，ショックに進展することが多く，予後不良（死亡率 30〜50％）

コンサルトのタイミング

❶高齢，生活習慣病，便秘などの明らかな誘因がなく，再発例，若年発症などで続発性を疑う時
❷内視鏡検査や便通異常などで狭窄型を疑う時
❸壊疽型，急性腸間膜虚血を疑う時は緊急で外科コンサルト

フォローアップ外来

❶一過性型の全身状態が良好な若年者では必ずしも入院治療は必要ないが，高齢者や糖尿病患者などでは軽症例でも入院加療が望ましい．
❷表 2 の予後を参照．
❷回復期には低繊維成分の食事によって便通コントロールに努める（特に狭窄型）．
❸腸管血流低下や腸内圧充進に影響を与えるような薬剤の服用は慎重に行う．

特発性炎症性腸疾患（IBD）（1）
inflammatory bowel disease

ポイント

❶ IBD は慢性，あるいは寛解・再燃性の腸管の炎症性疾患の総称であり潰瘍性大腸炎（UC）とクローン病（CD）の２疾患を指す（**表1**）．いずれも指定難病であり，難病申請が認定されると医療費助成を受けることができる．

❷ 特に若年者で慢性経過の下痢，発熱，血便等の腹部症状があり血液検査所見で炎症反応の上昇を認める場合や CT 検査で腸管の炎症を疑う所見を認める場合には IBD が鑑別疾患として挙げられる．

❸ 重症度により緩解導入の方法が異なる．入院での加療を必要とする場合があり重症例では専門医へのコンサルトが望ましい．

潰瘍性大腸炎（Ulcerative colitis：UC）

病態

❶ 現在特異的な原因は不明であるが，大腸に特発する粘膜と粘膜下層を侵す，大腸の特発性，非特異炎症性疾患．30歳以下の成人に多いが，小児や50歳以上の年齢層にもみられる．

❷ 発症には免疫病理学的機序や心理学的要因の関与が考えられている．通常血性下痢及び全身症状を示す．長期経過，かつ大腸全体を侵す場合には悪性化の傾向がある．

主な鑑別疾患

❶ 感染性腸炎（O157，アメーバ，カンピロバクター，クラミジア，サルモネラ）

❷ 薬剤性腸炎（偽膜性腸炎，NSAIDs 起因性腸炎）

❸ クローン病，MEFV 遺伝子関連腸炎，単純性潰瘍など

非専門医レベルで行うべきチェックリスト

❶ 病歴の詳細な聴取（放射線照射歴，抗菌薬服用歴，海外

第 4 章　疾患編

消化器疾患

表 1　UC と CD

	UC	CD
患者数	22 万人	7 万人
好発年齢	10～30 歳	10～30 歳
男女比	1：1	2：1
病因の一部	高脂質食，砂糖の過剰摂取，イソフラボンの過剰摂取，喫煙歴あり，遺伝子素因	現在喫煙していること遺伝子素因
症状	慢性下痢，粘液便，血便，腹痛，発熱	慢性下痢，体重減少，痔瘻，腹痛，発熱
好発部位	大腸（特に直腸）	小腸，肛門，大腸
大腸内視鏡所見	直腸より連続する粘膜病変，血管透見の低下，粗造変化，発赤，潰瘍形成，膿性分泌物の付着	不連続性の粘膜病変，縦走潰瘍，敷石像，多発アフタ，痔瘻
病理学的所見	粘膜全層のびまん性炎症性細胞浸潤，陰窩膿瘍，杯細胞の減少	非乾酪性類上皮細胞肉芽腫，全層性の炎症

渡航歴など）ならびに身体診察では腹部触診，直腸診等を行う．関節炎，虹彩炎，膵炎，皮膚症状（結節性紅斑，壊疽性膿皮症など）などの腸管外合併症を伴うこともあり確認する．

❷血液検査では一般的な採血検査を行い，白血球高値，CRP 高値，赤沈亢進といった炎症反応亢進，貧血，低蛋白血症の有無を確認する．便培養検査にて感染の有無の確認，偽膜性腸炎の有無の確認を行う．

❸腹部 Xp，CT，腹部超音波検査，可能であれば大腸内視鏡検査にて腸管評価を行う．

479

特発性炎症性腸疾患（IBD）（2）
inflammatory bowel disease

専門医での検査・処置

❶確定診断のため大腸内視鏡検査が必須である．典型的内視鏡像の有無の確認，確定診断のため生検検査，粘膜培養検査の提出を行う．

❷厚生労働省研究班の基準に準拠し重症度判定を行い，重症度に応じて同治療指針を参考として治療を開始する．治療は寛解療法と寛解維持に分かれる．

軽症～中等症の寛解導入には 5-ASA 経口薬と局所製剤として，5-ASA 坐剤，ステロイド坐剤，注腸等が使用される．

5-ASA（アミノサリチル酸）経口製剤：メサラジン製剤

ペンタサ錠（500 mg） 1 回 1 錠 1 日 3 回～1 回 4 錠 1 日 2 回 1,500 mg～4,000 mg/日 ㊤

アサコール錠（400 mg） 1 回 2 錠 1 日 3 回～1 回 3 錠 1 日 3 回 ㊤

リアルダ錠（1,200 mg） 1 回 2 錠 1 日 1 回～1 回 2 錠 1 日 4 錠 ㊤

局所製剤：5-ASA 製剤

ペンタサ坐剤（1 g） 1 回 1 個 1 日 1 回 ㊤

ペンタサ注腸（1 g） 1 回 1 個 1 日 1 回 ㊤

局所製剤：ステロイド製剤

リンデロン坐剤（0.5 mg, 1.0 mg） 1 日 0.5～2 mg 1 日 1 回 ㊤

プレドネマ注腸（20 mg） 1 日 20～40 mg 1 日 1 回 ㊤

ステロネマ注腸（1.5 mg, 3.0 mg） 1 日 3～6 mg 1 日 1 回 ㊤

レクタブル注腸フォーム（2 mg） 1 回 1 プッシュ 1 日 2 回 ㊤

第4章 疾患編

消化器疾患

　　寛解が得られない場合や重症例にはステロイド経口，全身投与，免疫調整薬，バイオ製剤の導入等を行う．近年5-ASA不耐のUCも頻度が増えてきており，5-ASA投与後の病勢の増悪に注意し経過フォローが必要である．

❸内科的加療への治療抵抗例，大腸穿孔，大量出血，中毒性巨大結腸症，大腸癌併発症例では手術加療が必要となる．寛解後は治療導入時の難治性に応じて，治療薬剤を選択のうえ維持療法へ進む．

フォローアップ外来

❶重症度に応じて緩解導入後は1～2週間でのフォローアップを行う．排便回数，腹痛の程度，採血での炎症反応の推移等を確認する．症状が安定すれば1～3ヵ月に1度の外来フォローアップを行う．

❷長期経過例は大腸癌の併発リスクを有するため1～2年に一度の大腸内視鏡検査やCT検査でのフォローアップが推奨される．増悪時には治療強化の必要性があり，適宜専門医へ紹介を行う．

クローン病 (Crohn's disease：CD)

病態

　特異的な原因は不明で，主として若年者にみられ，潰瘍や線維化を伴う消化管の肉芽腫性炎症性疾患．消化管以外（皮膚に多い）にも病変を認めることがある．口腔から肛門までの消化管のあらゆる部位に起こりうることが知られている．臨床像は病変の部位や範囲によって多彩であり，発熱，栄養障害，貧血などの全身症状や関節炎，虹彩炎，肝障害などの全身性合併症が起こりうる．

主な鑑別疾患

❶感染性腸炎（エルシニア，腸結核，アメーバなど）

481

特発性炎症性腸疾患（IBD）⑶
inflammatory bowel disease

❷薬剤性腸炎（偽膜性腸炎，NSAIDs 起因性腸炎など）
❸潰瘍性大腸炎，MEFV 遺伝子関連腸炎，単純性潰瘍，腸管ベーチェットなど

非専門医レベルで行うべきチェックリスト

❶病歴の詳細な聴取（抗菌薬服用歴，海外渡航歴など．腸管外合併症が診断の契機となる症例もあり既往歴についても詳細に聴取する）．身体診察では腹部触診，肛門病変の有無の観察等を行う．特に直腸の視診，直腸診にて Crohn の肛門病変（浮腫状皮垂，難治性複雑痔瘻，下掘れ裂肛など）の確認は重要である．

❷血液検査にて，炎症反応亢進，貧血，低蛋白血症の有無を確認する．便培養検査にて感染，偽膜性腸炎の有無の確認を行う．

❸腹部 Xp，CT，腹部超音波検査，可能であれば大腸内視鏡検査にて腸管評価を行う．

専門医での検査・処置

❶確定診断のため大腸内視鏡検査を行い，典型的内視鏡像の有無の確認，確定診断のため生検検査，粘膜培養検査の提出を行う．クローン病と診断されれば，上部消化管内視鏡検査，小腸精査（カプセル内視鏡，ダブルバルーン内視鏡等）も行う．

❷厚生労働省研究班の基準に準拠し重症度判定を行い，重症度に応じて治療を開始する．軽症例では潰瘍性大腸炎と同様に 5-ASA 経口製剤あるいはブデソニドの使用と栄養療法それぞれの単独あるいは併用で治療を行う．

グルココルチコイド：ブデソニド

ゼンタコートカプセル（3 mg）1回3Cap　1日1回
漸減し終了する．漫然と 8 週間を超える長期投与を行わない．

5-ASA 製剤は潰瘍性大腸炎と比較すると治療効

果が低く，中等症以上では寛解導入時にステロイド製剤の併用を行う場合がある．重症例では入院での完全静脈栄養管理，ステロイド大量療法，バイオ製剤（抗TNFα抗体，抗IL-12/23抗体，抗IL-23抗体，抗α4β7インテグリン抗体）を使用する．

❸軽症例での寛解維持療法では寛解導入時のステロイドを除く薬剤の継続やチオプリン製剤の併用を行う．チオプリン製剤使用時には，副作用の一部の発現がNUDT15遺伝子多型と関係することが知られており，初回導入前に遺伝子多型の検査を行うことが推奨される．

❹内科的加療への治療抵抗例，穿孔，大量出血，膿瘍形成，癌の併存，難治性腸管狭窄，難治性肛門部病変を有する症例等では手術加療が必要となる．

寛解後は治療導入時の難治性に応じて，治療薬剤を選択のうえ維持療法へ進む．

フォローアップ外来

❶重症度に応じて緩解導入後は1〜2週間でのフォローアップを行う．腹痛の程度，採血での炎症反応の推移等を確認する．潰瘍性大腸炎と比較し，臨床症状が強くない場合でも炎症反応上昇時には病勢増悪を反映している可能性があり注意する．症状が安定すれば1〜3カ月に1度の外来フォローアップを行う．

❷長期経過例は大腸癌の併発リスクを有するため1〜2年に一度の大腸内視鏡検査やCT検査でのフォローアップが推奨される．肛門病変の増悪時には専門外科での対応が必要となる場合がある．病勢増悪時には治療強化の必要性があり，適宜専門医へ紹介を行う．

過敏性腸症候群（IBS）⑴
irritable bowel syndrome

※「機能性消化管疾患診療ガイドライン 2020—過敏性腸症候群（IBS）」（日本消化器病学会編）に準拠.

ポイント
❶ 代表的な機能性腸疾患で，腹痛/腹部不快感とそれに関連する便通異常が慢性/再発性に持続する状態.
❷ IBSのメカニズムには，ストレスが大きく関与する. 脳腸相関（brain-gut interactions）の考え方が重要.

疫学
　世界の有病率は約 10％で，経年的に増加はしていない. わが国では，40 歳代までに多く，女性に多い.

非専門医レベルで行うべきチェックリスト
❶ 症状：便通異常（便秘，下痢，または交替性）が比較的長期間あり，腹痛や腹部膨満感などを認める.
❷ 理学所見：警告症状・徴候に注意. 発熱，関節痛，血便，6 カ月以内の予期せぬ 3 kg 以上の体重減少，異常な身体所見（腹部腫瘤，腹部波動，直腸指診での腫瘤の触知，血液の付着など）が代表的.
❸ 検査
　①危険因子の除外と通常臨床検査：危険因子は，50 歳以上での発症・患者，大腸器質的疾患の既往歴・家族歴など. 便潜血陽性，貧血，低蛋白血症，炎症反応陽性があれば，大腸検査. 他に，血液生化学検査，TSH，尿一般検査や腹部単純 Xp など.
　②大腸検査：大腸内視鏡検査（か大腸造影検査）. 警告症状，危険因子，通常臨床検査で一つでも陽性なら，施行. 患者が消化管精密検査を希望する場合にも施行.
　③その他検査：腹部エコー，腹部CT，腹部MRIなど.
　④これら全てが陰性なら Rome Ⅳ診断基準に照らし IBS を診断.
❹ Rome Ⅳ診断基準（2016 年）：過去 3 カ月間に平均して少なくとも週 1 回以上，繰り返し起こる腹痛があ

第4章 疾患編

消化器疾患

り，下記①〜③の3項目中の2項目以上を満たす．
ただし，この症状が最低6カ月以上前に出現していること．

①排便に関係する，②便の頻度の変化に関連する，③便の形状（外観）の変化に関連する．

専門医での検査・処置

❶薬物療法以外の治療：食事療法，生活習慣の改善，運動療法，心理療法など．良好な医師-患者関係が重要．プロバイオティクス(ヒトに有益な生菌など)は，質の高いメタアナリシスから，有効との結論．

❷薬物療法：便秘型，下痢型に対する治療薬以降は，薬剤分類を用いて記載した．

①便秘型（IBS-C；IBS with constipation）

　　@粘膜上皮機能変容薬

グアニル酸シクラーゼC受容体アゴニスト：リナクロチド

リンゼス錠（0.25 mg）　1回2錠　1日1回　内
　　　　　　　　　　　　　　　　　　　　　　食前

※リナクロチドには，慢性便秘症のほかに便秘型IBSに保険適用がある．

クロライドチャンネルアクチベーター：ルビプロストン

アミティーザカプセル（24 μg）　1回1Cap
　　　　　　　　　　　　　　　　　1日2回　内

※ルビプロストンの保険適用は慢性便秘症．

　　ⓑモサプリド（ガスモチン®，5-HT4刺激薬）：ただし，IBSには保険未適用（慢性胃炎のみの適用）．

　　ⓒ胆汁酸トランスポーター（IBAT）阻害薬

IBAT阻害薬：エロビキシバット

グーフィス錠（5 mg）　1回2錠　1日1回　内
　　　　　　　　　　　　　　　　　　　　　食前

※エロビキシバットの保険適用は慢性便秘症．胆汁酸の再吸収阻害により，大腸に流入する胆汁酸濃度が上昇することで効果を発現する．

485

過敏性腸症候群（IBS）⑵
irritable bowel syndrome

ⓓ下剤：酸化マグネシウム，頓用でのピコスルファート（ラキソベロン®）など．

②下痢型（IBS-D：IBS with diarrhea）

ⓐラモセトロン（5-HT3 レセプター拮抗薬）

下痢型過敏性腸症候群治療剤：ラモセトロン塩酸塩

男性：イリボー錠（5μg）　1回1錠　1日1回　内
女性：イリボー錠（2.5μg）　1回1錠　1日1回　内

※ラモセトロンは，遠心性に Ach 遊離抑制から腸管運動亢進を抑制．求心性に大腸痛覚の閾値を下げて腹痛を軽減．

ⓑ止痢薬：塩酸ロペラミド（ロペミン®），タンニン酸アルブミンなど．

③ポリカルボフィルカルシウム：高分子重合体・食物繊維は有効．

過敏性腸症候群治療剤：ポリカルボフィルカルシウム

ポリフル細粒　1回0.6〜1.2ｇ　1日3回　内
（水とともに）

④抗菌薬：今回のガイドラインでは，一部の非吸収性抗菌薬は有用で，用いることを提案としたが，リファキシミン（リフキシマ®）には肝性脳症のみが保険適用で（☞ p.533 肝硬変），重大な副作用に偽膜性腸炎がある．

⑤抗コリン薬：ブチルスコポラミン臭化物（ブスコパン®）など．

⑥消化管運動機能調節薬：オピオイド受容体作動薬のマレイン酸トリメブチン（先発のセレキノン®は販売中止）．

⑦漢方薬：桂枝加芍薬湯，半夏瀉心湯（IBS-D），大建中湯（IBS-C）など．

⑧その他：抗アレルギー薬，抗うつ薬（三環系，SSRI），ペパーミントオイル，抗不安薬など．

腸閉塞（イレウス）(1)

ポイント

❶ 腸閉塞とは消化管に何らかの閉塞起点があり，消化管の通過障害がある病態である．イレウスとは機能性イレウス（所謂，麻痺性イレウス）のみを示す．

❷ 腸閉塞の原因としては様々なものが挙げられるが，重要なのは血流障害の有無である．血流障害のあるものを絞扼性腸閉塞と言い，緊急手術が必要であるため見逃してはならない．

❸ 腸閉塞の原因として最も多いのは開腹手術後の癒着である．過去の手術歴についての問診，腹部手術創の確認が重要である．

❹ 腸閉塞は大腸でも見られることがある．その大半がS状結腸捻転や大腸癌が原因となる．

病態

消化管液は1日に8L分泌される．腸閉塞では腸管内に大量の消化管液が貯留する．そのため，脱水や電解質異常をきたす．また，消化管内で大腸菌，Bacteroides菌等が増加し細菌移行（bacterial translocation）により敗血症に至る場合もある．

鑑別疾患

基本的に急性腹症をきたすすべての疾患が鑑別となる．小腸の拡張は感染性腸炎や腸管アニサキス，血管炎などの腸炎で見られることもある．腹腔内感染症や膵炎，全身状態の増悪に伴ってイレウスとなることもある．

非専門医レベルで行うべきチェックリスト

❶ 症状としては悪心・嘔吐，腹部膨満，排便の停止が典型的である．問診では腹部手術歴の確認を行う（手術歴のない腸閉塞では内ヘルニア等の絞扼性の可能性があることを念頭におく）．

❷ 身体診察では視診にて手術痕や明らかな外ヘルニアの確認と，触診にて絞扼性腸閉塞を疑うような腹膜

腸閉塞（イレウス）⑵

刺激徴候の確認が必要である.

❸腹部立位 Xp では鏡面像（ニボー）が見られることが多い. 小腸の腸閉塞では全周性のケルックリング襞を認める. 大腸の腸閉塞では半周性の半月襞を認める.

❹血液検査では白血球と CRP の高値といった炎症反応亢進. 絞扼性腸閉塞では代謝性アシドーシス, BUN・CPK・LDH・アミラーゼの高値が認められる.

❺腹部造影 CT では血流障害の有無を診断する. 拡張した腸管と虚脱した腸管の移行部, 管腔径差（caliber change）を探す. 絞扼性腸閉塞の所見としては腹水, whirl sign, closed loop, 腸管壁内ガス, 門脈ガス, 腹腔内遊離ガス（free air）などが挙げられる.

専門医での検査・処置

❶血流障害がなければ保存的に加療を行う. 細胞外液を用いた脱水の補正や, 減圧処置（NG チューブ留置, 経口イレウス管留置など）を行う.

❷絞扼性腸閉塞では緊急手術が必要になる. 還納できない外ヘルニアについても手術となることがある.

❸大腸の腸閉塞では緊急での大腸内視鏡の治療が必要となる場合がある.

コンサルトのタイミング

腸閉塞疑った場合は消化器内科・外科医にコンサルト.

フォローアップ外来

腸閉塞は再燃することが多く, 症状の再燃時にはすぐに再診するよう説明する必要がある. また, よく咀嚼して食事し, 消化しにくい食べ物（こんにゃく, 海藻, きのこ, 根菜）は避けるよう指導する.

✎memo

大腸憩室

ポイント

❶ 大腸憩室とは，粘膜と粘膜筋板が漿膜下に突出したもの．本邦成人の 4 人に 1 人が罹患．盲腸，上行結腸，S 状結腸に好発．20% で炎症（憩室炎）や出血（憩室出血）を合併．

❷ 病態：加齢による腸管壁脆弱化や，便秘で腸管内圧が上昇することで発生．

鑑別疾患

❶ 憩室炎と鑑別：虫垂炎，腸炎，メッケル憩室炎，尿管結石，骨盤内腹膜炎，卵巣腫瘍茎捻転．

❷ 憩室出血と鑑別：大腸癌，大腸血管異形成，虚血性腸炎，NSAIDs 起因性腸炎，直腸潰瘍，痔核出血，上部消化管出血，小腸出血．

非専門医レベルで行うべきチェックリスト

❶ 症状：憩室炎は腹痛や時に発熱をきたすが重症感は少ないことが多い．重症では腹膜炎，穿孔．

❷ 憩室出血は無痛性の大量血便．重症ではショック．

❸ 誘因：NSAIDs，抗血栓薬は憩室出血の病因．

❹ 血液検査：憩室炎で炎症反応亢進．憩室出血で貧血．

❺ 腹部 CT：憩室の同定や憩室周囲の炎症を認める．造影 CT で出血部位が同定できることがある（extravasation：血管外漏出像）．

専門医での検査・処置

❶ 腹部超音波検査：憩室炎の診断に有用．

❷ 下部消化管内視鏡検査：出血憩室を同定し止血．クリッピングや結紮術（EBL）など．

❸ 大出血や腹膜炎では IVR 止血術や手術．

コンサルトのタイミング

腹膜炎，穿孔，出血性ショックは即座にコンサルト．

フォローアップ外来

憩室発生の予防として洋食を控える，便通を良くする，排便時のいきみを避けるなど．

大腸ポリープ

※「大腸ポリープ診療ガイドライン2020」に準拠.

ポイント

❶ 通常は無症状であり,ごくまれに血便の原因となる.

❷ 腫瘍性と非腫瘍性に大別され,腫瘍性ポリープを早期発見し,大腸癌への進行を予防することが重要である.

❸ 腫瘍性ポリープのリスク因子は大腸癌に準じて,年齢(50歳以上),家族歴,高カロリー食,赤身肉・加工肉,肥満,過量のアルコール,喫煙など.

定義

大腸内腔に向かって限局性に隆起する病変で,組織学的には良悪性は問わない.

病態

大腸癌発生の主経路として腺腫を介したadenoma-adenocarcinoma sequence説が提唱されている.正常粘膜から低グレード腺腫になる際にAPC遺伝子の変異が,高グレード腺腫になる際にKLAS変異が,癌になる場合TP53遺伝子変異が関与しているとされる.

鑑別疾患

❶ 進行癌,悪性リンパ腫,転移性大腸癌

❷ 反転大腸憩室:内視鏡的切除をすると穿孔.

非専門医レベルで行うべきチェックリスト

❶ 40歳以上では大腸がん検診が推奨され,便潜血検査は1~2年おきの実施が推奨される.

❷ 便潜血陽性や血便で大腸内視鏡検査を勧め,病変の早期発見に努める.

専門医での検査・処置

❶ 大腸内視鏡検査を行う.インジゴカルミン散布を含む通常内視鏡観察に加え,色素拡大観察によるpit pattern評価や,NBI拡大観察によるJNET分類評価などで良悪性を判断する.

❷ 内視鏡的切除適応と判断した病変に対しては,cold

第4章 疾患編　　　　　　　　　　　　消化器疾患

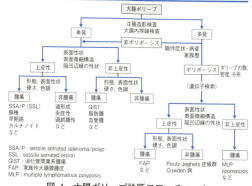

図1　大腸ポリープ診断フローチャート
(日本消化器病学会：大腸ポリープ診療ガイドライン2020)

polypectomy, EMR（内視鏡的粘膜切除術），ESD（内視鏡的粘膜下層剥離術）などの方法で切除を試みる．
❸切除病変は病理学的に診断を行いがんの可能性について評価が必要であり，追加切除の必要性を判断すべきである．

コンサルトのタイミング

切除適応病変やポリポーシスの症例は通常外来へ紹介．巨大ポリープによる腸閉塞や多量出血を疑う場合は緊急でコンサルト．

フォローアップ外来

内視鏡的にすべてのポリープを切除できれば，その後のサーベイランス内視鏡は3年以内が望ましいとされる．

memo

大腸癌 (1)

ポイント

❶ 大腸癌の患者は年々増加しており，本邦では全人口の部位別がん罹患者数では第1位，死亡数では第2位となっている．

❷ 近年，内視鏡治療や外科手術の進歩，抗がん剤，分子標的薬，免疫治療といった治療の進歩が著しく，Stage Ⅱ/Ⅲ結腸癌の5年生存率は90％に近づき，切除不能進行再発大腸癌の全生存期間の中央値は約3年に迫ってきている．

病　態

❶ 大腸癌とは，原発を大腸として発生した上皮性悪性腫瘍を指し，続発性に発生したものは除外する．ほとんどが腺癌である．

❷ 発生する大腸癌の発生母地，遺伝学的背景，臨床病理学的性格，および化学療法の効果が異なるため，大腸を二分して，盲腸〜横行結腸を近位側（右側）大腸，下行結腸〜直腸を遠位側（左側）大腸と呼ぶ．

❸ 大腸癌には家族集積傾向があり，遺伝的素因に加えて，食事や運動などの環境因子が関与しているとされる．高脂肪食，低繊維食，アルコールや喫煙が発症因子として報告されている．

鑑別疾患

❶ 腫瘍性疾患：悪性リンパ腫，ポリポーシス，転移性大腸癌など

❷ 非腫瘍性疾患：炎症性腸疾患，虚血性腸炎，感染性腸炎，異所性子宮内膜症，痔，直腸粘膜脱症候群，直腸脱など

非専門医レベルで行うべきチェックリスト

❶ 一般に大腸癌は症状が乏しく，特に早期癌では全く症状がない場合がほとんど．症状の出現は進行癌になってからの場合が多い．

❷ 症状としては，便の狭小化や便秘，血便，腹痛，貧

第4章　疾患編

消化器疾患

血に伴うめまいやふらつきなど．進行癌では便秘症状に対して緩下剤が使用され，溢流性下痢になっている可能性もあり，内服薬についても確認が必要である．

❸ 全大腸癌の約30％には遺伝的素因があると考えられており，遺伝性大腸癌の中に「リンチ症候群」がある．家族歴がある場合には，「誰」が「何歳」のときに「どこの臓器」のがんになったかの確認が必要である．

❹ 身体診察として，腹部触診や直腸診は行う．

❺ 血液検査では貧血の有無，CEAやCA19-9の確認を行うが，腫瘍マーカーが陰性の場合も多く，血液検査のみで否定しない．

❻ 便潜血反応検査は症状のない方へのスクリーニング検査としての意味合いが強い．偽陽性や偽陰性の確率も高く，便潜血反応検査のみでの安易な判断は行うべきではない．

❼ 進行癌であれば，腹部超音波検査で「pseudokidney sign」や腹部Xpでハウストラの目立つ大腸拡張像を認めることがある．

❽ 可能な施設では，大腸内視鏡検査を行うが，内視鏡治療適応病変に対しての質的診断目的の生検は，粘膜下層に線維化を生じることになり，内視鏡治療の妨げとなる点に留意する必要がある．

専門医での検査・処置

❶ 大腸癌の確定診断には大腸内視鏡検査が必須．無症状での便潜血陽性の精査であれば，まずは大腸内視鏡検査を行う．

❷ 便通異常や腹部症状がある場合には，腸管洗浄液での服用で腸閉塞に至る可能性もあり，腹部XpやCT検査を優先する．ステージングも兼ねて，禁忌がない限り造影CTでの評価が望ましい．

493

大腸癌 (2)

❸粘膜内癌（cTis）または粘膜下層軽度浸潤癌（cT1a）では内視鏡治療の適応となる．治療法としてはスネアポリペクトミー，内視鏡的粘膜切除術（EMR）と内視鏡的粘膜下層剥離術（ESD）がある．ESD の適応は「最大径 2 cm 以上の早期大腸癌」である．

❹粘膜下層高度浸潤癌（cT1b）以上では外科的切除が基本となる．cT1b の診断指標として「緊満感，びらん，潰瘍，ヒダ集中，変形・硬化像」などの内視鏡所見，X 線造影検査，色素内視鏡観察，画像強調観察，拡大内視鏡観察，超音波内視鏡所見などを参考にする．

❺Stage Ⅳ 大腸癌（同時性遠隔転移を伴うもの）でも，切除可能であれば積極的に切除を行い，治癒を目指すのが一般的である．一方で遠隔転移巣の切除が不可能の場合には，原発巣による症状がない限り，化学療法を行うことを優先する．

❻大腸癌による腸閉塞では大腸ステント留置を検討するが，化学療法の適応となる患者に対しては行わないことが推奨されている．

❼切除不能大腸癌に対する化学療法では，一次治療としてはフッ化ピリミジンにオキサリプラチンもしくはイリノテカンを併用し，さらに血管新生阻害薬もしくは抗 EGFR 抗体を加える治療が基本になる．推奨されるレジメンは RAS 変異，BRAF 変異，MSI の有無と腫瘍の局在で決まる．

コンサルトのタイミング

❶急性腹症の場合には即座に専門医にコンサルトする．
❷体重減少，血便，貧血があれば早めに専門医にコンサルトする．

フォローアップ外来

内視鏡的切除後もしくは外科手術後も定期的な画像検査でのフォローアップが必要．

痔疾患 (1)

痔 核

ポイント

1. 肛門管内の血管や結合織が肥大化して出血や脱出などの症状を呈する状態.
2. 歯状線より直腸粘膜側が内痔核, 肛門上皮側が外痔核 (図1).
3. 生活習慣 (慢性便秘症状, 長時間座位, 腹圧のかかる職業) などが原因のことが多い.

非専門医レベルで行うべきチェックリスト

1. 肛門鏡を用いた視診にて, 診断と他の直腸肛門疾患の除外を行う.
2. 非嵌頓痔核の場合は生活指導を行う. 十分な水分量の摂取と食物繊維の摂取を勧める. 過度な怒責や長時間の座位保持を避ける. 疼痛と腫脹の緩和に関しては座浴や局所を暖めることが有効である (図2).
3. 非嵌頓痔核の場合は薬物療法を考慮する. ステロイド含有薬は腫脹・疼痛・出血の強い急性炎症の時期に著効を示すことが多いが, 長時間の使用で皮膚障害を呈する可能性があるため, 注意が必要である (図2).

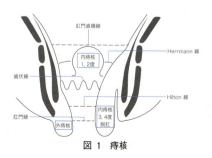

図 1 痔核

痔疾患 (2)

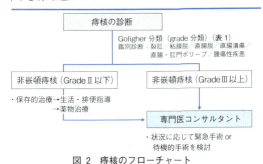

図2 痔核のフローチャート

表1 Goligher分類（内痔核の脱出度に関する臨床病期分類）

grade Ⅰ：排便時に肛門管内で痔核は膨隆するが，脱出はしない
grade Ⅱ：排便時に肛門外に脱出するが，排便が終わると自然に還納する
grade Ⅲ：排便時に脱出し，用手的な還納が必要である
grade Ⅳ：常に肛門外に脱出し，還納が不可能である

＜処方例＞（以下いずれか）
強力ポステリザン軟膏(ステロイド含有)：1日1回〜3回塗布または注入
ボラザG軟膏・坐剤（ステロイド非含有）：軟膏は1日2回塗布，坐剤は1日2回 1回1個挿入

コンサルトのタイミング

❶非嵌頓痔核で保存的治療でも改善しない症状がある場合．

❷嵌頓痔核の場合（緊急手術も考慮されるが，手術の難易度が高く，術後疼痛や術後出血，術後狭窄の危険性が高いため適応は慎重に検討される）．

第4章　疾患編

消化器疾患

専門医での検査・処置

下記の外科的治療法の適応について検討する.

結紮切除術/ゴム輪結紮法/硬化療法/Stapled hemorrhoidopexy（PPH法）/分離結紮法/その他の術式

フォローアップ外来

生活指導と薬物療法を併用しながら自覚症状について追跡する. 内科的治療に抵抗性の場合や嵌頓の徴候がある場合は専門医コンサルトを行う.

裂　肛

ポイント

❶肛門上皮に生じた亀裂, びらん, 潰瘍の総称.

❷慢性裂肛の場合, 裂肛の直腸側にある歯状線部の肛門ポリープ, 裂肛外側の肛門皮垂（見張り疣）を認めることが多い（裂肛・肛門皮垂・肛門ポリープを慢性裂肛の3徴と呼ぶ）.

❸不整形, 浮腫性, 難治性の場合は他疾患の鑑別を考慮（図3）.

非専門医レベルで行うべきチェックリスト

❶視診・指診を行い裂肛の診断と肛門狭窄の有無について判断する. 指診は疼痛を伴うため配慮しての施行を心がける. また, 脱出病変の合併がないか確認を行う.

❷保存的治療としては, 排便後に紙などで強く拭くことは避けて坐浴や水での洗浄を行うなどの肛門衛生指導や, 肉類の過剰摂取を控えて繊維成分の摂取を推奨する便秘予防の食事指導などを行う. 外用薬としては一般的には局所麻酔薬含有軟膏やヒドロコルチゾン含有軟膏の局所塗布が用いられる.

📝memo

痔疾患 (3)

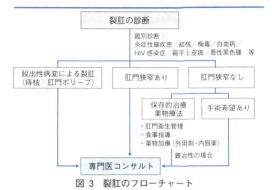

図 3 裂肛のフローチャート

<処方例>
強力ポステリザン軟膏(ステロイド含有)：1日1回〜3回塗布

ボラザG軟膏（ステロイド非含有）：1日2回塗布

❸保存的治療に抵抗する場合は、局注用硝酸塩・Caブロッカー・ボツリヌス毒素などの薬物療法が海外で行われているが、本邦では保険適応とされていない．

コンサルトのタイミング

病歴、視診・指診等で肛門狭窄を疑う場合や保存的治療・薬物治療に難治性の場合は、専門医コンサルトを検討する．

専門医での検査・処置

脱出性病変に対する結紮切除術や、肛門筋切開術、肛門形成術の適応について検討する．

フォローアップ外来

保存的治療を行う場合は、自覚症状とともに肛門狭窄の程度についても指診を用いながら慎重に追跡する．

第4章 疾患編　　　　　消化器疾患

痔　瘻

ポイント

❶ 肛門周囲膿瘍から進展して発生する事が多いが，その他にも裂肛・クローン病・結核・HIV 感染症・膿皮症などが関与する痔瘻も頻度は高くないが存在する．

❷ クローン病合併の特徴的肛門病変は，裂肛・cavitating ulcer・肛門周囲膿瘍・浮腫状皮垂などが挙げられる

非専門医レベルで行うべきチェックリスト

❶ 超音波検査・CT/MRI 検査・瘻孔造影検査・注腸造影検査等の中で，施設で対応可能な画像検査で肛門周囲膿瘍の合併や瘻管の部位と広がりを診断する．

❷ 乳児の場合は1歳前後で自然治癒傾向が見られるため自覚症状が乏しければ経過観察を検討する．自覚症状がある場合は抗菌薬投与，スキンケア，圧迫法など保存的治療を行う（図4）注1．抵抗性や再発性の場合は速やかに専門医に紹介する．

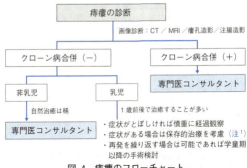

図4　痔瘻のフローチャート

痔疾患 (4)

表 2　通常の痔瘻とクローン病の痔瘻の相違

	通常の痔瘻	クローン病の痔瘻
原因	肛門腺感染	直腸肛門潰瘍
原発口	肛門陰窩	直腸肛門潰瘍や巨大なものあり
好発部位	正中後方（6時）	不定
多発性	単発が多い	多発傾向あり
瘻管	細い	太い，壁薄弱，走行複雑
型	低位筋間痔瘻が2/3	複雑低位筋間痔瘻や坐骨直腸窩痔瘻が多い

❸非乳児の場合，自然治癒は稀であり手術介入検討のため専門医に紹介する．

❹専門医紹介の際にはクローン病合併の有無を慎重に判断する（表2）．クローン病合併の際には外科的介入に加えて薬物療法の併用も必要なため，治療経験のある専門医への紹介を検討する．

コンサルトのタイミング

非乳児やクローン病合併の際には専門的治療を要するため紹介を検討する．

専門医での検査・処置

❶外科的治療介入（下記術式）の適応を検討する．
　開放術式/括約筋温存術式/シートン法/advancement flap 法/ligation of intersphincteric fistula tract 法（LIFT）

❷クローン病合併の際には免疫調整薬や生物学的製剤の導入を検討する．

フォローアップ外来

術後再発の可能性や，長期罹患にて痔瘻癌発生のリスクがあるため慎重に経過観察を行う．

第4章　疾患編

消化器疾患

肛門周囲膿瘍

ポイント

❶肛門陰窩から肛門導管を経て肛門腺に最近し侵入し感染が発生したものである.

❷肛門周囲膿瘍の切開排膿後の痔瘻への移行率は30数％程度で，女性よりも男性が痔瘻に移行しやすい. また，起炎菌も *E. coli* が痔瘻に移行しやすい.

非専門医レベルで行うべきチェックリスト

❶乳児の場合は切開排膿を検討するが痔瘻化リスク上昇の報告もあり適応を慎重に検討する.

❷非乳児の場合は基礎疾患の有無や抗血栓薬内服の有無に関わらず切開排膿を検討する. ドレナージの位置や大きさは将来的に痔瘻化した場合の根治手術を考慮し，括約筋温存を考慮する（図5）[注1].

❸乳児・非乳児ともに抗菌薬投与は検討されるが，効果は他の感染症と比較して乏しい. 広汎な蜂窩織炎を伴う場合や，糖尿病や心臓弁膜症などの併存疾患を持つ患者でドレナージのみでは改善しない場合，免疫低下状態の患者の場合では積極的な投与を検討する（図5）[注2].

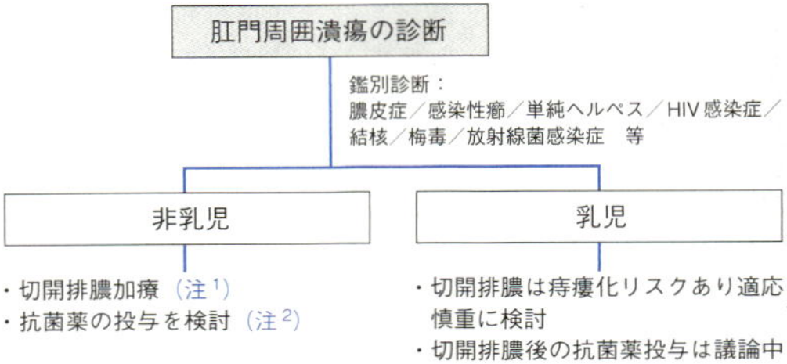

```
           ┌─────────────────┐
           │  肛門周囲潰瘍の診断  │
           └─────────────────┘
                    │
            鑑別診断：
            膿皮症／感染性癌／単純ヘルペス／HIV感染症／
            結核／梅毒／放射線菌感染症　等
                    │
        ┌───────────┴───────────┐
  ┌──────────┐            ┌──────────┐
  │   非乳児   │            │    乳児    │
  └──────────┘            └──────────┘

・切開排膿加療（注1)        ・切開排膿は痔瘻化リスクあり適応
・抗菌薬の投与を検討（注2)    　慎重に検討
                          ・切開排膿後の抗菌薬投与は議論中
```

図 5　肛門周囲膿瘍のフローチャート

501

痔疾患 (5)

コンサルトのタイミング

　非乳児で膿瘍が大きく広範囲の切開が必要な場合は，括約筋温存考慮が必要なため専門医コンサルト検討する．

専門医での検査・処置

　括約筋を温存した切開排膿術を行う．

フォローアップ外来

　痔瘻への移行の可能性があるため，リスクの説明と自覚症状出現時の医療機関受診を指導する．

memo

人工肛門患者の管理（1）

ポイント

　ストーマ stoma とは腹部に手術により作られた人工的排泄口．通常直径 3 cm，高さ 1.5 cm の半球状．

病態

❶ ストーマには旧肛門に備わる機能，すなわち排泄物の貯留（禁制 continence），排泄口の弛緩，排泄物の排出といった機能はない．痛覚を含めて感覚もない．

❷ ストーマの分類

　①期間による分類：永久的ストーマ，一時的ストーマ

　②数による分類：単孔式ストーマ，双孔式ストーマ

　③部位による分類（表1）：回腸ストーマ ileostomy，横行結腸ストーマ，S 状結腸ストーマ

専門医での検査・処置

❶ 術前管理：人工肛門の位置決め（Cleveland clinic の基準）：①皮膚の凹み，皺，肋骨弓，臍，腸骨稜，恥骨直上，手術創，放射線照射部位，ベルトの当る場所，を避けた位置，②腹部が最も突出している腹部脂肪層の頂点，③臍より足側，④腹直筋を貫く位置．

❷ 術後管理，排便処理：自然排便はストーマに袋・パ

表 1　部位によるストーマの分類

	便性状	便量/日	便 pH	単孔式か双孔式か	洗腸排便	合併症
回腸ストーマ	水様	1 L	7.0〜8.0	双孔式	×	多
横行結腸ストーマ	泥状	500 g	6.9〜7.5	双孔式	×	少
S 状結腸ストーマ	有形	200 g	6.9〜7.5	単孔式双孔式	○	少

人工肛門患者の管理 ⑵

ウチを装着し，自然排便とする．簡便であるが，臭いや便漏れの不安がある．洗腸排便はストーマから微温湯 0.5〜1 L を腸内に注入し，便を排泄する．利点は，装具が不要，失禁なし，便漏れなし，臭いなし．

❸ストーマ合併症（表2）：ストーマの視診，指診は必須．最も多いのはストーマ周囲皮膚炎である．便はアルカリ性のため，皮膚の酸性皮脂膜（酸外套）を破壊しさらに細菌，真菌感染を伴う．紅斑，丘疹，水疱，びらん，潰瘍，膨隆疹，膿疱，色素沈着が認められ，自覚症状として痛みや痒みがある．

コンサルトのタイミング

致命的な合併症，すなわち大出血，穿孔，閉塞，壊死，脱落，膿瘍，ヘルニア嵌頓は直ちに専門医コンサルト．

フォローアップ外来

❶WOC ナース（皮膚排泄ケア認定看護師）によるストーマケア

❷重大な障害のある欠陥ストーマは再手術が必要．

表2　ストーマ合併症

1. 早期合併症（術後2週間以内）
   ①虚血，壊死，脱落，潰瘍，穿孔
   ②感染，周囲膿瘍，壊死性筋膜炎，粘膜皮膚離開，瘻孔
   ③出血　④浮腫　⑤粘膜皮膚移植
   ⑥脱水，電解質異常，腎不全

2. 晩期合併症（術後2週間以降）
   ①周囲皮膚炎，真菌感染，接触性皮膚炎，自家感作性皮膚炎，肉芽腫
   ②狭窄，閉塞，イレウス　③脱出，下垂　④傍ヘルニア
   ⑤陥凹，陥没　　　⑥位置不良　⑦静脈瘤
   ⑧腫瘍，癌化，癌転移　⑨壊疽性膿皮症

急性肝炎 (1)

ポイント

❶ 急性肝不全の概念を理解することが，今後必須となる．急性肝不全の3割弱が，ウイルス性肝炎（B型が最多，次いでA型）が成因である．

❷ A・E型急性肝炎は経口感染．通常は慢性化しない．感染症法により，A・E型肝炎は4類感染症なので，診断後直ちに最寄りの保健所に届け出る．それ以外のウイルス性急性肝炎は，5類感染症の一部に該当し，7日以内に届け出る．

❸ HBVの再活性化に注意．以下，HBV関連は，「B型肝炎治療ガイドライン」（第4版．2022年6月，日本肝臓学会編）に準拠して記載する．

定　義

❶ わが国の劇症肝炎の定義は，「肝炎のうち」とあるように，肝炎症例限定であり，欧米のパラセタモール（アセトアミノフェン）中毒などの非肝炎の症例とも整合性が保たれるように，2011年に，厚生労働省研究班から，急性肝不全の概念が提唱された．

❷ わが国の急性肝不全の定義：

① 「正常肝ないし肝予備能が正常と考えられる肝に肝障害が生じ，初発症状から8週以内に高度の肝機能障害に基づいてプロトロンビン時間が40%以下ないしはINR値1.5以上を示すもの」である．

② 肝性脳症Ⅱ度以上を呈する昏睡型と，それ以外の非昏睡型に分類される．昏睡型のうち，成因が肝炎のものが，劇症肝炎である．

③ 昏睡型は，その発現時期から，急性型（10日以内）と亜急性型（11日から56日以内）に分類される．

④ さらに，8週以降24週以内に肝不全となる「遅発性肝不全（LOHF）」がある．

❸ すなわち，急性肝障害のうち，成因が肝炎のものが，急性肝炎である．

急性肝炎 (2)

❹しかし以上の概念だけでは，背景に慢性肝疾患を持つ症例に肝障害が生じた場合には問題が起こる．これをほぼ解決した概念が，ACLF（Acute-on-chronic liver failure）である（☞ p.533 肝硬変）．ACLF の背景はアルコール性肝硬変が最多で，急性増悪の誘因もアルコール多飲が最多．

❺ほぼ解決と記載した理由は，ACLF は，背景が肝硬変に限られるため．例えば，背景は非肝硬変ながら，重症アルコール性肝炎（SAH）を発症したケースは，ACLF に含まれない．しかし臨床上，この範疇に入る SAH は少なからずあり，重要な問題として残る．

鑑別診断

急性肝障害（定義を満たすなら急性肝不全）を引き起こした成因と，それが肝炎か非肝炎かを考える．

❶ウイルス肝炎（表1）：1～2%が急性肝不全になる．

表 1　急性肝障害時にチェックすべきウイルスマーカー

HAV	IgM HA 抗体（CLIA）
HBV	IgM HBc 抗体（CLIA）
	HBc 抗体（CLIA），HBs 抗原（CLIA），高感度 HBs 抗原（CLEIA），HBV-DNA（リアルタイム PCR）**
HCV	HCV 抗体，HCV-RNA（リアルタイム PCR）**
HEV	IgA HEV 抗体（EIA）
EBV*1	VCA（IgG）抗体（蛍光抗体法）*2，VCA（IgM）抗体（蛍光抗体法），EBNA 抗体（蛍光抗体法）*3
CMV*1	IgM CMV 抗体（CLIA）

*1 EBV：EB ウイルス，CMV：サイトメガロウイルス

*2 640 倍以上の強陽性をもって急性感染（再活性化も含む）と解釈する．

*3 陽性の場合は急性感染は否定できる．

** 保険適用外

第4章　疾患編

消化器疾患

❷ EBV 感染・CMV 感染（**表1**）のほか，HSV，VZV，パルボウイルス B19 など．肝炎に分類．

❸ 自己免疫性肝炎（☞ p. 510）：急性発症例があるため急性肝不全の成因にもなる．一方，既に診断がついているなら，当然 ACLF に該当することもある．

❹ 薬物性肝障害：2021年度調査から，代謝特異体質（☞ p. 528）が原因の急性肝不全は，非肝炎に分類することになった．一方，DLST 陽性などのアレルギー性機序が原因の場合は，肝炎に分類．

❺ 循環不全，Wilson 病，急性妊娠脂肪肝など：当然，非肝炎のカテゴリー．

❻ アルコール性肝障害：もはや急性肝不全の成因にはほぼならず，ほとんどが ACLF に該当するが先述の問題が残存する．☞ p. 518

B型肝炎について

　HBV が原因の急性肝不全の成因は，B型急性肝炎が約58％で，B型キャリアの急性増悪が約39％である（急性肝不全は B 型無症候性キャリアからの発症は含む概念である）．de novo B 型肝炎は，後者の一部だが，予後は不良（☞ p. 513 慢性肝炎）．一方，ACLF のうち B 型 LC が背景のものは，約8％である．

非専門医レベルで行うべきチェックリスト

　急性肝不全の定義を，経過中に満たすかどうかを予見して診療に当たることに尽きる．

❶ 問診：服薬歴，飲酒歴のほか
　　① A 型：海外渡航歴，生カキ含む二枚貝摂取．
　　② B・C 型：性的接触，肝疾患家族歴，経静脈的薬物濫用歴，刺青・針治療・ピアス孔作成術．
　　③ E 型：海外渡航歴，イノシシ・シカ・ブタの生食．

❷ 血算・生化学の検査
　　① プロトロンビン時間（PT）は必須（PT≦40％，または PT（INR）≧1.5 なら専門医に紹介）．

507

急性肝炎 (3)

表 2　原因ウイルスの診断

A 型：IgM 型 HA 抗体陽性
B 型：IgM 型 HBc 抗体陽性，HBs 抗原陽性*
C 型：HCV-RNA 陽性，HCV 抗体陽性*
Non-ABC 型：IgM 型 HA 抗体陰性，IgM 型 HBc 抗体陰性，HCV-RNA 陰性，抗核抗体陰性（自己免疫性肝炎の否定），既知のウイルス感染症の否定.
E 型：IgA 型 HEV 抗体陽性，HEV-RNA 陽性

*ウインドウピリオドに注意．HBs 抗原（従来法）＝約 2 か月，HCV 抗体＝約 3 か月．☞ p. 270 肝炎ウイルス検査
（日本肝臓学会：肝臓専門医テキスト第 2 版．南江堂，2020 より改変）

　　②筋原性の AST・ALT 上昇否定のための CPK.
　　③血球由来のビリルビン高値否定のための D-Bil.
　　④アイソザイム含む LDH．アンモニア，BTR（分岐鎖アミノ酸/チロシンモル比）など.
❸肝炎ウイルスマーカー（表 1，2）
❹腹部エコー，CT：胆道系疾患（閉塞性黄疸など）や（ACLF などを鑑み）慢性肝疾患の有無を検索．map sign と呼ばれる壊死部に一致したエコーレベル上昇（地図状高エコー域），CT 値の低下，肝萎縮（MDCT で≤700 mL），および腹水などは，急性肝不全を疑う.
❺経過を追うポイントは，極期を過ぎたかどうかを見極めることにつきる．トランスアミナーゼが二峰化（一旦下降してまた上昇）するなら，急性肝不全を予見する.

非専門医レベルで行うべき治療

　急性肝不全以外でも，黄疸が強い（T-Bil＞3.0 mg/dL など），食思不振や全身倦怠などは入院し安静.

専門医レベルで行うべきチェックリスト

❶HAV：急性肝不全非昏睡型に HAV は相当数あり，

第4章　疾患編

消化器疾患

昏睡型の HAV は近年救命率が低い.

❷HBV：急性肝不全が疑われれば，HIV の重複感染を否定した後，急性肝炎では PT が 40%（キャリアの急性増悪では 60%）以下になる前に，核酸アナログを投与.

❸HCV：感染経路は性的接触が最多（不明を除く）. 慢性肝炎への移行率は 70～80% とされ，半年～1 年程度は追跡する. HCV 抗体の陽性時に HCV-RNA を検索.

❹HEV：輸入感染と，日本固有 HEV が存在している. 中高年での重症化例と，特に北海道に多い遺伝子型 4 型での劇症化に注意.

コンサルトのタイミング

❶HBV が原因の急性肝障害は，急性感染とキャリアからの発症の鑑別が難しいこともあり，全例専門医に紹介する.

❷プロトロンビン時間が 40% 以下ないしは INR 値 1.5 以上を示すものは，全例専門医に紹介する.

フォローアップ外来

B・C 型急性肝炎後，慢性化した場合は，専門医と連携して加療する. ☞ p.510 慢性肝炎

✎ **memo**

慢性肝炎 (1)

ポイント

❶ 本邦の慢性肝炎の原因は，大半がウイルス肝炎．

❷ B型肝炎の既往感染からも HBV 再活性化ありうる．
化学療法施行時などの状況では HBs 抗原のみならず HBc 抗体と HBs 抗体の両者の測定が必須． ☞ p. 270 肝炎ウイルス検査

❸ C 型慢性肝炎では，DAA（直接作用型抗ウイルス薬）の初回投与例でのウイルス排除率は 95％以上．

※以下，B 型・C 型ウイルス性肝炎を主体に記載．

疫　学

HBV 感染，HCV 感染のわが国でのキャリア率は，それぞれ約 1％，0.7〜1％ 程度．

HBV キャリアの定義

血中 HBs 抗原が持続的に（6 カ月以上）陽性であるものを HBV キャリアと総称する．うち（厳密には病理学的に，一般的には血液生化学的に）肝障害の持続または断続するものが B 型慢性肝炎である．

鑑別診断

❶ 非アルコール性脂肪性肝疾患（MASLD）☞ p. 522

❷ アルコール性肝障害 ☞ p. 518

❸ 自己免疫性肝炎：中年以降の女性に多い．抗核抗体，抗平滑筋抗体などの自己抗体の出現，高ガンマグロブリン血症（2 g/dL 以上），または IgG 高値（＞正常上限の 1.1 倍）などが典型例．赤沈亢進・CRP 陽性も参考所見．疑えば，肝生検を含め専門医に紹介．

❹ 原発性胆汁性胆管炎（PBC）：2016 年に原発性胆汁性肝硬変から名称変更．女性に多い（男女比 1：7）．ALP，γ-GTP など胆道系酵素の慢性的上昇，IgM 高値など．90％以上の症例で抗ミトコンドリア（M2）抗体陽性．ウルソ® やベザトール SR®，パルモディア® などを使用．無症候性が 70〜80％．初期から掻痒感はあり得て，レミッチ OD® が使用可．初期で

第4章 疾患編　消化器疾患

も食道胃静脈瘤があり得る．
❺薬物性肝障害 ☞ p. 528
❻その他：原発性硬化性胆管炎（PSC），IgG4 関連硬化性胆管炎など．IgG4 は一度は測定しておくこと．

非専門医レベルで行うべきチェックリスト

※「B 型肝炎治療ガイドライン」（第 4 版．2022 年 6 月），「C 型肝炎治療ガイドライン」（第 8.2 版．2023 年 1 月）に則すも，「慢性肝炎・肝硬変の診療ガイド 2019」も参照（以上，全て日本肝臓学会編）．

❶B 型慢性肝炎
①B 型キャリアの自然経過（図 1）
　HBV-DNA 量の多寡の目安は，3.3 log IU/mL（2,000 IU/mL）．一方，6.3 log IU/mL（2×10⁶ IU/mL）以上は高ウイルス量．検出感度は，1 log IU/mL（10 IU/mL）だが，表記数値としては一般的に

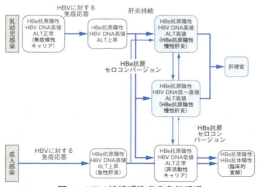

図 1　HBV 持続感染者の自然経過
（日本肝臓学会編：B 型肝炎治療ガイドライン　第 4 版．2022 年 6 月）

慢性肝炎 (2)

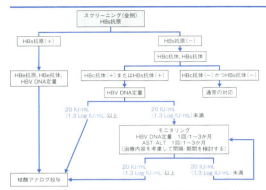

図2 免疫抑制・化学療法により発症するB型肝炎対策ガイドライン

(日本肝臓学会編. B型肝炎治療ガイドライン 第4版. 2022年6月)

1.3 log IU/mL が下限なので,図2でも 1.3 log($=2×10^1$)が重要数値となっている.
② 長期的治療目標:HBs 抗原陰性化.
③ 短期的治療目標:ⓐ ALT の正常化(≦30 U/L),ⓑ HBe 抗原陰性かつ HBe 抗体陽性,ⓒ HBV-DNA 量の低下.
④ HBV 由来肝癌(HCC)
　ⓐ 発生率は,HBV-DNA 量と HBs 抗原量に相関.ついで,HB コア関連抗原量(HBcrAg).だたし,HBV-DNA と HBcrAg は,同時測定すると保険的に認められない(ことがある).
　ⓑ 慢性肝炎からの発癌が少なからずある.
　ⓒ HBs 抗原消失例からの発癌もある.
⑤ 治療対象:一旦は全例専門医への紹介.治療対象の概要は,ALT 31 U/L 以上で HBV DNA 量 3.3

第4章　疾患編

消化器疾患

log IU/mL（2,000 IU/mL）以上の慢性肝炎か，HBV DNA 陽性の肝硬変（ALT 値は問わない）．HIV1，2 抗原・抗体同時測定定性（CLIA 法）などを事前に施行し，HIV との重複感染の際に，薬剤耐性 HIV を出現させないこと．

⑥HBV マーカー：HBV-DNA と HBs 抗原は極めて重要．ほかに HBcrAg ☞ p.506 急性肝炎・ウイルスマーカー HBV

⑦再活性化（図2）：免疫抑制・化学療法などにより HBV が再増殖することを HBV 再活性化と称す．免疫チェックポイント阻害薬についても，図2 のフローチャートに基づき対応することを推奨．

　　ⓐ当該療法の中断・中止後にも発症しうる．中断・中止後も少なくとも 12 か月は，治療中と同様，（基本的に）HBV DNA をモニタリングする．

　　ⓑ令和2年4月より診療報酬の算定方法が改正され，HBs 抗原，HBs 抗体および HBc 抗体を患者1人につき1回に限り，同時測定が可能となった．故に，当該療法の事前に，かつ全例に，これら3項目を必ず測定すること．事後では，抗体価が免疫抑制などで低下してしまい偽陰性になる可能性もあり，既往感染か否かの判定が困難となる．

　　ⓒキャリアからの再活性化と，既往感染（HBs 抗原陰性，かつ HBc 抗体または HBs 抗体陽性）からの再活性化に分類．後者由来の肝炎が「*de novo* B 型肝炎」．☞ p.505 急性肝炎・B 型肝炎について

　　ⓓ既往感染でも，HBV DNA を定期的にモニタリングし，表記数値の下限 1.3 log IU/mL（20 IU/mL）以上となったら直ちに核酸アナログを投与．

　　ⓔ再活性化の注意喚起薬剤は，B 型肝炎治療ガイドラインを参照すれば良いが，新規薬剤など

513

慢性肝炎 ⑶

> は，医薬品医療機器総合機構（PMDA）などを
> 参考とすること．
> ⓕC 型との重複感染では，DAA による C 型肝炎
> 治療での B 型肝炎再活性化がある．

⑧検査：血液生化学検査，凝固系，AFP，AFP-L3，
PIVKA-Ⅱ，線維化マーカー（4 型コラーゲン 7S，
M2BPGi など），腹部エコー，ダイナミック CT，
EOB-MRI など．

⑨ユニバーサルワクチネーション（UV）：

> ⓐ唾液・涙・汗の中の HBV-DNA 量は血中 HBV-
> DNA 量と比し 1/10〜1/100 なので，十分感染
> 力がある．
> ⓑ上記の体液は，小児期の父子感染や，水平感染
> の一因と推測される．
> ⓒHBV は一度体内に入ると，キャリア化せずと
> も肝細胞核内に cccDNA は一生残る．後に再活
> 性化の問題などを惹起．
> ⓓわが国でも「2016 年 4 月 1 日以降に出生した 0
> 歳児」を対象に B 型肝炎ワクチンが定期接種化．

❷C 型慢性肝炎

①非代償性肝硬変を含んで，すべての C 型肝炎症例
が抗ウイルス療法の治療対象となる．三歳以上の
小児にも DAA の適用がある．一方，Child-Pugh
分類で C のうち，スコア 13〜15 点のものは，肝
臓専門医が極めて慎重に方針決定すべき病態．

②HCV 抗体陽性症例を診たら，HCV-RNA の陽性
を確認後，一旦は全例肝臓専門医受診を勧める．

③SVR（ウイルス除去）が得られても，SVR 後発癌
症例が少なからずある．

専門医での検査・処置

❶B 型慢性肝炎

①genotype（遺伝子型）

第4章　疾患編

消化器疾患

ⓐわが国では genotype C（85%）＞genotype B.

ⓑ沖縄，東北などでの日本固有株の Bj は，肝炎の進行が遅く，HCC 発生率も低い．しかし，プレコア変異が入り易く劇症化の要因にもなりうる．

ⓒgenotype A は，都市部中心に若年者の水平感染に関与（性交渉，薬物濫用など）．慢性化率が 5〜10%.

②HBV-DNA の表記単位：国際単位を鑑み，2016 年に表記単位が log copies/mL から IU/mL に移行．例えば，3.3 log IU/mL（2,000 IU/mL）＝4.0 log copies/mL．2×10^n IU/mL が，キー数値になることが多い．

③HBs 抗原：HCC 発症リスクなどの指標として経時的モニタリングに使用．CLEIA 法などの高感度法（従来の約 10 倍の 0.005 IU/mL から）は，B 型肝炎再活性化のモニタリングなどで寄与する可能性がある．

④HBcrAg：肝内 cccDNA 量と相関し，核酸アナログ投与中で HBV-DNA が感度以下になっても検出しうる．HBs 抗原が低値でも，HBcrAg 高値は HCC 発症リスクが高い．核酸アナログ中止時期決定などにも有用．B 型肝炎再活性化のモニタリングなどで寄与する場面もある．

⑤治療（**図3**）：核酸アナログ（ETV：バラクルード®, TDF：テノゼット®, TAF：ベムリディ® など），IFN，および核酸アナログを安全に中止する方法の一つとして，IFN に繋げる sequential 療法など.

❷C 型慢性肝炎

①genotype（以下 GT）：一度は測定しておく．セログループとの乖離がないか，GT1 の場合に稀な 1a ではないか，GT 2 の場合に 2a か 2b か，などを確認（保険適用外）．

515

慢性肝炎 (4)

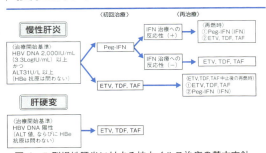

図3 B型慢性肝炎に対する抗ウイルス治療の基本方針
(日本肝臓学会：B型肝炎治療ガイドライン第4版資料1. 2022年6月より改変)

②前治療でDAAを使用し不成功になると，多彩な変異が出現しうるが，P32欠失はNS5A阻害薬に強い耐性を生じる．DAA治療歴を有する例を除いた，代表的な治療法を図4，5に挙げる．

コンサルトのタイミング

HBVキャリアおよびHCV-RNA陽性者は全例いったん専門医にコンサルトする．B型肝炎再活性化の注意喚起薬を使用する場合，事前に検査すべき内容や事後のフォローの仕方が分からないなら，同様．

フォローアップ外来

❶フォローの間隔，検査については，原則専門医の指示に従うが癌を早期に発見することが最も重要．
❷HBVキャリアでは数か月に1度HBV-DNAチェックし，半年〜9か月に1度は画像検査を行う．

memo

第4章 疾患編　　　　　　　　　　　　　消化器疾患

図4　慢性肝炎・代償性肝硬変（DAA治療歴なし）
（日本肝臓学会：C型肝炎治療ガイドライン第8.2版. 2023年1月より改変）

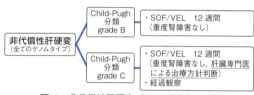

図5　非代償性肝硬変（DAA治療歴なし）
（日本肝臓学会：C型肝炎治療ガイドライン第8.2版. 2023年1月より改変）

【図4～5中の薬剤名】
SOF/LDV：ハーボニー®配合錠，GLE/PIB：マヴィレット®配合錠，SOF/VEL：エプクルーサ®配合錠

アルコール性肝障害 (1)
ALD：alcoholic liver disease

ポイント

❶ bio-psycho-social aspects 全てに目配りすべき疾患.

❷ 背景にアルコール依存症がしばしば存在するので，適切に精神科と連携する．ただし，米国精神医学会では，DSM-5 から依存症の概念が消失し，AUD (alcohol use disorder：アルコール使用障害) となった.

❸ アルコールによる全身障害として他臓器(特に神経，血液，心臓，糖代謝，膵臓)にも目を配り診療する.

❹ アルコール性肝癌の発症の危険性を常に念頭におく.

❺ 治療の基本は断酒．禁酒がアルコール性肝障害の予後規定因子なのは明白なのだが，近年，ハームリダクションの概念も提唱されている.

概　念

❶ JASBRA (アルコール医学生物学研究会) の診断基準 (2011 年版 (2021 年小改訂)) では，長期 (通常は5年以上) にわたる過剰の飲酒 (一般的には1日60g以上の平均純エタノール量) が肝障害の主な原因と考えられる病態を「アルコール (AL) 性」とした.

❷ 病型を4つに分類．アルコール性肝癌を独立させた.
　①アルコール性脂肪肝，②アルコール性肝線維症
　③アルコール性肝炎：背景肝が①，②あるいは④であれ，病理組織学的特徴を満たせば，③と診断する．重症アルコール性肝炎 (SAH) は，病態的には ACLF に該当するが，我が国の ACLF の定義では，一部の SAH は，ACLF 非該当となる．この点は問題．☞ p.533 肝硬変，ACLF
　④アルコール性肝硬変，⑤アルコール性肝癌

非専門医レベルで行うべきチェックリスト

❶ 問診
　①輸血歴，肝疾患家族歴，飲酒歴を聴取.
　②飲酒歴は，どのような酒類を，どんな飲み方で，何年くらい飲酒してきたかを尋ねる.

第4章　疾患編

消化器疾患

③純エタノール換算表（**表1**）が重要.

④医師サイドでも患者サイドでも，まずは簡単な10項目で構成される AUDIT でスコア化してみる.

⑤アルコール依存症の診断には新 KAST（新久里浜式アルコール症スクリーニングテスト）など. ☞ p. 606

❷理学的所見

①口臭：酒の匂いをさせたままの受診があり得る.

②クモ状血管腫，手掌紅斑：アルコール性肝障害では肝硬変に至る前から出現することがあり得る.

③呼吸困難感，チアノーゼ，ばち状指：合併症としての肝肺症候群などの有無も検索.

④手指振戦：アルコール離脱症状の一つ.

⑤小脳失調症状：当該神経学的所見の有無を調べる.

❸血算：MCV の上昇（MCV＞100）は，大球性貧血に至らずともあり得て，ビタミン B_{12} 欠乏や葉酸欠乏がなくともあり得る.

❹生化学検査

①肝炎ウイルスマーカー，抗ミトコンドリア抗体，抗核抗体が全て陰性であることを確認.

表1　お酒の1単位（純アルコールにして 20 g）

ビール	（アルコール度数5度）なら	中びん1本	500 mL
日本酒	（アルコール度数15度）なら	1合	180 mL
焼酎	（アルコール度数25度）なら	0.6合	約110 mL
ウイスキー	（アルコール度数43度）なら	ダブル1杯	60 mL
ワイン	（アルコール度数14度）なら	1/4本	約180 mL
缶チューハイ	（アルコール度数5度）なら	ロング缶1缶	500 mL

アルコール量の計算式	お酒の量（mL）×[アルコール度数（%）÷100]×0.8 例）ビール中びん1本　500×[5÷100]×0.8=20

（アルコール健康医学協会 Web ページより）

519

アルコール性肝障害 ②
ALD : alcoholic liver disease

②AST＞ALT（AAR＞1）が大半：ただし，他の疾患での線維化進行に伴うAAR＞1がありえ，注意．

③のちにJASBRAの診断基準へ繋がっていく1991年の高田班による文部省総合研究Aでは，γ-GTPは禁酒4週で，正常値の1.5倍以下か，前値の40％以下の値に下降：AST，ALTは禁酒4週で，80単位以下に下降（前値100以下の場合は50単位以下に下降），とある．

④その他：IgA高値，高TG血症，ビタミンB₁低値，プロトロンビン時間の遷延など．

❺画像検査

①腹部エコー：胆道系疾患の除外や，アルコール性脂肪肝を反映した肝実質の高輝度化などを評価．

②腹部CT：肝腫大，脂肪肝および肝細胞癌の有無に加え，膵炎の合併の有無などを検索．

非専門医での処置

断酒が基本．精神科と連携し，自助組織（断酒会，AAなど）の紹介，家族およびケースワーカーへの協力依頼など．☞ p.605アルコール依存症

合併症としての高血圧症，脂質異常症，肥満，糖尿病に目を配る．

専門医での検査・処置

❶急性期の治療：重症アルコール性肝炎では，ステロイド（およびパルス），顆粒球単球吸着除去療法，これらのsequential療法，血液濾過透析療法など．また，分岐鎖アミノ酸製剤や細菌感染があれば抗菌薬の投与．合併症としてのDICや消化管出血に適切に対処．

❷慢性期の治療：精神科に受診させて，抗酒剤（シアナマイド®とノックビン®），断酒補助剤（レグテクト®）や，ハームリダクションの考え方から飲酒量低減剤（セリンクロ®）の使用も検討．その他，ビタミンB群

第4章　疾患編

消化器疾患

表2　Japan Alcoholic Hepatitis Score（JAS）

Score given	1	2	3
白血球数（/μL）	<10,000	10,000≦	20,000≦
Cr（mg/dL）	≦1.5	1.5<	3≦
PT（INR）	≦1.8	1.8<	2≦
INR 不明の場合, PT 活性（%）	40≦	<40	≦30
総ビリルビン（mg/dL）	<5	5≦	10≦
消化管出血または DIC	（−）	（＋）	
年齢（歳）	<50	50≦	

軽症：7点以下，中等症：8〜9，重症：10点以上

※重症型では，集中治療が直ちに必要.

※中等症型の場合，慎重な経過観察が必要であり，いずれかの項目に3点があれば集中治療が推奨される.

（アルコール医学生物学研究会，旭川，2012 より改変）

（特に B1 ☞ p.609）や亜鉛の補充.

減酒剤：ナルメフェン

　セリンクロ錠（10 mg）　1回1錠　1日1回　㋑
　　　　　　　　　　　　　飲酒の1〜2時間前

※セリンクロ® は，e ラーニング（日本アルコール・アディクション医学会及び日本肝臓学会主催）を受ければ非専門医でも処方可能（HP からエントリー）.

コンサルトのタイミング

　白血球数≧10,000, PT（INR）>1.8 は，重症アルコール性肝炎を想定し，専門施設へ移送する.　JAS（**表2**）が中等症で15%，重症で52%の死亡率（平成23年度，日本消化器学会認定・関連施設アンケート）.

フォローアップ外来

❶肝細胞癌の検索に，定期的に腹部エコー，ダイナミック CT，および EOB-MRI などを施行.

❷上部消化管内視鏡も定期化し食道静脈瘤破裂を回避.

521

MASLD・MASH ⑴

ポイント

❶ 2023年，米国のAASLD，欧州のEASL，ラテンアメリカのALEHは，NAFLD・NASHを再定義し呼称も変更すると発表した．つづいて，日本肝臓学会も新たな病名，MASLD（metabolic dysfunction associated steatotic liver disease）・MASH（metabolic dysfunction associated steatohepatitis）と，その新たな分類法に賛同を表明した．

❷ NAFLD患者の97％ないし99％はMASLD基準を満たすとの報告もある．本項では以後，明らかにNAFLD・NASHの診断基準で検討された知見では名称変更をせず記載．

❸ MASLD（NAFLD）の予後は，トランスアミナーゼの多寡ではなく，あくまで線維化が高度かどうかで決まる．NIT（非侵襲的診断法）の確立が重要課題．

❹ 以下，NAFLD/NASH診療ガイドライン2020（日本消化器病学会・日本肝臓学会編）および2023年9月最終更新の同追補版に準拠して記載．

概念

❶ NASHは，1980年にLudwigが，飲酒歴はないが病理所見ではsteatohepatitisを呈する疾患として提唱．

❷ MASLDの定義では，痩せ型のlean NAFLDは，相当数がcryptogenic SLDに分類されると推測される．わが国でのlean NAFLDの頻度は20.7％と少なくない．

成因

　多要因がparallel（並行的）に複雑な関連を持ちつつ，NASHの発症や進展に繋がるという"multiple parallel hits hypothesis"が提唱されている．酸化ストレス，インスリン抵抗性，アディポサイトカインの分泌異常，遺伝要因（PNPLA3遺伝子など），腸内細菌叢の変化やエンドトキシン，小胞体ストレス（ERストレス）などが挙げられる．

第4章 疾患編

消化器疾患

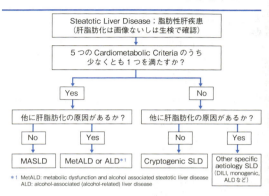

図1 MASLDの診断基準
(*Hepatology.* 78 : 1966-86, Decem-ber 2023 などより改変)

疫学

　世界でのNAFLDの有病率は2019年で30％以上に増加し，男性に多い．わが国での有病率は，男性37.4％，女性18.1％で，全体では25.8％で，線維化の進行したNAFLDの有病率は人口の約1～2％と推定される (*Hepatol Res.* 2023 ; **53** : 1059-72).

MASLD・MASH ⑵

非専門医レベルで行うべきチェックリスト

❶以下の場合などではMASLD・MASHを念頭に置く.

①アルコール摂取：エタノール換算で男性：30 g/日（210 g/週）未満，女性：20 g/日（140 g/週）未満.

②ALT＞AST の肝障害：アルコール性との違い. 線維化が進行すると，逆転例が多くなるので注意.

③ウイルス性肝炎，AIH，PBC や，遺伝性・代謝性疾患（糖原病，Wilson病，ヘモクロマトーシスなど），薬物性肝障害などを否定.

④エコーでの肝腎コントラスト陽性（bright liver），単純 CT での CT 値を用いた肝/脾の CT 値比が0.9 未満. ただし，鉄沈着があれば，肝の CT 値が上昇し，脂肪化が過小評価されるので注意.

⑤BMI が 23 以上の肥満（lean NAFLD に注意）.

❷検査

①血液生化学的検査

 ⓐ初期は，ALT 優位のトランスアミナーゼ上昇が起こり，線維化が進行するにつれ，AST の上昇（AAR の上昇）や血小板低下（後述）が起こる.

 ⓑγ-GTP 上昇.

 ⓒ各種線維化マーカー（Ⅳ型コラーゲン 7S，P-Ⅲ-P，ヒアルロン酸および M2BPGi など）の上昇.

 ⓓⅣ型コラーゲン 7S が 4.4〜5.0（ng/mL）以上か M2BPGi が 1.0 以上は，一度は専門医に紹介.

 ⓔインスリン抵抗性をもつ症例が多い（HOMA-R 高値）. また，フェリチン上昇例が多い.

 ⓕ腫瘍マーカーとして AFP や PIVKA Ⅱを測定（NASH が原因の HCC は，PIVKA Ⅱ上昇例が多い）.

②腹部エコー，上腹部単純CT．EOB-MRI.

③スコアリングシステム：比較的簡便に算出できる FIB4 index を挙げる. FIB4 index が 1.30 以上なら一度は専門医に紹介. 2.67 以上は肝硬変を想定.

第4章 疾患編

消化器疾患

$$\text{FIB 4 Index} = \frac{\text{年齢（歳）} \times \text{AST（U/L）}}{\text{血小板数（10}^9\text{/L）} \times \sqrt{\text{ALT（U/L）}}}$$

※血小板はわが国で一般的な単位の $10^4/\mu L$ で考えると，例えば15万（$/\mu L$）なら150（10^9/L）を代入すると求められる．

※計算しなくてもよいアプリがある．

④血小板数に関して：C型慢性肝炎では，血小板数10万（$/\mu L$）未満で肝硬変を考えるが，NASHでは16万（$/\mu L$）未満と考えるべき．stage 3なら19万（$/\mu L$）未満で疑う．既にコンセンサス．

⑤AST・ALT正常値例：NASHは線維化進行に伴い，
 ⓐAARは上昇しALTはしばしば正常値を示す．
 ⓑ腹部エコーでの肝腎コントラストも見られなくなる症例がある（burned-out NASH）．

⑥合併症：心血管イベント，CKD，DMなどに注意．

❸治療：肥満の改善，食生活改善，運動などの指導を行う．NASHの治療効果はALTの改善ではなく，あくまで線維化改善を目標とする．

①体重減少：7%の体重減少が目安．

②ビタミンE：抗酸化作用を有する．

ビタミンE剤：α-トコフェロール

 ユベラ錠（50 mg）　1回2錠　1日3回　内

③高TG血症を伴う場合：RCTにて，MRE（MRエラストグラフィ）での肝硬度改善が認められた．

高脂血症治療薬：ペマフィブラート

 パルモディア錠（0.1 mg）　1回1錠　1日2回　内

※2023年に1日1回型のXR錠が発売．

④高血圧症を伴う場合，ARBないしはACE阻害薬．線維化改善の報告あり．

⑤糖尿病を伴う場合

 ⓐSGLT2阻害薬：肝機能と肝組織を改善．

MASLD・MASH (3)

⑤GLP-1受容体作動薬：連日投与の注射製剤のリラグルチド（ビクトーザ®）で肝組織改善が，週一回投与の注射製剤のセマグルチド（オゼンピック®）では活動性（炎症）の改善がみられたが，線維化改善については試験デザインを含め今後に期待．経口剤のセマグルチド（リベルサス®）に関しても，今後の検討を待つ．

ⓒその他：ピオグリダゾンは比較的短期使用で肝組織改善，DDP-4阻害薬の効果は結論に達せず，ビグアナイドはNAFLD/NASHの特異的な治療としては投与しないことを提案．

⑥ウルソデオキシコール酸（UDCA，ウルソ®）は，現在，常用量では有効ではないとの認識．

専門医での検査・処置

❶超音波エラストグラフィの一つのフィブロスキャン®は，vibration-controlled transient elastography（VCTE）で，肝線維化が推測でき（LSM），Agile 3＋scoreはF3以上の囲い込みに有用．2022年保険収載の脂肪化定量もできる（CAP）．一方，MRE（MRエラストグラフィ）はNASH（疑い含む）に対し2022年に施設基準があるが保険適用となり，MASLDの線維化の評価に関して最も正確．PDFFで脂肪化定量もできる．

❷サイトケラチン18フラグメント（CK-18F）は，肝組織でのバルーニングとの相関が高く，線維化をFIB4 indexの2.67以上で絞り込み，その後2.67未満の症例で測定すれば，肝の炎症を意識できる．2024年1月に保険適用．

❸EOB-MRIおよびDynamic CT：NASH肝細胞癌の早期発見のために，定期的に施行．

❹わが国では，線維化進行MASLDでは肝関連死が多い．

第4章 疾患編

消化器疾患

memo

薬物性肝障害 (1)

ポイント

❶ サプリメントや健康食品も原因薬物になりうる.

❷ 2004 年の DDW-J 2004 薬物性肝障害ワークショップのスコアリングシステム（**表1**）による診断が一般的.

❸ 同一成分の先発品からジェネリック医薬品への変更（または，その逆）においては，添加物が異なる場合，薬物性肝障害を起こすことがある.

❹ 本項では irAE による肝障害は取り扱わない. ☞ p. 62 クリニカル・オンコロジー

概　念

　薬物性肝障害は，その発症機序により，薬物濃度依存性のもの（①中毒性），特異体質によるもの（②アレルギー性機序と③代謝性特異体質）に分類される.

非専門医レベルで行うべきチェックリスト

❶ 診断の基本は除外診断. 急性肝炎と同様の検査・問診を行うスコアにないが，E 型肝炎の除外も行う（IgA-HEV 抗体，保険収載）.

❷ 問診：1～4 週間前からの服薬を中心に聴取. それ以上前からの服薬でも，頻度は減少するが可能性はあり，6 カ月前までは聴取.

❸ 慢性の薬物性肝障害を起こすことが知られる薬剤は，比較的少ない. メチルドーパ（アルドメット®），ダントロレンナトリウム（ダントリウム®），イソニアジド（イスコチン®），ジクロフェナクナトリウム（ボルタレン®），MTX（メトトレキサート）など. また，投与薬剤が NAFLD の起因薬になる可能性を念頭におく（アミオダロン，タモキシフェン，エストロゲンなど）.

❹ DLST（drug lymphocyte stimulation test：薬剤リンパ球刺激試験）：肝炎極期は偽陰性があり得るため，回復期初期に施行するべき検査. 漢方薬に偽陽性は多

第4章　疾患編

消化器疾患

い．基本的に経口薬剤なら検査可能で，サプリメントでも施行できる．ただし，2023年4月現在，薬疹（皮疹）を伴う薬物性肝障害の場合は保険適応があるが，皮疹がない場合は保険適応がないことには注意を要する．

❺ 治療：基本は被疑薬を中止し，自然回復を待つことである．軽症から中等症の多くはこれだけで軽快する．黄疸やトランスアミナーゼの改善が遅延し，重症化が懸念される場合，ウルソデオキシコール酸などを投与することがある．

肝・胆・消化機能改善剤：ウルソデオキシコール酸

ウルソ錠（100 mg）　1回1～2錠　1日3回　㊅

専門医での処置

急性肝不全（劇症化）が危惧される場合，ステロイドパルスを含めた，ステロイド治療を行われることがあるが，血漿交換などの治療も可能な医療機関に移送して行うべき．最悪の場合，肝移植を視野に入れる．

コンサルトのタイミング

PT活性が40%以下またはINR値1.5以上は絶対適応．ALT 300 U/L以上，総ビリルビン5 mg/dL以上などの中等度以上の肝障害は，基本的に入院加療．

社会資源

「医薬品副作用被害救済制度」により，医薬品医療機器総合機構（PMDA）を通じて申請すると，各種給付の対象となるケースがある．基本的には，「入院を必要とする程度」以上．抗がん剤などの一部除外薬剤があり，適応外処方は対象とはならないなどの要件がある．

✎ **memo**

薬物性肝障害 (2)

表 1-1　DDW-J 2004 薬物性肝障害ワークショップのスコア

	肝細胞障害型	
1．発症までの期間[1]	初回投与	再投与
a．投与中の発症の場合		
投与開始からの日数	5〜90 日	1〜15 日
	<5 日，>90 日	>15 日
b．投与中止後の発症の場合		
投与中止後の日数	15 日以内	15 日以内
	>15 日	>15 日
2．経過	ALT のピーク値と正常上限との差	
投与中止後のデータ	8 日以内に 50％以上の減少	
	30 日以内に 50％以上の減少	
	（該当なし）	
	不明または 30 日以内に 50％未満の減少	
	30 日後も 50％未満の減少か再上昇	
投与続行および不明		
3．危険因子	肝細胞障害型	
	飲酒あり	
	飲酒なし	
4．薬物以外の原因の有無[2]	カテゴリー 1，2 がすべて除外	
	カテゴリー 1 で 6 項目すべて除外	
	カテゴリー 1 で 4 つか 5 つが除外	
	カテゴリー 1 の除外が 3 つ以下	
	薬物以外の原因が濃厚	
5．過去の肝障害の報告	過去の報告あり，もしくは添付文書に記載あり	
	なし	
6．好酸球増多（6％以上）	あり	
	なし	
7．DLST	陽性	
	偽陽性	
	陰性および未施行	
8．偶然の再投与が行われたときの反応	肝細胞障害型	
単独再投与	ALT 倍増	
初回肝障害時の併用薬とともに再投与	ALT 倍増	
初回肝障害時と同じ条件で再投与	ALT 増加するも正常域	
偶然の再投与なし，または判断不能		

1)　薬物投与前に発症した場合は「関係なし」，発症までの経過が不明の場合は「記載不十分」と判断して，スコアリングの対象としない．
　　投与中の発症か，投与中止後の発症かにより，a または b どちらかのスコアを使用する．

2)　カテゴリー 1：HAV，HBV，HCV，胆道疾患（US），アルコール，ショック肝．カテゴリー 2：CMV，EBV．

第4章　疾患編

消化器疾患

リング

胆汁うっ滞または混合型		スコア
初回投与	再投与	
5～90 日	1～90 日	+2
<5 日，>90 日	>90 日	+1
30 日以内	30 日以内	+1
>30 日	>30 日	0
ALP のピーク値と正常上限との差		
（該当なし）		+3
180 日以内に 50% 以上の減少		+2
180 日以内に 50% 未満の減少		+1
不変，上昇，不明		0
（該当なし）		−2
		0
胆汁うっ滞または混合型		+1
飲酒または妊娠あり		0
飲酒，妊娠なし		
		+2
		+1
		0
		−2
		−3
		+1
		0
		+1
		0
		+2
		+1
		0
胆汁うっ滞または混合型		
ALP（T-Bil）倍増		+3
ALP（T-Bil）倍増		+1
ALP（T-Bil）増加するも正常域		−2
		0
総スコア		

　ウイルスは IgM-HA 抗体，HBs 抗原，HCV 抗体，IgM-CMV 抗体，IgM-EB-VCA 抗体で判断する．

判定基準：総スコア 2 点以下：可能性が低い．3，4 点：可能性あり．5 点以上：可能性が高い．

（次頁に解説つづく）

薬物性肝障害 (3)

表 1-2　薬物性肝障害診断基準の使用マニュアル

1. 肝障害をみた場合は薬物性肝障害の可能性を念頭におき，民間薬や健康食品を含めたあらゆる薬物服用歴を問診すべきである．

2. この診断基準は，あくまで肝臓専門医以外の利用を目的としたものであり，個々の症例での判断には，肝臓専門医の判断が優先するものである．

3. この基準で扱う薬物性肝障害は肝細胞障害型，胆汁うっ滞型もしくは混合型の肝障害であり，ALT が正常上限の 2 倍，もしくは ALP が正常上限を超える症例と定義する．
   　　ALT および ALP 値から次のタイプ分類を行い，これに基づきスコアリングする．

肝細胞障害型	ALT>2+ALP≦N または ALT 比/ALP 比≧5
胆汁うっ滞型	ALP≦N+ALP>2 N または ALT 比/ALP 比≦2
混合型	ALT>2 N+ALP>N かつ 2<ALT 比/ALP 比<5
N：正常上限，	ALT 比=ALT 値/N，ALP 比=ALP 値/N

4. 重症例では早急に専門医に相談すること（スコアが低くなる場合がある）．

5. 自己免疫性肝炎との鑑別が困難な場合（抗核抗体陽性の場合など）は，肝生検所見やステロイドへの反応性から肝臓専門医が鑑別すべきである．

6. 併用薬がある場合は，その中で最も疑わしい薬を選んでスコアリングを行う．薬物性肝障害の診断を行った後，併用薬の中でどれが疑わしいかは，1. 発症までの期間，2. 経過，5. 過去の肝障害の報告，7. DLST の項目から推定する．

7. 項目 4. 薬物以外の原因の有無で，経過からウイルス肝炎が疑わしい場合は，IgM-HBc 抗体，HCV-RNA 定性の測定が必須である．

8. DLST が偽陽性になる薬物がある（肝臓専門医の判断）．DLST は別記の施行要領に基づいて行うことが望ましい．アレルギー症状として，皮疹の存在も参考になる．

9. 項目 8. 偶然の再投与が行われたときの反応は，あくまで偶然，再投与された場合にスコアを加えるためのものであり，診断目的に行ってはならない．倫理的観点から原則，禁忌である．なお，代謝性の特異体質による薬物性肝障害では，再投与によりすぐに肝障害が起こらないことがあり，このような薬物ではスコアを減点しないように考慮する．

10. 急性期（発症より 7 日目まで）における診断では，薬物中止後の経過が不明のため，2. の経過を除いたスコアリングを行い，1 点以下を可能性が少ない，2 点以上を可能性ありと判断する．その後のデータ集積により，通常のスコアリングを行う．

（滝川　一・他：DDW-J 2004 ワークショップ薬物性肝障害診断基準の提案．肝臓 46（2）：86-88, 2005 より）

肝硬変 (1)

※本項は「肝硬変診療ガイドライン2020（改訂第3版）」
（日本消化器病学会・日本肝臓学会編）に準拠して記載.

ポイント

❶慢性肝障害の終末像が肝硬変. 成因別でＣ型肝炎由来が減少しアルコールやMASHによるものが増加.
❷代償性肝硬変と非代償性肝硬変では，マネージメントが大きく違う.

病態

❶非代償性肝硬変は，黄疸・腹水・浮腫・肝性脳症・出血傾向などの肝不全症状が出現する病態. 一般的に，Child-Puph分類（表1）でＢかＣに該当する（scoreの合計が7点以上）.
❷ACLF：Acute-on-chronic liver failure（ACLF）は，Child-Puph score 9点以下の肝硬変に増悪要因が加わり，28日以内に急激に肝不全に進行する病態（表2）. 2022年に正式に診断基準とすると決定された.

表 1　Child-Pugh 分類

評点	1点	2点	3点
肝性脳症	なし	軽度（Ⅰ・Ⅱ）	昏睡（Ⅲ以上）
腹水	なし	軽度	中度量以上
血清ビリルビン値（mg/dL）	2.0 未満	2.0〜3.0	3.0 超
血清アルブミン値（g/dL）	3.5 超	2.8〜3.5	2.8 未満
プロトロンビン時間活性値（%）	70 超	40〜70	40 未満
国際標準比（INR）*	1.7 未満	1.7〜2.3	2.3 超

＊：INR：international normalized ratio

A：5〜6点，B：7〜9点，C：10〜15点

（Pugh RNH, et al. Br J Surg **60**：646-649, 1973 より改変）

肝硬変 (2)

表 2　わが国における ACLF の診断基準・重症度分類

a) 診断基準

Child-Pugh スコアが 5〜9 点の代償性ないし非代償性肝硬変に，アルコール多飲，感染症，消化管出血，原疾患増悪などの増悪要因が加わって，28 日以内に高度の肝機能異常に基づいて，プロトロンビン時間 INR が 1.5 以上ないし同活性が 40% 以下で，血清総ビリルビン値が 5.0 mg/dL 以上を示す症例を ACLF と診断する．なお，その重症度に関しては，肝，腎，中枢神経，血液凝固，循環器，呼吸器の臓器機能障害の程度に応じて 4 段階に分類する（下記 b および c）．

b) 臓器不全の基準

臓器機能	基準
肝臓	血清総ビリルビン値 ≧12 mg/dL
腎臓	血清クレアチニン値 ≧2 mg/dL ないし血液透析の実施
中枢神経	昏睡Ⅲ度以上の肝性脳症（犬山分類）
血液凝固	プロトロンビン時間 INR>2.5 ないし末梢血血小板数 ≤20,000/μL
循環器	ドパミンないしドブタミンの投与
呼吸器	動脈酸素分圧（PaO_2）/吸入酸素分圧（FiO_2）≤200 ないし経皮的動脈酸素飽和度（SpO_2）/FiO_2≤200

c) 重症度の基準

Grade	基準
0	(1) 臓器機能不全なし
	(2) 腎臓以外の単一臓器機能不全で，血清クレアチニン値が 1.5 mg/dL 未満かつ肝性脳症なし
	(3) 中枢神経の単一機能不全で，血清クレアチニン値が 1.5 mg/dL 未満
1	(1) 腎臓機能不全のみ
	(2) 肝臓，血液凝固，循環器ないし呼吸器いずれか単一臓器機能不全で，血清クレアチニン値が 1.5 mg/dL 以上 2 mg/dL 未満ないし昏睡Ⅰ，Ⅱ度の肝性脳症
	(3) 中枢神経の単一機能不全で，血清クレアチニン値が 1.5 mg/dL 以上 2 mg/dL 未満
2	(1) 2 臓器の機能不全
3	(1) 3 臓器以上の機能不全

（肝臓．63（5）：219-223，2022 より改変）

第4章　疾患編

消化器疾患

非専門医レベルで行うべきチェックリスト

❶問診：肝炎歴，飲酒歴などをチェック．身体所見として，クモ状血管腫，手掌紅斑，腹壁静脈怒張，女性化乳房，肝左葉肥大，肝右葉萎縮，脾腫，腹水，下腿浮腫，羽ばたき振戦，黄疸などをチェック．

❷血液生化学的検査

①血算：特に血小板減少は線維化進展を表す．

②トランスアミナーゼ：上昇，あるいは正常範囲内．AST優位（AST>ALT）のケースが多い．

③胆道系酵素：非常に高値ならPBCなどを，γ-GTPのみ高値は酵素誘導からアルコール性を想起．

④A/G比低下：アルブミン低下とγ-グロブリン（IgG）上昇．後者が極めて高値ならAIHを想起．

⑤合成能指標：アルブミン，コリンエステラーゼ，血清コレステロールの低下やPTの延長など．

⑥解毒能指標：アンモニアの上昇．肝性脳症ではBTR（BCAA/チロシンモル比）の低下も重要．

⑦BUN，Crや電解質：低ナトリウム血症は予後とも関連．肝腎症候群の有無や利尿剤の影響をチェック．

⑧腫瘍マーカーとしてAFP，AFP-L3，PIVKA Ⅱなど．線維化マーカーとしてⅣ型コラーゲン7S，M2BPGiなど．他にビリルビンや耐糖能など．

❸スコアリングシステム：FIB-4 index，APRIなど．

❹上部消化管内視鏡検査：食道静脈瘤や門脈圧亢進症性胃症（PHG）などの検索．

❺画像診断：肝発癌監視を主眼に，腹部エコー，（ダイナミック）CT，およびEOB-MRIなどを定期的に施行する．線維化評価に，専門施設へ依頼して，TE（FibroScan®），あるいは保険適用となったMRE（2022年4月に肝MRエラストグラフィ加算）．

❻Child-Pugh分類：肝予備能として重要（**表1**）

肝硬変 ⑶

一般療法

PEM（蛋白・エネルギー低栄養）が背景にあることが多いが，肥満（特にサルコペニア肥満）は予後に悪影響を及ぼし得る．禁酒が原則．LES（late evening snack，就寝前エネルギー投与）も考慮．ビブリオ菌による敗血症を鑑み，生魚摂取回避も考慮．

薬物療法

ウイルス性肝硬変では，抗ウイルス療法をその他の成因による場合も原疾患の治療を原則行う．

❶肝性脳症

①非吸収性合成二糖類：肝性脳症の第一選択薬

腸管機能改善・高アンモニア血症用剤：ラクツロース/ラクチトール

ラクツロースシロップ　1回10〜30 mL　1日3回　内
　または
ポルトラック原末　1回1〜2包　1日3回　内

②腸管非吸収性抗菌薬

難吸収性リファマイシン系抗菌薬：リファキシミン

リフキシマ錠（200 mg）　1回2錠　1日3回　内

③BCAA製剤

BCAA含有製剤：肝不全用経口栄養剤

アミノレバンEN　1回50 g　1日1〜3回　内
※1包あたり200 kcalを含む．ただし，耐糖能異常の症例には注意．LESとして一回分の就寝前投与も考慮．

分岐鎖アミノ酸製剤：肝硬変用アミノ酸製剤

リーバクト顆粒（4.15 g）　1回1包　1日3回　内
※肝性脳症に保険未適用．非代償性肝硬変の低アルブミン血症（3.5 mg/dL以下）の改善が保険適用．

④亜鉛の補充

低亜鉛血症治療剤：酢酸亜鉛水和物

ノベルジン錠（50 mg）　1回1錠　1日2回　内
　　　　　　　　　　　　　　　　　　　食後

第4章　疾患編

消化器疾患

※保険適用は低亜鉛血症．50 mg錠は，1錠中，亜鉛として50 mg含有．成人に対する最大用量は1日150 mg．開始最低用量は25 mg錠を1日2回．

⑤カルニチン

カルニチン欠乏是正作用薬：レボカルニチン

エルカルチンFF内用液10%　1本（10 mL）

1日1回　（内）

※保険適用は，カルニチン欠乏症．肝性脳症に合併したこむら返りやサルコペニアに対して，カルニチン欠乏が疑われる場合には，投与を考慮．

❷浮腫・腹水：食欲を損なわない程度（5〜7 g/日）の減塩．単剤ではスピロノラクトンの方が有効．下記処方で制御不能なら，入院でトルバプタンを考慮．

カリウム保持性利尿薬：スピロノラクトン/ループ利尿薬：フロセミド

アルダクトンA錠（25 mg）　1回1錠　1日2回　（内）
ラシックス錠（20 mg）　1回1錠　1日1回　（内）

❸低アルブミン・低栄養状態：LESも含めアミノレバンEN®やリーバクト®などBCAA製剤の経口投与．

❹消化管出血予防：食道胃静脈瘤治療後の再出血予防にPPIは短期間投与とする．長期の安全性は担保されておらず，SBP（特発性細菌性腹膜炎）などの感染に留意すること．

❺掻痒症

経口そう痒症改善薬：ナルフラフィン塩酸塩

レミッチOD錠（2.5 μg）　1回1錠　1日1回　（内）
（夕食前または就寝前）

専門医での検査・処置

❶肝性脳症の意識障害：BCAA輸液製剤．

アミノ酸製剤：肝性脳症改善アミノ酸注射液

アミノレバン　200 mL	1日1〜3回	（点）
50%ブドウ糖　40 mL	2〜4時間かけて	

537

肝硬変 (4)

❷門脈血栓症：症例によっては抗凝固療法を考慮．

❸浮腫・腹水

①SBP（特発性細菌性腹膜炎）を疑う場合，腹水培養と腹水中好中球算定．

②バゾプレシン V_2 受容体拮抗剤：水分のみを体外へ排泄．肝硬変予後改善には早期導入を考慮．

バゾプレシン V2 受容体拮抗剤：トルバプタン

サムスカ錠（7.5 mg）　1/2〜1 錠　1 日 1 回　内

※3.75 mg で開始し，効果なき場合 7.5 mg に増量．投与開始には入院が必須で，高ナトリウム血症に注意．

③低アルブミン血症があり難治性腹水の場合や，腹水大量穿刺時，SBP 合併時などは

アルブミン製剤

20% or 25%アルブミン　50 mL　点

❺肝移植：Child-Pugh 分類が B，C で進行性の場合に考慮．移植時期は MELD（Model for END-Stage Liver Disease）スコアが 20 点以下．

コンサルトのタイミング

難治性の腹水・肝性脳症，破裂の危険のある食道静脈瘤，肝腎症候群，門脈血栓症，肝移植など．

社会資源

身体障害者福祉法では，2011 年から肝機能障害が対象となり，2016 年に認定対象が拡大され，Child-Pugh 分類が 7 点以上で，腹水または肝性脳症などが認められる際に，2 級以上の認定があり得る．詳細は，厚生労働省 HP（http://www.mhlw.go.jp）で，「身体障害者手帳」のキーワードで検索のこと．

✐memo

肝腫瘍性病変・肝癌 (1)

ポイント

❶ 肝腫瘍性病変は，日常診療では腹部エコーなどの画像診断によって無症状で発見されることが多い．

❷ 肝腫瘍性病変で最も多いものは海綿状血管腫で，中年女性では検診受検者の20％に存在．全体でも成人の5％に存在．

❸ 悪性腫瘍では転移性肝癌（特に消化器癌由来のもの）が最も多い．

❹ 原発性肝癌の85％は肝細胞癌である．次に多いものは肝内胆管癌（約10％），残りは混合型，肝芽腫であるが，肝芽腫は2歳以下の子どもの病気である．

❺ 日本人の肝細胞癌は，ウイルス肝炎を基盤として発生するものが55％だが，近年脂肪性肝疾患（MASLDやアルコール性肝疾患）が急増中．

❻ 肝細胞癌の治療方針は，①癌の悪性度と進展度，②肝予備能によって決まる．

❼ 最大径15 mm以下の肝細胞癌では5年生存率90％以上．

チェックリスト・検査 （表1）

❶ EOB-MRI：EOBプリモビスト®を造影剤として用いるMRI．これが外来での最終検査になる．自施設で不可能なら可能な施設に紹介．

❷ 造影CT：❶を行っていれば，むしろ遠隔転移の有

表1 おもな肝腫瘍性病変

良性疾患	悪性疾患
海綿状血管腫	転移性肝腫瘍
限局性結節性過形成	肝細胞癌
（FNH）	肝内胆管癌
肝腺腫	肝芽腫
（良性）再生結節	

肝腫瘍性病変・肝癌 (2)

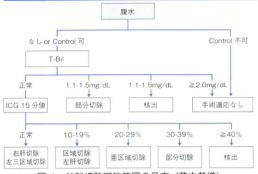

図1 外科切除可能範囲の目安（幕内基準）

無を探るために行う．
- ❸腫瘍マーカー：AFP, PIVKA-Ⅱ, CEA, CA 19-9. サイズの大きなものでは鑑別に有用なことがある．
- ❹一般肝機能検査：肝予備能の指標として，Child-Pugh分類（☞p.533）またはALBIグレード*が有用．
  - *日本肝臓学会のWebページなどに自動計算ツールがある．
- ❺ICG 15分値：ビリルビン値とともに，外科的切除可能範囲がわかる（図1）．

コンサルトのタイミング
- ❶転移性肝癌：それぞれの原発巣によって異なる．専門施設に後送．
- ❷原発性肝癌：肝切除，TACE，ラジオ波焼灼療法，化学療法のすべてが施行可能な施設へ紹介する．

✎ memo

胆石症（1）

※「胆石症診療ガイドライン2021改訂第3版」（日本消化器病学会編）に準拠.

ポイント

❶胆嚢結石症が胆嚢癌リスクファクターである明確なエビデンスは今のところない. しかし, 胆嚢癌に胆嚢結石症を合併する頻度は40〜70%と高率.

❷総胆管結石は無症候性でも治療する.

❸胆嚢炎・胆管炎症例は, モバイルアプリも開発されているTG18（Tokyo Guidelines 2018）*を十分参照すること.

*急性胆管炎・胆嚢炎診療ガイドライン2018第3版:
https://minds.jcqhc.or.jp/n/med/4/med0020/G0001075

❹肝内結石は肝内胆管癌のリスクファクターである.

非専門医レベルで行うべきチェックリスト

❶症状

①胆嚢結石は, 無症候性が多く, 右季肋部痛や発作時の心窩部の胆道疝痛, 肩への放散痛, 悪心・嘔吐. 胆嚢炎併発時の発熱など.

②総胆管結石では, 発熱・腹痛・黄疸（Charcot 3徴）＋意識障害・ショック（Raynolds 5徴）が周知も, ほかに背部痛や悪心・嘔吐, ないしは無症候.

③肝内結石は, 腹痛・発熱＞黄疸, ないしは無症候.

❷検査：胆道系酵素（ALP, γ-GTP, LAP）, T-Bil, CRP, 赤沈, 凝固系, 併存癌の否定にCA19-9, CEAなど. 胆石性膵炎の有無を確認. 腹部エコーでは, 胆嚢壁肥厚, 総胆管・肝内胆管の拡張の有無なども確認. 腹部単純Xp. 次いで, CT, MRI/MRCPなどを施行.

専門医での検査・処置

❶検査：総胆管結石ではEUSやERCP, 肝内結石では直接胆道造影（PTCなど）.

❷治療：

胆石症 (2)

①胆嚢結石：無症状は，胆嚢癌の合併に留意し経過観察も，有症状は胆嚢炎非合併なら腹腔鏡下胆嚢摘出術で，胆嚢炎合併ならTG 18に準拠．TG 18によると近年の急性胆嚢炎の死亡率は1％未満．

②総胆管結石：無症候性でも胆管炎などの発症リスクがあり，治療対象となる．内視鏡的総胆管結石除去術（ESTやEPBD）か外科的除去術を施行．

　ⓐ胆嚢結石合併例は，内視鏡の総胆管結石除去の後に胆嚢摘出か，外科的除去術の時に一期的に胆嚢摘出かのどちらか．本邦では二期的が主流．

　ⓑ急性胆管炎合併例は，TG 18で重症度を判定し，まず胆道ドレナージのみを行い，後に除去の方式も考慮する．TG18によると急性胆管炎の死亡率は2.7～10％．

　ⓒ胆石性膵炎合併例は，胆管炎も伴えば，早期のERCPを行い，ドレナージのみなら，後に除去．

③肝内結石：無症候性では，定期的に経過観察．圧倒的に，非手術治療（内視鏡治療・経皮的治療）が施行される．肝内胆管癌合併例，肝萎縮例などでは肝切除術．薬物療法として，UDCAが広く使用されるもエビデンスとしては未確立．

フォローアップ外来

❶胆嚢結石への胆嚢摘出術後：術後30～40％に長期の腹部症状が残存するとされる．一方，胆嚢摘出が消化吸収機能を低下させることを示した明らかなエビデンスはない．

❷総胆管結石治療後：長期合併症は，胆管結石再発，急性胆管炎，急性胆嚢炎など．

❸肝内結石治療後：長期合併症は，結石再発が最多．他に，急性胆管炎，肝膿瘍，肝内胆管癌．

memo

胆嚢ポリープ

ポイント

❶ 無自覚症状であるため，偶然の機会に腹部エコーを施行して発見されることがほとんどである．

❷ 一部に胆嚢癌移行例があり，フォローアップが必要．

鑑別診断

❶ 胆嚢腺筋症：胆嚢壁肥厚が，限局ないしはびまん性に見られる．腹部エコーでの，胆嚢壁内の小嚢胞構造は RAS（Rokitansky-Ascoff sinus）の増殖像．コメットサインは RAS 内結石によるアーチファクト．

❷ 胆嚢癌：初めて発見された胆嚢ポリープはサイズが小さくとも慎重に経過観察を行うこと．

非専門医レベルで行うべきチェックリスト

❶ 消化器症状：ほとんどは無症状である．悪心・嘔吐，右季肋部痛・不快感，黄疸などをチェック．

❷ 画像検査

①腹部エコー（US）：良性のコレステロールポリープはエコー輝度が高く，有茎性，10 mm 以下での多発，ないしは桑実性集簇像などの所見．

②ダイナミック CT：小さなポリープの描出は困難．

③その他：MRI，MRCP，FDG-PET など．サイズや形態によっては，専門医に依頼し，超音波内視鏡（EUS）など．

❸ 血液生化学，CRP，血算，CA19-9，CEA など．

コンサルトのタイミング

2019 年の「エビデンスに基づいた胆道癌診療ガイドライン改訂第 3 版」（日本肝胆膵外科学会編）においては，「10 mm 以上，大きさにかかわらず広基性，あるいは画像上増大傾向を認める場合，胆嚢癌を疑うべき」とある．悪性を疑う所見がなければ，6〜12 カ月程度の腹部エコーで経過を追う．

543

胆嚢癌・胆管癌 (1)

※本項は「エビデンスに基づいた胆道癌診療ガイドライン第3版」、2019（日本肝胆膵外科学会編）に準拠して記載.

ポイント

① 肝内胆管癌は，癌取扱い規約では，原発性肝癌に分類されるが，本項（およびGL*）では胆道癌として扱う．が，病理・遺伝子学的にも肝外胆管癌にはみられない一群（small duct type）がある．

② 胆管癌の危険因子は，膵・胆管合流異常，原発性硬化性胆管炎，肝内結石など．胆嚢癌の危険因子は，膵・胆管合流異常など．

③ 黄疸，右上腹部痛，体重減少等は胆道癌の臨床症状とされるが，初期にはしばしば無症状である．

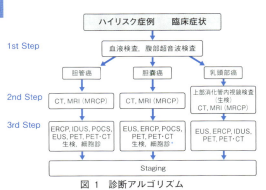

図1　診断アルゴリズム

*必要に応じて十分に注意した上で行う
（日本肝胆膵外科学会編：エビデンスに基づいた胆道癌診療ガイドライン第3版. 2019 より改変）

第4章 疾患編

消化器疾患

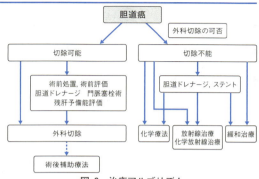

図2 治療アルゴリズム

(日本肝胆膵外科学会編:エビデンスに基づいた胆道癌診療ガイドライン第3版. 2019 より改変)

非専門医レベルで行うべきチェックリスト

❶ ファーストステップは, 血液検査と腹部エコー. 血液検査として, 血算, 胆道系酵素を含む生化学検査, CRP, 赤沈, 腫瘍マーカー(CA19-9, CEA の順).

❷ セカンドステップは, 胆管癌および胆嚢癌は, ダイナミック CT, 次いで MRI (MRCP) である. 乳頭部癌は, 上部消化管内視鏡検査による生検および CT, 次いで MRI (MRCP) である.

専門医での検査・処置

❶ 根治的治療は外科手術である.

❷ 術前の減黄処置:評価が分かれるが, 広範囲肝切除を予定する胆道癌では, ENBD(内視鏡的経鼻胆道ドレナージ術)による, 残存予定片葉ドレナージを第一選択とし, ダイナミック CT 後に施行.

❸ 術前門脈塞栓術:残存予定葉(非塞栓葉)の容積増大

胆嚢癌・胆管癌 (2)

などが目的.

❹術後補助化学療法：ガイドライン刊行後，S-1 単独が標準治療となった.

❺切除不能例への胆道ドレナージは，交換可能なステントが今後の鍵.

❻切除不能胆道癌の化学療法など

①ファーストラインは，長らくゲムシタビン（ジェムザール®）とシスプラチン併用療法(GC 療法)だったが，新たに S-1（ティーエスワン®）を使用した GS 療法及び GCS 療法の三つになった.

②2022 年 12 月に切除不能胆道癌にデュルバルマブ（イミフィンジ®）が保険適応となった．GC 療法に併用で開始.

③肝内胆管癌（small duct type）に比較的多い，線維芽細胞増殖因子受容体（FGFR）2 融合遺伝子陽性の化学療法後増悪切除不能胆道癌に，ペミガチニブ（ペマジール®）の保険適応がある.

❼Conversion surgery に今後の期待が寄せられる.

memo

慢性膵炎 (1)

ポイント

❶ 成因別にアルコール性と非アルコール性に分類.
❷ 慢性膵炎と膵癌の関連性を示唆する報告は多い.

鑑別疾患

❶ 膵癌との鑑別が難しいことも多い. 特に, 慢性膵炎合併膵癌での鑑別診断は難しい.
❷ 膵癌の発生がありうる膵管内乳頭粘液腫瘍 (IPMN) とも慎重な鑑別診断が必要. ☞ p.551 膵腫瘍
❸ 自己免疫性膵炎については「自己免疫性膵炎診療ガイドライン 2020」（日本膵臓学会・他編）を参照.

非専門医レベルで行うべきチェックリスト

❶ 胸・腹部単純 Xp（膵性胸水・膵石の有無）, 腹部エコー, CT, MRI/MRCP など. 耐糖能チェック. CA19-9, DUPAN-2 などを含む一般採血.
❷ 膵酵素：血中アミラーゼ（尿中も）, アミラーゼアイソザイム, リパーゼ, エラスターゼ1 など. ただし, 非代償期における血中膵酵素の異常低値は, 診断特異度は高いが, 感度は低い.
❸ 急性増悪時は急性膵炎に準じ対処し, 重症度に応じ入院治療. 血算, 赤沈, CRP, Ca を含む電解質, IL-6, 血糖, 肝機能, 腎機能, 胸部単純 Xp（胸水の有無）, 血液ガス分析および造影 CT などを施行.
❹ 生活習慣改善：断酒, 禁煙. 腹痛を有する代償期（初期）膵炎には短期の脂肪制限食.
❺ 薬物治療
　※以下「慢性膵炎診療ガイドライン 2021」（日本消化器病学会編）に準拠 (**図1, 2**).
　① 疼痛対策
　　ⓐ NSAIDs の投与.
　　ⓑ 弱オピオイド：NSAIDs 無効時, トラマドール等.
　　ⓒ 蛋白分解酵素阻害薬の投与.

547

慢性膵炎 (2)

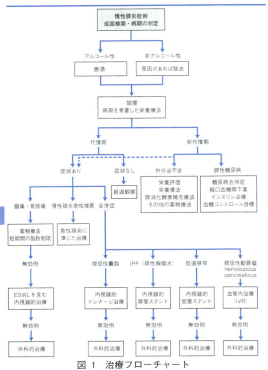

図 1 治療フローチャート
(日本消化器病学会:慢性膵炎診療ガイドライン 2021 より改変)

第4章 疾患編　　　　　　　　　　　　　　　消化器疾患

経口蛋白分解酵素阻害剤：カモスタットメシル酸塩
　フォイパン錠（100 mg）　1回1～2錠　1日3回　内

②外分泌不全の治療
　　ⓐ脂肪便と体重減少を伴う場合，高力価消化酵素
　　　を投与する．

膵消化酵素補充剤：パンクレリパーゼ
　リパクレオン顆粒（300 mg）　1回1～2包　1日3回
　　　　　　　　　　　　　　　　　　　内　食直後
　（※保険適用病名は膵外分泌機能不全）

　　ⓑ上記で不十分なら，pH低下による消化酵素の

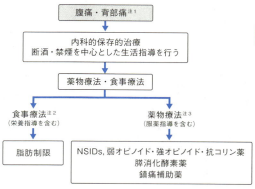

注1：慢性膵炎急性増悪の症例に関しては急性膵炎における重症度判定を速やかに施行し，急性膵炎に準じた治療方針を決定する．
注2：成分栄養剤による食事療法を考慮してもよい．
注3：蛋白分解酵素阻害剤の投与を考慮してもよい．

図2　内科的保存治療
（日本消化器病学会編：慢性膵炎診療ガイドライン2021より改変）

慢性膵炎 ⑶

　　失活を防ぐため，胃酸分泌抑制薬（PPIまたはH$_2$RA）を併用．保険適用病名には注意．
　　ⓒ上記投与後，ビタミンDなどの脂溶性ビタミンの補充も検討する．
　③膵性糖尿病の治療：グルカゴンの分泌不全により低血糖を生じやすく，高低差の大きいブリットル型になり得る．このような場合，やや緩めてHbA1c 7.5％程度をひとまずの治療目標とする．

コンサルトのタイミング
❶鑑別診断に迷うとき（とくに膵癌）．
❷保存的治療で疼痛コントロールができないとき．

専門医での検査・処置
❶検査
　①超音波内視鏡（EUS）は早期慢性膵炎の診断にも有用．
　②膵癌やIPMNとの鑑別に，内視鏡的逆行性胆道膵管造影法（ERCP）や超音波内視鏡下穿刺吸引生検法（EUS-FNA）を用いた細胞診や組織診は有用．
　③膵癌リスクの高い遺伝性膵炎にも留意し，遺伝子検査も検討する．
❷内視鏡的治療および外科治療など
　①疼痛対策に内視鏡的治療（＋ESWL）は有効も，長期（2-3年）反復治療は行わず，外科治療を考慮．
　②膵仮性嚢胞には，内視鏡的ドレナージが第一選択．
　③膵仮性動脈瘤は脾動脈に多く，IVRが第一選択．

🖊memo

膵腫瘍 (1)

ポイント

❶ IPMN（intraductal papillary mucinous neoplasm；膵管内乳頭粘液腫瘍），および MCN（mucinous cystic neoplasm；粘液性囊胞腫瘍）は，病理学的には adenoma-carcinoma sequence を呈するとされる．

❷ 膵癌は増加傾向にあり，2021年現在，癌による死因の第4位で，70歳以上の高齢者に多い．

❸ 膵癌患者の5〜10％に，両親と子供・兄弟姉妹に膵癌の家族歴がある．慢性膵炎（☞ p.547）や喫煙はリスクファクターである．

鑑別疾患

膵癌と鑑別すべき主な疾患を挙げる．

❶ IPMN

① 高齢男性に多く，膵頭部に多い．

② 膵管との交通が通常ある．

③ 膵炎様腹痛や糖尿病の合併が多い．

④ 主膵管型，分枝型および混合型がある．

⑤ 主膵管型は悪性頻度が高く，切除対象．分枝型は非切除適応頻度は高いが，年率約1％で通常型膵癌を併存して認める．

❷ MCN

① 卵巣様間質をもち，98％以上が女性．年齢は40〜50歳代に多い．

② 90％が膵体尾部である．膵管との交通はない．

③ IPNM のように併存での膵癌を認めることはない．

④ 切除例中での浸潤癌頻度は高く，診断されれば（特に40 mm 以上では）経過観察せずに，外科切除．

非専門医レベルで行うべきチェックリスト

※「膵癌診療ガイドライン 2022 年版」（日本膵臓学会編）に則し，主に膵癌の診断法（Diagnosis〔D〕）を記載．

❶ 症状：腹痛，食欲不振，早期の膨満感，黄疸，体重減少，糖尿病新規発症，背部痛など．

551

膵腫瘍 (2)

❷血清膵酵素：膵癌でのアミラーゼやエラスターゼ1の異常率は20〜50％で，膵管狭窄による膵炎に起因すると考えられている．

❸腫瘍マーカー：CA19-9は，Lewis血液型陰性例では，非産生のためマーカーには使えない（この場合は，前駆体のDUPAN-2を測定）．他に，SPan-1など．

❹腹部エコー（US）：間接所見の主膵管拡張の目安は3mm以上．

❺MRI：MRCPおよび3テスラ以上　and/or造影で，拡散強調画像を含んで撮影．

❻ダイナミックCT：薄層（2.5mm以下）撮影で評価．

専門医での検査・処置

❶検査：特に膵癌に対しての検査・処置を記載．
　①造影US：診断能は上がるが保険適用がない．
　②EUSとEUS-FNA（fine needle aspiration）．
　③ERCP：施行時に，膵液細胞診も行う．
　④FDG-PET：存在診断・質的診断には行わず，遠隔転移の診断に施行．
　⑤審査腹腔鏡：微小肝転移や腹膜転移検索に有用．
　⑥ステント：カバー付きメタリックステントによる経乳頭的胆道ドレナージなど．消化管閉塞には，内視鏡的消化管ステントなど．
　⑦遺伝子検査：KRAS異常が90％以上の症例にあるが現状治療に繋がらない．MSI-Highも1％未満．

❷治療：ガイドラインに則し，膵癌の治療法を記載．
　①Resectable〔R〕膵癌は，術前補助化学療法としてのゲムシタビン＋S-1（GS療法）の有効性が2019年に公表された．術後補助化学療法としては，S-1単独など．Borderline Resectable〔BR〕膵癌は，術前に補助療法を行うことを提案．
　②局所進行切除不能膵癌（Locally Advanced〔UR-LA〕膵癌）は，フッ化ピリミジン系抗がん剤またはゲ

第4章 疾患編　　　　　　　　　　消化器疾患

ムシタビン併用での化学放射線療法（CRT）または，年齢も考慮に入れ，一次治療として，以下の化学療法などを推奨．
ⓐゲムシタビン＋ナブパクリタキセル（nab-PTX, アブラキサン®）．
ⓑゲムシタビン単独．
ⓒS-1 単独．
ⓓ非高齢者なら，FOLFIRINOX 療法：オキサリプラチン（L-OHP, エルプラット®）＋イリノテカン（CPT-11, カンプト® ないしはトポテシン®）＋フルオロウラシル（5-FU, 5-FU®）＋レボホリナートカルシウム（l-LV, アイソボリン®）の4剤併用療法．イリノテカンを使用するため，UGT1A1 の遺伝子多型を事前検索．
③遠隔転移を有する膵癌（Metastatic〔UR-M〕膵癌）は，化学療法として，FOLFIRINOX 療法（非高齢者），またはゲムシタビン＋nab-PTX など．

memo

頭　痛 (1)

ポイント

❶ まずは危険な二次性頭痛を見逃さないよう診断すること. ☞ p. 125 頭痛 (症候編)

❷ 一般外来で最も多い原因は感冒に伴う頭痛である. これを除くと緊張型頭痛, 次いで片頭痛といわれている.

❸ 一次性頭痛の診療の目標は適切な診断・治療により患者の QOL や ADL の改善を図ること.

非専門医レベルで行うべきチェックリスト

❶ 問診：①発症様式②持続時間・頻度・日内変動③性状④部位⑤随伴症状⑥誘因⑦家族歴⑧既往歴, 服薬歴

❷ 診察：①バイタルサイン (血圧, 体温, 脈拍, 意識レベル) ②身体診察 (目, 耳, 鼻, 副鼻腔, 口腔, 咽頭, 頸部を含む) ③眼底検査 (うっ血乳頭の有無) ④髄膜刺激症候 (項部硬直, Kernig 徴候) ⑤神経局所症候 (眼筋麻痺, 片麻痺, 感覚障害) ⑥外傷の有無

❸ 検査：血算, 血液生化学, 血液ガス分析, 心電図, 検尿. 必要に応じて頭部 CT, MRI, 髄液検査, 頭頸部 Xp, 眼圧測定の依頼.

鑑別診断

＜一次性頭痛＞

❶ 片頭痛：POUNDing criteria (表 1 参照)

❷ 緊張型頭痛 (表 2 参照)

❸ 三叉神経・自律神経性頭痛 (代表的なのは群発頭痛)

①一側性の重度の頭痛発作が眼窩部, 眼窩上部, 側頭部のいずれか 1 つ以上の部位に発現し, 15 分〜180 分持続する. 発作頻度は 1 回/2 日〜8 回/日.

②頭痛と同側の頭部副交感神経系の自律神経症状 (結膜充血, 流涙, 鼻閉, 鼻漏, 眼瞼浮腫, 前額部および顔面の発汗や紅潮, 耳閉感, 縮瞳, 眼瞼下垂), 落ち着きのなさや興奮した様子を伴う.

第4章　疾患編

神経・精神疾患

表1　POUNDing criteria

- Pulsatile quality（拍動性）
- Duration 4～72 hours（持続時間が 4～72 時間）
- Unilateral location（片側性）
- Nausea and vomiting（嘔気，嘔吐）
- Disabling intensity（日常生活困難）

上記5項目のうち4項目満たせば LR 24.

※ただし，非拍動性や両側性のこともあり，光過敏や音過敏，月経周期や天気，ストレス等で誘発・増悪する，閃輝暗点や視覚消失などの前兆を伴う，家族歴あり等も参考に診断する．

---

❹その他の一次性頭痛

身体的な労作に関連する頭痛（咳嗽，運動，性行為等），直接の物理的刺激に起因する頭痛（アイスクリーム摂取などの寒冷刺激，ポニーテールなどの頭蓋外からの圧力），表在性頭痛（頭皮の痛み）などが含まれる．

＜二次性頭痛＞

❶物質またはその離脱による頭痛

特に薬剤の使用過多による頭痛（薬物乱用頭痛，MOH）には注意が必要．

①以前から頭痛疾患をもつ患者において，頭痛は1カ月に15日以上存在する．

②1種類以上の急性期または対症的頭痛治療薬を3カ月を超えて定期的に乱用（薬により1カ月に10日以上※1，または15日以上※2）している．

※1 トリプタン，エルゴタミン，オピオイド，複合鎮痛薬
※2 NSAIDs，アセトアミノフェン，アセチルサリチル酸

③ほかに適切な ICHD-3 の診断がない．

❷三叉神経痛

再発性，片側性の短時間（数分の1秒～2分間）の電撃痛で，突然開始し終了．三叉神経枝の支配領域

555

頭痛 (2)

表 2 「緊張型頭痛」のサブタイプの診断基準（要約）

A. 発症頻度で 3 つに分けられる．
  2.1 「稀発反復性緊張型頭痛」は，3 ヵ月を超えて，平均して 1 ヵ月に 1 日未満（年間 12 日未満）の頻度で生じる頭痛
  2.2 「頻発反復性緊張型頭痛」は，3 ヵ月を超えて，平均して 1 ヵ月に 1 日以上，15 日未満（年間 12 日以上 180 日未満）の頻度で生じる頭痛
  2.3 「慢性緊張型頭痛」は，1 ヵ月に 15 日以上（年間 180 日以上）の頻度で生じる頭痛
B. 頭痛は 30 分〜7 日間持続する
C. 頭痛は以下の特徴の少なくとも 2 項目を満たす
  1. 両側性
  2. 性状は圧迫感または締めつけ感（非拍動性）
  3. 強さは軽度〜中等度
  4. 歩行や階段の昇降のような日常的な動作により増悪しない
D. 以下の両方を満たす
  【2.1「稀発反復性緊張型頭痛」2.2「頻発反復性緊張型頭痛」】
  1. 悪心や嘔吐はない
  2. 光過敏や音過敏はあってもどちらか一方のみ
  【2.3「慢性緊張型頭痛」】
  1. 光過敏，音過敏，軽度の悪心はあってもいずれか 1 つのみ
  2. 中等度の悪心や嘔吐はどちらもない
E. その他の疾患によらない

（日本神経学会・他：頭痛診療ガイドライン 2021 より）

第4章　疾患編　　　　　　　　　　　　　　神経・精神疾患

（2枝領域以上に及ぶことあり）に生じ，それを越えて
広がらない．典型的三叉神経痛では血管（多いのは上
小脳動脈）による三叉神経の圧迫が原因とされる
（MRIで診断）．

❸舌咽神経痛

　　片側性，一過性で，激烈な，刺すような痛みが耳，
舌基部，扁桃窩または顎角直下に生じる．嚥下，咳，
会話またはあくびで誘発される．

❹後頭神経痛

①頭皮の後部に生じる，片側性あるいは両側性の，
刺すような痛みで，大後頭神経，小後頭神経また
は第3後頭神経の支配領域に分布．

②時に障害部位の感覚低下または異常感覚を伴い，
通常罹患神経の圧痛を合併．

治　療

❶片頭痛の治療

①生活指導：誘因・増悪因子（ストレス，睡眠不足，
アルコール，チーズ・チョコレート・柑橘類などチラ
ミン含有食品など）を避けること．

②発作時は以下を組み合わせて頓服．アセトアミノ
フェン，NSAIDs，トリプタンを投与．最近トリ
プタンのような血管収縮作用のないジタン系薬剤
も発売された．また制吐剤（プリンペランなど）と
の併用も有効．

　ⓐNSAIDs：下記のいずれか

サリチル酸系解熱鎮痛・抗血小板薬：アスピリン

　アスピリン　0.5〜1g　内 頓

プロピオン酸系NSAIDs：イブプロフェン

　ブルフェン錠（200mg）　1錠　内 頓

※頭痛に保険適用なし．

557

頭　痛 (3)

サフェニル酢酸系 NSAIDs：ジクロフェナクナトリウム

ボルタレンサポ（25 mg）　1〜2 個　坐 頓

※頭痛に保険適用なし.

ⓑ トリプタン系薬剤：下記のいずれか

5-HT$_{1B/1D}$受容体作動型片頭痛治療薬：スマトリプタン

イミグラン錠（50 mg）　1 回 1 錠　内 頓

イミグラン注（3 mg/1 mL/A）　1 A　皮下

　　1 日 6 mg まで，追加投与は前回から 1 時間以上あける

イミグラン点鼻液（20 mg）　1 回 20 mg　点鼻

　　効果不十分には 2 時間以上あけて追加投与可，1 日
　　40 mg まで

＊ただし，組み合わせ投与の場合は，注射後の錠剤または
　点鼻液投与は 1 時間以上，錠剤後の注射または点鼻液，
　点鼻液後の錠剤または注射は 2 時間以上の間隔をあける.

	投与量	1 日最大 投与量	再投与の場合 の間隔
イミグラン錠（50 mg） （スマトリプタン）	1 回 1 錠 （不十分の場合 1 回 2 錠可）	4 錠	2 時間以上
ゾーミッグ RM 錠 (2.5 mg) （ゾルミトリプタン）	1 回 1 錠 （不十分の場合 1 回 2 錠可）	4 錠	2 時間以上
レルパックス錠（20 mg） （エレトリプタン）	1 回 1 錠 （不十分の場合 1 回 2 錠可）	2 錠	2 時間以上
マクサルト RPD 錠 (10 mg) （リザトリプタン）	1 回 1 錠	2 錠	2 時間以上
アマージ錠（2.5 mg） （ナラトリプタン）	1 回 1 錠	2 錠	4 時間以上

※次頁の【トリプタン使用時の注意】も参照のこと.

第4章　疾患編

神経・精神疾患

【トリプタン使用時の注意】

トリプタン系薬剤は血管収縮作用があるため，以下の疾患や徴候がある場合は禁忌．

ⓐ狭心症または心筋梗塞など虚血性心疾患

ⓑコントロールできていない高血圧

ⓒ脳梗塞，一過性脳虚血発作

ⓓ閉塞性動脈硬化症等の慢性動脈閉塞症や末梢血管障害

ⓔジタン系薬剤

5-HT1F 受容体作動薬：ラスミジタンコハク酸塩

レイボー錠（100 mg）　1回1錠　内　頓　発作発現時

※患者の状態に応じて 50 mg または 200 mg を投与可

※頭痛消失後に再発した場合は，24時間あたりの総投与量が 200 mg を超えない範囲で再投与可．

※トリプタンのような禁忌なし．

ⓓ発作予防薬：発作の頻度が高い（月2回以上頓服薬を使用）場合や，副作用などで頓服薬が使用できない場合には予防薬を用いる．経口で保険適用があるのはロメリジン，バルプロ酸，プロプラノロール．低用量から開始しゆっくり増量，2〜3カ月程度かけて効果を判定．最近抗CGRP抗体，抗CGRP受容体抗体製剤が保険適用となり使用されるようになった．

Ca拮抗薬：ロメリジン塩酸塩

ミグシス錠（5 mg）　1回1〜2錠　1日2回　内　朝・夕食後

β遮断薬：プロプラノロール塩酸塩

インデラル錠（10 mg）　1回1〜2錠　1日3回　内　食後

頭　痛⑷

※リザトリプタンの血中濃度を上昇させるため同剤との
併用は禁忌.

抗てんかん・躁状態治療薬：バルプロ酸ナトリウム

デパケン錠（200 mg）　1回1〜2錠　1日1〜3回　㊤
食後

※催奇形性あり，妊婦または妊娠の可能性がある女性に
は禁忌.

三環系抗うつ薬：アミトリプチリン塩酸塩

トリプタノール錠（10 mg）　1回1〜2錠

1日1〜2回　㊤　朝食後・就寝前

ヒト化抗CGRPモノクローナル抗体製剤：ガルカネズマブ

エムガルティ皮下注（120 mg）　初回240 mg　（皮下）
以降1カ月間隔で120 mg　皮下注

ヒト化抗CGRPモノクローナル抗体製剤　フレマネズマブ

アジョビ皮下注（225 mg）　1回　225 mg　（皮下）
4週間ごと　または1回675 mg　皮下注　12週間ごと

ヒト抗CGRP受容体モノクローナル抗体製剤　エレヌマブ

アイモビーグ皮下注（70 mg）　1回　70 mg　（皮下）
4週間ごと

❷緊張型頭痛の治療
　①後頸部の筋緊張やストレスが関与しているので，
　　それらを除去するアドバイスが重要.
　②薬物療法：筋弛緩薬，抗うつ薬などを組み合わせ
　　て使用. 鎮痛薬は長期連用による薬剤誘発性頭痛
　　に注意して頓用的に使用. 肩こりに葛根湯も有用.

第4章　疾患編

神経・精神疾患

ⓐ筋弛緩薬：下記のいずれか

筋緊張緩和薬：チザニジン塩酸塩／エペリゾン塩酸塩

テルネリン錠　1回1錠　1日3回　㊤　食後
ミオナール錠　1回1錠　1日3回　㊤　食後

ⓑ抗うつ薬

三環系抗うつ薬：アミトリプチリン塩酸塩

トリプタノール錠（10 mg）　1回1～2錠

　　　　　　　　　　　　　　1日1～2回　㊤

　　　　　　　　　　　　　　朝食後・就寝前

❸群発頭痛の治療

①発作期間中はアルコールやヒスタミン，ニトログリセリンで発作が誘発されるのでこれらを避ける．

②発作時：酸素吸入かトリプタン製剤の頓用（イミグラン皮下注など）

100％酸素　7 L/分で15分間吸入

※発作発現後10分以内に開始するのが望ましい．

③発作予防薬：カルシウム拮抗薬を主にステロイドを併用．夜間頭痛がおこる場合はエルゴタミンも一定効果あり．

フェニルアルキルアミン系Ca拮抗薬：ベラパミル塩酸塩

ワソラン錠（40 mg）　1回1～2錠　1日3回　㊤

　　　　　　　　　　　　　　　　　　　食後

※適用外使用が認められている．

副腎皮質ステロイド：プレドニゾロン

プレドニン錠（5 mg）　12～20錠　1日1～2回　㊤

　　　　　　　　　　　　　　　　　　朝・昼食後

※適用外使用が認められている．
※5日間投与後10 mg/日ずつ漸減．

頭　痛 ⑸

エルゴタミン製剤：エルゴタミン酒石酸塩・無水カフェイン・イソプロピルアンチピリン

クリアミン配合錠 A1.0　1回1錠　1日1回　Ⓝ
就寝前

❹三叉神経痛の治療
　①薬物療法

向精神作用性てんかん・躁状態治療薬：カルバマゼピン

テグレトール錠(200 mg)　1回1錠　1日1～2回　Ⓝ
食後より開始

　※効果が得られるまで漸増，通常 600 mg まで．最大 800
　　mg まで．
❺薬剤の使用過多による頭痛の治療
　①原因薬物の中止
　②薬物中止後に起こる頭痛への対応：中止後2～10
　　日くらいまで．原因薬物がトリプタン製剤の場合
　　は NSAIDs，NSAIDs の場合はトリプタン製剤を
　　屯用で使用．またノバミン®やプリンペラン®が
　　有効なこともある．
　③予防薬の投与：原因の頭痛が片頭痛の可能性が高
　　い場合はデパケン®，ミグシス®，インデラル®，
　　トリプタノール®など．

コンサルトのタイミング

❶危険な二次性頭痛が疑われる時．
❷上記の一般的治療に反応しない例．

フォローアップ外来

　頭痛日誌などを活用し，薬剤の使用過多による頭痛
予防のためにも定期フォローが望ましい．

✎memo

顔面神経麻痺（Bell 麻痺）(1)

ポイント

❶ 突然の顔の変形に気づいて来院する患者の 90％以上は末梢性の顔面神経麻痺．その多くは特発性顔面神経麻痺（Bell 麻痺）であり，無治療でも 70％は完治する予後のよい疾患．

❷ 顔面神経麻痺をみた場合，中枢性か末梢性かを確認する．末梢性麻痺の場合は額の麻痺側の皺寄せができないことが特徴．

非専門医レベルで行うべきチェックリスト

❶ 問診

　急性発症で，半数以上は麻痺のピークは 2 日以内．口角の変形，食物が片方の口角からこぼれるという訴えが多い．外耳道・耳介後部の痛みを自覚することがある．

❷ 診察所見

① 顔面神経麻痺の所見：額のしわの左右差（麻痺側は皺が消失），眼裂の左右差（麻痺側がより広い），まつげ徴候（強く閉眼したときに麻痺側はまつげが隠れない），麻痺側の鼻唇溝が浅い・口角が下がる．

② 顔面神経の運動枝以外の症状：耳介後部・外耳道の疼痛（感覚枝），患側舌の味覚障害，涙液の分泌障害，聴覚過敏．

③ 他の神経症状（顔面の感覚障害，難聴，眼球運動障害（特に外転神経），四肢の麻痺・運動失調，体幹失調）頻度は多くないが他の脳神経障害（三叉神経，舌咽神経，舌下神経）の報告あり．

④ 重症度の評価：柳原 40 点法（**表 1，図 1**）などを用いる（詳細は成書参照）．

❸ 検査

　血算，血糖をふくむ血液生化学．ウイルス性肝炎の除外（ステロイドを使用するため），頭部 CT・MRI，ウイルス抗体検査（単純ヘルペス，水痘・帯状疱疹）．

顔面神経麻痺（Bell 麻痺）(2)

	正常 4	部分麻痺2	高度麻痺0		正常 4	部分麻痺2	高度麻痺0
安静時対称性				口笛			
額のしわ寄せ				口をへの字に曲げる			
軽い閉眼							
強い閉眼				合計			

	正常 4	部分麻痺2	高度麻痺0
片眼つぶり			
鼻翼を動かす			
頬を膨らます			
イーと歯を見せる			

表 1　柳原 40 点法

安静時対称性　額のしわ寄せ　軽い閉眼　強い閉眼　片眼つぶり

鼻翼を動かす　頬を膨らます　イーと歯を見せる　口笛　口をへの字に曲げる

図 1　柳原 40 点法の評価項目

第4章　疾患編

神経・精神疾患

鑑別疾患

❶顔面神経麻痺を主訴とする症例の大多数が末梢性麻痺で，その70％がBell麻痺．Bell麻痺はほとんどが単純ヘルペスウイルスの再活性化，次いで水痘・帯状疱疹ウイルスによるRamsay Hunt症候群が多い．

❷両側性麻痺はまれ．両側性の場合，サルコイドーシス，Guillain-Barré症候群，Hansen病，白血病，髄膜炎菌性髄膜炎などを疑う．

❸上記以外の鑑別疾患：側頭骨骨折・顔面外傷などの外傷，腫瘍（耳下腺腫瘍，顔面神経鞘腫など），術後障害，HIV．他両側性に同じ．

治療

日本神経治療学会作成のガイドライン「標準的神経治療：Bell麻痺」[1]を参考にして行う．

❶急性期治療として経口副腎皮質ホルモンを投与[1]．

副腎皮質ステロイド：プレゾニゾロン

①成人の場合

プレドニン錠（5 mg）　1回12錠　1日1回　⊘
　　　　　　　　　　　　　　　　朝食後

　　または

プレドニン1 mg/kg/日　⊘　朝食後
　5日間継続し，その後5日間で漸減終了する
　もしくは

プレドニン錠（5 mg）　1回10錠　1日1回　⊘
　　　　　　　　　　朝食後　10日間投与する

②成人重症例（発症3日以内に限る）

重症例：柳原スコア0-14点（**表1，図1**を参照）

水溶性プレドニン（20 mg）　6管，生理食塩水
　100 mLに溶いて　㸃　10日間で漸減終了する

＊副作用（消化器症状，高血糖，不眠，便秘など）
　を観察するため入院または連日外来受診にて実施

565

顔面神経麻痺（Bell 麻痺）(3)

※プレドニンの投与は発症 3 日以内が望ましいが，遅くとも 1 週間以内に開始する．
※ステロイドによる胃障害予防のため，プロトンポンプ阻害薬（PPI）を併用する．

PPI：ランソプラゾール

ランソプラゾール錠（30 mg）

1 回 1 錠　1 日 1 回　内

❷抗ウイルス薬投与
※非重症例ではステロイドのみで十分高い治癒が期待できるため必ずしも抗ウイルス薬の併用は必要ではない．
※成人重症例では，帯状疱疹ウイルスを念頭に，発症 3 日以内にステロイドと併用して投与を行う．

抗ヘルペスウィルス薬：バラシクロビル/アシクロビル

バルトレックス錠（500 mg）

1 回 2 錠　1 日 3 回　内
7 日間

または

ゾビラックス錠（200 mg）　1 回 4 錠　1 日 5 回　内
7 日間

※バルトレックスはベル麻痺は保険適用外．
※抗ウイルス薬の単独療法は推奨されない．また，class Ⅰ，Ⅱレベルのエビデンスの報告はない．

❸メチルコバラミン投与
メチルコバラミン投与はプレドニンとの併用療法で Bell 麻痺の回復が早まるとされている．

ビタミン B₁₂：メチルコバラミン

メチコバール錠（500 mg）　1 回 1 錠　1 日 3 回　内

※投与期間は寛解もしくは発症後 8 週間まで使用することが推奨されている．

566

第4章　疾患編　　　　　　　　　　　神経・精神疾患

❹閉眼が不完全な場合，点眼薬，眼軟膏で角結膜の乾
燥を防ぐ．

角膜保護点眼薬：ヒアルロン酸ナトリウム液
ヒアレイン点眼薬0.1%　1回1滴　1日5～6回　　眼

専門医での検査・処置

❶電気生理学的評価 ENoG (Electroneurography)：健側
に対する患側の複合筋活動電位振幅の割合（%）を
評価．振幅が最も低下する発症4日～2週以内に検
査．ENoG が30%の場合84%は完全回復する．
ENoG が25%未満の場合88%は不完全回復になると
される．

❷リハビリテーション
　①急性期は積極的なリハビリテーションは行わな
　　い．神経の迷入再生を抑制するため過度な顔面筋
　　の収縮を避ける．
　②日常生活ではマッサージ（ストレッチング）を指
　　導．顔面筋のこわばりやそれによる痛みを軽減す
　　ることを目的とする．

❸ボツリヌス毒素療法
　　Bell 麻痺の後遺症として，顔面神経の異所性の再
　生が生じる結果，顔面筋の不随意運動が見られるよ
　うになる．このような，Bell 麻痺後遺症としての病
　的共同運動に対してボツリヌス毒素療法が行われる．

❹星状神経節ブロック，鍼灸，高圧酸素療法，顔面神
　経管の開放手術は効果のエビデンスがなくいずれも
　推奨されない．顔面神経麻痺には様々な理学療法が
　行われてきたが，現在のところリハビリテーション
　の顔面神経麻痺に対する効果についての十分なエビ
　デンスはない．
　　また，低周波電気刺激療法や粗大で強力な随意運動
　は病的共同運動の誘因となる可能性があり行わない．

567

顔面神経麻痺（Bell 麻痺）(4)

コンサルタントのタイミング

　突然発症，緩徐進行性の発症，再発性経過など Bell 麻痺の自然経過と合わない場合，両側性の顔面神経麻痺，顔面神経麻痺以外の神経症候がみられる場合，顔面神経麻痺が進行する場合は，翌日までに専門医へコンサルトする.

フォローアップ外来

❶顔面神経麻痺の発症初期 1 カ月程度は 1 週間に 1〜2 回診察する.

❷その後は 2〜4 週間に 1 回フォローする.

予後

❶自然経過で 70％は完全治癒する.

❷80％以上は 1〜2 カ月以内に完全回復. 特に不全麻痺例，味覚障害がない例，早期に回復し始めるものは予後がよい.

❸重度麻痺，高齢，誘発筋電図での複合筋活動電位が健側の 10％以下，発症 3〜4 週を経ても回復がみられない場合は予後不良.

❹Ramsay Hunt 症候群は Bell 麻痺に比べ予後は不良.

文献

1）日本神経治療学会：標準的神経治療：Bell 麻痺. 神経治療学 36：619-634, 2019

2）栢森良二：顔面神経麻痺のリハビリテーション 第 2 版. 医歯薬出版, 2018

memo

パーキンソン病・パーキンソン症候群 (1)

■ ポイント

❶ 振戦，強剛，無動，姿勢反射障害の4大徴候（表1）の全てまたは一部がみられる病態をパーキンソン症候群（パーキンソニズム）と呼ぶ．パーキンソニズムを呈する特発性の疾患をパーキンソン病という．パーキンソン症候群には他に血管性パーキンソニズム，薬剤性パーキンソニズム，特発性正常圧水頭症，各種神経変性疾患によるパーキンソニズムがある．

❷ パーキンソン病では，日常生活動作の自立や社会生活レベルの維持を目標に治療．ホーン＆ヤールの臨床重症度分類（表2）3度以上で，かつ生活機能障害度分類（表2）2度以上の場合には特定医療費（指定難病）受給の申請が可能．ただし，月ごとの医療費総額が33,330円を超える月が年間3回以上ある場合は基準を満たさなくても助成対象．

■ 非専門医レベルで行うべきチェックリスト

❶ 診断

　①中年期以降に誘因なく徐々に4大徴候（表1）が生じた場合はパーキンソン病の可能性が高い．症候の左右差やL-ドパの効果が認められれば可能性は高い．

　②初発症状としては振戦が60％，歩行障害や，動作緩慢は20％程度．一側優位の安静時振戦はパーキンソン病に特徴的な振戦．

　③自律神経症状やうつ，認知症などの精神症状もパーキンソン病の主要症状の1つ（表1）．

❷ 鑑別診断

　①血管性パーキンソニズムでは静止時振戦は少なく，仮性球麻痺（嚥下障害，構音障害），背を伸ばした姿勢での小歩症，すくみ足，頭部CT・MRIで多発性脳梗塞の所見や皮質下白質の虚血性変化を認める．

569

パーキンソン病・パーキンソン症候群 ②

表 1　パーキンソン病の症候

Ⅰ．運動症状（4大徴候）
　①安静時振戦：4～6 Hz
　②強剛：歯車様固縮，鉛管様固縮
　③無動：動作緩慢，仮面様顔貌，すくみ足，小声，小書字，流涎
　④姿勢反射障害

Ⅱ．非運動症状
　①睡眠障害
　②精神・認知・行動障害
　　・うつ，不安
　　・幻覚，妄想
　　・アパシー（無関心）
　　・アンヘドニア（快楽の消失）
　　・病的賭博
　　・認知機能障害
　③自律神経障害
　　・起立性低血圧
　　・排尿障害
　　・便秘
　　・勃起障害
　　・発汗過多，発汗低下
　④感覚障害
　　・嗅覚障害
　⑤その他
　　・体重減少，体重増加
　　・疲労

②薬剤性パーキンソニズムはパーキンソン病と症候が似ており鑑別が困難なことが多いが，数日ないし数週の単位で急速に進行する，静止時振戦が少ない，左右差が少ないことが特徴．動作緩慢，小刻み歩行，姿勢反射障害，仮面様顔貌が前景になる．また潜在するパーキンソン病が薬剤で顕在化する場合がある．

　表3に原因となる薬剤を示す．特にベンザミド誘導体は薬剤性パーキンソニズムの原因薬剤として頻度が高く，内科領域では注意を要する．
③パーキンソン病としては経過が早い（数年で歩行不能），早期より転倒傾向がある，振戦以外で発症した，レボドパの効果が乏しい，パーキンソニズム

第4章　疾患編

神経・精神疾患

表2　ホーン＆ヤールの臨床重症度分類と日常生活機能障害度分類

ホーン＆ヤールの臨床重症度分類		日常生活機能障害度分類
1度	症状は一側性で機能障害は軽度	1度 日常生活，通院にほとんど介助を要しない
2度	両側性の障害があるが姿勢反射障害なし	
3度	姿勢反射障害により活動に制限がみられるが，介助不要．歩行障害が明らかで，方向転換が不安定になる	2度 日常生活，通院に部分介助を要する
4度	重度機能障害だが，立位・独歩可能	
5度	重度機能障害で，車椅子か臥床生活	3度 日常に全面的な介助を要し，独立では歩行起立不能

以外の神経症候を認めるなど非典型的な場合には，他の神経変性疾患（進行性核上性麻痺，多系統萎縮症，大脳皮質基底核変性症など），血管性パーキンソニズム，薬剤性パーキンソニズム，特発性正常圧水頭症を鑑別する必要がある．

❸検査

パーキンソン病と血管性パーキンソニズム，薬剤性パーキンソニズム，パーキンソニズムを呈する各種神経変性疾患，正常圧水頭症との鑑別に，脳MRI，MIBG心筋シンチグラフィーとダットスキャンは有用（保険適用あり）．

571

パーキンソン病・パーキンソン症候群 ③

表 3 薬剤性パーキンソニズムの原因となる薬剤

①消化器系薬剤
　　ベンザミド誘導体（プリンペラン，ドグマチール，ナウゼリン），フェノチアジン誘導体（ノバミン）
②神経・精神系薬剤
　　ブチロフェノン誘導体（セレネース，インプロメン），フェノチアジン誘導体（コントミン，ヒルナミン，ピーゼットシー），ベンザミド誘導体（グラマリール），
③降圧薬・抗不整脈薬
　　Ca チャネル阻害薬（アムロジン，ヘルベッサー，ワソランなど），アンカロン，アスペノン
④その他
　　ファンギゾン，エンドキサン，サンディミュン，ノックビン，塩酸プロカイン，リーマス，デパケン，ガスター，SSRI，アリセプトなど

コンサルトのタイミング

次のような症例では専門医へのコンサルトを考慮.
①パーキンソン病としては非定型的で，他のパーキンソニズムとの鑑別診断が困難な場合.
②ウェアリングオフ，ジスキネジアなどの運動合併症によりコントロールが難しい，また脳深部刺激療法，L-ドパ持続経腸療法などを考慮する場合.
③精神症状や認知症状を認める場合.

治 療

❶治療の開始は本人が日常生活に不自由を自覚したときを目安に.
❷日常生活動作の自立や生涯にわたり高い QOL を維持するという視点で，長期的な治療戦略を立てることが重要. 早期よりリハビリテーションを開始する.
❸治療薬の選択に際しては，患者の生活状況・年齢・合併症・認知機能を考慮する. ただし，ドパミンア

第4章 疾患編　　　　　　　　　　　神経・精神疾患

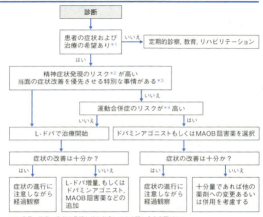

*1 背景，仕事，患者の希望などを考慮してよく話し合う必要がある
*2 認知症の発症など
*3 症状が重い（例えばホーン・ヤール Hoehn-Yahr 重症度分類で3度以上），転倒リスクが高い，患者にとって症状改善の必要度が高い　など
*4 65歳未満の発症など

図1　早期パーキンソン病の治療のアルゴリズム
（日本神経学会：パーキンソン病診療ガイドライン 2018）

ゴニストまたはレボドパ製剤により開始することが原則．
❹未治療例への治療開始は上記ガイドラインのアルゴリズム（図1）を参考にして行う．
❺治療初期の副作用では嘔気などの消化器症状が現れやすいが，少量から漸増すると慣れることが多い．
❻いずれの抗パーキンソン病薬も少量から開始し，漸増法で投与．
❼L-ドパはドパミンアゴニストよりも長期使用に伴うウェアリングオフやジスキネジアなどの運動合併

パーキンソン病・パーキンソン症候群 (4)

症をおこしやすい．若年者ではドパミンアゴニストで開始するほうがよい．症状が重い，あるいは転倒リスクが高い，認知症があるなど症状改善に必要度が高い場合は，L–ドパで開始する．高齢者では運動症状の進行が早い傾向があり，初期よりL–ドパから開始することが患者に有益である．40～65歳では重症度によりケースバイケースである．一般的にはドパミンアゴニストより開始して症状と患者の希望と生活・社会環境を考慮して，レボドパを併用する．

❽患者指導：自己判断で突然薬を中断しないこと（悪性症候群の危険がある），体操（各関節の伸展運動と体幹の回旋運動が重要，図2），できることは自分でやることなど．またドパミンアゴニストを代表とするすべての抗パーキンソン病薬で傾眠や突発的睡眠を生じることがあることを伝える．服用患者には自動車運転などの危険を伴う作業はさせない．

❾モノアミン酸化酵素B阻害剤のエフピー®はL–ドパの使用量の増量を抑制し，作用時間の延長効果があ

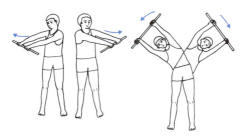

棒を前にのばし，　　　棒を頭の上にあげ，
左右に回旋　　　　　左右に体を傾ける

図2　パーキンソン体操（その1）

第4章 疾患編　　　　　　　　　　　神経・精神疾患

頬をふくらませ，すぼめる

肩甲骨と後頭部，踵が壁につくように立つ

唇を横に開く，口をとがらす

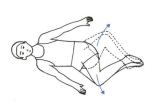

仰向けで両膝を立て，膝だけ左右に倒す

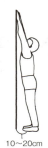

10〜20cm

両手をのばし，手のひらを壁につけ，上を見あげる

図2　パーキンソン体操（その2）

パーキンソン病・パーキンソン症候群 (5)

ることから,早期からレボドパと併用して使用される.抗うつ薬との併用は禁忌.

❿ 進行期の患者では他疾患に伴う廃用症候群,誤嚥性肺炎,転倒・骨折が予後を左右する.

⓫ 代表的な処方例を示す.いずれも少量から開始し症候と副作用を見ながら必要量まで増量する.
(L-ドパ製剤とドパミンアゴニスト以外の薬剤は**表 4** 参照).

①L-ドパ製剤:脳内でドパミンに代謝される.

レボドパ含有製剤:レボドパ・ベンセラジド塩酸塩

マドパー錠(100 mg)　1回1錠　1日1回　内
朝食後

上記より開始し,以後,症状により漸増.維持量:
1日3〜6錠　分3〜分5(分3毎食後〜分5(食後に10〜11時,15〜16時頃に追加))

※early morning off が目立つ場合には起床時に追加する.

レボドパ含有製剤:レボドパ・カルビドパ水和物

メネシット錠(100 mg)　1回1錠　1日1回　内
朝食後

上記より開始し,以後,症状により漸増.維持量:
1回 100 mg〜200 mg　1日3〜5回　1日最大 1500 mg

※閉塞隅角緑内障には禁忌.

memo

第4章 疾患編

神経・精神疾患

表4 L-ドパ製剤とドパミンアゴニスト以外の薬剤

一般名（商品名）	作用機序	効能	使用上の注意点
セレギリン塩酸塩（エフピー）	MAO-B阻害作用により脳内ドパミンの代謝を抑制	L-ドパ製剤の効果を増強，ウェアリングオフの改善，オフ症状の改善	三環系抗うつ薬，SSRIなどとの併用はセロトニン症候群を引き起こすため禁忌
エンタカポン（コムタン）	COMT阻害作用により末梢でのL-ドパからドパミンへの代謝を抑制	L-ドパ製剤の効果を増強，オフ症状の改善	L-ドパ製剤と併用
レボドパ/カルビドパ水和物/エンタカポン配合錠（スタレボ）	レボドパ/カルビドパ水和物とエンタカポンの合剤	L-ドパ製剤・エンタカポン併用者での内服錠数の減量	閉塞隅角緑内障に禁忌
アマンタジン塩酸塩（シンメトレル）	ドパミンの放出を促進	運動症状の改善，ジスキネジアに効果	腎排泄のため，腎障害のある場合や高齢者では低用量より開始
トリヘキシフェニジル塩酸塩（アーテン）	抗コリン作用によりドパミンの作用を相対的に増強	振戦に効果	抗コリン作用の副作用のため高齢者への投与は慎重に．認知症のリスクあり．緑内障・重症筋無力症に禁忌
ドロキシドパ（ドプス）	脳内と交感神経でノルアドレナリンに代謝される	起立性低血圧に有効．すくみに効果	閉塞隅角緑内障に禁忌
ゾニサミド（トレリーフ）	ナトリウムチャネル阻害など多種類の作用	ウェアリングオフの改善，振戦などの症候改善	L-ドパ製剤と併用
イストラデフィリン（ノウリアスト）	アデノシンA2A受容体への拮抗作用	ウェアリングオフの改善	L-ドパ製剤と併用

パーキンソン病・パーキンソン症候群 (6)

②ドパミンアゴニスト：ドパミン受容体に作用する．
　ⓐ非麦角性ドパミンアゴニスト

ドパミン作動薬（非麦角系）：プラミペキソール塩酸塩水和物

ビ・シフロール錠(0.25 mg)　1回1錠　1日1回　内　朝食後

　上記より開始し，2週目に1日 0.5 mg とし，1週間毎に1日 0.5 mg ずつ増量．維持量：1日量 1.5〜4.5 mg

ミラペックス LA 錠（ビ・シフロールの徐放剤）(0.375 mg)　1回1錠　1日1回　内　朝食後

　上記より開始し，2週目に1日量を 0.75 mg とし，以後経過を観察しながら，1週間毎に1日量として 0.75 mg ずつ増量．維持量（標準1日量 1.5〜4.5 mg　1日1回　朝食後）を定める．

ドパミン作動薬（非麦角系）：ロピニロール塩酸塩

レキップ錠（0.25 mg）　1回1錠　1日3回　内　朝昼夕食後

　上記より開始し，1週間毎に1日 0.75 mg ずつ増量．維持量：1日量 3〜9 mg

レキップ CR 錠（レキップの徐放剤）（2 mg）
1回1錠　1日1回　内　朝食後

　上記より開始し，2週目に1日量 4 mg とする．以後経過観察しながら，必要に応じ，1日 2 mg ずつ1週間以上の間隔で増量する．いずれの投与量の場合も1日1回経口投与する．年齢，症状により適宜増減するが，1日量 16 mg を超えないこと．

第4章　疾患編

神経・精神疾患

ドパミン作動薬（非麦角系）：ロチゴチン

ニュープロパッチ　1回4.5 mg　1日1回貼付　Ⓗ
上記より開始し，以後経過観察しながら，必要に応
じ，1週間の間隔で1日量4.5 mgずつ増量．1日1
回36 mgまで．

※他に麦角性ドパミンアゴニストもあるが，第一選択と
してはすすめられない．心臓弁膜症の危険因子とされ，
心臓弁膜の病変が確認された患者およびその既往のあ
る患者では禁忌である．

※ビ・シフロールおよびミラペックスLAは腎排泄のた
め，腎障害の患者や高齢者へは低用量より開始する．

フォローアップ外来

❶薬物治療の開始早期は1〜2週ごとに運動機能と副
作用をみながら抗パーキンソン病薬を少量ずつ調
整．安定すれば2〜8週間ごとに経過をみる．

❷長期にフォローする必要があるため，認知機能，嚥
下機能，転倒の有無，感染症の兆候，ウェアリング
オフの有無，介護状況の変化などに留意．

予　後

❶振戦のないもの（無動・固縮型），発症年齢が高いも
の，高齢者，発症1年以内に認知症を合併するもの
では運動症状，全般障害度の点で予後が悪い傾向．

❷余命は一般平均より2〜3年程度短い．一般に寝たき
りとなってからの余命は1年程度．

❸死因は肺炎などの感染症が最も多い．

文献

1) 日本神経学会：パーキンソン病治療ガイドライン2011．医学
書院，2011

2) 日本神経学会：パーキンソン病診療ガイドライン2018．医学
書院，2018．

パーキンソン病・パーキンソン症候群 (7)

 外科手術や全身状態の悪化に伴い絶食を要する時

- 手術前には可能な限り，抗パーキンソン病薬を内服継続する．
- 経口摂取困難な際には，L-ドパ製剤 100 mg につき，L-ドパ注射剤 50〜100 mg 程度を静脈内に 1〜2 時間かけて点滴投与する．
  例）マドパー（100 mg） 3 錠分 3 後内服の症例
  絶食時→ドパストン（25 mg） 2〜4A を生理食塩水 100 mL に溶いて，1 日 3 回投与．
  ＊本邦では L-ドパ注射剤は 1 日 50 mg までと記載されているが，特に進行期では投与量不十分である．

慢性期脳血管障害の管理 (1)

ポイント

❶脳梗塞では血圧，糖尿病，脂質異常症，CKD，喫煙・飲酒，メタボリックシンドロームへの対策，心房細動をもつ脳梗塞への抗凝固療法，非心原性脳梗塞への抗血小板療法を実施.

❷脳出血では血圧の管理（130/80 未満，脳出血再発リスクが高い場合 120/80 未満）と痙攣（遅発性痙攣：発症 2 週間以後の出現は再発が高率）への対策.

❸脳卒中治療ガイドライン 2021（日本脳卒中学会）を参考に，患者の状態に応じて治療方針を決定.

非専門医レベルで行うべきチェックリスト

再発予防のための全身管理

＜脳梗塞＞

❶**高血圧** ☞ p. 304
　　血圧130/80 未満をめざす．両側内頸動脈高度狭窄や主幹動脈閉塞がある例では 140/90 未満を目指す

❷**糖尿病** ☞ p. 610
　　インスリン抵抗性改善薬のピオグリタゾンによる糖尿病治療は再発抑制の報告あり.

❸**脂質異常症** ☞ p. 630
　　非心原性脳梗塞・TIA にはスタチン投与を行う. LDL-コレステロール＜100 mg を目標. 冠動脈疾患を合併している場合は LDL-コレステロール＜70 mg を考慮.

❹**メタボリックシンドローム・肥満の管理を考慮.** ☞ p. 646

❺**抗血小板療法**
　　非心原性脳梗塞の再発予防には抗血小板療法を行う. 塞栓源不明の脳塞栓症（ESUS, Cryptogenic stroke）にはアスピリンを投与する.

慢性期脳血管障害の管理 (2)

抗血小板薬：シロスタゾール口腔内崩壊錠

シロスタゾール OD 錠（100 mg）　1 回 1 錠
　　　　　　　　　　　　　　　　　　1 日 2 回　　⑨
　年齢，症状により適宜増減．　　　　　朝夕食後

※頭痛や頻脈の副作用報告あり．

抗血小板薬：クロピドグレル硫酸塩

プラビックス錠（75 mg）　1 回 1 錠　1 日 1 回　⑨
　　　　　　　　　　　　　　　　　　　　　朝食後

抗血小板薬：アスピリン

バイアスピリン錠（100 mg）1 回 1 錠　1 日 1 回　⑨
　　　　　　　　　　　　　　　　　　　　朝食後

❻抗凝固療法：非弁膜症性心房細動による心原性脳塞栓症の再発予防には抗凝固療法を行う．☞ p. 896 抗凝固療法

＜脳出血＞

❶再発予防

　血圧コントロール不良例での再発が多く，130/80 未満にコントロールする．脳出血再発リスクが高い場合 120/80 未満を目標．

　脳出血再発リスク例：microbleeds の合併，抗血栓薬の使用

後遺症対策

❶嚥下障害

　摂食時のムセの有無に常に留意し，嚥下障害が疑われる場合は嚥下造影検査，嚥下内視鏡検査で評価する．嚥下障害があれば，食事指導（食事姿勢および食形態についての教育・指導）を実施．嚥下障害の程度に応じて積極的に嚥下のリハビリテーションを考慮．栄養状態の改善に努める．

第4章　疾患編

神経・精神疾患

❷痙攣

皮質病変をふくむ脳卒中や出血性脳卒中で多い．
脳梗塞後の痙攣は発症1年以内が多く，7年間は発症の危険性がある．高齢患者は再発率が高い．

①痙攣発作時の対応

ベンゾジアゼピン系抗不安薬：ジアゼパム

セルシン注射液（10 mg/2 mL/A）　1回1A　⑨
ゆっくり，呼吸抑制に注意

②再発予防のための抗痙攣薬の投与

脳出血の遅発性痙攣（発症2週間以降の発作）は高率に再発を生じる．抗てんかん薬の投与も考慮する．

抗てんかん薬：レベチラセタム

イーケプラ錠（500 mg）　1回1錠　1日2回　⑪
投与量は効果により調整．　　　　　　朝夕食後

または

抗てんかん薬：ラモトリギン

ラミクタール錠（25 mg）　1回1錠　1日1回　⑪
朝食後
2週間ごとに漸増して維持量とする（1日100 mg〜200 mg）．症状により増減．投与法の詳細は添付文書参照．

❸排尿障害・尿路感染症

①脳卒中患者の40〜60%に排尿障害がみられる．神経因性膀胱に対しては排尿障害の種類に応じた適切な薬物治療を行う（☞ p.689）とともに泌尿器科にコンサルトする．

②高齢者は膀胱刺激症状などの自覚症状に乏しいことを念頭に尿路感染の有無を診断．

慢性期脳血管障害の管理 ⑶

❹抑うつ ☞ p.234, p.602

　①脳卒中後のうつは30％にみられる．認知機能，身体機能，ADLの障害因子となるため積極的にその発見に努める．

　②希死念慮の把握と適切な対応．

　③薬物治療をふくめて精神科との併診を考慮．

❺脳卒中後認知症

　脳卒中後認知症の予防に血管リスク管理を行う．

❻脳梗塞後遺症に伴う行動・心理症状

　攻撃的行為，精神興奮，徘徊，せん妄にチアプリドが有効．

チアプリド製剤：チアプリド塩酸塩

　グラマリール錠(25 mg) 1回1～2錠 1日3回　㊂

❼中枢性疼痛

　①脳卒中後の中枢性疼痛にはプレガバリンが有効．

神経障害性疼痛緩和薬：プレガバリン

　リリカカプセル(75 mg)　1回1Cap　1日2回　㊂
　　その後1週間以上かけて1日300 mgまで増量(最大量600 mg)
　　めまい，ふらつきなどの副作用あり．初回は1Capから開始しても良い

　②ガバペンチン，ラモトリギン，アミトリプチリン，選択的セロトニン再取り込み阻害薬（SSRI）も効果．

　③薬物治療が無効な症例はペインクリニックなどの専門医へコンサルト．反復性経頭蓋磁気刺激（rTMS）など．

❽痙縮

　脳卒中後の上下肢痙縮を軽減させるためボツリヌス毒素療法を行う施設へコンサルト．

第4章　疾患編

神経・精神疾患

❾維持期リハビリテーション
　①訪問リハビリテーション，通院リハビリテーションなどの利用を考慮し，運動能力の維持・向上，社会参加促進，QOL改善を目指す．
　②ADLの維持：身の回りのことはできるだけ自分で行えるように指導．そのための家屋改造，杖・装具，車椅子，ベッド，ポータブルトイレの使用など障害の程度に合わせて指導．リハビリテーション科，地域包括支援センターと協力して行う．
　③廃用症候群の予防：筋・骨萎縮，体力低下，拘縮などの予防を行う（関節可動域訓練，毎日のウォーキング，体操など）．

❿要介護者のマネジメント・社会資源・介護保険制度の活用（特定疾病であり年齢によらず利用可能）．☞ p.83〜

コンサルトのタイミング

❶脳梗塞の再発が疑われる場合は速やかにrt-PA静注療法，経皮経管的脳血栓回収療法を実施可能な院内担当科・院外施設へコンサルト．

❷出血性脳卒中，後頭蓋窩の病巣・広範な病巣などでドレナージ・減圧手術などを考慮した場合は直ちに脳神経外科にコンサルト．

❸痙攣のコントロールが困難，嚥下障害，抑うつ・認知症が疑われる場合，内服薬治療に抵抗性の中枢性疼痛，排尿障害は各専門科にコンサルト．

✎memo

慢性期脳血管障害の管理 (4)

ミニコラム　無症候性脳梗塞に対して抗血小板療法は必要か？

無症候性脳梗塞に対して一律での抗血小板療法はすすめられない（推奨度 D，エビデンスレベル低）．

ただし，個々の症例のリスクを慎重に検討し，十分な血圧コントロール行ったうえで，出血リスクに十分配慮した抗血小板療法を考慮しても良い（推奨度 C，エビデンスレベル低）．

ガイドラインでは出血合併症が少ないシロスタゾールを推奨している．

ミニコラム　手術や検査時の対応

出血時の対処が容易な処置・小手術（抜歯，白内障手術など）の場合アスピリン内服を続行することがすすめられる（推奨度 A，エビデンスレベル中）．その他の抗血小板薬の内服を継続することは妥当（推奨度 B，エビデンスレベル低）．

出血高危険度の消化管内視鏡治療の場合は，血栓塞栓症の発症リスクが高い症例では，アスピリンまたはシロスタゾールへの置換を考慮しても良い（推奨度 C，エビデンスレベル低）．

参照：
・科学的根拠に基づく抗血栓療法患者の抜歯に関するガイドライン 2015 年版
・抗血栓薬服用者に対する消化器内視鏡診療ガイドライン

memo

認知症 (1)

ポイント

❶ 本邦の 65 歳以上の高齢者の認知症患者は 462 万人 (2012 年) で 7 人に 1 人とされる. 2025 年には 700 万人, 5 人に 1 人と予想されている.

❷ 治療可能な認知症 (treatable dementia)*を見逃さない.

   *treatable dementia：ビタミン欠乏症, 甲状腺機能低下症, 正常圧水頭症, 慢性硬膜下血腫など

❸ 認知症は早期診断が重要. 認知症を疑った場合, 早急に認知症の確定診断と鑑別診断 (アルツハイマー型認知症, レビー小体型認知症, 血管性認知症など) を行う (図1). 診断に苦慮する症例では専門医にコンサルト.

非専門医レベルで行うべきチェックリスト

❶ 診断には, せん妄などの意識障害, てんかん発作, 代謝性脳症, うつ病, 脳腫瘍, 頭部外傷などの除外が重要. 長谷川式簡易知能評価スケール (表1), ミニメンタルステート検査 (web 等を参照) で認知機能を評価.

❷ 全身の内科的疾患の精査 (血算, 電解質, 生化学検査, 血液ガス分析, 胸部 Xp など), ビタミン B_1・B_{12}・薬酸, 甲状腺機能, 梅毒反応, 脳波検査, 頭部 CT・MRI を実施. (脳血流 SPECT 検査, MIBG 心筋シンチ検査, ダットスキャン検査はアルツハイマー型認知症. レビー小体型認知症などの鑑別診断に有用)

❸ 内服薬の調査を行う. 認知機能に影響する可能性のある中枢神経作用薬 (抗うつ薬, 抗コリン薬, 睡眠導入薬など), 副腎皮質ステロイド, メトクロプラミド, 降圧薬過量投与, ヒスタミン H_2受容体拮抗薬など.

コンサルトのタイミング

❶ 急性・亜急性発症や月単位の比較的早い経過など非定型的な臨床経過を示す場合.

認知症 (2)

図 1 認知症診断のフローチャート
(日本神経学会. 認知症疾患診療ガイドライン 2017)

VaD：vascular dementia, FTLD：frontotemporal lobar degeneration,
DLB：dementia with Lewy bodies, CJD：Creutzfeldt-Jakob disease,
PSD：periodic synchronous discharge, DWI：diffuseion weighted image,
PSP：Progressive supranuclear palsy, CBD：corticobasal degeneration,
HD：Huntington's disease

第4章 疾患編

神経・精神疾患

表1　長谷川式簡易知能評価スケール改訂版（HDS-R）

1	お歳はいくつですか？（2年までの誤差は正解）		0 1
2	今日は何年の何月何日ですか？　何曜日ですか？ （年月日，曜日が正解でそれぞれ1点ずつ）	年 月 日 曜日	0 1 0 1 0 1 0 1
3	私たちがいまいるところはどこですか？ （自発的にでれば2点，5秒おいて家ですか？　病院ですか？　施設ですか？　のなかから正しい選択をすれば1点）		0 1 2
4	これから言う3つの言葉を言ってみてください．あとでまた聞きますのでよく覚えておいてください． （以下の系列のいずれか1つで，採用した系列に○印をつけておく） 1：a）桜　b）猫　c）電車　2：a）梅　b）犬　c）自動車		0 1 0 1 0 1
5	100から7を順番に引いてください．（100−7は？，それからまた7を引くと？　と質問する．最初の答えが不正解の場合，打ち切る）	（93） （86）	0 1 0 1
6	私がこれから言う数字を逆から言ってください．（6-8-2，3-5-2-9を逆に言ってもらう，3桁逆唱に失敗したら，打ち切る）	2-8-6 9-2-5-3	0 1 0 1
7	先ほど覚えてもらった言葉をもう一度言ってみてください．（自発的に回答があれば各2点，もし回答がない場合以下のヒントを与え正解であれば1点）a）植物　b）動物　c）乗り物	a：0 1 2 b：0 1 2 c：0 1 2
8	これから5つの品物を見せます．それを隠しますのでなにがあったか言ってください． （時計，鍵，タバコ，ペン，硬貨など必ず相互に無関係なもの）		0 1 2 3 4 5
9	知っている野菜の名前をできるだけ多く言ってください．（答えた野菜の名前を右欄に記入する．途中で詰まり，約10秒間待ってもでない場合にはそこで打ち切る）0～5＝0点，6＝1点，7＝2点，8＝3点，9＝4点，10＝5点		0 1 2 3 4 5

合計得点

合計点（30点満点）で以下のように評価する．20点以下を認知症，21点以上を非認知症とした場合に最も弁別性が高い．重症分類は行われていないが，各種症度別平均得点は以下のとおり（各群間に有意差あり）．

非痴呆	24.27±3.91 点	やや高度	10.73±5.40 点
軽　度	19.10±5.04 点	非常に高度	4.04±2.62 点
中等度	15.43±3.63 点		

※このスケールは，あくまで補助的な診断法で，これだけで直ちに認知症と診断することはできない．

（加藤伸司ほか：老年精神医学雑誌，2：1339，1991）

認知症（3）

❷早期から BPSD が目立つ，認知症以外の神経症候を合併する場合．

❸硬膜下血腫，正常圧水頭症など脳神経外科的な処置を要する場合，うつ症状や問題行動が目立つなど精神科的対応を要する場合．

治　療

認知機能の改善と生活の質（QOL）向上を目的として，薬物療法と非薬物療法を組み合わせる．

認知症の行動・心理症状（BPSD）に対しては非薬物療法を優先的に行う．

＜非薬物療法＞

❶認知症者への介入：個々のレベルに合わせた認知機能訓練，運動療法，音楽療法，回想法，日常生活動作訓練などを行う．

❷認知症者のケア；（パーソンセンタードケア）認知症をもつ人を一人の人として尊重する．その人の視点や立場を理解し，ケアを行う．

❸介護者への介入：心理教育，スキル訓練，介護者サポート，ケースマネジメント，レスパイトケアを行う．介護者の燃え尽きに対しての予防，うつの軽減をはかる．

＜薬物療法＞

❶アルツハイマー型認知症に対してはコリンエステラーゼ阻害薬や NMDA 受容体拮抗薬を投与（図2）．レビー小体型認知症に対してはアリセプトを投与．

❷重症度は Clinical Dementia Rating（CDR）*で分類．
軽度→CDR1，中等度→CDR2，重度→CDR3

（*目黒謙一．認知症早期発見のための CDR 判定ハンドブック．医学書院，2008）

✎memo

第4章 疾患編

神経・精神疾患

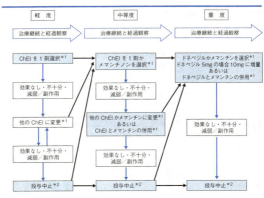

*1 薬剤の特徴と使用歴を考慮して選択．
*2 急速に認知機能低下進行例があり，投与中止の判断は慎重に．

図2 アルツハイマー病の病期別の治療薬剤選択のガイドライン

（日本神経学会．認知症疾患診療ガイドライン2017）

以下のいずれか．

抗認知症薬（コリンエステラーゼ阻害薬）：ドネペジル塩酸塩

アリセプトOD錠（3 mg） 1回1錠 1日1回 ㊇
朝食後

上記より開始し，副作用がなければ1～2週間後に5 mgへ増量．
高度のアルツハイマー型認知症には，5 mgで4週間以上経過後，10 mgへ増量．なお，症状により適宜増減．
レビー小体型認知症には，5 mgで4週間以上経過後，10 mgに増量．症状により5 mgまで減量可．
※コリンエステラーゼ阻害薬はアルツハイマー病に保険適用．アリセプトのみDLBにも保険適用あり．

認知症 ⑷

抗認知症薬（コリンエステラーゼ阻害薬）：ガランタミン臭化水素酸塩

レミニール OD 錠（4 mg）　1 回 1 錠　1 日 2 回　内
　　　　　　　　　　　　　　　　　　　　　　　朝夕食後

　　上記より開始し，4 週間後に 1 日 16 mg（1 回 8 mg
　　1 日 2 回　朝夕食後）に増量．症状に応じて 1 日 24
　　mg（1 回 12 mg　1 日 2 回朝夕食後）まで増量でき
　　るが，その場合は変更前の用量で 4 週間以上投与後
　　に増量．

抗認知症薬（コリンエステラーゼ阻害薬）：リバスチグミン経皮吸収型製剤

イクセロンパッチまたはリバスタッチパッチ（4.5
mg）　1 日 1 回　貼

　　上記より開始，4 週毎に 4.5 mg ずつ増量し，維持量
　　として 1 日 1 回 18 mg を貼付．
　　背部，上腕部，胸部のいずれかの正常で健康な皮膚
　　に貼付し，24 時間毎に貼り替える．
　　and/or

抗認知症薬（NMDA 受容体アンタゴニスト）：メマンチン塩酸塩

メマリー OD 錠（5 mg）　1 回 1 錠　1 日 1 回　内
　　　　　　　　　　　　　　　　　　　　　　　朝食後

　　上記より開始し，1 週間に 5 mg ずつ増量し，維持量
　　として 1 日 1 回 20 mg とする．
　　※腎排泄のため，高度の腎機能障害（Ccr 値：30 mL/
　　min 未満）のある患者には，患者の状態を観察し
　　ながら慎重に投与し，維持量は 1 日 1 回 10 mg と
　　する．コリンエステラーゼ阻害薬との併用が可能．

※メマリーのみ中等度以上に保険適用．

＜BPSD への対応＞

❶急性発症，症状の動揺がある場合は鑑別診断が重
　要．特にせん妄を除外する．
❷患者を取り巻く人間関係や住環境の変化などの環境
　要因や身体疾患に起因することがあり，詳細な問診
　と全身検索が必要．

第4章　疾患編　神経・精神疾患

❸抗精神病薬は高齢者では死亡率を上昇させ，転倒・骨折・誤嚥のリスクを高める*. 投与する場合は可能な範囲で少量とする．(*かかりつけ医のためのBPSDに対応する向精神薬使用ガイドライン（第2版）．2015)

❹抗精神病薬と非定型抗精神病薬は保険適応外使用のため本人・家族に十分説明し，副作用に注意して使用．

＜処　置＞

❶せん妄

①意識障害の原因となる感染症，代謝異常，脳血管障害などの身体疾患を究明して治療．

②ベンゾジアゼピン系薬物，抗コリン薬など認知機能に影響する薬物（☞ p.587）が原因の場合があるので減量・中止．

③患者への心理的ストレスの状況，患者周囲に環境変化が生じていないかを検討．

④昼間に眠らないように身体活動を促し，昼夜の日内リズムをつくる．朝に太陽光などの強い光を浴びる環境の設定．

⑤薬物療法：身体管理が最優先であり，薬物治療は対症療法である．

セロトニン・ドパミン遮断薬：リスペリドン

リスパダール内用液（1 mg/mL）　1回0.25〜2 mL　1日1回　㊠　夕食後　（保険適用外使用）

多元受容体作用抗精神病薬：クエチアピンフマル酸塩

セロクエル錠（25 mg）　1回25 mg　1日1回　㊠　就寝前　（保険適用外使用）

※糖尿病または糖尿病の既往がある場合は禁忌．

❷幻覚・妄想

妄想が不安や抑うつなどに起因する場合がある．

593

認知症 (5)

薬物治療ではリスペリドン，オランザピン，クエチアピン，アリピプラゾールを試みる．レビー小体型認知症の幻覚・妄想にはコリンエステラーゼ阻害薬（☞ p.590～ 薬物療法）が第1選択．レビー小体型認知症ではパーキンソニズムへの影響が少ないクエチアピンも試みる．

セロトニン・ドパミン遮断薬：リスペリドン
リスパダール内用液（1 mg/mL）　1回 0.25～2 mL
1日1回　⊛　夕食後　（保険適用外使用）

❸焦燥性興奮
　　不安感，不満，怒り，恐怖，辛い記憶の想起など何らかの原因があることが多い（家人の言動により生じる場合もあり，注意点を家人に説明する）．

＜薬物療法＞

セロトニン・ドパミン遮断薬：リスペリドン
リスパダール内用液（1 mg/mL）　1回 0.25～2 mL
1日1回　⊛　夕食後　（保険適用外使用）

多元受容体作用抗精神病薬：クエチアピンフマル酸塩
セロクエル（25 mg）　1回1錠　1日1回　⊛
就寝前
　　維持量：1日 25～100 mg.　（保険適用外使用）

抗てんかん薬：バルプロ酸ナトリウム
デパケンR錠（100 mg）　1回1錠　1日1～3回　⊛
夕食後から朝昼夕食後　（保険適用外使用）

漢方薬：抑肝散
抑肝散　1回2.5 g　1日3回　⊛　食前または食間

第4章　疾患編

神経・精神疾患

❸徘徊

①徘徊する原因・目的が必ずあるので究明する．例えば，仕事をするために会社へ行く必要がある，自宅が別にあると錯覚してそちらへ行こうとするなど．家人が一緒について近所を一周して帰ってくると自宅へ戻ったと納得することがある．この場合，決して叱らないことが重要．

②名札・連絡先を患者に見えるところに付けると，取り外してしまう例がある．患者の自尊心を傷つけないように（患者の目に直接触れないところに）工夫する．

③薬物療法：リスペリドンが有効の場合がある．

セロトニン・ドパミン遮断薬：リスペリドン
リスパダール内用液（1 mg/mL）　1回 0.25 mL 1日1回　内　就寝前　（保険適用外使用） 維持量：1日 0.25～1 mL

フォローアップ外来

❶介護保険制度の利用を行う．☞ p.85

❷日常生活能力の低下を確認し，認知症の進行が考えられるならば，内服追加や介護認定の区分変更を検討する．

❸合併症への対応（てんかん，嚥下障害，サルコペニア，フレイル，転倒・骨折を合併しやすい可能性がある）

❹道路交通法：わが国では2002年から認知症と診断された場合，運転は認められていない．2009年からは75歳以上の高齢ドライバーは免許更新に際して講習予備検査が義務となった．2014年から任意通報制度が開始され，都道府県公安委員会への通報が認められるようになった．

※任意通報制度については関連5学会によるガイドライン参照　http://dementia.umin.jp/GL_2014.pdf

過労・疲労

ポイント
①雇用情勢，労働条件の悪化により，労働者の疲労・過労が問題となっている．
②疲労には，長時間・過重労働などの物理的要因だけでなく，緊張・役割葛藤などの心理的要因も影響する．
③過労状態の症状は多様だが，他覚所見に乏しいことが多い．
④過労状態を経て，ストレス関連疾患の発病に至ることがある．短時間睡眠群は脳・心臓疾患の罹患率が有意に高い．
⑤健康障害の発症前の2～6カ月間で平均時間外労働時間80時間/月（＋法定労働時間160時間/月＝総労働時間240時間/月）が，いわゆる「過労死ライン」にあたる．
⑥「何をして，どんな暮らしをしている人か」という理解は，過労状態に限らず重要．

症 状
❶身体症状：自律神経症状（血圧や便通の変化），倦怠感や頭痛など．
❷精神症状：情緒・感情・言動の変化（不安，焦燥，意欲低下，抑うつ気分など），生理的変化（睡眠，摂食，性機能など）．
❸嗜好品等による修飾，生体側の防御反応の混在も含め，臨床像は複雑なものとなりがちである．

対応の仕方
❶過労状態に陥るほど時間的・経済的に余裕のない人が受診するには，それだけの苦痛・苦悩・困難がある．主訴として表現されるとは限らず，その苦痛・苦悩・困難に注意を向ける必要がある．
❷労働や生活の改善を図る上で，そもそも容易には休めないことも多く，対応を丁寧に話し合うことが大

第4章 疾患編　　　　神経・精神疾患

切．
❸最も有効な治療は休養である．可能かつ有効なら休業を処方する．休業期間は「体調の回復」ではなく「過労状態を惹起した状況・課題の整理」に要する時日として検討する．
❹労働条件が問題なら，労働組合を介した労使交渉も検討する．地域によっては有志が労働相談窓口を運営していることもある．場合によっては，労働基準監督署への申告や労働審判の申し立ても考慮する．
❺不幸にして発病・死亡に至るケースもある．労災申請に際しては診療録が重要な役割を果たすため，業務の変化なども含め，ポイントを押さえた記載が望まれる．
❻性格傾向として休業・療養に罪悪感を抱く患者が少なからずおり，「ドクターストップ」とするなど指示的な対応が奏功することがある．

コンサルトのタイミング

就業上の配慮が必要なら，産業医との連携も考慮する．

身体症状症（身体表現性障害）

ポイント

❶ 症状は多岐にわたり，背景に心理的要因や葛藤が存在する．

❷ 器質因が潜んでいることが少なくない．安易な診断には注意が必要．

❸ 本人が治療経過に納得しないことが多く，治療薬への依存やドクターショッピングに至る傾向がある．

診断

❶ 苦痛や生活への支障がある身体症状が存在するが，器質因だけでは十分説明できず，本人に身体症状や健康に対する極端な思考・感情・行動がある場合，身体症状症を疑う．

❷ 器質因の除外は丁寧に行うべき．

❸ 精神科受診を勧めても本人が納得せず強い抵抗を示す傾向がある．

治療

❶ 精神科治療につながりにくく，身体科医師が治療に当たることが多い． ☞ p.25 精神科への紹介の仕方

❷ 本人が症状を受け入れ，症状と上手に付き合っていけるようになることを治療の目標とする．

❸ 受診は定期受診が望ましい．不調時のみの受診は症状を強化する可能性がある．

❹ 薬物治療では身体症状の軽減とそれに伴う抑うつの軽減を図る．

❺ 無理に心理的な葛藤に触れようとしない．

❻ 症状以外の話が出たら肯定的に評価して強化する．

❼ 治療者側から調子が良くなったと評価しない．

❽ 症状が速やかによくならない本人の苦しみに可能な範囲で共感する．

❾ 基本的な対応方法は以下のように行う．

第4章　疾患編

神経・精神疾患

　「残念ながら今の医学ではあなたの苦しみの原因を明らかにすることはできないようです．力不足で申し訳ありません．しかし命に関わるような病気の証拠は見つかりませんでした．その点は安心してください．だからといってあなたの苦しみが軽いものであるとは思っていません．少しでも症状が楽になるように薬を含めてお手伝いしましょう」

薬物治療

❶頓服処方は避け，定期的な内服を指導する．
❷処方変更が必要な場合は増量ではなく，変薬が好ましい．
❸基本的に長期治療となるので長期使用できない薬剤は処方しない．また長期継続できない処置も行わない．
❹ビタミン剤，漢方薬，胃粘膜保護剤などが使い勝手がよい．保険適用に注意．
❺依存性のあるベンゾジアゼピン系の抗不安薬，非ステロイド性鎮痛薬（NSAID）などの薬剤は基本使用しない．

コンサルトのタイミング

　身体症状の強い患者は薬物治療での症状緩和で比較的スムーズに軽快することがあるが，症状・疾患への囚われが強い患者は治療に難渋することが多い．その場合，精神療法的治療が重要となるため精神科コンサルトが望ましい．

✎ **memo**

パニック障害

定　義

　発作的に生じる強い不安をパニック発作という．発作には呼吸困難感や動悸などの自律神経症状や，めまい，しびれなどを伴う．パニック発作を頻回に繰り返すものはパニック障害という．パニック障害全体の7割以上が広場恐怖を有する．

症　状

❶繰り返すパニック発作．

❷次にまた発作が起きるのではないかと不安になる（予期不安）．

❸発作が起きそうな場所や，発作が起きたら困る場所を恐れる（広場恐怖）．

❹症状が長引くと抑うつ状態を合併することがある．

鑑　別

❶心筋梗塞などの致命的となりうる疾患や，いくつかの代謝性疾患など，身体的器質要因でもパニック発作が起こりうるため，まずは除外する必要がある．

❷全般性不安障害，うつ病，解離性障害など，他の精神疾患との鑑別は困難な場合がある．

✍ memo

第4章 疾患編　　　　　　　　　　　　神経・精神疾患

治療

❶SSRIや抗不安薬を使用した薬物療法が有効.

選択的セロトニン再取り込み阻害薬：パロキセチン／塩酸セルトラリン

パキシル錠　1回10〜30 mg　⊕　夕食後
1回10 mgより開始. 1週間毎に10 mg/日増量. 1日30 mgまで.
あるいは
ジェイゾロフト錠　1回25〜100 mg　⊕　夕食後
1日1回25 mg（初期量）. 1日1回100 mgまで漸増. 1日100 mgを超えない.

または下記を追加

ベンゾジアゼピン系抗不安薬：アルプラゾラム

ソラナックス錠（0.4 mg）1回1〜2錠　1日3回　⊕
　　　　　　　　　　　　　　　　　　朝昼夕食後

※ただし，SSRIは長期的治療に関するインフォームドコンセントを経て開始する. また，SSRIは効果発現までに最低でも10日〜2週間かかる.

❷過呼吸状態となれば，呼気を意識してゆっくりと呼吸するようにと促す.
❸発作時の対応は ☞当直医 M

コンサルトのタイミング
治療に反応しない場合には精神科に紹介.

フォローアップ外来
再発した場合の受診をすすめる.

memo

601

うつ病 (1)

ポイント

❶心身のエネルギーが枯渇したことによる心身両面にわたる多様な症状を示す状態.

❷治療は十分な睡眠と休息, 適切な栄養.

症　状

❶身体症状:動悸, 息切れ, 疲れやすさ, 不眠または過眠, 食欲低下または味覚障害, 性欲低下, 発熱, 体重減少, 胸痛, 腹痛, 下痢や便秘など.

❷精神症状:落ち込み (抑うつ気分), 悲観的な考え, 希望の喪失, 自殺念慮, 喜びの喪失, 意欲・集中力・記憶力の低下, 妄想, 幻覚, 過度のあせり, 不安, 困惑, 思考力低下・停止, 行動量の低下・停止など.

❸必須の2症状:抑うつ気分, 喜びや興味の喪失.

治　療

❶十分な睡眠と休息, 適切な栄養を保障.

❷必要に応じて睡眠薬や抗不安薬, 抗うつ薬を処方. また食事量が低下している場合にはビタミン剤の処方や補液.

❸「抑うつ」という病的状態であり, 決して「怠け」や「努力不足」のせいではないと説明.

❹抑うつ状態はきちんと治療すれば3カ月で改善することが可能. 治療の見通しを説明し, 必ずよくなることを保証.

❺人生を左右するような大事な決定は先延ばしにする.

❻自殺念慮の有無を確認. つらさに共感しつつ, 自殺しないことを約束.

❼家族と職場に連絡をとり, 治療の協力を要請. 必要があれば休業診断書も作成.

薬物療法

❶抗うつ薬の多くは早くても2週間経過しないと効果がでない. 効果がでなくても内服継続が必要.

第4章 疾患編

神経・精神疾患

　以下のいずれか.

選択的セロトニン再取り込み阻害薬：フルボキサミンマレイン酸塩

　ルボックス錠（25 mg）　1回1錠　1日2回　内
　　1日150 mg まで.　　　　　　　　　　　朝・夕食後

セロトニン・ノルエピネフリン再取り込み阻害薬：デュロキセチン塩酸塩

　サインバルタカプセル（20 mg）　1回1Cap
　　1日1回　内　　　　　　　　　　　　　　　朝食後
　　1日20 mg から開始し1週間以上間隔をあけて40 mg に増量. 1日60 mg まで.

ノルアドレナリン作動性・特異的セロトニン作動性抗うつ薬：ミルタザピン

　レメロン錠（15 mg）　1回1錠　1日1回　内
　　　　　　　　　　　　　　　　　　　　　　　就寝前
　　増量は1週間以上間隔をあけて1日15 mg ずつ. 1日45 mg を超えない.

※抗うつ薬全般に，併用注意薬剤が多いので注意.
※ミルタザピンは鎮静作用もあるため睡眠障害が強い場合に用いやすい.
※抗うつ薬の使用に伴ってアクチベーション（症候群）と呼ばれる，焦燥感や不安感の増大，不眠，パニック発作，アカシジア，敵意・易刺激性・衝動性の亢進，躁・軽躁状態の出現に注意する.

❷合併する不安に対しては抗不安薬を処方.

ベンゾジアゼピン系抗不安薬：ブロマゼパム

　レキソタン錠（1 mg）　1回1～2錠　1日3回　内
　　　　　　　　　　　　　　　　　　　　　　　朝昼夕食後

❸合併する不眠に対してはベンゾジアゼピン系薬を使用.

603

うつ病 (2)

コンサルトのタイミング

＜紹介した方がよい場合＞

治療効果判定やアクチベーション症候群などの評価に専門的知識を要するため，基本的には速やかに精神科医に紹介する方がよいが，精神科受診へ抵抗を示す患者も多い．以下の場合は積極的に紹介した方がよい．

  ①幻覚や妄想があるとき
  ②自殺念慮があるとき
  ③躁状態があるとき
  ④治療に反応しないとき
  ⑤診断に迷うとき

＜紹介にあたって＞

患者が「かかりつけ医に見捨てられた」という気持ちをもつ可能性がある．紹介する際は，今の主治医と精神科医が協力して心身両面を支えるという姿勢を示し，「専門家の助言をきいてみましょう」「主治医が変わるわけではありません」ということを丁寧に説明する．

フォローアップ外来

❶再発する可能性を十分説明し，季節や生活環境の変化があれば，すぐに受診するよう伝えておく．

❷安易に内服を中断しないように説明し，定期通院を続ける．

❸再発をくり返す場合は双極性障害の可能性も念頭に2年以上の維持療法を行う．

文献
1) 日本うつ病学会治療ガイドライン Ⅱ. 大うつ病性障害 2016 ver. 1.1

✎ **memo**

アルコール依存症 (1)

ポイント

❶ アルコール依存症との診断は安易に下さない. 久里浜式アルコール症スクリーニングテスト (KAST;**表1**) 結果などを参考.

❷ 患者は, 家人に連れられ不本意ながら来院することが多い. その場合でも, 本人から治療 (断酒) の意志を引き出すことが出発点となる.

❸ 離脱症状に対し, 薬物療法を必要とするが, これは本質的治療にはならない.

❹ 治療のスタートは断酒であり, ゴールは依存性のある行動以外の適切なストレス対処法を身につけること.

❺ 患者1人で断酒するのは困難. 家族・医師の支えと断酒会などの自助グループに参加しての患者相互の励ましが不可欠.

❻ 一般医療機関での対応は困難なことが多い. 本人の同意を得たうえでアルコール依存症専門医療機関を紹介.

症状

飲酒行動の異常 (精神的依存). 飲酒を減らそうと堅く決意してもできない (強迫的飲酒欲求). 不利だとわかっていても飲酒する (負の強化への抵抗). 連続飲酒発作. 飲酒→酩酊→入眠→覚醒後再飲酒を繰り返す (山形飲酒サイクル). 隠れ飲み.

❶ アルコール関連疾患

 ①精神神経症状：抑うつ状態, 痙攣発作, 認知機能障害, 不眠, 多発神経炎, 振戦, 歩行障害

 ②消化器症状：慢性下痢, 胃・十二指腸潰瘍, 肝障害, 膵炎

 ③内分泌症状：脂質異常症, 糖尿病

 ④腎・循環器症状：心筋症, 浮腫, 腎障害, 動脈硬化, 末梢血管拡張

アルコール依存症 (2)

表 1　新久里浜式アルコール症スクリーニングテスト

男性版（KAST-M）

項目	はい	いいえ
最近 6 ヶ月の間に次のようなことがありましたか？		
1）食事は 1 日 3 回，ほぼ規則的にとっている	0 点	1 点
2）糖尿病，肝臓病，または心臓病と診断され，その治療を受けたことがある	1 点	0 点
3）酒を飲まないと寝付けないことが多い	1 点	0 点
4）二日酔いで仕事を休んだり，大事な約束を守らなかったりしたことが時々ある	1 点	0 点
5）酒をやめる必要性を感じたことがある	1 点	0 点
6）酒を飲まなければいい人だとよく言われる	1 点	0 点
7）家族に隠すようにして酒を飲むことがある	1 点	0 点
8）酒がきれたときに，汗が出たり，手が震えたり，いらいらや不眠など苦しいことがある	1 点	0 点
9）朝酒や昼酒の経験が何度かある	1 点	0 点
10）飲まないほうがよい生活を送れそうだと思う	1 点	0 点
合計点	点	

合計点が 4 点以上：アルコール依存症の疑い群
合計点が 1〜3 点：要注意群（質問項目 1 番による 1 点のみの場合は正常群）
合計点が 0 点：正常群

女性版（KAST-F）

項目	はい	いいえ
最近 6 ヶ月の間に次のようなことがありましたか？		
1）酒を飲まないと寝付けないことが多い	1 点	0 点
2）医師からアルコールを控えるようにと言われたことがある	1 点	0 点
3）せめて今日だけは酒を飲むまいと思っていても，つい飲んでしまうことが多い	1 点	0 点
4）酒の量を減らそうとしたり，酒を止めようと試みたことがある	1 点	0 点
5）飲酒しながら，仕事，家事，育児をすることがある	1 点	0 点
6）私のしていた仕事をまわりの人がするようになった	1 点	0 点
7）酒を飲まなければいい人だとよく言われる	1 点	0 点
8）自分の飲酒についてうしろめたさを感じたことがある	1 点	0 点
合計点	点	

合計点が 3 点以上：アルコール依存症の疑い群
合計点が 1〜2 点：要注意群（質問項目 6 番による 1 点のみの場合は正常群）
合計点が 0 点：正常群

第4章　疾患編

神経・精神疾患

❷離脱症状（身体的依存）
　①早期離脱症状（断酒直後）：自律神経症状．不安，
　　焦燥，不眠，痙攣，幻視（小動物）
　②後期離脱症状（断酒3日後〜）：振戦せん妄
❸遷延性退薬徴候（protracted withdrawal syndrome）
　　身体依存の離脱症状の終息後より3か月から9か月
　持続する情動障害．この時期には急ぎの用事でもない
　のにも関わらず診察予約を断ったり，「もう懲りたの
　で断酒できる」と安易に訴えたり，治療者を非難した
　りする．性格の問題とみなされて治療者と対立関係に
　陥りやすく，再飲酒の危険性も高い．
　　情動障害に対しては抗精神病薬，抗うつ薬，抗不安
　薬，気分安定薬，睡眠薬の投与が必要となるが専門医
　に紹介することが望ましい．患者・家族に対して遷延
　性退薬徴候出現の可能性をあらかじめ説明しておくこ
　とで専門医につなげるきっかけになる．

診断
❶診断は疑うところから始まる．
❷アルコール依存症関連疾患を主訴に来院した場合，
　アルコール歴を必ず聞く．
❸KASTを行う（**表1**）．
❹血液生化学，血算，ビタミン B_1，心電図（不整脈，
　虚血性変化）．必要に応じて腹部エコー，頭部CT，
　頭部MRI．
❺患者本人だけでなく家族など周囲からの情報も参考
　にする．

対応の仕方
❶アルコール依存症であることを明確に患者・家族に
　伝える．
❷患者はアルコールの力を借りることによって，これ
　までの人生を頑張って生きている．そのことに対す
　る共感と敬意は示すべき．

アルコール依存症 ⑶

❸アルコール依存症の治療は断酒しかないことを伝える.

❹患者は断酒を諦めていることもある. 専門医や自助グループの力を借りて, 断酒可能であることを伝える.

❺自力で断酒可能であると考えていることもある（パワー幻想）. その場合は治療につながらない. 断酒失敗（スリップ）があれば専門医に行くと約束をしておいて,「種まき」しておく方法もある.

❻家族や友人が飲酒問題の後始末をするなど巻き込まれている例がある（共依存）. 患者本人の治療意欲をそがないためにも, 巻き込まれないようにアドバイスする.

❼自助グループは地域によって異なる. あらかじめ保健センターなどに問い合わせて実情を把握しておく.

薬物療法

❶抗酒薬処方を専門医以外が行うことは疑問がある. 本人が専門医につながることを阻害する可能性があるよう安易に行うべきではない.

❷断酒開始時には以下の処方を行う.

①離脱症状予防

ベンゾジアゼピン系抗不安薬：ジアゼパム

セルシン錠（5 mg） 1回1～2錠 1日3回 内

外来患者には原則1日15 mg以内

朝昼夕食後 1～2週間

②夜間不眠予防にはベンゾジアゼピン系睡眠薬

ベンゾジアゼピン系睡眠薬：フルニトラゼパム

サイレース錠（1 mg） 1回0.5～2錠 内 眠前

高齢者には1回1 mgまで

第4章　疾患編

神経・精神疾患

❸せん妄や興奮に対して

セロトニン・ドパミン遮断薬：リスペリドン

リスパダール錠（1 mg）　1回1錠　1日1〜2回　㊤
夕食後または朝・夕食後

※保険適用外使用
Wernicke 脳症やペラグラ脳症の予防として

混合ビタミン：複合ビタミンB剤

ノイロビタン配合錠　1回1錠　1日3回　㊤　朝昼夕食後

※直前の摂食状況が不良の場合は入院してビタミン B_1 や
ニコチン酸アミドの多量投与を考慮.

コンサルトのタイミング

❶全例，断酒治療目的で紹介すべき.
❷せん妄が出現した場合には精神科での入院治療が必要.　その場合には頭部 CT を行い，脳器質疾患がないかどうか確認.　医療保護入院になる可能性が高いので，保護者に同行してもらう.
❸若年者の場合.
❹遷延性退薬徴候や幻覚妄想などの精神症状を合併する場合.

フォローアップ外来

❶専門医への定期通院や自助グループへの定期的な参加を継続することが望ましい.
❷再発防止のため専門医の判断で抗酒薬を必要に応じて内服する場合もある.
❸飲酒した場合，家族が連絡をとりやすい状況を作っておく.

✎ **memo**

糖尿病（DM）⑴

ポイント

❶ 糖尿病を治療する目的は，合併症を予防し，健康な人と変わらない QOL を維持し，健康な人と変わらない寿命を全うすることである．

❷ 糖尿病の治療において最も大切なことは，治療を中断しないことである．

❸ 治療しながらの生活を自己管理できるようになることが目標である．

❹ 治療が食事・運動・薬物など多方面にわたるため，多職種からなるチームで療養指導に当たると効果的である．

定義・診断

❶ 以下の①～④のいずれかがあれば糖尿病型と判定する．

　①早朝空腹時血糖値 126 mg/dL 以上

　②75gOGTT で 2 時間値 200 mg/dL 以上（**表 1**）

　③随時血糖値 200 mg/dL 以上

　④HbA1c 6.5%以上

❷ 血糖値が糖尿病型でかつ HbA1c も糖尿病型であれば糖尿病と診断できる．

❸ 別の日に調べた血糖値が 2 回以上糖尿病型であれば糖尿病と診断できる．

表 1　75 g OGTT による判定区分と判定基準

| | 血糖測定時間 | | 判定区分 |
	空腹時	負荷後 2 時間	
グルコース濃度（静脈血漿）	126 mg/dL 以上	または　200 mg/dL 以上	糖尿病型
	糖尿病型にも正常型にも属さないもの		境界型
	110 mg/dL 未満	および　140 mg/dL 未満	正常型

第4章 疾患編

内分泌・代謝疾患

❹ただし，次が認められる場合は1回の検査で血糖の
み糖尿病型であっても，糖尿病と診断してよい．
　①糖尿病の典型症状（口渇，多飲，多尿，体重減少）
　②確実な糖尿病網膜症
❺以上の条件によっても糖尿病の診断が困難な場合
は，時期をおいて再検査する．

非専門医レベルで行うべきチェックリスト

❶問診：糖尿病歴，治療歴，糖尿病の家族歴，糖尿病
の典型症状（口渇，多飲，多尿など）の有無，飲酒歴，
喫煙歴，妊娠異常，巨大児出産歴など
❷理学所見：身長，体重，血圧，一般内科の診察，ア
キレス腱反射，振動覚，足背の触覚，足背動脈触知
の有無など．
❸検査：血糖，HbA1c，尿（糖，蛋白，ケトン体）（以上
は月1回）．脂質，腎機能，眼科医による眼底検査（以
上は数カ月に1回）．心電図，腹部超音波（以上は年1
回）．

非専門医レベルで行うべき処置

❶外来通院を始める前に，患者自身が糖尿病の病態を
理解して治療に取り組めるよう以下教育．
　①糖尿病の病態（インスリンの作用不足で高血糖とな
　　り，長年のうちに合併症を起こしうること）．
　②治療の必要性と目的（合併症を予防し，健康な人と
　　変わらない健康寿命を全うすること）．
　③数値の意味（血糖，HbA1c，尿糖，尿蛋白など）．
❷糖尿病治療の3本柱は①食事療法（☞ p.616），②運
動療法（☞ p.619），③薬物療法（☞ p.620）．
❸食事療法，運動療法を行い，体重の適正化をはかる．
❹食事療法，運動療法を2～3カ月続けても血糖コン
トロール目標が達成できない場合に薬物療法を開始
する．☞ p.620 薬物療法

糖尿病（DM）⑵

表2　糖尿病網膜症の分類と眼科受診間隔の目安

正常	12か月に1回
単純網膜症	6か月に1回
増殖前網膜症	2か月に1回
増殖網膜症	1か月に1回

治療目標

❶ 良好な血糖コントロールの維持（**表3**，**4**）

❷ 目標体重の達成．20歳時の体重も参考にする．☞ p. 616 目標体重の算出

❸ 適切な血圧の達成
降圧目標 130/80 mmHg 未満

❹ 脂質の正常化　☞ p. 630 脂質異常症
①中性脂肪＜150 mg/dL
②HDL コレステロール≧40 mg/dL
③LDL コレステロール＜120 mg/dL
・末梢動脈疾患，網膜症・腎症・神経障害の合併，喫煙があれば＜100 mg/dL
・冠動脈疾患やアテローム血栓性脳梗塞の既往があれば＜70 mg/dL
④nonHDL コレステロール＜150 mg/dL
・末梢動脈疾患，網膜症・腎症・神経障害の合併，喫煙があれば＜130 mg/dL
・冠動脈疾患やアテローム血栓性脳梗塞の既往があれば＜100 mg/dL

コンサルトのタイミング

❶ 血糖コントロール不良が続く場合：食事療法・運動療法の見直しを行っても改善しない場合は専門医に紹介（可能なかぎり悪性腫瘍の検索を行ったうえで）．

❷ 教育入院が必要な場合：多職種による総合的な指導が可能となる．糖尿病と診断された直後でも，何年

第4章　疾患編

内分泌・代謝疾患

表3　血糖コントロール目標

目標	コントロール目標値[注4]		
	血糖正常化[注1]を目指す際の目標	合併症予防[注2]のための目標	治療強化[注3]が困難な際の目標
HbA1c	6.0%未満	7.0%未満	8.0%未満

治療目標は年齢，罹病期間，臓器障害，低血糖の危険性，サポート体制などを考慮して個別に設定する。

[注1] 適切な食事療法や運動療法だけで達成可能な場合，または薬物療法中でも低血糖などの副作用なく達成可能な場合の目標とする。

[注2] 合併症予防の観点から HbA1c の目標値を7%未満とする．対応する血糖値としては，空腹時血糖値 130 mg/dL 未満，食後2時間血糖値 180 mg/dL 未満をおおよその目安とする．

[注3] 低血糖などの副作用，その他の理由で治療の強化が難しい場合の目標とする．

[注4] いずれも成人に対しての目標値であり，また妊娠例は除くものとする。

表4　高齢者糖尿病の血糖コントロール目標（HbA1c）

		カテゴリーⅠ		カテゴリーⅡ	カテゴリーⅢ
患者の特徴・健康状態		①認知機能正常かつ②ADL自立		①軽度認知障害～軽度認知症，または②手段的ADL低下，基本的ADL自立	①中等度以上の認知症，または②基本的ADL低下，または③多くの併存疾患や機能障害
重症低血糖が危惧される薬剤（インスリン製剤，SU薬，グリニド薬など）の使用	なし	7.0%未満		7.0%未満	8.0%未満
	あり	65歳以上75歳未満7.5%未満（下限6.5%）	75歳以上8.0%未満（下限7.0%）	8.0%未満（下限7.0%）	8.5%未満（下限7.5%）

613

糖尿病（DM）⑶

間か治療を続けた後でも効果がある．

❸1型糖尿病：治療が長期にわたり専門的となるため．

❹30歳以下の患者：長期管理（50年以上）が必要となり，ライフステージに合わせた対応が必要となるため．

❺増殖前網膜症以上に進行した網膜症合併例：ゆっくりとしたコントロールが必要となるため，糖尿病専門医による診療が望ましい．

❻糖尿病腎症3期以降の腎症がある場合（**表5**）：食事療法が異なるため，腎臓病専門医へ定期受診が望ましい．

フォローアップ外来

❶血糖，HbA1c，尿一般，血圧，体重のチェックは毎回の外来で行う．

❷定期的に眼科を受診させ網膜症をチェック（**表2**）．

❸状態が安定していても，年に1度は脂質，肝腎機能などの血液検査，腎症チェックのための尿中アルブミン検査，神経障害チェックのためのアキレス腱反射検査などを行う．

❹毎回少しずつ糖尿病教育・指導を行う．

❺大血管障害のチェックや一般的な癌検診（糖尿病のある人は発癌のリスクが上昇するため）を年1回行う．

❻長期通院患者の血糖値が上昇した時には，まず感染症と悪性腫瘍（膵癌など）を除外し，使用薬剤やサプリメントを再確認した後，食事療法から再評価する．緩徐発症1型糖尿病の除外のために一度は抗GAD抗体をチェックする．

✎memo

第4章 疾患編　内分泌・代謝疾患

表5　糖尿病腎症の病期分類

病　期	尿アルブミン値 (mg/gCr) あるいは 尿蛋白値 (g/gCr)	GFR (eGFR) (mL/分/1.73 m^2)
第1期（腎症前期）	正常アルブミン尿 (30 未満)	30 以上
第2期（早期腎症期）	微量アルブミン尿 (30～299)	30 以上
第3期（顕性腎症期）	顕性アルブミン尿 (300 以上) あるいは 持続性蛋白尿 (0.5 以上)	30 以上
第4期（腎不全期）	問わない	30 未満
第5期（透析療法期）	透析療法中	

memo

糖尿病（DM）⑷

食事療法

ポイント

❶最も効果があり，治療の基本となる．具体的な目標を立てることが重要である．

❷食事療法は，必要エネルギー量，食品のバランス，食べ方に大別される．

❸主食の炭水化物，主菜のたんぱく質，野菜の３点をそろえるところから始めると取り組みやすい．

処置

❶必要エネルギー量の算出

①目標体重（kg）の算出

65歳未満　身長（m）×身長（m）×22

65歳以上　身長（m）×身長（m）×22〜25

②エネルギー摂取量の算出（妊婦を除く）

エネルギー摂取量（kcal）

＝目標体重（kg）×エネルギー係数

エネルギー係数：

軽い労作　　25〜30 kcal/kg 目標体重

普通の労作　30〜35 kcal/kg 目標体重

重い労作　　35〜　kcal/kg 目標体重

③年齢，肥満度，身体活動量，病態，患者のアドヒアランスなどを考慮し，エネルギー摂取量を柔軟に決定する．

④減量が必要な時でも1,200 kcal（誰もが１日に摂取しなければならない最低必要量）を下回らないように指導する．

❷食品のバランス指導

腎症のない場合，具体的には『糖尿病治療のための食品交換表』（文光堂）を参考にするとよい．医師が診察の中で指導するのは困難なことが多く，管理栄養士に栄養指導を依頼するとよい．食品交換表の

第 4 章　疾患編

内分泌・代謝疾患

表 6　主な食品の食品交換表での分類

表 1	米飯，パン，うどん，そば，かぼちゃ，じゃがいも，さつまいもなど
表 2	果物（みかん，りんご，バナナ，すいか，ぶどう，いちごなど）
表 3	肉，魚，大豆，豆腐，納豆，卵，チーズなど
表 4	牛乳，ヨーグルト，脱脂粉乳など
表 5	植物油，バター，マヨネーズ，ピーナッツ，ばら肉，ベーコン，アボカドなど
表 6	野菜，キノコ，こんにゃくなど

表 7　1 食当たりの米飯量（炭水化物 60 % の場合）

1 日の必要エネルギー量	1 回に食べる米飯量
1,200 kcal	120 g
1,400 kcal	150 g
1,600 kcal	170 g
1,800 kcal	200 g

特徴は以下の通りである．
①食品の栄養分の種類から表 1〜6 と調味料に分類（表6）
②80 kcal を 1 単位として 80 kcal 分の食品量を g で表示．
③表 1〜6 の食品を 3 食にバランスよく配分する．
④献立の立て方
　(a) 食事量は朝・昼・夜で均等に分ける．
　(b) 表 1（主食），表 3（魚や肉のおかず類），表 6（野菜類）は毎食そろえる．
　(c) 特に表 1（主食）の量は毎食同じにそろえる（表7）．
　(d) なるべく野菜を多く摂るようにする．

617

糖尿病（DM）⑸

❸食べ方の指導

①各食事は4〜5時間以上空ける.

②朝食の欠食や深夜の食事を避ける. 欠食があると一度の食事量が増えやすい. 21時以降の食事は肥満を招きやすい.

③薄味にする.

④よく噛んでゆっくり食べる. 早食いは満腹感を得る前に大量に食べやすい.

⑤外食は野菜が少なく，脂肪が多くなりやすい. 野菜のあるメニューを選ぶように心がけ，油で揚げたものを避けるようにする.

⑥血圧が正常であっても，腎症の予防のために塩分はできるだけ減らす.

⑦野菜類をよく噛んで先に食べると満腹感を得やすく，食後の高血糖を抑える効果がある.

❹1型糖尿病ではカーボカウントによる食事療法も効果的だが，指導は管理栄養士に依頼するのが現実的である.『カーボカウントの手引き』（文光堂）を参考にするとよい.

📝**memo**

第4章　疾患編　**内分泌・代謝疾患**

運動療法

ポイント

❶運動療法の目的は，インスリン抵抗性を改善することで血糖コントロールを改善することである．

❷特に，内臓脂肪を分解する効果が期待される．

❸運動療法を行う前に，合併症のチェックをする（眼底，腎機能，冠動脈疾患，膝の状態など）

処置

❶空腹時血糖 ≦250 mg/dL，尿ケトン陰性を確認し運動開始．

❷歩行，サイクリング，水泳などの有酸素運動が勧められる． ☞ p.37 運動療法・運動処方指導

❸週に3日以上行うことが望ましいが，少しだけでもやる方がよい．1日15〜30分できるとよいが，何度かに分けて行っても効果がある．

❹運動強度は脈拍で100〜120/分くらいの中等度のものが効果的である．

❺一度に強度を上げたり，時間を長くしたりせずに，長期間続けられるペースを見つける．

❻必ずストレッチなどの準備運動，整理運動を行う．

❼服装や靴は運動に適した，身体に合ったものを使用．

❽薬剤使用者は，低血糖対策として砂糖（ブドウ糖），糖尿病カードを携行する．

❾高齢者や運動習慣のない人は，家事をしっかりやれば（とくに拭き掃除），運動療法として十分な身体活動を得られることがある．

✎memo

糖尿病（DM）⑹

薬物療法（経口薬と GLP-1 作動薬注射）

ポイント

❶ 2型糖尿病で，食事・運動療法を3カ月行っても HbA1c＜7％が得られない人に使用する．

❷ 経口薬はインスリン抵抗性改善系，インスリン分泌促進系，それ以外に分類される．病態と合併疾患に合わせて薬剤を選択する．

❸ 肥満（BMI≧25）か非肥満かによって薬剤を選択するアルゴリズムが公表され参考にするとよい（図1）．

処置

❶ 肥満があり，十分なインスリン分泌があると考えられる場合は，インスリン抵抗性改善薬から開始する．

ビグアナイド薬：メトホルミン塩酸塩

メトグルコ錠（250 mg） 1回1錠 1日2回 ⓝ
　　　　　　　　　　　　　　　　　　　朝夕食後

※肝での糖新生を抑制し，末梢組織でのインスリン感受性を改善させる．

※非肥満例にも有効である．

※乳酸アシドーシスを避けるため，高齢者，軽度腎障害，中等度肝障害では慎重に投与する．Cre 1.2 mg/dL 以上の腎障害，重症肝障害には使用しない．

※維持量は1日 750～1,500 mg．最大量は1日 2,250 mg．

※ヨード造影剤使用の際は使用後48時間内服を中止する．

❷ 肥満で筋肉量が少なく，インスリン抵抗性が高いと考えられる場合には有効性が高い．

チアゾリジン薬：ピオグリタゾン塩酸塩

アクトス錠（15 mg） 1回1錠 1日1回 ⓝ
　　　　　　　　　　　　　　　　　　　朝食後

※女性・高齢者・インスリン併用時は1日1回 15 mg から開始．

※心不全やその既往のある人には症状を悪化させるため使用しない．

第4章 疾患編

内分泌・代謝疾患

インスリンの絶対的・相対的適応 ☞p.625

いいえ ← → はい

インスリン治療

目標 HbA1c 値の決定
「熊本宣言 2013」・「高齢者糖尿病の血糖コントロール目標（HbA1c 値）」を参照

Step1

病態に応じた薬剤選択

非肥満（BMI<25）	肥満（BMI≧25）
[インスリン分泌不全を想定]	[インスリン抵抗性を想定]
DPP-4 阻害薬，ビグアナイド薬，α- グルコシダーゼ阻害薬，グリニド薬，SU薬，SGLT2 阻害薬，GLP-1 受容体作動薬，イメグリミン	ビグアナイド薬，SGLT2 阻害薬，GLP-1 受容体作動薬，DPP-4 阻害薬，チアゾリジン薬，α- グルコシダーゼ阻害薬，イメグリミン

Step2

安全性への配慮
別表の考慮すべき項目で赤に該当するものは避ける

例1）低血糖リスクの高い高齢者にはSU薬，グリニド薬を避ける
例2）腎機能障害合併者にはビグアナイド薬，SU薬，チアゾリジン薬，グリニド薬を避ける
　　（高度障害ではSU薬，ビグアナイド薬，チアゾリジン薬は禁忌）
例3）心不全合併者にはビグアナイド薬，チアゾリジン薬を避ける（禁忌）

Step3

Additional benefits を考慮するべき併存疾患

慢性腎臓病	心不全	心血管疾患
SGLT2 阻害薬，GLP-1 受容体作動薬	SGLT2 阻害薬	SGLT2 阻害薬，GLP-1 受容体作動薬

Step4

考慮すべき患者背景
別表の服薬継続率およびコストを参照に薬剤を選択

図 1　2型糖尿病の薬物療法のアルゴリズム

621

糖尿病（DM）⑺

※副作用として浮腫が多い.
※膀胱がん発生のリスクが増加するという報告があるため, 膀胱がん治療中の患者には使用せず, 膀胱がん既往患者には十分に説明してから使用すること.
❸肥満や比較的若年者では SGLT-2 阻害薬の効果が期待できる.

SGLT-2 阻害薬：イブラグリフロジン L-プロリン

スーグラ錠（50 mg）　1回1錠　1日1回　㊤

朝食後

※近位尿細管でのブドウ糖再吸収を抑制することで尿糖排泄を促進する.
※浸透圧利尿から多尿が見られることがあり, それまでよりも 500 mL/日程度水分摂取を増やすように指導する.
※尿路感染症や性器感染症（特に女性）の発症に注意する.
※ケトアシドーシスを予防するために手術 3 日前より休薬し, 食事が十分とれるようになってから再開する.

❹食後の高血糖を改善する目的で, αグルコシダーゼ阻害薬を使用する.

αグルコシダーゼ阻害薬：ミグリトール

セイブル錠（25 mg）　1回1錠　1日3回　㊤

毎食直前

※消化管内の αグルコシダーゼの作用を阻害し, 糖の血液への吸収を遅らせることで食後の高血糖を抑制する.
※副作用としては, 腹部膨満感, 放屁, 下痢などがある.
※インスリンやインスリン分泌促進薬との併用で生じた低血糖にはブドウ糖を経口投与する.

❺肥満がなく, 食後血糖のみ上昇している場合は, 速効型インスリン分泌薬を使用してもよい.

速効型インスリン分泌促進薬：ナテグリニド

ファスティック錠（30 mg）　1回1錠　1日3回　㊤

毎食直前

※膵 β 細胞からのインスリン分泌を促し, 服用後短時間で血中から消失する.
※必ず食直前に内服する.

622

第4章　疾患編　　　　　　　　　　　　**内分泌・代謝疾患**

❻血糖依存性にインスリン分泌を促進する薬として
DPP-4 阻害薬がある.

DPP-4 阻害薬：ジダグリプチン塩酸水和物

ジャヌビア錠（50 mg）　1回1錠　1日1回　㊄
　　　　　　　　　　　　　　　　　　　　　　　朝食後

※血糖依存的にインスリン分泌を促進し，グルカゴン分
泌を抑制するため，単独投与では低血糖の可能性は少
なく，高齢者にも使いやすい.

※SU 薬との併用では重篤な低血糖を起こす可能性があ
るため，SU 薬を減量すること（グリメピリド 2 mg/日
以下，グリベンクラミド 1.25 mg/日以下，グリクラジ
ド 40 mg/日以下）.

❼肥満がなく，食後血糖のみならず空腹時血糖も上昇
している場合には SU 薬を使う.

スルホニル尿素薬：グリメピリド

アマリール錠（1 mg）　1回1錠　1日1回　㊄
　　　　　　　　　　　　　　　　　　　　　　朝食後

※膵 β 細胞からインスリン分泌を促進する. 空腹時血糖
も下がる.

※食前や夜間，食事が遅れた時に低血糖を起こしやすい.

※必ず低血糖について説明し，対処方法を指導する.

※増量しても血糖コントロールが改善しないときには，
速やかにインスリンに切り替えること.

❽血糖依存性のインスリン分泌促進とインスリン抵抗
性改善作用を併せ持つ薬としてイメグリミンがある.

イメグリミン：イメグリミン塩酸塩

ツイミーグ錠（500 mg）　1回2錠　1日2回　㊄
　　　　　　　　　　　　　　　　　　　　　　朝夕食後

※ビグアナイド薬との併用で消化器症状が多く認められ
たことから，ビグアナイド薬との併用は慎重に行う.

※インスリン，SU 薬，速効型インスリン分泌薬と併用
で，低血糖のリスクが増加する可能性があるため，こ
れらの薬剤の減量を検討する.

623

糖尿病（DM）(8)

※eGFR 45 mg/分未満の腎機能障害患者への投与は推奨されない．

❾血糖依存性のインスリン分泌促進に加えてグルカゴン分泌抑制，胃内容排出抑制，食欲抑制作用を持つ薬としてGLP-1受容体作動薬がある．

GLP-1受容体作動薬：リラグルチド

ビクトーザ皮下注（18 mg/3 mL） 1回0.3 mg
　　　　　　　　　　　　　　　　　1日1回 (皮下)

※1回0.3 mgより開始し，1週間以上の間隔 0.3 mgずつ増量し，0.9 mgを維持量とする．最大1.8 mgまで使用できる．
※空腹時血糖，食後血糖とも低下作用がある．
※週1回製剤としてオゼンピック（食欲抑制作用と体重低下作用が強い），トルリシティ（体重低下作用が弱く高齢者向き）がある．
※経口薬リベルサス錠は服薬に際して多くの留意点がある．

> **memo**

第4章　疾患編　　　　　　　　　　　　**内分泌・代謝疾患**

薬物療法（インスリン注射）

ポイント

❶適応時にはためらわず使用する．インスリンはいつ導入しても早すぎることはない．

❷経口薬との併用も効果的である．

❸低血糖に対しては十分に患者教育をする．

❹自己血糖測定の併用が望ましい．

❺インスリン量の調節は責任インスリン（昼食前の血糖値であれば朝に打ったインスリン）の増減によって行う．

インスリン注射の適応

❶1型糖尿病　❷糖尿病昏睡

❸重症感染症，妊娠時，手術時

❹肝硬変，腎機能障害（腎不全）

❺ステロイド治療時の高血糖

❻やせ型で栄養状態悪化時

❼食事・運動療法，経口薬で十分なコントロールが得られない時．糖毒性を積極的に解除したい時．

インスリン製剤

❶種類と作用時間（**図2**）：超速効型や，超速効型の混合製剤は食直前に打つ．速効型や中間型は食事開始の30分前に打つ．持効型は決まった時刻ならいつ打ってもよい．

❷各種ペン型注射器があり，患者に合わせて選択する（**表8**）．

自己注射の部位

❶インスリンは，腹部，上腕，大腿のいずれかに皮下注射する．注射部位の硬結や萎縮を予防するため，前回の注射部位から3cmほど離して注射する．

❷注射部位は揉まない．大腿部に注射時に運動や入浴をすると吸収が早くなる．

625

糖尿病（DM）(9)

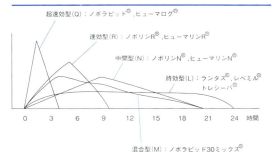

図2　インスリン各製剤の作用時間

処　置

❶患者教育
　①注射の仕方, 部位
　②インスリンの種類, 作用時間, 保存方法
　③低血糖の症状とその対処, 病気の時の対処
　　（シックデイ）☞ p.628 低血糖, p.629 シックデイ
　④自己血糖測定（インスリン使用者では原則実施）
❷インスリン注射の実際
　①1日1回打ち：持効型のインスリン（トレシーバ注®
　　など）6単位を寝る前に注射する.
　②1日2回打ち：混合型製剤（ノボラピッド30ミック
　　ス注®など）を朝食直前に6単位, 夕食直前に4単
　　位注射する.
　③1日3回打ち：超速効型インスリン（ノボラピッド
　　注®など）や混合製剤（ノボラピッド50ミックス注®
　　など）を毎食直前に4単位注射する.
　④1日4回打ち（強化療法）：超速効型インスリンを
　　毎食直前に3単位, 持効型インスリンを寝る前に

第4章 疾患編

内分泌・代謝疾患

表8 主なインスリンプレフィルド製剤

分類名	商品名	持続時間
超超速効型	ルムジェブ注ミリオペン フィアスプ注フレックスタッチ	約4時間
超速効型	ヒューマログ注ミリオペン ノボラピッド注フレックスタッチ アピドラ注ソロスター	3～5時間
速効型	ヒューマリンR注ミリオペン	5～7時間
	ノボリンR注フレックスペン	約8時間
混合型	ヒューマログミックス25注ミリオペン ヒューマログミックス50注ミリオペン ヒューマリン3/7注ミリオペン	18～24時間
	ノボラピッド30ミックス注フレックスペン ノボラピッド50ミックス注フレックスペン ノボリン30R注フレックスペン	約24時間
配合溶解	ライゾデグ配合注フレックスタッチ	42時間
中間型	ヒューマリンN注ミリオペン	18～24時間
	ノボリンN注フレックスペン	約24時間
時効型溶解	レベミル注フレックスペン	約24時間
	トレシーバ注フレックスタッチ	約42時間
	ランタス注ソロスター	約24時間
	インスリングラルギンBS注ミリオペン	約24時間

4単位注射する.
⑤一般にインスリン使用量が1日20単位以上であれば,朝夕2回に分けて注射することが必要である(朝2/3,夕1/3程度に分ける).

memo

糖尿病（DM）⑩

低血糖

ポイント

❶薬物療法中の糖尿病患者では低血糖が起こりうる．高齢者や神経障害のある患者では症状を自覚していないことも少なくない．積極的に尋ねてみること．

❷低血糖症状は，交感神経症状（発汗，不安，動悸，頻脈，手指振戦，顔面蒼白）で始まり，中枢神経症状（頭痛，眼のかすみ，空腹感，生あくび）を生じ，意識レベルの低下，異常行動，痙攣，昏睡に至る．

❸低血糖の症状，対処方法，食事が摂れないときには経口薬を内服しないことなど，十分な低血糖教育を行う．

❹低血糖時の対応のため，外出時や運動療法時には，ブドウ糖（あるいは砂糖），糖尿病カード・手帳を携行するように指導する．

処　置

❶経口摂取可能時
　砂糖 10〜20 g（ブドウ糖なら 10 g）　経口摂取
次の食事まで 1 時間以上あるとき
　でんぷん（ビスケットなど）　20〜40 g　経口摂取

❷αグルコシダーゼ阻害薬（セイブル®，ベイスン® など）使用者の低血糖時の経口投与にはブドウ糖を使用．

❸意識障害時はブドウ糖静注のうえ，入院させる．

❹インスリンによる低血糖で，完全に回復し，再発のおそれのない場合は十分に低血糖の対処法を再教育した上で帰宅させてもよい．この際，薬剤の減量も考慮する．それ以外の場合は入院が原則．

❺経口血糖降下薬（特に SU 薬）による低血糖は一度回復しても，再び血糖が下がったり，低血糖が遷延することがあるので，入院での経過観察が必要である．

第4章　疾患編

内分泌・代謝疾患

シックデイ

ポイント

❶糖尿病患者が発熱，下痢，嘔吐などで食事ができないときをシックデイと呼ぶ．

❷インスリンの必要量が増加し，高血糖やケトアシドーシスをきたしやすい．

処置

❶経口血糖降下薬使用中の患者では，食事が摂れないときは経口薬を中止する．

❷インスリン使用中の患者は，食事が摂れなくても中間型や持効型のインスリンを中止してはならない．

❸水分が摂れないほど症状が強い時は受診させ，入院加療を検討する．

❹迷った時には受診するように指導する．

出典

（表1，3〜5，8）日本糖尿病学会編：糖尿病治療ガイド 2022〜2023．文光堂，2022

（表6）日本糖尿病学会編：糖尿病食事療法のための食品交換表第7版．文光堂，2013

（図1）糖尿病，65巻8号（2022）．p.423, Fig.2　2型糖尿病の薬物療法のアルゴリズム

✎**memo**

脂質異常症 (1)

ポイント

1. 治療の目的は，冠動脈疾患や脳血管障害などの動脈硬化性疾患の予防と治療である．
2. 他の動脈硬化のリスクファクター（高血圧や糖尿病）との合併も多い．
3. 他の動脈硬化のリスクファクター（糖尿病や高血圧，メタボリックシンドローム）との合併も多い．

定　義

1. 動脈硬化性疾患予防ガイドライン2022年版では非空腹時（随時採血）のトリグリセライドの基準値が設定された（表1）．
2. LDLコレステロールは，空腹時採血でトリグリセ

表 1　脂質異常症診断基準

LDLコレステロール	140 mg/dL 以上	高 LDL コレステロール血症
	120〜139 mg/dL	境界域高 LDL コレステロール血症
HDL コレステロール	40 mg/dL 未満	低 HDL コレステロール血症
トリグリセライド	150 mg/dL 以上（空腹時採血）	高トリグリセライド血症
	175 mg/dL 以上（随時採血）	
Non-HDL コレステロール	170 mg/dL 以上	高 non-HDL コレステロール血症
	150〜169 mg/dL	境界域 non-HDL コレステロール血症

（表1〜3，図1出典：日本動脈硬化学会：動脈硬化性疾患予防ガイドライン2022年版）

第4章　疾患編

内分泌・代謝疾患

ライド＜400 mg/dL の時は Fredewald の式で計算する.

$$LDL\text{-}C = TCh - HDL\text{-}C - TG/5$$

❸トリグリセライド≧400 mg/dL や随時採血の時は nonHDL コレステロールを用いるか，直接法を使用する.

$$nonHDL\ コレステロール = TCh - HDL\text{-}C$$

鑑別疾患

❶続発性脂質異常症：甲状腺機能低下症，ネフローゼ症候群，慢性腎臓病，原発性胆汁性胆管炎，閉塞性黄疸，糖尿病，肥満，クッシング症候群，褐色細胞腫，アルコール多飲，薬剤性，喫煙など.

❷家族性高コレステロール血症：主に LDL コレステロール受容体の欠損や発現低下により高 LDL コレステロール血症を呈する. 動脈硬化のリスクが極めて高く，LDL コレステロールの管理目標は一次予防で100 mg/dL 未満，二次予防では70 mg/dL 未満.

非専門医レベルで行うべきチェックリスト

❶問診：狭心症，間欠性跛行の有無，食習慣，飲酒歴，喫煙歴，脂質異常症や動脈硬化性疾患の家族歴，常用薬.

❷理学所見：身長，体重，アキレス腱肥厚，黄色腫.

❸血液検査：TCh，TG，HDL-C，TSH，FT_4，血糖

❹その他：心電図，腹部超音波，検尿（ネフローゼの除外）

✎memo

脂質異常症 (2)

脂質異常症のスクリーニング

冠動脈疾患またはアテローム血栓性脳梗塞
(明らかなアテローム*を伴うその他の脳梗塞 ──「あり」の場合 → 二次予防
も含む) があるか？

「なし」の場合

以下のいずれかがあるか？

糖尿病 (耐糖能異常は含まない)
慢性腎臓病 (CKD) ──「あり」の場合 → 高リスク
末梢動脈疾患 (PAD)

「なし」の場合

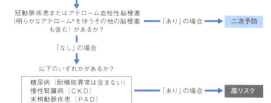

久山町研究によるスコア				予測される10年間の 動脈硬化性疾患 発症リスク	分類
40〜49歳	50〜59歳	60〜69歳	70〜79歳		
0〜12	0〜7	0〜1	—	2%未満	低リスク
13以上	8〜18	2〜12	0〜7	2%〜10%未満	中リスク
	19以上	13以上	8以上	10%以上	高リスク

久山町研究のスコア (表2) に基づいて計算する．
*頭蓋内外動脈に50%以上の狭窄，または弓部大動脈粥腫 (最大肥厚4mm以上)

図1 動脈硬化性疾患予防から見た脂質管理目標設定のためのフローチャート

非専門医レベルで行うべき処置

❶ 動脈硬化性疾患のリスクによって層別化し，管理目標が決まる (図1，表2，3)．

❷ 二次予防において以下の場合は，より厳格な LDL＜70 mg/dL あるいは Non-HDL コレステロール＜100 mg/dL が目標となる．

・急性冠症候群　・家族性高コレステロール血症
・糖尿病　・冠動脈疾患とアテローム血栓性脳梗塞の合併

memo

第4章 疾患編

内分泌・代謝疾患

表 2　久山町スコアによる動脈硬化疾患予測モデル

項目		ポイント
①性別	女性	0
	男性	7
②収縮期血圧	<120 mmHg	0
	120～129 mmHg	1
	130～139 mmHg	2
	140～159 mmHg	3
	160 mmHg～	4
③糖代謝異常 （糖尿病は含まない）	なし	0
	あり	1
④血清 LDL-C	<120 mg/dL	0
	120～139 mg/dL	1
	140～159 mg/dL	2
	160 mg/dL～	3
⑤血清 HDL-C	60 mg/dL～	0
	40～59 mg/dL	1
	<40 mg/dL	2
⑥喫煙	なし	0
	あり	2
	合計	点

❸薬物療法

①高 LDL コレステロール血症：スタチン製剤が第一選択.

HMG-CoA 還元酵素阻害薬：アトルバスタチンカルシウム
リピトール錠（10 mg）　1回1錠　1日1回　内
夕食後

②効果不十分なら，小腸コレステロールトランスポーター阻害薬を併用する.

脂質異常症 (3)

小腸コレステロールトランスポーター阻害薬：エゼチミブ

ゼチーア錠（10 mg）　1回1錠　1日1回　内
夕食後

③副作用などでスタチンに忍容性がない高LDLコレステロール血症には

陰イオン交換樹脂：コレスチミド

コレバイン錠（500 mg）　1回3錠　2日2回　内
朝夕食前（食後可）

※腸管から吸収されないため，妊娠中も使用可能．

④高トリグリセライド血症，低HDLコレステロール血症：フィブラート系製剤を使用する．

フィブラート系薬：ベザフィブラート

ベザトールSR錠（200 mg）　1回1錠　1日2回　内
朝夕

※Cre 3.0 mg/dL以上の腎障害や胆嚢疾患では禁忌．
あるいは

選択的PPSRαモジュレーター：ペマフィブラート

パルモディア錠（0.1 mg）　1回1錠　1日2回　内
朝夕食後

※肝臓や腎臓に対する影響が少ないため，フィブラート系薬に比べてスタチンとの併用に関して安全性が高い．
※Cre 2.5 mg/dL以上の腎障害や，胆石のある患者には禁忌．

✎ memo

第4章 疾患編

内分泌・代謝疾患

表3 リスク区分別脂質管理目標

治療方針の原則	管理区分	脂質管理目標値 (mg/dL)			
		LDL-C	Non-HDL-C	TG	HDL-C
一次予防 まず生活習慣の改善を行った後薬物療法の適用を考慮する	低リスク	<160	<190	<150 (空腹時) <175 (随時)	≧40
	中リスク	<140	<170		
	高リスク	<120 <100*	<150 <130*		
二次予防 生活習慣の是正とともに薬物治療を考慮する	冠動脈疾患またはアテローム血栓性脳梗塞(明らかなアテロームを伴うその他の脳梗塞を含む)の既往	<100 <70**	<130 <100**		

- *糖尿病において,PAD,細小血管症(網膜症,腎症,神経障害)合併時,または喫煙ありの場合に考慮する.
- **「急性冠症候群」,「家族性高コレステロール血症」,「糖尿病」,「冠動脈疾患とアテローム血栓性脳梗塞(明らかなアテロームを伴うその他の脳梗塞を含む)」の4病態のいずれかを合併する場合に考慮する.
- 一次予防における管理目標達成の手段は非薬物療法が基本であるが,いずれの管理区分においてもLDL-Cが180 mg/dL以上の場合は薬物治療を考慮する.家族性高コレステロール血症の可能性も念頭に置いておく.
- まずLDL-Cの管理目標値を達成し,次にnon-HDL-Cの達成を目指す.LDL-Cの管理目標を達成してもnon-HDL-Cが高い場合は高TG血症を伴うことが多く,その管理が重要となる.低HDL-Cについては基本的には生活習慣の改善で対処すべきである.
- これらの値はあくまでも到達努力目標であり,一次予防(低・中リスク)においてはLDL-C低下率20〜30%も目標値としてなり得る.

コンサルトのタイミング

❶ 遺伝的要素が濃厚な例(家族性高コレステロール血症など.多剤併用やLDLアフェレーシス療法が必要となるため)
❷ 通常の治療に反応しないとき.
❸ 家族歴が濃厚な早発性動脈硬化疾患症例

memo

痛風・高尿酸血症 (1)

ポイント
❶ 高尿酸血症の狭義の治療目的は，痛風関節炎や腎障害などを予防することである．
❷ 高尿酸血症は慢性腎臓病の発症に関連し，腎障害進展に関連している．
❸ メタボリックシンドロームの診断基準には含まれていないが，メタボリックシンドロームを有する頻度が高い．

定　義
　年齢・性を問わず，血清尿酸値 7.0 mg/dL 以上が高尿酸血症である．

非専門医レベルで行うべきチェックリスト
❶ 問診：過去の強烈な痛風発作の有無，飲酒歴，高尿酸血症をきたす薬剤の使用歴，高尿酸血症の家族歴．
❷ 理学所見：典型的な痛風発作（外傷歴のない拇趾中足趾関節の激烈な疼痛発作．局所の発赤・腫脹を伴う）
❸ 血液検査：血中尿酸値，腎機能，脂質，血糖値，HbA1c

非専門医で行うべき処置
❶ 痛風発作時と高尿酸血症の治療に分けて考える．
❷ 痛風発作初期（12 時間以内）　☞当直医 M

痛風発作治療薬：コルヒチン
　コルヒチン錠（0.5 mg）　1 回 2 錠　Ⓝ
　　その 1 時間後に，もう 1 錠内服．

❸ 痛風発作時（抗炎症薬の短期大量療法）
プロピオン酸系消炎鎮痛薬：ナプロキセン
　ナイキサン錠（100 mg）　初回 4〜6 錠　Ⓝ
　　あるいは
　ナイキサン錠（100 mg）3 錠　3 時間ごとに 3 回　Ⓝ

　※その後も痛みが続く場合は，1 回 200 mg を 1 日 3 回内服

第4章　疾患編

内分泌・代謝疾患

表1　痛風・高尿酸血症における尿中尿酸排泄量とC_{UA}による病型分類

病型	尿中尿酸排泄量 （mg/kg/時）		C_{UA} （mL/分）
腎負荷型	＞0.51	および	≧7.3
尿酸排泄低下型	＜0.48	あるいは	＜7.3
混合型	＞0.51	および	＜7.3

C_{UA}＝［尿中尿酸濃度（mg/dL）］×［60分尿量（mL）］／［血漿尿酸濃度（mg/dL）］／60×1.73/体表面積（m²）

正常値：11.0（7.3〜14.7）mL/分

❹NSAIDが使用できないか無効であった場合

グルココルチコイド薬：プレドニゾロン

　プレドニゾロン錠（5mg）　1回4〜6錠　1日1回
　　　　　　　　　　　　　　　　　朝　内　3〜5日

❺高尿酸血症：無症候性高尿酸血症への薬物治療の導入は血清尿酸値8mg/dL以上を目安とする．尿酸値を6mg/dL以下にコントロールする．薬物療法は腎負荷型と尿酸排泄低下型に分けて考える（表1）．
　①腎負荷型には尿酸生成抑制薬を使用する

キサンチンオキシターゼ阻害薬：フェブキソスタット

　フェブリク錠（10mg）　1回1錠　1日1回　内

　　　あるいは

キサンチンオキシターゼ阻害薬：アルプリノール

　ザイロリック錠（100mg）　1回1錠　1日1回　内

※腎機能低下に応じて減量が必要．

痛風・高尿酸血症 (2)

②排泄低下型には，尿酸排泄促進薬を使用する．

尿酸排泄促進剤：ベンズブロマン

ユリノーム錠（25 mg）　1回1〜2錠　1日1〜2回　内

必要に応じて尿アルカリ化剤を併用する．

尿アルカリ化剤：クエン酸カリウム・クエン酸ナトリウム水和物

ウラリットU散（1 g/包）　1回1包　1日3回　内

❻痛風発作を誘発させないために，尿酸降下薬開始時に必要に応じてコルヒチンカバー（尿酸降下薬開始後3〜6か月後にコルヒチン 0.5〜1 mg/日内服）を併用してもよい．

❼尿酸降下薬使用中に痛風発作が起こった場合は，尿酸降下薬を中止せずに，発作時の治療を行う．

❽生活指導：薬剤によるコントロールが容易になったため，以前のようなプリン制限食よりも，摂取エネルギーの適正化，アルコール制限，運動療法，肥満の是正などが指導の中心となる．

フォローアップ外来

❶尿酸血中濃度が正常化して安定するまでは，1か月に1回来院してもらう．

❷安定したら2〜3か月ごとの通院でもよい．

✎memo

甲状腺機能亢進症 (1)

ポイント

❶ 甲状腺ホルモンの過剰状態が，甲状腺ホルモン合成増加（甲状腺機能亢進）によるものか，甲状腺組織の破壊によるものかを区別すること．

❷ 甲状腺機能亢進症のほとんどはバセドウ病である．

❸ バセドウ病以外の甲状腺亢進症は専門医へ紹介することが望ましい．

定 義

❶ 甲状腺ホルモンの過剰状態（甲状腺中毒症）は血液中の FT_3，FT_4 増加，同時に TSH 低値で診断する．

❷ バセドウ病の診断は（**表 1**）に従って行う．

鑑別疾患 （図 1）

❶ 無痛性甲状腺炎：破壊性甲状腺炎のひとつで，橋本病やバセドウ病の経過中に発症することが多い．経過観察すればよい．

❷ 亜急性甲状腺炎：上気道炎に引き続いて起こりやすい有痛性破壊性甲状腺炎．軽症例は NSAID 投与，中等症以上にはプレドニゾロンを投与する．

非専門医レベルで行うべきチェックリスト

❶ 問診：体重減少，暑がり，発汗，食欲亢進，動悸，他動，不眠，慢性の下痢，情動不安の有無．

❷ 理学所見：手掌の発汗，指の震え，頻脈，びまん性甲状腺腫大，眼球突出．

❸ 検査：血算，肝機能，FT3，FT4，TSH，TSH 受容体抗体（TRAb），TSH 受容体刺激抗体（TSAb），心電図，胸部 Xp（不整脈や心不全合併のチェック）．

❹ 甲状腺ホルモン合成増加によるものか破壊によるものか判断しづらい時には，2 週間ごとに TSH，FT_3，FT_4 を測定し，経過観察する．

✎ **memo**

甲状腺機能亢進症 (2)

表 1　バセドウ病の診断ガイドライン

a）臨床所見
①頻脈，体重減少，手指振戦，発汗増加等の甲状腺中毒症所見
②びまん性甲状腺腫大
③眼球突出または特有の眼症状

b）検査所見
①遊離 T_4，遊離 T_3 のいずれか一方または両方高値
②TSH 低値（0.1 μU/mL 以下）
③抗 TSH 受容体抗体（TRAb）陽性，または刺激抗体（TSAb）陽性
④典型例では放射性ヨウ素（またはテクネシウム）甲状腺摂取率高値，シンチグラフィでびまん性

1）バセドウ病
　a）の 1 つ以上に加えて，b）の 4 つを有するもの

2）確からしいバセドウ病
　a）の 1 つ以上に加えて，b）の 1，2，3 を有するもの

3）バセドウ病の疑い
　a）の 1 つ以上に加えて，b）の 1 と 2 を有し，遊離 T_4，遊離 T_3 高値が 3 カ月以上続くもの

【付記】
①コレステロール低値，アルカリフォスターゼ高値を示すことが多い.
②遊離 T_4 正常で遊離 T_3 のみが高値の場合が稀にある.
③眼症状があり TRAb または TSAb 陽性であるが，遊離 T_4 および TSH が基準範囲内の例は euthyroid Graves' disease または euthyroid ophthalmopathy といわれる.
④高齢者の場合，臨床症状が乏しく，甲状腺腫が明らかでないことが多いので注意をする.
⑤小児では学力低下，身長促進，落ち着きの無さ等を認める.
⑥遊離 T_3（pg/mL）/遊離 T_4（ng/dL）比の高値は無痛性甲状腺炎の除外に参考となる.
⑦甲状腺血流測定・尿中ヨウ素の低下が無痛性甲状腺炎との鑑別に有用である.

（日本甲状腺学会：甲状腺疾患診断ガイドライン 2021）

第4章 疾患編　　　　　　　　　　　内分泌・代謝疾患

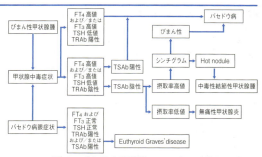

図1　バセドウ病診断フローチャート

非専門医レベルで行うべき処置

❶甲状腺機能抑制の第一選択

抗甲状腺薬：チアマゾール

　メルカゾール錠（5 mg）　1回3錠　1日1回　内

※FT4 5 ng/dl 以上の重症例ではヨウ化カリウム丸（50 mg）1錠を併用する．

妊娠初期（4〜15週）などでチアマゾールが使えないときは

抗甲状腺薬：プロピルチオウラシル

　チウラジール錠（50 mg）　1回2錠　1日3回　内

※最も重大な副作用は無顆粒球症（0.2%以下）．発熱や咽頭痛出現時は休薬し，医師に連絡するように説明する．

❷動悸，指の震え，頻脈などの症状が強い時

β遮断薬：アテノロール

　テノーミン錠（25 mg）　1回1錠　1日1回　内

641

甲状腺機能亢進症 ⑶

❸皮疹，肝障害などの副作用のチェックのため，治療開始後2か月間は2週間ごとに受診し，甲状腺機能以外に血算，肝機能も確認する．

❹FT3，FT4が基準値に入ったらTSHが低値でも減量を開始する．甲状腺機能が十分正常範囲に入ったら，4〜6週間隔で検査して減薬していく．チアマゾール5 mg/日か隔日，あるいはプロピルチオウラシル50 mg/日か隔日まで減量したら，これを維持量として継続する．

❺維持療法中は，2〜3か月ごとにTSHを含めた甲状腺機能が正常範囲内にあることを確認する．

コンサルトのタイミング

❶放射性ヨード摂取率を調べるとき．

❷甲状腺機能亢進症で通常のバセドウ病の治療に反応しないとき．

❸バセドウ病の内服治療継続困難などで，放射性ヨード治療，甲状腺亜全摘手術，経皮エタノール注入療法が必要なとき．

フォローアップ外来

❶抗甲状腺薬維持量で，6カ月以上甲状腺機能が正常な場合には休薬を検討してもよい．

❷抗甲状腺薬中止後初めの6カ月間は甲状腺機能を2〜3カ月おきに検査し，その後は徐々に間隔を延ばし，1年以降は6〜12カ月おきに検査する．

❸授乳中も，チアマゾール10 mg/日またはプロピルチオウラジル300 mg/日までなら安全に使える．

✎memo

甲状腺機能低下症 (1)

ポイント

❶ 甲状腺ホルモン分泌が低下している状態であり，一過性のものも永続性のものもある．

❷ 原因の大部分は橋本病（自己免疫による慢性甲状腺炎）である．橋本病の約20％に甲状腺機能低下症を発症する．

❸ 超音波検査で甲状腺癌を除外する． ☞ p.645 甲状腺腫

診断

以下の❶および❷を有するもの．

❶ 臨床所見：無気力，易疲労感，眼瞼浮腫，寒がり，体重増加，動作緩慢，嗜眠，記憶力低下，便秘，嗄声等いずれかの症状

❷ 検査所見

　①原発性：遊離 T_4 低値（参考として遊離 T_3 低値）および TSH 高値

　②中枢性：遊離 T_4 低値で TSH が低値～基準範囲内

※除外規定として，甲状腺中毒症の回復期，重症疾患合併例，TSH を低下させる薬剤の服用例を除く．

※視床下部性甲状腺機能低下症の一部では TSH が逆に高値を示すことがある．

※重症消耗性疾患にともなう Nonthyroidal illness（低 T_3 症候群）で，遊離 T_3，さらに遊離 T_4，さらに重症では TSH も低値となり鑑別を要する．

非専門医レベルで行うべきチェックリスト

❶ 問診：全身倦怠感，嗄声，易疲労感，心悸亢進，便秘，寒がり，肩こり，体重増加，発汗減少の有無（寒がりでぼんやりした感じの元気のない女性で，顔にむくみがあるのが典型例）．

❷ 理学所見：浮腫，皮膚乾燥，びまん性の硬い甲状腺腫．

❸ 血液検査：FT_4，FT_3，TSH，抗サイログロブリン抗体，抗甲状腺ペルオキシダーゼ抗体．

甲状腺機能低下症 ②

❹甲状腺超音波

❺総コレステロール高値，CPK 高値の時，一度は疑ってみること．

非専門医レベルで行うべき処置

❶40 歳以上，心疾患患者，長期間甲状腺機能低下状態にあった場合

甲状腺ホルモン：レボチロキシンナトリウム水和物

チラージン S 錠（25 μg）　1 回 1 錠　1 日 1 回　㊤

❷若年者

甲状腺ホルモン：レボチロキシンナトリウム水和物

チラージン S 錠（50 μg）　1 回 1 錠　1 日 1 回　㊤

※2～4 週間ごとに病態に応じて 25～50 μg ずつ増量する．
※最終的には，TSH が基準範囲内になるように投与量を決める．

コンサルトのタイミング

❶中枢性甲状腺機能低下症の診断では下垂体ホルモン分泌刺激試験や画像検査が必要なので，専門医への紹介が望ましい．

❷粘液水腫性昏睡（中枢神経症状，低体温，呼吸不全，循環不全，代謝障害等）が疑われる場合は直ちに専門医へ搬送する．

フォローアップ外来

❶FT_4 が基準値内に入ったら，チラージン S の量をそのまま 4～6 週間続け，TSH の動きを追う．

❷維持量が決まれば 3 か月ごとの通院でもよい．

✎ **memo**

甲状腺腫

ポイント
1. びまん性甲状腺腫と結節性甲状腺腫に大別できる.
2. 結節性甲状腺腫とわかったら良性悪性の鑑別を行う.
3. 良悪性の鑑別が重要である. 速やかに頸部超音波検査や穿刺細胞診などで鑑別に努める.

鑑別疾患
1. 良性腫瘍：濾胞腺腫, 腺腫様甲状腺腫（過形成）
2. 悪性腫瘍：乳頭癌（約90％）, 濾胞癌（約5％）, 髄様癌（1〜2％）, 未分化癌（1〜2％）, 悪性リンパ腫（1〜5％）

非専門医レベルで行うべきチェックリスト
1. 甲状腺触診：大きさ, 結節の有無, 周囲との癒着, 表面の性状, 周囲リンパ節腫大の有無
2. 血液検査：TSH, FT4, サイログロブリン
3. 甲状腺超音波検査：びまん性か結節性か鑑別する

専門医での検査・処置
1. 頸部超音波検査：ある程度の質的診断が可能
2. CT, MRI：頸部や縦隔内の状態を評価できる
3. シンチグラム：集積・欠損像から質的診断が可能
4. 穿刺吸引細胞診：病理学的検査で確定診断となる
5. 治療：手術, 放射線療法, 化学療法, 分子標的薬治療

コンサルトのタイミング
1. 触診で周囲との癒着, 表面の不整, 周囲リンパ節腫大のあるものは悪性疾患が疑われるので専門医に紹介.
2. 超音波検査で結節性のものは穿刺吸引細胞診が必要なので専門医に紹介.

フォローアップ外来
　良性腫瘍と診断がついたら, 年1回甲状腺超音波で経過観察する.

メタボリック・シンドローム

ポイント

❶ 内臓脂肪肥満に，高血圧，高血糖，脂質代謝異常が加わって動脈硬化性疾患の発症・進展リスクが飛躍的に上昇した状態のこと．

❷ メタボリックシンドロームの早期発見・治療を目的として，「特定健診・特定保健指導」が行われている．

❸ 治療の基本は，食事療法，運動療法，禁煙を中心とした生活習慣の改善である．

定　義 （表1）

表1　メタボリックシンドローム診断基準

必須項目	内臓脂肪蓄積
ウエスト周囲径	男女とも内臓脂肪面積 100 cm^{2}以上に相当 男性≧85 cm 女性≧90 cm
上記に加え，以下のうち2項目以上	
脂質異常	トリグリセライド≧150 mg/dL 　　　　かつ/または HDL-コレステロール＜40 mg/dL
血圧高値	収縮期血圧≧130 mmHg 　　　　かつ/または 拡張期血圧≧85 mmHg
高血糖	空腹時血糖値≧110 mg/dL

非専門医レベルで行うべき処置

❶ 食事指導：食事療法は糖尿病に準じて指導するとよい（☞ p. 616 糖尿病・食事療法），腹囲の減少（内臓脂肪の減少）には摂取エネルギー量を適切にすることに加えて，砂糖とアルコール摂取量を減らすことが重要である．

第4章　疾患編　　　　　　　　内分泌・代謝疾患

❷運動指導：まずは今よりも10分間多く身体を動かす方法を提案する．駅や職場で階段を使うようにするだけでも効果が期待できる．できる人は，ウォーキング，ジョギング，自転車，ラジオ体操などの有酸素運動がお勧め．☞ p.37 運動療法と運動処方指導

❸上記で改善がなければ，高血糖，高血圧，脂質代謝異常に対して薬物療法を開始する．☞ p.610 糖尿病，☞ p.304 高血圧，☞ p.630 脂質異常症

❹禁煙指導：喫煙は動脈硬化の促進因子であるので，禁煙を強く勧めること．禁煙外来を紹介してもよい．☞ p.39 禁煙指導・禁煙外来

❺特定健診でメタボリック・シンドロームと診断された人は，リスク要因数などによって層別化され，「動機付け支援」や「積極的支援」による特定保健指導を受ける．これらを積極的に利用するように促してもよい．

memo

肥　満

ポイント

①肥満の定義は，脂肪組織に脂肪が過剰に蓄積した状態で，BMI≧25 kg/m²のものである．BMI≧35 kg/m²のものは高度肥満である．

②肥満のなかで健康障害のあるものを肥満症と呼ぶ．

③肥満の治療は食事療法や運動療法が中心となる．

④高度肥満症に対する減量・代謝手術は内科療法に比較して効果的な体重減少が長期的に維持でき，肥満関連健康障害の改善効果も良好である．

肥満症の定義

①肥満と判定されたもののうち（BMI≧25），肥満に起因ないし関連する健康障害を合併するか，その合併症が予測され，医学的に減量を必要とする疾患（表1）．

非専門医レベルで行うべき処置

①合併疾患があれば治療する（減量への動機ともなる）．

②食事指導：食事内容を聞き取り，摂取エネルギー過剰の改善点を具体的に指示する．糖尿病の食事療法に準じて行うとよい．☞ p.616 糖尿病・食事療法

　食事上の問題点は（①野菜不足，②油脂過多，③糖質過多，④アルコール過多）であることが多い．食習慣では（①朝食抜き，②21時以降の夕食や間食，③早食い）が多い．

③生活指導：生活習慣を聞き取り，少しでも身体活動量を増やす工夫を提案する（食事後に横にならない，なるべく歩くようにするなど）．患者を責めるような言い方をしてはならない．

④体重測定：特に，グラフ化体重日記は体重の変化を視覚的にとらえることができ，食生活との関連を自覚する助けとなる．

コンサルトのタイミング

①BMI≧35 kg/m²の高度肥満例．薬物療法や外科療法

第4章　疾患編

内分泌・代謝疾患

表 1　肥満に起因ないし関連する健康障害

1. **肥満症の診断に必要な健康障害**
   1) 耐糖能障害（2型糖尿病・耐糖能異常など）
   2) 脂質異常症
   3) 高血圧
   4) 高尿酸血症・痛風
   5) 冠動脈疾患
   6) 脳梗塞・一過性脳虚血発作
   7) 非アルコール性脂肪性肝疾患
   8) 月経異常・女性不妊
   9) 閉塞性睡眠時無呼吸症候群・肥満低換気症候群
   10) 運動器疾患（変形性関節症：膝関節・股関節・手指関節，変形性脊椎症）
   11) 肥満関連腎臓病
2. **肥満症の診断には含めないが，肥満に関連する健康障害**
   1) 悪性疾患：大腸がん・食道がん（腺がん）・子宮体がん・膵臓がん・腎臓がん・乳がん・肝臓がん
   2) 胆石症
   3) 静脈血栓症・肺塞栓症
   4) 気管支喘息
   5) 皮膚疾患：黒色表皮腫や摩擦疹など
   6) 男性不妊
   7) 胃食道逆流
   8) 精神疾患

の適応になりうる．

❷通常の治療で改善が見られず，超低カロリー療法（VLCD）が必要な時．

❸外科療法の手術適応基準は，年齢が18〜65歳の原発性肥満で，6か月以上の内科治療で有意な体重減少及び肥満関連健康障害の改善が得らえない高度肥満（BMI≧35）．肥満関連健康障害の治療が主目的の場合には，糖尿病または糖尿病以外に2つ以上の肥満関連健康障害を合併したBMI≧32の肥満症．

関節リウマチ (1)

ポイント

❶ 各種自己抗体の結果は大事だが，それにしばられすぎないようにする．とくに低力価の場合．

❷ 皮膚，爪，眼，心肺，神経症状など関節外症状があるときの専門医受診は早いほうがよい．鑑別診断に必要なだけではなく，RA 治療薬の選択にも必要となる．

診断

一つ以上の臨床的滑膜炎を有し，他の疾患では説明できない（**表 1** 参照）．

表 1　2010 年改訂 ACR/EULAR 分類基準

関節病変	1 カ所の大関節（肩，肘，股，膝，足）	0
	2〜10 カ所の大関節	1
	1〜3 カ所の小関節（MCP，PIP，IP，2〜5MTP，手）	2
	4〜10 カ所の小関節	3
	11 カ所以上（顎，胸鎖，肩鎖関節も含むが 1 つは小関節）	5
血清学的因子	RF，抗 CCP 抗体のいずれも陰性	0
	RF，抗 CCP 抗体のいずれか低値（正常上限の 3 倍未満）陽性	2
	RF，抗 CCP 抗体のいずれか高値陽性	3
滑膜炎の期間	6 週未満	0
	6 週以上	1
急性期反応物質	CRP，ESR のいずれも異常なし	0
	CRP，ESR のいずれかが異常	1

※スコア合計 6 点以上で関節リウマチとみなす．

第4章　疾患編　　　**膠原病とその類縁疾患**

鑑別疾患

❶感染症（ヒトパルボウイルス，肝炎ウイルス，などウイルス感染），反応性関節炎（先行感染があったかどうか確認する），感染性心内膜炎

❷悪性疾患：腫瘍随伴症候群による関節症，多発性骨髄腫による痛み

❸その他

①リウマチ性多発筋痛症，RS3PE 症候群，血清反応陰性脊椎炎，乾癬性関節炎，炎症性腸疾患関連関節炎，血管炎，シェーグレン症候群，MCTD，DM/PM，SLE など

②変形性関節症，付着部炎，結晶誘発性関節炎

③内分泌疾患：甲状腺疾患，更年期障害

※変形性関節症に合併していると評価が難しいことがある．

※結晶誘発性関節炎は単関節炎とは限らない．また，RA に合併していることもある．

非専門医レベルで行うべきチェックリスト

❶問診

①いつから（例：数年悪化なく症状が続いている/突然発症/…）

②どこが（筋痛なのか/関節痛なのか…小関節？　大関節？　多発？/付着部炎なのか/…）

③既往歴や併存疾患

・肺疾患，心疾患，糖尿病など

・先行感染の有無

・齲歯，褥瘡など感染の合併

・術前検査で何か指摘がなかった/あった

・出産歴・妊娠中の経過，挙児希望，妊娠の有無

・入院歴，通院歴，家族歴，職業歴

・投薬歴，薬剤の副作用，サプリメント

❷関節外症状

目の症状，乾燥症状，消化器症状（炎症性腸疾患など），

651

関節リウマチ ②

日光過敏，皮疹，心肺症状，しびれなど神経症状

※しびれ→脊椎疾患の有無をチェック．

※症状のある臓器について，その専門外来を紹介（眼科や皮膚科など）

❸検査

①血液検査：抗 CCP 抗体，RF，抗核抗体，ANCA，CRP，血沈，血算，生化学，感染症（HBV・HCV，HPV，結核など）

②尿検査

③Xp：関節 Xp，胸部 Xp

④CT：悪性疾患のルールアウト，必要に応じて造影

⑤神経伝導速度

❹投薬

・アセトアミノフェン

・NSAIDs

COX-2 選択的阻害薬：セレコキシブ

セレコックス錠（100 mg）　1回1錠　1日2回　内

あるいは

プロピオン酸系 NSAIDs：ロキソプロフェン

ロキソニン錠（60 mg）　1回1錠　1日3回　内

※胃薬とともに処方

専門医での処置

❶csDMARDs（効果発現に時間がかかる）

①メソトレキサート（MTX）：リウマチ治療のアンカードラッグ

・他の csDMARDs より効果発現が早い

・不適応：妊婦，腎不全，肝硬変，胸腹水，急性感染症，高度肺線維症など

・注意：高齢者，肺合併症，肝障害を有する場合など

第4章　疾患編　　膠原病とその類縁疾患

- ・副作用：血液障害，肝障害，間質性肺炎，リンパ増殖性疾患など
- ・副作用予防：MTX 服用日の 1〜2 日後，葉酸服用
- ②サラゾスルファピリジン（SASP）
- ・副作用：皮疹，血液障害，肝障害など
- ③ブシラミン（BUC）
- ・副作用：尿蛋白に注意．皮疹，血液障害，肝障害，間質性肺炎など
- ④タクロリムス（TAC）
- ・少量でも有効性を示す症例もある
- ・副作用：腎障害，高血糖，高血圧など
- ・12 時間トラフの確認
- ⑤イグラチモド（IGU）
- ・副作用：胃腸障害，肝障害など
- ・ワルファリンとの併用禁忌

❷生物製剤（bDMARDs）や低分子化合物（JAK 阻害薬）

❸手術：人工関節置換術，関節固定術

❹患者指導
- ①発熱，下痢など脱水時．MTX，免疫抑制剤は休薬可能．
- ②口腔粘膜のただれや長引く咳など呼吸器症状にも注意．すみやかに受診する．
- ③日常動作での変形関節の負荷を避けるための自助具，装具の使用．
- ④ベッドや椅子上での運動（体重負荷を避けて）がおすすめ．
- ⑤頸椎亜脱臼ある場合は首の体操は避ける．

❺利用可能な制度
- ①高額医療制度
- ・自己負担額の上限が年齢や所得に応じて定められている．超えた分，高額医療費として支給を受けることができる．

653

関節リウマチ (3)

・医療費が高額となることが予想される場合，認定証の手続きを行うことで，ひと月の窓口での支払いが限度額までになる.
・複数の医療機関の診療費を合算で計算できる.
・同じ医療保険に加入している同世帯の方の診療費を合算で計算できる.
・過去12か月以内に3回以上，上限額に達した場合は4回目から多数回該当となり上限額が下がる.
②治療用装具支給制度
・各種装具，サポーターなど．変形が強くADL低下を認める場合は身障手帳申請を考慮.

フォローアップ外来
❶関節痛悪化，炎症所見悪化時にコンサルト.
❷血液障害，肝障害等それぞれの薬剤に応じた副作用のモニタリング.

コンサルトのタイミング
❶とくに高齢者では容易にADLが低下するので，早急に専門医受診をすすめる．自己抗体結果を待つ必要なし．→あとから結果を送付すればよい.
❷専門医紹介前にステロイドは入れない.

✎ memo

膠原病 (1)

ポイント

① 膠原病を疑うときは詳細な病歴聴取と注意深い全身の系統的な診察を行い，膠原病の中でさらに特定の疾患に特徴的な症状や所見を見逃さない（**表1**）．
② 膠原病の診断には，各疾患の診断基準を参照するが，基準を満たさないときには専門医にコンサルト．また中等症から重症の病態では早期に専門医へ紹介する．

概念

① 膠原病は自己免疫現象をベースに主に血管及び結合組織に病変が出現する全身性炎症性疾患である．
② リウマチ性疾患とは運動器（骨，軟骨，関節およびその周辺の軟部組織）の疼痛性疾患の総称であり，膠原病は臨床的にはこれに分類される．

主な膠原病の診断のポイント

各疾患のポイントを下記に記す．症状からの疾患想起のポイントを**表1**に示す．

① **関節リウマチ**（RA）☞ p. 650
② **リウマチ性多発筋痛症**

（polymyalgia rheumatica：PMR）
　①好発年齢は 50 歳以上，男女比は 1：2
　②主要症状：頸部，上肢帯，下肢帯の筋痛とこわばり，発熱，倦怠感，体重減少，抑うつ症状などの全身症状
　③検査所見：貧血，WBC↑，赤沈↑↑（＞40），CRP↑，MMP-3↑，自己抗体（-），関節 X 線異常（-），筋電図異常（-），関節エコーや MRI で三角筋下滑液包炎や二頭筋の腱滑膜炎等（+）
　④合併症：側頭動脈炎

③ **成人発症 Still 病**
　①好発年齢は 20～30 歳代，男女比は 1：2
　②主要症状：39℃ 以上の弛張熱，関節痛，発熱時の

655

膠原病 (2)

表 1　おもな膠原病リウマチ疾患の臨床症状

部位	症状	頻度の高い膠原病疾患
全身症状	歩行困難, 立ち上がり困難	RA, PMR, PM/DM, 線維筋痛症
	発熱, 全身倦怠感, 貧血	高齢発症 RA, MRA, PMR, 巨細胞性動脈炎, ANCA 関連血管炎, 偽痛風
中枢神経	脳血管障害	巨細胞性動脈炎, PAN, 抗リン脂質抗体症候群,
	その他	SLE, SS, ベーチェット病,
眼	上強膜炎	MRA, ANCA 関連血管炎
	ぶどう膜炎	MRA, ANCA 関連血管炎, ベーチェット病, サルコイドーシス
	角膜炎	SS, RA
	虚血性視神経症	巨細胞性動脈炎
鼻	両側副鼻腔炎	ウェゲナー肉芽腫症
	両側中耳炎	ANCA 関連血管炎
口腔	口腔乾燥症	SS
	舌小帯肥厚短縮	SSc
	アフタ	ベーチェット病, SLE
その他, 顔	側頭動脈肥厚, 圧痛	巨細胞性動脈炎
	顎跛行	巨細胞性動脈炎
	顔面紅斑	SLE, 皮膚筋炎
肺	間質性肺炎	RA, MRA, PM/DM, SSc, ANCA 関連血管炎, SS, MCTD
	胸膜炎	RA, ANCA 関連血管炎, 高齢発症 SLE
	肺胞出血	ANCA 関連血管炎, SLE
	肺結節影	ウェゲナー肉芽腫症, RA
	縦隔気腫	皮膚筋炎

（次頁へつづく）

第4章　疾患編　　膠原病とその類縁疾患

（表1　つづき）

部位	症状	頻度の高い膠原病疾患
心臓	心外膜炎	SSc，SLE
	心筋炎	ANCA 関連血管炎，MRA，SSc
	虚血性心疾患	PAN，劇症型抗リン脂質抗体症候群
	肺高血圧	SSc，MCTD，抗リン脂質抗体症候群，SLE
	動脈瘤	巨細胞性動脈炎，ベーチェット病，PAN
消化管	虚血性腸炎	ANCA 関連血管炎，PAN，MRA
	回盲部潰瘍	ベーチェット病
	肝障害	SLE，SS，成人発症スティル病
	胆嚢炎	PAN
	逆流性食道炎	SSc
	腸管蠕動低下	SSc
腎臓	糸球体腎炎	ANCA 関連血管炎，SLE，RA のアミロイドーシス
	間質性腎炎	SS
	腎血管病変	SSc，PAN
末梢神経	多発性単神経炎	ANCA 関連血管炎，MRA，PAN
血液	溶血性貧血	SLE，MCTD
	血小板減少	SLE，抗リン脂質抗体症候群
	DIC	成人発症スティル病，膠原病関連血球貪食症候群

　　サーモンピンク疹，咽頭痛，リンパ節腫脹，肝脾腫

③検査所見：WBC↑，赤沈↑，肝機能異常，自己抗体（−），血清フェリチン↑↑

④合併症：DIC，血球貪食症候群，薬剤アレルギー

❹全身性エリテマトーデス

（systemic lupus erythematosus：SLE）

①好発年齢は 20〜40 歳，男女比は 1：10

膠原病 (3)

（表 1 つづき）

部位	症状	頻度の高い膠原病疾患
皮膚	手指紅斑	SLE，皮膚筋炎，抗リン脂質抗体症候群
	リベド	ANCA 関連血管炎，MRA，SLE
	紫斑	ANCA 関連血管炎，MRA，SS
	四肢，体幹の紅斑	皮膚筋炎，ベーチェット病，サルコイドーシス，SS，ウェーバークリスチャン病，血管炎症候群
	多発性皮膚潰瘍	MRA，PAN，ANCA 関連血管炎
	四肢末端梗塞	SSc，MRA，PAN

【略語】RA：関節リウマチ，MRA：悪性関節リウマチ，PMR：リウマチ性多発筋痛症，PM/DM：多発性筋炎/皮膚筋炎，PAN：結節性多発動脈炎，SS：Sjögren 症候群，SSc：全身性強皮症

(杉原毅彦：日本老年医学会雑誌 **47**：1-10，2010 より)

②主要症状：発熱，関節痛（非破壊性多発性関節炎），皮膚・粘膜症状（蝶形紅斑，円板状紅斑，口腔内潰瘍，光線過敏症，Raynaud 現象など），漿膜炎（心膜炎，胸膜炎），ループス腎炎，神経症状（うつ状態，痙攣，脳炎など），発症の引き金として妊娠・出産やウイルス感染や紫外線曝露などがある

③検査所見：汎血球減少，赤沈↑，CRP↑，γ-glb↑，梅毒反応生物学的偽陽性（回復期に出現），補体価↓（活動期にみられる），抗核抗体（+），抗 ds-DNA 抗体（+），抗 Sm 抗体（+），抗リン脂質抗体（+）

④合併症：血小板減少性紫斑病，自己免疫性溶血性貧血，抗リン脂質抗体症候群

❺Sjögren 症候群（Sjögren's syndrome：SS）

他の膠原病との合併がみられない一次性 SS と RA，SLE，PM/DM，SSc などと合併する二次性 SS に分けられる．

第 4 章　疾患編

膠原病とその類縁疾患

①好発年齢は 40〜50 歳代，男女比は 1：11〜17

②主要症状：dry eye（乾燥性角結膜炎，角膜潰瘍），dry mouth（慢性唾液腺炎，う歯），関節痛，乾性咳嗽，Raynaud 現象，耳下腺腫脹

③検査所見：Schirmer 試験（涙液分泌の評価），ガム試験（唾液分泌の評価），口唇腺或いは涙腺の生検でリンパ球浸潤（＋），γ-glb↑，RF（＋）（約 70％），抗核抗体（＋），抗 SS-A 抗体（＋），抗 SS-B 抗体（＋）

④合併症：尿細管性アシドーシス type 1，悪性リンパ腫，原発性胆汁性肝硬変，橋本病

❻全身性強皮症（systemic scleroderma：SSc）

①好発年齢は 30〜50 歳，男女比は 1：12

②主要症状：Raynaud 症状で発症することが多い，皮膚蒼白，浮腫（→硬化→萎縮），舌小体短縮，肺線維症，嚥下障害・逆流性食道炎（食道下部無動性拡張又は蠕動低下による），心筋症，肺高血圧症，腎障害

　　ⓐ皮膚症状が手首を超え近位側に広がる→びまん皮膚硬化型 SSc

　　ⓑ皮膚症状が手首を超えない→限局皮膚硬化型 SSc

③検査所見：血算は正常，赤沈↑，γ-glb↑，抗核抗体（＋），抗 Scl-70 抗体（＋）（びまん皮膚硬化型 SSc），抗セントロメア抗体（＋）（限局皮膚硬化型 SSc），抗 RNA ポリメラーゼⅢ抗体（＋），Xp で手指末端骨の骨吸収像，皮下石灰沈着

❼多発性筋炎/皮膚筋炎

（polymyositis/dermatomyositis：PM/DM）

①好発年齢は 5〜9 歳と 50 歳代，男女比は 1：3

②主要症状：筋力低下（近位筋優位），筋痛，対称性筋萎縮，関節痛，皮膚症状〔ヘリオトロープ疹（上

659

膠原病 ⑷

眼瞼の赤紫色の紅斑）, Gottron 徴候（手指・手・肘・膝関節伸側の落屑を伴う紅斑）, 多形皮膚萎縮症）, 間質性肺炎, 肺線維症, Raynaud 現象, 心筋障害

③検査所見：貧血, 赤沈↑, CPK↑, LDH↑, アルドラーゼ↑, 抗核抗体（＋）, 抗 Jo-1 抗体（＋）, 抗 Mi-2 抗体（＋）, 抗 MDA5 抗体（＋）, 抗 SRP 抗体（＋）, 筋電図で myogenic pattern

④合併症：悪性腫瘍（5〜10％, 特に高齢の DM 患者に多く, 消化器癌が多い）, 間質性肺炎（特に抗 MDA5 抗体陽性では急速進行性が多い）

❽混合性結合組織病

(mixed connective tissue disease：MCTD)

①好発年齢は 30 歳代, 男女比は 1：13〜16

②主要症状：Raynaud 現象, 指ないし手背の腫脹, SLE・SSc・PM の所見（多発関節炎, 肺線維症, 筋力低下など）のいくつかの症状を持ち合わせるが, 各々の診断基準は満たさない.

③検査所見：抗 U1-RNP 抗体（＋）, RF（＋）（約 50％）, CPK↑, LDH↑

④合併症：肺高血圧（約 5％）

❾大動脈炎症候群（高安動脈炎）

①好発年齢は 15〜40 歳, 男女比は 1：9

②主要症状：発熱, 頭部乏血症状（頭痛, 立ちくらみ, めまい）, 上肢乏血症状（脈拍欠損, しびれ）, 上肢血圧左右差, 大動脈弁閉鎖不全症

③検査所見：WBC↑, 赤沈↑, γ-glb↑, 血管造影, 3D-CT, MRA で大動脈とその分枝に狭窄および拡張病変. HLA-B52, B67 との相関.

④合併症：炎症性腸疾患

❿巨細胞性動脈炎：側頭動脈, 眼動脈, 椎骨動脈などの血管炎

①好発年齢は 50 歳以上, 男女比は 1：2〜3

第4章　疾患編

膠原病とその類縁疾患

②主要症状：発熱，体重減少，頭痛，側頭部圧痛，眼症状（眼痛，視力障害，失明），咀嚼困難

③検査所見：赤沈↑，CRP↑，側頭動脈生検にて巨細胞性動脈炎．通常自己抗体陰性．

④合併症：リウマチ性多発筋痛症（約30％）

⓫**結節性多発動脈炎**（polyarteritis nodosa：PAN）；中小筋型動脈の壊死性血管炎

①好発年齢は40～60歳，男女比は1：1

②主要症状：高熱，体重減少，高血圧，腹痛，消化管出血，腸梗塞，腎障害，胸膜炎，肺梗塞，心筋梗塞，多発性単神経炎，皮膚潰瘍，関節痛

③検査所見：貧血，WBC↑，好酸球軽度↑，血小板↑，赤沈↑，γ-glb↑，補体価↓，RF（＋）（約50％），抗核抗体（－），生検で中・小動脈フィブリノイド壊死性血管炎の存在．

⓬**多発血管炎性肉芽種症**

（granulomatosis with polyangitis：GPA）（ウェゲナー肉芽腫症）

①好発年齢は30～50歳，男女比はほぼ1：1

②主要症状：上気道症状（難治性鼻炎あるいは副鼻炎），下気道症状（血痰，肺炎，気管支炎），腎障害（糸球体腎炎），眼痛，眼球突出，発熱，体重減少，関節痛

③検査所見：WBC↑（好酸球↑），RF（＋），PR3-ANCA（＋）．鼻粘膜生検にて巨細胞を伴う壊死性肉芽腫性炎（＋），腎生検で壊死性半月体形成腎炎（＋），小・細動脈の壊死性肉芽腫性血管炎（＋）．

⓭**顕微鏡的多発血管炎**

（microscopic polyangitis：MPA）；小血管主体の壊死性血管炎

①好発年齢：50～70歳代，男女比は1：1～2

②主要症状：発熱，体重減少，筋痛，関節痛，腎障

661

膠原病 (5)

害（急速進行性糸球体腎炎），皮疹（下腿の紫斑，皮膚潰瘍，網状皮斑など），多発性単神経炎，肺障害（間質性肺炎，肺胞出血による咳，血痰，労作時呼吸困難，低酸素血症），心不全，心伝導障害，消化器症状（下痢，腹痛，血便）

③検査所見：WBC↑，赤沈↑，CRP↑，MPO-ANCA（＋），腎病変あれば（蛋白尿，血尿，BUN↑，Cre↑），生検（皮膚，腎，神経など）で小型血管主体の壊死性血管炎

⓮好酸球性多発血管炎性肉芽腫症

(eosinophilic granulomatosis with polyangitis：EGPA) (Churg & Strauss 症候群)；Ⅰ型アレルギーをベースに発症する血管炎

①好発年齢は 40 歳前後，男女比は 1：1.7

②主要症状：気管支喘息やアレルギー性鼻炎が先行，血管炎症状（多発性単神経炎，紫斑，間質性肺炎，胸膜炎，消化管出血，心筋梗塞，視力低下，関節痛）

③検査所見：好酸球↑↑，赤沈↑，IgE↑，RF（＋），MPO-ANCA（＋），生検で好酸球浸潤を伴う壊死性血管炎および血管外肉芽腫（＋）

⓯ベーチェット病（Behçet's disease）

①好発年齢は 20～40 歳代，男女比は 1：1

②主要症状：再発性口腔内アフタ性潰瘍，皮膚症状（結節性紅斑，血栓性静脈炎，毛嚢炎様皮疹），外陰部潰瘍，眼のぶどう膜炎が 4 大主要症状．他に副症状として関節炎，副睾丸炎，特殊病型として消化管病変，血管病変，神経病変あり．

③検査所見：WBC↑，赤沈↑，CRP↑，自己抗体（－），HLA-B51 陽性率高い．

⓰IgG4 関連疾患：血中 IgG4 高値に加え，リンパ球とIgG4 陽性形質細胞の著しい浸潤と繊維化により，所

第4章　疾患編

膠原病とその類縁疾患

臓器の腫大や結節・肥厚性病変などを認める疾患群.

①好発年齢は60歳代, 男性に多いが唾液腺や涙腺が冒されるものには男女差なし.

②主要症状：冒される臓器により異なる. 閉塞性黄疸, 上腹部不快感, 食欲不振, 涙腺腫脹, 唾液腺腫脹, 水腎症, 喘息様症状, 糖尿病に伴う口渇など

③検査所見：血中IgG4↑, 病理組織で著明なリンパ球, IgG4陽性形質細胞の浸潤と繊維化.

膠原病を疑ったときの初診時の検査

❶血液検査：血算, 白血球分画, 赤沈, 生化学（CPK, CRP, 蛋白分画を含む）, 抗核抗体, RF, 血清補体価（CH50, C3）

❷検尿：一般, 沈渣

❸胸部Xp, 骨Xp, 関節エコー

免疫学的検査

❶免疫グロブリン

①血清Ig値は膠原病では全般的に増加する. 他に腫瘍, 感染症, 慢性肝疾患でも高値となり得る.

❷血清補体価

①補体系の活性化のルートにはclassical pathwayとalternative pathwayの2通りがあり, C3とC4（C3は両ルートの合流点に位置し, C4はclassical pathwayの活性化を鋭敏に反映）, それに補体の溶血活性をみるCH50を組み合わせて診断に用いる. 補体価の異常を示す疾患を**表2**に示す.

✎**memo**

663

膠原病 (6)

表 2　補体価の異常を示す疾患

低補体価
classical pathway の活性化（C4 ↓，C3 → or ↓） 　SLE，MCTD，DIC 　悪性関節リウマチ，若年性関節リウマチ
alternative pathway の活性化（C3 ↓，C4 →） 　膜性増殖性糸球体腎炎（MPGN） 　急性糸球体腎炎，血液透析
産生低下 　肝硬変，補体成分欠損症

高補体価
RA，皮膚筋炎，血管炎（大血管） 結節性動脈周囲炎（PAN）， 急性・慢性感染症，悪性腫瘍（癌腫）

❸自己抗体

①ポピュラーなリウマトイド因子（RF）や抗核抗体から特定の疾患を疑ったときにしか使われないものまで多様な抗体がある（**表3**）．

②抗核抗体は蛍光抗体法で，染色パターンより対応抗原を類推し，特異性のある抗核抗体を検査する（**表4**）．

✎**memo**

第4章　疾患編

膠原病とその類縁疾患

表3　主な自己抗体

自己抗体	各疾患における陽性率と臨床的意義
リウマトイド因子(RF)	RA（約80%），SS（約75%），MCTD（約50%），慢性肝疾患（約40%），他の膠原病（20%以下），健常人（約5%）
抗CCP抗体	RA（約90%）
抗核抗体	SLE（約95%）MCTD（約100%）SSc（80〜90%），SS（70〜80%）
抗dsDNA抗体	SLE（約50%）
抗U1-RNP抗体	MCTD（100%）SLE（約40%），SSc（約20%）→肺高血圧症と相関
抗Sm抗体	SLE（約30%）→腎症，中枢神経ループスと関連あり
抗トポイソメラーゼI (抗Scl-70)抗体	SSc（20〜30%）→間質性肺疾患出現多い
抗RNAポリメラーゼIII抗体	SSc（5〜10%）→腎クリーゼリスク高い
抗セントロメア抗体	SSc（約15%）→重症化しない例多い
抗SS-A/Ro抗体	SS（50〜70%），SLE（約30%）
抗SS-B/La抗体	SS（20〜30%）→疾患特異性高い
抗Jo-1抗体	PM/DM（20〜30%）→DMでの陽性多い．間質性肺炎との関連
抗Mi-2抗体	DM（5〜10%）→間質性肺炎合併少ない．
抗MDA5抗体	DM（10〜25%）→筋症状に乏しい無筋症性DMでの陽性多い．急速進行性の間質性肺炎合併多い．
抗SRP抗体	PM（約5%）→壊死性筋症との関連
抗TIF1-γ抗体	DM（約20%）→悪性腫瘍合併多い
MPO-ANCA	MPA（50〜80%），EGPA（50〜60%）
PR3-ANCA	GPA（60〜70%）

コンサルトのタイミング

❶膠原病を疑う臨床症状や免疫学的検査に異常がある場合は，一度は専門医へのコンサルトが望ましい．

❷治療についてはステロイド，免疫抑制薬，生物学的製剤，分子標的治療薬などがあるが専門医へのコンサルトが望ましい．

❸間質性肺炎や腎クリーゼ，肺高血圧など緊急対応を

665

膠原病（7）

表 4　蛍光抗体法による抗核抗体の陽性パターン

染色パターン		代表的抗体	対応する疾患
均質型 nomogenous		抗 ssDNA 抗体 抗 dsDNA 抗体 抗ヒストン抗体	SLE，薬剤性ループス SLE SLE，薬剤性ループス
辺縁型 peripheral（shaggy）		抗 dsDNA 抗体	SLE
斑紋型 speckled		抗 RNP 抗体 抗 Sm 抗体 抗 Scl-70 抗体 抗 SS-A/Ro 抗体 抗 SS-B/La 抗体 抗 Ku 抗体 抗 Ki 抗体	MCTD，SLE，SSc SLE SSc SS，RA，SLE SS SSc＋PM 重複症候群（日本人） SLE，オーバーラップ症候群
核小体型 nucleolar		抗 RNA ポリメラーゼⅢ抗体 抗リボゾーム P 抗体	SSc SLE
セントロメア型 （散在斑紋型） centromere （discrete speckled）		抗セントロメア抗体	SSc（CREST 症候群）

要する場合は速やかに紹介．

フォローアップ外来

臨床症状が落ち着いており，臓器障害の進行がなければ 3 か月～6 か月毎に検査しながら，非専門医でのフォローも可能．

✎memo

CKD（慢性腎臓病）(1)

ポイント
❶CKD は末期腎不全進行だけではなく，心血管イベント発症のリスクとなる.
❷高血圧の管理がもっとも重要であり，RA 系阻害薬を第一選択として目標血圧値をめざす.
❸透析導入時期が遅れすぎないように，適切な時期に腎専門医への紹介が必要となる.

定　義
❶尿異常・画像診断・血液検査・病理（腎生検）にて腎障害の存在が明らか.
❷糸球体濾過量（GFR）が 60 mL/分/1.73 m^{2}以下
上記❶❷のいずれか，または両方が 3 カ月以上持続する状態.

CKD の重症度分類　（表1）
❶原因（C：Cause），腎機能（G：GFR），蛋白尿（A：アルブミン尿）に分ける.
❷"糖尿病 G2A3"などと表記する.
❸表1に示すブルー色の濃淡順に死亡・末期腎不全のリスクが高くなる.

鑑別疾患
❶原発性糸球体疾患（慢性糸球体腎炎）：IgA 腎症，膜性腎症，巣状糸球体硬化症，膜性増殖性腎炎
❷二次性糸球体疾患：糖尿病，ANCA 関連血管炎，ループス腎炎，骨髄腫腎，アミロイドーシス，肥満腎症
❸尿細管・間質性・血管性疾患：腎硬化症，尿細管間質性腎炎，慢性的な水腎症
❹遺伝性腎疾患：多発性嚢胞腎，Fabry 病，Alport 症候群
❺血液透析導入疾患は多い順から，糖尿病性腎症，慢性糸球体腎炎，腎硬化症，多発性嚢胞腎となる.

667

CKD（慢性腎臓病）(2)

表 1　CKD の重症度分類

原疾患	蛋白尿区分		A 1	A 2	A 3
糖尿病	尿アルブミン定量 （mg/日） 尿アルブミン/Cr 比 （mg/gCr）		正常	微量 アルブ ミン尿	顕性 アルブ ミン尿
			30 未満	30～ 299	300 以上
高血圧 腎炎 多発性 　嚢胞腎 移植腎 不明 その他	尿蛋白定量 （g/日） 尿蛋白/Cr 比 （g/gCr）		正常	軽度 蛋白尿	高度 蛋白尿
			0.15 未満	0.15～ 0.49	0.50 以上
GFR 区分 （mL/分/ 1.73 m²）	G 1	正常または 高値	≧90		
	G 2	正常または 軽度低下	60～89		
	G 3 a	軽度～ 中等度低下	45～59		
	G 3 b	中等度～ 高度低下	30～44		
	G 4	高度低下	15～29		
	G 5	末期腎不全 （ESKD）	<15		

重症度は原疾患・GFR 区分・蛋白尿区分を合わせたステージにより評価する．CKD の重症度は死亡，末期腎不全，心血管死亡発症のリスクをグレー■のステージを基準に，ブルー　■→■→■の順にステージが上昇するほどリスクは上昇する．[実際のガイドラインでは■：赤，　■：橙，　：黄，■：緑]
（日本腎臓学会編：エビデンスに基づく CKD ガイドライン 2013）

第４章　疾患編　　　　　　　　　　　　　**腎・泌尿器疾患**

CKD の合併症

❶腎機能悪化，尿毒症，透析導入

❷心血管イベント（虚血性心疾患，心不全，脳血管障害，末梢血管疾患）

❸高血圧症　❹腎性貧血　❺高カリウム血症

❻代謝性アシドーシス　❼CKD-MBD

非専門医レベルで行うべきチェックリスト

❶問診：尿潜血・蛋白の出現時期（学校健診を参考に），家族歴

❷理学所見：BMI，高血圧，全身性浮腫，下腿紫斑

❸尿検査：尿蛋白の定量（蓄尿，随時尿），24 時間クレアチニンクリアランス

❹血液検査：BUN，Cr，K，Ca，無機リン，intact PTH，HbA1c，Hb，脂質，静脈血液ガス分析など

❺画像検査（エコー，CT）：腎のサイズ，腎嚢胞・水腎症の有無，腎血管エコー，胸水・腹水の存在

❻合併症検査：とくに心血管疾患のスクリーニング（心エコー，ホルター心電図，負荷心電図，ABI，頭部 CT，頸動脈エコーなど）

※造影 CT：CKD ステージ G3b 以降は造影 CT にて，ステージ G3a 以降は冠動脈造影によって造影剤腎症を発症するリスクが高い．

※造影 MRI：CKD ステージ G4 以上では，ガドリニウムによる造影 MRI 検査は禁忌．ステージ G3 であっても全身性線維症のリスクがある．

専門医での検査・処置

❶腎生検を検討する．

　①尿潜血＋尿蛋白陽性例

　②尿蛋白単独 0.5 g/日以上　③原因不明の Cr 上昇

※禁忌：萎縮腎（長径 8 cm 未満：出血を起こしやすいため），明らかな糖尿病性腎症，腎硬化症と考えられる症例は施行しないことが多い．すでに腎萎縮が進行している場合は腎生検できず，「原疾患不明」となる．

669

CKD（慢性腎臓病）⑶

❷基礎疾患への治療が適応かどうかをきめる.

腎生検にて腎炎と診断し, 急性病変が主体でありCrの進行を抑える効果が期待できる場合はステロイドを主体とする免疫抑制療法を積極的に行う.

❸CKD の進行の評価

①eGFR 40%または 30%低下は末期腎不全の予測因子.

②eGFR スロープの変化：－5.0 mL/分/1.73 m²/年より早く悪化する場合は rapid progression として CKD 進行の指標となる可能性がある（40 歳以上の健常な日本人の eGFR スロープは－0.36 mL/分/1.73 m²/年である）.

③RA 系阻害薬や SGLT2 阻害薬の投与初期の eGFR 低下が 3 か月以内に 30%超の時は腎専門医紹介.

❹高血圧管理（表2）

①CKD 患者への降圧目標（診察室血圧）と推奨度

ステージ			75 歳未満	75 歳以上
G1, G2	糖尿病（－）	蛋白尿（－）	140/90 mmHg 未満【1A】	150/90 mmHg 未満【2C】
		蛋白尿（＋）	130/80 mmHg 未満【1C】	
	糖尿病（＋）		130/80 mmHg 未満【1B】	

ステージ			75 歳未満	75 歳以上
G3～G5	糖尿病（－）	蛋白尿（－）	140/90 mmHg 未満【2C】	150/90 mmHg 未満【2C】
		蛋白尿（＋）	130/80 mmHg 未満【2C】	
	糖尿病（＋）		130/80 mmHg 未満【2C】	

蛋白尿（－）：尿蛋白/Cr 比 0.15 g/gCr 未満, または尿アルブミン/Cr 比 30 mg/gCr 未満（A1 区分）

蛋白尿（＋）：尿蛋白/Cr 比 0.15 g/gCr 以上, または尿アルブミン/Cr 比 30 mg/gCr 以上（A2, 3 区分）

【推奨の強さ（推奨レベル）】
　1：強く推奨する／2：弱く推奨する・提案する／なし：明確な推奨ができない

【アウトカム全般のエビデンスの強さ】
　A（強）：効果の推定値に強く確信がある
　B（中）：効果の推定値に中程度の確信がある
　C（弱）：効果の推定値に対する確信は限定的である
　D（非常に弱い）：効果の推定値はほとんど確信できない

（日本腎臓学会編：エビデンスに基づく CKD ガイドライン 2023）

第4章 疾患編

腎・泌尿器疾患

表2 CKD患者への推奨降圧薬

CKD ステージ		75歳未満		75歳以上
		蛋白尿（＋）	蛋白尿（－）	
G1～3	第1選択薬	ACE阻害薬，ARB	ACE阻害薬，ARB，Ca拮抗薬，サイアザイド系利尿薬（体液貯留）から選択	75歳未満と同様
	第2選択薬	Ca拮抗薬（CVDハイリスク）サイアザイド系利尿薬（体液貯留）		
G4, 5	第1選択薬	ACE阻害薬，ARB	ACE阻害薬，ARB，Ca拮抗薬，長時間作用型ループ利尿薬（体液貯留）から選択	Ca拮抗薬
	第2選択薬（併用薬）	Ca拮抗薬（CVDハイリスク）長時間作用型ループ利尿薬（体液貯留）		

蛋白尿（－）：尿蛋白/Cr比0.15 g/gCr未満，または尿アルブミン/Cr比30 mg/gCr未満（A1区分）

蛋白尿（＋）：尿蛋白/Cr比0.15 g/gCr以上，または尿アルブミン/Cr比30 mg/gCr以上（A2，3区分）

※抗アルドステロン薬（MRA）とアンジオテンシン受容体ネプリライシン阻害薬（ANRI）には十分なエビデンスがない．

②RA系阻害薬（ACE阻害薬・ARB）

　　高齢者やG4, 5では，投与初期や脱水状態，利尿薬やNSAIDs併用時にはeGFRが急速に低下することがあるため，少量から開始する．腎機能低下や高カリウム血症などがあれば，速やかに減量中止またはCa拮抗薬への変更が推奨される．

ACE阻害薬：エナラプリルマレイン酸塩

　レニベース錠（5 mg）　1回1錠　1日1回　内

アンジオテンシンⅡ受容体拮抗薬（ARB）：テルミサルタン

　ミカルディス錠（20 mg）　1回1錠から　1日1回　内

❺尿酸管理：尿酸降下療法は腎機能悪化を抑制する．

高尿酸血症治療薬：フェブキソスタット

　フェブリク錠（10 mg）　1回1錠　1日1回　内

❻脂質異常管理

　①スタチン及びスタチン＋エゼチミブは，腎機能悪化の抑制，CVDイベント発症抑制．

CKD（慢性腎臓病）⑷

②フィブラート系は中～高度腎機能障害患者では慎重投与または禁忌.

HMG-CoA 還元酵素阻害薬：ロスバスタチンカルシウム
クレストール錠（5 mg）　1回1錠　1日1回　⑰

❼腎性貧血
①目標 Hb は 13 g/dL を超えないようにする.
②目標 Hb の下限値は議論あり，現時点では 10 g/dL を目安にする.
③内服薬である HIF-PH 阻害薬は，鉄利用障害を改善させ，従来の注射薬である ESA*治療抵抗性の症例に有用である可能性がある.
*erythropoiesis stimulating agents

エリスロポエチン製剤：エポエチンβペゴル
ミルセラ（25 µg/0.3 mL）　1 A　月1回　⑰下

HIF-PH 阻害薬：ダプロデュスタット
ダーブロック錠（2 mg）　1回1錠　1日1回　⑰

※ESA 及び HIF-PH 阻害薬の開始用量及び増量法については添付文書に従うこと.
※HIF-PH 阻害薬は VEGF がターゲットとなるため，悪性腫瘍や網膜疾患に特に留意.
※ESA と HIF-PH 阻害薬の併用は行うべきではない.

④鉄欠乏（フェリチン 100 ng/mL 以下，TSAT 20%以下）があれば補充する.

❽CKD-MBD
①eGFR 低下による P 過剰を引き金に，活性化ビタミン D の低下，低カルシウム血症，PTH 分泌亢進に進展する.
②血清 P 値の目標値については明らかではないが可能な限り正常範囲内を目指す.

第4章 疾患編

腎・泌尿器疾患

③リン降下療法を推奨　Ca 含有に比べ Ca 非含有の P 吸着薬を推奨.

高リン血症治療薬：炭酸ランタン

炭酸ランタン錠（250 mg）　1回1錠　1日3回　⑰
食直後

④活性化ビタミン D 製剤を考慮.

活性型ビタミン D3 製剤：アルファカルシドール

ワンアルファ錠（0.25 μg）　1回1錠　1日1回　⑰

※高カルシウム血症に留意.

⑤骨粗鬆症を伴う場合，ステージ G4，5 では明確な推奨なし.

❾薬物療法

①SGLT2 阻害薬

・腎保護（年間 eGFR 低下速度の軽減）を目的に，糖尿病合併 CKD 患者，糖尿病非合併 CKD 患者で蛋白尿陽性患者には積極的に使用.

・eGFR が 15 mL/min/1.73 m^2 未満では新規には開始しない.

・ただし継続使用にて 15 mL/min/1.73 m^2 未満となった場合は慎重に継続する.

・投与開始後に eGFR の低下（initial dip）を認めることがある.

・絶食が必要とする手術に際しては術前 3 日前から休薬する.

・高齢者への投与に対しては，フレイル・サルコペニアの発症・増悪に注意.

選択的 SGLT2 阻害薬：ダパグリフロジンプロピレングリコール

フォシーガ錠（10 mg）　1回1錠　1日1回　⑰

②PPI：長期的使用は CKD 発症・進展のリスクとなる可能性があるので注意.

673

CKD（慢性腎臓病）⑸

③炭酸水素ナトリウム：腎機能低下が抑制される可能性があるため HCO_3^- 22 mmol/L 未満で開始.

制酸・中和剤

炭酸水素ナトリウム　1回0.5 g　1日3回

※浮腫に注意.

④吸着炭：末期腎不全への進展抑制には効果が乏しい.

⑩栄養
　①タンパク質制限
　・タンパク質摂取制限（0.8 g/kg/日以下）は末期腎不全への進展抑制に効果的.
　・ただし十分なエネルギー量摂取（25〜30 kcal/kg/日）が必要.
　・高齢者はBMIの低下から低栄養をきたす可能性があるので慎重に.
　②血清K：4.0〜5.5 mEq/L にコントロール
　③食塩：6 g/日未満が望ましい
⑪生活習慣
　①喫煙：禁煙を強く勧める.
　②飲酒：CKD進展や死亡に関するエビデンスは明らかではない.
　③コーヒー：CKD進展抑制効果あり.
　④便秘：CKD発症・進展リスクとなる.
　⑤水分摂取：1〜1.5 L/日を推奨. それ以上に飲水量増やしても効果乏しい.
　⑥ワクチン接種：B型肝炎ウイルス，インフルエンザ，肺炎球菌に対するワクチン推奨.
⑫透析導入
　①腎代替療法（血液透析，腹膜透析，腎移植）の選択を提示する（表3）.

第4章　疾患編

腎・泌尿器疾患

表3　各種腎代替療法の特徴

	血液透析	腹膜透析	腎移植
代替できる腎臓の機能	血液透析で10%程度, 腹膜透析で5%程度（エリスロポエチンやビタミンDなどのホルモンの異常が残る）		50%程度. ホルモンの異常はある程度回復
必要な薬剤	末期腎不全のときに使用した薬剤とほぼ同等		免疫抑制薬とその副作用予防の薬剤が追加される
生命予後	腎移植に比べると劣る		優れている
心血管合併症	多い		透析に比べて少ない
生活の質	腎移植に比べると劣る		優れている
生活の制約	多い（週3回, 1回4時間程度の通院治療）	やや多い（透析液交換, 装置のセットアップなど）	ほとんどなし
社会復帰率	低い場合がある		高い
食事・飲水制限	多い（蛋白・水・塩分, カリウム, リン）	やや多い（水, 塩分, リン）	少ない
手術	内シャント作製, カテーテル挿入	腹膜透析カテーテル挿入	腎移植
通院回数	週3回	月に1〜2回程度	安定していれば, 3ヵ月以降月1回
旅行・出張	旅行先での透析施設の確保が必要	透析液等の携帯や準備	制限なし
スポーツ	脱水に注意	腹圧がかからないようにする	移植した部位の保護
妊娠・出産	妊娠・胎児のリスクを伴う		安定期で腎機能良好なら可能. 免疫抑制薬等の調整
感染症	リスクが高い		予防が重要
入浴	透析終了後は, 当日の入浴・シャワー不可	カテーテル出口部の保護が必要なことがある	制限なし
その他のメリット	医療スタッフが管理	血圧や老廃物の変動が少ない 在宅治療である 自由度が高い 尿量が維持されやすい	透析療法が不要
その他のデメリット	バスキュラーアクセスの問題（閉塞, 感染, 出血, 穿刺痛, ブラッドアクセス困難） 除水による血圧低下	腹部症状（腹が張る等） カテーテル感染・位置異常等 腹膜炎のリスク 透析液への蛋白喪失 腹膜の透析膜としての寿命（5〜8年くらい）	免疫抑制薬の副作用 拒絶反応等による腎機能障害 透析再導入の可能性 移植腎喪失への不安

（日本腎臓学会・他編：腎代替療法選択ガイド2020）

CKD（慢性腎臓病）⑥

②十分な説明と選択のサポート，準備期間が必要であるため遅くともステージ G4 になった段階で腎臓専門医に紹介する.

③導入前には心血管疾患のスクリーニングを行う.

④高齢者や認知症患者に対し，透析導入を差し控える CKM（Conservative Kidney Management；保存的腎臓療法）の概念も広がりつつある.

コンサルトのタイミング

❶コンサルトの目的は以下の3点

①血尿，蛋白尿，腎機能低下の原因精査.

②進展抑制目的の治療強化（治療抵抗性の蛋白尿，腎機能低下，高血圧）.

③保存期腎不全の管理，腎代替療法の導入.

❷そのタイミングについて

①GFR 区分にかかわらず顕性アルブミン尿（300 mg/gCr 以上）がある場合

②A2 の場合は，G3a 以上紹介

G1，2 の場合は，血尿が加われば紹介，蛋白尿のみなら生活指導継続.

③A1 の場合は，G3b 以上紹介

G3a の場合は，40 歳未満紹介，40 歳以上は生活指導継続.

④上記以外に3か月以内に30％以上の腎機能悪化を認める場合はすみやかに紹介.

フォローアップ外来

❶eGFR と尿検査を1～3か月ごとに検査する.

❷腎機能低下にともなう合併症（貧血，電解質異常，CKD-MBD，血糖，尿酸，脂質など）のモニタリングと心血管疾患のスクリーニングを定期的に行う.

✎memo

糸球体疾患 (1)

ポイント

❶ 糸球体疾患のすべてが5つの症候群（**表1**）に分類される．IgA 腎症や ANCA 関連腎炎などの1つの疾患にて複数の症候群をとりうる．

❷ 尿検査にて尿蛋白・潜血があれば，糸球体疾患を疑う．

❸ 腎生検の適応は腎専門医にゆだね，診断，治療方針，予後の推定を行う．

定　義

　症候としては，**表1**（①急性腎炎症候群，②急速進行性腎炎症候群，③良性血尿症候群，④慢性腎炎症候群，⑤ネフローゼ症候群）の5つに分けられる．この中に，IgA 腎症，膜性腎症などの病理学的疾患名と，ANCA 関連疾患や溶連菌感染後糸球体腎炎などの臨床的疾患名が分類される．

　（例：IgA 腎症は，基本的には慢性腎炎症候群となることが主だが，急速進行性腎炎症候群となることもある）

表1　糸球体疾患の症候群

①急性腎炎症候群	糸球体性を疑う尿蛋白・潜血と浮腫・高血圧が急に（日〜週単位）発症するもの（例；溶連菌感染後糸球体腎炎）
②急速進行性腎炎症候群	糸球体性を疑う尿蛋白・潜血と急速に（週〜月単位）腎機能が悪化するもの（例；ANCA 関連腎炎）
③良性血尿症候群	顕微鏡的血尿のみが持続している．
④慢性腎炎症候群	糸球体性を疑う尿蛋白・潜血が長期間にわたって陽性であるもの（例；IgA 腎症）
⑤ネフローゼ症候群	☞ p.681

677

糸球体疾患 ⑵

鑑別疾患

❶原発性糸球体疾患：IgA 腎症，膜性増殖性腎炎，膜性腎症，巣状糸球体硬化症（後2者はネフローゼ症候群となることが多い），ANCA 関連腎炎など

❷二次性糸球体疾患：糖尿病性腎症，ループス腎炎，骨髄腫腎，アミロイドーシス，肝炎ウイルス関連性，クリオグロブリン血症など

糸球体疾患を疑うポイント

❶尿検査にて尿赤血球円柱，変形赤血球伴う尿潜血，尿蛋白がある．

❷Cr が進行性に上昇する．

❸糖尿病，SLE，多発性骨髄腫患者，肝炎ウイルス陽性者での尿検査異常

❹一方，以下ⓐⓑなどの尿細管間質性疾患は，糸球体疾患と下記①〜④の点で異なる．

> ⓐ尿細管間質性腎炎：薬剤性，IgG4 関連疾患，サルコイドーシス，シェーグレン症候群，膀胱尿管逆流・尿路閉塞
> ⓑ急性尿細管壊死：虚血性，薬物（毒物）性，敗血症性

> ①尿所見がとぼしい（尿蛋白・潜血がほとんど認められない）のに，Cr が急速に（または緩徐に）上昇する．
> ②尿中好酸球の上昇，リンパ球優位の尿中白血球分画
> ③尿中の尿細管酵素（NAG，$\beta 2MG$）が上昇する．
> ※急性期であれば NAG が主に上昇する．
> ※蓄尿では保存状態により測定値にばらつきあるため，随時尿の値を Cr 補正する．
> ④CT，エコーなどで腎腫大がみられる．

非専門医レベルで行うべきチェックリスト

❶尿検査：①随時尿検査による尿蛋白，尿潜血，変形赤血球，赤血球円柱，②24 時間蓄尿検査による一日尿蛋白

❷血液検査：BUN，Cr，電解質，HbA1c など

第4章　疾患編

腎・泌尿器疾患

❸画像検査：腹部エコー，CT

専門医での検査・処置

❶血液検査：免疫グロブリン（IgG，IgA，IgM），補体価，抗核抗体，ds-DNA，蛋白分画，RF，MPO-ANCA，PR3-ANCA，ASO，ASK，肝炎ウイルス，クリオグロブリン

❷尿検査：尿細管酵素，蓄尿検査による24時間クレアチニンクリアランス

❸腎生検を行い，診断，治療方針，予後の推定を行う．

❹ステロイドを中心とした免疫抑制療法を行う例が多い．

❺CKDの管理を行う．

コンサルトのタイミング

❶糸球体腎炎を疑えば，腎生検の適応について，一度は専門医に受診することが望ましい．

❷蛋白尿＋顕微鏡的血尿，0.5g/日以上の蛋白尿があれば，腎生検の適応となる．

❸週～月単位でCrが上昇しており，血尿・蛋白尿を伴う場合は，急速進行性腎炎症候群である可能性が高く，できるだけ早く腎臓内科コンサルト．

フォローアップ外来

❶幼少時より指摘されている顕微鏡的血尿や，一過性の軽度の蛋白尿は，経過観察可能．6～12カ月ごとの尿検査（早期尿がのぞましい）を指示する．

❷腎炎の活動期によってフォローの間隔はことなるが，尿所見や腎機能が変動している場合は少なくとも1カ月ごとにチェックすることが望ましい．

IgA腎症

ポイント

❶一般外来医が遭遇するのは，IgA腎症の診断前（尿

679

糸球体疾患 (3)

検査異常）と，IgA 腎症と診断されている患者が急性疾患で一般外来を訪れる場合が多い．

❷以前より顕微鏡的血尿を指摘され，尿蛋白が伴うようになってきた場合の多くは IgA 腎症．

❸IgA 腎症が急性増悪しやすいのは，急性上気道炎や急性腸炎などのウイルス性疾患罹患後．典型的にはウイルス感染後数日以内の肉眼的血尿．

【IgA 腎症患者が外来にきた場合】

非専門医レベルで行うべきチェックリスト
❶尿検査（沈渣も含む）：急性増悪時は血尿をともない蛋白尿が増加する．

❷血液検査：Cr が上昇しているときは特に早期に対応が必要．

専門医での検査・処置
❶IgA 腎症の悪化が疑われれば，RA 系阻害薬，ステロイドなどの免疫抑制剤投与，口蓋扁桃摘出術の検討．

❷IgA 腎症急性増悪の鑑別，または治療方針の決定（免疫抑制剤の強化が必要かどうか）について，腎生検を行うことがある．

❸10 年間の腎生存率は 81〜87％．

コンサルトのタイミング
❶急性増悪が疑われれば（ウイルス感染時の血尿），1 週間以内の腎臓内科外来を受診のこと．

❷尿量減少，Cr 上昇など腎不全兆候あれば，できるだけ早くコンサルトする．

フォローアップ外来
❶尿所見に少しでも異常があれば 1 週間以内の再診が必要．

❷尿検査，Cr に全く問題なければ，次回の腎外来予約まで経過観察で可．

ネフローゼ症候群 (1)

ポイント

1. 原因として，原発性糸球体疾患では，微小変化群と膜性腎症が主．
2. 合併症としての循環不全・急性腎不全や凝固亢進に留意．
3. ネフローゼ症候群と診断すれば，腎生検での原疾患の確定診断が必要であり，専門医紹介が望ましい．

定 義

1. 必須条件：持続する尿蛋白 3.5 g/日以上，かつ，血清アルブミン濃度 3.0 g/dL 以下（血清総蛋白 6.0 g/dL 以下）．
2. 非必須条件：脂質異常症（高 LDL-C 血症）および浮腫の存在．

鑑別疾患

1. 原発性糸球体疾患：①微小変化群，②膜性腎症，③巣状糸球体硬化症など．
   1. 微小変化群ネフローゼ症候群（MCNS）は，小児・若年に多い（40 歳未満の 2/3～3/4），高齢でもやや増加する．急性の経過が多い．腎予後良好．
   2. 膜性腎症；中年から高齢にかけてもっとも多い（60 歳以上の半数をしめる）．悪性腫瘍を合併していることも．一次性膜性腎症の診断に血清抗 PLA2R 抗体の測定（保険適用外）が有用．腎予後：60％（20 年）．
2. 二次性糸球体疾患：糖尿病性腎症，ループス腎炎，アミロイドーシス，骨髄腫腎，薬剤性（NSAIDs，金製剤など），感染症（HBV，HCV，HIV，parvoB 19 感染症，梅毒など），悪性腫瘍など，圧倒的に糖尿病性腎症が多い．

非専門医レベルで行うべきチェックリスト

1. 全身浮腫，胸水・腹水の存在，高血圧
2. 1 日尿蛋白量：随時尿で g/gCr 比，蓄尿で 3.5 g/日

ネフローゼ症候群 ⑵

を確認.

❸selectivity index：IgG とトランスフェリン（Tf）の
クリアランス比

$$=（尿 IgG/血清 IgG）/（尿 Tf/血清 Tf）$$

※0.1 以下なら尿蛋白選択性が高く，MCNS の疑いが強い.

❹血液検査：TP，Alb，Tcho，BUN，Cr，凝固系

❺糖尿病の既往（罹患年数，合併症の有無）

❻合併症である腎不全進行と凝固亢進・血栓症に要注意.

❼原疾患の診断・治療をせずに，全例専門医に紹介.

❽浮腫がつよく，循環不全の徴候がなければ利尿薬の使用はしてもよい.

ループ利尿剤：フロセミド

ラシックス錠（20 mg）　1 回 1〜4 錠　1 日 1 回　㊤

専門医での検査・処置

❶明らかな MCNS の再発以外は，全例腎生検にて確定診断.

❷ステロイド治療

MCNS であれば，ステロイド治療が第一選択.

0.5〜1.0 mg/kg/day で開始，7〜10 日間で急に尿蛋白が消失することが多い.

副腎皮質ステロイド：プレドニゾロン

プレドニン錠（5 mg）　1 日 6 錠を 1〜2 回に分けて　㊤

※腸管浮腫が著明な場合は経静脈的投与を検討.

※再発が高率（平均 5 回）であり，減量は慎重に.

※ステロイド抵抗性例では，シクロスポリン，ミゾリビン，シクロホスファミドなどの免疫抑制薬，頻回再発・ステロイド依存例では，リツキシマブをを考慮.

※膜性腎炎は自然軽快例（約 30％）あり，高齢者への積極的なステロイド使用は疑問視されている.

第4章　疾患編　　　　　　　　腎・泌尿器疾患

❸利尿薬
　①対症的に浮腫の軽減に使用．
　②コントロール不能の浮腫や胸腹水は，ECUM（体外限外濾過法）が有効．
❹アルブミン製剤
　①著明な低アルブミン血症にて循環不全があるときのみに用いる．
　②アルブミン製剤はステロイドの反応性を低下させる．
❺RA 系阻害薬
　　高血圧合併例には尿蛋白の減少効果あり．

ACE 阻害薬：エナラプリルマレイン酸塩
レニベース錠（5 mg）　1回1錠　1日1回　内

コンサルトのタイミング
❶循環不全の徴候があれば，すぐに専門医コンサルト．
❷急性発症であれば，翌日までに専門医コンサルト．
❸それ以外は，できるだけ早く専門医コンサルト．

フォローアップ外来
❶尿蛋白・腎機能・血清アルブミン値は1～2カ月に1回フォロー．
❷上気道炎や急性腸炎の合併時には，増悪の可能性あり，緊急にフォロー．
❸MCNS の再発は急に起こるため，尿のあわだちや浮腫などがあれば自己判断で受診するように指導する．

memo

尿路結石症

ポイント

❶ 尿路感染症, 腎後性腎不全合併例では緊急処置の適応となり得るので, 専門医コンサルトが必要.

症　状

❶ 激しい側腹部痛や腰背部痛. 結石が膀胱尿管移行部まで下降すると頻尿, 残尿感などの膀胱刺激症状を伴うこともある.

❷ 自律神経症状：疝痛発作時には冷汗, 顔面蒼白, 悪心・嘔吐などを認めることがある.

❸ 肉眼的血尿.

❹ 尿路感染を伴っていれば発熱

検　査

❶ 尿一般・沈渣：顕微鏡的血尿を認めることが多い.

❷ 腹部超音波：結石による尿路閉塞があれば水腎症を伴う.

❸ 腹部 Xp（KUB）：尿路に一致した石灰化陰影

❹ 腹部単純 CT：感度 94〜100％, 特異度 92〜100％, 他疾患の鑑別にも有用.

治　療

❶ 疼痛コントロール

フェニル酢酸系 NSAIDs：ジクロフェナクナトリウム
ボルタレンサポ

　　　　　　1 回 25〜50 mg　1 日 1〜2 回　坐

ベンゾモルフィン系オピオイド（非麻薬）：ペンタゾシン
ソセゴン注（15 mg）　1 回 1 A　筋

❷ 自然排石促進のため飲水を促す.

専門医での検査・処置

❶ 尿路感染症や腎後性腎不全合併例はそれらが改善してから砕石術を検討.

❷ 体外衝撃波結石破砕術（ESWL）, 内視鏡の治療（経尿道的腎尿管砕石術, 経皮的腎砕石術）

第4章 疾患編　　腎・泌尿器疾患

＜結石砕石術の適応＞
・絶対的適応：10 mm 以上
・相対的適応：5 mm 以上

コンサルトのタイミング

❶尿路感染症や腎後性腎不全（両側水腎症，単腎症例など）合併例は尿管ステント留置や腎瘻造設の適応となり得るので専門医にコンサルト．

❷5 mm 以上の結石は砕石術の必要性を検討するために専門医コンサルト．

❸症状発症から1か月以内に自然排出を認めない場合には，積極的な結石除去療法を検討すべきである．

尿路感染症・男性性器感染症 (1)

ポイント
❶膀胱炎では発熱を認めない.
❷発熱を認めれば腎盂腎炎を疑う. 男性であれば，他に前立腺炎や精巣上体炎を疑う.

膀胱炎

ポイント
❶女性の膀胱炎は単純性膀胱炎が多い.
❷難治性，再発性膀胱炎や男性患者では基礎疾患の有無につき検査が必要.

症　状
頻尿，排尿時痛，残尿感，血尿など

検　査
尿一般・沈渣：尿中白血球増加（尿培養も提出）

治　療

セフェム系抗生物質：セフカペンピボキシル（CFPN-PI）
フロモックス錠（100 mg）　1回1錠　1日3回　内
5〜7日間

ニューキノロン系抗菌薬：レボフロキサシン（LVFX）
クラビット錠（500 mg）　1回1錠　1日1回　内
3日間

コンサルトのタイミング
　難治例，再発例では複雑性膀胱炎の可能性があり，基礎疾患の有無につき検査が必要なため，専門医コンサルト.

腎盂腎炎

ポイント
❶高熱を伴うことが多く，時に敗血症性ショックをきたす.
❷必ず尿路通過障害の有無をチェックし，ドレナージの必要性につき判断する.

第4章　疾患編

腎・泌尿器疾患

症　状
発熱，患側の肋骨脊椎角の自発痛・叩打痛，膀胱炎症状．

検　査
❶尿一般・沈渣：尿中白血球増加（必ず尿培養を提出）．
❷血液一般・生化学検査：白血球増多（左方移動），CRP上昇，時にCr上昇．
❸腎・膀胱超音波：水腎症，残尿の有無をチェック
❹腹部CT：水腎症の有無をチェック，腎周囲脂肪組織の濃度上昇を認めることが多い．

治　療
＜軽症例＞

ニューキノロン系抗菌薬：レボフロキサシン（LVFX）
クラビット錠（500 mg）　1回1錠　1日1回　内
7〜14日間

＜重症例＞

CTRX　1回1〜2 g　1日1回　点

※尿培養の結果により，狭域の抗菌薬に変更し，計14日間投与．

コンサルトのタイミング
水腎症を認める場合は，尿管ステント留置もしくは腎瘻造設の適応につき泌尿器科コンサルト．

精巣上体炎

症　状
発熱，陰嚢の腫脹・圧痛．

検　査
❶尿一般・沈渣：尿中白血球増加（必ず尿培養を提出）．
❷血液一般・生化学検査：白血球増多（左方移動），CRP上昇

尿路感染症・男性性器感染症 (2)

治療

<軽症例>

ニューキノロン系抗菌薬：レボフロキサシン（LVFX）

クラビット錠（500 mg）　1回1錠　1日1回　内
　　　　　　　　　　　　　　　　　　　7～14日間

<重症例>

CTRX　1回1～2 g　1日1回　点　3～7日間

※症状寛解後は経口抗菌薬に変更する．治療期間は合計
　で14～21日間．

コンサルトのタイミング

基礎疾患検索のため専門医コンサルト．

前立腺炎

症状

発熱，排尿時痛，頻尿，残尿感など．

検査

❶尿一般・沈渣：尿中白血球増加（必ず尿培養を提出）．
❷血液一般・生化学検査：白血球増多（左方移動），CRP
　上昇

治療

<軽症例>

ニューキノロン系抗菌薬：レボフロキサシン（LVFX）

クラビット錠（500 mg）　1回1錠　1日1回　内
　　　　　　　　　　　　　　　　　　　7～14日間

<重症例>

CTM　1回1 g　1日2～4回　点　3～7日間

※症状寛解後は経口抗菌薬に変更する．治療期間は合計
　で14～28日間．

コンサルトのタイミング

基礎疾患検索のために専門医コンサルト．

下部尿路機能障害 (1)
(排尿障害と蓄尿障害)

ポイント
❶ 下部尿路機能障害の存在を示す症状は排尿症状と蓄尿症状に大別される.
❷ 尿路感染症, 尿路結石, 悪性腫瘍の除外が必要.
❸ 原因となる主な疾患は男性で前立腺肥大症, 女性で骨盤臓器脱. 過活動膀胱は男女ともに認める.

男性下部尿路機能障害

症状
❶ 排尿症状：排尿困難, 尿線途絶, 尿勢低下
❷ 蓄尿症状：頻尿, 尿意切迫感, 切迫性尿失禁

検査
❶ 検尿：尿中 WBC を認める際は尿路感染症の治療. 尿中 RBC を認める場合は他疾患の鑑別が必要.
❷ 残尿測定：残尿が 100 mL 以上ある場合は専門医コンサルト. 症状は頻尿, 尿失禁でも尿閉をきたしている場合あり.
❸ 前立腺特異抗原（PSA）測定：4 ng/mL を超える場合は専門医コンサルト.

治療
排尿症状および蓄尿症状に対して

α1 ブロッカー：シロドシン
　ユリーフ錠（4 mg）　1回1錠　1日2回　内

専門医での治療
　排尿症状および蓄尿症状に対して：α1 ブロッカーから切り替えもしくは追加.

PDE5 阻害薬：タダラフィル
　ザルティア錠（5 mg）　1回1錠　1日1回　内

5α 還元酵素阻害薬：デュタステリド
　アボルブカプセル（0.5 mg）
　　　　　　　　　　1回 Cap　1日1回　内

　蓄尿症状に対して

689

下部尿路機能障害 ⑵
（排尿障害と蓄尿障害）

ムスカリン受容体拮抗薬：ソリフェナシン

ベシケア錠（5 mg）　1回1錠　1日1回　㊄
あるいは

β3 受容体作動薬：ミラベグロン

ベタニス錠（50 mg）　1回1錠　1日1回　㊄

※いずれも残尿発生のリスクがあり α1 ブロッカーと併用.

コンサルトのタイミング

❶難治性尿路感染症，残尿 100 mL 以上，血尿，PSA
高値など泌尿器癌が疑われる場合.

❷α1 ブロッカーを投与しても下部尿路症状が改善しない場合.

女性下部尿路機能障害

症　状

男性の症状に加えて腹圧性尿失禁の頻度が高い.

検　査

❶検尿：尿中 WBC を認める際は尿路感染症の治療.
尿中 RBC を認める場合は他疾患の鑑別が必要.

❷残尿測定：残尿が 100 mL 以上ある場合は専門医コンサルト．症状は頻尿，尿失禁でも尿閉をきたしている場合あり.

専門医での治療

蓄尿症状に対して

β3 受容体作動薬：ビベグロン

ベオーバ錠（50 mg）　1回1錠　1日1回　㊄
あるいは

ムスカリン受容体拮抗薬：ソリフェナシン

ベシケア錠（5 mg）　1回1錠　1日1回　㊄

コンサルトのタイミング

❶難治性尿路感染症，残尿 100 mL 以上，血尿などを
認める場合.

❷難治性過活動膀胱の場合.

泌尿器癌（腎，膀胱，前立腺）

腎 癌

症 状
　画像診断が発達した現在では，無症状で偶然に発見される腎癌が増えている．

検 査
❶腹部超音波　❷腹部造影CT

専門医での治療
　腎摘除術，小さい腫瘍であれば腎部分切除術．

膀胱癌

症 状
❶血尿（特に無症候性肉眼的血尿）
❷膀胱刺激症状（頻尿，排尿時痛，残尿感など）

検 査
❶検尿
❷尿細胞診：感度40～60％，特異度は90～100％．尿細胞診陰性でも膀胱癌を否定することはできない．

専門医での検査・処置
　膀胱鏡検査は診断に必須．組織診断もかねて経尿道的膀胱腫瘍切除術（TUR-Bt）．

前立腺癌

症 状
　早期癌では特有なものはない．

検 査
　前立腺特異抗原（PSA）：4.0 mg/mL 以上であれば専門医コンサルト．

専門医での検査・治療
　MRI検査を施行し，前立腺針生検の適否を決定する．治療は，手術，放射線治療，ホルモン療法，監視療法など．

性行為感染症（STI）⑴
sexual transmitted infection

ポイント

❶性行為感染症は感染初期に症状を示さないことが多いため，他人へ感染を広げやすい.

❷性行為感染症は可能なかぎり，セックスパートナーを同定し，同時に治療することが望ましい.

STIに含まれる主な感染症

淋菌感染症，クラミジア感染症（尿道炎・子宮頸管炎・卵管炎・骨盤腹膜炎），梅毒，性器ヘルペス，尖圭コンジローム，腟トリコモナス，HIV 感染症（☞ p.272），軟性下疳，鼠径肉芽腫，B 型・C 型肝炎（☞ p.510），サイトメガロウイルス感染症，伝染性単核球症（☞ p.828），成人 T 細胞白血病，外陰・腟カンジダ症，アメーバ赤痢，疥癬，毛じらみなど.

コンサルトのタイミング

性器に症状があれば初めから専門医を受診することが多いが，全身症状から STI を疑った場合は専門医コンサルトし，確定診断および治療は専門医に委ねる.

淋菌感染症

性器クラミジア感染症と並んで頻度の高い性感染症. クラミジア感染など他の非淋菌性尿道炎の合併例が多い.

症状

❶男性淋菌性尿道炎：灼熱感を伴う強い排尿時痛と外尿道口からの膿性分泌物.

❷子宮頸管炎（女性）：腟分泌液の増加，不正性器出血など.

❸性行為の形態により咽頭炎や直腸炎も生じ得る. 性器淋菌感染症患者の 10〜30％に咽頭からも淋菌が検出される. 自覚症状がない場合もある.

治療

CTRX 点滴.

第4章　疾患編　　**腎・泌尿器疾患**

クラミジア感染症

❶非淋菌性尿道炎の約40～60％を占める.

❷一般妊婦健診で子宮頸管内のクラミジア抗原陽性率は5～8％で広く蔓延. 産道感染により新生児肺炎・結膜炎の原因となる.

❸卵管炎による卵管閉塞が不妊症の原因となり得る.

症　状

❶男性：排尿時痛は軽く, 外尿道口からの分泌分は水っぽく, 薄い. ほぼ無症状のこともある.

❷女性：帯下増量感, 不正出血, 下腹痛, 性交痛.

治　療

アジスロマイシン内服.

梅　毒

　梅毒トレポネーマ感染症で, 主として性行為または類似の行為により感染する性感染症の代表的疾患.

症　状

❶第1期梅毒：梅毒トレポネーマが侵入した部位に約3週間後, 紅斑, 丘疹, 潰瘍が出現, 境界明瞭で硬く, 圧痛, 出血はない（硬性下疳）. 3～6週間で消失, 病変出現約1週間後に感染局所のリンパ節で無痛性の腫脹が出る.

❷第2期梅毒：さらに3～6週間後に咽頭痛, 倦怠感, 体重減少, 発熱, 筋肉痛, 紅斑（バラ疹）, 全身性のリンパ節腫脹, 粘膜の潰瘍などが生じ, 無治療でもこれらの症状は消失.

❸第3期梅毒：感染後約3年で皮膚・粘膜・内臓にゴム腫（ゴム様硬度の結節で, 中央部が潰瘍化する）を生じる.

❹第4期梅毒：脊髄癆（脊髄の後根, 後索, 脳幹の障害による神経障害）は感染後平均25～30年, 梅毒性血

性行為感染症（STI）⑵
sexual transmitted infection

管炎による症状（動脈炎・動脈瘤・大動脈弁閉鎖不全症・虚血性心疾患など）は感染後 10～40 年で生じる.

❺**先天性梅毒**：感染している母親から胎児に妊娠 4 カ月以降に経胎盤感染する. 妊娠 4 カ月以前に母親の治療を行えば感染の危険はない.

治　療

抗菌薬治療（AMPC，MINO，EM など）

性器ヘルペス

❶単純ヘルペスウイルス（HSV）1 型またはⅡ型の感染によって，性器に浅い潰瘍性または水疱性病変を形成する疾患.

❷HSV は神経節に潜伏しやすく，しばしば再発を繰り返す.

症　状

発熱，頭痛，倦怠感などの全身性症状や排尿障害，圧痛，瘙痒感，性器からの漿液性の分泌物，有痛性の鼠径部リンパ節腫脹，性器における丘疹や水疱の多発など.

治　療

抗ヘルペスウイルス薬内服，塗布.

尖圭コンジローム

Human papilloma virus（HPV）の感染によって起こり，良性の疣贅（いぼ）を生じる.

腟トリコモナス症 ☞ p. 714

Trichomonas vaginalis という原虫によるもので，男性は尿道炎，女性は腟炎を起こすが，多くの場合は無症状.

✍**memo**

貧　血 (1)

ポイント

❶ 体位や輸液による Hb 測定値の影響を考える.

❷ MCV によって大きく3つに分類して鑑別する方法が一般的.

❸ 貧血の原因は一つとは限らず, 鉄については必ずチェックする.

診断基準 (WHO の基準)

①成人男性；13 g/dL 以下

②成人女性；12 g/dL 以下

③高齢者；11 g/dL 以下

※臥位で採血した場合, 座位での採血より Hb が 4～10% 程度低くなることに注意. 外来での採血は座位, 入院後は臥位でとられることが多い.

※脱水が顕著の場合, 入院後の補液により Hb が急速に低下したように見えることがある.

鑑別疾患

❶ 小球性低色素性貧血 (MCV 80 以下)

①鉄欠乏性貧血

②二次性貧血 (感染症, 悪性腫瘍, 膠原病, 低栄養, 妊娠など)

③サラセミア

❷ 正球性正色素性貧血 (MCV 81～100)

①出血性貧血

②溶血性貧血

③骨髄疾患 (白血病, 再生不良性貧血, 赤芽球癆)

④腎性貧血

❸ 大球性貧血 (MCV 101 以上)

①巨赤芽球性貧血；ビタミン B_{12} 欠乏, 葉酸欠乏

②骨髄異形成症候群

③肝疾患, 甲状腺機能低下症

④網状赤血球が増加する病態 (出血回復期, 高度の溶血性貧血など)

貧　血 ⑵

非専門医レベルで行うべきチェックリスト

❶ 症状・所見
　①動悸・労作時息切れ
　　　　貧血がゆっくり進行する場合は Hb 6 g/dL 以下
　　　の高度な貧血でも無症状のこともある．
　②眼瞼結膜の蒼白
　　　　Hb 8 g/dL 以下となると明らかになる．

❷ 検査所見
　①MCV で分類するが RDW（赤血球分布幅）も参考
　　にする．RDW が大きい場合は，赤血球の大小不
　　同があることを示しており，鉄欠乏性貧血や巨赤
　　芽球性貧血が考えられる．
　②小球性貧血の鑑別
　・フェリチン低下・TSAT 低下→鉄欠乏性貧血 ☞ p.697
　※ TSAT（トランスフェリン飽和度）＝血清鉄（Fe）／総
　　鉄結合能（TIBC）×100（％）（正常値は 20％以上）
　・フェリチン正常〜増加→二次性貧血，サラセミア
　※サラセミア index（MCV×10^6/RBC）：13 以下の時は
　　サラセミアを疑う．
　③正球性貧血の鑑別
　・溶血性貧血 ☞ p.699
　・腎性貧血を疑えばエリスロポエチン値を測定する．
　・Hb 10 g/dL 以下では通常の反応ではエリスロポエチン
　　は 100 を超えるため，100 以下であればエリスロポエチ
　　ンの分泌不全があると考える．
　④大球性貧血の鑑別
　・ビタミン B_{12}，葉酸，甲状腺ホルモンを測定．
　・巨赤芽球性貧血 ☞ p.700
　・MCV 101-110 程度であれば骨髄異形成症候群の可能性
　　がある．
　・骨髄疾患（白血病，再生不良性貧血，骨髄異形成症候
　　群など）を疑えば，骨髄穿刺を積極的に行う．

第4章　疾患編　　　　　　　　　　　　　　　血液疾患

鉄欠乏性貧血

ポイント

❶鉄欠乏性貧血と診断した場合，男性や閉経後の女性なら，消化管出血や悪性腫瘍の除外．
❷内服鉄剤はアドヒアランスを保つ工夫をする．
❸静注鉄剤に週1回投与製剤が使用されるようになった．

非専門医レベルで行うべきチェックリスト

＜臨床症状＞

❶鉄欠乏性貧血に特有の症状
　①倦怠感；貧血が明らかでなくても鉄欠乏のみでもあり．
　②匙状爪
　③異食症；氷をガリガリと噛むことを好む．
❷Plummer-Vinson症候群；嚥下障害・舌炎・鉄欠乏性貧血

＜検査所見＞

❶末梢血検査；低球性低色素性貧血，赤血球は菲薄化・大小不同・標的赤血球，血小板数はやや増加していることが多い．
❷フェリチン減少，鉄飽和率（TSAT ☞ p. 696）減少
　鉄欠乏性貧血と診断した場合，男性や閉経後の女性なら，消化管出血や悪性腫瘍の除外を行う．胃切除後では巨赤芽球貧血の治療中に顕在化することも．

＜治　療＞

❶食事療法；鉄分の多い食物と共に吸収を良くするためのビタミンCを積極的に摂取する．高度の貧血の場合は食事療法のみでは改善しない．

✎memo

697

貧　血 ⑶

❷薬剤投与（内服）

可溶性非イオン型鉄剤：クエン酸第一鉄ナトリウム

フェロミア錠（50 mg）　1回1～2錠　1日1回　⑱

鉄欠乏性貧血治療薬：溶性ピロリン酸第二鉄

インクレミンシロップ　1回5 mL　1日3回　⑱

※通常は内服開始後7日目で網状赤血球上昇，10日目で
　Hb上昇開始．
※消化器症状（嘔気，食欲不振など）が出やすいため，
　食直後に内服する，初めは少量から飲み徐々に増量す
　る，シロップに替えるなどの工夫をし，できるだけ長
　期に服用できることを目標とする．
※制酸剤，H2ブロッカーは吸収抑制するが，胃腸症状軽
　減のために併用することも．
※Hbと共に貯蔵鉄のマーカーが保たれる（フェリチン20
　ng/mL以上）ことを目標とする．人によって維持量が
　ことなる（週1～2錠で安定することもある）．
※内服にて便が真っ黒になることをあらかじめ伝える．
※無効時は，服薬アドヒアランスの確認と診断の見直し．

❸薬剤投与（静注）

内服薬による消化器症状にて治療が困難な時，大
量の消化管出血後などで大量・急速な鉄補充が必要
な時，に適応となる．

静注用鉄剤：含糖酸化鉄

フェジン（40 mg/2 mL）　1日40～120 mL　⑳
5%糖液20 mLに溶解し，2分以上かけてゆっくりと
静注．アナフィラキシーを起こすことがある．

鉄欠乏性貧血治療薬：カルボキシマルトース第二鉄

フェインジェクト注（500 mg）　1A週1回　⑳

※週1回製剤．Hb 10 g/dL未満では3回，10 g/dL以上
　では2回まで保険で認められている．

第4章　疾患編

血液疾患

コンサルトのタイミング
鉄剤が不応である場合.

フォローアップ外来
Hb値が正常化してから3〜6か月間は鉄剤を継続する. その後は一旦中止しても良いが必ず再発するため, 定期的なフォローを欠かさない.

溶血性貧血

非専門医レベルで行うべきチェックリスト

❶ 検査（溶血があるかどうか）
網状赤血球増加, 間接ビリルビン上昇, GOT, LD上昇, ハプトグロビン著減. MCVがやや高い. 明らかな貧血がない時もある.

❷ 検査（原因は何か）
①直接・間接クームス試験→自己免疫性溶血性貧血（AIHA）
②破砕赤血球, 血小板減少→細小血管障害性溶血性貧血. 特にTTPを疑うときは, ADAMTS13活性を測定.
③赤血球形態異常→球状赤血球症など

コンサルトのタイミング
溶血性貧血は急速に進行し, 特に細小血管障害性溶血性貧血は直ちに血漿交換療法を施行しないと命に関わる緊急疾患であるため, できるだけ早く専門医にコンサルト.

✐ memo

699

貧　血 ⑷

巨赤芽球性貧血

非専門医レベルで行うべきチェックリスト

❶ 症状：貧血症状以外に，舌の疼痛や四肢の痺れ・歩行障害について確認．内服薬（葉酸拮抗薬，抗痙攣薬，ST 合剤など），アルコール多飲歴，菜食主義，胃切除歴

❷ 身体所見：白髪，黄疸，Hunter 舌炎（舌乳頭の萎縮），亜急性連合性脊髄変性症（ビタミン B_{12} 欠乏による脊髄後索・側索の脱髄性疾患）：上下肢の感覚異常・位置覚や振動覚の低下．

❸ 末梢血検査
  ① 大球性貧血（MCV が 120 以上のことがほとんど，130 を越えればほぼ巨赤芽球性貧血）
  ② 過分葉好中球の出現あり，多くは汎血球減少となっている．
  ③ 無効造血を反映し LD が上昇していることがほとんど．

❹ ビタミン B_{12}，葉酸測定
  ① ビタミン B_{12}：100 pg/mL 以下なら欠乏，350 pg/mL 以上なら除外可能．
  ② 葉酸：2.0 ng/mL 以下なら欠乏，4.0 ng/mL 以上なら除外可能．

❺ 骨髄検査：かならずしも必須ではない．

❻ 悪性貧血に対する検査
  ① 抗胃壁抗体：感度が高い．
  ② 抗内因子抗体：特異度が高い（保険適用外）．

＜治　療＞

❶ 食事指導
  　極端な菜食主義はやめる，アルコール多飲による葉酸欠乏の場合は断酒．

❷ ビタミン B_{12} 補充療法

第４章　疾患編

血液疾患

補酵素型ビタミンB₁₂：メコバラミン
メチコバール注（500 μg）　1回1A　筋
週3回　6週間

❸ビタミンB₁₂維持療法
補酵素型ビタミンB₁₂：メコバラミン
メチコバール錠（500 μg）　1回1錠　1日3回　内

❹葉酸補充療法
ビタミンB製剤：葉酸
フォリアミン錠（5 mg）　1回1錠　1日3回　内

コンサルトのタイミング
補充療法による貧血の改善が見られない場合（神経症状は改善が乏しいことが多い）.

フォローアップ外来
定期的な通院と内服継続が必要である. 胃がんの合併あり, 上部消化管内視鏡検査を定期的に施行する.

骨髄異形成症候群（MDS）

血球減少をきたす多くの血液疾患と境界を接する「症候群」であるため, 再生不良性貧血や発作性夜間血色素尿症などと病態移行することがある.

非専門医レベルで行うべきチェックリスト

❶末梢血
①1系統のみが減少している時もあれば汎血球減少をきたすこともある.
②貧血がある場合, MCVは100～110程度の軽度大球性を呈すことが多い.
③芽球や血球異型があれば, MDSの可能性が高くなる.

701

貧　血 ⑤

④芽球が5%以上に増加しているときは，まずは骨髄穿刺を行い，急性白血病の除外が必要（芽球割合は通常，骨髄＞末梢血）．

⑤血球異型のうち，低分葉好中球・無顆粒好中球・微小巨核球・環状赤芽球は特にMDSに特異度が高い．

❷骨髄穿刺

①芽球の割合を check し，20%を超えていれば急性白血病としての対応を行う．

②染色体検査　G-band法/FISH法(5q-，20q-，-Y，-7など)，複数の異常は予後不良．

❸リスク分類：血球減少・芽球割合・染色体異常にて，低リスク・高リスクに分類．

専門医での治療

❶低リスクの場合：免疫抑制療法（抗胸腺グロブリン，シクロスポリン：保険適用外），サイトカイン療法（ダルベポエチンなど），タンパク同化ステロイドなどを検討．

❷高リスクの場合：同種移植が可能な場合は移植可能な施設に紹介，移植が不可能な場合はアザシチジンの投与を行う．

❸総赤血球輸血量が40単位を超え，フェリチンが2か月連続して 1000 ng/mL を超える場合，鉄キレート療法を考慮する．

鉄キレート剤：デフェラシロクス

ジャドニュ（360 mg）　12 mg/kg　1日1回　㊤

コンサルトのタイミング

MDSは血球の形態異常で診断することが必須であるため，必ず診断の段階で専門医にコンサルトすることが必要．

フォローアップ外来

低リスクで輸血依存状態のfollowを一般医に依頼される可能性があるが，フェリチン値も定期的にfollowする必要がある．

赤血球増加症（多血症）⑴

ポイント

❶喫煙そのものが多血症の原因となる.

❷真性多血症の診断に JAK2 遺伝子変異が含まれるようになった.

❸非専門医の管理の主体は血栓予防である.

非専門医レベルで行うべきチェックリスト

❶喫煙者かどうか.

❷真性多血症か，二次性赤血球増多症や相対的赤血球増多を鑑別.

❸Hb 17 g/dL（男性）以上，Hb 15 g/dL（女性）以上の高度多血，脾腫，白血球・血小板増加を伴えば，真性多血症の可能性が高くなる.

❹二次性赤血球増多症とは，エリスロポエチンの産生亢進による.低酸素血症またはエリスロポエチン産生腫瘍が原因となる.睡眠時無呼吸症候群も原因の一つ.

❺相対的赤血球増多とは，ストレスによる血液濃縮が主な原因.中年喫煙男性に多く高血圧，肥満を合併する（Gaisböck 症候群）.

専門医の診断

❶真性多血症

JAK2 遺伝子異常（V617F 変異など）は 95％ に陽性であり，診断基準に含まれるようになった.慢性骨髄性白血病と骨髄線維症は除外する.

専門医での治療（真性多血症）

❶瀉血；Ht 45〜50％ を目標に行う.

❷骨髄抑制療法

抗悪性腫瘍薬：ヒドロキシカルバミド

ハイドレア錠（500 mg）1回1〜3錠　1日1回　㊙

※1日1錠隔日投与で安定する例も

赤血球増加症（多血症）⑵

❸血栓予防：血栓症での死亡は死因の 30％を占める.

抗血小板剤：アスピリン
バイアスピリン錠(100 mg)　1回1錠　1日1回　内

❹骨髄線維症には 10 年で 15％，急性骨髄性白血病に移行するのは 20 年で 7％.

コンサルトのタイミング
真性多血症を疑った場合は専門医へコンサルトを行う.

フォローアップ外来
❶禁煙を強く推奨する.
❷真性多血症でない場合，一次予防として抗血小板薬の効果は乏しい.

memo

白血球減少 (1)

ポイント

❶ほぼすべての薬剤が白血球減少をきたしうる.

❷好中球が 1000/μL 以下に減少し,発熱している場合は,発熱性好中球減少として至急の対応が必要となる.

鑑別疾患

❶薬剤性：抗腫瘍薬,抗菌薬,抗てんかん薬,抗甲状腺薬,NSAIDs,アロプリノール,H$_2$拮抗薬などがとくに報告が多い.

❷感染症：HIV 感染症含む多くのウイルス感染症,重症細菌感染症

❸自己免疫疾患：SLE（リンパ球減少）,シェーグレン症候群,Felty 症候群

❹血液疾患：白血病,MDS,再生不良性貧血 ☞ p.713 汎血球減少

❺栄養障害：銅欠乏が有名

非専門医レベルで行うべきチェックリスト

❶好中球数が 1000/μL 以下となると感染症（FN：発熱性好中球減少）のリスクが高まる.

❷好中球数が 500/μL 以下,特に 100/μL 以下なら重症になりうる.

❸白血球核の著明な左方移動を伴う白血球減少は,重症細菌感染症であることが多い.

❹全ての薬剤が原因となりうるため,白血球減少の程度が強い場合は疑わしい薬剤を全て中止せざるをえないこともある.

❺リンパ球減少（特に CD4 陽性リンパ球減少）があれば,HIV 感染症の可能性を考慮.

❻現在ほとんどの経腸栄養剤には銅が含まれているが,貧血と好中球減少を合併している場合は銅欠乏を考慮して栄養摂取状況を確認する.

❼亜鉛製剤にて銅欠乏を来たすことがあり,プロマッ

白血球減少 ②

ク®やノベルジン®内服中の場合は血清銅をcheckする.

治療

❶好中球が1000/μL以下で発熱している場合, MASCC分類に沿って緑膿菌カバーする広域抗菌薬を開始する必要がある.

❷G-CSF製剤は急性白血病やMDSでは芽球を増やすことになるため基本的には投与しない.

コンサルトのタイミング

❶発熱性好中球減少の場合は至急にコンサルトが必要.

❷薬剤性の白血球減少を疑った場合, 薬剤の中止にあたっては, 中止によるデメリットを専門医とよく協議する必要がある.

フォローアップ外来

❶好中球が1000をきらない軽度の好中球減少に対しては経過観察可能.

✏ memo

白血球増多 (1)

ポイント

❶白血球増多を見た場合，どの分画がふえているのか，芽球が出現していないかどうかをまずチェックする.

❷5〜6万を超える白血球数増加があれば慢性骨髄性白血病 (CML) の可能性があるが，未成熟な顆粒球系細胞がふえているかどうかが鑑別のポイントとなる.

白血球増多の原因

❶好中球増多の原因
   ①急性感染症，外傷，熱傷，心筋梗塞，痛風
   ②急性出血や痙攣などの急性のストレス状態
   ③造血器悪性腫瘍，がんの骨髄転移
   ④ステロイド内服中

❷好酸球増多の原因
   ①アレルギー疾患
   ②寄生虫感染
   ③血液疾患；好酸球増加症候群 (HES)，好酸球性白血病
   ④肺疾患；気管支喘息，PIE症候群，アレルギー性肺アスペルギルス症
   ⑤膠原病；EGPA (好酸球性多発血管炎性肉芽腫症)，結節性多発血管炎，RA，IgG4関連疾患
   ⑥副腎不全
   ⑦好酸球性血管浮腫，好酸球性筋膜炎

❸単球増多の原因
   ①結核
   ②CMMoL (慢性骨髄単球性白血病)

❹好塩基球増多の原因
   ①CML (慢性骨髄性白血病)

❺リンパ球増多の原因
   ①急性感染症 (伝染性単核球症，百日咳など)
   ②慢性感染症 (結核，梅毒など)
   ③血液疾患 (慢性リンパ性白血病，悪性リンパ腫)

白血球増多 ⑵

チェックリスト

❶症状のない 1〜1.5 万程度の慢性的な白血球上昇（分画に異常なし）は，喫煙が原因であることが多い.

❷急性の発熱を伴う白血球増加は急性感染症であることがほとんどであり，各種培養検査を行うなど感染症の focus 同定に努める.

❸芽球を認める場合は，急性白血病や骨髄異形成症候群の可能性が高く，できるだけ早く血液内科にコンサルトする.

❹無症状で白血球が増加している場合，Promyelocyte，Myelocyte，Metamyelocyte などの未成熟な白血球が増加していれば，CML（慢性骨髄性白血病）を疑い，末梢血にて bcr-abl 染色体を提出する.

❺白血球数が 5〜6 万以上の著明な増加があり，未成熟なものより分葉球がほとんどであれば類白血病反応と考えられる. 感染症か悪性腫瘍がほとんど.

❻異型リンパ球が増えている場合は，伝染性単核球症をはじめとする急性ウイルス感染症をまず疑う. 特徴的な核の切れ込み像が見られる.

❼末梢血への赤芽球の出現は軽度であれば問題ないが，未成熟な骨髄球系の細胞ともに増加していれば，白赤芽球症（Leukoerythroblastosis）といい，がんの骨髄浸潤や骨髄線維症を疑う.

コンサルトのタイミング

❶芽球があり白血病の可能性があれば至急コンサルト.

❷発熱などの全身症状をともなっている場合，重症感染症の可能性を考慮

フォローアップ外来

軽度の白血球増加であっても明らかな原因が不明なものは定期的にフォローする. 初めは明らかではない芽球や未成熟な白血球が見られることがある.

血小板減少症 (1)

ポイント

❶ まず血小板のみかけの減少(偽性血小板減少)を除外.
❷ 薬剤の多くが血小板減少をきたしうる.
❸ 血小板輸血が禁忌となり血漿交換をしないと予後不良となる血栓性血小板減少性紫斑病(TTP)を鑑別する.

鑑別疾患

❶ 血小板数の見かけの減少
　①EDTA 依存偽性血小板減少症
　②巨大血小板(先天性異常や MDS)のため自動血算測定器では低値となる.
❷ (真の)血小板減少
　①血栓性微小血管障害症(TMA):特に溶血性尿毒症症候群(HUS)/TTP. 末梢血塗抹標本で溶血反応(網状赤血球数増加,間接ビリルビン,AST, LD 上昇)や破砕赤血球の有無があれば疑い,緊急で対応・治療を検討(血小板輸血は禁忌).
　②感染症,DIC の合併,HIV 感染症
　③血液疾患(特に急性白血病,再生不良性貧血,MDS など). 再生不良性貧血や MDS 初期は血小板減少のみの場合もある.
　④薬剤性;ヘパリン(ヘパリン起因性血小板減少症(HIT)),抗腫瘍薬,ST 合剤,H2 ブロッカーなど
　⑤自己免疫性疾患;SLE,抗リン脂質抗体症候群
　⑥慢性肝疾患;HCV 感染症など(必ずしも脾腫を伴わない),肝硬変による脾機能亢進.
　⑦上記全てが除外された場合,特発性血小板減少性紫斑病(ITP)とする.

✎ **memo**

709

血小板減少症 (2)

特発性血小板減少性紫斑病（ITP）

ポイント
1. ITPは除外診断であり，最終的に薬剤性との鑑別は困難なことも多い．
2. 軽症の場合は，ピロリ菌の除菌が第一選択になる．
3. プレドニンによる治療効果はやや遅れるため，緊急時は他の治療法と併用する．

非専門医レベルで行うべきチェックリスト

まず血小板減少をきたす他疾患を除外し（☞ p.709 鑑別疾患），以下検査．

＜検　査＞

1. 血小板のみの低下，他の血球異型がない．
2. MPV（平均血小板容積）：ITPでは，反応性の血小板造血が亢進し血小板サイズが大きくなる．一方，骨髄不全の場合は小さくなる．
3. PA-IgG：ITPの90%で上昇しているが，非免疫性含む他の疾患でも上昇する．
4. 網状血小板比率・幼弱血小板比率；ITPでは高値を示す．
5. 抗血小板抗体（特にGP Ⅱb/Ⅲa）；ITPにて陽性．
6. 骨髄穿刺；巨核球の減少がなく，血小板産生像が消失していることを確認．ITPの特定疾患の申請には骨髄穿刺が必須．
7. ヘリコバクター・ピロリ感染の有無

専門医での治療

1. ヘリコバクター・ピロリ除菌：軽度の血小板減少に対しては第一に考慮する．実際に除菌のみでコントロールできるケースも多い．☞ p.456
2. ステロイド治療：血小板の反応までに時間を要する．パルス療法はあまり施行しない．

第4章　疾患編　　　　　　　　　　　　血液疾患

副腎皮質ステロイド：プレドニゾロン

　プレドニン錠（5 mg）　1回6錠　1日2回　⑤

❸脾臓摘出術：再発難治例に検討する．

❹トロンボポエチン受容体作動薬

　　皮下注射と内服薬がある．長期使用にて骨髄線維化が懸念され若年には適応しにくい．

トロンボポエチン受容体作動薬：ロミプロスチム（遺伝子組換え）

　ロミプレート1 μg/kg（開始用量）　週1回　⑤皮下

トロンボポエチン受容体作動薬：エルトロンボパグ　オラミン

　レボレード錠（12.5 mg）　1回1錠　1日1回　⑤

---

❺ガンマグロブリン大量療法

　　比較的血小板数の回復が早いため，術前や出血傾向が強く早急に血小板数を上げたい時に用いる．

❻リツキシマブ：再発難治例（脾摘回避に期待）．

❼血小板輸血：基本的には無効である．

コンサルトのタイミング

❶急に血小板減少が進行するとき

❷外傷，手術，妊娠の時

　（歯科治療：1万以上，抜歯：3万以上，小外科手術：3万以上，経腟分娩：5万以上，外科手術（開腹術）：8万以上，が安全とされる目安）．

❸上記治療の❸〜❻を検討するとき．

フォローアップ外来

❶5万以上で安定している場合は1〜3か月ごとの外来通院で問題ないが，急性感染症（上気道炎など）の時に，点状出血や出血傾向が出ればすぐに受診するように説明．

❷2万以下の場合は基本的に入院での加療が望ましい．

711

血小板増多症

ポイント

❶ まず，反応性の血小板増多の原因がないか検討する.

❷ 血小板100万を超え，他の血球が増加傾向であれば，本態性血小板血症の可能性が高くなるため，JAK2遺伝子変異をチェックする.

鑑別疾患

❶ 反応性の血小板増多

慢性炎症状態，悪性腫瘍，鉄欠乏性貧血，溶血性貧血，出血性貧血，脾臓摘出後

❷ クローナルな血小板増多（骨髄増殖性疾患）

本態性血小板血症，真性多血症，原発性骨髄線維症，慢性骨髄性白血病

非専門医レベルで行うべきチェックリスト

❶ 反応性血小板増多の原因を除外する.

❷ 腹部エコーにて脾腫の確認.

専門医での検査・治療

本態性血小板血症（ET）の診断を行う.

❶ 末梢血 JAK2 遺伝子変異（本態性血小板血症の約50%で陽性）

❷ 骨髄穿刺/生検にて巨核球系細胞の増加を確認.

❸ 他の骨髄増殖性疾患（真性多血症，慢性骨髄性白血病，骨髄線維症など）の除外を行う.

❹ アスピリンによる血栓症予防

❺ 骨髄増殖性疾患の中では白血病へのリスクがもっとも少ない（2.6%/10年）.

✎ memo

汎血球減少 (1)

ポイント

❶ 1系統の血球減少とくらべ血液疾患の可能性が高くなり，芽球がみられれば，白血病かMDSである．

❷ 日常臨床では巨赤芽球性貧血の頻度は高く，必ず鑑別にあげる．

❸ 再生不良性貧血とMDSの鑑別はときに非常に困難である．

鑑別疾患

❶ 薬剤性

❷ 血液疾患：急性白血病，骨髄異形成症候群，再生不良性貧血，発作性夜間血色素尿症（PNH），骨髄線維症，多発性骨髄腫，悪性リンパ腫，巨赤芽球性貧血

❸ がんの骨髄浸潤

❹ 脾機能亢進：肝硬変などの門脈圧亢進状態，感染症，骨髄増殖性疾患

❺ 自己免疫性疾患：SLE

❻ 血球貪食症候群

非専門医レベルで行うべきチェックリスト

❶ 薬剤性や脾機能亢進が除外できれば，ほとんどが血液疾患である．

❷ 血液疾患の中では緊急性を要するためまずは急性白血病を疑う．

❸ 腹部エコーやCTにて脾腫を確認，その原因疾患も検索する．

❹ 大球性貧血に過分葉好中球があれば，葉酸・ビタミンB$_{12}$をチェック．

❺ 蛋白分画や免疫電気泳動にてM蛋白の有無をチェック．

専門医での検査・治療

❶ 脾機能亢進に対しては脾摘または部分的脾動脈塞栓術を考慮する．

❷ ほとんどが骨髄穿刺の適応となる．染色体検査や

汎血球減少 (2)

FISH での遺伝子検査も必須.

❸骨髄内の有核細胞密度の正確な評価, 線維化の評価には骨髄生検が有用.

❹再生不良性貧血では骨髄中の巨核球の減少がほぼ必須. また胸腰椎の MRI にて骨髄中の脂肪組織の増加を確認する (脂肪髄の拡大の証明).

❺血球異型や染色体異常に乏しい骨髄異形成症候群と再生不良性貧血の診断は非常に難しい. その場合, PNH 型血球 (末梢血で測定可能) があれば, 再生不良性貧血である可能性が高くなり, 免疫抑制療法にも効果的であることが多い.

コンサルトのタイミング

❶血液疾患の鑑別は困難であることも多く, 専門医に委ねる.

フォローアップ外来

❶診断がついており, 血球減少に変化がなれば, 非専門医にて慎重に経過観察可能.

✎memo

造血器腫瘍 (1)

一般外来医が造血器腫瘍の化学療法を担当することは少ないと思われるが，特に治療適応やその follow up に対して知っておいた方がよいことをまとめる．

急性白血病

❶病勢のコントロールにはかなり強度のある化学療法が適応となるため，移植非適応の高齢者では十分な治療が施行できないことが多い．

❷AML (M3) はビタミンによる誘導療法で寛解が得られるため，予後がよい．

❸MDS から移行した AML は予後が不良である．

❹最終的には感染症で命を落とすことが多い．

悪性リンパ腫

❶1 か月以上持続する無痛性のリンパ節腫脹は悪性リンパ腫の可能性を考慮する．

❷リンパ節生検は鼠径部以外から行うことが望ましい（鼠径部であっても，丸みをおびているリンパ節は適応としてもよい）．

❸リンパ腫の診断は細胞診では困難なことも多く，組織型の確定に至らないため，必ず一定の塊を生検する必要がある．

❹高齢であっても元々の PS が良好で，リンパ腫により PS が低下している場合は積極的な化学療法適応となる．

❺日本人に一番多い非ホジキンリンパ腫（び慢性大細胞性リンパ腫）の初回治療は R-CHOP 療法（2023 年度版ガイドラインから Pola-R-CHP 療法が併記された）の導入であり，再発時，70 歳以下は骨髄移植を併用する場合がある．

❻高齢者でも副作用の少ない Rituximab 単剤で病勢がある程度コントロールできることもあるため，本人の QOL を考え，under な治療になりすぎないように留意する．

造血器腫瘍 (2)

❼再発リスクは 2 年が peak であるが，他の固形がんのように 5 年経てば再発がほぼゼロになるわけではない．

多発性骨髄腫

❶骨粗鬆症性として好発部位でない部位での圧迫骨折を見た場合は，一度は多発性骨髄腫の可能性を考慮する．

❷CRAB 症状（高 Ca 血症，腎障害，貧血，骨病変）がなければ，くすぶり型（無症候性）として治療開始せず，慎重に経過をみる．

❸新規薬剤は，CD38 のモノクローナル抗体である daratumumab に加え，サリドマイドおよびその誘導体と，プロテアソーム阻害薬の組み合わせとなる．

❹サリドマイド誘導体の使用において，特に妊娠可能な女性に対する適応は特に留意する．また高齢者に処方する場合でも他者に渡らないようにその管理は厳重に行う必要がある．

❺新規薬剤の多くは PD（progressive disease）となるまで持続とされている，つまり，明確な中止基準がない．

✎memo

異所性妊娠（子宮外妊娠）

ポイント
早期診断により緊急手術回避が可能である．

チェックリスト
❶妊娠反応：定性反応陽性 ☞p.14
❷hCG定量：尿中または血中のhCG定量を行う．早期に異所性妊娠を確定するうえでhCGの推移をみることは有用．
❸超音波検査による観察：できれば経腟
　①子宮腔内：子宮腔内に胎嚢が存在しないことは，子宮外妊娠を疑う要因になるが，確定ではない．
　②子宮腔外：子宮腔以外に胎嚢の存在を確認する．胎芽または胎児の心拍を確認できた場合，診断は確定的．
　※画像診断としてはMRIが有用である．
❹身体所見：微量出血が持続する場合が多いが，外出血のないこともある．腹膜炎様症状，貧血，ショックがあるときは腹腔内出血を強く疑う．

治療
❶異所性妊娠を強く疑う場合：診断・根治を兼ねて腹腔鏡下手術が望ましいが，出血性ショック時などは開腹手術に移行する場合もある．
❷保険適用外用法であるが，hCG値が低い場合，メソトレキサートの全身投与により絨毛を死滅させることで手術を回避できる場合がある．
❸子宮頸管妊娠の場合
　子宮全摘が原則であるが，メソトレキサートの局注により全摘を回避できる場合がある．

コンサルトのタイミング
疑えば，全例速やかにコンサルト．

腟　炎

ポイント

❶帯下の増量・色調変化，におい，過敏，うずき，皮膚搔痒，性交時疼痛などの症状は，強弱は別として1年間に女性の10〜20%が自覚.

❷多くは腟の自浄作用により自然軽快.

❸頸管炎を併発していることも多く，クラミジア・淋菌検査および子宮頸部細胞診検査（HPV感染）を同時に行うことが望ましい. →専門医へ.

細菌性腟症 (bacterial vaginosis：BV)

❶腟炎の40〜50%. 無症状であるか，悪臭（アミン臭）のみのことが多い.

❷性交パートナーの治療は必要ない.

❸自己洗浄（入浴，洗浄便座，ビデなど）を頻回に行うことは腟の自浄作用を損ない，BV再発の要因となる.

❹妊婦では絨毛羊膜炎に発展し，流産・早産・前期破水・胎内死亡を招くことがある.

❺治療：クロラムフェニコール腟錠やメトロニダゾールの腟錠挿入.

腟カンジダ症

❶腟炎の20〜25%. カテージチーズ様の帯下，皮膚搔痒とうずきが特徴.

❷抗菌薬の服用（菌交代現象），高エストロゲン状態（妊娠，ピルの服用など），糖尿病は危険因子.

❸通常は性交パートナーの治療は必要ない.

❹治療（内服は不要）

　①腟錠：イソコナゾール硝酸塩（アデスタン®腟錠），クロトリマゾール（エンペシド®）など

　②クリーム：イソコナゾール硝酸塩（アデスタン®），

第4章 疾患編　　　　　　　　　女性疾患

クロトリマゾール（エンペシド®），オキシコナゾール硝酸塩（オキナゾール®）など

トリコモナス腟炎

❶腟炎の15～20％．膀胱，尿道にも寄生する．無症状のことも多い（約30％が無症候性保菌者）．帯下増量，緑黄色泡沫状帯下，悪臭，皮膚搔痒，性交時痛（約70％）．
❷STDとなる．性交パートナーとの同時治療が原則．
❸治療：チニダゾール（チニダゾール錠「F」）の内服．妊婦にはメトロニダゾール（フラジール®）の腟錠．

萎縮性腟炎

❶女性ホルモンの欠落が原因．大多数は無症状．褐色から灰色帯下，性交時痛．
❷治療：エストリオール腟錠またはエストリオール内服錠，性交回数が多いときはホルモン補充療法（HRT）を考慮．性交時痛のみのときは潤滑ゼリーを使用．細菌感染を併発しているときは細菌性腟症に準じる．

子宮頸管炎

ポイント

❶ 無症候性が多く，腟炎に頸管炎を併発していることも多い．

❷ クラミジアと淋菌の合併感染は 20〜40％にみられ，同時検査が望ましい．

❸ 頸管炎により HIV・HPV 感染を起こしやすい状態となっているため，留意すべきである．

治　療

起炎菌の治療に準ずる． ☞p. 692 性行為感染症（STI）

memo

骨盤内炎症性疾患（PID）
pelvic inflammatory disease

ポイント

❶子宮・卵管・卵巣および周辺臓器に及ぶ性交に起因する急性感染症で，定義により医原性，多臓器からの感染症は除かれる．

❷常にSTDの可能性を考慮し治療にあたる．

症 状

❶痛み：下腹部痛（多くは両側性，2週間以上持続することはまれ），性交時痛，振動痛，月経中・月経後痛，腹部反跳痛

❷帯下の増量，膿性頸管粘液　❸発熱，悪寒

❹不正性器出血　❺肝周囲炎

危険因子

❶性交相手が多数　　　　　❷性交回数が多い

❸性活動が活発な年代　　❹PIDの既往

❺経口避妊薬（ピル）・子宮内避妊具（IUD）の使用

❻性交相手の状態：相手に❶～❹の各件のあるとき

治 療

❶起炎菌が同定される前に治療を開始．

❷クラミジア・淋菌・連鎖球菌・腸球菌・グラム陰性菌・嫌気性菌が対象のため広域スペクトラム抗菌薬を使用．

❸STDと診断された時はパートナーの同時治療が必要．

❹IUD装着時には抜去を考慮する．→専門医へ．

❺薬物療法

  ①外来管理：レボフロキサシン（クラビット®）などのキノロン系とメトロニダゾール（フラジール®）内服を併用．

  ②入院管理：セフェム系またはアンピシリン（ビクシリン®）とミノサイクリン（ミノマイシン®）の併用．あるいはクリンダマイシン（ダラシンS®）とゲンタマイシン（ゲンタシン®）の併用．

721

機能性月経困難症

ポイント
❶器質的異常を認めない月経困難.
❷思春期以降の女性の60〜90%にみられる.
❸医師の診察を受けたことがあるのは約15%.

チェックリスト
❶内診・問診
❷超音波検査
❸感染症検査（性交歴があれば）

鑑別疾患
❶子宮筋腫，子宮内膜症
❷処女膜閉鎖（月経モリミナ）
❸骨盤内炎症性疾患

治療
❶NSAIDsが著効（70〜90%）．抗コリン薬が効くこともある．月経の徴候が出る前に内服するのがよい.
❷漢方薬（桂枝茯苓丸，芍薬甘草湯など）の併用がより効果的なことがある.
❸経口避妊薬により月経痛が緩和される.

コンサルトのタイミング
❶上記鑑別疾患が疑われる場合.
❷NSAIDsや漢方薬を投与しても症状コントロールが困難な場合.

✎memo

子宮内膜症 (1)

ポイント
1. 女性ホルモン依存性である.
2. 妊娠により内膜症は軽快するため，晩婚化・少子化社会に多い.

症候
1. 無症状の場合もある.
2. 月経困難症，月経後持続痛，慢性骨盤痛，性交痛，排便時痛
3. 卵巣チョコレート囊腫
   多くは周囲臓器と癒着しているため，茎捻転による急性の疼痛を生じることはないが，破裂を起こすことがあり急性腹症の原因となる.
4. 不妊症
5. 胸腔内子宮内膜症（月経随伴性気胸，月経随伴性血胸，月経随伴性喀血，肺小結節）
6. 下血
7. 臍部出血

検査
内診，超音波検査，MRI，CT，腹腔鏡検査を行う.

鑑別診断
骨盤内炎症性疾患，子宮筋腫，卵巣癌.

治療
1. 対症療法
   痛みは NSAIDs でコントロール可能なことが多い．漢方療法（桂枝茯苓丸，芍薬甘草湯など）の併用が有効なこともある.
2. ホルモン療法
   ① GnRH agonist による偽閉経療法：治療中は女性ホルモン欠落状態になるため6か月を限度に行う.
   ② 経口避妊薬療法：治癒を期待するのは難しいが，月経時の痛みは軽減することが多い.
   ③ 黄体ホルモン（ジェノゲスト）療法：月経以外の疼

723

子宮内膜症 (2)

痛に著効し, 子宮内膜症病巣を萎縮させる効果がある. 副作用としては不正出血. 経産婦には薬剤付加 IUD を挿入することもある.

❸手術療法

①妊孕性温存手術：病巣切除と癒着剝離.

②根治術：上記のいかなる治療法でも改善せず妊娠を希望しない場合, 子宮・両側卵巣を摘出. 術後は年齢によりホルモン補充療法を要する.

コンサルトのタイミング

疑えばコンサルトが望ましい.

✎memo

更年期障害 (1)

定　義
更年期に現れる多種多様の症候群で，器質的変化に相応しない自律神経失調症を中心とした不定愁訴を主訴とした症候群．

チェックリスト
❶更年期不定愁訴の評価

2001 年，日本産婦人科学会は，日本人女性に適した更年期評価表（**表 1**）を提案した．あえて数値化を排除し症状の把握に重点が置かれており，有用性が高い．ポイントは繰り返し評価を行い，きめ細かく症状の変化に対応すること．

❷精神状態の評価

更年期診療には質問紙テストを用いる．自己評価式抑うつ評価尺度（self-rating depression scale：SDS，**表 2**）は，5 分程度で回答できるので有用性が高い．

鑑別疾患
❶精神疾患：うつ病をはじめ全ての精神疾患が鑑別対象

❷器質性疾患

①脳神経疾患，循環器疾患，内分泌疾患，膠原病，耳鼻科疾患など

②更年期不定愁訴は多訴性であり，単一症状のときは器質性疾患を疑う．

③更年期不定愁訴は外的環境により症状が変動するので，器質性疾患との鑑別点となる．

治　療
❶基本は精神・身体機能の評価と，これらに基づいた食事・運動・栄養などの生活習慣の適正化．

❷上記で十分な効果がない場合には薬物療法

①ホルモン補充療法（hormone replacement thrapy：HRT）

更年期障害 (2)

　　ⓐ子宮がない：エストロゲン（プレマリン® 0.625 mg/日またはエストラーナ®，ディビゲル®）のみ
　　ⓑ子宮がある：エストロゲンにメドロキシプロゲステロン酢酸エステル〔プロベラ® 2.5～5.0 mg/日，同時連続または周期的療法（10日間/月）〕を併用，もしくはメノエイドコンビパッチ
　　子宮癌検診・乳癌検診・血圧測定・血液検査（肝機能・脂質・凝固線溶系など）を定期的に行い，副作用の発現に注意.
②漢方薬
　　ⓐ当帰芍薬散：めまい，冷え，脱力感など水毒，血虚によるもの
　　ⓑ加味逍遙散：不眠，イライラ，のぼせなど気逆，気うつによるもの
　　ⓒ桂枝茯苓丸：のぼせ，肩こり，頭痛など瘀血によるもの
③安定剤・睡眠薬
　　短期間に症状の改善をもたらすことは，患者の不安を取り除き，その後の診療を容易にする．依存的になりやすいことを考慮し，短期的な使用にとどめるよう努力.
④抗うつ薬
　　スルピリド，SSRI（パキシル®，ジェイゾロフト®，レクサプロ®）など
❸カウンセリング
　　支持的療法，表現的療法，認知療法などが中心になる.

コンサルトのタイミング

　ホルモン補充療法を必要とする場合は，子宮癌検診などが必要になるため婦人科専門医にコンサルト.

第4章　疾患編

女性疾患

表1　更年期不定愁訴・評価表

症状		症状の程度		
		強	中	弱
熱感	顔がほてる 上半身がほてる のぼせる 汗をかきやすい			
不眠	夜なかなか寝つかれない 夜眠っても目を覚ましやすい			
神経質 憂うつ	興奮しやすく，イライラすることが多い いつも不安感がある 神経質である くよくよよし憂うつになることが多い			
倦怠感	疲れやすい 眼が疲れる			
記憶障害	ものごとが覚えにくくなったり，物忘れが多い			
胸部症状	胸がどきどきする 胸が締めつけられる			
疼痛症状	頭が重かったり，頭痛がよくする 肩や首がこる 背中や腰が痛む 手足の節々（関節）の痛みがある			
知覚異常	腰や手足が冷える 手足（指）がしびれる 最近，音に敏感である（自声強調，耳鳴など）			

（日本産科婦人科学会・生殖内分泌委員会）

memo

更年期障害 (3)

表 2　自己評価式抑うつ評価尺度（SDS）

質問項目	ない，たまに	時々	かなりのあいだ	ほとんどいつも
気が沈んで，憂うつだ	1	2	3	4
朝方は，一番気分がよい	4	3	2	1
泣いたり，泣きたくなる	1	2	3	4
夜よく眠れない	1	2	3	4
食欲は普通だ	4	3	2	1
まだ性欲がある	4	3	2	1
痩せてきたことに気がつく	1	2	3	4
便秘している	1	2	3	4
普段よりも動悸がする	1	2	3	4
何となく疲れる	1	2	3	4
気持ちはいつもさっぱりしている	4	3	2	1
いつもと変わりなく仕事をやれる	4	3	2	1
落ち着かず，じっとしていられない	1	2	3	4
将来に希望がある	4	3	2	1
いつもよりイライラする	1	2	3	4
たやすく決断できる	4	3	2	1
役に立つ，働ける人間だと思う	4	3	2	1

第4章 疾患編　　　　　　　　　　　　女性疾患

(表2 つづき)

質問項目	ない,たまに	時々	かなりのあいだ	ほとんどいつも
生活はかなり充実している	4	3	2	1
自分が死んだほうが他の者は楽に暮らせると思う	1	2	3	4
日頃していることに満足している	4	3	2	1

	合計点
正常	30±20
更年期障害	
血管運動神経障害のみ	30±20
障害複合型	40±10
神経症	50±10
うつ病	60±10

memo

子宮筋腫

ポイント

❶ 日本人女性の約35％に認める．

❷ 発生部位により漿膜下筋腫，筋層内筋腫，粘膜下筋腫に分類．

❸ 二次変性として硝子様変性，赤色変性，脂肪変性，囊胞性変性（液状変性），石灰化変性がみられることがある．

❹ 子宮筋腫と診断されたもののうち約0.3％に肉腫を認める．

症　候

❶ 無症状

❷ 過多月経，貧血（消化器系の出血による貧血の除外を忘れないこと）

❸ 月経困難症，持続痛（変性時に起こる）

❹ 圧迫症状（腹部膨満感・頻尿・尿閉・腰痛・下肢痛・便秘など）

❺ 不妊症

妊娠・分娩に対する影響

腹痛，常位胎盤早期剥離，早産，流産，子宮内胎児発育不全，骨盤位，帝王切開のリスクが高くなる．筋腫核出後は，分娩時の子宮破裂のリスクが高くなる．

検　査

内診，MRI，CT を行う．

鑑別診断

子宮腺筋症，子宮肉腫，子宮体癌，卵巣腫瘍．

治　療

❶ 対症療法

　① 貧血には鉄剤投与

　② 痛みには鎮痛剤を投与．NSAIDs が著効するが，妊婦にはアセトアミノフェンを使用．

❷ ホルモン療法

　GnRH agonist による偽閉経療法により，月経と

第4章　疾患編

女性疾患

痛みの発現を止める．根治療法にはならないが，閉経までの逃げ込みや手術までの待機療法として有用．

❸手術療法

　上記の方法でコントロールできない，急激に増大する，肉腫を否定できない，不妊症・不育症・流産・早産・子宮内胎児発育不全の原因と考えられる場合などが手術の適応．

❹子宮動脈塞栓術（UAE）

　子宮の摘出や腹部の術創を拒否される場合に考慮．妊孕性に関するデータには乏しい．

コンサルトのタイミング

❶妊娠を希望する女性に認めた場合

❷肉腫が否定できない場合

❸貧血や痛みが内服など対症療法でコントロールできない場合

❹圧迫症状があり，ホルモン療法や手術療法が必要と考えられる場合

📝memo

子宮頸癌

ポイント
❶ 自覚症状が出る前に発見することが重要.
❷ 前癌状態や初期癌は治療によりほぼ 100% 治癒.
❸ 性交が深く関連しているので，性交を経験したら癌
　検診を受けることが大切.
❹ 現在，HPV2 価ワクチン（16 型，18 型），4 価ワクチ
　ン（6, 11, 16, 18 型），9 価ワクチン（6, 11, 16, 18,
　31, 33, 45, 52, 58 型）が認可されている．3 回の筋
　肉注射で理論上，20 年近くの高抗体価が期待できる.

危険因子
❶ HPV 感染
❷ 性交相手が多い
❸ 初交年齢が早い
❹ 喫煙
❺ 経口避妊薬

症　状
❶ 前癌病変・初期癌：多くは自覚症状がなく検診で発
　見．不正性器出血，接触出血はほとんどない.
❷ 進行癌：不正性器出血，接触出血，悪臭を伴う帯下
　（嫌気性菌の感染），水様性帯下（腺癌）

5 年生存率 （2020 年国立がんセンター調べ）

0 期	Ⅰ期	Ⅱ期	Ⅲ期	Ⅳ期
ほぼ 100%	95%	75%	62%	25%

治　療
❶ 術前の進行期により手術療法，放射線療法，化学療
　法の単独または併用を選択.
❷ 妊孕性を温存できる場合もある．Ⅰa1 期までは円
　錐切除による子宮温存が可能.

コンサルトのタイミング
　疑えば全例コンサルト.

子宮体癌

ポイント
1. 子宮内膜から発生する腺癌(他の組織型はごくまれ).
2. 初期癌でも95%は不正出血があり,症状が出たらすぐに検査することが重要.
3. 5%は無症状で,危険因子があるときは定期的に検査を受けることが望ましい.

危険因子
持続的なエストロゲン優位の内分泌環境が主因となる.
1. 肥満
2. エストロゲン剤のみの服用
3. 無排卵(月経不順,無排卵性周期,無月経),遅い閉経,早い初経
4. 未産

症状
不正性器出血,下腹部痛(Simpson徴候),異常帯下(黄色,血性,肉汁様,膿性).

5年生存率 (がんメディHPより)

Ⅰ期	Ⅱ期	Ⅲ期	Ⅳ期
95%	90%	70%	20%

治療
進行期,組織分化度,子宮筋層の浸潤度,組織型により手術療法,放射線療法,化学療法,ホルモン療法の単独または併用を選択する.

コンサルトのタイミング
疑えば全例コンサルト.

卵巣癌

ポイント
1. 卵巣癌は大多数が上皮性だが，非上皮性や転移性もある．
2. 初期では自覚症状が乏しく，進行癌で診断されることが多い．

危険因子
1. 家族性・遺伝性
2. 早い初経，遅い閉経，高年齢初産（34歳以上），不妊症，生殖補助医療（ART）の既往

危険軽減因子
1. 経口避妊薬
2. 最終分娩年齢35歳以上
3. 母乳哺育
4. 卵管結紮，卵管結紮＋経口避妊薬（相対危険率0.28）

症状
初期は無症状に経過する場合が多く，75〜85％は進行癌で診断される．主症状は腹痛，腹部膨満感．

5年生存率 （がんメディHPより）

Ⅰ期	Ⅱ期	Ⅲ期	Ⅳ期
92〜96％	64％	30〜41％	12〜29％

治療
1. 単純子宮全摘術＋両側付属器摘出術＋リンパ節郭清（骨盤・傍大動脈）＋大網切除術の後，化学療法が基本．
2. Ⅰa期の卵巣癌の一部では化学療法の省略を含む妊孕性温存手術が可能．

コンサルトのタイミング
疑えば全例コンサルト．

memo

乳がん（1）

ポイント

❶日本人女性の悪性腫瘍の罹患数最多（9人に1人）で，増加傾向が続いている．

❷受診契機は乳房痛・違和感，しこり，異常乳頭分泌など様々であるが，乳がんを除外することが不安解消のためにも必須であり，乳房のトラブルを訴える場合には画像診断を含めてすべて専門医への紹介が望ましい．

❸一般外来でも乳がん治療中の患者は増加しており，治療内容に応じた全身管理のポイントがある．

❹早期発見が重要であり，検診受診を義務づける．

疫　学

❶年10万人近くが罹患し，1万5千人近くが死亡する．

❷年齢：70歳代前半までの女性では罹患者数1位．平均年齢は61歳．40歳代後半でピークを迎えたあと，減少することなく60歳代後半・70歳代前半で最大のピークを迎える．決して若い人の病気ではなく，閉経しても全く安心できないことに注意が必要．

❸5年相対生存率90.5%，女性のがんによる死亡原因では5位と予後は良い．

❹早期発見が重要である．がんが乳腺にとどまっている時点で診断された患者の相対生存率は，5年，10年とも95%以上と非常に良好．

非専門医レベルで行うべきチェックリスト

❶問診

①ホルモン環境：初潮，直近の月経，妊娠出産歴・授乳状況，閉経／ホルモン補充療法や経口避妊薬服用の有無

②家族歴：乳がんだけでなく卵巣，前立腺，膵がんにも注意して続柄・罹患年齢まで聴取する．

③薬歴：向精神薬，抗うつ薬，メトクロプラミド，H_2ブロッカーなどは高プロラクチン血症の原因

乳がん ⑵

となる.

④喫煙の有無：乳房再建では合併症のリスクとなる.

⑤歯科治療歴：齲蝕や歯周病は好中球減少時の感染源，骨吸収抑制薬（骨粗鬆症・骨転移治療に用いられる）による顎骨壊死の原因となる．乳がん治療開始時に確認し，未治療の場合は受診を勧める.

❷理学所見

①痛み／違和感：部位，周期性に注意．真の乳房痛と肋間筋・神経など胸壁由来の痛みとの鑑別が重要.

・大胸筋より外側や乳房下縁：肋間筋・神経由来が多い.

・月経前に増悪し，月経発来後に軽快する：生理的変化であることが多い.

②しこり：視触診だけでは鑑別困難で画像診断が必要.

・部位，しこり表面の性状，硬さ，可動性，皮膚表面の変化（ひきつれ，発赤など），増大傾向の有無を確認.

・40歳代以下で平滑で可動性に富むしこりは囊胞・線維腺腫の頻度が高いが，画像診断での確認は必須.

③異常乳頭分泌

・血性／単孔性：乳がん／乳管内乳頭腫の疑い→要精査

・漿液性，乳汁様：生理的なものが多いが，薬剤性の可能性があれば被疑薬の中止を検討する.

・乳頭部のみのただれ：Paget病などの疑い→要精査

・異常といえない症候：乳頭の陥凹部に白色の皮脂が遺残している場合，皮膚の乾燥や湿疹などの皮膚病変から乳頭に浸出液がみられる場合など

④腋窩・鎖骨上窩リンパ節腫大の有無

第4章　疾患編

女性疾患

❸これまでの診療情報の伝達
　①治療中の疾患，使用薬剤，既往歴
　②耐糖能障害，脂質代謝異常に注意する．

専門医での検査・治療

❶検査：乳腺超音波，マンモグラフィ，MRI，CTなど
❷診断：細胞診，画像ガイド下生検（針生検，吸引式乳房組織生検），切除生検，遺伝子検査（BRCA1/2など）
❸治療：局所療法＋全身療法
　①局所療法（外科療法＋放射線療法）：局所のコントロール目的
　②全身療法（薬物療法）：転移・再発を予防し予後を改善する．

＜局所療法＞

❶外科療法：腫瘤の大きさ，位置，拡がり，患者の希望を勘案して部分切除（乳房温存術）もしくは乳房全摘でがん病巣を摘出．整容性の保持のため乳房再建などの付加手術行うことも多い．腋窩リンパ節は明らかな転移がなければセンチネルリンパ節（乳がんから最初に流入するリンパ節）生検を行い腋窩リンパ郭清の要否を決定する．
❷放射線療法：乳房温存術後の同側乳房の再発率減少のために，全摘術後でも腋窩リンパ節転移が認められた場合には生存率向上のために推奨されている．

＜全身療法＞

　生検・切除標本でホルモン受容体（ER：エストロゲン受容体，PgR：プロゲステロン受容体），HER2蛋白の発現，Ki-67 indexによる増殖能の評価から4つのサブタイプに大別し薬物療法を選択する（**表1**）．
❶薬物療法
　①内分泌療法：ホルモン受容体陽性乳がんに行う．
　　　抗エストロゲン薬，アロマターゼ阻害薬（アナストロゾール），LH-RH作働薬

737

乳がん ⑶

表 1 乳がんの 4 つのサブタイプ

	定　義	推奨される治療
Luminal A	ER+　HER 2−	内分泌療法単独
Luminal B	ER+　HER 2− Ki-67 高値・腫瘍量 多い・悪性度高い	全ての症例で内分泌療法，左記の条件により化学療法追加
HER 2 enriched	ER+，HER 2+	化学療法＋抗 HER 2 薬＋内分泌療法
	ER−，HER 2+	化学療法＋抗 HER 2 薬
Triple Negative	ER（PgR），HER 2 いずれも−	化学療法

※HER2 低発現，免疫チェックポイント蛋白，BRCA1/2 病的バリアントなども薬剤選択の検討材料となり，より複雑化している.

②化学療法：ホルモン受容体陽性乳がんで悪性度の低いものを除き対象となる. 病理学的評価（組織学的グレード，Ki-67，リンパ節転移，腫瘍径，脈管侵襲）やホルモン受容体陽性がんでは時に Oncotype DX などの遺伝子解析も参考とし，患者の意向を重視して判断する.

　アンスラサイクリン系，タキサン系をキードラッグとして抗腫瘍薬を組み合わせて用いる.

③分子標的薬：今後も新規薬剤投入が予定されている.
・HER 2 蛋白陽性乳がん→抗 HER 2 薬
・ホルモン受容体陽性転移再発乳がん→mTOR 阻害薬，CDK4/6 阻害薬
・手術不能／転移再発乳がん→抗 VEGF 薬
・BRCA1/2 病的バリアント陽性→オラパリブ
・PD-L1 陽性→免疫チェックポイント阻害薬

第4章　疾患編

女性疾患

フォローアップ外来：非専門医としての乳がん患者の管理

　内科的な全身管理の継続が第一．乳がん初期治療後のサーベイランスで有用性が示されているのは問診・視触診，マンモグラフィのみである．以下の項目に注意して専門医と連携を取ることが望ましい．

❶乳がん治療の有害事象について

　　治療内容によって発生する有害事象について周知しておくことが必要である．

　①化学療法による有害事象 ☞ p. 48 クリニカルオンコロジー

　②血液検査：

　・脂質代謝異常（内分泌療法）：コレステロール，中性脂肪，肝機能検査値

　・うっ血性心不全（アンスラサイクリン系抗腫瘍薬，抗HER 2薬）：BNP

　・間質性肺疾患（放射線，CDK4/6阻害薬，抗HER2薬のトラスツズマブデルクステカン）：KL-6，SP-D

　・免疫チェックポイント阻害薬では内分泌系の異常をはじめ様々な有害事象が報告されており注意が必要．

　③骨粗鬆症のサーベイランス：アロマターゼ阻害薬，LH-RH作働薬による骨粗鬆症に対して骨密度やⅠ型コラーゲンC末端テロペプチドの測定．

　④肥満の予防・改善：内分泌療法による体重増加が頻発する．肥満は再発リスクであり解消策を検討する．

　⑤婦人科検診の勧め：内分泌療法として抗エストロゲン薬を服用している場合，子宮内膜がん発生リスクが上昇することが知られている．

　⑥リンパ浮腫：腋窩リンパ節郭清後には高率に患側上肢の浮腫を認める．増悪があれば専門医を受診する．

739

乳がん ⑷

❷乳がん転移・再発について

　晩期再発もまれではないため，フォローアップ期間は10年間である．再発徴候の教育，自己検診の勧めが重要．

①乳がんの局所再発→視触診：手術側乳房に皮膚病変や皮下結節がないか観察する．腋窩リンパ節，鎖骨上窩リンパ節の触診を行う．

②乳がんの転移は骨＞肺＞肝＞脳（頻度順）が主なものである．以下の症候に注意する．

・骨転移：発症機序の明らかでない痛み（背部・肩・腰・胸郭など）

・肺転移：咳嗽，動悸・息切れ，呼吸困難感

・脳転移：頭痛やめまい，吐き気などに加え，転移した部位により言語障害や麻痺など

・肝転移は症状がないことが多い．

乳がん検診のすすめ

❶各自治体の対策型検診は「無症状の40歳以上の女性に対して，マンモグラフィ±視触診を2年に1回」．

❷若年者や皮下脂肪が少なく硬い乳房の女性には超音波での検診も検討する．日本人女性では乳腺組織が厚く，マンモグラフィのみでは腫瘤を見出せない，いわゆる dense breast も多い．乳腺超音波の検査が有用である．

❸ブレスト・アウェアネス『乳房を意識する生活習慣』→乳房の状態に日頃から関心をもち，乳房の変化を感じたら速やかに医師に相談する．

＜ブレスト・アウェアネスの4つのポイント＞

①ご自分の乳房の状態を知る．②乳房の変化に気をつける．③変化に気づいたらすぐ医師へ相談する．④40歳になったら2年に1回乳がん検診を受ける．

知っておきたいその他の疾患

❶乳腺症：いわゆる"病気"ではない．30〜50代によ

第4章 疾患編

女性疾患

く見られる真の乳房痛の原因．相対的なエストロゲン過剰によって乳腺に起こる多様な病変の総称．ストレス，カフェイン，高脂肪食は増悪因子．

❷囊胞：乳管が閉塞し拡張した乳管内の分泌物の貯留で，分泌と吸収の不均衡から生じる"水たまり"．

❸線維腺腫：上皮細胞と間質細胞が過形成により増生した良性病変．触診では"楕円形のグミ"．若年者に多く2～3cmに留まるものが多い．増大傾向がある場合は切除．

❹乳管内乳頭腫：乳管内に発生する乳頭状の良性腫瘍"ポリープ"で，血性乳頭分泌の原因の58%．

❺Paget病：乳管がんの乳頭表皮への進展による病変．乳頭皮膚の発赤，びらんが特徴．

❻女性化乳房症：片側のみのこともある．痛みを伴う場合がほとんどで，思春期と高齢の男性に多い．何らかの原因でエストロゲンが有意な状態になり，乳腺が刺激されて発症する．

原因として薬剤性（抗精神病薬，高尿酸血症治療薬，利尿薬，抗潰瘍薬，前立腺治療薬など）や思春期のホルモンバランスの乱れの頻度が高い．肝機能障害，腎機能障害，甲状腺機能亢進，下垂体腫瘍，精巣腫瘍，ホルモン産生腫瘍（肺がんなど）がまれにみられる．

お薦め参照サイト

①日本乳癌学会（乳癌診療ガイドライン，患者さんのための乳癌診療ガイドライン，乳腺専門医一覧が掲載）
http://www.jbcs.gr.jp/

②日本乳癌検診学会（検診関連の情報をまとめている）
http://www.jabcs.jp/

③国立がん研究センターがん対策情報センター（科学的根拠に基づく信頼性の高い疫学情報を入手できる）
http://ganjoho.jp/

741

骨盤臓器脱

ポイント

❶ 腟口から，膀胱・子宮・小腸・直腸が脱出し，脱出臓器に応じた症状が出現する．

❷ QOL 疾患であるので，本人の困っている度合によって治療を選択する．

❸ 排尿障害（残尿過多・尿閉・尿失禁）や，頑固な便秘，脱出による愁訴がある場合は，骨盤臓器脱の診療をしている婦人科または泌尿器科に紹介．

症　状

❶ 会陰部腫瘤感：ピンポン玉大～手拳大の柔らかい腫瘤を触れる（図1）．

❷ 尿失禁：尿道過可動（膀胱側腟壁の下垂）に伴う．

❸ 排尿障害（尿閉・怒責排尿）；膀胱が脱出している場合にみられる．腫瘤を腟内に押し込むことで排尿しやすくなる．

❹ 便秘，残便感：直腸側腟壁の下垂に伴う例あり．

❺ 出血：脱出粘膜の乾燥，摩擦による出血．
　※症状は就寝時～起床後は軽快し，夕方になるにしたがって増悪する傾向がある．
　※疼痛が強い場合は，直腸脱（肛門からの粘膜脱出）の可能性もあり，外科にも相談する．

鑑別疾患

性器出血は露出粘膜の接触刺激によることが多いが，子宮悪性腫瘍の可能性もある．

非専門医レベルで行うべきチェックリスト

❶ 排尿障害（尿閉・怒責排尿・尿失禁）の有無の問診．

❷ 排尿直後に経腹エコーで残尿測定．

❸ 会陰部の診察は，臥位では脱出がみられないことも多いため不要．

❹ 脱出は軽度で下垂感・圧迫感のみを愁訴とする場合は，漢方薬が奏効することがある．

補中益気湯　1回2.5g　1日3回　㊅ 食前又は食間

第4章 疾患編　　　　　　　　　　　　女性疾患

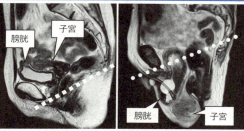

図1　左は軽度の下垂，右は膀胱瘤＋完全子宮脱のMRI
恥骨とS5を結ぶラインより下方に骨盤内臓器が下降している．

専門医での検査・処置
❶経腟超音波検査，内診により脱出部位の確認．
❷残尿測定．
❸パッドテストによる腹圧性尿失禁，尿道過可動の確認．
❹治療はリングペッサリーによる非観血的治療と，手術療法，減量や骨盤底筋体操など生活指導．

コンサルトのタイミング
❶尿閉がある場合，脱出臓器を還納して導尿が必要．繰り返す可能性が高く受診を勧める．
❷愁訴が強い場合や，抑鬱傾向の原因と考えられる場合．
❸リングペッサリーを数カ月以上にわたって腟内に放置している場合（癒着している可能性がある）．
❹不正性器出血がある場合．

📝memo

頸椎症（1）

ポイント
❶ 症状，理学的所見から障害部位を推定し，画像検査で神経圧迫病変の有無を確認．
❷ 脊髄症状がみられれば早急に専門医に紹介．

概念
❶ 頸椎症とは頸椎の椎体や椎間板にみられる退行性変化．
❷ 頸椎症性神経根症：頸椎症性変化により神経根が圧迫されて生じる神経根領域の障害．
❸ 頸椎症性脊髄症（頸髄症）：頸椎症性変化により頸髄が圧迫されて生じる四肢の痙性麻痺．

鑑別疾患
❶ 上肢の関節疾患：肩関節周囲炎 ☞ p. 747
❷ 上肢の絞扼性末梢神経障害：胸郭出口症候群，肘部管症候群，手根管症候群．
❸ 頸椎疾患：頸椎椎間板ヘルニア，頸椎後縦靱帯骨化症．
❹ 神経内科的疾患：運動ニューロン疾患，脊髄変性疾患，筋萎縮性側索硬化症，脊髄空洞症，脊髄腫瘍．

非専門医レベルで行うべきチェックリスト
❶ 症状
　① 頸椎症性神経根症：頸部・肩甲部・上肢のしびれや痛み．疼痛は頸部後屈で増強．障害神経根の支配領域に一致した知覚・運動障害，深部腱反射の低下．
　② 頸椎症性脊髄症（**表 1**）
❷ 誘発テスト
　Spurling テスト（頸部を患側に側屈して頭部を圧迫）や Jackson テスト（頸部を軽度伸展位として頭部を圧迫）で放散痛があれば神経根障害を疑う．
❸ myelopathy hand（頸髄症の手）
　① 両手の巧緻性低下．

第4章　疾患編

運動器疾患

表 1　頸椎症性脊髄症の診断

症　状
下記のいずれかを認めるもの. ・四肢のしびれ感（両上肢のみも含む） ・手指の巧緻運動障害（箸が不自由，ボタンかけが不自由など） ・歩行障害（小走り，階段の降り困難など） ・膀胱障害（頻尿，失禁など）

症　候
・障害高位での上肢深部腱反射低下 ・障害高位以下での腱反射亢進，病的反射の出現，myelopathy hand を認めるもの.

画像診断
・単純 X 線像で，椎間狭小，椎体後方骨棘，発育性脊柱管狭窄を認めるもの. ・単純 X 線像でみられる病変部位で，MRI，CT または脊髄造影像上，脊髄圧迫所見を認める. ⇒診断の目安として，症状・症候より予想される脊髄責任病巣高位と画像所見の圧迫病変部位が一致する.

除外項目
・頸椎後縦靱帯骨化症（OPLL），椎間板ヘルニアによる脊髄症，頸椎症性脊髄筋萎縮症 ・脳血管障害，脊髄腫瘍，脊髄変性疾患，多発性末梢神経障害などが否定できる.

（日本整形外科学会編：頸椎症性脊髄症診療ガイドライン 2020）

②finger escape sign（FES）：指をそろえて伸ばすよう指示. 頸髄症があると環小指間が開く. 重症だと環小指をそろえて伸ばすことができない.

③10 秒テスト：できるだけ速く手の握り開きを繰り返すよう指示する. 10 秒間に 20 回以下であれば，頸髄症が疑われる.

④上肢の腱反射亢進，Wartenberg 徴候，Hoffmann 徴候などの病的反射陽性.

❹頸椎単純 Xp：椎間関節の変形，椎体辺縁の骨棘形成，椎間腔狭小，椎間孔狭小，脊柱管前後径狭小.

❺頸椎 MRI：頸髄の圧迫が高度だと T2 強調画像で髄内に高信号変化.

745

頸椎症 (2)

治療

❶薬物治療

① 非ステロイド系消炎鎮痛薬（NSAIDs）

② 末梢神経障害によるしびれや痛みに対して

補酵素型ビタミンB₁₂：メコバラミン

メチコバール錠(0.5 mg)　1回1錠　1日3回　内

末梢神経障害治療薬：プレガバリン

リリカカプセル(75 mg)　1回1 Cap　1日2回　内

※プレガバリンはめまいや傾眠を生じる頻度が高いため，高齢者や腎障害がある場合は少量（25 mg カプセルを1～2 Cap）からの開始が推奨される．

③ 慢性疼痛に対し，抗不安薬，抗うつ薬．

❷頸椎ソフトカラー，温熱療法，頸椎牽引．

専門医での検査・処置

❶検査：末梢神経伝導速度，針筋電図，脊髄造影CT.

❷ブロック治療：硬膜外ブロック，神経根ブロック，星状神経節ブロック．

❸手術治療：後方進入法（椎弓形成術），前方進入法（前方除圧固定術）．

コンサルトのタイミング

❶手指巧緻運動障害，四肢深部腱反射の亢進，異常反射があれば脊髄の障害を疑い，早急に専門医に相談．

❷疼痛が著しく保存的治療で軽減しない場合，筋力低下や筋萎縮がみられる場合．

❸頸椎症性脊髄症で，四肢の痙性麻痺によりADLが低下し，保存的治療に反応しない場合は手術適応．排尿や排便の障害（膀胱直腸障害）をきたした場合には早急な手術を要する．

フォローアップ外来

治療効果や薬剤副作用のチェックのため1～3カ月ごとにフォロー．

肩関節周囲炎（五十肩）

ポイント

外傷などの原因がなく肩関節に疼痛や運動制限をきたす疾患は肩関節周囲炎（五十肩）と総称される.

鑑別疾患

❶石灰沈着性腱板炎：腱板にカルシウム結晶が沈着して生じる急性炎症. 単純Xpで肩腱板部に石灰化像.

❷肩腱板断裂：肩運動時の軋轢音, 挙上困難. 単純MRIや超音波検査により腱板断裂部が描出される.

❸変形性肩関節症：単純Xpで骨棘などの関節症変化.

非専門医レベルで行うべきチェックリスト

❶症状：肩関節の運動時痛と可動域制限. 疼痛は夜間や朝方に増強. 頸部や上腕への放散痛を伴う場合もある.

❷診断：臨床症状により診断. 画像検査で五十肩に特異的な所見はない.

＜治　療＞

❶薬物治療：非ステロイド性消炎鎮痛薬（NSAIDs）, 筋緊張改善薬, NSAIDsを含有する外用薬.

❷理学療法：ホットパック・超音波・超短波などの温熱療法. 入浴を勧め, 夜間に肩を冷やさないよう指導.

❸運動療法：急性期の拘縮予防と慢性期の拘縮除去を目的とした関節可動域訓練.

専門医での検査・処置

❶注射療法：局所麻酔薬, ステロイド, ヒアルロン酸の関節内注射, 肩甲上神経ブロックなど.

❷手術療法：保存的治療で難治性の場合に適応. 肩関節マニピュレーション, 肩関節鏡視下での癒着剥離など.

コンサルトのタイミング

上記治療にて疼痛コントロールがつかないとき.

フォローアップ外来

治療効果チェックのため1〜3カ月後フォロー.

急性腰痛/筋・筋膜性腰痛

ポイント
❶プライマリケアのレベルで治療の対象となるのは非特異的腰痛．短期間に自然軽快する腰痛は非特異的腰痛であることが多い．
❷特異的腰痛は専門医による診断・治療を要する．

概　念
❶急性腰痛症：各年代にわたってみられる．急に重い物を持ったときに生じやすい．椎間関節・椎間板・仙腸関節などに由来するものがある．
❷筋・筋膜性腰痛：慢性疲労性の腰痛であり，若年〜中年期に多い．傍脊柱筋の圧痛が著明．

鑑別疾患
☞ p.222 腰背部痛（症候編）

非専門医レベルで行うべきチェックリスト
☞ p.222 腰背部痛（症候編）

<治　療>
❶日常生活指導：安静は痛みの著しい時期に限定する．過度の安静は治療の妨げとなる．できるだけ通常の生活を維持するよう指導．
❷薬物療法
　①外用薬

プロピオン酸系消炎鎮痛薬：ケトプロフェン
モーラステープ L（40 mg/枚）1日1枚を1回　貼

　②痛みが強ければ鎮痛薬を処方

フェニル酢酸系消炎鎮痛薬：ジクロフェナクナトリウム
ボルタレン錠（25 mg）1回1錠　1日1〜3回　内

memo

第4章　疾患編

運動器疾患

③非オピオイド系鎮痛薬で効果がない慢性腰痛に

合成オピオイド（非麻薬性）配合剤：
トラマドール塩酸塩/アセトアミノフェン配合錠
　トラムセット配合錠　1回1錠　1日4回　　内

※投与開始直後は悪心，嘔気，便秘を生じることがあり，
　制吐剤や緩下剤の併用を考慮.

④筋の緊張が強い場合

γ系筋緊張・循環改善剤：エペリゾン塩酸塩
　ミオナール錠（50 mg）　1回1錠　1日3回　　内

❸腰椎コルセット：腹腔内圧上昇による除痛効果を期
　待して軟性コルセットを処方．ただし，長期間使用
　による除痛効果の持続や，腰椎再発予防の効果は不
　明．
❹理学療法：温熱療法（ホットパック，超音波，超短波
　など），腰椎牽引．
❺運動療法：痛みがある程度軽減してから行う．
　①体幹筋強化訓練：脊柱起立筋群や腹筋の筋力強化
　　を目的に腰痛体操を指導．
　②ストレッチング
　③エアロビクス運動：水泳，散歩，ジョギング，訓
　　練用自転車の使用など．

専門医での検査・処置
　トリガーポイント注射，仙骨裂孔ブロック，硬膜外
ブロックなど．

コンサルトのタイミング
❶1カ月間経過をみて軽減しない場合．
❷特異的腰痛が疑われる場合．

フォローアップ外来
　治療効果チェックのため2〜4週ごとにフォロー．

749

腰部脊柱管狭窄症 (1)

ポイント

1. 間欠性跛行がみられれば，画像検査で脊柱管狭窄の有無を確認.
2. 馬尾症状は保存的治療に反応しにくいため手術の適応となることが多く，専門医紹介が望ましい.

概念

1. 脊柱管が狭小化し馬尾や神経根が圧迫されることにより，下肢の疼痛やしびれ，会陰部痛などを生じる疾患.
2. 先天性（発育性）のものと，変形性脊椎症，椎間板ヘルニア，椎間関節症，変性すべり症，分離すべり症などにともなう後天性のものがある.

鑑別疾患

下肢末梢動脈疾患（PAD），椎体骨折，脊椎腫瘍（原発性・転移性），脊椎感染症.

非専門医レベルで行うべきチェックリスト

1. 症状：殿部・下肢の疼痛（神経根型），しびれ・灼熱感などの異常感覚（馬尾型），両者の混合型がある. 症状は歩行により増悪，立ち止まって腰椎を前屈すると軽快（間欠性跛行）. 馬尾障害による膀胱・直腸障害.
2. 腰椎単純Xp：疾患に特異的な所見はない. 脊椎症性変化，分離，椎体のすべりなどがみられる.
3. 腰椎MRI：硬膜管の狭窄. 横断像では黄色靭帯の肥厚や椎間関節の変形を把握しやすい.
4. 診断（表1, 2）：症状と画像検査により診断.

＜治療＞

1. 日常生活指導，薬物治療 ☞ p.748 急性腰痛/筋・筋膜性腰痛
2. 神経周囲の血行改善を期待して

プロスタグランジン製剤：リマプロストアルファデクス

オパルモン錠（5μg）　1回1錠　1日3回　内

第4章　疾患編

運動器疾患

表1　腰部脊柱管狭窄症の診断基準（案）

（以下の4項目をすべて満たすこと）
1	殿部から下肢の疼痛やしびれを有する
2	殿部から下肢の疼痛やしびれは立位や歩行の持続によって出現あるいは増悪し，前屈や座位保持で軽快する
3	歩行で増悪する腰痛は単独であれば除外する
4	MRIなどの画像で脊柱管や椎間孔の変性狭窄状態が確認され，臨床所見を説明できる

（日本整形外科学会：腰部脊柱管狭窄症診療ガイドライン2011）

表2　腰部脊柱管狭窄診断サポートツール

	評価項目	判定（スコア）	
病歴	年齢	60歳未満（0）	
		60〜70歳（1）	
		71歳以上（2）	
	糖尿病の既往	あり（0）	なし（1）
問診	間欠跛行	あり（3）	なし（0）
	立位で下肢症状が悪化	あり（2）	なし（0）
	前屈で下肢症状が軽快	あり（2）	なし（0）
身体所見	前屈による症状出現	あり（−1）	なし（0）
	後屈による症状出現	あり（1）	なし（0）
	ABI 0.9	以上（3）	未満（0）
	ATR低下・消失	あり（1）	正常（0）
	SLRテスト	陽性（−2）	陰性（0）

該当するものをチェックし，割り当てられたスコアを合計する（マイナス数値は減算）．
合計点数が7点以上の場合は，腰部脊柱管狭窄症である可能性が高い．
ABI：ankle brachial pressure index，足関節上腕血圧比
ATR：Achilles tendon reflex，アキレス腱反射
SLRテスト：straight leg raising test，下肢伸展挙上テスト
（日本整形外科学会：腰部脊柱管狭窄症診療ガイドライン2021）

腰部脊柱管狭窄症 ⑵

❸下肢神経痛に対して

末梢神経障害治療薬：プレガバリン
リリカカプセル（75 mg）　1回1Cap　1日2回　内
※プレガバリンはめまいや傾眠を生じる頻度が高いた
め，高齢者や腎障害がある場合は少量（25 mg カプセ
ルを1～2Cap）からの開始が推奨される．

❹腰の冷えや痛み，下肢のしびれや浮腫に対して

漢方薬
牛車腎気丸　1回2.5 g　1日2～3回　内　食前又は食間

専門医での検査・処置
❶画像検査：ミエロCT，神経根造影．
❷仙骨裂孔ブロック，硬膜外ブロック，神経根ブロック．
❸手術治療：圧迫された神経根や馬尾を除圧すること
を目的とした開窓術や椎弓切除術．すべり症など脊
椎不安定性をともなうものには固定術を併用．

コンサルトのタイミング
❶下肢筋力低下や膀胱直腸障害がみられる場合．
❷疼痛が強く，保存的治療で効果がない場合．

フォローアップ外来
治療効果チェックのため2～4週ごとにフォロー．

✎memo

変形性関節症（1）

ポイント

❶ 臨床的には変形性膝関節症の頻度がきわめて高い．

❷ まずは日常生活指導と保存的治療を行う．保存的治療の効果がみられず，日常生活に支障をきたすようであれば専門医に相談．

❸ 多発関節痛の場合には関節リウマチや膠原病を鑑別．

概念

　変形性関節症（osteoarthritis：OA）とは，関節軟骨の退行変性とそれに続く骨の増殖性変化のこと．

鑑別疾患

　関節リウマチ，膠原病，結晶誘発性関節炎（痛風，偽痛風），感染性関節炎．

変形性膝関節症

❶ 40歳以上の有病率が約55％で，リスクファクターは肥満（過体重，高齢，膝関節外傷の既往，膝関節に負荷をかける活動性職業）．

❷ 症状：起立時，歩行開始時，階段昇降時の膝関節痛．正座が困難．寒冷が痛みを誘発することもある．

❸ 診察所見：内反膝（Ｏ脚）変形が多い．可動域が伸展・屈曲ともに制限される．関節裂隙に沿った圧痛．膝蓋骨跳動（関節液貯留）．Xp所見（図1）．

❹ 検査：Xp所見（図1）．MRIや超音波検査では軟骨，軟骨下骨，半月板，滑膜炎などの変化を捉えることができる．

❺ 運動療法：大腿四頭筋訓練．座位での膝関節伸展運動．1セット10〜20回，1日に2〜3セット．1kgの重錘使用．ホットパック，超音波など温熱療法を併用．

❻ 装具療法：内反膝に対しては外側を楔状に高くした足底板．膝関節サポーターによる関節保護．側方動揺性を伴う例には，側方支持の支柱付き膝関節装具．

変形性股関節症

❶ 変形性股関節症の発症年齢は平均40〜50歳で，女性

変形性関節症 (2)

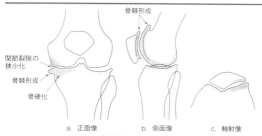

図 1 膝関節 OA の Xp 所見
a. 正面像　b. 側面像　c. 軸射像

(図中ラベル：骨棘形成、関節裂隙の狭小化、骨棘形成、骨硬化)

に多い．遺伝的要因の関与もあるとされる．リスクファクターとして，わが国では重量物作業の職業，寛骨臼形成不全，発育性股関節形成不全（脱臼）の既往が，加えて欧米では立ち仕事，スポーツ，肥満も報告されている．

❷症状：股関節周辺の痛み，大腿部痛．ときに膝痛を訴えることもある．立位の保持や歩行が困難となり跛行がみられる．股関節の可動域制限を生じ，しゃがみこみや立ち上がり，階段昇降，靴下の着脱，入浴，排泄など日常生活での動作が困難となる．

❸診察所見：股関節可動域制限，患肢の短縮，股関節周囲の筋力低下や筋萎縮．Trendelenburg 徴候（患肢片脚で起立し非荷重肢を持ち上げさせると，非荷重側の骨盤が下がる）や Patrick テスト（仰臥位で股関節を屈曲・外旋し，足部を反対側の大腿に乗せて胡座をかいたような姿勢にして膝を下に押しつけると股関節痛が誘発される）が陽性だと股関節疾患が疑われる．

❹検査：Xp 所見（図 2）．CT も診断や病態把握に有用．

❺鑑別：大腿骨頭壊死（ステロイド性，アルコール性），

第4章 疾患編　　　　　　　　　　運動器疾患

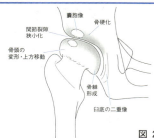

図 2　股関節 OA の Xp 所見

❻日常生活指導：膝関節 OA に対する日常生活指導参照．
❼運動療法：下肢筋力増強訓練（股関節外転筋，膝伸筋），有酸素運動，ストレッチ，機能訓練，水中歩行，ADL 指導．
❽下肢短縮があれば補高靴を作製．

手指変形性関節症

❶遠位指節間関節（DIP 関節）や母指手根中手関節（CM 関節）に多くみられる．DIP 関節に生じた変形は Heberden 結節と呼ばれる．
❷症状：手指関節の変形と疼痛．手部橈側の痛み．つまみ動作や，ビンの蓋の開閉動作で痛みを生じる．
❸診断：単純 Xp で DIP 関節・PIP 関節の裂隙狭小化や骨棘形成，母指 CM 関節の変形や亜脱臼が見られる．
❹Heberden 結節は変形が進行したのち自然経過で疼痛が緩和することが多い．
❺母指 CM 関節症に対し，CM 関節固定装具を処方．

変形性関節症の薬物治療

❶消炎鎮痛薬：内服薬を長期的に投薬する際には胃腸障害，腎障害に注意．外用薬（ロキソニンテープ®，ボルタレンゲル® など）も適宜併用する．

変形性関節症（3）

アミノフェノール系解熱鎮痛薬：アセトアミノフェン
カロナール錠（200 mg）　1回2錠　1日3～4回　内

COX-2選択的阻害薬：セレコキシブ
セレコックス錠（100 mg）　1回1～2錠　1日2回　内

❷膝の腫れと痛みに対して
漢方薬
防已黄耆湯　1回2.5 g　1日2～3回　内
食前または食間

❸サプリメント：グルコサミンやコンドロイチンのOAに対する有効性は証明されていない．患者の特性，重症度，経済状況などに配慮しアドバイスする．

専門医での検査・処置
❶関節内注射：変形性膝関節症に対してヒアルロン酸ナトリウムが主に使用される．滑膜炎が強く関節水腫が難治性の場合にはステロイドを使用．
❷手術治療
①膝関節OA：高位脛骨骨切り術（HTO），人工膝関節全置換術（TKA）．
②股関節OA：関節温存手術（臼蓋形成術，骨盤骨切り術，大腿骨骨切り術），人工股関節全置換術（THA）．
③手指OA：関節形成術，関節固定術．

コンサルトのタイミング
治療により疼痛コントロールがつかないとき．

フォローアップ外来
治療効果チェックのため1～3カ月ごとにフォロー．

文献
1）日本整形外科学会：変形性膝関節症診療ガイドライン 2023.
2）日本整形外科学会：変形性股関節症診療ガイドライン 2016.

骨粗鬆症 (1)

ポイント

❶骨粗鬆症のリスクを有する閉経後の女性や高齢者を対象に，低骨量の存在を確認する．
❷大腿骨近位部骨折や脊椎椎体骨折があれば必ず骨粗鬆症に対する治療を開始する．

概　念

　骨粗鬆症とは，低骨量でかつ骨組織の微細構造が変化して骨が脆くなり骨折しやすくなった病態．

疫　学

❶日本における骨粗鬆症の患者数は現在約 1,280 万人と推定されており，骨粗鬆症に基づく大腿骨近位部骨折患者は年間 15 万人を超えるといわれている．
❷男女とも年齢とともに有病率が増加し，男性より女性の方がほぼ 3 倍の頻度となる．80 歳代の女性の 50〜60% に骨粗鬆症がみられる．

鑑別疾患

　副甲状腺機能亢進症，甲状腺機能亢進症，Cushing症候群，性腺機能不全，薬剤性（ステロイド，SSRI，ワルファリン，メトトレキセート，ヘパリンなど）．

非専門医レベルで行うべきチェックリスト

❶症状：腰背部痛，脊柱後弯増強（円背），脆弱性骨折（大腿骨頸部/転子部骨折，脊椎椎体骨折，橈骨遠位端骨折，上腕骨近位端骨折）．
❷骨密度：DEXA 法を用い，腰椎と大腿骨で測定．
❸血液検査：Ca，P，ALP，PTH，カルシトニンなど．
❹骨代謝マーカー：TRACP-5b，P1NP，BAP，尿中NTX，DPT，CTX，血清 NTX，CTX，ucOC など（TRACP-5b，P1NP，BAP は日内変動なく，腎障害の影響を受けにくいので有用）．
❺診断基準（図 1）と治療開始基準（図 2）

＜治　療＞

❶生活指導：転倒予防（整理整頓，手すり，滑り止め，

骨粗鬆症 (2)

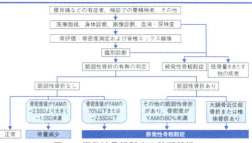

図 1　原発性骨粗鬆症の診断基準

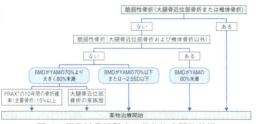

図 2　原発性骨粗鬆症の薬物治療開始基準

（図1, 2出典：骨粗鬆症の予防と治療ガイドライン 2015年版）

足元の照明，動きやすい衣服や履物），運動（ウォーキング，腰痛体操），日光浴．喫煙と過度の飲酒は危険因子．
❷食事指導：カルシウム（牛乳，チーズなどの乳製品，大豆製品，いわしなどの小魚，緑黄色野菜），ビタミンD（魚類，卵，きのこ），ビタミンK（納豆，キャベツ），蛋白質．
❸薬物治療
　骨折防止効果や骨密度上昇にエビデンスがあるのは

第4章 疾患編

運動器疾患

ビスホスホネート，テリパラチド，デノスマブ，ロモソズマブ．

骨粗鬆症治療薬は単剤使用が基本だが，Ca製剤やビタミンD_3製剤は他剤と併用されることが多い．

ビスホスホネート系骨吸収抑制剤：アレンドロン酸ナトリウム

フォサマック錠（35 mg） 1回1錠 1日1回 内
朝起床時（週1回）

※重度腎障害（eGFR 35 mL/min 未満）では禁忌.
※上部消化管障害予防のためコップ1杯の水とともに服用し，内服後30分は臥床を禁止．また，食物による吸収阻害があるため内服後30分は水以外の飲料や食事を禁止．
※顎骨壊死の報告あり．投与前に歯科治療は済ませておくべきだが，内服治療開始後は，歯科治療による休薬は，行わないことが推奨されている．
※非定型骨折は，長期内服にて発生リスク上昇する．

選択的エストロゲン受容体モジュレーター（SERM）：ラロキシフェン塩酸塩

エビスタ錠（60 mg） 1回1錠 1日1回 内
※閉経後早期の比較的若年に第一選択．
※静脈血栓塞栓症の既往がある場合は禁忌.

活性型ビタミンD_3：アルファカルシドール

アルファロールカプセル（1 μg） 1回1Cap 1日1回 内
または

活性型ビタミンD_3：エルデカルシトール

エディロールカプセル（0.75 μg） 1回1Cap 1日1回 内
※高カルシウム血症に注意．

カルシウム製剤：L-アスパラギン酸カルシウム

アスパラ-CA錠（200 mg） 1日1〜2錠 1日3回 内
※高カルシウム血症に注意．

副合成カルシトニン誘導体：エルカトニン

エルシトニン注（20 IU/1 mL） 1週1回 筋
※骨粗鬆症による疼痛に適応．投与期間は3カ月間が目安．

骨粗鬆症 (3)

PTH製剤：テリパラチド

フォルテオ皮下注キット（600 μg/2.4 mL）
　　1回20 μg　1日1回　（皮下注）　24カ月間まで
または
テリボン皮下注用28.2 μg オートインジェクター
　　1回28.2 μg　週2回　（皮下注）　24カ月間まで

※骨形成促進薬であり，他の薬剤内服中での骨折や，著しい骨密度低下がみられる例での使用が推奨される.
※高カルシウム血症に注意.
※テリパラチド終了後はビスホスホネートやデノスマブによる治療継続を要する.

ヒト型抗RANKLモノクローナル抗体製剤：デノスマブ

プラリア皮下注（60 mg/mL）　1回60 mg
　　　　　　　　　　6カ月に1回　（皮下注）

※低カルシウム血症と顎骨壊死に注意.
※デノスマブ中止後はビスホスホネート使用が推奨される.

ヒト化抗スクレロスチンモノクローナル抗体製剤：ロモソズマブ

イベニティ皮下注（105 mg）　1回210 mg
　　　　　　　　1カ月に1回　（皮下注）　12カ月まで

※骨形成を促進させ，骨吸収を抑制する強力な骨粗鬆症治療薬.
※重症骨粗鬆症に適応あり.
※低カルシウム血症に注意.

コンサルトのタイミング

❶骨量低下が著しく骨折のリスクが高いと予想される.
❷投薬により骨量の増加がみられない場合.

フォローアップ外来

❶骨密度は4カ月に一度測定できる．予想される骨密度変化率に応じて測定間隔を決める.
❷骨代謝マーカーは治療開始前と治療開始後3〜6カ月で再測定を行い，投薬効果の判定を行う.

ロコモティブ・シンドローム (1)

ポイント

❶ 運動器疾患の早期段階を捉える指標としてロコチェックやロコモ度テストを用い，運動機能を評価する．
❷ ロコモティブシンドロームが疑われる場合には積極的に運動介入を行う．

概念

運動器の障害により移動機能が低下した状態のこと．頻度の高い運動器疾患として，骨粗鬆症，変形性関節症，脊柱管狭窄症，サルコペニア（筋肉減少症）など．

非専門医レベルで行うべきチェックリスト

❶ ロコチェック：以下の7つの項目のうち，いずれか1つ以上に当てはまればロコモの可能性がある．
　①片脚立ちで靴下が履けない．
　②家の中でつまずいたり滑ったりする．
　③階段を上るのに手すりが必要である．
　④家のやや重い仕事が困難である．
　⑤2kg程度の買い物をして持ち帰るのが困難である．
　⑥15分くらい続けて歩くことができない．
　⑦横断歩道を青信号で渡りきれない．
❷ ロコモ度テスト：日本整形外科学会のサイト（www. joa.or.jp/locomo-joa）からダウンロード可能．
　①立ち上がりテスト：下肢筋力を簡便に測定する方法．高さ10～40cmの台に腰かけ，そこから片脚または両脚で立ち上がることができた最も低い台の高さが測定値．
　　ⓐロコモ度1：どちらか1側でも片脚で40cmの高さの台から立てないが，両脚で20cmの高さの台から立てる．
　　ⓑロコモ度2：両脚で20cmの高さの台から立てないが，30cmの高さの台から立てる．
　　ⓒロコモ度3：両脚で30cmの高さの台から立てない．
　②2ステップテスト：歩行能力の推定．2歩の最大歩

ロコモティブ・シンドローム ⑵

幅を測定し，身長で除した値が「2ステップ値」．
ⓐロコモ度1：「2ステップ値」が1.1以上1.3未満．
ⓑロコモ度2：「2ステップ値」が0.9以上1.1未満．
ⓒロコモ度3：「2ステップ値」が0.9未満．
③ロコモ25：疼痛，身辺動作，社会参加など患者の状況を幅広く把握するための自記式質問票．ロコモのスクリーニングや重症度を測定する尺度．
ⓐロコモ度1：ロコモ25が7点以上，16点未満．
ⓑロコモ度2：ロコモ25が16点以上，24点未満．
ⓒロコモ度3：ロコモ25が24点以上．

＜治療：運動療法＞
❶ロコトレ：ロコモ予防の中心的な運動．
　①スクワット：立った姿勢からゆっくり腰を後ろに引きながら膝を曲げ，膝屈曲90°で再び立ち上がる．1回の動作に10秒程度かけ，1セット5〜15回を，1日2〜3セット行う．下肢筋力増強．
　②開眼片脚立ち：左右各1分間を1日2〜3回行う．バランス能力の向上．
❷ロコトレプラス：ロコトレに追加して行う運動．
　①カーフレイズ（踵上げ）：立位で踵をゆっくり上げ下げする．下腿三頭筋の強化．
　②フロントランジ：立位から片脚を大きく踏み出し，膝を曲げながら腰を下に下げ，また元の姿勢に戻る動作．
❸柔軟体操・ストレッチング
❹ウォーキング・ジョギング

専門医での検査・処置
❶ロコモ度2，3は移動能力が低下し，運動器疾患が発症している可能性があるため専門医にコンサルト．
❷ロコモティブシンドロームの原因となる運動器疾患に対する診断と治療を進める．

白内障 (1)

ポイント

❶水晶体が混濁し，初期には羞明，進行すると霧視，視力低下をきたす．

❷治療は水晶体再建術（通常，超音波乳化吸引術および眼内レンズ挿入術）．

疫学

❶50歳代で約45％，80歳以上で100％に認められる．

❷原因：加齢が多い．そのほか先天性，外傷，ステロイド薬，眼内炎症，放射線など．糖尿病，アトピーなど全身疾患に伴う場合もあり．

非専門医レベルで行うべきチェックリスト

❶高齢者が視機能低下を生じる原因としてまず考慮．

❷経過：通常慢性で急激な悪化はまれ．

❸対光反応：障害されない．

❹進行例はペンライトで照らし白色瞳孔を確認可能．

専門医での検査・処置

❶視力検査，細隙灯顕微鏡検査．

　※矯正視力良好でもコントラスト感度低下，高次収差上昇などを生じる場合もある．

❷前眼部，後眼部OCT検査：他疾患を鑑別．

❸自覚症状が強い場合は水晶体再建術．

　※他疾患の合併がなければ通常予後良好．

❹軽度の場合は経過観察．進行予防として点眼加療を行う場合もある．

老人性白内障治療点眼薬：ピノレキシン点眼液

カタリン点眼液またはカリーユニ点眼液

　　　　　　　　　　　　　　　　　1日3〜4回

　※科学的根拠をもつ薬剤はないとされている．

❺水晶体再建術は隅角閉塞改善効果があり，緑内障治療目的で行われる場合もある．

白内障 (2)

コンサルトのタイミング

❶基本的には眼科医コンサルトし手術適応を検討.
　※白内障のみであれば通常緊急性は低い.
❷強い白色瞳孔, 浅前房, 水晶体動揺が見られる場合,
　眼圧上昇している場合はすぐに眼科医コンサルト.
　※緑内障発作の危険あり.
❸充血, 眼痛, 眼瞼腫脹などを伴う場合はすぐに眼科
　医コンサルト.
　※他疾患に続発の可能性.

フォローアップ外来

❶自覚症状, 視力などに変化がないか数ヶ月に一度確
　認.
❷悪化した場合は眼科医コンサルト.

近年の水晶体再建術

❶小切開化され抗血小板薬・抗凝固薬内服の中止は不
　要.
❷一部の施設ではフェムトセカンドレーザーを用いた
　手術も行われる.
❸乱視矯正機能や複数の焦点をもつ眼内レンズを用い
　矯正視力改善のみでなく, 眼鏡使用頻度の軽減や見
　え方の質の改善も目指す.
　※患者のライフスタイル, 性格などを元にきめ細かい術
　　式調整が必要.

memo

緑内障 (1)

ポイント

1. 視神経乳頭陥凹拡大を伴う進行性視神経症であり，視野障害を生じる（緑内障性視神経症）．
2. 治療は眼圧下降．急性発作では緊急の対処が必要．

定　義

1. 視神経と視野に特徴的変化を有し，通常，眼圧を十分下降させることにより視神経障害を改善，抑制しうる眼疾患．
2. 多様な病態からなり，隅角所見，眼圧上昇の有無とその原因から分類（表1）．

疫　学

1. 40歳以上の5%が罹患．後天的失明原因の1位．
2. 眼圧が21 mmHg以下の正常眼圧緑内障が全体の7割を占める（表2）．
3. 原発閉塞隅角緑内障はアジア人，遠視眼に多く，男

表1　緑内障の分類

Ⅰ. 原発緑内障（primary glaucoma）
 1. 原発開放隅角緑内障（広義）
  A. 原発開放隅角緑内障（primary open angle glaucoma）
  B. 正常眼圧緑内障（normal tension glaucoma）
 2. 原発閉塞隅角緑内障（primary angle closure glaucoma）
 3. 混合型緑内障

Ⅱ. 続発緑内障（secondary glaucoma）
 例：ステロイド緑内障，落屑緑内障，ぶどう膜炎による緑内障，水晶体に起因する緑内障，外傷による緑内障など

Ⅲ. 小児緑内障（childhood glaucoma）
 1. 原発小児緑内障（primary childhood glaucoma）
  A. 原発先天緑内障（primary congenital glaucoma）
  B. 若年開放隅角緑内障（juvenile open angle glaucoma）
 2. 続発小児緑内障（secondary childhood glaucoma）

（緑内障診療ガイドライン第5版より一部改変）

緑内障 (2)

表 2　日本における緑内障有病率

病型	男性	女性	全体
原発開放隅角緑内障 （広義）	4.1 (3.0−5.2)	3.7 (2.8−4.6)	3.9 (3.2−4.6)
原発開放隅角緑内障	0.3 (0.0−0.7)	0.2 (0.0−0.5)	0.3 (0.1−0.5)
正常眼圧緑内障	3.7 (2.7−4.8)	3.5 (2.6−4.4)	3.6 (2.9−4.3)
原発閉塞隅角緑内障	0.3 (0.0−0.7)	0.9 (0.5−1.3)	0.6 (0.4−0.9)
続発緑内障	0.6 (0.2−1.0)	0.4 (0.1−0.7)	0.5 (0.2−0.7)
早発型発達緑内障	—	—	—
全緑内障	5.0 (3.9−6.2)	5.0 (4.0−6.0)	5.0 (4.2−5.8)

有病率（95％信頼区間）．多治見スタディによる 40 歳以上のデータ．

性よりも女性が 3 倍多い．

鑑別診断

他の視神経症，視神経低形成，脳腫瘍，強度近視，網膜血管閉塞など視野異常を伴う疾患（特に正常眼圧緑内障と間違われやすい）．

非専門医レベルで行うべきチェックリスト

❶ 緑内障罹患の危険因子：高齢者，近視，糖尿病，緑内障家族歴．

❷ 眼圧測定：著しく上昇している場合明らか．

❸ 対光反応：進行症例で減弱（左右眼の差にも注意）．

❹ 眼底検査：視神経乳頭陥凹拡大．

❺ 禁忌：未治療の隅角閉塞症例への抗コリン作用を有する薬剤投与（睡眠薬，鎮痙薬，抗ヒスタミン薬など）．急性発作を生じる危険あり．

※開放隅角緑内障，治療済みの閉塞隅角緑内障など，既に緑内障診断のついている症例の多くは投与禁忌でない．

専門医での検査・処置

❶ 視力検査，細隙灯顕微鏡検査，隅角検査，眼圧測定，眼底検査，OCT 撮影，視野検査を行う．

※視神経乳頭陥凹拡大と網膜神経線維層の菲薄化を生じている部位に対応した視野障害を確認する．

第4章 疾患編　　眼・耳鼻咽喉・皮膚疾患

❷治療目的は視覚の質と生活の質を維持すること．
❸治療方針は病型，病期によって異なるため，診断確定が重要．
❹無治療時の眼圧（ベースライン眼圧）を数回測定し，それよりも20〜30%低下させる．

＜原発開放隅角緑内障の治療＞（図1）

❶点眼療法から開始．第一選択はプロスタノイド受容体関連薬，β遮断薬．効果不十分の場合，炭酸脱水酵素阻害薬，α刺激薬，ROCK阻害薬などを使用．
❷長期の治療継続が必要になるためQOLに配慮し，必要最小限の治療を心がける．複数剤の点眼ではアドヒアランス改善のため配合点眼薬の使用も考慮．

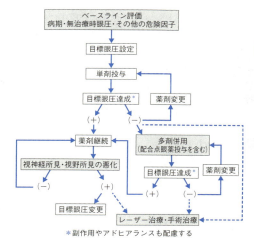

＊副作用やアドヒアランスも配慮する

図1　原発開放隅角緑内障（広義）の治療
（緑内障診療ガイドライン第5版より）

緑内障 (3)

❸点眼で進行が抑制できない場合レーザー，手術を考慮．

＜原発閉塞隅角緑内障の治療＞

解剖学的に隅角構造を改善することが第一選択．症例に応じてレーザー虹彩切開術，周辺虹彩切除術，水晶体再建術．

＜続発緑内障の治療＞

まず原因治療を十分に行う．その上で眼圧下降治療を考慮．

＜手　術＞

❶流出路再建術：線維柱帯の房水流出抵抗を減ずることで眼圧を下げる．安全であるが眼圧下降効果に限界がある．

❷濾過手術：眼球壁に小孔を作成し結膜下に房水を流出させる（インプラントなどのデバイス使用もあり）．強い効果が望めるが術後感染や低眼圧など合併症のリスクも伴う．

フォローアップ外来

❶基本的には眼科医に依頼．

❷視力，視野，眼圧，視神経乳頭および網膜神経線維層の形状変化を観察し進行を判定．進行する場合はさらに眼圧を下降．

✐memo

第4章　疾患編

眼・耳鼻咽喉・皮膚疾患

急性緑内障発作

ポイント

❶ 閉塞隅角症例で虹彩裏面と水晶体表面の接触面の抵抗が高まることで後房に房水が貯留し，虹彩の前方への膨隆が起こり，さらに隅角閉塞が増悪する悪循環に陥った状態．

❷ 急激に発症することが多く，霧視，流涙，眼痛，頭痛，悪心嘔吐を訴える．
※しばしば消化器疾患や脳疾患と間違えられる．
※ときに軽症例も存在する．

❸ 強い充血，瞳孔散大，角膜混濁を生じる．
※角膜混濁のため視力低下．

❹ 眼圧は 40〜80 mmHg と高値を呈する場合が多い．

非専門医レベルで行うべきチェックリスト

上記症状，所見の確認．

コンサルトのタイミング

失明の危険があり，緊急に眼科医コンサルト．

専門医での処置

高張浸透圧薬：D-マンニトール

マンニトール20%（300 mL）　1回1〜3 g/kg　点
100 mL/3〜10 分で，1 日 200 g まで

縮瞳薬：ピロカルピン塩酸塩

サンピロ点眼液2%　15 分ごと 1〜2 時間　点眼

炭酸脱水酵素阻害薬：アセタゾラミド

ダイアモックス錠（250 mg）または注射用 10 mg/kg
静または内

β遮断薬：チモロールマレイン酸塩

チモプトール点眼液 0.5%　1〜2 回　点眼

※まず薬物療法で眼圧を下降させた後，症例に応じてレーザー虹彩切開術，周辺虹彩切除術，水晶体再建術を行う．

耳　鳴 (1)

ポイント
1. 体内に音源がない「自覚的耳鳴」と，体内に音源がある「他覚的耳鳴」に分類される（表1）.
2. 90%以上に何らかの難聴があるとされており，難聴の原因を精査することで，原因の解明や治療方針の決定に繋がる可能性がある.
3. 耳鳴の治療には，漫然とした効果のない薬剤の長期投与は推奨されない．指示的カウンセリングと音響療法を組み合わせて施行する，耳鳴再訓練療法（Tinnitus Retraining Therapy：TRT）が重要とされる．また一部の難聴者には，サウンドジェネレーターや補聴器の装用により，自覚症状が軽減されることがある.

非専門医レベルで行うべきチェックリスト
1. 明らかな難聴，めまい，その他の中枢神経症状の有無を確認.
2. うつや不眠といった精神疾患に随伴することがあるため，それら精神疾患がないか確認.

専門医での検査・処置
耳鳴に対する診療フローチャートを示す（図1）.

コンサルトのタイミング
緊急性はないが，聴覚検査が施行できない場合は待機的にでも耳鼻咽喉科へのコンサルトを検討する.

フォローアップ外来
原因に応じて，症状のフォローを行う.

memo

第4章　疾患編

眼・耳鼻咽喉・皮膚疾患

表1　耳鳴の原因（代表的な疾患）

1. 自覚的耳鳴
   聴覚路に影響するほぼ全ての疾患で起こりうる．
   (1) 感音難聴を伴うもの
   　①老人性難聴
   　②音響外傷・騒音性難聴
   　③メニエール病
   　④急性感音難聴（突発性難聴など）
   　⑤中枢神経系腫瘍（聴神経腫瘍など）
   　⑥薬剤性（アミノグリコシド系薬剤，ループ利尿薬，化学療法薬など）
   (2) 伝音難聴を伴うもの
   　耳垢，異物，外耳炎，中耳炎，気圧外傷，耳管機能障害，耳硬化症など
   (3) その他
   　顎関節症，頸椎捻挫，頭部外傷後遺症，心因性（精神疾患）など

2. 他覚的耳鳴
   血流による雑音を伴い，心拍に同期する拍動性の可聴音が多い
   ①頸動脈・頸静脈の血流雑音
   ②硬膜動静脈奇形
   ③中耳の血管性腫瘍（グロムス腫瘍など）
   ④筋痙攣，ミオクローヌス（口蓋筋，中耳の筋肉）

memo

耳鳴 (2)

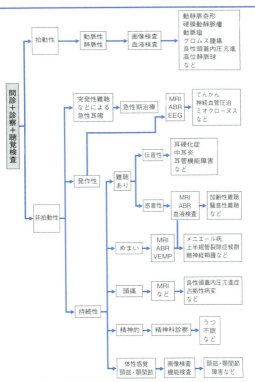

図1 耳鳴に対する診療フローチャート
(TRI Foundation より一部改変)

アレルギー性鼻炎・結膜炎 (1)

ポイント

① Ⅰ型アレルギーである.

② 鼻炎ではくしゃみ，水様性鼻漏，鼻閉が主症状となる．結膜炎では眼の掻痒感，充血，異物感などが主症状となる.

③ 治療は①抗原回避，②薬物療法，③手術療法，④免疫療法に大別される．唯一の根治療法である免疫療法では，舌下免疫療法 (SLIT) が広く行われている.

非専門医レベルで行うべきチェックリスト

❶ 抗原の除去，回避を図りながら，重症度に応じた治療法を選択する (表1，2)．花粉症の場合は，花粉飛散前の 2〜4 週前から治療を開始しておくことが望ましい.

❷ 膿性鼻汁や顔面，頭，眼に疼痛といった，鼻副鼻腔炎などの炎症性疾患を疑う症状がないか注意する.

専門医での検査・処置

❶ 必要に応じて，鼻咽腔ファイバースコピー，副鼻腔 CT などによる鼻腔病変，鼻腔形態異常の評価を行う.

❷ RAST，RIST を施行し，症例に応じて SLIT や抗 IgE 抗体製剤の使用を検討する.

❸ 薬物治療，免疫療法でも症状の改善が乏しい場合は，手術療法（レーザー凝固法，後鼻神経切断術，下鼻甲介手術，鼻中隔矯正術など）を検討する必要がある.

コンサルトのタイミング

多くの場合は，抗アレルギー薬の使用により症状が改善するケースが多い．改善が乏しい場合は，手術療法を要する重症型である場合だけでなく，鼻腔形態異常や他の鼻副鼻腔疾患が併存している可能性があるため，専門医へ紹介すべきである.

フォローアップ外来

薬物治療では根治することはなく，症状に合わせて適宜フォローアップし治療を継続していく.

773

アレルギー性鼻炎・結膜炎 (2)

表 1　重症度別の治療法

重症度 病型	初期療法	軽　症	中等症		重症・最重症	
			くしゃみ・ 鼻漏型	鼻閉型または 鼻閉を 主とする 充全型	くしゃみ・ 鼻漏型	鼻閉型または 鼻閉を 主とする 充全型
治療	①第2世代抗ヒスタミン薬 ②遊離抑制薬 ③抗LTs薬 ④抗PGD₂・TXA₂薬 ⑤Th2サイトカイン阻害薬 ⑥鼻噴霧用ステロイド薬	①第2世代抗ヒスタミン薬 ②遊離抑制薬 ③抗LTs薬 ④抗PGD₂・TXA₂薬 ⑤Th2サイトカイン阻害薬 ⑥鼻噴霧用ステロイド薬	第2世代抗ヒスタミン薬 + 鼻噴霧用ステロイド薬	抗LTs薬 または 抗PGD₂・TXA₂薬 + 鼻噴霧用ステロイド薬 + 第2世代抗ヒスタミン薬 もしくは 第2世代抗ヒスタミン薬・血管収縮薬配合剤 + 鼻噴霧用ステロイド薬	鼻噴霧用ステロイド薬 + 第2世代抗ヒスタミン薬	鼻噴霧用ステロイド薬 + 抗LTs薬 または 抗PGD₂・TXA₂薬 + 第2世代抗ヒスタミン薬 もしくは 鼻噴霧用ステロイド薬 + 第2世代抗ヒスタミン薬・血管収縮薬配合剤 オプションとして点鼻用血管収縮薬を2週間程度，経口ステロイド薬を1週間程度用いる。
		①〜⑥のいずれか1つ． ①〜⑤のいずれかに加え，⑥を追加．				抗IgE抗体
			点眼用抗ヒスタミン薬または遊離抑制薬		点眼用抗ヒスタミン薬，遊離抑制薬またはステロイド薬	
					鼻閉型で鼻腔形態異常を伴う症例では手術	
			アレルゲン免疫療法			
			抗原除去・回避			

（鼻アレルギー診療ガイドライン 2020 年版）

第4章　疾患編

眼・耳鼻咽喉・皮膚疾患

表2　代表的な治療薬

1. ケミカルメディエーター遊離抑制薬（マスト細胞安定薬）
   クロモグリク酸ナトリウム（インタール®），トラニラスト（リザベン®），アンレキサノクス（ソルファ®），ペミロラストカリウム（アレギサール®，ペミラストン®）

2. ケミカルメディエーター受容体拮抗薬
   a) ヒスタミン H_1 受容体拮抗薬（抗ヒスタミン薬）
      第1世代：d-クロルフェニラミンマレイン酸塩（ポララミン®），クレマスチンフマル酸塩（タベジール®）など
      第2世代：ケトチフェンフマル酸塩（ザジテン®），アゼラスチン塩酸塩（アゼプチン®），オキサトミド，メキタジン（ゼスラン®，ニポラジン®），エメダスチンフマル酸塩（レミカット®，アレサガ®），エピナスチン塩酸塩（アレジオン®），エバスチン（エバステル®），セチリジン塩酸塩（ジルテック®），レボカバスチン塩酸塩（リボスチン®），ベポタスチンベシル酸塩（タリオン®），フェキソフェナジン塩酸塩（アレグラ®），オロパタジン塩酸塩（アレロック®），ロラタジン（クラリチン®），レボセチリジン塩酸塩（ザイザル®），フェキソフェナジン塩酸塩/塩酸プソイドエフェドリン配合剤（ディレグラ®），ビラスチン（ビラノア®），デスロラタジン（デザレックス®），ルパタジンフマル酸塩（ルパフィン®）
      b) ロイコトリエン受容体拮抗薬（抗ロイコトリエン薬）
      プランルカスト水和物（オノン®），モンテルカストナトリウム（シングレア®，キプレス®）
      c) プロスタグランジン D_2・トロンボキサン A_2 受容体拮抗薬（抗プロスタグランジン D_2・トロンボキサン A_2 薬）
      ラマトロバン

3. Th2サイトカイン阻害薬
   スプラタストトシル酸塩（アイピーディ®）

4. ステロイド薬
   a) 鼻噴霧用：ベクロメタゾンプロピオン酸エステル，フルチカゾンプロピオン酸エステル（フルナーゼ®），モメタゾンフランカルボン酸エステル水和物（ナゾネックス®），フルチカゾンフランカルボン酸エステル（アラミスト®），デキサメタゾンシペシル酸エステル（エリザス®）
   b) 経口用：ベタメタゾン・d-クロルフェニラミンマレイン酸塩配合剤（セレスタミン®）

5. 生物学的製剤
   抗IgE抗体：オマリズマブ（ゾレア®）

6. その他
   非特異的変調療法薬，生物抽出製剤，漢方薬

（鼻アレルギー診療ガイドライン2020年版）

鼻副鼻腔炎 (1)

ポイント

❶ 鼻副鼻腔に感染をきたし，鼻閉，鼻汁，後鼻漏，咳嗽といった呼吸器症状に加え，頭痛，頬部痛，顔面圧迫感などを伴うことがある．症状が3カ月以上持続する場合は「慢性副鼻腔炎」と呼ばれる．

❷ 慢性副鼻腔炎には，喘息の合併，血中好酸球の上昇，嗅覚障害，両側の鼻腔ポリープ（鼻茸）を特徴とする「好酸球性副鼻腔炎」が増加傾向にある．好酸球性副鼻腔炎はステロイド全身投与が著効するが，再発率が高く難治性であり原則手術加療を要する．術後再発率も高く，指定難病の一つとなっている．

❸ 慢性副鼻腔炎のうち，「好酸球性副鼻腔炎」と「非好酸球性副鼻腔炎」では治療法が異なるため，注意が必要である．

非専門医レベルで行うべきチェックリスト

❶ 鼻閉，鼻汁，後鼻漏などの鼻症状に加え，頭部・顔面の疼痛や違和感などが随伴していないか確認する．

❷ 急性病変の場合は，スコアリングシステムに準じて重症度判定を行い（**表1**），重症度に合わせた治療法の選択をする（**図1**）．薬剤耐性菌の増加を背景に，軽症例では抗菌薬の投与は行わないことは望ましい．

表 1　急性鼻副鼻腔炎の重症度分類

	症状・所見	なし	軽度/少量	中等度以上
臨床症状	鼻漏	0	1 (時々鼻をかむ)	2 (頻繁に鼻をかむ)
	顔面痛・前頭部痛	0	1 (がまんできる)	2 (鎮痛剤が必要)
鼻腔所見	鼻汁・後鼻漏	0 (漿液性)	2 (粘膿性少量)	4 (中等量以上)

軽症：1〜3　中等症：4〜6　重症：7〜8

(急性鼻副鼻腔炎診療ガイドライン　2013年追補版)

第4章 疾患編

眼・耳鼻咽喉・皮膚疾患

❸発症3か月以上の慢性病変では14員環マクロライド少量長期療法を用いて，炎症性サイトカイン産生抑制，好中球遊走抑制作用による病変の改善を図る．

＜慢性病変＞

以下のいずれかを用いる（症状の改善が無い場合は，3カ月程度継続投与した上で治療効果判定を行う）．

ⓐクラリス錠（200 mg） 1回1錠 1日1回 内
ⓑルリッド錠（150 mg） 1回1錠 1日1回 内
ⓒエリスロシン錠（200 mg） 1回1錠 1日3回 内

専門医での検査・処置

❶鼻咽腔ファイバースコピー，X線，副鼻腔CTやMRIによる病変の評価を行い，鼻腔ポリープの有無，腫瘍性病変の除外など精査を行う．

❷慢性副鼻腔の炎の場合は，診断・分類アルゴリズムに沿って診断を行う．

❸保存的加療で改善が見込めない非好酸球性副鼻腔や，好酸球性副鼻腔炎の場合は，原則は内視鏡下鼻内副鼻腔手術（ESS）による病変の除去が必要である．

❹好酸球性副鼻腔炎の場合は，保存的加療として以下の方法を用いることがある．

＜好酸球性副鼻腔炎の保存的治療＞

①ステロイド全身投与
②プレドニン 1〜30 mg/日程度でポリープの縮小程度を評価しながら用量を調整し，漸減していく．
③ステロイド点鼻
④抗ロイコトリエン薬
⑤生理食塩水による鼻洗浄

✎memo

鼻副鼻腔炎 (2)

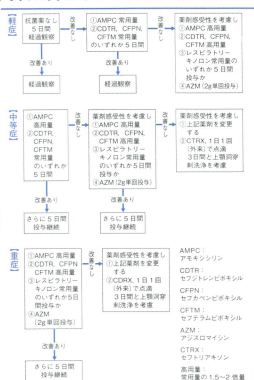

図 1　重症度に合わせた治療法の選択
(急性鼻副鼻腔炎診療ガイドライン 2013 年追補版)

第4章　疾患編

眼・耳鼻咽喉・皮膚疾患

コンサルトのタイミング

❶慢性の経過をたどっている場合は，ポリープ形成をきたしている場合や，腫瘍性病変，真菌症などの他の鼻副鼻腔疾患の除外を要するため，専門医へコンサルトすべきである．

❷急性の場合でも，眼痛，複視などの眼窩症状が出現している場合や，激しい頭痛など頭蓋内合併症が疑われる場合は，緊急手術を要することがあるため，専門医へコンサルトすべきである．

フォローアップ外来

症状が改善するまでフォローすべきである．好酸球性副鼻腔炎の場合は治療後の再発率が高いため，長期にわたりフォローしていく必要がある．

memo

蕁麻疹

※症例❶ QRコード（目次末尾）

ポイント

❶患者はずっと痒みが続いていると訴えることが多いが個々の皮疹自体は24時間以内に一旦は消失する.

❷罹病期間が6週間までの急性蕁麻疹と，6週間を超える慢性蕁麻疹に分けて対応する.

鑑別疾患

❶アナフィラキシー　☞当直医 M

　蕁麻疹では気分不良や血圧低下といった全身症状は伴わない．伴う場合はアナフィラキーの可能性がある.

❷蕁麻疹様血管炎

　蕁麻疹では個々の皮疹は24時間を超えて持続しない．持続する場合は血管炎の可能性がある.

非専門医レベルで行うべきチェックリスト

❶発症からの罹病期間を確認する.

❷罹病期間が6週間までの場合は急性蕁麻疹か慢性蕁麻疹の初期かの鑑別をする．一般に急性蕁麻疹は慢性蕁麻疹に比べ症状がひどく，重篤感がある.

①急性蕁麻疹はマイコプラズマ感染症などの呼吸器感染症に伴う例が多い．必要に応じ CBC，CRP，マイコプラズマ抗体迅速検査，溶連菌迅速検査等の検査を行い，有意な所見あれば急性蕁麻疹として扱う.

②その場合，「感染症に伴うものが考えられること，感染症が落ち着けば蕁麻疹も治るであろうこと」を説明する.

③有意な所見がない場合は慢性蕁麻疹初期として扱う.

❸罹病期間が6週間を超える場合は慢性蕁麻疹として扱うことになる.

①慢性蕁麻疹は検査をしても有意な所見はまず得られない．「気長にお薬を飲んで治していくのが通

第4章　疾患編

眼・耳鼻咽喉・皮膚疾患

常の治療であること」を説明する.
②慢性蕁麻疹の平均罹病期間は3〜5年とされている.

治療

❶急性，慢性を問わず蕁麻疹には非鎮静性の抗ヒスタミン薬を投与する.

H₁受容体拮抗薬：ベポタスチンベシル酸塩

タリオン錠（10 mg）　1回1錠　1日2回　㊉

❷1週間経っても効果に乏しい場合は同薬剤を倍量にして投与する.

❸それでも効果に乏しい場合は他の抗ヒスタミン薬に変更して投与する.

❹急性蕁麻疹は慢性蕁麻疹に比べ症状がひどいので，初診時には点滴の併用が必要になることも多い. また必要に応じて感染症の治療も行う.

H₁受容体拮抗薬：ヒドロキシジン塩酸塩/副腎皮質ステロイド：ベタメタゾン

アタラックスP注射液（25 mg/mL/A）　1 A
リンデロン注（4 mg/mL/A）　2 A 　㊉　1時間
生食 100 mL

コンサルトのタイミング

❶患者が慢性蕁麻疹の原因検査を希望した場合
　　場当たり的にIgE RASTのセット検査などを行うのは無意味.
❷薬剤の増量や変更を数回試みても効果が乏しい場合

フォローアップ外来

アナフィラキシーの場合，症状が軽快後も二峰性に悪化する場合があり，再燃の場合は早期の再来を促す.

文献　蕁麻疹診療ガイドライン2018年版（日本皮膚科学会HPより閲覧可）

781

湿疹

※症例❷ ☞QRコード（目次末尾）

ポイント
痒みがひどい，あるいは皮疹の面積が広い場合には内服薬を併用する．

定義および関連事項
皮膚の基本的な炎症反応．患者が痒みを訴えて診断がつかない時には，まずは「湿疹」と考えて対応してよい．

非専門医レベルで行うべきチェックリスト　☞p.116 発疹

<治　療>

❶通常外用薬で治療する．

副腎皮質ステロイド外用薬：ベタメタゾン酪酸エステルプロピオン酸エステル

　アンテベート軟膏（0.05％）　1日2回　塗

❷上記で反応が悪い場合，外用薬のクラスを上げる．

副腎皮質ステロイド外用薬：クロベタゾールプロピオン酸エステル

　デルモベート軟膏（0.05％）　1日2回　塗

❸痒みがひどい場合，以下の処方を追加する．

H₁受容体拮抗薬：ベポタスチンベシル酸塩

　タリオン錠（10 mg）　1回1錠　1日2回　内

❹皮疹の面積が広い場合，以下の処方を追加する．

副腎皮質ステロイド：ベタメタゾン

　リンデロン錠（0.5 mg）　1回1錠　1日2回　内

コンサルトのタイミング
ステロイド内服薬の投薬期間は7日間までとし，減量できない場合は専門医に紹介する．

memo

あせも

※症例❸ ☞QRコード（目次末尾）

ポイント
あせもは細菌感染症や真菌症を合併しやすい．

定義
肘窩，首まわり，下腹部，オムツ内部など汗の溜まりやすい部位にできる汗の刺激による湿疹．オムツ内部の場合はオムツかぶれと呼ばれることが多い．

鑑別疾患
❶皮膚細菌感染症：毛包炎などのことがある．
❷皮膚真菌症：カンジダ症などのことがある．

治療
❶汗をかかないライフスタイルの工夫（例えば，汗が乾きやすいインナーの着用）と，汗をかいた場合にはシャワーをこまめに浴びるなどのスキンケアを心掛けさせる．
❷薬剤は以下を処方する．

副腎皮質ステロイド外用薬：ベタメタゾン吉草酸エステル
リンデロンV軟膏（0.12%） 1日2回 塗

専門医での検査・処置
細菌感染症を起こしている場合

痤瘡治療薬：ナジフロキサシン
アクアチム軟膏（1%） 1日2回 塗

真菌症を起こしている場合

抗真菌外用薬：ラノコナゾール
アスタット軟膏（1%） 1日1回 塗

コンサルトのタイミング
ステロイド外用薬が奏効せず，細菌感染症や真菌症の合併を疑うとき．

memo

口内炎

※症例❹　QRコード（目次末尾）

ポイント
アフタ性口内炎の治療に反応しない場合，他疾患を積極的に疑う．

定義
アフタ性口内炎：径5mm程の円形の浅い潰瘍が1〜数個できる状態．通常口内炎といえばこれを指す．特異的な原因はなく，小さな傷やストレス，疲労が誘因と考えられている．

鑑別疾患
❶ヘルペス性口内炎
❷天疱瘡などの自己免疫性水疱症
❸口腔カンジダ症
❹膠原病およびベーチェット病などの膠原病類似疾患
❺薬剤性口内炎
❻口腔がん

非専門医レベルで行うべきチェックリスト
口内炎の原因は雑多．原因が分からない場合，まずはアフタ性口内炎として治療する．

治療
以下の対症治療で様子をみる．

口内炎等治療薬：デキサメタゾン
アフタゾロン口腔用軟膏(0.1%)　1日1〜数回　塗

あるいは，または併用で

消化性潰瘍治療薬：イルソグラジンマレイン酸塩
ガスロンN錠（2mg）　1回2錠　1日2回　内

コンサルトのタイミング
上記治療に反応しないとき．

memo

784

ざ　瘡（1）　　※症例❺　☞QRコード（目次末尾）

ポイント

　ざ瘡は common disease のひとつだが，治療が難しい疾患でもある．

定　義

　アクネ桿菌による毛包炎．皮脂の貯留した毛包内において常在菌であるアクネ桿菌が増殖することで慢性的な炎症が起きる．単にざ瘡という場合は尋常性ざ瘡を指す．

鑑別疾患

❶マラセチア毛包炎などの真菌による毛包炎
❷毛包虫性ざ瘡などのダニによる毛包炎
❸好酸球性膿疱性毛包炎
❹集簇性ざ瘡
　ざ瘡の特殊型．通常のざ瘡の治療では効果が出ない．

非専門医レベルで行うべきチェックリスト

　尋常性ざ瘡かどうかの鑑別が行えれば良いが通常不能と思われる．とりあえず尋常性ざ瘡として治療する．

治　療

❶外用薬または内服薬，あるいはその両方で治療する．
❷外用薬は炎症の程度に合わせて下記いずれかを使う．
　炎症が目立つ場合

ざ瘡治療薬：クリンダマイシンリン酸エステル水和物・過酸化ベンゾイル配合
　デュアック配合ゲル　1日1回　㊲　洗顔後

　炎症が目立たない場合

ざ瘡治療薬：過酸化ベンゾイル
　ベピオゲル（2.5%）　1日1回　㊲　洗顔後

❸内服薬は炎症が目立つ場合に下記のいずれかを使う．投与期間は3カ月までとし，6〜8週目に継続の必要性について評価する．

785

ざ　瘡 (2)　　※症例❺ ☞QRコード（目次末尾）

テトラサイクリン系抗菌薬阻害剤：ミノサイクリン塩酸塩
ミノマイシン錠（100 mg）　1回1錠　1日2回　⑰

　　　または

マクロライド系抗菌薬：ロキシスロマイシン
ルリッド錠（150 mg）　1回1錠　1日2回　⑰

❹患部を刺激しないように指導する．
　　例えば，必要以上に患部を触らない，患部を刺激する髪型は避ける，マスクや衣服が患部を刺激していないか注意する．

❺不適切な生活習慣は是正させる．
　　例えば，規則正しい睡眠時間の確保や，偏食，便秘の是正を図る．女性患者では生理が規則正しくきているかの確認も必要．

コンサルトのタイミング
ざ瘡には鑑別すべき疾患が多く，また治療法自体も多岐にわたる．通り一遍の治療で効果が出ない場合は専門医に紹介する．

文献　尋常性痤瘡・酒皶治療ガイドライン 2023（日本皮膚科学会HPより閲覧可）

✎**memo**

軟部組織感染症 (1)

ポイント ※症例❻ ☞QRコード（目次末尾）
❶重症度は感染病巣の深さに比例する．
❷後手後手の対応では重症化する．先手先手の対応を．

定 義
　皮膚および皮下組織の細菌感染症を指す．原因菌は通常ブドウ球菌，連鎖球菌などのグラム陽性球菌だが，肝硬変などの基礎疾患がある場合にはグラム陰性桿菌も原因菌になる．

鑑別疾患
❶毛包炎
　　表在性の軟部組織感染症に分類される．通常軽症．
❷丹毒・蜂窩織炎
　　浅在性筋膜までの感染症．一応深在性の軟部組織感染症に分類される．通常中等症．
❸壊死性筋膜炎・ガス壊疽
　　浅在性筋膜を越え，あるいは筋組織に及ぶ感染症．真の深在性の軟部組織感染症といえる．通常重症．

非専門医レベルで行うべきチェックリスト
❶以下の項目を参考に感染の深さを評価する．
　　①圧痛，発赤などの局所所見
　　②発熱などの全身状態
　　③WBC，CRP，PCT などの炎症マーカー値
　　④CT などの画像診断
❷感染病巣の深さを決めかねる場合は，より深い方とみなして対応する．
❸下肢に再発を繰り返す症例では足白癬が原因のことがある．必要に応じてチェックする．

✎memo

軟部組織感染症 (2)

治療

❶軽症の場合は内服抗菌薬で治療可能.

セフェム系抗菌薬：セファクロル

ケフラールカプセル（250 mg）　1回1 Cap

1日3回　㊅　食後

βラクタム系抗菌薬へのアレルギーがある時

マクロライド系抗菌薬：アジスロマイシン

ジスロマック錠（250 mg）　1回2錠　1日1回

㊅　3日間

❷中等症の場合は点滴治療を行う.

CTRX 2.0 g　㊂　24時間ごと

❸点滴治療をする場合，開始前に血液培養2セットを取るのが望ましい.

❹高齢者や糖尿病などの合併症を有する患者に対しては MRSA カバーを考慮する.

TZD 200 mg　㊂　24時間ごと

❺アクリノール湿布などの局所外用処置は不要. 下肢浮腫が強い場合は挙上しておくよう指導する.

コンサルトのタイミング

❶程度の重い丹毒・蜂窩織炎の場合

以下の何れかを満たす場合は入院治療が望ましい.

①CRP が 10 mg/dL 以上

②PCT が 2 ng/mL 以上

❷壊死性筋膜炎・ガス壊疽の場合

局所のデブリドマンを含めた集学的治療が必要.

☞当直医 M

文献　Practice guidelines for the diagnosis and management of skin and soft tissue infections 2014（IDSA）

白癬・カンジダ症 (1)

ポイント ※症例⑦ ☞QRコード（目次末尾）

❶ 湿疹の治療（ステロイドの塗布）を行っていても治らない場合に積極的に疑うべき疾患.

❷ 顕微鏡検査を行わないままでの治療は常に誤治療の可能性あり.

定義および関連事項

❶ 白癬菌あるいはカンジダによる皮膚真菌症.

❷ 白癬菌は体のどこにでも生じるが，好発部位には俗称がある．足は「水虫」，陰股部は「いんきんたむし」，体部は「ぜにたむし」，頭部は「しらくも」.

❸ カンジダは間擦部や口腔を好む傾向がある.

❹ 両者を合わせた皮膚真菌症は外来で遭遇する皮膚疾患のうち約13%，シェア2位を占める.

鑑別疾患

❶ 湿疹
　①皮膚真菌症の皮疹は基本的に湿疹の皮疹に似ている.
　②湿疹は外来で遭遇する皮膚疾患の約39%，シェア1位を占める疾患なので常に鑑別が問題になる.
　③湿疹治療に反応しない場合には皮膚真菌症を積極的に疑う.
　④真菌症治療に反応しない場合には湿疹を積極的に疑う.

非専門医レベルで行うべきチェックリスト

❶ 白癬は陰部や体部では環状に分布する傾向がある．皮疹が環状を呈していないか観察する.

❷ 皮膚真菌症の確実な診断には皮疹の鱗屑などを用いた顕微鏡検査が必要．10分程で結果が出るので，自施設の検査室などで対応可能なら行う.

❸ 皮膚真菌症がどうか診断に自信のない場合，とりあえずの抗真菌薬投与は行わず，湿疹の治療で様子をみる.

789

白癬・カンジダ症 (2)

治　療

❶通常の皮膚真菌症は抗真菌外用薬単独で治療可能．外用薬の中にはカンジダ症に無効なもの(チオカルバメート系，ベンジルアミン系など) があるので注意．

抗真菌外用薬：ラノコナゾール

アスタットクリーム（1%）　1日1回　塗

　　口腔には

抗真菌外用薬：ミコナゾール

フロリードゲル経口用（2%，5 g/本）　1回2.5 g
1日4回　内　毎食後・就寝前
口腔内に塗布後，嚥下．14日間まで（7日間で効果がない場合は中止）

❷細菌による二次感染や外用薬による接触性皮膚炎を起こしている場合は，まずそれらの治療を行ってから皮膚真菌症の治療を行う．

❸外用期間は口腔では2週間，体部・股部では1カ月，手・足では3カ月を目安とする．

コンサルトのタイミング

以下の病態では内服抗真菌薬が必要になる．その前提として真菌の顕微鏡検査も必須となる．
①爪病変
②脱毛を伴う頭部病変
③足底や手掌の角化が著明な病変
④ステロイド外用薬を使用していた病変

文献　皮膚真菌症診療ガイドライン2019（日本皮膚科学会HPより閲覧可）

memo

口唇ヘルペス

※症例❽ QRコード（目次末尾）

ポイント

通常の口唇ヘルペスと診断できる自信がなければ帯状疱疹として治療する.

定　義

口唇およびその付近に数個の小水疱を生じる，単純ヘルペスウイルスによる疾患．潜伏感染しているウイルスの再活性化によって生じる.

鑑別疾患

帯状疱疹：外見からは区別できないことがある．帯状疱疹ウイルスの薬剤感受性は単純ヘルペスウイルスの1/3なので，口唇ヘルペスの治療では帯状疱疹には無効.

非専門医レベルで行うべきチェックリスト

❶口唇ヘルペス（単純ヘルペス）か帯状疱疹かを鑑別する．一般に帯状疱疹の方が口唇ヘルペスより皮疹の分布が広く，重篤感がある．鑑別できない場合は帯状疱疹として治療する.

❷口唇ヘルペスであっても，重症の口唇ヘルペスの場合には軽症の帯状疱疹として治療する．重症の口唇ヘルペスの場合，鼻痛や頭痛を訴えることが多い.

治　療

以下のいずれか，あるいは併用で治療する.

抗ヘルペスウイルス薬：バラシクロビル塩酸塩

バルトレックス錠（500 mg）1回1錠　1日2回　内
5日間

抗ヘルペスウイルス薬：ビダラビン

アラセナA軟膏（3%）1日3回　塗

コンサルトのタイミング

年間6回以上の頻度で発症する場合.

フォローアップ外来

初回発症時には症状が重症化しやすいので注意.

791

帯状疱疹　※症例❾　QR コード（目次末尾）

ポイント
❶痛みを伴う小水疱が片側性に帯状に現れる.
❷高齢者では容易に重症化する. 壮年者や若年者に生じた場合とは疾患のもつ意味が異なる.

定義および関連事項
　潜伏感染している水痘ウイルスの再活性化に伴う皮疹.
　　①通常は片側性だが両側に生じることもある.
　　②水疱が全身に拡がることもある.
　　③痛みではなく痒みのみを訴えることもある.
　　④皮疹が全くなく, 痛みだけを訴えることもある.

鑑別疾患
❶単純ヘルペス
　　注意点については口唇ヘルペスの項参照. ☞ p. 791
❷虫さされ, しっぷかぶれ
　　患者自身がこのような「診断」をつけて受診してくることが多い. 安易に影響されないこと.

非専門医レベルで行うべきチェックリスト
❶治療目標は皮疹の改善ではなく, 後遺症である帯状疱疹後神経痛の防止にある. そのためには早期からの抗ウイルス薬の投与と疼痛緩和が重要.
❷水疱が全身に拡がっている場合は水痘同様, 空気感染する. 感染対策を講じる.

治療
❶抗ウイルス薬は軽症の場合は内服薬でよいが, 中等症以上では点滴薬が望ましい.
❷抗ウイルス薬の投与はいずれの場合も 7 日間を目安とする. 内服と点滴が混在する場合でも 7 日間を目安とする. 以下の投与例は健常人を想定している.

第4章　疾患編

眼・耳鼻咽喉・皮膚疾患

抗ヘルペスウイルス薬：アメナメビル

アメナリーフ錠（200 mg）　1回2錠　1日1回　⑭
　　　　　　　　　　　　　　　　　　　朝食後7日間

　　　　　または

抗ヘルペスウイルス薬：アシクロビル

ゾビラックス注（250 mg）｜1回5 mg/kg　1日3回
生食 250 mL　　　　　　｜　⑤　8時間ごと7日間

必要に応じて以下の処方を追加

鎮痛薬：アセトアミノフェン

カロナール錠（200 mg）　1回2錠　1日3回　⑭

❸アメナメビル以外の内服薬および点滴薬は腎機能に応じて投与量を調整する必要がある．投薬前に腎機能をチェックする．

❹抗ウイルス薬の効果は投与4日目くらいから現れる．それまでは症状が進行（悪化）することを伝えておくことで患者の不安軽減を図る．

❺皮疹局所への抗ウイルス薬の塗布は不要．

コンサルトのタイミング

以下の場合は帯状疱疹後神経痛が残りやすいので，専門医に委ねる．

　①患者が高齢者の場合
　②痛みのコントロールができない場合
　③顔面発症の場合
　④陰部発症の場合
　⑤水疱が広範囲に分布している場合

フォローアップ外来

腎機能が低下している患者では必要に応じて腎機能を細かくチェックする．

薬疹

※症例⑩ ※QRコード（目次末尾）

ポイント
❶対応が問題になるのは重症薬疹のみ．
❷安易に薬疹と診断するのは患者の不利益につながる．

定義
皮膚に関連して生じる，薬剤による有害事象．

鑑別疾患
感染症に伴う皮疹：感染症に対し抗菌薬使用中に皮疹が出現した場合，薬疹か感染症が原因の皮疹か鑑別できないことも多い．

非専門医レベルで行うべきチェックリスト
❶薬疹が重症か，あるいは重症化しそうかを鑑別する．
❷重症薬疹には即時性のアナフィラキシー型，スティーブンス・ジョンソン症候群（SJS）型，中毒性表皮壊死症（TEN）型，薬剤性過敏症症候群（DIHS）型がある．
❸アナフィラキシー型の場合，皮疹としては蕁麻疹あるいは紅潮（まっ赤になること）を認める．皮疹に加えて嗄声，くしゃみ，のどの痒み，息苦しさ，動悸，吐き気などがあれば重症薬疹の前兆と考える．
❹SJS型，TEN型，DIHS型では38℃以上の発熱に加え，皮疹がどんどん拡大する，皮疹に水疱や膿疱を混じる，目や口腔粘膜にも病変が生じる，全身倦怠感などがあれば重症薬疹の前兆と考える．
❺重症薬疹以外では薬疹が生じたからといって，被疑薬を即中止する必要があるわけではない．中止するかどうかは，被疑薬の必要性，患者の皮膚症状や全身状態を勘案して決める．
❻薬疹は薬剤使用時でなく，使用後に出現することがある．造影剤による薬疹が典型例．

治療
❶対応は被疑薬中止の必要性と積極的な皮疹治療の必要性から以下の4つのタイプに分かれる．

第4章　疾患編　　眼・耳鼻咽喉・皮膚疾患

Ⅰ	被疑薬続行，治療不要
Ⅱ	被疑薬続行，治療必要
Ⅲ	被疑薬中止，治療不要
Ⅳ	被疑薬中止，治療必要

❷薬疹を積極的に疑う必要のない場合はⅠまたはⅡで対応する．薬疹を疑う場合はⅢまたはⅣで対応する．
❸痒みなどの症状がある場合には治療を行う．軽微な皮疹のみで自覚症状もない場合は，無治療で様子をみてよい．

皮疹の痒みがひどい場合，以下を処方

H₁受容体拮抗薬：ベポタスチンベシル酸塩
タリオン錠（10 mg）　1回1錠　1日2回　㊅

皮疹の赤みが強い場合，以下の処方を追加

副腎皮質ステロイド外用薬：クロベタゾールプロピオン酸エステル
デルモベート軟膏（0.05%）　1日2回　㊧

皮疹の面積が広い場合，以下の処方を追加

副腎皮質ステロイド：ベタメタゾン
リンデロン錠（0.5 mg）　1回2錠　1日3回
　　　　　　　　　　　　㊅　3日間をめどに

コンサルトのタイミング
❶重症薬疹の可能性があると判断した場合　☞当直医 M
❷確定診断をつけたい場合
　簡単に診断できる検査はなく，再投与試験が必要になる．重症薬疹が疑われる場合でも試験は施行できる．

memo

熱傷・化学熱傷・日焼け (1)

ポイント　※症例⓫ ▶QRコード（目次末尾）

❶受傷当日は一律に初期炎症を抑える治療をする.
❷翌日以降は水疱の有無やその性状に応じて治療する.

定　義

　熱傷は障害された深さによってⅠ度，浅在性真皮熱傷（SDB），深在性真皮熱傷（DDB），Ⅲ度の4つのレベルに分けられる．SDBとDDBを合わせてⅡ度と呼ぶこともある．

①Ⅰ度は水疱を形成するに至らない，紅斑のみの熱傷.

②SDBは真皮浅層に至る熱傷で，通常破れていない水疱を形成する．水疱底はピンク色.

③DDBは真皮深層に至る熱傷で，通常破れた水疱を形成する．水疱底は白色.

④Ⅲ度は脂肪組織に至る熱傷．もはや水疱云々が問題になることはない.

非専門医レベルで行うべきチェックリスト

深達度を評価する.

①受傷当日は深達度が不明なため翌日以降で評価する．当日に安易な深達度の説明はしない.

②SDBまでだと通常跡形は残らない.

③治癒過程で二次感染を起こした場合は，深達度にして一段深い熱傷として扱う.

④患者は往々にして「跡形が残らないか？」と質問してくるが，安易な予後説明はしない.

治　療

❶受傷当日は以下で対応し，翌日再診する．受傷当日はできるだけ炎症の軽減を図る必要があるので，漫然とアズノール軟膏を処方することは避ける．必要に応じて鎮痛薬を処方する.

✏memo

第4章　疾患編

眼・耳鼻咽喉・皮膚疾患

副腎皮質ステロイド外用薬：クロベタゾールプロピオン酸エステル

デルモベート軟膏（0.05%）　1日1回　塗

❷Ⅰ度およびSDBで水疱の長径が1cmまでで破れていない場合はそのまま❶での対応を続ける。

❸SDBで水疱の長径が1cm以上で破れていない場合は内容を穿刺吸引する（水疱蓋は除去しない）．DDBで水疱が破れていない場合は水疱蓋を除去する．

❹上記❸の処置をした場合，DDBで水疱が破れている場合およびⅢ度の場合は以下で対応する．これらの熱傷は通常浸出液が豊富である．

皮膚潰瘍治療薬：スルファジアジン銀

ゲーベンクリーム（1%）　1日1回　塗

❺治癒過程で感染を起こさないように必要に応じて抗菌薬を投与する．

マクロライド系抗菌薬：アジスロマイシン

ジスロマック錠（250mg）　1回2錠　1日1回
　　　　　　　　　　　　　　　　内　3日間

❻程度が軽い，あるいは治癒が進んで浸出液のコントロールができるようになればドレッシング材での対応も可能．ただし，感染している，あるいは感染の恐れのある熱傷ではドレッシング材は禁忌．

化学熱傷について

❶流水での充分な洗浄が必要．アルカリ熱傷では受傷2時間以内に1時間以上洗浄する．

❷中和剤は基本的に不要だが，フッ化水素による化学熱傷ではグルコン酸カルシウムの局所投与が有効．

❸しかしながらフッ化水素による化学熱傷は重症化しやすいので，最初から専門医に委ねる方が無難．

❹化学熱傷の局所処置は通常の熱傷の処置と同じ．

熱傷・化学熱傷・日焼け (2)

日焼けについて

❶日焼けは日光による熱傷．日焼けには以下で対応する．

副腎皮質ステロイド：ベタメタゾン

リンデロン錠（0.5 mg）　1回2錠　1日3回　内
　　　　　　　　　　　　　　　　　　　3日間

＋

副腎皮質ステロイド外用薬：クロベタゾールプロピオン酸エステル

デルモベート軟膏（0.05％）　1日2回　塗

❷広範囲の場合，横紋筋融解症や DIC を起こすことがある．

コンサルトのタイミング

以下の場合は専門医に委ねる．
① 受傷面積が体表面積の 30％を超えるⅡ度の熱傷
　（両手を合わせた面積は2％に相当する）
② 受傷面積が体表面積の5％を超えるⅢ度熱傷
　（植皮等の手術適応の場合がある）
③ 顔面熱傷
④ 陰部熱傷
⑤ 小児の熱傷
⑥ 手指，関節付近の熱傷（拘縮を生じやすい）
⑦ フッ化水素による化学熱傷
⑧ 広範囲の日焼け

フォローアップ外来

受傷当日の印象よりも深い深達度のことも多く，翌日以降にフォローを行い深達度の評価を行うようにする．

文献　創傷・褥瘡・熱傷ガイドライン6：熱傷診療ガイドライン
　　　（日本皮膚科学会 HP より閲覧可）

memo

凍瘡（しもやけ） ※症例⑫ QRコード（目次末尾）

ポイント
多形紅斑型の場合，凍瘡と気付かないことがある．

定義
血行不全による皮膚の炎症反応．局所が腫れる樽柿型とアレルギー反応が中心の多形紅斑型に分けられる．

鑑別疾患
❶SLE等の膠原病　❷閉塞性動脈硬化症

非専門医レベルで行うべきチェックリスト
抗核抗体，ABIなどで基礎疾患の有無を調べる．

治療
❶血行動態の改善と痒み等の自覚症状への対応が基本

ニコチン酸系薬：トコフェロールニコチン酸エステル
ユベラNソフトカプセル（200 mg）
1回1Cap　1日3回　㈲
必要に応じて以下の処方を追加

H₁受容体拮抗薬：ベポタスチンベシル酸塩
タリオン錠（10 mg）　1回1錠　1日2回　㈲
あるいは併用で

副腎皮質ステロイド外用薬：ベタメタゾン吉草酸エステル
リンデロンV軟膏（0.12%）　1日2回　㈲
❷多形紅斑型の場合，以下の処方を追加

副腎皮質ステロイド：ベタメタゾン
リンデロン錠（0.5 mg）　1回1錠　1日2回　㈲
7日間

コンサルトのタイミング
❶潰瘍形成がみられる場合や，頭部や四肢末端などの好発部位以外に症状がみられる場合．
❷温暖な気候になって以降も症状が改善しない場合．

フォローアップ外来
凍瘡の治療に反応しない場合には，他の鑑別疾患の精査も行っていく．

褥　瘡 (1)　　※症例⑬　QRコード（目次末尾）

ポイント

　回復力のある患者にたまたまできた褥瘡（タイプⅠ）と回復力のない患者に必然的にできた褥瘡（タイプⅡ）に分けて対応する.

病期分類

　図1に示すように色調による分類が有用. 全ての褥瘡が黒色期からスタートするわけではない. タイプⅠの場合は赤色期からのスタートとなることが多い.

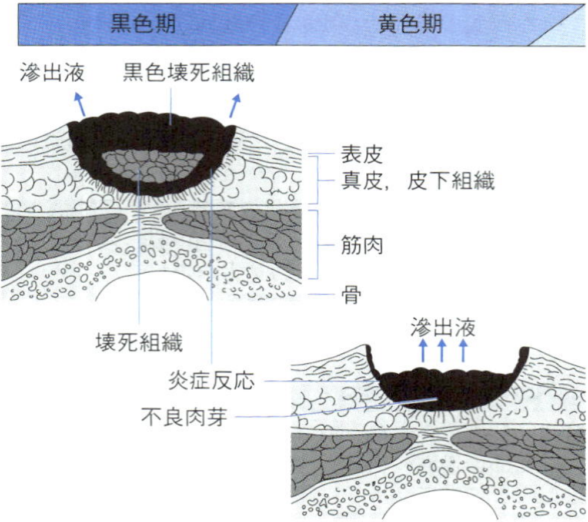

図 1　褥瘡の創表面の

（福井基成：褥瘡の分類. 厚生省保健福祉局老人保健課

第4章 疾患編

眼・耳鼻咽喉・皮膚疾患

非専門医レベルで行うべきチェックリスト

タイプⅠかタイプⅡかを鑑別する．
① タイプⅠはADLがそれほど損なわれていない患者でみられることが多い．褥瘡の程度は軽く，感染の合併やポケット形成は伴わないことが多い．
② タイプⅡは寝たきり患者に発生することが多い．褥瘡の程度は重く，感染の合併やポケット形成を伴うことが多い．

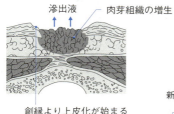

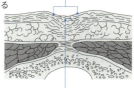

色調による病期分類
監修，褥瘡の予防・治療ガイドライン．照林社，1998)

801

褥　瘡 (2)

治　療

❶黒色期・黄色期：薬物による，あるいは外科的なデブリドマンを行う．タイプⅡの場合，外科的なデブリドマンは褥瘡の悪化につながることがある．

皮膚潰瘍治療薬：スルファジアジン銀

　　ゲーベンクリーム（1%）　1日1回　塗

❷赤色期・白色期：肉芽形成促進薬を使う．

皮膚潰瘍治療薬：トラフェルミン

　　フィブラストスプレー（100μg/mL）　1日1回　噴
　　　潰瘍面から約5cm離して5噴霧．溶解後は冷暗所に保存し，2週間以内に使用．

　　　　　　　　　　　　　　　　＋

皮膚潰瘍治療薬：アルプロスタジル　アルファデスク

　　プロスタンディン軟膏（0.003%）　1日2回　塗

❸感染している，あるいは感染しそうな褥瘡にはドレッシング材は禁忌．

❹入浴は積極的に勧める．入浴にあたっては褥瘡を保護する必要はない．褥瘡部分も積極的に洗浄する．

コンサルトのタイミング

❶タイプⅠで改善傾向が認められない場合
　全身的な配慮，さらには生活環境への配慮が必要．

❷タイプⅡの場合：集学的な治療が必要なことが多いので，当初から紹介．

フォローアップ外来

　感染の合併を起こしていないか，上皮化傾向が停滞していないかを適時フォローしていく．

文献　創傷・褥瘡・熱傷ガイドライン2：褥瘡診療ガイドライン
（日本皮膚科学会HPより閲覧可）

皮膚がん

※症例⑭ ほかQRコード（目次末尾）

ポイント

❶皮膚がんの外見は湿疹に似ていることが多く，見逃しやすい．

❷悪性黒色腫，血管肉腫，転移性皮膚がん以外の皮膚がんの予後はおおむね良好．

非専門医レベルで行うべきチェックリスト

以下に皮膚がんを疑うべき皮膚所見と該当する疾患名を列挙しておく．

①黒い病変で大きさ7mm以上，不整形，境界がはっきりしない，濃淡にムラがある，もりあがっているなどの場合→悪性黒色腫

②外陰部の痒みを伴う難治性の湿疹→陰部 Paget 病

③体幹部の自覚症状のない難治性の湿疹→ボーエン病

④難治性のアトピー性皮膚炎→皮膚T細胞リンパ腫

⑤顔面露光部の難治性の湿疹．表面がざらざらしていたり，出血を伴うこともある→日光角化症

⑥顔面の黒色結節や潰瘍→基底細胞癌

⑦急に出現した皮内・皮下結節や頭部脱毛斑→転移性皮膚がん

⑧頭部打撲後に出現した持続性の出血斑→血管肉腫

⑨熱傷受傷部や放射線照射部にできた難治性潰瘍→扁平上皮癌

⑩口腔あるいは陰部などの白色斑あるいはざらざらとした浸軟局面→白板症

コンサルトのタイミング

湿疹と診断し治療していても治らない場合．

memo

小児診療の心得 (1)

ポイント

❶ 小児の急患の大半は，軽症～中等症の急性呼吸器感染症や消化器感染症，小児特有の伝染性疾患である．しかしその中には髄膜炎，敗血症，骨髄炎，腸重積など，見逃してはならない重症疾患が潜んでいることがある（表1）．

❷ 小児の病気は急変しやすい．朝は元気だったのに，夕方にはグッタリして重症化していることもまれではない．特にハイリスク・グループでは専門医・担当医と連絡をとりあい十分な配慮が必要である（表2）．

❸ 子どもの虐待に注意する．

表 1　重症患児の見分け方

①機嫌不良
②なんとなく元気がなく，笑わない
③ぼんやり，うとうとしている，寝てばかり
④泣き声が弱々しい
⑤時に火がついたように激しく泣く
⑥採血しても泣かない

表 2　小児のハイリスク・グループ

①生後3カ月以下の新生児・乳児
②寝たきりなどの重度障害児
③重大な心疾患をもつ患児
④重大な腎疾患をもつ患児
⑤免疫不全をもつ患児（ステロイド剤など免疫抑制剤使用中の患児も含む）
⑥大手術後の患児
⑦発育不良，栄養状態の悪い患児

第5章　小児編

小児疾患

診察のポイント

❶視診
　①診察室に入ってくるときの様子，付き添い人の様子も必ず見る．
　②顔色をはじめ全身状態の把握
❷問診
　①保護者（付き添い）の訴えをよく聞く．いつもとどう違うのか（少々熱が高くても元気な子なのに，今日は寝てばかりなど）．
　②保護者の訴えに振り回されない．
　③成長・栄養法・家族歴・既往歴・予防接種歴・出生時の状況を聞く．
❸診察
　①裸にして全身を観察する（発疹，ヘルニアなど見逃すことがある）．
　②腹部は，泣かさないようにしてタイミングよく触診．
　③口腔内は嫌がるので，最後にみるほうがよい．

チェックリスト

❶身長，体重を成長曲線で確認（母子手帳活用）
　①やせ：単に太れないのか，体重減少があるのか（体重減少は病気が潜んでいることがある）．
　②肥満：大部分は過食が原因の単純性肥満である．
　③低身長：1年間の伸びが5cm以下，−2SD以下は専門医に紹介する．
❷頭の大きさの異常（母子手帳活用）
　①精神運動発達のチェック（以下）を行い，遅れが疑われる場合は専門医へ紹介する．
　②大泉門の閉鎖の遅れ（1歳半までに閉じない）：水頭症（頭部CT），くる病（尺骨Xpの盃状変化，血清Ca・P・ALP），甲状腺機能低下症（手根骨，TSH，FT3，FT4）

805

小児診療の心得 ⑵

❸見落としやすいもの（全身を裸にして診察する）
　①頭：頭蓋，脱毛　②眼：結膜炎　③耳：中耳炎
　④頸部：耳下腺腫脹・リンパ節炎・甲状腺腫
　⑤外陰部：陰嚢水腫・停留精巣・おむつかぶれ，股
　　関節脱臼，
　⑥皮膚：発疹，癤，紫斑，打撲痕，新旧のアザなど

親への指導

❶小児では看護が何より大切である．食事内容や十分
な水分摂取が，病気の回復には特に大きな意味をも
つ．

❷保温（夏は涼しく，冬は暖かく），換気，清潔，安静の
大切さを指導する．

❸薬は中断せず，指示どおり服用させる．

❹病気やその症状の自然の流れを説明する．「あたり
まえの症状」と「特に異常と思われる症状」とを説
明．

❺登園・登校・外出：①病初期で悪化の可能性のある
とき，②伝染の恐れのあるときは，症状が軽くても
制限（学校保健安全法に則る）する．

❻入浴は，日ごろの生活習慣（入浴や薄着に慣れている
か），住宅状況（日当たり，暖房，家風呂の有無），季節
を考慮して指導する．病初期は症状が軽くても入浴
は制限し，解熱後1日は控えるのが無難．

薬を飲ませるポイント

❶水薬はそのまま飲ませる．

❷粉薬は溶かすときは一口で飲める量にしてスポイト
やスプーンで与える．少量の湯冷ましで団子状にし
た場合は上顎にこすりつけて，水・湯冷まし・ミル
クなどを与える．

❸1回分のミルクに混ぜると全部飲まなかったり，ミ
ルク嫌いになるので推奨されない．

❹嫌がる時は好きなものに混ぜて良い．

第5章　小児編

小児疾患

①乳製品，チョコレート，ココアなどで苦みが和らぐ．
②はちみつは乳児ボツリヌス症の危険があるので1歳未満には与えない．

小児のバイタルサイン

	呼吸回数（/分）	心拍数（/分）
新生児＊	30〜60	90〜180
〜6か月	30〜60	80〜160
〜1歳	25〜45	80〜140
〜3歳	20〜30	75〜130
〜6歳	16〜24	70〜110
〜12歳	14〜20	60〜90
12歳〜	12〜18	60〜80

＊出生直後の新生児は心拍数＜100/分の場合は蘇生処置の対象となる．
※低血圧（mmHg）の目安は以下のとおり．
　新生児；≦60，〜1歳；≦70，1歳〜；≦70＋（2×年齢）

フォローアップ外来

❶翌日や数日後など，症状の経過をフォローし，改善していることを確認する．
❷改善を認めない場合は，専門医へ紹介する．

小児診療の心得 (3)

発育相談

❶精神運動発達のチェック
　①3〜4カ月：追視,頸定,あやすと笑う.
　②6〜7カ月：母親を識別,手を伸ばし手掌で物をつかむ.
　③9〜10カ月：お座り,ハイハイ,指先で物をつかむ.
　④1歳半：一人歩き,殴り書き,有意語2〜3個.
　いずれも気になる場合は,専門医に相談するよう指導.
❷脳性麻痺が疑われる場合
　①だっこするとき,硬くなって,反り返る,下肢がつっぱる.
　②おもちゃをつかもうとすると硬くなる.
　これらの訴えがあれば,以下の試行を行う.
　③引き起こしてみる→体が棒のように立ってしまう.
　④下肢を床につかせようとする→尖足位でつっぱる.
　以上の所見があれば,専門医に相談するよう指導する.
❸聴覚障害の早期発見
　①音によるMoro反射（新生児反射）が全く出ない.
　②6カ月で人の話し声や歌声に関心を示さない,鈴やカスタネットに反応しない.
　③1歳半で有意味語が出ない.
　④2歳半で2語文が出ない（聞き返しが目立つ,発音の異常がある）.
　以上にあてはまる場合は専門医へ紹介する.
❹視覚障害の早期発見
　①新生児で瞳孔反応がみられない.
　②3カ月で,しっかり物を見つめて追視ができない.

発　熱 (1)

ポイント

❶ 小児の急性疾患の中で最も多い主訴であり，かぜ症候群をはじめとするウイルス感染症によるものが多い．

❷ 2〜3日の熱は上気道感染（鼻咽頭炎，扁桃炎）が多い．4〜5日以上熱が続けば，積極的に原因を検索する．

❸ 全身状態の観察が大切．顔色不良，ぐったりして，呼びかけなど反応が乏しいときは緊急を要することが多い．緊急を要する注意すべき随伴症状として，①意識障害，②痙攣，③強い頭痛，④強い腹痛，⑤呼吸困難，⑥チアノーゼがある場合は，応急手当をしながら次の検査に進むか，入院，転送の手続きをするかを判断する．

発熱をきたす疾患

❶ 感染症

　①ウイルス：かぜ症候群，突発性発疹，ヘルペス性歯肉口内炎，ムンプス，水痘，伝染性単核球症，インフルエンザ，麻疹，風疹，髄膜炎，脳炎・脳症，COVID-19

　②細菌：咽頭扁桃炎，中耳炎，副鼻腔炎，気管支炎，肺炎，髄膜炎，尿路感染症，骨髄炎，敗血症，虫垂炎，心内膜炎

　③その他：マイコプラズマ肺炎，オウム病

❷ その他：川崎病（MCLS），膠原病（若年性特発性関節炎（JIA），全身性ループスエリテマトーデス（SLE）），悪性腫瘍など

年齢による注意点

❶ 3カ月未満の乳児では，sepsis work up を常に念頭に置き，発熱直後でも髄膜炎は必ず考慮する．髄液検査ができるところへ紹介する．

❷ 離乳期の乳児が初めて熱を出す疾患の中に突発性発

発　熱 ⑵

疹がある．3〜4日間熱があっても，元気であれば経過観察する．

❸乳児の夏季の発熱で，朝に体温が高いものは，いわゆる夏季熱[※1]を考慮する．水分補給に努める．

❹2歳以下では39.5℃以上で白血球数15,000/μL以上の場合は潜在的菌血症の場合が多いため，CRPが高値であれば入院して血液培養を行う．

❺学童期の不明熱のひとつに詐熱[※2]がある．体温計の温度のわりには，体熱感もなく頻脈もないときは疑う．

> [※1]夏季熱：濃厚栄養の人工栄養児に見られる．外気温が高くなれば発熱し，暑熱が続く間熱が弛張する発熱で，脱水症を伴う．
>
> [※2]詐熱：熱がないのに熱が出ているような状況を作ること．詐病の一種．

迅速診断キット　☞ p.926 感染症に関する各種迅速診断法

A群β溶連菌，インフルエンザウイルス，アデノウイルス，RSウイルス（保険適用は2歳未満），ヒトメタニューモウイルス，マイコプラズマ，ロタウイルス，ノロウイルス，SARS-CoV-2

保護者に対する説明と指導

❶安静，水分補給指導（少量頻回に与える）．

❷全身状態が悪くなければ心配ない．

❸特殊な疾患以外，熱だけで中枢神経障害にはならない．

❹悪寒戦慄があれば少し厚着をさせ，暑がったり発汗してきたら薄着にさせて換気をよくする．

❺解熱薬投与で解熱しても疾患の治癒を意味しないことを十分に説明する．

❻全身状態が良ければ短時間の入浴やシャワーは可．

❼水分摂取量が少ないときは熱がなくても気をつける．

❽物理的冷却；昔から物理的対処法として水枕（氷枕）

第5章　小児編

小児疾患

が使われてきた．最近は使い捨ての貼付式冷却剤が使われている．これらの効果は頭部の一部を冷やすだけで体温を下げることはあまり期待できない．

解熱薬の投与

❶ アセトアミノフェン（10～15 mg/kg/回）を用いる．
❷ 39℃前後を目安に，再使用は6～8時間以上開ける．
❸ 高熱のため機嫌が悪く，食欲不振や睡眠障害がある場合に使用
❹ 6か月未満の乳児には基本的に使用せず，クーリング優先．

コンサルトのタイミング

❶ 発熱が5日以上続く場合．
❷ 痙攣をくり返す場合．
❸ バイタルが不安定な場合．
❹ 頭痛，腹痛などの症状が強かったり増悪する場合．
❺ 経口摂取が不十分で脱水を認める場合．

✍ memo

咳　嗽

ポイント

❶小児の主訴では比較的多く，上気道あるいは下気道に何らかの異常があると考える．

❷3週間以上続く咳嗽は精査の対象．百日咳や副鼻腔炎は盲点になりやすい．

❸喘鳴はまず吸気性か呼気性かを判断する．

鑑別のポイント

❶重症，緊急性の指標：咳では咳き込み嘔吐や睡眠障害を伴うものは重症と判断．喘鳴では多呼吸，陥没呼吸，チアノーゼ，会話が出来ない，などは重症で緊急性が高いと判断する．

❷咳の性質による鑑別

①乾性咳嗽（コンコン，咳ばらい）：上気道炎，喘息，物理的・化学的刺激，チックなど．

②湿性咳嗽，喘鳴を伴う咳嗽：気管支炎，細気管支炎，肺炎，喘息など．

③犬吠様咳嗽や嗄声を伴っているとき：仮性クループ，気道異物．

④レプリーゼ（コンコンコン…ヒュー）：百日咳

⑤夜間増悪する咳：アレルギー性咳嗽，仮性クループ，副鼻腔炎，百日咳

⑥入眠すると消失する咳：軽度の喘息，チック

❸喘鳴の性質・発現の仕方による鑑別

①吸気性：緊急性のないものでは鼻閉，アデノイドなど．急性発作性に出現し，緊急性を要するものでは嗄声を伴うものは仮性クループ，気道異物など．

②呼気性：気管支喘息（夜間，早朝に好発する），心不全（特に心筋炎・心筋症によるもの）．夜と昼の喘鳴が同じ程度なら炎症性疾患（気管支炎，肺炎，細気管支炎）が疑われる．

胸　痛

ポイント

❶ 小児では特発性，筋骨格性，心因性で約8割を占める．

❷ 心臓血管系によるものを見逃さないために，川崎病既往の有無，先天性心疾患の有無は最低確認しておく．

❸ 初診時には，器質的疾患を見逃さないため，あるいはそれらを除外して家族を安心させるためにも，胸部X線単純撮影と12誘導心電図検査（不整脈が疑われるときは少し長めに記録）は原則として行う．

鑑別のポイント

❶ 成人と異なり，心臓血管系によるものは5%程度と少ない．

❷ 問診が重要：経過，性状，部位，持続時間，頻度，時間帯，随伴症状，生活習慣，スポーツの有無，心理的背景の有無など．

❸ 小児の胸痛は一般に予後が良い．反復する場合も多いため，症状出現時の対処法などを説明し安心させる．

鑑別疾患

❶ 特発性

❷ 筋骨格性：過剰なスポーツ，肋軟骨炎，乳腺肥大，強度の発作性咳嗽，皮膚（帯状疱疹）など．

❸ 心因性：起立性調節障害，ストレス，環境因子，親子関係，過換気症候群，チックなど．

❹ 呼吸器性：気管支喘息（特にコントロール不良例），胸膜炎（気管支炎，肺炎による），自然気胸など．

❺ 心血管系：不整脈，冠動脈炎（川崎病後遺症），心筋炎など．

❻ 消化器系：食道炎，胃十二指腸潰瘍，膵炎など

813

腹　痛

ポイント

❶鼠径部や陰部の観察を忘れずに行い，鼠経ヘルニアや精索捻転見逃さないようにする．

❷乳幼児では「お腹が痛い」と訴えても，実際には腹痛ではなく，他部位の痛みの表現だったりする．幼児以上では患児に痛いところを指で指させてみる．

❸腹部の触診は枕をさせないで，患児の表情，反応を注意深く観察しながら繰り返し行う．

鑑別のポイント

❶腹痛の部位と性状：限局性かびまん性か，間欠性か持続性か痛みの性状を聞く．

❷随伴症状：嘔吐，下痢，腹部膨満，発熱など全身性の疾患の有無について考慮する．

❸検尿：尿路感染症，腎結石などの有無．

❹血液検査：白血球数（炎症性疾患），貧血（消化管出血，腹腔臓器出血），アミラーゼ（膵炎）ほか．

❺腹部 Xp：立位で横隔膜下でのフリーエアーの存在（腸管穿孔），ニボーの存在（イレウス），腫瘤や石灰化に注意して読影する．

❻腹部エコー：腸重積，虫垂炎などの診断に有用．

❼便細菌検査：細菌性腸炎，食中毒の原因検索．

鑑別疾患

❶機能的な腹痛，便秘：浣腸で改善することが多い．

❷器質的疾患

　①虫垂炎：穿孔を起こしやすい．嘔吐，発熱を伴うことが多い．痛みは臍周囲に始まり次第に右下腹部に限局してくる．白血球数，腹部 Xp を参考にして診断する．

　②腸重積症：嘔吐，腹痛，血便，腹部腫瘤（右上腹部にソーセージ様に触れる）を認める．

　③血管性紫斑病（アレルギー性紫斑病）：四肢の出血斑の確認．念頭にないと見逃すことが多い．紫斑よ

第5章　小児編

小児疾患

り腹痛（疝痛）が先行することがある.

④周期性嘔吐症（臍疝痛）：尿アセトン陽性

⑤急性胃腸炎：嘔吐，下痢を伴うことが多い.

⑥急性膵炎：アミラーゼが参考になる.

⑦尿路感染症：頻尿，排尿痛，残尿感が参考になる

⑧その他：上気道炎，肺炎，喘息で腹痛を伴うことがある．思春期の女子は妊娠や婦人科疾患も考慮する.

処　置

❶浣腸（イレウス，虫垂炎を否定したのち）

浣腸

50%グリセリン液　～3カ月10 mL，～1歳20 mL，
　　　　　　　　　～5歳30 mL，～6歳40 mL

(注腸)

※便秘を疑い，浣腸にて反応便があり自覚症状が軽減した場合は帰宅可.

❷強い腹痛のとき（原則として入院させる）

電解質補液：開始液

ソリタ-T1号または生理食塩水10～15 mL/kg/時 (点)

コンサルトのタイミング

腹膜炎を疑うなどの強い腹痛の場合.

✏️ **memo**

下　痢 (1)

ポイント

❶ 乳幼児では食事過誤（食べすぎ，冷たいものの飲みすぎ，消化不良）も多いが，ウイルス性のものが大部分を占める.

❷ 脱水の程度，合併症の有無や程度により，輸液・入院の要否の判断が必要.

❸ 0～2歳前後の乳幼児では，軽度の下痢症で胃腸炎関連痙攣（☞ p.818ミニコラム）を起こすことがあり注意が必要.

チェックリスト

❶ 下痢の量・回数・持続日数・性状

❷ 脱水の程度
  ①機嫌・活動性などの全身状態
  ②摂取水分量・嘔吐の有無・排尿の有無
  ③体重測定

❸ 重症感があれば，血算，血清電解質，血液ガス分析

便の性状による鑑別

❶ 白色がかった水様便はロタウイルスやノロウイルスなどのウイルス性下痢に多い.

❷ 血便，粘血便は細菌性に多いが，腸重積症との鑑別が重要.

❸ 酸臭のある多量の水様下痢便がガスとともに噴出するのは乳糖不耐症の発酵性下痢の特徴.

鑑別疾患

❶ 腸管外感染症：呼吸器感染症，尿路感染症，中耳炎など

❷ 腸管内感染症
  ①細菌性
    サルモネラ菌，カンピロバクター属菌，病原性大腸菌，ブドウ球菌，腸炎ビブリオ，ウエルシュ菌など，粘血便を呈することが多い.
  ②ウイルス性

第 5 章　小児編　　　　　　　　　　　　　　　　　小児疾患

　　　　ノロウイルス（冬），ロタウイルス（冬～春），アデ
　　　　ノウイルス・エンテロウイルス（夏），など
　　　　※ノロウイルス，ロタウイルス，アデノウイルスは迅速
　　　　　診断キットあり．☞ p.926 感染症に関する各種迅速診断法
❸虫垂炎，腹膜炎，腸重積
❹アレルギー性
❺過食，冷たいものの摂取，消化不良
❻その他，代謝性，心因性，薬剤（特に抗菌薬）

処　置
❶脱水対策
　　5％以上の体重減少は外来で（入院で）補液．
　　10％以上の体重減少は入院で持続点滴．
❷食事指導（急性期，2週間以内）
　①帰宅させるなら経口水分摂取指導，固形物の中止
　　期間はせいぜい半日まで．
　②母乳栄養児では母乳をやめさせる必要はない．
　③人工栄養児の軽症では制限不要．中等症以上では
　　急性期に粉乳を控えさせるか，乳糖を含まないミ
　　ルクに変更．
　④離乳食は，下痢の初期は粥食，うどん，煮物など
　　にする．母乳やミルクのみに戻す必要はない．
　⑤牛乳は与えない（下痢がひどい，遷延しているとき）．
　⑥下痢が落ち着いてきたら栄養を落とさない程度に
　　消化のよいものを与える．便の硬さと同じくらい
　　にするとよい．
❸止痢剤：原則として投与しない．
❹抗菌薬：原則として投与しない．
　　乳幼児や症状が強い場合，便の細菌検査提出後に
　　投与．病原菌不明の場合は以下．

抗菌薬：ホスホマイシンカルシウム
ホスミシンDS．　40～120 mg/kg/日　1日3～4回
　　　　　　㊅　朝昼夕食後（または食前）・就寝前

817

下　痢 ⑵

2週間以上続く下痢

❶急性胃腸炎後の二次性乳糖不耐症（ラクターゼの欠乏あるいは活性の低下により乳糖が分解されず浸透圧性下痢をきたす）をきたしていることがある.

❷特定の食物で嘔吐，下痢を繰り返すときは食物アレルギーの可能性がある.

❸急性下痢症の間違った食事療法や，過度の制限食を続けた場合に見られることがある.

① 離乳食を取るべき乳児に，ミルクや母乳ばかり与えているときは，黄色・酸臭の水様便を呈することがあり，離乳食を始めることで改善する.

② 年長児の下痢のときに，流動食や菓子・牛乳・果物ばかり与えていると治癒が遷延することがある.

コンサルトのタイミング

❶乳幼児の難治性の下痢，特に体重減少を伴うものは専門医に紹介する.

❷痙攣をくり返す場合.

ミニコラム　胃腸炎関連けいれん

38℃以上の発熱を伴わず，脱水を呈さない程度の軽度の下痢症（ロタウイルス，ノロウイルスで多い）で起こる. 0〜2歳前後の乳幼児に多く，下痢発症後1〜2日目に多い. 多くは短時間の全身性痙攣でしばしば群発する.

✎memo

嘔　吐 (1)

ポイント

❶嘔吐には重篤な疾患（腸重積症，髄膜炎，脳腫瘍，糖尿病性アシドーシス等）が潜んでいることがあり，意識状態や随伴症状に注意する.

❷乳児ではまず，母乳/ミルクの飲みすぎによる溢乳，空気嚥下，便秘，腸炎初期症状の頻度が高い.

❸頻回嘔吐，吐物に胆汁や血液が混入している場合，器質的疾患が疑われる.

チェックリスト

❶全身状態：脱水症状の有無，意識状態など.

❷嘔吐物の性状
　①胆汁の混入があれば胃より下方の通過障害を考慮.
　②血性の吐物：量が多く新鮮血で凝血魂があれば胃・十二指腸潰瘍が考えられる. 鼻出血の嚥下による嘔吐もよく経験する.
　③糞臭は下部消化管の閉塞を示す.

❸随伴症状
　①腹痛の部位と性状　☞ p.196
　②頭痛，発熱，痙攣があれば髄膜炎，頭蓋内出血，代謝異常などを疑う.
　③下痢：急性胃腸炎
　④粘血便（腸重積，アレルギー性紫斑病，細菌性腸炎）
　⑤咳，喘鳴：気管支喘息，（細）気管支炎

❹検査
　①血液検査：血算，生化学（CRP，肝胆道系，腎機能）
　②尿一般（尿路感染症，アセトン血性嘔吐症，脱水），尿中アミラーゼ（膵炎）

❺画像診断
　①腹部Xp：イレウス，消化管穿孔，虫垂炎，腸重積症など
　②超音波検査：腸重積症，胆嚢炎，膵炎，虫垂炎，腹水など

819

嘔　吐 (2)

③頭部 CT，MRI 検査：頭蓋内病変

鑑別診断

年齢からある程度対象疾患が絞られる（図1）．

❶乳児ではまず，母乳/ミルクの飲みすぎによる溢乳，空気嚥下，便秘などを考える．かぜの初発症状，嘔吐後，機嫌がよければ緊急性は少ない．

❷乳児期以降も感染症（胃腸炎，上気道炎）による頻度が最も高い．急性虫垂炎，アセトン血性嘔吐症，心因性嘔吐などがある．

❸鑑別疾患（他の症状や検査）を速やかに行い，外科的な対応が必要かどうか，腸重積症，髄膜炎の否定を行ったうえで，制吐薬を用いる．

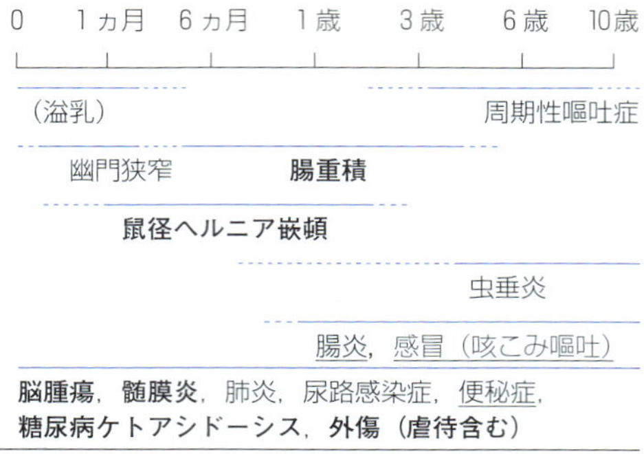

0	1ヵ月	6ヵ月	1歳	3歳	6歳	10歳

（溢乳）　　　　　　　　　　　　周期性嘔吐症

幽門狭窄　　　　**腸重積**

鼠径ヘルニア嵌頓

虫垂炎

腸炎，感冒（咳こみ嘔吐）

脳腫瘍，髄膜炎，肺炎，尿路感染症，便秘症，
糖尿病ケトアシドーシス，外傷（虐待含む）

図 1　嘔吐の年齢による鑑別
（下線：頻度高，**太字**：緊急度高）

✎ memo

第5章　小児編

小児疾患

処置

❶全身状態が悪くない場合は，幼児期以降では6〜8時間程度の絶食ののち，嘔気・嘔吐の状態をみながら水分（白湯，砂糖水など）を少量ずつ頻回に投与する．嘔吐がなければ，流動食から徐々に固形食に移行する．少量頻回投与で嘔吐が治らなければ，再受診してもらう．

❷ソリタ-T 顆粒® 液やスポーツドリンクを飲みすぎない程度に与える．

❸脱水や電解質異常があれば輸液で補正する．

❹比較的軽症なら
　①水分を少量頻回に投与　②制吐薬（坐薬）を挿肛

消化管運動改善剤：ドンペリドン

　ナウゼリン坐剤　＜3歳 10 mg
　　　　　　　　　≧3歳 30 mg

❺嘔吐頻回，脱水症状強ければ

電解質補給：開始液

　ソリタ-T 1号（200 mL）　10 mL/kg/時　点
　学童以上は以下を処方

消化器機能異常治療剤：メトクロプラミド

　プリンペラン注（10 mg/2 mL/A）
　　　　　　　　　　0.2〜0.5 mg/kg　点

注：錐体外路症状を起こしやすい．
※排尿があり尿アセトン（−）なら，少量の水分を飲ませてみて，嘔吐しなければ帰宅可．

コンサルトのタイミング

以下のときは入院適応，精査が必要．
①輸液しても嘔吐が改善しない場合
②吐物に血液混入を認める場合
③嘔吐と腹痛が持続する場合
④溢乳以外の新生児の嘔吐

821

発疹・伝染性疾患 (1)

ポイント

❶周囲の流行状況，人混みへの外出，海外渡航歴，予防接種歴を聞く．

❷合併症がなければ，対症療法のみでよいことが多い．

❸学校保健安全法で定められている学校感染症の種類，出席停止期間については表1〜3を参考にする．

表 1　学校感染症の種類（学校保健安全法施行規則第18条）

第一種感染症	エボラ出血熱，クリミア・コンゴ出血熱，痘瘡，南米出血熱，ペスト，マールブルグ熱，ラッサ熱，ポリオ，ジフテリア，重症急性呼吸器症候群（病原体がSARS（サーズ）コロナウイルスであるものに限る），鳥インフルエンザ（病原体がインフルエンザウイルA属インフルエンザAウイルスであってはその血清亜型がH5N1であるものに限る）
	＊上記の他，新型インフルエンザ等感染症，指定感染症及び新感染症
第二種感染症	インフルエンザ（鳥インフルエンザ（H5N1）を除く），新型コロナウイルス感染症，百日咳，麻疹，流行性耳下腺炎（おたふくかぜ），風疹，水痘（みずぼうそう），咽頭結膜熱（プール熱），結核，髄膜炎菌性髄膜炎
第三種感染症	コレラ，細菌性赤痢，腸管出血性大腸菌感染症，腸チフス，パラチフス，流行性角結膜炎，急性出血性結膜炎その他の感染症
	＊この他に条件によっては出席停止の措置が必要と考えられる疾患として，溶連菌感染症，ウイルス性肝炎，手足口病，伝染性紅斑（りんご病），ヘルパンギーナ，マイコプラズマ感染症，流行性嘔吐下痢症，アタマジラミ，水いぼ（伝染性軟疣腫），伝染性膿痂疹（とびひ）（表3も参照）

memo

第5章　小児編

小児疾患

表 2　出席停止の期間

- 第一種の感染症：完全に治癒するまで
- 第二種の感染症：病状により学校医その他の医師において伝染のおそれがないと認めた時は，この限りではない．

インフルエンザ	発症した後5日を経過し，かつ，解熱した後2日（幼児は3日）を経過するまで ＊鳥インフルエンザ（H5N1）及び新型インフルエンザ等感染症を除く
新型コロナウイルス感染症	発症した後5日を経過し，かつ，症状が軽快した後1日を経過するまで ＊「症状が軽快」とは，解熱剤を使用せずに解熱し，かつ，呼吸器症状が改善傾向にあること．また，発症から10日を経過するまではマスクの着用を推奨する．
百日咳	特有の咳が消失するまで又は5日間の適正な抗菌性物質製剤による治療が終了するまで
麻疹	解熱後3日を経過するまで
流行性耳下腺炎 （おたふくかぜ）	耳下腺，顎下腺又は舌下腺の腫脹が発現した後5日を経過し，かつ，全身状態が良好になるまで
風疹	発疹が消失するまで
水痘（みずぼうそう）	すべての発疹が痂皮化するまで
咽頭結膜熱（プール熱）	主要症状が消退した後2日を経過するまで
結核	病状により学校医その他の医師において伝染のおそれがないと認めるまで．
髄膜炎菌性髄膜炎	病状により学校医その他の医師において伝染のおそれがないと認めるまで．

- 第三種の感染症：病状により学校医その他の医師において伝染のおそれがないと認めるまで．
- その他の場合：
  - ・第一種もしくは第二種の感染症患者を家族に持つ家庭，または感染の疑いが見られる者については学校医その他の医師において伝染のおそれがないと認めるまで．
  - ・第一種又は第二種の感染症が発生した地域から通学する者については，その発生状況により必要と認めたとき，学校医の意見を聞いて適当と認める期間．
  - ・第一種又は第二種の感染症の流行地を旅行した者については，その状況により必要と認めたとき，学校医の意見を聞いて適当と認める期間．

※発症当日は0日目，解熱した日は解熱後0日目とする．

発疹・伝染性疾患 (2)

表 3　登校許可の目安

溶連菌感染症	抗菌薬内服後 24 時間以上経過し，解熱し，通常の食事がとれるようになるまで
感染性胃腸炎（嘔吐下痢症）	嘔吐，下痢が治まり，通常の食事がとれ，体力が回復するまで
ヘルパンギーナ手足口病	発熱や口の中の水疱・潰瘍の影響がなく，通常の食事がとれるようになるまで
マイコプラズマ肺炎	発熱や特有の咳が軽快するまで
伝染性紅斑（りんご病）	体力が回復するまで
伝染性膿痂疹（とびひ）	広い範囲の水ぶくれ・びらんが軽快するまで

突発性発疹（図 1）☞ p. 831

❶好発年齢は 6 か月〜1 歳，最近は初発年齢が年長児に移行している傾向あり．

❷ヒトヘルペスウイルス（HHV）-6B，HHV-7 が病原体．潜伏期間は 10〜14 日．

❸感染は母親などの既感染成人からの水平感染で，季節性はない．

❹高熱に比し全身状態は良好なことが多く，解熱と同時に全身に赤い斑状丘疹が出現，解熱後にかなり不機嫌なこともある．下痢を伴うことも多い．

コンサルトのタイミング

全身状態が悪化する場合や，中耳炎，熱性痙攣，急性脳症などが疑われる場合．

水　痘（図 2）☞ p. 831

❶潜伏期：11〜20 日，好発年齢：2〜6 歳．

❷軽度の発熱と同時に体幹に小丘疹ができ，その中心に水疱ができる．水疱に中心臍がある．

第5章　小児編　　小児疾患

❸水痘患者と接触後72時間以内なら，水痘ワクチン接種で発症予防効果が期待できる．

❹1歳未満の乳児，中学生以上の年長児，免疫不全を有する児，重症アトピー性皮膚炎の児などは，水痘が重症化しやすく抗ヘルペスウイルス薬投与を考慮（48時間以内）．

❺2014年10月より水痘ワクチンの2回接種が定期接種となり水痘患者は激減している．

処　置

❶皮膚処置：液状フェノール®，チンク油®，フェノール・亜鉛華リニメント塗布

❷解熱剤はアセトアミノフェン（NSAIDs は Reye 症候群発症と関連あり）

抗ヘルペスウイルス薬：アシクロビル
　ゾビラックス顆粒（40%）　1回20 mg/kg　1日4回
　　　　　　　　　　　　　　　　　　　　　　　内5日間

　　　または

抗ヘルペスウイルス薬：バラシクロビル塩酸塩
　バルトレックス顆粒（50%）　75 mg/kg/日　1日3回
　　　　　　　　　　　　　　　　　　　　　　　内5日間

コンサルトのタイミング

細菌二次感染や肺炎の合併例．

流行性耳下腺炎（ムンプス）

❶潜伏期は約2〜3週間．不顕性感染が30〜40%．

❷発熱と同時に耳下部痛を訴えることが多い．

❸耳下腺腫脹は両側が多いが，片側例（25%）もある（腫脹は発症後1〜3日でピークとなり，その後3〜7日かけて消退）．鑑別疾患として，反復性耳下腺炎などがある．☞ p.837

❹発症数は4〜5歳が最多，3〜7歳で約70%を占める．

発疹・伝染性疾患 ⑶

近年は 10 歳以上の割合が増加傾向にある.
❺合併症に注意
　①髄膜炎（3～10%，高熱・頭痛・嘔吐）
　②感音性難聴（0.1～0.25%）
　③睾丸炎（思春期以降男性の 20～30%）
　④卵巣炎（思春期以降女性の約 7%）
　⑤急性膵炎（思春期以降）
❻治療は対症療法.
❼ワクチンでの予防（2 回接種）が望ましい
コンサルトのタイミング
合併症が疑われる場合.

手足口病

❶手掌・指・足底，趾，踵，膝，臀部などに，硬い小水疱を伴う丘疹が出現.　水痘との鑑別を要するような全身に発疹が出現する例もある.
❷口唇，頬粘膜，舌に小水疱が生じアフタ様にもなる.
❸重症例では 1 週間ぐらい続き，経口摂取不良で脱水になることもある.
❹春から夏に流行し，稀に幼児を中心として髄膜炎・小脳失調症・急性脳炎などの中枢神経合併症を生ずる.
❺発熱で発症し，翌日以降に発疹が出現する例や，いったん解熱した後再燃することがある.
❻治療は対症療法
❼数週間後に爪甲脱落症を認めることもある.
コンサルトのタイミング
❶経口摂取不良で脱水をきたしている場合.
❷中枢神経合併例.

第 5 章　小児編

小児疾患

A 群溶連菌感染症

　多くは発熱，咽頭痛で発症し，苺舌や頸部リンパ節腫脹を認めることもある．年齢により病態の特異性がある．治療方針は Modified Centor Criteria（☞ p. 132）も参考に判断する．

病態

❶上気道炎型：6 カ月〜3 歳
　①発病が緩徐で，症状は軽く，鼻汁を伴う鼻咽頭炎が比較的長期に続く．
　②中耳炎を合併しやすい．

❷咽頭・扁桃炎型：3〜12 歳
　①発病が急激で，高熱・咽頭痛を訴え，咽頭は充血し，扁桃はしばしば腫脹し発赤が強い．
　②合併症に，リウマチ熱，腎炎，血管性紫斑病（アレルギー性紫斑病 ☞ p. 862）などがあり，再来院させる．

❸猩紅熱（現在この名称は使われていない）
　①上気道炎の経過中に本菌の毒素による粟粒大の小丘疹〜びまん性・紅斑様の発疹（掻痒感を伴うことが多い）が全身に広がり，口囲蒼白，苺舌などの症状をみる．
　②1 週目の終わりごろから落屑をみる．

❹皮膚症状
　①膿痂疹・丹毒・癤・膿瘍・蜂巣炎などをみる．
　②続発する腎炎の合併に注意．

処置

　疑えば迅速抗原検査（または咽頭培養）を施行し，抗菌薬を抗与．

✎**memo**

827

発疹・伝染性疾患 (4)

ペニシリン系抗生物質：アモキシシリン水和物

サワシリン細粒(10%) 20〜40 mg/kg/日　1日3回
　　最大1日90 mg/kgまで　内　朝昼夕食後

※10〜14日間投与.
※内服終了後に尿検査検討.
※咽頭培養の結果，non A群溶連菌の場合，症状消失後
　抗菌薬は中止（non-group A）.

コンサルトのタイミング

経口摂取不良で脱水症や傾向内服困難例.

伝染性紅斑

❶ 2〜12歳の小児，特に学童に好発.
❷ 一般にりんご病といわれ，顔面に蝶形紅斑を認める.
❸ 顔面発疹に1日位遅れて四肢にレース様紅斑が出現. 紅斑は日光に当たることで増悪・再燃することがある.
❹ ヒトパルボウイルスB19による感染症. 感染後7〜9日に感冒様症状，紅斑は感染後2週間以後に認める.
❺ 特に治療を必要としない. 紅斑出現時感染力はなく，出席停止の対象ではない.
❻ 妊婦が本症に罹患すると流産，胎児水腫が起こる危険性が高いので，接触を避ける.

コンサルトのタイミング

先天性溶血性貧血患者に感染すると骨髄無形成発作が引き起こされる.

伝染性単核球症 (EBウイルス感染症)

❶ 発症は思春期以後の成人初感染例に多い.
❷ 潜伏期間は4〜6週間

第5章　小児編

小児疾患

表4　抗体価による診断

①VCAIgM 抗体が初期に陽性
②VCAIgG 抗体価の4倍以上の上昇
③VCAIgG 抗体が初期から陽性でかつ，EBNA 抗体が
　陰性，後に陽性化

❸発熱，後頸部リンパ節腫脹，強い咽頭発赤が特徴．
❹発疹，肝脾腫，口蓋粘膜の出血斑も認める．
❺概して軽症例が多いが，重症化するものがある．
❻肝障害の合併，血中異型リンパ球の増加，血清ウイ
　ルス抗体 EBV-VCA-IgG（＋），EBNA（－）が診断
　の参考となる（表4）．
❼治療は対症療法．出席停止の対象ではない．
❽本症感染時はアレルギー反応が起こりやすいためペ
　ニシリン系，セフェム系の抗菌薬は禁忌．

麻　疹（図3）　☞ p. 832

❶流行状況，海外渡航歴，ワクチン接種歴を必ず確認
　する．2015年3月に排除状態と認定されたが，輸入
　感染例には引き続き要注意．
❷潜伏期は10～12日．好発年齢は1～3歳
❸発熱とカタル症状で始まる．感染力は非常に強い．
❹Koplik 斑（臼歯近くの頬粘膜と歯肉にみられる．中心が
　白色の小赤色点）出現が診断に役立つ．
❺発疹は暗紅色丘疹で，顔面・頸部に出現し，体幹・
　四肢に拡大，癒合，色素沈着あり．
❻診断は流行状況，臨床症状，検体検査（RT-PCR 法
　等による遺伝子検査，IgM, IgG ペア血清）を行う（IgM
　は偽陽性の問題があり，単独での診断は避ける）．
❼合併症として，中耳炎，肺炎，脳炎がある．熱性痙

829

発疹・伝染性疾患 (5)

攣を起こすこともある．
❽治療は対症療法，二次感染が疑われれば抗菌薬を投与することもある．重症例にはビタミンA投与．
❾麻疹患者と接触した場合，72時間以内なら麻疹ワクチン接種により発症予防効果が期待できる．
❿接触後72時間以上，6日以内であれば，免疫グロブリンの筋注が発病防止または軽症化に有効とされる．

風　疹（図4）☞ p.832

❶流行状況，ワクチン接種歴を必ず確認する．
❷潜伏期は2～3週．好発年齢は3～10歳．
❸症状は3日程度の発熱，発疹（癒合傾向は少ない），リンパ節腫脹（発疹出現約1週間前から，主に頸部，耳介後部，後頭部）．
❹診断は臨床症状，抗体価測定(IgM, EIA法)で行う．
❺治療は対症療法．
❻予後は良好だが，先天性風疹症候群，血小板減少性紫斑病，脳炎などの合併症を認めることもあり．
❼出席停止期間は表2（☞ p.823）を参照．

コンサルトのタイミング

全身状態が不良で他の熱性発疹性疾患と鑑別が困難な場合．

川崎病（MCLS）☞ p.856

memo

第5章 小児編　　　　　　　　　　　小児疾患

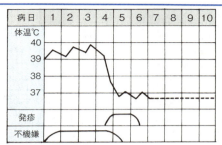

図1　**突発性発疹の経過**（中山健太郎：小児科学, 文光堂）
※解熱後も不機嫌は続くこともある.

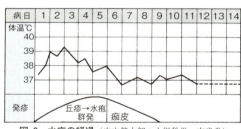

図2　**水痘の経過**（中山健太郎：小児科学, 文光堂）

✎ **memo**

発疹・伝染性疾患 (6)

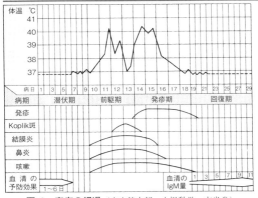

図 3　麻疹の経過（中山健太郎，小児科学，文光堂）

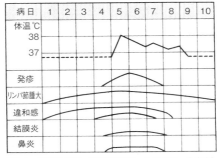

図 4　風疹の経過（中山健太郎，小児科学，文光堂）

かぜ症候群 (1)

ポイント

❶ 鼻咽頭の気道粘膜炎症症状を呈する疾患の総称で，通常3〜7日（平均4日）程度で治癒する．

❷ 合併症として，細菌の二次感染による中耳炎・肺炎・副鼻腔炎・リンパ節炎などがあり，喘息様気管支炎・喘息・急性胃腸炎も誘発されやすい．

❸ 抗菌薬の予防投与については実証的な根拠はない．

背景

❶ 乳幼児に罹患率が最も多く年長になるに従って罹患率が低下する．特に集団生活（保育園，幼稚園）を始めた数カ月間の罹患率が高い．

❷ 乳幼児では感染初期に38〜40℃の発熱で発症することが多く，不機嫌・哺乳力低下（食欲不振）・嘔吐・下痢を伴うこともある．鼻水などの鼻症状も比較的早期に認める．

病因

❶ 80〜90％はウイルスによる．ライノ，アデノ，コロナ，インフルエンザ，新型コロナ，RS，パラインフルエンザ，ヒトメタニューモなどがある．

❷ 細菌としては，A群溶連菌，インフルエンザ桿菌，肺炎球菌，ブドウ球菌などが主であり，その他クラミジア，マイコプラズマが病原となる．

臨床症状

❶ 鼻粘膜症状（鼻炎・普通感冒）

　①鼻閉・くしゃみなどの症状で始まる．

　②次第に水様性〜粘液性の鼻汁が出現し，時に粘液膿性になる．

　③咳，発熱は経鼻で他覚的所見も乏しい．

❷ 咽頭症状（咽頭炎，扁桃炎）

　①咳，鼻汁以外に発熱，咽頭痛がある．

　②溶連菌による咽頭炎は口蓋弓から軟口蓋にかけて強い発赤像を示し，咽頭痛を強く訴えることが多

かぜ症候群 (2)

　　い．☞p 827 発疹・伝染性疾患　溶連菌感染症，☞p. 837
　　反復性耳下腺炎・扁桃炎
❸喉頭症状（クループ症候群）☞p. 839 クループ症候群
　①2〜5歳の幼児に多い
　②夜間突然に吸気性喘鳴が出現し，犬吠様咳嗽を呈す
　　る．
❹気管支症状（気管支炎・喘息様気管支炎）☞p. 354 気管支炎
　①乳幼児はかぜに引き続いてかかりやすい．
　②乾性咳嗽で始まり，分泌が増強して湿性咳嗽となる．
　③2歳未満では喀痰の喀出ができないため，喘鳴を
　　呈することがあり，喘息発作との鑑別が困難な場
　　合もある．

鑑別疾患

❶咽頭結膜熱
　①アデノウイルス（1, 2, 3, 5, 6.7a, 14型）が原因．
　②発熱，咽頭痛，結膜炎の症状が主で，感染力が強い．
　③夏季にプールなどを介して流行することが多いた
　　め「夏かぜ」，「プール熱」とも言われるが，春・
　　秋にも小さな流行がある．
　④登園・登校停止の期間がある．☞p. 823 表2
❷ヘルパンギーナ
　①エンテロウイルスが原因．
　②発熱，咽頭痛の他，咽頭後壁に水泡を形成する．
❸インフルエンザ
　①病態は成人に準ずる．☞p. 357 インフルエンザ
　②脳炎などの合併症に注意．
　③登園・登校停止の期間がある．☞p. 823 表2
❹新型コロナウイルス感染症（COVID-19）
　①SARS-CoV-2が原因．
　②ほとんどが無症状から軽症で咳，鼻水，下痢など．
　③治療の基本は対症療法．
　④登園・登校停止の期間がある．☞p. 823 表2

第5章　小児編　　　　　　　　　　　　　　　　小児疾患

検　査
❶必要に応じて迅速検査．
❷経過が長くなれば，血液検査や胸 Xp など．

治　療
　安静・保温・水分補給の一般療法と，発熱・咳・鼻水などに対する対症療法が主体．
　インフルエンザの場合は以下を検討する．

抗インフルエンザ薬：オセルタミビル

　タミフル D.S.　4 mg/kg/日　1日2回　内　5日間
　　※1回最高用量は 75 mg（成人1回量）
　　※新生児（生後2週以降），乳児は 6 mg/kg/日　1日2回
　　　　　　　　　　　　　　　　　　　　　　　内　5日間
　　※予防投与（1歳以上）：2 mg/kg/日　1日1回
　　　　　　　　　　　　　　　　　　　　　　　内　10日間

　または
　タミフル（75 mg）　1回1 Cap　1日2回　内　5日間
　　※体重 37.5 kg 以上の児で投与可
　　※予防投与：1回1Cap　1日1回　内　10日間

抗インフルエンザ薬：ラニナミビル

　イナビル　≧10歳　1回 40 mg　吸入　単回
　　　　　　＜10歳　1回 20 mg　吸入　単回
　　※予防投与：≧10歳　1回 40 mg　吸入　単回
　　　または 1回 20 mg　1日1回　吸入　2日間
　　　＜10歳　1回 20 mg　吸入　単回

※吸入薬使用時は咳込み等が想定され，吸入指導を行う際は，COVID-19 共感染等を考慮し適切な感染対策が必要である．

memo

かぜ症候群 (3)

抗インフルエンザ薬：ペラミビル

ラピアクタ注　10 mg/kg/日　1日1回　点　単回
15 分以上かけて

※生後 1 か月以降の乳児の適応あり
※基本的に入院治療で，他 3 剤が使用困難な場合に使用
※症状に応じ連日反復投与可能だが 1 回の上限は 600 mg

コンサルトのタイミング

❶呼吸状態が悪化した場合や，経口摂取が難しい場合.
❷熱が 5 日以上続く場合.

ミニコラム　小児の新型コロナウイルス感染症 (COVID-19)

　子どものウイルスの排泄は鼻咽頭よりも便中に長期間，それも大量に排泄される．ウイルス排泄期間は鼻咽頭で平均11.1 日，便で平均 23.6 日，抗体ができてもウイルスの排泄が続く.
　小児の中にも中等度〜重症の肺炎を起こしたり，川崎病と似た症状を起こす小児多系統炎症性症候群 (MIS-C) を起こしたりする報告があるが，日本では MIS-C の報告はまれである．小児の重症化因子は小児のハイリスク・グループ (☞ p. 804) と肥満などである.

✎ **memo**

反復性耳下腺炎，扁桃炎 ⑴

反復性耳下腺炎

ポイント
❶流行性耳下腺炎（おたふくかぜ）の初感染や再罹患とよく間違えられる.
❷上気道炎（かぜ症候群）に伴って認められることがある.
❸耳下腺が片側性，時に両側性に緊満性の腫脹を繰り返す. 発赤はない.

鑑別疾患
❶化膿性耳下腺炎
　　①血算，赤沈，CRP など炎症反応が陽性
　　②腫瘤に発赤，波動触知
❷流行性耳下腺炎：流行状況を必ず確認する. 血清抗体価検査（過去の既応は HI 抗体，現在の罹患は ELISA-IgM 抗体を測定）で診断. ☞ p. 825

治　療
❶疼痛が強ければ鎮痛薬を投与.
❷局所の冷却（クーリング）.
❸耳下腺開口部からの膿汁排泄がみられるときは1週間をめどに抗菌薬を投与.

扁桃炎

鑑別のポイント
大部分がウイルス感染で，一部は細菌感染による.
❶ウイルス感染ではアデノウイルス（かぜ症候群を参照 ☞ p. 833），EB ウイルスなどがある.
❷EB ウイルスは偽膜性の咽頭・扁桃の炎症を認め，頸部リンパ節腫脹，肝脾腫，異型リンパ球増加などの多彩な症状を呈する ☞ p. 828 伝染性単核球症
❸細菌感染は A 群溶連菌，インフルエンザ桿菌，肺炎

837

反復性耳下腺炎，扁桃炎 (2)

球菌による．なかでも A 群溶連菌が重要で，腎炎やリウマチ熱が合併してくることがある．

治療
❶多くの場合，対症的治療でよい．
❷細菌感染の場合は抗生剤投与．A 群溶連菌では必ず 10 日間内服させる．☞ p. 827

フォローアップ外来
改善が乏しい場合やくり返す場合．☞ p. 891 よくある相談（扁桃肥大，アデノイド）

クループ症候群・急性喉頭蓋炎 ⑴

ポイント

❶吸気性喘鳴，犬吠様咳嗽，嗄声が主な症状．
❷クループ症候群は夜間突然に発症することが多い．
❸急性喉頭蓋炎は緊急性が高いため必ず鑑別する．

鑑別疾患

❶急性喉頭蓋炎
　①高熱を伴って突然発症する．
　②強い咽頭痛，sniffing position，嚥下困難，流涎．
　③Hib ワクチンの定期接種により減少．
❷喉頭気管気管支炎
　①感冒症状に引き続き起こることが多く，夜間に増
　　悪する傾向あり．
　②運動時や啼泣時に増悪しやすい．
　③パラインフルエンザウイルス，ライノウイルスが
　　多い．
❸痙性クループ
　①感冒症状を伴わず，夜間突然に発症することが多
　　い．
　②アレルギー反応による声門下の浮腫が原因．

チェックリスト

❶強い喘鳴，陥没呼吸，呼吸音減弱，チアノーゼ，多
　呼吸，頻脈を認める場合は呼吸困難が強いと判断す
　る（表1）．
❷喉頭高圧撮影：正面像で声門下部の気管透亮像の狭

表 1　Westley のクループスコア

点数	吸気性喘鳴	呼吸音	陥没呼吸	チアノーゼ	意識状態
0	なし	正常	なし	なし	正常
1	運動時	減少	軽度		
2	安静時	著しく減少	中等度		
3			高度		
4				運動時	
5				安静時	見当識障害

軽傷：0～2 点，中等症：3～7 点，重傷：8 点以上

クループ症候群・急性喉頭蓋炎 ⑵

小化（Pencil sign），側面像で喉頭蓋の腫大と披裂喉頭ひだの腫脹を確認．

処　置

❶軽症例では家庭での安静，加湿を指導．
❷アドレナリンの吸入

カテコラミン：アドレナリン

ボスミン外用液 0.1%　0.1〜0.3 mL
　（0.1 mL/体重 10 kg を目安に）
生理食塩水　1〜2 mL
　1 回投与量原液として 0.3 mL（0.3 mg）以内．2〜5
　分間後に効果不十分な場合，同様にもう一度吸入す
　るのが限度．続けて吸入する場合は少なくとも 4〜6
　時間の間隔をあける．

　吸入で改善しなければ
❸ステロイドの経口投与により入院率を低下させる．

副腎皮質ホルモン剤：ベタメタゾン

リンデロンシロップ（0.01%）　0.25 mL/kg/回
1 日 2 回　内　上限 15 mL/日

副腎皮質ホルモン剤：デキサメサゾン

デカドロン注（0.4%）　0.3 mg/kg/回　静

フォローアップ外来

必ず翌日フォローし，症状の軽減・改善を確認する．

コンサルトのタイミング

❶急性喉頭蓋炎が疑われればただちに小児科・耳鼻科・麻酔科のある施設に依頼する．
❷ステロイド投与で改善しなければ入院．

✎memo

急性細気管支炎・肺炎 (1)

急性細気管支炎

ポイント

❶ 6か月未満の乳児は重症化しやすく，無呼吸になることがある．

❷ 感冒様症状に始まり，2〜3日かけて咳が増強して呼吸困難を呈することもある．

❸ 喘息との鑑別が困難なことがある．

背景

❶ 2歳未満の乳幼児に多く，発症のピークは2〜6カ月で，1歳未満で8割を占める．

❷ RSウイルス，ヒトメタニューモウイルスが多い．

非専門医レベルでのチェックリスト

❶ 臨床症状：水様性鼻汁を主とする鼻症状が先行し2〜3日後に咳・喘鳴が出現し多呼吸などを呈する．

❷ 呼吸困難の程度：症状の進行とともに頻呼吸（呼吸数60以上），浅い呼吸，陥凹呼吸，鼻翼呼吸，チアノーゼを認める．呼吸停止に至ることもある．

❸ 胸部Xp：肺の過膨張

❹ 抗原迅速検査：RSウイルス，ヒトメタニューモウイルス ☞ p. 926, p. 927

鑑別疾患

❶ 乳児喘息との鑑別
　①気管支拡張薬アドレナリンに反応しにくい．
　②有熱のことが多く，4〜5日高熱が続くこともある．
　③呼気の延長は著明でない．
　④日中・夜間で症状の変化は少ない．
　⑤乳幼児が鼻水に始まり，2〜3日後に咳・喘鳴が出現し呼吸困難を呈するようになればRSウイルスによる急性細気管支炎の可能性が高い．

専門医で行うこと

❶ 軽症（呼吸数正常努力呼吸なし脱水症状なし）以外は入

急性細気管支炎・肺炎 (2)

院治療を原則とする.
❷低酸素に対し保育器または酸素テントに収容し加湿.
❸気管支拡張薬の吸入

カテコラミン：アドレナリン

ボスミン外用液 0.1%　0.1〜0.3 mL
（0.1 mL/体重 10 kg）　　　　　　　　　　（吸入）
生理食塩水　1〜2 mL
　1 回投与量原液として 0.3 mL（0.3 mg）以内. 2〜5
　分後に効果不十分な場合，同様にもう一度吸入する
　のが限度. 続けて吸入する場合は少なくとも 4〜6 時
　間の間隔をあける.

❹血液ガス分析で $PaCO_2$ 上昇，アシドーシスの進行，
無呼吸発作を伴うときは入院して，気管挿管による
人工呼吸を行う.

肺　炎

ポイント

❶上気道感染症に引き続いて起こることが多く，発熱
後受診するまでに日数を経過していることが多い.
❷小児の肺炎の特徴はウイルス，細菌，マイコプラズ
マ，クラミジアなど原因が多彩で発症年齢により原
因・病態が異なる.
❸全身状態や呼吸状態が悪く，努力呼吸が見られたら
入院適応.

病　態

❶出生後 3 週〜3 カ月までの肺炎の多くは，トラコー
マ・クラミジア，百日咳菌などで，黄色ブドウ球菌
は膿胸を起こすため注意が必要.
❷生後 4 カ月〜4 歳まではウイルス性が多く細菌では
インフルエンザ桿菌，肺炎球菌が多い.
❸乳幼児の細菌性肺炎では急激に呼吸困難を起こすこ

第5章　小児編

小児疾患

とがある.

❹ 5歳以上はマイコプラズマとクラミジアの肺炎が多い.

専門医で行うこと

❶ 全身状態が良く, 呼吸数も正常で努力呼吸もなく, 服薬可能な軽症以外は入院が必要.

❷ 原因微生物が不明時の小児初期抗菌薬療法 (**表 1**).

表 1　肺炎の原因微生物不明時の初期抗菌薬療法

主な治療場所	重症度	2カ月～5歳[1,2,7]	6歳以上
外来	軽症	AMPC po or SBTPC po or 広域セフェム po[3] 耐性菌感染が疑われる場合[4] ①AMPC 増量 po or CVA/AMPC po or 広域セフェム増量 po[3] ②[5]TBPM-PI po or TFLX po	マクロライド po or テトラサイクリン po[6]
入院	中等症	ABPC iv or SBT/ABPC iv or PIPC iv or 広域セフェム iv[3]	①ABPC iv or SBT/ABPC iv or PIPC iv or 広域セフェム iv[3] ②マクロライド po/div or テトラサイクリン po/div[6] →①または②単独あるいは①②併用
ICU	重症	カルバペネム div or TAZ/PIPC iv/div[8]	

原因菌判明時に適切な抗菌薬に変更

[1]: トラコーマ・クラミジア感染が考えられるとき, マクロライド系薬を併用

[2]: マイコプラズマ, 肺炎クラミジア感染症が強く疑われるとき, マクロライド系薬を併用

[3]: 肺炎球菌, インフルエンザ菌に抗菌力が優れているもの
代表経口薬:CDTR-PI, CFPN-PI, CFTM-PI　代表注射薬:CTRX, CTX

[4]: 1) 2歳以下, 2) 抗菌薬の前投与 (2週間以内), 3) 中耳炎の合併, 4) 肺炎・中耳炎反復の既往歴

[5]: 本欄①の治療を過去に受けているにもかかわらず発症・再発・再燃したなど, 他の経口抗菌薬による治療効果が期待できない症例に使用

[6]: 8歳未満の小児には他剤が使用できないか無効の場合に限る

[7]: 原則1歳未満は入院

[8]: レジオネラ症が否定できない場合はマクロライド系薬 po/div を併用する

po:経口, iv:静注, div:点滴静注
(尾内一信・他監:小児呼吸器感染症診療ガイドライン 2011)

急性細気管支炎・肺炎 (3)

マイコプラズマ肺炎

ポイント
1. 幼児から学童にかけて多く，4～5年の周期で流行する傾向がある．
2. 胸部の診察所見は軽微であることも多く，流行しているときに咳が続けば疑ってみる．
3. 合併症として髄膜脳炎，ギラン・バレー症候群，心炎，膵炎，中耳炎などがある．

非専門医レベルでのチェックリスト
1. 症状：細菌性・ウイルス性に比べて全身状態は比較的良好である．咳嗽が著明で夜間～明け方にかけて悪化する傾向がある．
2. 胸部 Xp：重症例では胸水貯留を認める．
3. 迅速検査キット：咽頭ぬぐい液（イムノクロマト法：感度約 80％，特異度 95％以上） ☞ p.926
4. 抗体検査：
   ① 粒子凝集法（急性期と回復期のペア血清で4倍以上，単血清で 320 倍以上の抗体価の上昇）
   ② 酵素抗体法（IgM）：陽性持続時間が長いため，既感染で陽性を示すことがあるため注意．
5. 遺伝子検査（LAMP 法）：咽頭ぬぐい液，数日かかる．

治 療
1. 対症療法：安静・保温・水分補給
2. 薬物治療
   ① マクロライド系抗菌薬が第1選択薬である．

マクロライド系抗菌薬：クラリスロマイシン/アジスロマイシン
クラリス DS 小児用 10％　10～15 mg/kg/日 　　　1日2～3回　内　7日間 　　または ジスロマック細粒小児用（10％）　10 mg/kg/日 　　　1日1回　内　食後3日間

第5章 小児編　　　　　　　　　　　　小児疾患

②マクロライド耐性例が疑われる場合
ⓐ8歳以上

テトラサイクリン系抗菌薬：ミノサイクリン塩酸塩
ミノマイシン顆粒（2％）　2〜4 mg/kg/日
　　　　　　　　1日2回　内　食後4〜5日間

※小児への投与はほかの薬剤が使用できないか無効の場合のみ適応を考慮．
※歯芽形成期にある8歳未満に投与した場合，歯牙の着色，エナメル形成不全，一過性の骨発育不全を起こすことがある．

ⓑ8歳未満

ニューキノロン系抗菌薬：トスフロキサシントシル酸塩
オゼックス細粒小児用（15％）　12 mg/kg/日
　　　　　　　　1日2回　内　食後4〜5日間

❸出席停止期間は発熱や特有の咳が軽快するまで．

気管支喘息（BA）⑴
bronchial asthma

ポイント

❶ 小児気管支喘息は3歳までに約60%，6歳までに約90%が発症する．成人に比べてアトピー素因の関わりが大きく，吸入アレルゲン等に対する特異的IgE抗体が陽性であることが多い．

❷ 小児（特に年少児）では呼吸機能検査が困難な症例も多く，アトピー素因，家族歴，臨床症状/所見，他検査所見等を参考に総合的に判断するが，早期診断困難な例では診断的治療を用いることもある．

❸ 重症度判定において，成人の軽症持続型は小児では中等症持続型に相当し1段階のずれがあるため評価に注意する．

病態・病型

❶ 基本病態は慢性の気道炎症と気道過敏性の亢進であり，小児でも気道の不可逆的な構造変化（線維化や平滑筋肥厚など）が関与することもある．

❷ 発症には遺伝因子と環境因子（アレルゲン，呼吸器感染症，室内空気/大気汚染物質，マイクロバイオーム等）が関与する．呼吸器感染症は特に下気道感染症が重要であり，RSウイルス，ヒトメタニューモウイルス等が挙げられる．

❸ 近年，IgEを介した獲得免疫だけではなく，上記環境因子により種々のサイトカインが放出される自然免疫の機序が相互に作用し病態を形成すると考えられている．

鑑別診断

喘息は下気道由来の呼気性喘鳴が特徴的であるが，小児では喘鳴を聴取する疾患が多く早期診断は必ずしも容易ではない．治療導入前および長期管理薬使用中に症状に変化がない場合には表1に示す鑑別診断を意識する．

第5章　小児編

小児疾患

表 1　鑑別を要する疾患

先天異常，発達異常に基づく喘鳴	その他
大血管の解剖学的異常 先天性心疾患 気道の解剖学的異常 喉頭・期間・気管支軟化症 線毛運動機能異常	過敏性肺炎，気管支内異物 心因性咳嗽，うっ血性心不全 声帯機能不全， 気管・気管支の圧迫 アレルギー性気管支肺アスペ ルギルス症 嚢胞性繊維症， サルコイドーシス 肺塞栓症，胃食道逆流症 閉塞性細気管支炎
感染症に基づく喘鳴	
鼻炎，副鼻腔炎，クループ 気管支炎，急性細気管支炎 肺炎，気管支拡張症，肺結核	

✅ チェックリスト

❶問診
　①家族歴：両親・兄弟姉妹に喘息を有するか
　②環境歴：家族の喫煙（妊娠中の母親の喫煙・受動喫煙の有無も重要），ペット飼育歴，家屋の状況
　③既往歴：アレルギー疾患，出生時の状況（早産・低出生ではないか，先天性心/肺疾患の有無など）
　④気管支喘息治療歴・内容
　⑤誘発因子：運動，大笑い，冷気，タバコの煙，埃
❷アレルギー検査：血液検査，皮膚テスト
　血液検査ではハウスダスト，ダニ以外に問診により可能性のあるアレルゲンの IgE 確認の他，白血球数（好酸球増多）を確認する.
❸呼吸機能検査：スパイロメトリー ☞ p.281 （気道可逆性検査，気道過敏性検査，運動負荷試験は必要時施行），呼気 NO 測定
❹その他の検査：他疾患との鑑別のため胸部 Xp，CT，超音波検査，上部消化管造影，気管支内視鏡等を考慮するが，高度な技術を有する検査は専門医療機関を紹介する.

気管支喘息（BA）⑵
bronchial asthma

表2　急性増悪（発作）治療のための発作強度判定

<table>
<tr><th colspan="3"></th><th>小発作</th><th>中発作</th><th>大発作</th><th>呼吸不全</th></tr>
<tr><td rowspan="10">主要所見</td><td rowspan="4">症状</td><td>興奮状況</td><td colspan="2">平静</td><td>興奮</td><td>錯乱</td></tr>
<tr><td>意識</td><td colspan="2">清明</td><td>やや低下</td><td>低下</td></tr>
<tr><td>会話</td><td>文で話す</td><td>句で区切る</td><td>一語区切り～不能</td><td>不能</td></tr>
<tr><td>起坐呼吸</td><td>横になれる</td><td>座位を好む</td><td>前かがみになる</td><td></td></tr>
<tr><td rowspan="3">身体所見</td><td>喘鳴</td><td colspan="2">軽度</td><td>著明</td><td>減少または消失</td></tr>
<tr><td>陥没呼吸</td><td colspan="2">なし～軽度</td><td>著明</td><td rowspan="2"></td></tr>
<tr><td>チアノーゼ</td><td colspan="2">なし</td><td>あり</td></tr>
<tr><td colspan="2">SpO$_2$（室内気）[*1]</td><td>≧96%</td><td>92～95%</td><td>≦91%</td><td></td></tr>
<tr><td rowspan="6">参考所見</td><td rowspan="2">身体所見</td><td>呼気延長</td><td colspan="2">呼気時間が吸気の2倍未満</td><td>呼気時間が吸気の2倍以上増加</td><td rowspan="2">不定</td></tr>
<tr><td>呼吸数[*2]</td><td colspan="2">正常～軽度増加</td><td>増加</td></tr>
<tr><td rowspan="2">PEF</td><td>（吸入前）</td><td>>60%</td><td>30～60%</td><td><30%</td><td>測定不能</td></tr>
<tr><td>（吸入後）</td><td>>80%</td><td>50～80%</td><td><50%</td><td>測定不能</td></tr>
<tr><td colspan="2">PaCO$_2$</td><td colspan="2"><41 mmHg</td><td>41～60 mmHg</td><td>>60 mmHg</td></tr>
</table>

主要所見のうち最も重度のもので発作強度を判定する．
＊1：SpO$_2$の判定にあたっては，肺炎など他にSpO$_2$低下を来す疾患の合併に注意する．
＊2：年齢別標準呼吸数（回/分）
　　　0～1歳：30～60　1～3歳：20～40　3～6歳：20～30　6～15歳：15～30　15歳～：10～30

治療

❶急性期：表2に従って発作強度を判断し，表3を参考に治療を行う．受診当初から大発作や β$_2$刺激薬に対する反応が良好でない中発作以上で入院必要な場合は小児科医へ相談が望ましい．

β$_2$刺激薬：サルブタモール硫酸塩

ベネトリン吸入液0.5%　0.3 mL　吸
　　＋生理食塩水2 mLまたはインタール吸入液1%
　　　1 A（2 mL）

※急性期治療で反復吸入するときはインタールは初回のみ

第5章 小児編

小児疾患

表3 医療機関での急性増悪（発作）に対する薬物療法プラン

発作型	小発作	中発作	大発作	呼吸不全
初期治療	β_2刺激薬吸入	酸素吸入（$SpO_2 \geq 95\%$が目安） β_2刺激薬吸入反復[*1]	入院 酸素吸入・輸液 β_2刺激薬吸入反復[*1] または イソプロテレノール持続吸入[*3] ステロイド薬全身投与	入院（意識障害があれば人工呼吸管理） 酸素吸入・輸液 イソプロテレノール持続吸入[*3] ステロイド薬全身投与
追加治療	β_2刺激薬吸入反復[*1]	ステロイド薬全身投与 アミノフィリン点滴静注および持続点滴（考慮）[*2] 入院治療考慮	イソプロテレノール持続吸入（増量）[*3] アミノフィリン持続点滴（考慮）[*2] 人工呼吸管理	イソプロテレノール持続吸入（増量）[*3] アミノフィリン持続点滴 人工呼吸管理

*1：β_2刺激薬吸入は改善が不十分である場合に20～30分ごとに3回まで反復可能である．
*2：アミノフィリン持続点滴は痙攣などの副作用の発現に注意が必要であり，血中濃度のモニタリングを行うことを原則として，小児の喘息治療に精通した医師のもとで行われることが望ましい．
*3：イソプロテレノール持続吸入を行う場合は人工呼吸管理への移行を念頭に置く必要がある．実施にあたっては表4を参照のこと．

副腎皮質ステロイド：ヒドロコルチゾン/プレドニゾロン/メチルプレドニゾロン

サクシゾン注 5 mg/kg/回 点
　定期投与は6～8時間ごと
水溶性プレドニン注 0.5～1.0 mg/kg/回 点
ソル・メドロール注 0.5～1.0 mg/kg/回 点
　定期投与は6～12時間ごと

memo

気管支喘息（BA）(3)
bronchial asthma

表4 イソプロテレノール持続吸入療法実施の要点

1. 準備するネブライザー
   インスピロン® またはジャイアントネブライザーとフェイスマスクを使用する．
2. 吸入液の調節
   アスプール®（0.5%）2〜5 mL（またはプロタノール® L10〜25 mL）＋生理食塩水 500 mL
   アスプール® の量は症状に応じて2倍量に増量可
   注：注射用製剤プロタノール L は吸入薬としての使用に保険適用はない．
3. 方法
   1) 酸素濃度 50%，酸素流量 10 L/分で開始する．
   2) SpO_2 を 95%以上に保てるように酸素濃度と噴霧量を調節する．
      注：インスピロン® では酸素濃度を上げるとイソプロテレノールの供給量が減少するため，拡張薬としての効果が低下する．イソプロテレノール供給量を保つためには酸素流量も増量する必要がある．
   3) 開始30分後に効果判定を行い，無効・効果不十分な場合は増量，あるいは人工呼吸管理を考慮する．
   4) 発作の改善が見られたら，噴霧量を漸減し中止する．その後は β_2 刺激薬吸入の間欠的投与に変更する．
4. モニター
   1) パルスオキシメーター，心電図，血圧，呼吸数は必須．
   2) 血液検査：血清電解質，心筋逸脱酵素，血液ガス．
5. 注意点
   1) 必ず人工呼吸管理への移行を念頭に置いて実施する．
   2) 一定時間ごとに排痰，体位変換，体動を促す．
   3) チューブの閉塞（折れ曲がり，液貯留，圧迫など）や噴霧状況などに常に注意する．
      本療法では生理食塩水を用いるため，特にインスピロン® の目詰まりに注意する．
   4) 心電図上の変化，胸痛など心筋障害を疑う所見があったときには心筋逸脱酵素を検査するとともに，イソプロテレノールの減量と人工呼吸管理への移行を早急に検討する．

memo

第 5 章　小児編

小児疾患

経静脈投与ができない場合は経口投与

副腎皮質ステロイド：プレドニゾロン/デキサメタゾン/ベタメタゾン

プレドニン錠　1～2 mg/kg/日　分1～3　⑰

　＊粉砕可能であるが苦みが強い

デカドロンエリキシル0.01%　0.5～1.0 mL/kg
　　　　　　　　　　　　　　　　　分1～2　⑰

リンデロンシロップ0.01%　0.5～1.0 mL/kg
　　　　　　　　　　　　　　　　分1～2　⑰

キサンチン誘導体：アミノフィリン

アミノフィリン注　初期投与　4～5 mg/kg　㸃

※投与量は**表5**を参照.

表 5　アミノフィリン投与量

	投与量	
	初期投与 （mg/kg）	維持量 （mg/kg/時）
あらかじめ経口投与 されていない場合	4～5	0.6～0.8
あらかじめ経口投与 されている場合	3～4	

・2歳未満の患者, けいれん既往者, 中枢神経系疾患合併例
　キサンチン誘導体製剤による副作用の既往があるものに
　は投与しない.
・初期投与量は250 mgを上限とする.
・肥満がある場合は標準体重で計算する.
・目標血中濃度8～15 μg/mL

❷**長期管理：表6**を参照して治療ステップを決め, **表
7**に従い治療開始する. 長期管理薬使用中はコント
ロール状態を評価したうえでステップアップ/ダウ
ンを検討する.

851

気管支喘息（BA）(4)
bronchial asthma

表6　治療前の重症度と治療ステップ

	間欠型	軽症 持続型	中等症 持続型	重症 持続型
頻度	数回/年	1回/月 以上	1回/週 以上	毎日
程度	軽い症状. 短時間作用性β2刺激薬頓用で短期間に改善する.	時に呼吸困難. 日常的が障害されることは少ない.	時に中・大発作となり日常生活が障害される.	週に1〜2回中・大発作となり日常生活が障害される.
治療 ステップ	ステップ 1	ステップ 2	ステップ 3	ステップ 4
ICS 用量 FP（μg/日） BIS（μg/日）	—	低用量 100 250	中用量 200 500	高用量 400 1000

ICS：吸入ステロイド薬，FP：フルチカゾン，BIS：ブデソニド吸入懸濁液

吸入ステロイド薬：ブデソニド/フルチカゾン
　パルミコート吸入液（0.25 mg/0.5 mg）　1日2回　吸
　フルタイド（50μg）ディスカス/エア　1日2回　吸
　※低〜高用量に応じた使用量で用いる.

吸入ステロイド薬・長時間作用性吸入β2刺激薬配合剤
（ICS/LABA）：サルメテロール・フルチカゾン配合剤/ホ
ルメテロール・フルチカゾン配合剤
　アドエア（50μg）エア　1日2回　吸
　アドエア（100μg）ディスカス　1日2回　吸
　フルティフォーム（50μg）エア　1日2回　吸
　※5歳以上で適応あり
　※低〜高用量に応じた使用量で用いる.

第5章　小児編

小児疾患

ロイコトリエン受容体拮抗薬（LTRA）：プランルカスト/モンテルカスト

オノンDS（10％）　7 mg/kg/日　1日2回　㊄

キプレス細粒（4 mg）　1〜5歳

キプレス錠・シングレア錠（5 mg）　6〜15歳

　　　　　　　　　　　1日1回　就寝前　㊄

Th2サイトカイン阻害薬：スプラタストトシル酸塩

アイピーディDS（5％）　6 mg/kg/日

アイピーディカプセル（50 mg/100 mg）

　　　　　　　　　　　1日2回　㊄

気管支拡張 β_2 刺激剤：ツロブテロール

ホクナリンテープ

　　（0.5 mg）　0.5〜2歳

　　（1.0 mg）　3〜8歳

　　（2.0 mg）　9歳以上　1日1回　㊧

気管支拡張 β_2 刺激剤：プロカテロール塩酸塩水和物

メプチンミニ錠（25 µg）

　　または　メプチンDS（0.005％）

6歳以上：1回25 µg　1日1〜2回　㊄

6歳未満：1回1.25 µg/kg　1日2〜3回　㊄

キサンチン誘導体：テオフィリン徐放製剤

テオドール錠（100 mg）　1回1〜2錠　1日2回　㊄

文献

　日本小児アレルギー学会：小児気管支喘息治療・管理ガイドライン2020　より一部改変して記載

気管支喘息（BA）⑸
bronchial asthma

表 7 小児喘息の長期管理プラン

■5 歳以下

	治療ステップ 1	治療ステップ 2
基本治療	長期管理薬なし	下記のいずれかを使用 ・LTRA*1 ・低用量 ICS
追加治療	・LTRA	上記治療薬を併用

■6〜15 歳以下

	治療ステップ 1	治療ステップ 2
基本治療	長期管理薬なし	下記のいずれかを使用 ・低用量 ICS ・LTRA*1
追加治療	・LTRA	上記治療薬を併用

*1 DSCG 吸入や小児喘息に適応のあるその他の経口アレルギー薬
*2 治療ステップ3以降の治療でコントロール困難な場合は小児の
*3 ICS/LABAは5歳以上から保険適用がある．ICS/LABAの使用に
*4 生物学的製剤（抗 IgE 抗体，抗 IL-5 抗体，抗 IL-4 /IL-13 受容

短期 追加治療		貼付薬もしくは経口の長時間作用
		増悪因子への対応，患者

LTRA：ロイコトリエン受容体拮抗薬　ICS：吸入ステロイド薬　DSCG：
ICS/LABA：吸入ステロイド薬／長時間作用性吸入 β2 刺激薬配合剤

第5章　小児編

小児疾患

治療ステップ3*2	治療ステップ4*2
・中用量 ICS	・高用量 ICS （LTRA の併用も可）
上記に LTRA を併用	以下を考慮 ・β2刺激薬（貼付）併用 ・ICS のさらなる増量 ・経口ステロイド薬

治療ステップ3*2	治療ステップ4*2
下記のいずれかを使用 ・中用量 ICS ・低用量 ICS/LABA*3	下記のいずれかを使用 ・高用量 ICS ・中用量 ICS/LABA*3 以下の併用も可 ・LTRA ・テオフィリン徐放製剤
以下のいずれかを併用 ・LTRA ・テオフィリン徐放製剤	以下を考慮 ・生物学的製剤*4 ・高用量 ICS/LABA*3 ・ICS のさらなる増量 ・経口ステロイド薬

（Th2 サイトカイン阻害薬など）を含む.
喘息治療に精通した医師の下での治療が望ましい.
際しては原則として他の長時間作用性β2刺激薬は中止する.
体抗体）は各薬剤の適用の条件があるので注意する.

性β2刺激薬 数日から2週間以内

教育・パートナーシップ

クロモグリク酸ナトリウム吸入

川崎病（MCLS）
mucocutaneous lymph node syndrome

ポイント
① 川崎病は乳幼児に好発する原因不明の血管炎で，冠動脈瘤などの心合併症をきたす症例があり，小児の後天性心疾患の最大の原因である．
② 発熱・発疹・頸部リンパ節腫脹を伴う受診の場合，川崎病を念頭に置いて診察を行う．
③ 本症と診断した際には，入院にてγグロブリン点滴静注とアスピリン内服による標準療法を行い，心エコー検査で冠動脈病変の追跡を行う．

診　断
① 6つの主要症状のうち経過中に5症状以上を呈する場合に本症と診断する（**表1**を参照）．
② これまで発熱は5日以上という基準があったが，発熱の日数は問わなくなった点に注意する．
③ 不全型（主要症状が4つ以下でも川崎病が疑われる症例）が増加していることに留意する．

治　療
① 下記ガイドラインに基づき，必ず小児科医が常勤する入院可能な施設で入院にて治療する．
※日本小児循環器学会　川崎病急性期治療のガイドライン（2020年改訂版）http://jpccs.jp/10.9794/jspccs.36.S1.1/index.html

日常生活管理
① 運動制限
　　心合併症のない児は制限の必要はないが，発症後5年間は急性期の診断治療を行った医療機関でのフォローアップが望ましい．
　　心合併症を有する児は小児循環器専門医の判断のもと管理指導区分を決定する．
② 予防接種
　　γグロブリン療法を受けた場合は生ワクチンは6か月以上あけて接種する．

第5章　小児編

小児疾患

表 1　川崎病診断の手引き

（厚労省研究班 2019 年 5 月改訂より一部抜粋・改変）

本症は，主として 4 歳以下の乳幼児に好発する原因不明の疾患で，その症候は以下の主要症状と参考条項とに分けられる．

【主要症状】
1. 発熱
2. 両側眼球結膜の充血
3. 口唇，口腔所見：口唇の紅潮，いちご舌，口腔咽頭粘膜のびまん性発赤
4. 発疹（BCG 接種痕の発赤を含む）
5. 四肢末端の変化：（急性期）手足の硬性浮腫，手掌足底または指趾先端の紅斑（回復期）指先からの膜様落屑
6. 急性期における非化膿性頸部リンパ節腫脹
   - a. 6つの主要症状のうち経過中に5症状以上認めるものを本症と診断．
   - b. 4主要症状しか認められなくても，他の疾患が否定され，経過中に心エコー検査で冠動脈病変を呈する場合は本症と診断．
   - c. 3主要症状しか認められなくても，他の疾患が否定され，冠動脈病変を呈する場合は，不全型川崎病と診断．
   - d. 主要症状が 3 または 4 症状で冠動脈病変を呈さないが，他の疾患が否定され，参考条項から川崎病がもっとも考えられる場合は，不全型川崎病と診断．
   - e. 2主要症状以下の場合には，特に十分な鑑別診断を行ったうえで，不全型川崎病の可能性を検討する．

【参考条項】
以下の症候および所見は，本症の臨床上，留意すべきものである．
1. 主要症状が4つ以下でも，以下の所見があるときは川崎病が疑われる．
   1) 病初期のトランスアミナーゼ値の上昇　2) 乳児の尿中白血球増加
   3) 回復期の血小板増多　4) BNP または NT pro BNP の上昇
   5) 心臓超音波検査での僧帽弁閉鎖不全・心膜液貯留
   6) 胆嚢腫大　7) 低アルブミン血症・低ナトリウム血症
2. 以下の所見がある時は危険度が高い．
   1) 心筋炎　2) 血圧低下（ショック）　3) 麻痺性イレウス　4) 意識障害
3. 下記の要因は免疫グロブリン抵抗性に強く関連するとされ，不応例予測スコアを参考にすることが望ましい．
   1) 核の左方移動を伴う白血球増多　2) 血小板数低値
   3) 低アルブミン血症　4) 低ナトリウム血症
   5) 高ビリルビン血症（黄疸）　6) CRP 高値　7) 乳児
4. その他，特異的ではないが川崎病で見られることがある所見
   1) 不機嫌　2) 消化器：腹痛，嘔吐，下痢
   3) 心血管：心音の異常，心電図変化，腋窩などの末梢動脈瘤
   4) 血液：赤沈値の促進，軽度の貧血　5) 皮膚：小膿疱，爪の横溝
   6) 呼吸器：咳嗽，鼻汁，咽後水腫，肺野の異常陰影
   7) 関節：疼痛，腫脹
   8) 神経：髄液の単核球増多，けいれん，顔面神経麻痺，四肢麻痺

熱性けいれん・てんかん (1)

熱性けいれん

ポイント

① けいれん発作時に最も重要なことは，髄膜炎などの急性症候性発作との鑑別である．

② 鑑別には発作が短時間であることと，神経学上の後遺症なく発作発症前の状態に回復していることを確認する必要がある．

③ 発作再発の予防投与を行う場合には，その利点と欠点を十分に説明する．

④ 年齢依存性で予後良好な疾患であることを十分に説明する．

定　義

　おもに生後満6か月から満60か月までに乳幼児期に起こる．通常は38℃以上の発熱に伴う発作性疾患（けいれん性，非けいれん性を含む）で，髄膜炎などの中枢神経感染症，代謝異常，その他の明らかな発作の原因がみられないもので，てんかんの既往があるものは除外される．

＜単純型熱性けいれんと複雑型熱性けいれん＞

① 熱性けいれんのうち，以下の3要素を1つ以上もつものを複雑型熱性けいれんと定義し，これらのいずれにも該当しないものを単純型熱性けいれんとする．

　①焦点発作（部分発作）

　②15分以上持続する発作

　③同一発熱機会の，通常は24時間以内に複数回反復する発作

② 複雑型熱性けいれんについては，疾患の説明や今後の方針などについて，一度小児神経専門医の診察を依頼することが望ましい．

治　療

① 発熱時のジアゼパム間欠的投与（**表1，2**）

第5章　小児編

小児疾患

表1　発熱時のジアゼパム投与の適応基準

1. 熱性けいれんの再発予防の有効性は高い．しかし，熱性けいれんの良性疾患という観点と高い有害事象の出現から，ルーティンに使用する必要はない
2. 以下の適応基準1）または2）を満たす場合に使用する

適応基準
   1）遷延性発作（持続時間15分以上）
   または
   2）次のi〜viのうち2つ以上を満たした熱性けいれんが2回以上起こった場合
      ⅰ．焦点発作（部分発作）または24時間以内に反復する発作の存在
      ⅱ．熱性けいれん出現前より存在する神経学的異常，発達遅滞
      ⅲ．熱性けいれんまたはてんかんの家族歴
      ⅳ．初回発作が生後12か月未満
      ⅴ．発熱後1時間未満での発作の存在
      ⅵ．38℃未満の発熱に伴う発作の存在

（表1, 2出典：熱性けいれん（熱性発作）診療ガイドラインより）

表2　発熱時のジアゼパム投与の用法・用量

1. 37.5℃を目安として，1回0.4〜0.5 mg/kg（最大10 mg）を挿肛し，発熱が持続していれば8時間後に同量を追加する
2. 鎮静・ふらつきなどの副反応の出現に留意し，これらの既往がある場合は少量投与にするなどの配慮を行いつつ注意深い観察が必要である．使用による鎮静のため，髄膜炎，脳炎・脳症の鑑別が困難になる場合があることにも留意する
3. 最終発作から1〜2年，もしくは4〜5歳までの投与がよいと考えられるが明確なエビデンスはない

　ジアゼパム使用時には，改めて「神経学上の後遺症なく発作発症前の状態に回復していることを確認する必要がある」ことを強調したい．筆者は遷延性発作（持続時間15分以上）の既往がない児には用いていない場合が多い．

859

熱性けいれん・てんかん ⑵

❷抗てんかん薬（抗発作薬）持続的投与

　　例外的な状況を除き抗てんかん薬（抗発作薬）の持続的投与は推奨されない．投与を考慮する場合には小児神経専門医に相談することが望ましい．

❸発作時の薬剤投与

　　ミダゾラム口腔用液をはじめとする薬剤が使用可能だが，注意すべき副作用もあり使用の際は小児神経専門医に相談することが望ましい．ジアゼパム坐薬は効果発現までに時間がかかるため，特殊な状況を除いては発作を止める目的での使用には不向きである．

てんかん

ポイント

❶てんかんの診断・治療については専門的な知識と経験を必要とするため，一度小児神経専門医の診察を依頼することが望ましい．

❷抗てんかん薬（抗発作薬）によって発作が十分抑制されるまでは，高所での活動，水中での活動，交通事故の起こりやすい場所での活動には一定の配慮を要する．

❸一方で，正常発達児の小児期発症てんかんは，多くが予後良好な「自然終息性・年齢依存性」の疾患であり，過剰かつ長期間の生活制限が行われないように注意する必要がある．

診断に必要な検査

　てんかん発作の症状によって異なるため，小児神経専門医に相談する．

日常生活指導

❶寝不足を避け規則正しい生活を勧める．

❷抗てんかん薬（抗発作薬）の規則的な服用を確認する．

第5章 小児編

小児疾患

❸予防接種を含めて，通常診療には特別な配慮を必要としない場合がほとんどである．避けるべき薬剤などについては，事前に専門医と相談しておくと良い．
❹運動を含めた日常生活については，極力てんかんであることを理由とした制約を受けないように注意する．（セルフスティグマを持たない，健全な自己肯定感を持った成人への成長を支援するために重要）
❺精神運動発達遅滞や行動異常を伴うてんかん患児に対する日常生活指導については，個別な対応が必要であり，事前に専門医と十分相談する．

文献
日本小児神経学会：熱性けいれん（熱性発作）診療ガイドライン 2023

（宮本雄策）

IgA 血管炎（アレルギー性紫斑病）

ポイント

❶紫斑，関節症状，腹痛を3主徴とする，小児の代表的な血管炎の一つで，血小板減少を伴わない．

❷予後を左右するのは腎症状．多くは一過性の血尿・蛋白尿だが腎機能低下を来し透析に至る例もある．

❸皮膚症状や関節症状がなく，急性腹症として発症する場合もある．

非専門医レベルでのチェックリスト

❶症状
- ①皮膚症状：ほぼ全例にみられる．膨疹あるいは紅斑丘疹から，しだいに点状出血・紫斑となる．色調は鮮紅色から暗紫色になり消退することが多い．出現部位は臀部から下肢に多く，時に顔面・上肢にも．
- ②腹部症状：50～70%にみられ，疝痛様の腹痛を訴え，血便・嘔吐・下痢を認めることもある．
- ③関節症状：70～80%にみられ，数日で症状は消退し，機能障害を残すことはない．

❷検査
- ①診断特異的な検査はないが，紫斑の鑑別として白血球数，血小板数，凝固異常の有無は確認．
- ②FDP，D-ダイマーが病勢を反映するとされる．
- ③腹痛の強い例では凝固第13因子の低下例あり．

専門医での処置

❶皮膚症状には止血剤，ビタミンC製剤を投与．

❷関節症状，腹部症状にはNSAIDsが有効．

❸腎病変はIgA腎症とほぼ同様で，持続する蛋白尿とeGFRの低下は腎生検を考慮．

コンサルトのタイミング

強い腹痛にはPSLが有効であるが，入院紹介．
腎症状が進行する場合も専門医へ．

免疫性血小板減少性紫斑病(ITP)

ポイント

❶小児の ITP は,成人に比べ先行感染を伴う急性型が多く(約 90%),乳幼児に好発.

❷6 カ月以上血小板減少と出血症状が持続する慢性型は 10%程度みられ,やや年長児に多い.

❸慢性かつ難治性の症例の中に遺伝性血小板減少症が混在している(10〜20%).

非専門医レベルでのチェックリスト

❶問診:先行感染の有無,予防接種歴,内服歴,発症以前の血液検査での血小板数.

❷血小板数の値と症状

①10 万/μL 以下:紫斑(点状または溢血斑)

②3〜5 万/μL 以下:粘膜出血(鼻出血,口腔内出血など)

③1〜3 万/μL 以下:消化管出血や頭蓋内出血などの頻度が上昇.

専門医での検査・処置

❶骨髄検査(必須ではない):巨核球数が正常ないし増加,血小板の生成は認めるも付着像は乏しい.

❷急性型

①点状出血のみの軽症は経過観察可能.

②薬物療法にはステロイド内服や,緊急止血にはステロイド大量療法やγグロブリン大量療法がある.

❷慢性型

①出血症状は軽度であることが多いが,血小板低下や出血症状が著しいときには入院のうえ,γグロブリンまたはステロイドホルモンでの治療.

②治療抵抗性で出血のコントロールが困難の時に脾摘を検討(5 歳以上).

✎memo

尿路感染症

ポイント
① 診察上明らかな熱源がなければ必ず尿路感染症を疑う.
② 上部尿路感染症(腎盂腎炎, 腎膿瘍)は診断の遅れや, 不十分な治療が腎実質障害を生じさせる.
③ 上部尿路感染症を発症した児の約3分の1は再発するため, 一度罹患した児での発熱時の検尿は必須.
④ 再発を繰り返す場合, 専門家による画像検査を勧める.

背景
① 生後6カ月以内の発症が多い. この傾向は男児に顕著で, それ以降は女児の頻度が増加.
② 乳幼児では, 膀胱尿管逆流症などの腎尿路異常を合併している頻度が高い（30％以上）.
③ 起因菌の多くは大腸菌. 次いでクレブシエラ, プロテウスで, これらは再発・再燃しやすい.

年齢別症状
① 乳児：発熱, 嘔吐, 下痢, 哺乳力低下
② 幼児：発熱, 頻尿, 排尿時痛, 夜尿
③ 学童：排尿障害, 残尿感, 腹痛, 腰痛, 発熱

検査
① 検尿：乳幼児では外陰部を清潔にして採尿パックを装着. 自立排尿できる児は中間尿で. 濃尿の場合は必ず定量培養を提出した後で治療を開始する.
② 血液：白血球数, CRP.
③ 超音波：水腎症をはじめとする腎尿路異常の有無を確認する.

memo

第5章　小児編　　　　　**小児疾患**

治　療
❶乳児では入院治療が原則.
❷抗菌薬

セフェム系抗菌薬：セファレキシン（CEX）
セファレキシンDS 小児用（50%）
　　1日 25〜50 mg/kg　内　朝昼夕食後（＋就寝前）

> ※下部尿路感染症では 3〜4 日間，上部尿路感染症では
> 　7〜14 日間投与する.
> ※上部尿路感染症の外来治療では，治療開始 2 日後に
> 　改善がみられなければ入院，点滴治療を行う.
> ※予防内服の有効性については確立されていない.

指　導
❶発熱時には早期に受診し尿検査を受ける.
❷再発は 6 カ月以内に多く，この時期は特に要注意.
❸おむつ交換時には陰部を清潔にしておく.
❹水分を十分にとり，尿意を我慢しないで排尿させる.

✎**memo**

溶連菌感染後 急性（糸球体）腎炎

ポイント

❶急性腎炎症候群（血尿，蛋白尿，浮腫，高血圧，GFR低下などが突然現れる）の代表的疾患．A 群溶連菌による．

❷先行感染後，1〜3 週（平均 10 日）の潜伏期を経て発症する．

❸急性腎炎症候群を呈する他の糸球体疾患との鑑別が重要．

チェックリスト

❶問診：先行感染の有無（A 群 β 溶連菌感染），過去の尿検査での異常，家族歴など

❷症状
　①浮腫（60%，特に眼瞼周囲）
　②高血圧（40〜80%）
　③循環器症状（頻脈，多呼吸など）
　④神経症状（意識障害，痙攣，頭痛など）

❸尿所見
　①乏尿（約 5% に無尿）
　②血尿（50% に肉眼的血尿）
　③蛋白尿
　④顆粒円柱

❹その他の所見（表 1）

鑑別疾患

❶慢性腎炎の急性増悪：過去の尿所見

❷膜性増殖性糸球体腎炎：ASLO，ASK 正常，C_3低値，腎生検必要

❸ループス腎炎：腎外症状

❹IgA 腎症：先行感染から 2 日以内，IgA 値上昇

❺紫斑病性腎炎：腎外症状（紫斑，腹痛，関節痛など）

その他，鑑別困難な場合は積極的に腎生検を．

治療

❶安静，食事療法（水分・塩分・蛋白制限）が基本．

第5章　小児編

小児疾患

表1　急性腎炎の所見

血液生化	BUN　↑（50〜60%）
	Cr　↑ or →
	Na　→ or ↑
	K　→ or ↑
	Cl　→ or ↑
免疫血清	ASO　↑（30〜80%）$\left[\begin{array}{l}\sim 6歳255\ Todd \\ 6歳以上333\ Todd\end{array}\right]$
	CH_{50}　↓　　C3↓　　C4→
	IgG　↑
培養 （咽頭・皮膚 など）	陽性率30〜80% A群 *β-Streptococcus* 12型, 49型
腎機能	濃縮能→
	PSP　→
	GFR　↓

❷浮腫，乏尿，高血圧，肉眼的血尿を認めるときは入院させ，ベッド上安静が必要．トイレ歩行可．

予後

　血尿，蛋白尿は発症後3カ月までに消失することが多い．95%以上の患者で完全治癒が期待できる．

✐memo

ネフローゼ症候群

ポイント

❶ 小児のネフローゼは一次性が 90％を占め，そのうち「微小変化群」が 80〜90％．

❷ ステロイドホルモン剤が有効である例が多い．

❸ 再発を起こしやすく，長期間の療養になる．

❹ 大量の蛋白尿によるショックをきたすことがあり，入院加療が必要．専門施設（腎生検ができるところが望ましい）へ紹介．

診断基準

1. 蛋白尿：1 日の尿蛋白量は 3.5 g 以上ないし 0.1 g/kg. または早朝起床時第 1 尿で 300 mg/100 mL 以上の蛋白尿が持続する

2. 低蛋白血症
   血清総蛋白量：　　　　学童，幼児　　6.0 g/100 mL 以下
   　　　　　　　　　　　乳児　　　　　5.5 g/100 mL 以下
   血清アルブミン量：　　学童，幼児　　3.0 g/100 mL 以下
   　　　　　　　　　　　乳児　　　　　2.5 g/100 mL 以下

3. 高脂血症
   血清総コレステロール量：学童　250 mg/100 mL 以上
   　　　　　　　　　　　　幼児　220 mg/100 mL 以上
   　　　　　　　　　　　　乳児　200 mg/100 mL 以上

4. 浮　腫

注：（1）蛋白尿，低蛋白（アルブミン）血症は，本症候群診断のための必須条件である

　　（2）高脂血症，浮腫は本症候群診断のための必須条件ではないが，これを認めれば，その診断はより確実となる

　　（3）蛋白尿の持続とは 3〜5 日以上をいう

（厚生省特定疾患ネフローゼ症候群調査研究班，1974）

鼠径ヘルニア

ポイント

❶ 小児鼠径ヘルニアは腹膜鞘状突起の開存に起因する疾患で，成人の腹壁筋層の菲薄化によるものとは異なる．

❷ 本症は，嵌頓しなければ特に症状はなく，臓器損傷をきたすこともない．

❸ 将来嵌頓の危険があり，基本的には全例手術の対象となるため専門施設へ紹介する．手術は4〜6か月以降が多い．

背景

❶ 泣いたりいきんだりしたときに腫れることで気付かれ，腫脹の出現，消失を繰り返す．（痛みを伴わずに腫れたまま，朝は小さいが午後から夕方また入浴後に大きいと訴える場合には水腫である可能性が高い）

❷ 鼠径部の還納性腫瘤を触知することで確定診断できる．

❸ 嵌頓ヘルニアは乳幼児に多く，緊急手術を要し，進行具合によっては腸切除まで必要な場合があり，最悪生命にも影響を及ぼす危険な状態である．

❹ 嵌頓ヘルニアとして来院する患児の大部分は用手還納可能．逆に，用手還納不可能の場合や，発赤，浮腫がある場合は，たとえ患児の状態が良好であってもそのまま放置してはならない．緊急手術の可能性も考慮し専門施設へ転送すべきである．

❺ 女児の卵巣脱出は還納できなくても絞扼されることは少なく，緊急性はないので無理に戻す必要はない．しかし，卵巣茎捻転を起こすことがあるのでなるべく早期に手術が必要である．

鑑別

急性陰嚢症，陰嚢（精索）水腫，鼠径部リンパ節炎など．

停留精巣

停留精巣

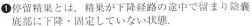

❶停留精巣とは，精巣が下降経路の途中で留まり陰嚢底部に下降・固定していない状態．
❷停留精巣の出生後の下降は大部分が3カ月以内にみられる．
❸正常精巣に比べて停留精巣は悪性化率が高いが，発症率は低い．
❹90％以上にヘルニア嚢の開存がみられ，鼠径ヘルニア（☞ p.869），精索水腫を合併することが多い．

コンサルトのタイミング

　自然下降は生後9カ月までで，それ以降の自然下降は期待出来ないため泌尿器科へ紹介．

📝memo

皮膚疾患 (1)

おむつかぶれ

ポイント

❶おむつをまめに取り替える（紙おむつでも）.

❷入浴時以外にも，1日1〜2回お尻をお湯で洗い，清潔にし乾燥させる.

❸特に下痢しているときは，排便ごとに清潔にする.

治療

❶以下のいずれか

皮膚潰瘍治療薬：亜鉛華単軟膏

　亜鉛華（10%）単軟膏　1日1〜数回　塗

皮膚潰瘍治療薬：混合死菌浮遊液・ヒドロコルチゾン配合

　エキザルベ　1日1〜数回　塗

❷寄生菌性紅斑（ステロイドホルモン含有の軟膏で悪化）に対して，抗真菌薬入りの外用剤を使用

抗真菌剤：クロトリマゾール

　エンペシドクリーム（1%）　1日2〜3回　塗

水いぼ（伝染性軟属腫）

ポイント

❶水いぼの皮膚の接触により感染. また，搔破による自家接触で広がる. 皮膚を清潔にすることが大切.

❷放置しても6カ月〜2年で自然治癒.

❸アトピー性皮膚炎のある児では二次感染が多い.

処置

　自然退縮するので放置を勧める場合もある.
　摘除には以下の方法がある.

❶圧出法（急ぐとき）：腫瘤をピンセットでつまんで内

871

皮膚疾患 (2)

容物（白色チーズ状の塊）を圧出．強い疼痛を伴う．
❷サリチル酸絆創膏を貼布（処置に時間がかかる）．

殺菌消毒剤：ポビドンヨード
イソジン液（10％）　来院時消毒

角質軟化薬：サリチル酸
スピール膏M　2〜5日毎にとりかえる　貼

❸　または
収斂・殺菌・腐食剤（硝酸銀末からの院内製剤）
30％硝酸銀液　1日1回　塗

※2〜4日間，水いぼの頂点に塗布．黒色痂皮形成後（約1週間）水泳可．

生活指導
登園は可．水を介しての感染はないため，プールはタオル・ビート板・浮輪・水着などを共有しなければ可．

とびひ（伝染性膿痂疹）

ポイント
❶黄色ブドウ球菌，溶血性連鎖球菌の皮膚への直接感染．
❷皮膚を清潔にすることが大切．

処　置
❶局所より培養をとる（最近はMRSAも増えている）．
❷局所（数個までなら）に対して，以下のいずれかを処方．

抗菌薬：フシジン酸ナトリウム
フシジンレオ軟膏（2％）　1日数回　塗

第 5 章　小児編

小児疾患

テトラサイクリン系抗菌薬：テトラサイクリン塩酸塩
　アクロマイシン軟膏（3％）　1日1〜数回　🄫

皮膚潰瘍治療薬：亜鉛華単軟膏
　亜鉛華（10％）軟膏　1日1〜数回　🄫

　　※びらんを乾燥させ痂皮を脱落させる．
❸抗菌薬内服（広範囲にあるとき，以下のいずれか）

セフェム系抗菌薬：セファクロル
　ケフラール細粒小児用（10％）　1日 20〜40 mg/kg
　　　　　　　　　　　　　　　1日3回　🄫　朝昼夕食後

ホスホマイシン系抗菌薬：ホスホマイシンカルシウム
　ホスミシン DS（20％）　1日 40〜120 mg/kg
　　　　　　　　　　　　　1日3回　🄫　朝昼夕食後

　　※難治性，MRSA に対して．

生活指導
❶シャワー程度の入浴は可．石鹸を使って患部をよく洗う．
❷下着をよく取り替えるなど，皮膚を清潔にする．
❸痂皮形成まで登園，水泳は禁止．

✎memo

アトピー性皮膚炎

ポイント

❶ 増悪・寛解を繰り返す，掻痒のある湿疹を主病変とする疾患であり，多くはアトピー素因をもつ．

❷ 乾燥肌と，掻破された湿疹・皮膚炎が主症状で，年齢により好発部位が異なる．

❸ 多くは乳幼児期に発症し，学齢期に達するまでに寛解するが，成人への移行例や再発例も少なくない．

病　態

　角層の機能異常に起因する皮膚の乾燥とバリア機能の低下のもとに，多彩な非特異的刺激反応と特異的アレルギー反応が関与している．

診断のポイント

❶ 強い痒み

❷ 特徴的な湿疹

　　①急性病変：（湿潤性）紅斑，（漿液性）丘疹，鱗屑，痂皮

　　②慢性病変：湿潤性紅斑，苔癬化，痒疹，鱗屑，痂皮

❸ 分布：左右対称性

　　①乳児期：頭，顔にはじまり，体幹・四肢に下降

　　②幼小児期：頸部，四肢関節部に乾燥性の湿疹が主体

　　③思春期・成人期：上半身に皮疹が強い傾向

❹ 慢性・反復性経過：乳児では 2 カ月以上，その他では 6 カ月以上を慢性．

❺ 参考となる検査：血清総 IgE 値，特異的 IgE 抗体価，血中好酸球数，血清 TARC 値（補助的な重症度の評価），血清 LDH（病勢の指標）

原因・悪化因子

❶ アレルゲン：食物（鶏卵，小麦，牛乳など），吸入アレルゲン（ダニ，室内塵，花粉，ペットのフケや毛，カビなど）

第5章　小児編

小児疾患

❷物理的刺激：発汗・よだれ，衣類，毛髪，石鹸，シャンプー，化粧品，残存洗剤，プールの次亜塩素酸，金属，日光の紫外線など

❸細菌・真菌感染症，単純ヘルペス感染症（カポジ水痘様発疹症），掻破による皮膚の傷害

❹精神的ストレス（特に年長児）：年長児では学校，勉強，人間関係によるストレス

治療

❶原因・悪化因子の対策
　①室内環境整備，②乳児期の食物アレルギーの除去，③物理的刺激を避ける，④皮膚感染症に対する治療，⑤爪を短く切る，⑥ストレスを避ける

❷スキンケア
　①皮膚の清潔：入浴，シャワー
　②皮膚の保湿：保湿性の高い親水性軟膏や吸水性軟膏（尿素製剤，ヘパリン類似物質含有製剤）を使用
　③傷害皮膚の保護：油脂性軟膏（白色ワセリン，亜鉛華軟膏，アズノール軟膏など）を使用.

❸薬物治療
　①外用療法：急性期の炎症抑制にステロイド外用剤，タクロリムス軟膏
　②内服薬：止痒効果のある抗ヒスタミン薬，抗アレルギー薬を補助的に使用.

✎ **memo**

食物アレルギー（1）

ポイント

❶ 症状は多彩で全身諸臓器（主には皮膚，消化器，呼吸器）が障害されるが，皮膚症状はほぼ必発（表1）．

❷ アナフィラキシーに対しては迅速な評価と対応が必要である．

❸ 食物アレルギーの原則は正しい診断に基づいた必要最小限の原因食物の除去である．

疫学

❶ 有病率は乳児7〜10％，幼児5〜8％，学童期以降3〜5％，全年齢を通して1〜2％と考えられている．

❷ 原因食物（即時型アレルギー）
　　①乳幼児では鶏卵，牛乳，小麦，木の実類，落花生，魚卵など．
　　②学童以降では甲殻類，魚類，小麦，果物類，木の実類など．

非専門医レベルで行うべきチェックリスト

❶ 症状：即時型では皮膚粘膜症状が高頻度（表1）

表1　食物アレルギーの症状

臓器	症状
皮膚	紅斑，蕁麻疹，血管性浮腫，瘙痒，灼熱感，湿疹
粘膜	眼症状：結膜充血・浮腫，瘙痒感，流涙，眼瞼浮腫 鼻症状：鼻汁，鼻閉，くしゃみ 口腔症状：口腔・口唇・舌の違和感・腫脹
呼吸器	咽喉頭違和感・瘙痒感・絞扼感，嗄声，嚥下困難，咳嗽，喘鳴，陥没呼吸，胸部圧迫感，呼吸困難，チアノーゼ
消化器	悪心，嘔吐，腹痛，下痢，血便
神経	頭痛，活気の低下，不穏，意識障害
循環器	血圧低下，頻脈，徐脈，不整脈，四肢冷感，蒼白（末梢循環不全）
全身性	アナフィラキシーおよびアナフィラキシーショック

第5章　小児編

小児疾患

①即時型：原因食物を摂取してから数分〜数時間以内に症状出現，皮膚粘膜症状がほぼ必発，時にアナフィラキシーとなる．☞ p.148

②乳児アトピー性皮膚炎：卵，牛乳，小麦の順で合併する頻度が高く，多くは寛解する．

③食物依存性運動誘発アナフィラキシー（FDEIA）：小麦，エビ，果物などを摂取して運動すると運動中にアナフィラキシーが引き起こされる．

④口腔アレルギー症候群（OAS）：食物摂取直後から口唇・口腔・咽頭のかゆみ，イガイガ，血管浮腫をきたす．果物，野菜，大豆など．

⑤花粉-食物アレルギー症候群（PFAS）：花粉と果物や野菜に含まれるアレルゲンと交差反応でOASをきたす．
  ・スギ花粉とナス科のトマト
  ・カバノキ科（シラカンバ・ハンノキ）花粉とバラ科の果物（リンゴ・ナシ・サクランボ・モモなど）・マメ科（大豆・落花生）
  ・イネ科（カモガヤ・ハルガヤ）とウリ科の果物（メロン・スイカなど）
  ・キク科（ヨモギ）とセリ科野菜（セロリ・ニンジンなど）

❷問診
①摂取した内容や時間など．
②アレルギーの病歴や家族歴
③運動，服薬，体調，治療状況

❸経過
①乳児期発症の鶏卵，牛乳，小麦の食物アレルギーは学齢期までに7〜8割は耐性を獲得する．
②アナフィラキシーの回数が多い，特異的IgE抗体価が高値例，湿疹のコントロールが不良例では耐性化が遷延する．

877

食物アレルギー (2)

③甲殻類，木の実類，落花生などは寛解しにくい.

非専門医レベルでも行うべきこと

❶アレルゲン特異的 IgE 抗体の測定.

❷治療

①除去食療法：不適切な除去はしない.

②アレルギー症状があれば抗アレルギー薬内服など対症療法.

専門医で行うこと

❶皮膚試験（プリック，スクラッチ）.

❷食物除去試験，食物負荷試験：現在のところ最も信頼性の高い診断法.

❸6 カ月～1 年毎に食物負荷試験を行い，耐性について確認し，摂取可能か検討する．除去中は代替食品を利用する.

フォローアップ外来

❶体重増加，アレルギー症状の有無を確認する.

❷アレルゲンとなる食品をごく少量から摂取を始める.

コンサルトのタイミング

❶複数の品目でアレルギーがある場合.

❷アナフィラキシーショックがある場合.

❸エピペンの処方が必要と判断される場合.

❹除去を解除することができない場合.

✎memo

学校検尿異常所見者の扱い (1)

ポイント

❶ 学校検尿は 1974 年にはじまり，40 年以上経過した今でも各市町村や学校でのシステムは様々である．

❷ 精密検診の目的は慢性腎不全に移行する可能性のある腎炎患者の抽出，暫定診断（表1）の決定，軽微な尿所見者のみの子どもの適切な管理基準の決定である．

❸ 小児腎臓病専門施設紹介となる適応は，蛋白尿が一定期間持続，肉眼的血尿，低蛋白血症，低補体血症，高血圧，腎機能障害を認める場合である．

学校検尿のシステム

　精密検診は，公的施設を用いて集団的に行う方式（A方式）と，直接近隣の医療機関を受診する方式（B方式）があり，8 割が B 方式である．

❶ 一次検尿
　　① 尿蛋白 1+ 以上 and/or 尿潜血 1+ 以上 → 該当は二次検尿に
　　② 尿蛋白 3+ 以上は緊急受診
　　（尿糖 ± 以上は精密検査）

❷ 二次検尿
　　① 尿蛋白 1+ 以上 and/or 尿潜血 1+ 以上 → 該当は精密検診
　　② 尿蛋白 3+ 以上は緊急受診

❸ 地域によって早朝尿を試験紙法，沈渣を検鏡するところもある．沈渣は赤血球 5/視野以上，白血球 5/視野以上を異常と判定する．

精密検診

❶ 精密検診の目的
　　① 慢性腎不全に移行する可能性のある腎炎の子どもを抽出する．
　　② 暫定診断（表1）を決定し，経過観察方針を決定する．

879

学校検尿異常所見者の扱い (2)

表 1　精密検診における暫定診断の決定基準

診断名	蛋白定性	尿蛋白／尿クレアチニン比 (g/gCr)
異常なし	(−)〜(±)	0.15 未満
無症候性蛋白尿	(1+) 以上	0.15 以上
体位性蛋白尿の疑い	早朝尿 (−)〜(±) 随時尿 (1+) 以上	早朝尿 0.15 未満 随時尿 0.15 以上
無症候性血尿	(−)〜(±)	0.15 未満
無症候性血尿，蛋白尿，腎炎の疑い	(1+) 以上	0.15 以上
白血球尿，尿路感染症の疑い	(−)〜(1+)	
その他		

＊他の検査が異常である場合は，専門医紹介の適応とな
適応とはならないが腎炎の存在が示唆されるため注意深
＊＊体位性蛋白尿の随時尿には，潜血や赤血球がみられ
（日本学校保健会：3 次集団または学校医・主治医による
日本学校保健会，2012：28．より改変）

③腎炎以外の腎不全に移行する可能性のある慢性腎
臓病患者を発見する．
④軽微な検尿有所見者には厳しい生活規制を強いな
い．

❷問診・診察
　　尿検体の適切性の確認（早朝第一尿であるか月経中
か），家族内腎疾患（良性家族性血尿，Alport 症候群な
ど），高血圧の有無，溶連菌感染症・血管性紫斑病の
罹患，腎疾患の症状の有無（浮腫，全身倦怠感，食欲
不振，頭痛・頭重感，腰痛，微熱の継続，頻尿・排尿痛，
乏尿・多尿など）

第5章　小児編

小児疾患

潜血定性	沈渣鏡検	参考事項
(−)〜(±)	沈渣赤血球：4/F 以下	他の検査は正常であること*
(−)〜(±)	沈渣赤血球：4/F 以下	他の検査は正常であること*
(−)〜(±)**	沈渣赤血球：4/F 以下**	他の検査は正常であること
(1+) 以上	沈渣赤血球：5/F 以上	他の検査は正常であること*
(1+) 以上	沈渣赤血球：5/F 以上	他の検査は正常であること*
(−)〜(1+)	沈渣赤血球：4/F 以下 沈渣白血球：5/F 以上	
		糖尿病，腎性糖尿 腎不全，高血圧， 先天性腎尿路奇形 など

る．ただし RBC 円柱，変形赤血球は専門医紹介の絶対的
い観察が望まれる．
ることがある
精密検査と暫定診断．学校検尿のすべて平成23年度改訂．

❸最低限行う検査：腎炎の鑑別に特異度の高い検査，
診断の一助となる検査
　①身体計測と血圧：身長，体重，血圧計測
　②尿検査：尿定性（潜血，蛋白），尿沈渣，尿蛋白/尿
　　クレアチニン比
　③血液検査：蛋白，アルブミン，Cr，尿素窒素，血
　　清補体（C_3）
❹その他の検査
　①尿沈渣の WBC 5/視野以上で異常：尿路感染症の
　　疑い．
　②尿 β_2 ミクログロブリン/尿 Cr 比：尿細管の異常を

学校検尿異常所見者の扱い ⑶

きたす疾患，尿路感染症，急性・慢性腎不全，間質性腎炎で高値．

③末梢血：白血球減少や汎血球減少は SLE で認められる．

④抗核抗体・免疫グロブリン（IgG・IgA）：SLE や IgA 腎症の鑑別に重要．

⑤シスタチン C（cys C）：糸球体濾過量に依存．

暫定診断

❶暫定診断は確定診断をつけるまでのあくまで暫定的な診断名である．

❷暫定診断名（表1）

①「無症候性血尿・蛋白尿，腎炎の疑い」と暫定診断された場合は，注意深い観察が必要で，場合によっては腎生検を検討する必要があるため，小児腎臓病専門施設への紹介基準に従って紹介する．

②「白血球尿，尿路感染症の疑い」は尿沈渣白血球が5/視野以上で，尿潜血・尿蛋白定性が1＋以下の場合に診断する．先天性腎尿路奇形の可能性を考慮しておく．

③学校検尿，精密検診で「その他」にある疾患が疑われ診断に至ることがある．また，すでに確定診断がついているときにはその病名を記入する．

📝memo

子どもの心臓病 (1)

心雑音を聴取したとき

ポイント

❶ 機能性雑音か器質性雑音かの鑑別が大切. 判断に迷う場合は専門医（小児循環器科）へ紹介.

❷ 乳児期の心雑音に以下の症状がある時は心不全に注意.
　①喘鳴, むせるような咳　　⑤不機嫌
　②頻呼吸　　　　　　　　　⑥顔色不良
　③哺乳時の肩呼吸　　　　　⑦発育不良
　④哺乳力低下

機能性雑音の特徴

❶ 楽音様収縮期雑音で, 持続時間が短く, 体位や時間帯によって変化しやすい.

❷ ECG, 胸 Xp が正常で, 心音のⅠ, Ⅱ音とも正常.

先天性心疾患児の管理

※先天性心疾患の学校生活管理指導指針ガイドライン（2012 年改訂版）を参照.

❶ 運動制限は専門医にまかせる.

❷ 歯科治療・消化管や呼吸器の手技・処置の際には感染性心内膜炎の予防のため抗菌薬の投与を行う.

ペニシリン系抗菌薬：アモキシシリン水和物（AMPC）

サワシリン細粒 10%　　50 mg/kg

処置 1 時間前　内

❸ チアノーゼ性心疾患児は, 代償的に赤血球増多症になり, 血液の粘稠度が増しているので, 脱水の治療は早めに行う.

❹ 予防接種は, 担当医（専門医）から特に注意がなければ積極的に行う.

子どもの心臓病 (2)

心臓検診（図1）

❶平成7年，小学校・中学校・高等学校各1年生全員に心電図検査が義務づけられた．一部の地域で心音図検査が行われている．

❷二次検診では心臓突然死を起こす疾患を見逃さないことが大事である．

専門医での検査・処置

心電図異常が見つかった場合，胸郭Xp，心エコー検査にて基礎疾患の有無を確認する．不整脈についてはホルター心電図，負荷心電図による評価が必要になる

図1 心臓検診の流れ

（日本学校保健会：学校心臓検診の実際．2013）

起立性調節障害（OD）(1)

ポイント

① 小・中学生（特に10歳以上）に多くみられ，立ちくらみ，めまい，頭痛，腹痛，倦怠感など，いわゆる不定愁訴を伴う自律神経失調症の1つ．

② 心身症としての側面があり，中学生のODの半数近くが不登校を伴う．

鑑別疾患

①貧血，②器質的心疾患（不整脈，心筋症），③慢性炎症（膠原病，副鼻腔炎），④中枢神経疾患（てんかん，脳腫瘍），⑤内分泌疾患（甲状腺機能亢進症，副腎機能低下），⑥不登校など

非専門医レベルでのチェックリスト

❶ 問診（日常生活状況，症状の程度）・診察・検査（血液検査，胸部Xp，心電図など）で器質性疾患の除外．

❷ OD身体症状項目：以下11項目のうち3つ以上当てはまるか，2つでもODが疑われる．

　①立ちくらみ，あるいはめまいを起こしやすい

　②立っていると気持ちが悪くなる．ひどくなると倒れる

　③入浴時あるいは嫌なことを見聞きすると気持ちが悪くなる

　④少し動くと動悸あるいは息切れがする

　⑤朝なかなか起きられず午前中調子が悪い

　⑥顔色が悪い　⑦食欲不振　⑧臍疝痛をときどき訴える

　⑨倦怠（易疲労感）　⑩頭痛　⑪乗り物に酔いやすい

❸「心身症としてのOD」診断チェック：下記のうち4項目がときどき（週に1〜2回）以上

　①学校を休むと症状が軽減する．

　②身体症状が再発・再燃を繰り返す．

　③気にかかっていることを言われたりすると症状が増悪する．

　④1日のうちでも身体症状の程度が変化する．

885

起立性調節障害（OD）⑵

⑤身体的訴えが2つ以上にわたる.
⑥日によって身体症状が次から次へと変化する.

専門医での検査・処置

❶起立試験（シェロングテスト）＋起立後血圧回復時間
測定して4つのサブタイプを判定
　①起立直後性低血圧：起立直後血圧回復時間≧25秒
　②体位性頻脈症候群：起立時心拍数≧115，または心
　　拍数増加
　③血管迷走神経性失神：起立中突然に血圧低下と意
　　識レベルの低下
　④遷延性起立性低血圧：起立後3〜10分の収縮期血
　　圧低下≧15% or≧20 mmHg
❷疾病教育：「ODは身体疾患である」と説明し，OD
の特徴を説明.
❸非薬物療法
　①日常生活指導：早寝早起き，規則正しい生活リズ
　　ム，30秒ほどかけてゆっくり起立，日中の臥床禁
　　止，暑気は避ける.
　②運動療法：散歩，重力のかからない水泳など
❹薬物療法（症状が強い場合に2週間をめどに）
　①塩酸ミドドリン

α1 刺激薬：ミドドリン塩酸塩

メトリジン錠（2 mg）　1回1錠1日2回　㊅
　　　　　　　　　　　　　　起床時・夕食後

　②体位性頻脈症候群の場合
　　　塩酸ミドドリンで改善が得られない場合，プロ
　　プラノロールを追加

β 遮断薬：プロプラノロール塩酸塩

インデラル錠（10 mg）　1回1錠　㊅　起床

小児の心身症 (1)

ポイント

❶ 小児は常に成長・発達しており，心理ストレスが容易に身体症状として現れやすい．

❷ 親は子どもの症状が心の問題に起因していると認識していないか，否定したいと思っていることが多い．

❸ プライマリケアで対応できるものから，身体症状が重症な摂食障害などの高度の専門的なアプローチを必要とするものまであるため，専門機関の情報をもっていることが望ましい．

鑑別のポイント

どのような場合に心身症を疑うか：

❶ 頭痛，腹痛，全身倦怠感，嘔気，めまい，微熱などの不定愁訴を繰り返す．

❷ 訴えや症状に見合う身体疾患がみつからない．症状と検査所見（多くは正常）が合わない．

❸ 訴えや症状が特定の時間帯，場所，状況で起こりやすい．また，症状が一過性で，反復性である．

❹ 症状の出現期間が長く一般に投薬は無効で転医が多い．

❺ 情緒不安定で，落ち着きがなく，緊張していたり，逆に無表情で，反応が乏しい．

❻ 症状や訴え始めたころに，新しい状況や環境の変化や，生活リズムが不規則になるなど日常の生活態度に変化がある．

症状

❶ 身体症状
① 呼吸器症状：咳嗽，胸痛，呼吸困難，呼吸促迫
② 消化器症状：腹痛，嘔気・嘔吐，下痢，食欲不振
③ 循環器症状：立ちくらみ，めまい，動悸，頻脈，徐脈，顔面蒼白
④ 神経症状：頭痛，意識障害，痙攣，しびれ，歩行障害，視力・聴力障害

小児の心身症 ⑵

⑤泌尿器症状：頻尿，夜尿，遺尿
⑥皮膚症状：多汗，冷汗，かゆみ，脱毛
⑦全身症状：発熱，全身倦怠感，やせ
❷行動・態度の問題，精神症状
　①食事：拒食，過食，異食，盗食
　②睡眠：夜泣き，不眠，夜驚，夢中遊行
　③言葉：吃音，緘黙，構音障害，言語発達遅延
　④習癖：指しゃぶり，爪噛み，抜毛，性器いじり
　⑤その他：チック，不登校，非行，自傷行為など
❸年齢による症状の特徴
　①乳児期：夜泣き，泣き入りひきつけ（憤怒痙攣）など
　②幼児期：反復性腹痛，夜驚，頻尿，吃音など
　③学齢期：チック，抜毛，摂食障害，過換気症候群
　　など

夜　尿

ポイント

❶歳を過ぎて，週に2回以上，最低3カ月以上連続して夜間睡眠中の尿失禁を認めるもの.
❷歳児で10〜20％，小学校低学年で5〜10％程度認める．中学で1〜3％まで下がる.
❸「起こさず，焦らず，叱らず」が原則.

非専門医レベルでのチェックリスト

❶夜尿の回数，量，夜間尿量（紙パンツに漏れた尿の重さと起床時の尿量の和）の測定.
❷機能的膀胱容量：昼間に可能な限り尿を我慢させて尿量を測定．7 mL/kg（最大300 mL）以下は膀胱容量過少.
❸水分摂取量（習慣性多飲があるか）
❹検尿：尿路感染症，尿崩症，糖尿病などの鑑別
❺器質疾患の除外（3〜5％程度）：尿路奇形，尿路結石，

第5章 小児編　　　　　　　　　　　　　　小児疾患

糖尿病，尿崩症，二分脊椎，発達障害など
❻心理的要因：親子関係，家族関係，学校での適応状況など

専門医での指導・処置
❶生活指導
　①小学校の低学年までは基本的に薬物治療は行わない．
　②日中に十分に水分摂取，朝食・昼食を十分に取り，夕食は就寝2時間前までに済ませる．
　③就寝前の2時間以内の水分・塩分制限，夕方以降の水分量は 10 mL/kg 以下に抑える．
　④就寝前の完全排尿．早寝・早起きの励行．
　⑤睡眠中の寒さや冷えから体を守る．
❷アラーム療法
　　夜尿感知装置を装着して，就眠中の排尿を気づかせ，覚醒させてトイレに行かせるか，我慢できるようにして膀胱畜尿量を増加させる治療法．家族の協力が必要なのと，効果に時間がかかる．
❸薬物療法
　①抗利尿ホルモン剤が第1選択剤

下垂体後葉ホルモン：デスモプレシン酢酸塩
ミニリンメルト OD 錠（120 μg・240 μg）
　1回1錠　内
　就寝30分前に舌下，水なしで服用．120 μg から開始して効果不十分なら 240 μg に増量．

　②抗コリン薬は夜尿症の保険適用がない．
　③抗うつ薬は不整脈の副作用があるため夜尿の専門医に紹介する．

memo

889

小児の心身症 (3)

チック

ポイント
❶ 6〜8歳ごろに発生頻度のピークがあり，4〜5%に認める．
❷ 情緒的に問題を抱えていることが多く，緊張しやすい，攻撃的，反抗的，不安感が強いなどがあり，精神的緊張をやわらげるように周囲（特に家族）に協力してもらう．
❸ 家族にはチック症状を注意せず静観するようにさせる．

コンサルトのタイミング
奇声・卑猥語を発する音声チックを有する Tourette 症候群や複雑性運動チック（自分を叩く，飛び跳ねるなど）は専門医に紹介．

指しゃぶり

ポイント
❶ 1歳前後までの指しゃぶりはごく自然の行動と受け止める．
❷ 寝いりばなでは2歳ごろまでみられ，寝ついたらそっと指を口から離すようにする．
❸ 昼間ひどいときは，手持ち無沙汰と考え，戸外に連れ出す，遊び相手になるなどして気分転換を図る．

コンサルトのタイミング
3歳以降も続くようなら，不正咬合（開咬）の可能性もあるため専門医に紹介する．

✏ **memo**

よくある相談(ソフトサイン他)(1)

頭がいびつ（偏頭）

偏頭の大部分は胎内姿勢のなごり．寝かせ方の工夫でよくなっていく場合が多い．

コンサルトのタイミング

❶頭囲が±2 SD から外れている，頭蓋骨縫合の異常が疑われる時は小児科か脳外科に紹介．

❷筋性斜頸の場合は，屈側の胸鎖乳突筋の部位に腫瘤をふれるが，たいていは自然治癒する．鑑別もかねて整形外科に紹介．

後頸部や側頸部のリンパ節がふれる

❶多数の乳幼児でみられるが，たいていは上気道炎の繰り返しや，汗疹，湿疹，中耳炎などによる反応性リンパ節炎のために腫脹しているもの．

❷小豆大で，周囲との癒着も圧痛もないことが多い．

❸局所の圧痛，熱感を伴ったりするときは原因検索を行う．

扁桃肥大，アデノイド

小児の口蓋扁桃は，乳幼期に小さく7～8歳に最大となり，9～10歳ころから次第に退縮．咽頭扁桃は口蓋扁桃より1～2年先行する．個人差が大きい．

コンサルトのタイミング（摘出術の適応）

❶習慣性扁桃炎：慢性扁桃炎の基盤のうえに急性増悪を年3～5回以上繰り返すもの．

❷呼吸障害：いびきがひどい，無呼吸など．鼻アレルギーなどの鼻閉と鑑別が必要．

❸嚥下障害，食欲不振，体重増加不良．

❹構音障害．

よくある相談（ソフトサイン他）⑵

❺中耳炎，副鼻腔炎の反復，難治化．
❻慢性炎症による腎炎，関節炎，リウマチ熱などの病巣感染症となっている．

乳房がふくらむ（女児）

❶新生児では生後から乳腺を触れることがある．母体のエストロゲンによる一過性のものなので心配はいらない．

❷乳児期から乳房がふくらみ，明らかな乳腺をふれることがある．

❸乳房腫脹のみの場合は単純性早発乳房といい，放置しても学齢期にはいったん小さくなり，普通に思春期が到来．しかし，乳房腫脹の間は他の早熟徴候がでてこないか経過観察が望ましい．

❹正常の思春期では，9歳ごろから乳房の発育がみられ，最初に乳輪がふくらみ，少し痛むこともある．左右非対称に始まることもあり，途中で消退することもあるが，心配はない．

コンサルトのタイミング

　急に身長が伸びる，陰毛がはえる，性器出血を伴う等の症状があれば思春期早発症を考え，専門医へ紹介．

歩き方がおかしい

　跛行がみられるときは，幼児期早期では先天性股関節脱臼を，幼児期後期・学童期では Perthes 病などを疑う．

コンサルトのタイミング

❶跛行とともに以下の所見があれば整形外科へ紹介．
　①下肢のみせかけの短縮，膝頭を揃えたときの膝の高さの違い（Allis 徴候）

第 5 章　小児編

小児疾患

　②鼠径部，大腿部のしわの左右差
　③股部・大転子部・臀部の形の異常
　④股関節の開排制限
❷高熱，跛行，足の痛みが伴うときは関節炎，骨髄炎を疑い，整形外科に紹介．
❸2歳以上の小児に下記の脚異常がみられたときは整形外科に紹介．
　①両脚の内側の間が5cm以上に開いているO脚
　②両足関節の内側が7cm以上開いているX脚

おしっこがピンクになる

❶乳児では，おむつがレンガ色〜ピンクに染まることがあるが，尿酸塩のことが多い．
❷チペピジンヒベンズ酸塩（アスベリン®）でも，赤味がかった着色尿を呈することがある．
❸念のため検尿で潜血反応．

おりもの（帯下）

❶生理的なもの（二次性徴の発現し始める頃）と，病的なもの（主にカンジダや大腸菌などによる病原体感染）がある．
❷少量の帯下だけでは経過観察でもよいが，下着がひどく汚れる，外陰部のかゆみ，痛み，排尿痛などを認めるときは治療が必要．
❸排泄後の始末が不十分なことが多いので，陰部の拭き方（前から後へ拭く），入浴時の性器の洗い方を指導する．

薬物血中濃度

ポイント

❶ TDM（Therapeutic Drug Monitoring）；薬物投与後の薬効に個人差があるため，血中濃度を測定し，その効果や副作用発現の指標とする．

❷ 一定の濃度に達した（定常状態）後の，最高血中濃度を「ピーク」，最低血中濃度を「トラフ」としている．

表 1　特定薬剤治療管理料の算定できる薬剤（一部）

薬　剤	採血時期	有効治療域	
リチウム	トラフ	0.4～1.0 mEq/L	脱水状態やNSAIDs併用で容易にリチウム濃度の上昇が見られる．中毒ではまず消化器症状がでることが多い
カルバマゼピン	トラフ	4～12 ng/mL	定常状態に達するのに3～4週間かかる．8 ng/mLをこえると副作用発現頻度高まるため他の抗てんかん薬と併用するときは4～8 ng/mL
クロナゼパム	トラフ	20～70 ng/mL	1～4週以降にTDM行う
ゾニサミド	トラフ	10～30 μg/mL	2週間以降にTDM行う．血中濃度と有効性・副作用に関連はない
バルプロ酸ナトリウム	トラフ	40～125 μg/mL	3～5日後にTDM行う．部分発作では100 ng/mL以上を要する．毒性は200 μg/mL以上とされるが有効治療域でも副作用発現しやすい
フェニトイン	トラフ	10～20 μg/mL	5～7日後にTDM行う
フェノバルビタール	トラフ	10～35 μg/mL	定常状態に達するのに10～30日かかる
レベチラセタム	トラフ	12～46 μg/mL	2日目以降にTDM行う．血中濃度と有効性・副作用に関連はない．フェニトイン・バルプロ酸との併用で濃度変化なし

第6章　資料編

資料

（表1　つづき）

ジゴキシン	トラフ	0.8〜2.0 ng/mL	ジギタリス中毒は血中濃度のみでは規定されない．有効域と中毒域がかさなるため 1.5 ng/mL 以下，収縮不全の心不全あれば 0.9 ng/mL 以下が安全
アミオダロン	トラフ	1.0〜2.5 μg/mL	バイオアビリティ低く血中濃度の個人差が大きい．血中濃度と有効性の関連はとぼしい．肺毒性・甲状腺機能異常は低用量でも発症
ジソピラミド	トラフ	2〜5 μg/mL	
ピルジカイニド	トラフ	0.2〜0.9 μg/mL	
テオフィリン	トラフ	5〜15 (20) μg/mL	20〜25 μg/mL では有効域と中毒域がかさなる．25 μg/mL 以上は中毒域となる
シクロスポリン	トラフ，投与2時間後	トラフ 200 ng/mL 以下，2時間後 700 ng/mL 以上	3〜5日後に TDM 行う．疾患により濃度異なる．ネフローゼ症候群ではトラフ 100〜150 ng/mL．2時間値は AUC 0〜4 と相関し有効性と関連
ゲンタマイシン	ピーク，トラフ	トラフ 1 μg/mL 以下，ピーク 15〜25 μg/mL	2〜3日目に TDM 行う．ピーク値は有効性・トラフ値は腎毒性と関連
バンコマイシン	ピーク，トラフ	トラフ 10〜20 μg/mL，ピーク 25〜40 μg/mL	3日目に TDM 行う．ピークは投与終了1〜2時間後．重症感染症時のトラフ 15〜20 μg/mL，トラフ 20 μg/mL 以上は腎毒性
テイコプラニン	トラフ	10〜30 μg/mL	4日目に TDM 行う．ピーク測定の意義なし．重症感染症時のトラフは 20〜30 μg/mL
ボリコナゾール	トラフ	1〜2 μg/mL	7日目以降に TDM 行う．4〜5 μg/mL 以上では肝障害

抗凝固療法（経口薬）⑴

ワルファリンカリウム

ポイント
❶本剤に対する反応は個人差が大きいため，PT-INRを測定し治療域にあることを確認.
❷本剤は他剤や食物の影響を受けやすいので注意.

適応
❶血栓塞栓症（静脈血栓症，心筋梗塞症，肺塞栓症，脳塞栓症，緩徐に進行する脳血栓症など）の治療および予防

禁忌
❶出血傾向，現在出血している患者，出血の可能性高い患者（内臓腫瘍，消化管の憩室炎，重症高血圧症，重症糖尿病等），重篤な肝障害や腎障害.
❷妊婦，または妊娠している可能性のある婦人（催奇形性）
❸骨粗鬆症治療用ビタミン K_2（メナテトレノン）製剤，イグラチモド，ミコナゾール投与中.

投与法
❶外来では1〜3 mg/日より開始することが多い. PT-INRを参考に増減し，維持量を決める.
❷維持量は1〜5 mg/日が多いが，個人差あり.
❸PT-INRは，投与開始時は数日〜1週ごとに測定し，安定したら1〜2か月ごとに測定.
❹肝障害，貧血の出現に留意する.

影響する食物
❶ワルファリンの作用を減弱させるビタミンKを多く含む以下の食品を禁止または制限する.
　①納豆，クロレラ，青汁→禁止
　②青菜などの緑黄色野菜は一度に大量に食べず，一定少量摂るよう指導.

影響する薬物 （詳細は添付文書参照）
❶作用増強：アロプリノール，NSAIDs，キニジン，

第6章　資料編

アミオダロン，バルプロ酸ナトリウム，マクロライド系抗菌薬，ベザフィブラート，オメプラゾール，シメチジン，アゾール系抗真菌薬，SSRI，SU薬等
❷作用減弱：バルビツール酸誘導体，カルバマゼピン，プリミドン，コレスチラミン，アザチオプリン，リファンピシン，グリセオフルビン等
❸作用増強または減弱：フェニトイン，アルコール，副腎皮質ホルモン等

副作用
❶出血（過量投与）
　①出血がみられた場合：入院適応
　　ⓐビタミンK 10 mgを30分以上かけて点滴静注

止血機構賦活ビタミンK_2：メナテトレノン	
ケイツーN静注用　1回10 mg 生食　100 mL	点　30分以上かけて

　　※ビタミンKを静注するときはアナフィラキシーショックに注意．
　　ⓑ上記に加え新鮮凍結血漿あるいはプロトロンビン複合体製剤投与．
　②出血なしの場合
　　ⓐワルファリン投与中止
　　ⓑ経口ビタミンK投与

ビタミンK_1：フィトナジオン	
カチーフN錠（5 mg）　1回1/2〜1錠　内	

　　ⓒ頻回の外来でのモニター．まずは24〜48時間後にPT-INR測定．出血の兆候があれば速やかに入院．

抜歯や手術時の対応
　現時点での推奨は以下のとおり．ワルファリン内服継続下で行う場合はいずれも至適治療域にPT-INRを

抗凝固療法(経口薬)(2)

コントロールしておくこと.
❶ワルファリン内服継続下での抜歯,白内障手術,通常の消化管内視鏡検査.
❷ワルファリン内服継続下での内視鏡的粘膜生検やマーキングなどの低危険度手技(施行後は止血を確認.止血が得られない場合は止血処置を行う).
❸ポリペクトミーなどの高危険度の消化管内視鏡においては処置前日または当日のPT-INRを治療域の低値に近づけることでワルファリン継続下での処置後出血リスクが低下する可能性あり.
❹術後出血への対応が容易な場合のワルファリン継続下での体表の小手術.
❺大手術の術前3〜5日までのワルファリン中止.中止時の血栓塞栓症リスク中〜高なら半減期の短いヘパリン投与による置換.
❻緊急手術時は出血性合併症時に準じた対応を行う.

直接経口抗凝固薬(DOAC)
Direct Oral Anticoagulant

ポイント

❶抗トロンビン薬,Xa阻害薬がある(表1).全てに共通の適応は非弁膜症性心房細動(NVAF)における虚血性脳卒中及び全身性塞栓症の発症抑制(図1).ダビガトラン以外には静脈血栓塞栓症の治療および再発抑制,エドキサバンには下肢整形外科手術施行患者におけるDVT発症抑制の適応あり.

❷ワルファリンと比べると
　①作用効果のモニターは存在しない.
　②半減期が短いので服薬コンプライアンスの遵守指導が重要.
　③納豆禁などの食事制限は不要.薬物相互作用も少

第6章　資料編

資料

表 1　直接経口抗凝固薬の特徴

薬剤名	ダビガトラン	リバーロキサバン	アピキサバン	エドキサバン
商品名	プラザキサ	イグザレルト	エリキュース	リクシアナ
作用機序	抗トロンビン	抗 Xa		
剤形	75 mg カプセル 110 mg カプセル	15 mg 錠 10 mg 錠	5 mg 錠 2.5 mg 錠	60 mg 錠 30 mg 錠 15 mg 錠
投与量[*1]	1 回 150 mg 1 日 2 回 1 回 110 mg 1 日 2 回	1 回 15 mg 1 日 1 回 1 回 10 mg 1 日 1 回	1 回 5 mg 1 日 2 回 1 回 2.5 mg 1 日 2 回	1 回 60 mg 1 日 1 回 1 回 30 mg 1 日 1 回
薬物相互作用	P 糖蛋白基質	CYP3A4 による代謝 P 糖蛋白基質	CYP3A4 による代謝 P 糖蛋白基質	P 糖蛋白基質
半減期（時間）	12～17	5～9	6～8	8～11
禁忌[*2]	高度腎機能障害 （Ccr<30 mL/min） eGFR<21.6 イトラコナゾール併用	腎不全 （Ccr<15 mL/min） 凝固障害を伴う肝疾患 中等度以上の肝障害 （Child-Pugh分類BやC） HIV プロテアーゼ阻害薬併用 アゾール系抗真菌薬併用 （フルコナゾールを除く） 急性細菌性心内膜炎	腎不全 （Ccr<15 mL/min） 血液凝固異常及び臨床的に重要な出血リスクを有する肝疾患	高度腎機能障害 （Ccr<30 mL/min） 急性細菌性心内膜炎
低用量選択基準	中等度腎機能障害 （Ccr 30～50 mL/min） P 糖蛋白阻害薬[*3]併用 70 歳以上 消化管出血の既往	腎機能障害 （Ccr 15～49 mL/min） （このうち Ccr 15～29 mL/min は慎重投与）	以下のうち 2 つ以上に該当する場合 80 歳以上 体重 60 kg 以下 血清クレアチニン 1.5 mg/dL 以上	体重 60 kg 以下 （体重 60 kg 超は 60 mg だが，腎機能，併用薬に応じて 30 mg に減量[*4]）

[*1] NVAF に対するもの．通常は高用量投与だが，各薬剤の添付文書等を参照して該当する場合は低用量を選択．静脈血栓塞栓症等に対する投与量については添付文書等を参照．

[*2] 薬剤の成分に対し過敏症の既応症あり，臨床的に問題となる出血症状あり，は全てに共通の禁忌事項．

[*3] ベラパミル，アミオダロン，キニジン，タクロリムス，シクロスポリン，リトナビル，ネルフィナビル，サキナビル等．

[*4] NVAF に対しては出血リスクの高い高齢の患者では，年齢，患者の状態に応じて 1 日 1 回 15 mg に減量できる．

抗凝固療法（経口薬）(3)

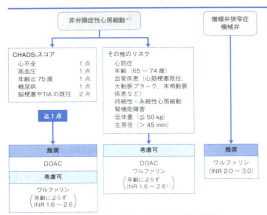

図 1 心房細動における抗凝固療法の推奨

[*1] 生体弁は非弁膜症性心房細動に含める．
[*2] 非弁膜症性心房細動に対するワルファリンのINR 1.6〜2.6の管理目標については，なるべく2に近づけるようにする．脳梗塞既往を有する二次予防の患者や高リスク（CHADS$_2$スコア3点以上）の患者に対するワルファリン療法では，年齢70歳未満ではINR 2.0〜3.0を考慮.
（日本循環器学会他：2020年改訂版不整脈薬物治療ガイドラインより）

ない．
③ほぼ同等の塞栓発生効果が期待でき，大出血は少ない傾向．
❸副作用として出血がある．拮抗薬としてはダビガトランに対するものとXa阻害薬に対するものがある．緊急に止血を要する場合は新鮮凍結血漿（保険適用外）等の投与を考慮．

第6章　資料編　　　　　　　　　　　　　資料

ダビガトラン特異的中和剤：イダルシズマブ

　プリズバインド静注液(2.5 g/50 mL/1 V)　1回2V
　　　　　　　　　㉘または急速静注
　※㉘の場合は1Vにつき5〜10分かけて投与

　※投与時は他の薬剤との混合を避ける.（既存の静脈ライン
　　使用時は，本剤投与前後に生食でフラッシュすること）

直接作用型第Ⅹa因子阻害剤中和剤：アンデキサネットアルファ

　オンデキサ注（200 mg）　㉕
　　A法：400 mg を 30 mg/分の速度で静脈内投与し，
　　　　　続いて 480 mg を 4 mg/分の速度で2時間静脈
　　　　　内投与
　　B法：800 mg を 30 mg/分の速度で静脈内投与し，
　　　　　続いて 960 mg を 8 mg/分の速度で2時間静脈
　　　　　内投与

　＊本剤は，直接作用型第Ⅹa因子阻害剤の種類，最終投与
　　時の1回投与量，最終投与からの経過時間に応じて，
　　以下表のとおり投与すること.

直接作用型第Ⅹa因子阻害剤の種類	直接作用型第Ⅹa因子阻害剤の最終投与時の1回投与量	直接作用型第Ⅹa因子阻害剤の最終投与からの経過時間	
		8時間未満または不明	8時間以上
アピキサバン	2.5 mg，5 mg	A法	A法
	10 mg，不明	B法	
リバーロキサバン	10 mg, 15 mg,不明	B法	
エドキサバン	15 mg, 30 mg,60 mg，不明	B法	

901

ステロイド（経口薬）

ポイント

❶ 有用な薬剤であるが副作用が多いことを考量し，特に長期投与は適応を十分に検討し，予防・対応する．

❷ 長期投与後は，視床下部-下垂体-副腎軸（HPA軸）の抑制やステロイド離脱症候群に注意する．

注意点

❶ ステロイド経口薬の特徴は**表1**を参照．作用や半減期を考慮して使い分ける．

❷ 副腎皮質ステロイドの分泌パターンに合わせ，1日1回投与では朝に，分割投与では朝に多く処方する．

❸ 副作用は多く（**表2**），予防やチェックを適宜行う．

❹ 患者・家族への十分な説明も重要で，重篤性の観点に加え，体型変化などによる精神的な負担にも考慮．自己中断や飲み忘れでも重大な副作用が起こること，他の医療機関の受診時にステロイド内服中であることを伝える必要があることも十分確認する．

❹ NSAIDsの併用では，消化性潰瘍の発生（再発）のリスクが高まる．抗潰瘍薬の予防投与を検討するが，保険適用はプロトンポンプ阻害薬の一部による消化性潰瘍の再発抑制に限られることに注意．

表1　ステロイド＜経口薬＞の比較

一般名	商品名の例	抗炎症作用	電解質作用	臨床的対応量	生理学的半減期
コルチゾール（ヒドロコルチゾン）	コートリル	1	1	20 mg	半日
プレドニゾロン	プレドニン	4	0.8	5 mg	1日
メチルプレドニゾロン	メドロール	5	0	4 mg	1日
デキサメタゾン	デカドロン	25	0	0.5 mg	2日
ベタメタゾン	リンデロン	25	0	0.5 mg	2日

第6章 資料編

資料

表2 ステロイドの主な副作用

- 感染症の誘発・増悪※
- 耐糖能異常・ステロイド糖尿病
- 消化性潰瘍（NSAIDs 併用時）
- 精神変調
- 骨粗鬆症
- 骨壊死（大腿骨頭など）
- 血圧上昇
- 緑内障，白内障
- 副腎機能不全（ステロイド離脱症候群，HPA 軸の抑制）
- その他；食思亢進，異常脂肪沈着（中心性肥満，ムーンフェイス，バッファローハンプ），皮膚線条，多毛，浮腫（Na 貯留），うっ血性心不全，易疲労，白血球増加，月経異常，生ワクチンによる疾病の発症，不活化ワクチンの効果減弱など

※HBV キャリアでの B 型肝炎再活性化，結核，ニューモシスチス肺炎などにも注意．

❺ ステロイド内服中に，視床下部-下垂体-副腎軸（HPA 軸）の抑制が起こることがある（目安：プレドニゾロン 20 mg/日以上を 3 週間以上内服していると抑制の可能性が高い）．HPA 軸の抑制がある場合に，外傷や手術などのストレスが加わると急性副腎不全により死亡するリスクもある．手術を考慮した病院紹介などでは，ステロイドカバーの検討が必要であると伝わるように診療情報提供をする．

❻ 長期投与後に内服を中止する場合は，漸減が必要．プレドニゾロン 2.5 mg/日程度（可能なら隔日投与にする方が副作用は少ない）の少量になってから半年以上の投与ののち中止するのが目安．

memo

皮膚外用薬の使い方 (1)

ポイント

❶ 外用薬は軟膏（液剤は非アルコール性のもの）を使うのが無難.

❷ 皮膚外用薬のうち，使用にあたって予備知識が必要なのはステロイド外用薬.

❸ ステロイド外用薬は十分な強さのものを十分な期間使用する.

外用薬についての一般的なことがら

❶ 外用薬には軟膏，クリーム，液剤などがあり患者の希望に応じることが可能.

❷ 使用感がよいことからクリームやアルコール性の液剤が好まれるが，これらは刺激性が強く，かぶれやすい.

❸ 皮膚への刺激が少ないという点からは軟膏（頭部には非アルコール性の液剤）を使うのが無難.

❹ 外用薬にはステロイド外用薬，抗真菌薬，抗潰瘍薬，抗腫瘍薬など種々の目的のものがあるが，使用頻度とその使い方に注意が必要な点を考慮すると，ステロイド外用薬についての知識が重要.

ステロイド外用薬の使い方

❶ ステロイド外用薬は効力により表1に示す5つのクラスに分けられるが，全クラスを使いこなす必要はない.

❷ 臨床の場では strongest，very strong ないしは strong，medium の3つのクラスから一つずつが使い分けられればよい.

❸ 使う際には充分に効果が期待できるクラスのものを使う．副作用を恐れるため，弱いものをだらだらと長期間使うことは慎む.

❹ 体部・頭部は very strong ないしは strong クラスで，顔面は medium クラスで開始し，1〜2週間で評価．改善があればクラスを下げ，なければ上げる.

904

第6章 資料編

資料

表1 ステロイド外用薬の効力による分類

	商品名の例
strongest	デルモベート
very strong	アンテベート, リンデロン-DP, マイザー, フルメタ, トプシム, ネリゾナ
strong	リンデロン-V, ボアラ, フルコート
medium	ロコイド, アルメタ, キンダベート
weak	プレドニゾロン

❺medium クラスの外用薬で落ち着いてからは，週のうち1〜2日だけステロイド外用薬を使用し，残り5〜6日間は保湿剤（ヒルドイド®ソフトや白色ワセリンなど）を使用することでステロイドの減量を図る．

❻このステップは痒みなどの症状がなくなり，皮膚の外見が正常化するまでは続ける必要がある．ステロイド外用薬は患者の状態が十分に落ち着いていることを確認したうえで中止する．

❼その場合，保湿剤のみを継続使用するかどうかは状況を見て判断することになる．

❽外用薬は通常1〜2回/日の塗布回数で充分である．薄く塗り広げれば充分であり，強く擦り込む必要はない．

❾チューブ製剤の場合，ひと指し指の先から第1関節まで絞りだした量（1FTU）が，両手でおおえる面積への適正量となる．部位毎の大まかな適正量を表2に示す．

❿適正使用を守る限り，外用薬で全身的な副作用が出ることはない．

⓫局所の副作用としては皮膚萎縮，毛細血管拡張，紫斑，ざ瘡などがある．色素沈着はステロイド薬の副作用ではないとされている．

905

皮膚外用薬の使い方 (2)

表 2 部位毎の外用薬適正量(1日2回塗布で1週間分に相当)

部位	成人 (g)	小学校高学年 (g)	乳児 (g)
顔面と首	15	15	7.5
片上肢	30	20	7.5
片手のみ	10	5	2.5
胴体	100	70	35
片下肢	60	30	10
全身	300	180	60

❶ クラスを上げて 1〜2 週間経っても症状が改善しない場合
❷ 少量であっても，ステロイド外用薬から離脱できない場合

文献
1) アトピー性皮膚炎診療ガイドライン 2021 年版（日本皮膚科学会 HP より閲覧可）

薬物相互作用 (1)

ポイント

❶ 薬物による代謝酵素阻害作用や代謝酵素誘導などによる相互作用や，吸収阻害，吸収促進など様々な理由により薬物相互作用が発現しうる.

❷ 本項では外来で処方されることが多く，その相互作用の危険度が大きいものについて述べる.

❸ 新たな薬物を処方する際は，添付文書等を参考に相互作用を調べる習慣をつけるべきである. 複数の医療機関を受診し各々から処方を受けている場合もあり薬手帳の確認も習慣付けたい. 薬剤師との連携も重要.

おもな薬剤相互作用

❶ワルファリン（**表1**）

併用<u>禁忌</u>として下記の薬剤が挙げられる.

・ビタミンK製剤

・イグラチモド

・ミコナゾール（ゲル剤，注射剤，錠剤）

その他にも多数の薬剤と相互作用があり，出血傾向などの症状確認やPT-INRのチェックを怠らないこと. ☞ p.896 抗凝固療法

❷抗菌薬（**表2**）

抗菌薬は種類によらずワルファリンの作用を増強することが多いので注意（その他の相互作用は**表2**）.

❸テオフィリン（**表3**）

相互作用によるテオフィリン血中濃度上昇での中毒症状（痙攣など）には注意が必要.

❹抗痙攣薬（**表4**）

相互作用により抗痙攣薬の作用が増強される場合も減弱される場合もあり，抗痙攣薬内服中の患者に新たな処方をする際は要注意.

❺インスリン（**表5**）

❻経口血糖降下薬（**表6**）

薬物相互作用 (2)

表 1　ワルファリンとの相互作用

薬効分類	ワルファリンの作用増強	ワルファリンの作用減弱
催眠鎮静薬	抱水クロラール トリクロホスナトリウム	バルビツール系誘導体
抗てんかん薬	フェニトイン，バルプロ酸ナトリウム	カルバマゼピン，プリミドン
解熱鎮痛薬	アスピリン，アセトアミノフェン イブプロフェン，インドメタシン セレコキシブ，トラマドール塩酸塩 サリチル酸類，ジクロフェナクナトリウム ロキソプロフェンナトリウム水和物等	
精神神経用薬	メチルフェニデート塩酸塩，三環系抗うつ薬 SSRI，SNRI，MAO 阻害薬	トラゾドン塩酸塩
不整脈用薬	アミオダロン塩酸塩，プロパフェノン塩酸塩 キニジン硫酸塩水和物	
脂質異常症用薬	HMG-CoA 阻害薬，フィブラート系 デキストラン硫酸エステルナトリウム	コレスチラミン
消化性潰瘍用薬	オメプラゾール，シメチジン	
ホルモン剤	副腎皮質ホルモン，甲状腺製剤 抗甲状腺製剤，グルカゴン 蛋白同化ステロイド，ダナゾール	副腎皮質ホルモン
痔疾用薬	トリベノシド	
血液凝固阻止薬	ヘパリン，Xa 阻害薬，抗トロンビン薬 血小板凝集抑制薬	
痛風治療薬	アロプリノール，プロベネシド ベンズブロマロン	
糖尿病用薬	SU 薬	
抗腫瘍薬	アザチオプリン，6-MP，ゲフィニチブ タモキシフェンクエン酸塩 フルオロウラシル系製剤	アザチオプリン，6-MP
アレルギー用薬	トラニラスト	
抗菌薬	アミノグリコシド系，クロラムフェニコール系	グリセオフルビン
	セフェム系，テトラサイクリン系	リファンピシン
化学療法薬	ペニシリン系，マクロライド系，サルファ剤 アミノサリチル酸類，INH，キノロン系 アゾール系抗真菌薬	
その他	抗 HIV 薬，キニーネ，ジスルフィラム インターフェロン，アルコール	抗 HIV 薬，ビタミン K 剤 アルコール セイヨウオトギリソウ含有食品

第6章　資料編

資料

表 2　抗菌薬との相互作用

薬剤名	併用薬剤	症　状
アミノグリコシド系（ゲンタマイシン等）	バンコマイシン ループ系薬（フロセミド等） 白金誘導体抗悪性腫瘍薬（シスプラチン等）	腎毒性，内耳神経障害
ニューキノロン系（エノキサシン等）	フェニル酢酸系，プロピオン酸系 NSAIDs（フェンブフェン等）	痙攣
	制酸剤（Al，Mg 含有製剤）	キレート形成で吸収低下（同時併用禁忌）
マクロライド系（エリスロシン等）	抗 HCV 薬（グレカプレビル等） ピモジド	抗 HCV 薬やピモジドの代謝阻害（血中濃度上昇）
リファンピシン	抗 HCV 薬（ソホスブビル，レジパスビルアセトン付加物・ソホスブビル等）	抗 HCV 薬の吸収低下（薬効減弱）
	循環器用薬（タダラフィル，マシテンタン）	タダラフィル，マシテンタンの作用減弱
	チカグレロル	チカグレロルの作用減弱
	ボリコナゾール	ボリコナゾールの作用減弱
	抗 HIV 感染症治療薬（アタザナビル硫酸塩，リルピビリン塩酸塩等）	抗 HIV 感染症治療薬の作用減弱
	駆虫剤（プラジカンテル）	プラジカンテルの作用減弱

表 3　テオフィリンとの相互作用

薬効分類	テオフィリン血中濃度上昇	テオフィリン血中濃度低下
抗菌薬	マクロライド系 キノロン系	リファンピシン
消化性潰瘍用薬	シメチジン	ランソプラゾール
尿酸生成抑制薬	アロプリノール	
抗けいれん薬		フェノバルビタール フェニトイン，カルバマゼピン
不整脈用薬	メキシレチン，アミオダロン	
その他	SSRI，アシクロビル，インターフェロン チクロピジン，ベラパミル，フルコナゾール	リトナビル

909

薬物相互作用 ⑶

表 4 抗痙攣薬との相互作用

薬剤名	併用薬剤	作　用
フェニトイン	循環器用薬（タダラフィル，マシテンタン）	併用薬剤の代謝促進，血中濃度低下
	抗 HCV 薬（アスナプレビル，ダクラタスビル，バニプレビル）	
	シメチジン，オメプラゾールアロプリノール，アミオダロンイソニアジド，チクロピジンフルコナゾール	フェニトイン血中濃度上昇
	アミノフィリン，テオフィリンリファンピシン，シプロフロキサシン	フェニトイン血中濃度低下
	シスプラチン	
カルバマゼピン	ボリコナゾール	併用薬剤の血中濃度低下
	タダラフィル，リルピビリンMAO 阻害薬，アルコール	相互に作用増強
	利尿薬	低 Na 血症
	マクロライド系抗菌薬，INHベラパミル，ジルチアゼムシメチジン，オメプラゾールアゾール系抗真菌薬	本剤の血中濃度が急上昇し中毒症状が現れることあり
バルプロ酸ナトリウム	カルバペネム系抗菌薬	本剤の血中濃度低下
	サリチル酸系薬剤	本剤の作用増強
	エリスロマイシン，シメチジンベンゾジアゼピン系薬剤ワルファリン	併用薬剤の作用増強

表 5 インスリンとの相互作用

併用薬剤	作　用
アスピリンβ 遮断薬三環系抗うつ薬等	血糖降下作用の増強
チアジド系利尿薬副腎皮質ホルモン製剤甲状腺ホルモンニコチン酸イソニアジド等	血糖降下作用の減弱

第6章　資料編

資料

表6　経口血糖降下薬との相互作用

併用薬剤	作　用
アスピリン β遮断薬 プロベネシド等	血糖降下作用の増強
利尿薬 ニコチン酸 イソニアジド等	血糖降下作用の減弱

表7　降圧薬との相互作用

薬剤名	併用薬剤	作　用
利尿薬	NSAIDs（アスピリン含む）	降圧作用，Na 利尿効果の低下
	ACE 阻害薬	血中 K 濃度上昇
β遮断薬	Ca 拮抗薬	心機能抑制，降圧作用増強
	抗不整脈薬	心機能抑制作用増強
	血糖降下薬	血糖降下作用の増強
（プロプラノロール）	シメチジン	本剤の血中濃度上昇
（プロプラノロール）	リザトリプタン	リザトリプタンの作用増強
ACE 阻害薬	NSAIDs（アスピリン含む）	本剤の K 保持効果増強
Ca 拮抗薬	ジギタリス製剤	ジギタリス血中濃度上昇
	H 2 拮抗薬	本剤の血中濃度上昇
	リファンピシン	本剤の血中濃度低下
	グレープフルーツジュース	ニフェジピン，ニトレジピンなどの血中濃度上昇

❼降圧薬（**表7**）
❽ジギタリス製剤（**表8**）
　原則併用<u>禁忌</u>として下記の薬剤が挙げられる.
　・カルシウム注射薬
　・スキサメトニウム塩化物水和物

911

薬物相互作用 ⑷

表8　ジギタリス製剤との相互作用

併用薬剤	作　用
Ca 拮抗薬（ニフェジピン，ベラパミル等）	ジギタリス作用増強
K 排泄型利尿薬（ループ系，サイアザイド系）	
カルシウム剤	
プロトンポンプ阻害薬	
スキサメトニウム	重篤な不整脈の誘発
カルバマゼピン	ジギタリス作用減弱
コレスチラミン	
制酸剤（Al, Mg 含有）	

表9　抗不整脈薬との相互作用

抗不整脈薬	併用薬剤で血中濃度が上昇	抗不整脈作用が増強
リドカイン	シメチジン	
メキシレチン	シメチジン	
アプリンジン	ジルチアゼム	
フレカイニド	ジゴキシン，プロプラノロール，シメチジン，アミオダロン	ベラパミル(QT 延長)
ベラパミル		β遮断薬（徐脈）

　禁忌でなくともジギタリス中毒を助長する薬物もあり注意．
❾抗不整脈薬（表9）
　抗不整脈薬の併用は心機能抑制作用増強の恐れあり，原則として併用は避ける（その他の相互作用は**表9**）．
❿制酸剤（表10）

第6章 資料編

資料

キレート形成による吸収低下や胃内 pH 上昇による溶解吸収低下などの機序による．投与間隔を空けることで併用可能なものもある．

❶H2拮抗薬，PPI

胃酸分泌抑制作用による溶解吸収低下などの機序による．抗 HIV 薬のアタザナビル硫酸塩やリルピビリン塩酸塩は PPI と併用禁忌．その他にも相互作用をおこす薬剤は多数．各薬剤の項参照．

❷その他
・HMG-CoA 阻害薬とシクロスポリン：横紋筋融解頻度増加
・HMG-CoA 阻害薬とフィブラート系薬剤：横紋筋融解頻度増加
・インターフェロンと小柴胡湯：間質性肺炎

913

薬物相互作用 (5)

表 10 制酸剤との相互作用

薬剤名	併用薬剤	結果，対策
Al, Mg, Fe, Ca, Zn 含有製剤（ポラプレジンク等）	テトラサイクリン系抗菌薬	キレート形成による吸収低下 服用間隔を 2〜4 時間以上空ける
	キノロン系抗菌薬	キレート形成による吸収低下 キノロン系薬服用後 2 時間以上空ける（LVFX は 1 時間以上）
	セフジニル	キレート形成による吸収低下 原則併用しない
Al，Mg 含有製剤（水酸化 Al ゲル，ショ糖硫酸エステル Al 塩，メタケイ酸アルミン酸 Mg，天然ケイ酸 Al 等）	フェキソフェナジン	吸着による吸収低下 服用間隔を 2 時間以上空ける
	Fe 剤	吸着による吸収低下 服用間隔を 2 時間以上空ける
	甲状腺ホルモン製剤	吸着による吸収低下 4 時間以上空けて Al 製剤服用
	ロスバスタチン Ca	機序不明だが血中濃度低下
制酸剤（Al，Mg 含有）	腸溶錠（アスピリン等）	消化管内 pH の上昇による腸溶性・徐放性の消失 服用間隔を 1 時間以上空ける
	イトラコナゾール	酸分泌低下による溶解性の低下

memo

経口抗菌薬の選択

主に一般細菌を対象に外来で処方される経口抗菌薬について説明，抗ウイルス薬/抗真菌薬/抗結核薬などは疾患編各項目を参照．

外来診療の感染症治療
❶軽症が多く耐性菌はあまり考慮せず，各種ガイドラインの第一選択薬選択．
❷難治性/耐性菌なら他抗菌薬検討（培養検査実施）．
❸年齢/アレルギー歴/妊娠/腎肝機能などに配慮し，適切な抗菌薬を選択．

抗菌薬適正使用
❶世界的耐性菌増加でWHOの要請により厚生労働省が「抗微生物薬適正使用の手引き」（第一版：基礎疾患のない学童期以降の小児と成人編/第二版：乳幼児編）作成，外来診療で多い細菌感染症を解説．
❷抗菌薬が本当に必要な状況でのみ，ペニシリン系など選択．

＜抗微生物適正使用の手引きの要点＞
①かぜ症候群/普通感冒（鼻水/咽頭痛/咳の症状）：抗菌薬使用しない．
②急性咽頭炎：A群溶血性レンサ球菌が検出された時のみAMPC
③急性鼻副鼻腔炎：軽症は抗菌薬使用しない（中等症～重症 AMPC）．
④急性気管支炎：百日咳のみマクロライド系
⑤急性腸炎：重症サルモネラ腸炎のみニューキノロン系

memo

主要な経口抗菌薬 (1)

経口抗菌薬の種類（系統）と特徴

❶ペニシリン系

＜細胞壁合成阻害薬（殺菌性）＞

①AMPC（アモキシシリン）：肺炎球菌やインフルエンザ菌に有効，上気道感染症の一般的な第一選択薬

②AMPC/CVA（アモキシシリン/クラブラン酸）：AMPCにクラブラン酸（β-ラクタマーゼ阻害薬）配合で口腔内嫌気性菌も含めAMPC単独より有効菌種増加.

❷セフェム系

＜細胞壁合成阻害薬（殺菌性）＞

①第1世代セフェム系：CEX（セファレキシン）：第1世代セフェム系，主に黄色ブドウ球菌を想定し使用.

②第1～第2セフェム系：CCL（セファクロル）：第1～第2世代セフェム，黄色ブドウ球菌の他大グラム陰性菌にも有効だが耐性菌増加

③第3世代セフェム系：抗菌スペクトラムが広く外来診療第一選択薬に不適. 消化管吸収率低く（約15～25％，ペニシリン系や第1世代セフェム系は90％以上），吸収率上昇で含有ピボキシル基が長期投与で低カルニチン血症/低血糖/神経障害などの原因に.

❸マクロライド系

＜蛋白質合成阻害薬（細菌のリボゾーム50sサブユニット阻害）（静菌性）＞

①一般細菌，非定型肺炎（マイコプラズマ/クラミジア/レジオネラ），非結核性抗酸菌，ヘリコバクター・ピロリ，百日咳菌などに有効. 一般細菌やマイコプラズマ耐性菌増加.

②抗炎症/免疫調整作用があり，びまん性汎細気管

第6章　資料編

資料

支炎に少量長期投与（EM有効性報告だが日本で保険適用通知はCAMのみ）

③EM（エリスロマイシン）：古典的，嘔気など副作用から使用頻度減少．

④CAM（クラリスロマイシン）：抗菌作用や副作用がEMより改善．

⑤AZM（アジスロマイシン）：半減期が長く1日1回投与が可能．

❹テトラサイクリン系

＜蛋白質合成阻害薬（細菌のリボゾーム70sサブユニット阻害）（静菌性）＞

①グラム陽性菌/グラム陰性菌/非定型肺炎（クラミジア/レジオネラ/マイコプラズマ）/リケッチアなどに有効

②MINO（ミノサイクリン）：この系統で日本処方最多，めまい副作用あり．

③DOXY（ドキシサイクリン）：めまい副作用なし，食道潰瘍注意．

❺リンコマイシン系

＜蛋白質合成阻害薬（細菌のリボゾーム50sサブユニット阻害）（静菌性）＞

①グラム陽性球菌，嫌気性菌に有効，嫌気性菌バクテロイデス属は耐性菌増加．

②CLDM（クリンダマイシン）

❻ニューキノロン系

＜DNA複製酵素阻害（殺菌性）＞

①消化管吸収率高く組織移行良好，緑膿菌含むグラム陰性菌/グラム陽性菌/非定型肺炎（マイコプラズマ/レジオネラ/クラミジア）に有効，結核菌にも有効で使用で結核診断困難に．副作用は痙攣/日光過敏症/アキレス腱断裂（腱炎）/関節障害/筋障害/末梢神経障害/中枢神経障害/網膜剥離/大動脈瘤

917

主要な経口抗菌薬 ⑵

と大動脈解離のリスク上昇など. 不可逆的副作用
リスクあり, 他に選択肢がない場合のみ使用.

②OFLX（オフロキサシン）：主にグラム陰性桿菌（緑
膿菌を含む）に有効.

③LVFX（レボフロキサシン）：上記に加え肺炎球菌な
どグラム陽性球菌にも有効（レスピラトリーキノロ
ン）.

④TFLX（トスフロキサシン）：小児にも使用可能, 小
児の肺炎と中耳炎に適応, 小児で関節毒性指摘,
他に使用できる経口抗菌薬がない場合のみ使用.

❼カルバペネム系

<細胞壁合成阻害薬（殺菌性）>

①グラム陽性菌/緑膿菌含むグラム陰性菌/嫌気性菌
に有効, 耐性菌による難治性小児中耳炎/副鼻腔
炎/肺炎に適応, 超広域で外来診療初期治療では
選択しない, ピボキシル基あり小児長期投与は避
ける.

②TBPM-PI（テビペネム・ピボキシル）（小児用顆粒）

❽ホスホマイシン系

<細胞壁合成阻害薬（初期段階/βラクタム系は最終段階）
（殺菌性）>

①黄色ブドウ球菌（MRSA含む）などグラム陽性菌
やグラム陰性菌（緑膿菌含む）に有効, 構造単純で
抗原性低くアレルギー反応少ない. 消化管吸収率
低いが腸管感染症では問題なし.

②FOM（ホスホマイシン）：感染性腸炎/尿路感染症/
皮膚感染症/中耳炎/副鼻腔炎などに適応.

❾ST合剤

<葉酸合成/活性化阻害（殺菌性）>

①グラム陽性菌/グラム陰性菌に有効. 尿路感染症/
肺炎などに適応. ニューモシスチス肺炎で治療と
発症予防. 骨髄抑制など副作用あり長期使用は避

第6章　資料編

資料

ける．海外では膀胱炎など尿路感染症の第一選択薬．

❿ メトロニダゾール

＜DNA切断（殺菌性）＞

①各種寄生虫（トリコモナス/赤痢アメーバ/ランブル鞭毛虫など）/嫌気性菌などに有効，トリコモナス症/アメーバ赤痢/ランブル鞭毛虫感染症/嫌気性菌感染症（腹膜炎や膿瘍形成など）/ヘリコバクター・ピロリ感染症（第二選択薬）/CD（*Clostridioides difficile*）腸炎（軽症〜中等症）などに適応．

⓫ グリコペプチド系

＜細胞壁合成阻害薬（殺菌性）＞

①VCM散

②消化管から吸収されず腸炎が治療対象，CD腸炎（重症例）やMRSA腸炎に適応．

殺菌性と静菌性の抗菌薬

❶ 殺菌性抗菌薬：βラクラム系（ペニシリン系/セフェム系/カルバペネム系）/ニューキノロン系/ホスホマイシン系/ST合剤/メトロニダゾール/グリコペプチド系

❷ 静菌性抗菌薬：マクロライド系/テトラサイクリン系/リンコマイシン系

※参考：可能なら殺菌性抗菌薬選択，殺菌性抗菌薬と静菌性抗菌薬の併用は効果減弱するため避ける．

嫌気性菌と緑膿菌に有効な抗菌薬

❶ 嫌気性菌に有効な経口抗菌薬：AMPC/CVA，CLDM，メトロニダゾール

❷ 緑膿菌に有効な経口抗菌薬：LVFX，CPFX，TFLX

水溶性と脂溶性の抗菌薬

❶ 水溶性抗菌薬：βラクタム系（ペニシリン系/セフェム系/カルバペネム系）/アミノグリコシド系/グリコペプチド系など

919

主要な経口抗菌薬 ⑶

❷脂溶性抗菌薬：マクロライド系/テトラサイクリン系/ニューキノロン系/リンコマイシン系/メトロニダゾールなど

※参考：水溶性抗菌薬は細胞外液分布し血中濃度高く，主に腎臓排出．脂溶性抗菌薬は細胞内にも分布し血中濃度低く，主に肝臓代謝．細胞内寄生病原体（レジオネラ/クラミジア/リケッチア/サルモネラなど）感染症や嚢胞内感染は脂溶性抗菌薬を推奨．

アレルギー歴と抗菌薬選択

＜アレルギー反応の型（即時型と遅発型）＞

❶即時型（Ⅰ型）：IgE 関与し数分〜数時間で発症，皮疹（蕁麻疹/血管浮腫），最重症型はアナフィラキシー反応．

❷遅発型（Ⅳ型）：細胞性免疫で 7〜14 日後出現，斑状丘疹最多，重症型スティーブンス・ジョンソン症候群（SJS）/中毒性表皮壊死融解症（TEN）

❸即時型（Ⅰ型）：アレルギーでなければ再投与可能，重症薬疹は再投与避けるのが一般的．ペニシリンアレルギーではセフェム系慎重投与，ペニシリン系でアナフィラキシー反応/重症薬疹ならセフェム系も避けた方が無難．

※参考：関連する数値など

ペニシリン系抗菌薬アレルギー出現率 5〜10％，アナフィラキシー反応発生頻度：ペニシリン系 0.01〜0.04％/CCL 0.05％/CEX 0.0041％，ペニシリン系抗菌薬アレルギーでセフェム系と交差反応 0.17〜14.7％（世代で異なり第 1 世代：5〜16％/第 2 世代：約 10％/第 3 世代：2〜3％），ペニシリン系抗菌薬アレルギーでカルバペネム系と交差反応 1％未満，アレルギー反応は経年的に過敏性が減弱（5 年以内に 50％減弱/10 年以内に 80％減弱），自己申告のペニシリンアレルギーで真のアレルギーは 10〜20％

第6章　資料編

小児の抗菌薬使用

❶ニューキノロン系：NFLX/TFLX/CPFX 以外は禁忌（幼弱動物関節障害）

❷テトラサイクリン系：8歳未満小児禁忌（歯牙着色/エナメル質形成不全/一過性骨発育不全）

❸ST 合剤：低出生体重児/新生児禁忌（高ビリルビン血症可能性）

❹クロラムフェニコール：低出生体重児や新生児禁忌（Gray syndrome：腹部膨満/嘔吐/下痢/皮膚蒼白/虚脱/呼吸停止など/死亡率高い，再生不良性貧血など副作用出やすく通常は第一選択で使用しない）

❺第3世代セフェム系：ピボキシル基を有する製剤はカルニチン欠乏/低血糖/痙攣などに注意．

妊婦の抗菌薬使用（日本化学療法学会の指針）

❶安全と考えられる抗菌薬：ペニシリン系/セフェム系/マクロライド系/リンコマイシン系

❷注意しながら使用可能な抗菌薬：アミノグリコシド系/メトロニダゾール/ST 合剤/グリコペプチド系

❸禁忌とされる抗菌薬：テトラサイクリン系/ニューキノロン系

memo

届出が必要な感染症 (1)

感染症法
❶正式名称「感染症の予防及び感染症の患者に対する医療に関する法律」．感染症を1〜5類感染症に分類．
❷届出方法や行政対処方法規定，従来の複数の法律を統合して1999年施行（何回か改正）．

分類
❶1類感染症：感染力が強く罹患した場合の重篤性から危険性が極めて高い．
❷2類感染症：感染力が強く罹患した場合の重篤性から危険性が高い．
❸3類感染症：危険性は高くないが特定職業就業で感染拡大／経口感染（食中毒）
❹4類感染症：動物や飲食物から人に感染（人からの感染はほとんどない）．
❺5類感染症：国が発生動向の調査を行い発生と蔓延を防止．

対応
❶診断時の保健所への届出：1〜4類感染症は直ちに，5類感染症は7日以内（ただし侵襲性髄膜炎菌感染症／風疹／麻疹は直ちに）
❷1類〜4類感染症と5類感染症24種類は全数把握（全医療機関届出）
❸5類感染症の24種類は定点把握対象報告（選定定点医療機関のみ届出：小児科／眼科／性感染症／インフルエンザおよび新型コロナウイルス感染症／基幹定点医療機関）
❹入院勧告・措置は1〜2類感染症で可能，就業制限は1〜3類感染症で可能

該当する疾患
❶1類感染症（7疾患）：エボラ出血熱／クリミア・コンゴ出血熱／痘瘡（天然痘）／南米出血熱／ペスト／マールブルグ病／ラッサ熱

第6章　資料編

資料

❷2 類感染症（7 疾患）：急性灰白髄炎／結核／ジフテリア／重症急性呼吸器症候群（SARS：コロナウイルスによる）／中東呼吸器症候群（MERS：コロナウイルスによる）／鳥インフルエンザ（H5N1）／鳥インフルエンザ（H7N9）

❸3 類感染症（5 疾患）：コレラ／細菌性赤痢／腸管出血性大腸菌／腸チフス／パラチフス

❹4 類感染症（44 疾患）：E 型肝炎／A 型肝炎／ウエストナイル熱／エキノコックス症／黄熱／オウム病／オムスク出血熱／回帰熱／キャサヌル森林病／Q 熱／狂犬病／コクシジオイデス症／サル痘／ジカウイルス感染症／重症熱性血小板減少症候群／腎症候性出血熱／西部ウマ脳炎／ダニ媒介脳炎／炭疽／チクングニア熱／つつが虫病／デング熱／東部ウマ脳炎／鳥インフルエンザ（H5N1 と H7N9 を除く）／ニパウイルス感染症／日本紅斑熱／日本脳炎／ハンタウイルス肺症候群／B ウイルス病／鼻疽／ブルセラ症／ベネズエラウマ脳炎／ヘンドラウイルス感染症／発疹チフス／ボツリヌス症／マラリア／野兎病／ライム病／リッサウイルス感染症／リフトバレー熱／類鼻疽／レジオネラ症／レプトスピラ症／ロッキー山紅斑熱

❺5 類感染症

①全数把握 24 疾患：アメーバ赤痢／ウイルス性肝炎（E 型と A 型を除く）／カルバペネム耐性腸内細菌科細菌感染症／急性弛緩性麻痺（急性灰白髄炎を除く）／急性脳炎（4 類の疾患は除く）／クリプトスポリジウム症／クロイツフェルト・ヤコブ病／劇症型溶血性レンサ球菌感染症／後天性免疫不全症候群（AIDS）／ジアルジア症／侵襲性インフルエンザ菌感染症／侵襲性髄膜炎菌感染症／侵襲性肺炎球菌感染症／水痘（入院症例のみ）／先天性風疹症候群／梅毒／播種性クリプトコックス症／破傷風／バンコマイシン耐性黄色ブドウ球菌（VRSA）感染症／バンコマイシン耐性腸球菌（VRE）感染症／百日咳／風疹／麻疹／薬剤耐性アシネトバクター感染症

923

届出が必要な感染症 (2)

②定点把握 26 疾患:

- 小児科定点医療機関 (10 疾患):RS ウイルス感染症/咽頭結膜熱/A 群溶血性レンサ球菌咽頭炎/感染性胃腸炎/水痘/手足口病/伝染性紅斑/突発性発疹/ヘルパンギーナ/流行性耳下腺炎

- インフルエンザおよび新型コロナウイルス感染症定点医療機関 (2 疾患):インフルエンザ/新型コロナウイルス感染症

- 眼科定点医療機関 (2 疾患):急性出血性結膜炎/流行性角結膜炎

- 性感染症定点医療機関 (4 疾患):性器クラミジア感染症/性器ヘルペスウイルス感染症/尖圭コンジローマ/淋菌感染症

- 基幹定点医療機関 (5 疾患):ロタウイルス胃腸炎/クラミジア肺炎 (オウム病を除く)/細菌性髄膜炎 (髄膜炎菌/肺炎球菌/インフルエンザ菌を除く)/マイコプラズマ肺炎/無菌性髄膜炎

- 月単位で届出 (3 疾患):ペニシリン耐性肺炎球菌感染症/メチシリン耐性黄色ブドウ球菌 (MRSA) 感染症/薬剤耐性緑膿菌感染症

※**参考**:感染症法疾患病原体はウイルス 59/一般細菌 37/リケッチア 5/原虫 5/真菌 2/その他 7 でウイルス性が最多,日本に常在しない輸入感染症多い.病名のエボラ/マールブルグ/ラッサ/ウエストナイル/オムスク/キャサヌル/ハンタ/ニパ/ヘンドラ/ライム/リフトバレーは地名由来,クロイツフェルト/ヤコブは人名由来,B ウイルスの「B」は患者頭文字,Q 熱は Query fever (原因不明熱性疾患),チクングニアは痛みで「かがんで歩く」という現地語,ヘルパンギーナは「herpes (水疱)」+「angina (痛み)」,劇症型は突発的に発生し急速に進行する敗血症性ショックと多臓器不全,侵襲性は血液/髄液など本来無菌の部位から病原体が検出される病態

📝 **memo**

細菌学的検査

ポイント

❶ 感染症の診断治療では病原体を同定し，適切な治療薬を選択することが基本．

❷ 病原体が細菌の場合，検体を培養検査（同定感受性検査）に提出．

❸ 環境中の菌などが検体に混入（コンタミネーション）しないよう注意して検体を採取．

❹ 採取した検体は菌の死滅，混入した菌の増殖などが生じないように適切に温度管理．

❺ 結核や非結核性抗酸菌症が疑われる場合は抗酸菌塗抹培養検査を実施．

検体採取・保管・提出時の具体的な注意点

❶ 可能なら抗菌薬開始前に検体採取

❷ 検体は冷蔵庫管理が基本（髄膜炎菌と淋菌は低温で死滅するので髄液や尿道分泌物は例外）

❸ 血液培養：異なる血管から2セット採取が基本．

❹ 嫌気性菌が起因菌の可能性があれば，内腔が嫌気状態の専用容器にも検体採取．

❺ 喀痰の抗酸菌塗抹培養検査は3回採取，可能なら早朝（朝食前）採取の検体を含む．

❻ 痰が出ない場合，3％食塩水の吸入を行って痰喀出を促す方法あり．

細菌塗抹検査

❶ グラム染色：痰／尿／髄液／胸水／腹水／膿／増菌後血液などの検体を塗抹染色して検鏡，短時間で結果が得られるが一般的に外来診療では行えないことも多い．

❷ チールニールセン染色：検体（主に痰）を塗抹染色し，検鏡して抗酸菌を検出，蛍光塗抹法の方が検出率は高い．

❸ 塗抹検査では抗酸菌の菌種確定はできず，薬剤感受性の情報は得られないので，基本的に培養検査にも提出．

感染症に関する各種迅速診断法

ポイント

❶ 一般的に培養検査が困難な病原体の検出が目的.
❷ 薬剤感受性は検査できないので可能なら培養検査にも検体を提出.
❸ 感度がそれほど高くなく,結果が陰性でもその病原体による感染症を否定はできない.
❹ 病原体によっては保険適用に制限がある.

表 1 保険診療で実施可能な各種迅速検査（市販キットなど簡便なもの）

病原体	主な検体	備考
A群β溶連菌	咽頭ぬぐい液	細菌培養検査を同時に実施した場合は,迅速診断の保険点数のみを算定できる
インフルエンザ	鼻咽頭ぬぐい液	感度は発症1日目が低く,2〜3日目が最高,それ以降は急速に低下する
RSウイルス	鼻粘膜ぬぐい液	1歳未満,入院患者（成人も含む）,パリビズマブ（RSウイルス特異的ヒトモノクローナル抗体）製剤適応患者に保険適応あり
アデノウイルス	咽頭ぬぐい液,眼球結膜擦過物	眼球結膜では膿性眼脂ではなく,角結膜から上皮細胞成分を擦過する
新型コロナウイルス（SARS-COV Ⅱ）	咽頭ぬぐい液	抗原やPCR法などさまざまな方法がある
マイコプラズマ	鼻咽頭ぬぐい液,喀痰など	気道下部から検体が採取されないと感度が低くなる
レジオネラ	尿	製品によっては特定の血清型しか検出できない（感度が低い）
肺炎球菌	喀痰,尿	尿では発病後数週間陽性が持続,肺炎球菌ワクチン接種後にも陽性,鼻咽頭に肺炎球菌を保菌している小児では陽性になることあり
クラミジア・トラコマチス	女性生殖器由来の検体,男性初尿	女性の検体は膿や分泌液ではなく綿棒で上皮細胞成分を採取する

（次頁につづく）

第6章　資料編

資料

淋菌	膿尿, 尿道分泌液, 腟分泌液など	培養より検出率が高いとされるが, 薬剤感受性検査ができないのが欠点(耐性菌が増加している), 淋菌は低温で死滅するので検体は室温で保管する
ノロウイルス	便(直腸スワブなど)	3歳未満, 65歳以上, 癌患者, 臓器移植後, 抗癌剤/免疫抑制剤使用患者に保険適応あり
ロタウイルス	便(直腸スワブなど)	5歳以下の発症が多いが, 保険適応に年齢などの制限なし
単純ヘルペスウイルス	病変部擦過物, 水疱内容液など	検体に血液混入で検出率が低下(採取時に血液混入を避ける)
ヒトメタニューモウイルス (hMPV)	鼻咽頭ぬぐい液, 鼻腔吸引液	hMPV感染症疑いで画像診断にて肺炎が強く疑われる6歳未満の患者に保険適応あり
腸管出血性大腸菌O157	便	大腸菌O157抗原を検出 (O抗原が157以外の腸管出血性大腸菌は検出できない), ベロ毒素産生株以外も検出
大腸菌ベロ毒素	便	ベロ毒素抗原を検出
クロストリジオイデス・ディフィシル (偽膜性腸炎)	便	菌の抗原であるグルタミン酸脱水素酵素 (GDH) を検出, CDトキシンを産生しない菌株も検出される, 主にCDトキシン検出の感度の低さを補う目的で検査される
CDトキシン	便	偽膜性腸炎における毒素Aと毒素Bを検出, 感度が低いのが欠点 (感度は40〜70%程度と報告されている)

(注1) 測定原理は免疫クロマトグラフィー法 (キット化) が多い.
(注2) RSウイルス, インフルエンザウイルス, ヒトメタニューモウイルスの3項目の抗原定性を実施した場合は, 主たるもの2つに限り保険点数が算定できる.
(注3) 偽膜性腸炎の起因菌は2016年に菌名が *Clostridium difficile* から *Clostridioides difficile* に変更になった (理由は他のクロストリジウム属と性質がやや異なるため, CDという略号は不変).

927

腎不全に対する薬物投与

分類	薬剤名	CCr 10〜50 mL/分	CCr 10 mL/分以下	透析患者
鎮痛薬	トラムセット	1日2錠まで		
	ロキソニン	禁忌		通常量
	カロナール	頓用ならほぼ通常量		
感冒用薬	PL顆粒	通常量		
神経痛治療薬	リリカ	25〜150 mg/日	25〜75 mg/日	25〜75 mg/透析後
高尿酸血症治療薬	アロプリノール	50〜100 mg/日	50 mg/日	100 mg/透析後
	フェブリク	通常量	10〜20 mg/日	
抗不安薬	セルシン	通常量		
	デパス	通常量		
	アタラックスP	通常量		
精神神経薬	リスパダール錠	1 mg〜6 mg/日分2		
抗てんかん薬	テグレトール	通常量		
	リボトリール	通常量		
	デパケン	通常量		
	アレビアチン	通常量		
抗パーキンソン病薬	ネオドパゾール	通常量		
自律神経用薬	ウブレチド	2.5〜10 mg/日	2.5〜5 mg/日	
	ブスコパン	通常量		
アルツハイマー認知症治療薬	アリセプト	通常量		
強心剤	ジゴキシン	0.125 mg/日	0.125 mg/48時間	0.125 mg/透析後
β遮断薬	テノーミン錠	CCr 30 mL/分以下で投与間隔延長	25 mg/透析後	
	メインテート	60〜70%に減量	30〜50%に減量	
	アーチスト	通常量		
Ca拮抗薬	アムロジン	通常量		
	ワソラン	通常量		
ACE阻害薬	レニベース	5 mg/日	2.5 mg/日	2.5 mg/透析後
ARB	ミカルディス	通常量		
利尿薬	アルダクトンA	慎重投与(高カリウム血症時禁忌)	無尿なら禁忌	
	フルイトラン	通常量	無尿なら禁忌	
	ラシックス	通常量	無尿なら禁忌	
	サムスカ	通常量	無尿なら禁忌	
抗不整脈薬	リスモダンカプセル	150〜200 mg/日	100 mg/日	
	メキシチール	通常量	2/3に減量	
	キシロカイン	通常量		
	サンリズムカプセル	25〜50 mg/日分2	25〜50 mg/48時間	
	アンカロン	通常量		

（次頁につづく）

第6章　資料編

資料

分類	薬剤名	CCr 10〜50 mL/分	CCr 10 mL/分以下	透析患者
脂質異常治療薬	ベザトールSR	禁忌		
	メバロチン	通常量		
抗アレルギー薬	アレグラ	60〜120 mg/日	60 mg/日分 2	
鎮咳薬	リン酸ジヒドロコデイン	50〜75%に減量	50%に減量	
	アスベリン	通常量		
消化器用薬	アシノン	150 mg/日	75 mg/日	
	プロテカジン	通常量		5〜10 mg
	タケプロン	通常量		
	マーロックス	慎重投与		禁忌
	アルサルミン	慎重投与		禁忌
血糖降下薬	メトグルコ	禁忌		
	ジャヌビア	25〜50 mg/日	12.5〜25 mg/日	
	アマリール	禁忌		
	ベイスン	通常量		
骨粗鬆症治療薬	アルファロール	通常量（高 Ca 血症に注意）		
	ボナロン	通常量		禁忌
ステロイド	プレドニン	通常量		
止血薬	トランサミン	初回 1,000 mg 250〜500 mg/日	初回 1,000 mg 250〜500 mg/ 週 3 回	
抗血小板薬	バイアスピリン	通常量		
	プラビックス	通常量		
	プレタール	通常量		
抗凝固薬	プラザキサ	Ccr 30〜50 mL/分では110 mg×2、CCr 30 mL/分以下は禁忌		
	イグザレルト	CCr 15〜50 mL/分では10 mg、CCr 15 mL/分以下は禁忌		
麻薬	オキシコンチン	通常量		
	デュロテップパッチ	通常量		
	MS コンチン	75%に減量	50%に減量	
	オプソ	75%に減量	50%に減量	
抗菌薬・抗ウイルス薬	サワシリン	250 mg×3 回	250 mg×2	250 mg×1〜2 回
	オーグメンチン	250 mg×3 回	250 mg×2	250 mg×1〜2 回
	フロモックス	100 mg×2 回	100 mg×1 回	100 mg×1 回
	ジスロマック	通常量		
	クラリス	200 mg×1〜2回	200 mg×1 回	200 mg×1 回
	バクタ	2 錠×2 回	2 錠×1 回	2 錠×1 回
	クラビット	500 mg×1 回→ 250 mg×1 回	500 mg×1 回→250 mg 48 時間 ごと	
	バルトレックス （帯状疱疹）	500〜1,000 mg ×1〜2 回	250 mg×1	250 mg×1
	タミフル	75 mg×1　5日間	75 mg 単回	

症候から疑う薬剤副作用

ポイント

❶ どんな主訴でも常に薬剤性を疑う．疑わないとわからないことが多い．

❷ 特に多いのは，眠剤による傾眠・ADL 低下，抗菌薬による下痢など．

表 1　主な薬剤副作用

症候	代表的な薬剤
全身倦怠感	抗うつ薬，ステロイド離脱
発熱	抗菌薬，ステロイド離脱
食思不振	抗菌薬，抗精神病薬，麻薬含め多くの薬剤
浮腫	Ca 拮抗薬，NSAIDs，チアゾリジン（アクトス®），プレガバリン（リリカ®）
頭痛	Ca 拮抗薬，硝酸薬，NSAIDs（長期投与で）
めまい	抗うつ薬，プレガバリン（リリカ®）
動悸	テオフィリン，レボチロキシンナトリウム（チラーヂン®），シロスタゾール（プレタール®），SABA（メプチンエアー® など）
意識障害（傾眠）	睡眠薬，抗てんかん薬，抗うつ薬，プレガバリン，麻薬
失神	降圧薬，ドネペジル（アリセプト®）
けいれん発作	ベンゾジアゼピン離脱
不随意運動	抗精神病薬，メトクロプラミド（プリンペラン®）
嗄声	吸入ステロイド
咳	ACE 阻害薬
腹痛	抗菌薬，NSAIDs
悪心・嘔吐	抗菌薬，NSAIDs，麻薬
下痢	下剤，抗菌薬，PPI（collagenous colitis）
便秘	麻薬，α-GI
排尿困難	抗コリン薬
幻覚	睡眠薬，H_2 ブロッカー

事項索引

事項索引（太字は項目・見出し事項とその冒頭頁を示す）

あ

亜鉛欠乏症　102, 169
アカラシア　167, 444
亜急性甲状腺炎
　　　　　129, 639
亜急性細菌性副鼻腔炎
　　　　　186
亜急性連合性脊髄変性
　症　160, 700
悪性黒色腫　803
悪性貧血　296, 700
悪性リンパ腫 713, 715
アクチベーション　603
アクネ桿菌　785
アスピリン喘息
　　　　　411, **413**
アスペルギルス　288
あせも　**783**
アテトーゼ　155
アデノイド　891
アデノシンデアミナー
　ゼ　380
アトピー咳嗽 186, **399**
アトピー性皮膚炎
　　　117, 803, **874**
アトピー素因 402, 874
アナフィラキシー
　　　117, 780, 794, 876
アフタ性口内炎　784
アミロイドーシス
　　　　264, 296
アメーバ赤痢　207
アラーム療法　889
アルコール依存症 **605**
アルコール性肝障害
　251, 253, 507, **518**
アルコール性認知症
　　　　　226
アルコール離脱症状
　　　　　226
アルツハイマー型認知
　症　226, 587
アレルギー性結膜炎
　　　　　239
アレルギー性紫斑病
　　　　814, **862**

アレルギー性鼻炎

アレルギー性鼻炎
　　　　241, **773**
アロマターゼ阻害薬
　　　　　737
アンジオテンシンⅡ受
　容体拮抗薬　671

い

胃アニサキス症
　　　　196, 198
胃炎　**451**
胃癌　192, 198, 201,
　　207, 301, **463**
息切れ　**174**
意識障害　**140**
胃・十二指腸潰瘍
　　　　183, 196
胃十二指腸潰瘍穿孔
　　　　　198
萎縮性胃炎　**719**
異常 Q　279
異常静脈瘤破裂　192
異食症　697
胃食道逆流症 201, **444**
異所性妊娠　199, **717**
胃切除後症候群　**467**
胃切除後の貧血　470
イソプロテレノール持
　続吸入療法　850
一次性頭痛　554
胃腸炎関連痙攣　818
一酸化炭素中毒
　　　　180, 240
溢流性尿失禁　219
胃透視　301
医薬品副作用被害救済
　制度
医療・介護関連肺炎
　　　　　368
医療連携　**21**
イレウス　200, **487**
いんきんたむし　789
咽喉頭異常感症　167
咽後膿瘍　131
インスリノーマ　105
インスリン注射　625

インスリン抵抗性改善

インスリン抵抗性改善
　薬　620
咽頭炎　833
咽頭癌　167
咽頭結膜熱　834
咽頭痛　**131**
院内肺炎　368
インフォームド・コン
　セント　**30**
インフルエンザ
　　　　357, 834
インフルエンザウイル
　ス　353
インフルエンザ脳症
　　　　　357
インフルエンザワクチ
　ン　374

う

ウイルス肝炎　506
ウイルス性肺炎
　　　　286, 287
ウェアリングオフ
　　　　572, 579
右軸偏位　279
うっ血性心不全　174
うつ病　99, 102, 169,
　226, 232, 235, 600,
　602, 725
運動処方指導　**37**
運動療法　**37**
運動療法（糖尿病）619

え

会陰部痛　750
エコノミークラス症候
　群　177
壊死　251
壊死性筋膜炎　787
エプワース睡眠尺度
　　　　　437
エリスロポエチン 703
エリスロポエチン製剤
　　　　　672
嚥下困難　167
遠視　240

931

炎症性腸疾患 207, **478**
円背 757

お

横隔神経麻痺 285
横隔膜下膿瘍 196
横隔膜弛緩症 167
黄体ホルモン（ジェノ
　ゲスト）療法 723
黄疸 **111**
横紋性脊髄炎 160
嘔吐 **203**, **819**
横突起骨折 222
オウム病 187, 361
横紋筋融解 220
横紋筋融解症 798
悪心 **203**
オピオイドスイッチン
　グ 74
おむつかぶれ **871**
おりもの 893

か

加圧式ネブライザー
　 429
介護保険制度 **85**
外耳炎 771
疥癬 692
咳嗽 **812**
外側大腿皮神経障害
　 165
改訂長谷川式簡易知能
　評価スケール 12
外転神経麻痺 240
潰瘍性大腸炎 196, **478**
外来血圧測定 275
外来初診患者 **2**
外リンパ瘻 137, 244
下咽頭癌 171
化学熱傷 **796**, 797
過活動膀胱 219, 689
踵打ち歩行 163
かかと歩行 164
過敏性症候群 174
夏季熱 810
顎関節症 125
顎骨壊死 759
拡大血管周囲腔 302

拡張型心筋症 **341**
角膜炎 240
下肢静脈瘤 **350**
下肢末梢動脈疾患 **357**
過食症 104
下疢半身麻痺 237
ガス壊疽 787
かぜ症候群 352, **833**
家族性高コレステロー
　ル血症 631
肩関節周囲炎 744, **747**
肩腱板断裂 747
滑液包炎 224
喀血 **192**
学校検尿異常所見者
　 879
学校保健安全法 822
褐色細胞腫 104, 305
家庭血圧測定 275
カテーテルアブレー
　ション 342
化膿性血栓性内頸静脈
　炎 131
化膿性耳下腺炎 837
化膿性脊椎炎 222
化膿性椎体炎 129
過敏性腸症候群
　 194, 211, 214, **484**
過敏性肺炎 174, 285,
　286, 287, 426
下部消化管癌 222
下部尿路機能障害 **689**
花粉-食物アレルギー
　症候群 877
花粉症 773
可溶性インターロイキ
　ン2受容体抗体
　（sIL-2R） 110
顆粒球増加 257
過労 **596**
過労死ライン 596
川崎病
　 116, 117, 132, **856**
眼圧上昇 **167**
簡易嚥下誘発試験 374
肝炎 **505**, **510**
肝炎ウイルス検査 **270**
感音性難聴 244

感音難聴 771
肝癌 251, **539**
肝癌腹腔内破裂 196
換気血流不均衡 **197**
肝機能 **251**
がん救急 52
間欠性跛行
　 163, 347, 750
肝硬変
　 251, 296, 297, **533**
肝細胞癌 297
肝細胞変性 297
カンジダ症 783, **789**
間質性陰影 286
間質性肺炎 174, 186,
　192, 285, 287
肝腫瘍 297
肝腫瘍性病変 **539**
乾性咳嗽 812
癌性胸膜炎 56, 380
癌性リンパ管症 57
関節痛 **224**
関節内注射 756
関節リウマチ
　 224, **650**, 655, 753
完全右脚ブロック 278
感染後嗜酸症候群 186
感染症心内膜炎 296
感染性胃腸炎 **471**
乾癬性関節炎 224
感染性関節炎 224, 753
感染性心内膜炎
　 116, 117, 335
感染性腸炎 199
眼底検査 766
冠動脈瘤 856
肝膿瘍 196, 251
カンピロバクター 251
ガンマグロブリン大量
　療法 711
顔面神経麻痺 **563**
冠攣縮性狭心症
　 322, 323
緩和ケア **63**

き

気管異物 285
気管支灸 **354**

事項索引

気管支拡張症　174, 186, 192, **429**
気管支喘息
　174, 186, 285, **402**
気管支喘息（小児）**846**
気管腫瘍　285
気管内異物　192
気胸　174, 183, 285
寄生虫感染　707
偽痛風　129, 224, 753
基底細胞癌　803
気道内異物　186
機能性胃腸症　204
機能性月経困難症 **722**
機能性ディスペプシア
　460
偽閉経療法　723, 730
偽膜性腸炎
　211, 474, 927
逆流性食道炎 183, 186,
　192, 201, 207, 444
キャッスルマン病　108
キャリピア MAC　395
吸収不良症候群　104
急性（糸球体）腎炎
　866
急性胃炎　198
急性胃拡張　198
急性胃潰瘍　196
急性前粘膜病変　207
急性咳嗽　186
急性灰白髄炎　167
急性肝炎 251, 321, **505**
急性間質性腎炎　216
急性間質性肺炎　286
急性肝障害　505
急性冠症候群　129
急性腎不全　376
急性気管支炎　**354**
急性球麻痺　167
急性好酸球性肺炎 426
急性喉頭蓋炎
　131, 171, **839**
急性呼吸不全　**376**
急性細気管支炎　**841**
急性腎盂腎炎　222
急性腎炎症候群
　677, 866

急性心筋梗塞　321
急性膵炎 198, 204, 222
急性前庭症候群
　（AVS）　134
急性大腸炎　196
急性大動脈解離　321
急性胆管炎　203
急性胆嚢炎　198, 294
急性虫垂炎
　196, 198, 199
急性腸炎　203, 207
急性尿細管壊死　216
急性白血病　296, 715
急性鼻炎　242
急性腹膜炎　200
急性閉塞隅角緑内障
　198
急性腰痛　**748**
急性腰痛症　222
急性緑内障　125, 239
急性緑内障発作　769
急速進行性腎炎症候群
　677
胸郭出口症候群
　159, 165, 744
狭心症　201, 321
胸水　**380**
胸水胸膜炎　287
胸水の鑑別診断　382
強直性脊椎炎　222
胸痛（症候）　**182**
胸痛（小児）　**813**
強迫性障害　234
強皮症　167, 224
胸部 CT　**288**
胸部 Xp　**286**
胸部大動脈瘤　344
胸部大動脈瘤破裂　321
胸部単純 X 線写真 286
胸膜炎 174, 183, 285,
　321, **380**
強膜炎　239
胸膜陥入　289
胸腺中皮腫　285, 383
虚血性心疾患 174, 204,
　299, **321**
虚血性腸炎　199, 207,
　475

巨細胞性動脈炎　660
巨赤芽球性貧血
　700, 713
ギラン・バレー症候群
　162
起立試験　886
起立性調節障害　**885**
筋萎縮性側索硬化症
　744
禁煙外来　**39**
禁煙指導　**39**, 647
筋緊張性頭痛　129
筋・筋膜性疼痛　**748**
筋筋膜性腰痛　222
筋痙攣　154, 156
近視　240
筋ジストロフィー
　160, 163
筋性斜頚　891
緊張型頭痛　125, 554
緊張性気胸　144, 182
筋膜炎　321

く

空気嚥下症　194
空調病　188
クォンティフェロン
　386
クッシング症候群
　105, 305, 757
くも膜下出血　125
クラミジア　360, 842
クラミジア肝周囲炎
　199
クラミジア感染症
　692, **693**
クラミジア肺炎　186
クラミドフィラ　360
グラム染色　925
クリニカル・オンコロ
ジー　**48**
久里浜式アルコール症
スクリーニングテス
ト　605
クリプトコックス　288
クループ症候群　**839**
くる病　805
クレアチニンクリアラ

933

ンス	255
クローン病	**481**
群発頭痛	561

け

経口避妊薬	722, 723, 732, 734, 735
憩室炎	199
憩室出血	489
頸髄症	744
頸髄症の手	744
痙性クループ	839
痙性対麻痺歩行	163
痙性片麻痺歩行	163
痙性麻痺	839
頸椎後縦靱帯骨化症	744
頸椎症	129, 183, **744**
頸椎症性神経根症	165, 744
頸椎症性脊髄症	165, 744
頸椎椎間板ヘルニア	165, 744
頸椎捻挫	129
頸動脈狭窄	302
軽度認知障害	226
経尿道的膀胱腫瘍切除術	691
珪肺	288
経鼻的持続陽圧呼吸療法	438
頸部痛	129
鶏歩	163
けいれん発作	**150**
下血	**207**
血圧	**275**
血液透析	674
血液分布異常性ショック	148
結核	102, 296
結核性胸膜炎	380
血管運動性鼻炎	241
血管性認知症	226, 587
血管性パーキンソニズム	569
血管内高周波治療	351
血管内レーザー治療	

	351
血管肉腫	803
血管迷走神経反射	144
血胸	285
月経困難症	**722**, 730
月経随伴性喀血	723
月経随伴性気胸	723
月経随伴性血胸	723
月経前浮腫	106
月経モリミナ	722
血算	**248**
血小板減少症	**709**
血小板増多症	**712**
結晶誘発性関節炎	753
血清 TARC 値	874
血清補体価	663
結節	287
結節性多発動脈炎	661
血栓性血小板減少性紫斑病（TTP）	140, 699
血栓塞栓症	896
血糖	259
血糖コントロール目標	613
血尿	**220**
血便	**207**
結膜炎	239, **773**
結膜下出血	239
結膜充血	**239**
血友病	120
ケトアシドーシス	203
下痢（症候）	**211**
下痢（小児）	**816**
腱炎	224
幻覚	**232**
顕性誤嚥	374
倦怠感	596, 643
犬吠様咳嗽	812, 839
原発性アルドステロン症	305
原発性硬化性胆管炎（PSC）	511
原発性骨髄線維症	712
原発性糸球体疾患	667, 678, 681
原発性胆汁性胆管炎（PBC）	510

原発性マクログロブリン血症	264
原発性無月経	237
腱反射亢進	745
顕微鏡的多発血管炎	661

こ

抗 CCP 抗体	652
抗 ds-DNA 抗体	658
抗 GAD 抗体	614
抗 HER 2 薬	738
抗 Jo-1 抗体	660
抗 MDA5 抗体	660
抗 Mi-2 抗体	660
抗 Scl-70 抗体	659
抗 Sm 抗体	658
抗 SRP 抗体	660
抗 SS-A 抗体	659
抗 SS-B 抗体	659
抗 VEGF 薬	738
高位脛骨骨切り術	756
高位結紮術	351
抗胃壁抗体	700
抗核抗体	664
高カルシウム血症	99, 102, 216, 759
高ガンマグロブリン血症	**264**
後期ダンピング症候群	469
抗凝固療法	**896**
口腔アレルギー症候群	877
口腔カンジダ症	784
口腔底蜂窩織炎	131
高血圧	302, **304**
高血糖	226
膠原病	**655**, 753, 784, 799
膠原病術前	287
抗甲状腺ペルオキシダーゼ抗体	643
高コレステロール血症	302
虹彩炎	240
虹彩離断	240
抗サイログロブリン抗	

事項索引

体 643
好酸球性食道炎 444
好酸球性多発血管炎性
　肉芽腫症 662
好酸球性膿疱性毛包炎
　785
好酸球増加症候群 707
好酸球増多性筋炎 241
甲状腺癌 297
甲状腺機能異常 317
甲状腺機能亢進症 104,
　226, 305, **639**, 757
甲状腺機能低下症 105,
　106, 214, 226, 305,
　643
甲状腺腫 **645**
甲状腺髄様癌 122
口腔ヘルペス **791**
硬性下疳 693
抗セントロメア抗体
　659
拘束性換気障害
　284, 285
後側彎症 285
高炭酸ガス血症 125
好中球減少性発熱 292
紅潮 794
喉頭アレルギー 186
喉頭癌 167, 171
喉頭結核 167
後頭神経痛 557
喉頭乳頭腫 171
高度房室ブロック
　278, 319
抗внутренних因子抗体 700
口内炎 **784**
高ナトリウム血症 226
高尿酸血症 **636**
更年期障害 **725**
更年期評価表 725
更年期不定愁訴・評価
　表 727
後鼻漏 776
後鼻漏症候群 186
高プロラクチン血症
　237
硬膜外膿瘍 129
硬膜外ブロック

746, 749, 752
肛門周囲膿瘍 499, **501**
絞扼性腸閉塞 487
小刻み歩行 163
呼吸機能検査 **281**
呼吸困難 **174**
呼吸不全 **376**
五十肩 **747**
骨壊死 224
骨髄異形成症候群
　701, 713
骨髄線維症 296, 704
骨粗鬆症 222, **757**, 761
骨盤臓器脱 **742**
骨盤内炎症性疾患
　199, **721**
ゴム腫 693
コルヒチンカバー 638
混合性結合組織病 660
コンパートメント症候
　群 159

さ
細菌学的検査 **925**
細菌性胸膜炎 380
細菌性髄膜炎 129
細菌性腟症 **718**
細菌性肺炎 364
細小血管障害性溶血性
　貧血 699
再生不良性貧血 713
在宅酸素療法 379
再発性多発軟骨炎 285
再膨張性肺水腫 382
左脚ブロック 278
鎖骨下動脈盗血症候群
　137
坐骨神経障害 165
左軸偏位 279
匙状爪 697
左室肥大 299, 306
嗄声 **171**, 447, 839
ざ瘡 **785**
詐病 810
サルコイドーシス
　285, 288, 296, 426
サルコペニア 37, 761
サルモネラ 211

三叉神経・自律神経性
　頭痛 125, 554
三叉神経痛 555

し
シアン化合物中毒 180
シェーグレン症候群
　169, 658, 705
シェロングテスト 886
痔核 207, **495**
痔瘻 150
痔瘻前症 196
子宮外妊娠 **717**
子宮癌 297
子宮奇形 237
子宮筋腫 219, 295, **730**
子宮頸癌 **732**
子宮頸管炎 **720**
子宮頸管妊娠 717
子宮体癌 **733**
糸球体疾患 **677**
糸球体腎炎 220
糸球体性血尿 220
子宮動脈塞栓術 731
子宮内避妊具 721
子宮内膜炎 237
子宮内膜症 222, **723**
耳垢 771
耳垢塞栓 244
自己血糖測定 626
自己抗体 664
自己評価式抑うつ評価
　尺度（SDS） 728
自己免疫性肝炎
　507, 510
自己免疫性溶血性貧血
　699
四肢脱臼 **158**
脂質 **260**
脂質異常症 **630**
脂質異常症診断基準
　630
痔疾患 **495**
四肢のしびれ **165**
思春期早発症 892
視床下部機能障害 237
視神経炎 240
ジスキネジア 156, 572

935

シスタチンC 255, 882	腫瘍マーカー **266**	処女膜閉鎖症 237, 722
ジストニア 154, 156	腫瘍部 287	女性化乳房症 741
自然気胸 321	循環血液量減少性	ショック **148**
市中肺炎（CAP）	ショック 148	所得補償 96
360, 368	障害基礎年金 96	徐脈性心房細動 319
膝蓋骨跳動 753	障害者総合支援制度	徐脈性不整脈 **319**
シックデイ **629**	94	しらくも 789
失神 **144**	上顎癌 242	自律神経失調症 885
湿疹 **782**	消化性潰瘍 198, 201,	自律神経症状 596, 607
湿性咳嗽 812	207, 321, **453**	視力障害 **240**
失明 765	状況性失神 144	痔瘻 **499**
指定難病 94	症候性てんかん 150	心アミロイドーシス
紫斑 **120**	硝子円柱 257	343
紫斑病性腎炎 866	硝子体出血 240	腎移植 674
しびれ 165	硝子体収縮 240	心因性嘔吐 203
ジフテリア後麻痺 167	常染色体優性多発性囊	心因性腰痛 222
脂肪肝 295	胞腎 295	腎盂腎炎 196, 203, **686**
耳鳴 **770**	焦点 596, 607	心エコー法 **299**
しもやけ **799**	上大静脈症候群 56	心外閉塞性・拘束性
社会資源 **94**	上腸間膜動脈血栓症	ショック 148
社会保険 94	198	腎癌 297, **691**
社会保障制度 **94**	小腸コレステロールト	腎機能 **255**
視野狭窄 **240**	ランスポーター阻害	心筋炎 203, 321
瀉血 703	薬 633, 634	心筋疾患 182, 201,
視野障害 765	小腸出血 207	203, 321, 322, **338**
尺骨神経障害 165	小腸失調 154	心筋梗 299, 300
縦隔炎 167	小腸性脂肪便 163	神経因性膀胱
縦隔気腫 321	上皮円柱 257	神経根造影 752
縦隔腫瘍 288	上部消化管検査 301	神経根ブロック
周期性嘔吐症 203	上部消化管穿孔 201	746, 752
周期性四肢麻痺	静脈血栓塞栓症 759	神経性食思不振症
160, 162	食思不振 **102**	104, 237
重症筋無力症	食事療法（糖尿病）616	腎血管性高血圧 305
162, 167, 240, 285	褥瘡 **800**	腎結石 198, 294
修正MRC 174	食道炎 167, 321	心原性ショック 148
集簇性ざ瘡 785	食道潰瘍 192, 207	腎硬化症 667
絨毛羊膜炎 718	食道癌 167, 201, **447**	人工肛門 **503**
終夜睡眠ポリグラ	食道攣縮 167, 321	人工股関節全置換術
フィー 438	食道腫瘍 321	756
手根管症候群	食道静脈瘤破裂	進行性核上性麻痺 571
159, 165, 744	192, 207	進行性球麻痺 167
酒さ 122	食道スパズム 183	心梗塞 196, 220
主治医意見書 86	食道破裂 182	人工膝関節全置換術
出血傾向 **120**	食道裂孔ヘルニア	756
出血性直腸潰瘍 207	167, 201, 204	腎後性腎不全 685
出ార停止期間 822	食物アレルギー **876**	深在性真皮熱傷 796
授乳中の注意 **15**	食物依存性運動誘発ア	心雑音 883
腫瘍崩壊症候群 58	ナフィラキシー 877	診察室血圧測定 275

936

心サルコイドーシス 343
腎実質性高血圧 305
心室性期外収縮 139, 277, **313**
心室肥大 279
心室頻拍 139, 277
滲出性胸水 381
滲出性胸膜炎 167
滲出性心膜炎 167
尋常性ざ瘡 785
心身症（小児）887
腎生検 669
真性多血症 296, 703, 712
腎性貧血 669, 695
振戦 154
腎疝痛 198
心臓検診 884
心臓再同期療法 342
心臓病（小児）883
迅速検査 926
迅速診断法（感染症）926
身体障害者手帳 94
身体症状症 598
腎代替療法 674
身体表現性障害 598
心タンポナーデ 56, 144
心電図 277
塵肺 287, 288
じん肺症 285
深部静脈血栓症 350
心不全 287, **325**
腎不全 928
心房細動 139, 277, 302, 313, 313, 384
心房性期外収縮 315
心房粗動 139, 277, 313
心房細動 313
心房負荷 279
心膜炎 183, 321
蕁麻疹 780, 794
蕁麻疹様血管炎 780
診療ガイドライン 32
腎瘻 687

す
髄液漏 241, 242
膵炎 196, 321, **547**
膵仮性嚢胞出血 196
膵癌 198, 297
膵管内乳頭粘液腫瘍 547, 551
膵腫瘍 551
水晶体再建術 763
水晶体脱臼 240
水腎症 294, 685, 687
水痘 273, 792, **824**
水疱 792, 794, 796
髄膜炎 125, 203, 204
髄膜脳炎 926
睡眠時無呼吸症候群 219, 230, 305, **436**, 744
睡眠障害 230
スキンケア 875
スタチン製剤 633
頭痛 554
頭痛（症候）**125**
スティーブンス・ジョンソン症候群 116, 794
ストーマ 503
ストーマ合併症 504
ストリッピング手術 351
スパイロメトリー 191, 281, 402, 404
すりガラス陰影 286

せ
性器ヘルペス 692, **694**
性行為感染症 692
正常圧水頭症 163, 226, 571, 587
正常眼圧緑内障 765
星状神経節ブロック 746
精神運動発達 805
精神科への紹介 **25**
精神障害者保健福祉手帳 94
成人発症 Still 病 655
性腺機能不全 757

精巣上体炎 **687**
声帯萎縮 171
声帯結節 171
声帯溝症 171
声帯ポリープ 171
正中神経障害 165
生理的無月経 237
咳 186
脊髄圧迫症候群 53
脊髄空洞症 160, 165, 167, 744
脊髄小脳変性症 163
脊髄癆 163, 165, 693
咳喘息 186, **399**
脊柱管狭窄症 222, 750, 761
脊柱靭帯骨化 165, 222
脊椎カリエス 222
脊椎感染症 750
脊椎硬膜外血腫 129
脊椎腫瘍 750
脊椎脊髄腫瘍 165, 222
脊椎椎体骨折 165
舌咽神経痛 557
石灰沈着性腱板炎 747
舌癌 167
赤血球円柱 257, 678
赤血球増加症 703
接触者検診 390
摂食障害 104, 887
ぜにたむし 789
セロトニン症候群 122
線維筋痛症 224
線維束攣縮 154, 156
遷延性退薬徴候 607
尖圭コンジローム 692, **694**
仙骨裂孔ブロック 749, 752
潜在性結核感染症 390
浅在性真皮熱傷 796
線状陰影 288
全身倦怠感 99
全身性エリテマトーデス 224, 657
全身性強皮症 659
前脊髄動脈症候群 160, 165

937

喘息	174, 776	
前庭神経炎	137	
先天性股関節脱臼	892	
先天性ゴナドトロピン		
欠損症	237	
先天性食道閉鎖	167	
先天性心疾患児	883	
先天性梅毒	694	
先天性風疹症候群	16	
前頭側頭型認知症	226	
喘鳴	812	
せん妄	226, 593	
前立腺炎	**688**	
前立腺癌	**691**	
前立腺特異抗原	691	
前立腺肥大症		
	219, 295, 689	

そ

早期ダンピング症候群	
	467
双極Ⅰ型障害	232
双極Ⅱ型障害	232
双極性障害	236, 604
造血器腫瘍	**715**
爪甲脱落症	826
巣状糸球体硬化症	667
相対的赤血球増多	703
早発閉経	237
早発卵巣機能不全	237
総腓骨神経障害	165
総腓骨神経麻痺	163
僧帽弁逆流症	**333**
僧帽弁狭窄症	**334**
僧帽弁閉鎖不全症	**333**
掻痒	**114**
足根管症候群	165
足底神経障害	165
足底疣	753
続発性脂質異常症	631
続発性無月経	237
粟粒結核	287, 384
鼠径ヘルニア	**869**
咀嚼嚥下機能不全	104
速効型インスリン分泌	
薬	622

た

タール様	207
体外衝撃波結石破砕術	
	684
帯下	893
大血管肉芽腫 192, 207	
対光反応	766
胎児アルコール症候群	
	17
胎児水腫	828
体重減少	**104**
体重減少性無月経	237
体重増加	**105**
帯状疱疹 117, 183,	
321, 791, **792**	
帯状疱疹ウイルス	244
大腿骨頭壊死	754
大腿四頭筋訓練	753
大腿ヘルニア嵌頓	196
大腸癌	
207, 211, 214, **492**	
大腸憩室	**489**
大腸憩室出血	207
大腸穿孔	203
大腸ポリープ	**490**
大動脈炎症候群	660
大動脈解離 182, 200,	
222, 288, 335	
大動脈縮窄症	305
大動脈狭窄症	
183, **335**	
大動脈弁閉鎖不全症	
	335
大動脈瘤	171
大動脈瘤破裂	200
大脳白質病変	302
大脳皮質基底核変性症	
	571
高安動脈炎	660
多クローン性高ガンマ	
グロブリン血症 264	
多形紅斑型	799
多系統萎縮症	571
多血症	
多源性心房頻拍	313
ダットスキャン	571
ダットスキャン検査	
	587

ダニ麻痺	162
多尿	216
多嚢胞性卵巣症候群	
105, 237	
多発筋炎	160, 163
多発血管炎性肉芽腫症	
	661
多発神経炎	163
多発性筋炎	224, 659
多発性硬化症	
162, 165, 167, 219	
多発性骨髄腫	
264, 713, 716	
多発性嚢胞腎	667
痰	**186**
胆管炎	198
胆管癌	297, **544**
単クローン性高ガンマ	
グロブリン血症 264	
単純性早発乳房	892
単純性膀胱炎	686
単純ヘルペス 791, 792	
男性化音声	171
男性性感染症	**686**
胆石	294, 321
胆石症	**541**
胆石・胆嚢炎	196
胆石発作	183, 198
胆道出血	207
丹毒	787, 827
胆嚢炎	203
胆嚢癌	294, 297, **544**
胆嚢腺筋症	297, 299
胆嚢ポリープ 294, **543**	
蛋白尿	868
ダンピング症候群 467	

ち

チアノーゼ	**180**
チールニールセン染色	
	925
蓄尿障害	**689**
腟炎	**718**
腟カンジダ症	**718**
チック 154, 156, 890	
腟トリコモナス症	**694**
腟閉鎖症	237
遅発性肝不全	505

事項索引

遅発性ジスキネジア 154
中耳炎 771
虫垂炎 203, 297, 814
中枢型睡眠時無呼吸症候群 439
中枢性疼痛 584
中毒性表皮壊死症 116, 794
肘部管症候群 159, 165, 744
聴覚障害 **244**
腸管気腫症 194
潮紅 **122**
腸重積 196
聴神経腫瘍 771
超低カロリー療法（VLCD） 649
腸閉塞 194, 200, 203, **487**
直接経口抗凝固薬 **898**

つ

椎間関節症 750
椎間板ヘルニア 222, 750
椎骨脳底動脈解離 129
椎骨脳底動脈梗塞 165
椎体圧迫骨折 222
椎体骨折 750
椎体破裂骨折 222
痛風 224, **636**, 753
つぎ足歩行 164
ツベルクリン反応 384
つま先歩行 164

て

手足口病 **826**
低カルシウム血症 760
低血糖 226, **628**
低血糖症候群 469
低酸素血症 226
低身長 805
低蛋白液圧 125
低電位 279
低ナトリウム血症 99, 226
停留精巣 **870**

鉄欠乏性貧血 **697**
デブリドマン 802
転移性脊椎腫瘍 222
転移性皮膚がん 803
伝音性難聴 244, 771
てんかん 150, 226, **860**
転換性障害 222
電撃性紫斑病 116
伝染性紅斑 **828**
伝染性疾患 **822**
伝染性単核球症 132, 273, 296, **828**
伝染性軟属腫 **871**
伝染性膿痂疹 **872**
天疱瘡 784

と

頭蓋内圧亢進 55
頭蓋内血腫 125
動眼神経麻痺 240
動悸 **139**
統合失調症 232, 236
洞性徐脈 277
洞性頻脈 139, 277
凍瘡 **799**
洞停止 277
糖尿病 102, 165, 214, 216, 302, **610**
糖尿病型 610
糖尿病腎症 615
糖尿病性ケトアシドーシス 200
糖尿病性神経炎 163
糖尿病性腎症 667, 678, 681
糖尿病網膜症 612
洞頻脈 313
頭部 MRA 303
頭部 MRI **302**, 303
洞不全症候群 313, 319
動脈解離 125
動揺性歩行 163
トキシック・ショック症候群 116
特定健診 **246**
特発食道破裂 201
特発性炎症性腸疾患 478

特発性間質性肺炎 426
特発性顔面神経麻痺 563
特発性器質化肺炎 292, 426
特発性血小板減少性紫斑病 **710**
特発性細菌性腹膜炎 537
特発性肺線維症 285, 427
特発性肺胞出血 192
特発性門脈圧亢進症 296
特別障害者手当 97
吐血 **192**
閉じ込め症候群 160
突発性難聴 137, 244, 771
突発性発疹 **824**
届出が必要な感染症 **922**
ドパミンアゴニスト 573
とびひ **872**
トラコーマ 842
トリガーポイント注射 749
鳥飼病 187
トリコモナス膣炎 **719**
トレポネーマ抗原法 274
トレンデレンブルグ検査 350
トロンボポエチン受容体作動薬 711

な

内耳炎 137
内反膝 753
夏かぜ 834
夏型過敏性肺炎 188
ナルコレプシー 230
軟性下疳 692
難聴 770
軟部組織感染症 **787**

939

に

肉眼的血尿 221
ニコチン依存症スクリーニングテスト 40
二次性高血圧 305, 310
二次性糸球体疾患 667, 678, 681
二次性頭痛 555
二次性赤血球増多症 703
二次性乳糖不耐症 818
日常生活機能障害度分類 571
日常生活動作 10
日光角化症 803
乳癌 297, 321, **735**
乳管乳頭癌 736, 741
乳腺炎 321
乳腺症 740
乳糖不耐症 211
ニューモシスチス肺炎 286
乳幼児突然症候群 39
尿 β_2 ミクログロブリン/尿 Cr 比 881
尿管ステント 687
尿検査異常 **256**
尿酸 **261**
尿酸生成抑制薬 637
尿酸排泄促進薬 638
尿潜血 257, 879
尿蛋白 257, 879
尿中 pH 256
尿中アルブミン検査 614
尿中白血球 256
尿中ビリルビン・ウロビリノーゲン 256
尿糖 256, 259
尿毒症 150, 165
尿比重 256
尿閉 216
尿崩症 216
尿量異常 **216**
尿量増加 216
尿量低下 216
尿路感染症 219, 220, **686**
尿路感染症（小児） **864**
尿路結石症 196, 220, 222, **684**
尿路上皮がん 219

妊娠悪阻 204
妊娠中の注意 **15**
妊娠浮腫 106
認知機能障害 **226**
認知症 102, 587
認知症の行動・心理症状 590

ね

寝汗 **123**
熱傷 **796**
熱性けいれん 150, **858**
熱中症 150
ネフローゼ症候群 106, 677, **681**
ネフローゼ症候群（小児） **868**
粘液水腫性昏睡 644
粘液性嚢胞腫瘍 551

の

脳炎 204
膿胸 287, 380
脳血管障害 **581**
脳血流 SPECT 検査 587
脳梗塞 219, 306, 581
脳出血 306, 582
脳腫瘍 125, 226
脳性小児麻痺 163
脳卒中 203
脳底型片頭痛 137
脳膿瘍 125, 150
脳幹小出血 302
膿疱 794
ノロウイルス 211

は

パーキンソニズム 569
パーキンソン症候群 154, 163, **569**
パーキンソン病 163, 214, 226, **569**

バージャー病 349
肺 MAC 症 396
肺アスペルギルス症 192
肺アミロイドーシス 285
肺炎 174, 192, 321
肺炎（CAP） **360**
肺炎（小児） **842**
徘徊 595
肺過誤腫 289
肺化膿症 192
肺癌 192, 288, **432**
肺気腫 174
肺結核 192, 287, 288, **384**
肺結核症 289
肺血症 296
敗血症疹 116, 117
肺結節 291
肺血栓塞栓症 144, 174, 182, 192, 288, 292, 321
肺硬化性血管腫 289
肺高血圧 288, 321
肺腫瘍 321
肺真菌症 289
肺水腫 174, 285, 287, 292
肺線維症 317, 426
肺動静脈瘻 289
梅毒 692, **693**
梅毒検査 **273**
排泄障害 219, **689**, 742
肺膿瘍 167
肺非結核性抗酸菌症 395
肺胞性陰影 286
肺胞蛋白症 285
肺胞低換気 180
肺胞微石症 285
肺リンパ脈管筋腫症 285
白癬菌球症 708
白癬 **789**
白内障 240, **763**, **765**
白板症 803
破砕赤血球 699

事項索引

はさみ歩行　163
橋本病　643
播種性血管内凝固症候群　59
破傷風　150
長谷川式簡易知能評価スケール改訂版
　587, 589
バセドウ病　240, 639
発育相談　808
発汗過剰　**123**
白血球減少　**705**
白血球増多　**707**
発疹（症候）　**116**
発疹（小児）　**822**
発熱（症候）　**100**
発熱（小児）　**809**
発熱性好中球減少症
　53, 706
鼻茸　776
パニック障害　183, **600**
パニック発作　235, 600
馬尾腫瘍　165
馬尾障害　165
馬尾症状　750
バラ疹　693
バリスム　153
反回神経麻痺　447
汎血球減少　**713**
瞼裂狭窄　167
ハンター舌炎　169
反復性耳下腺炎
　825, **837**

ひ

ピークフロー　402, 404
鼻咽腔血管線維腫
　242
鼻炎　241, 833
鼻腔異物　241
非結核性抗酸菌症
　192, 289, **393**
腓骨神経麻痺　159
脾腫　295
鼻汁　**241**
鼻出血　**242**
非小細胞肺癌　433
微小変化群　868

微小変化群ネフローゼ症候群　681
非侵襲的陽圧換気　421
ヒステリー　**349**
ヒステリー球　167
肥大型心筋症　**339**
ビタミン B_{12} 欠乏
　470, 519, 695, 700
非定型肺炎　361, 364
ヒトパルボウイルス B19　828
ヒトヘルペスウイルス　824
ヒトメタニューモウイルス　841
泌尿器癌　**691**
非びらん性逆流症（NERD）　691
皮膚 T 細胞リンパ腫
　803
皮膚外用薬　**904**
皮膚がん　**803**
皮膚筋炎　160, 167, 659
鼻副鼻腔炎　**125**
皮膚疾患　**871**
非閉塞性腸管虚血症
　203
非扁平上皮非小細胞肺癌（Non-Sq）　433
非ホジキンリンパ腫
　715
肥満　**648**, 805
び慢性大細胞性リンパ腫　715
びまん性肺疾患　**425**
びまん性汎細気管支炎
　285, 287, 426
びまん性粒状影　287
百日咳　186
日焼け　**796**
表層性角膜炎　239
微量アルブミン尿　**227**
疲労　**596**
貧血　672, **695**

ふ

ファブリー病　343
不安　**234**, 442, 596,

602, 607
不安障害　235
不安定狭心症　322
フィブラート系製剤
　634
風疹　**830**
封入体筋炎　160
プール熱　834
不完全右脚ブロック
　278
副甲状腺機能亢進症
　305, 757
複雑性運動チック　890
複雑性膀胱炎　686
複視　**240**
福祉制度　94
副腎不全　200
腹痛（症候）　**196**
腹痛（小児）　**814**
副鼻腔炎　125, 241
副鼻腔気管支症候群
　186
腹部エコー　**293**
腹部大動脈瘤　222, 344
腹部膨満　**194**
腹膜炎　194, 203
腹膜透析　674
不顕性誤嚥　374
浮腫　**106**
不随意運動　**154**
不整脈　**313**
付属器炎　196
フッ化水素　797
不定愁訴　885
舞踏運動　154
ぶどう膜炎　239, 240
ブラウンセカール症候群　159
ブリンクマン指数　41
ブルガダ型心電図　280
ブルガダ症候群　280
フレイル　37
フローボリューム曲線
　282
分子標的薬　738
ぶん回し歩行　163
分離症　222
分離すべり症　222, 750

941

へ		
閉鎖孔ヘルニア嵌頓	扁桃周囲膿瘍 131, 167	末梢動脈疾患 347
196	扁桃肥大 891	麻痺性イレウス
閉塞型睡眠時無呼吸症	便秘 194, **214**, 742	194, 487
候群 437	扁平上皮癌 433, 803	麻薬 204
閉塞隅角緑内障	扁平苔 169	マラセチア毛包炎 785
239, 765	弁膜症 **332**	マラリア 296
閉塞性黄疸 251, 294		慢性胃炎 **451**
閉塞性換気障害	**ほ**	慢性咳嗽 186, **399**
283, 285	蜂窩織炎 787	慢性肝炎 297, **510**
閉塞性血栓性血管炎	膀胱炎 **686**	慢性気管支炎 186
163	膀胱癌 **691**	慢性期脳血管障害 **581**
閉塞性細気管支炎 285	膀胱直腸障害 746, 752	慢性好酸球性肺炎
閉塞性動脈硬化症	方向転換 164	292, 426
163, 799	膀胱尿管逆流症 864	慢性硬膜下血腫 226
ペースメーカ適応 **319**	房室ブロック 313	慢性甲状腺炎 378
ベーチェット病 662	放射線性腸炎 207	慢性骨髄性白血病
ヘパリン起因性血小板	放射線肺炎 285	296, 707, 712
減少症 709	乏尿 216	慢性糸球体腎炎 667
ペプシノゲン **262**	ボーエン病 803	慢性疾患の管理 **35**
ペプシノゲン法	ホーン＆ヤールの臨床	慢性腎炎症候群 677
456, 463	重症度分類 571	慢性腎臓病 **667**
ヘモグロビンＭ症	歩行失行 163	慢性心不全 **325**
180	歩行障害 **163**	慢性心房細動 318
ヘモグロビンカンザス	保存的腎臓療法	慢性膵炎 297, **547**
180	発作性上室性頻拍	慢性副鼻腔炎 242
ヘモグロビン尿 220	139, 277, **315**	慢性閉塞性肺疾患
ベラグラ脳症 609	発作性心房細動 318	174, 285, **414**
ヘリオトロープ疹 659	発作性夜間血色素尿症	慢性輸入脚症候群 469
ヘリコバクター・ピロ	713	
リ除菌療法 **456**	ボツリヌス菌 167	**み**
ヘルニア嵌頓 199	ボツリヌス毒素療法	ミエロCT 752
ヘルパンギーナ 834	567	ミオクローヌス
ヘルペス性口内炎 784	ポリープ様声帯 171	154, 156
変換症 232	ポルフィリン症	ミオグロビン尿 220
変形性肩関節症 747	150, 162	味覚障害 **169**
変形性関節症	ホルモン補充療法	味覚性鼻炎 241
224, **753**, 761	725, 750	水いぼ **871**
変形性脊椎症 163	本態性血小板血症 712	水虫 789
変形性脊椎症 222, 750		ミニメンタルステート
変形赤血球 678	**ま**	検査 587
片頭痛	マイコプラズマ感染	未破裂脳動脈瘤 303
125, 162, 204, 554	186, 360	
変性すべり症 222, 750	マイコプラズマ肺炎	**む**
便潜血 **269**	**844**	無顆粒球症 131
便通異常 **211**	膜性腎症 667, 681	無気肺 287, 292
偏頭 891	麻疹 273, **829**	無月経 **237**
扁桃炎 **837**	末梢神経障害 746	無呼吸低呼吸指数 438
	末梢性めまい症 203	むずむず脚症候群

942

事項索引

154, 156, 219, 230
むち打ち　125
無痛性甲状腺炎　639
胸焼け　**201**
ムンプス　**825**
ムンプスウイルス　244

め

メタボリック・シンド
ローム　**646**
メディカル・インタ
ビュー　**27**
メトヘモグロビン血症
180
メニエール症候群　204
メニエール病
137, 244, 771
めまい　**134**, 746
免疫関連有害事象　59
免疫グロブリン　663
免疫性血小板減少性紫
斑病　**863**
免疫チェックポイント
阻害薬（ICI）
59, 433, 738

も

毛細血管拡張症　207
網状陰影　287
毛包炎　783, 785, 787
毛包虫性ざ瘡　785
網膜色素変性症　240
網膜出血　240
網膜中心動脈閉塞症
240
網膜剝離　240
毛様充血　239
門脈圧亢進症性胃症
207
門脈血栓症　296

や

薬剤性過敏症症候群
794
薬剤性パーキンソニズ
ム　570
薬剤性肺障害　287
薬剤副作用　**930**

薬剤リンパ球刺激試験
528
薬疹　**794**
薬物血中濃度　**894**
薬物性肝障害　507, **528**
薬物相互作用　**907**
薬物乱用頭痛　555
夜尿　**888**

ゆ

有機リン中毒　160
輸入脚症候群　467
指しゃぶり　890

よ

要介護者のマネジメン
ト　**83**
溶血性貧血　251
溶血性尿毒症症候群
709
溶血性貧血
111, 296, **699**
葉酸　653, 700
葉酸欠乏　519, 695
腰仙部脊椎腫瘍　165
腰椎椎体骨折　165
腰椎椎間板ヘルニア
165
腰痛　748
腰背部痛　**222**
腰部脊柱管狭窄症
163, 165, **750**
溶連感染症　132, 866
抑うつ　**234**, 442
抑うつ気分　596, 602
抑うつ状態　302, 605
翼状片　239
予防接種　**45**
予防投与　359

ら

ラクナ梗塞　302
ランゲルハンス細胞組
織球症　285
乱視　240
卵巣癌　297, **734**
卵巣出血　196, 199
卵巣チョコレート嚢腫

723
卵巣嚢腫　295
卵巣嚢腫（腫瘍）茎捻
転　199

り

リウマチ性多発筋痛症
224, 655
梨状筋症候群　165
流行性耳下腺炎
244, **825**, 837
良性血尿症候群　677
良性発作性頭位性めま
い症　204
両側前頭葉腫瘍　163
緑内障　203, 240
緑内障発作　769
淋菌感染症　**692**
淋菌性咽頭炎　132
りんご病　828
リンパ腫　288
リンパ節腫脹　**108**
リンパ浮腫　**106**, 739

る

類白血病反応　708

れ

冷気吸入性鼻炎　241
レイノー現象　180, 349
レジオネラ肺炎
188, 360
裂肛　**497**
レビー小体型認知症
226, 587
レプリーゼ　812
レボドパ製剤　573
レム睡眠行動障害　230
攣縮　154, 156

ろ

労作性狭心症　322
老視　240
老人性難聴　244
老人性皮膚瘙痒　241
ろう様円柱　258
肋軟骨炎　183
ロコチェック　761

943

ロコモティブ・シンドローム **761**
ロコモ度テスト 761
ロサンゼルス分類 444
ロタウイルス 211
肋間神経痛 321

わ

ワルファリンカリウム **896**
ワレンベルク症候群 165

A

A-aDO$_2$ 377
A-DROP システム 361
ABI 347
ACE 阻害薬 186, 330
ACLF 506, 533
ACO 406, 417
ACP（Advance Care Planning） **4**
ACQ（Asthma Control Questionnaire） 404
ACT（Asthma Control Test） 404
ADA 380, 381
Adams-Stokes 症候群 150
ADM 425
ADPKD 295
AFP 267, 268
AHI 438
Allis 徴候 892
amyopathic dermatomyositis 425
ANCA 関連腎炎 677
Angiodysplasia 207
Asherman 症候群 237
AVNRT 313
AVRT 313
A 群溶連菌感染症 **827**

B

BA **402**, **846**
BADL 10
Barrett 食道 444
Barthel Index 10

Basic ADL 10
Behçet's disease 662
Bell 麻痺 **563**
BFP（生物学的偽陽性） 273
Billroth Ⅱ法 469
BNP 325
BPPV 137
BPSD 590
Brain fog 442
Budd-Chiari 症候群 196

C

C3 663
C4 663
CA15-3 267
CA19-9 267, 268
CA125 267, 268
Calcitonin 266
CAP **360**, 368
CBC **248**
CD（Crohn's disease） 481
CD 腸炎 211
CEA 267, 268
CEP 426
CH50 663
CHADS$_2$スコア 318, 900
Charcot 3 徴 541
Charcot 関節 224
Chiari-Frommel 症候群 237
Child-Puph 分類 533
Churg & Strauss 症候群 662
CKD **667**
CKD-MBD 672
CKM 676
closed questions 27
CML 707
CO$_2$ナルコーシス 422
consolidation 289
COP 426
COPD 174, 285, **414**
COPD アセスメントテスト（CAT） 415

COVID-19 834
COVID-19 罹患後症状 **440**
CPPV 137
cramp 154, 156
Creutzfeldt-Jakob 病 140, 226
Crigler-Najjar 症候群 111
crown dens syn 129
CRT 342
Cushing 症候群 105, 305, 757
CYFRA 267

D

DCM **341**
DDB 796
de novo B 型肝炎 507
dermatomyositis 659
DEXA 法 7
DIC 59, 798
DIHS 794
DLST 528
DM **610**, 659
DNAR 7
DOAC **898**
DPP-4 阻害薬 623
dry bronchiectasis 429, 431
Dubin-Johnson 症候群 111
DVT 350, 898

E

EB ウイルス 837
EB ウイルス感染症 **828**
ECUM 683
EDTA 依存偽血小板減少症 709
eGFR 255
EGPA 662
Epworth sleepiness score 437
ESA 672
ESWL 684
ET 712

事項索引

F

FAS（fetal alcohol syndrome） 17
fasciculation 154, 156
Felty 症候群 296, 705
FES 745
FIB-4 index 524, 535
finger escape sign 745
Fitz-Hugh-Curtis 症候群 196, 199
Fletcher, Hugh-Jones 174
FN（febrile neutropenia） 53
focused questions 27
Fontaine 分類 348
Fredewald の式 631
Frohlich 症候群 237
FTA-ABS 274

G

Gaisböck 症候群 703
gait on heels 164
gait on toes 164
GCS（Glasgow Coma Scale） 142
GDS（Geriatric Depression Scale） 12
GERD **444**
GFR 667
GFR 推算式 255
Gilbert 症候群 111
GLP-1 受容体作動薬 620, 624
Gottron 徴候 660
GPA 661

H

Hansen 病 273
HAP 368
HbA1c 259
HBc 抗体 270
HBs 抗原 270
HBs 抗体 270
HBV-DNA 270
HBV ゲノタイプ 271
HBV コア関連抗原

hCG 717
HCM **339**
HCV-RNA 270
HCV コア蛋白 271
HCV 抗体 270
HCV セログループ 271
HDL-C **260**
HDS-R 227
Heberden 結節 755
HELLP 症候群 199
hematochezia 207
HER 2 蛋白 737
HES 707
HFmfEF 325
HFpEF 325
HFrEF 325, 341
HHM 58
HIF-PH 阻害薬 672
HIT 709
HIV 感染症 273, 692, 705
HIV 検査 **272**
HLA-B51 662
Hoffmann 徴候 745
Hot potato voice 131
HOT（home oxygen therapy） 421
HPV ワクチン 47
HRT（hormone replacement thrapy） 725
HSV 694
HTLV-1 関連性脊髄症 160
HTO 756
Hunter 舌炎 700
Hunt 症候群 244
HUS 709

I

IADL 10
IBD **478**
IBS **484**
ICD 342
IgA 血管炎 **862**
IgA 腎症 220, 667,

677, **679**, 866
IgG4 関連硬化性胆管炎 511
IgG4 関連疾患 662, 678, 707
Instrumental ADL 10
IPMN 295, 547, 551
irAEs（immune-related adverse events） 59
ITP（特発性）**710**
ITP（免疫性）**863**
IUD 721

J

Jackson テスト 744
JAK2 遺伝子 703, 712
JAS（Japan Alcoholic Hepatitis Score）521
JCS（Japan Coma Scale） 141

K

Kallmann 症候群 237
Karnofsky Performance Scale 64
Kernig 徴候 554
Ki-67 index 737
Kiessel-bach 部位 242
Killer Rash 116
Killer sore throat 131
KL-6 427
Koplik 斑 829

L

Lambert-Eaton 症候群 160
Lanz 199
Laurence-Moon-Biedl 症候群 237
LDL-C **260**
LDL アフェレーシス療法 635
Lemierre 症候群 131
LGL 症候群 278
Light の基準 380
LOH 58
LOHF 505

945

long COVID	**440**	nCPAP	438	polymyositis	659
LTBI	390	NHCAP	**368**	POUNDing criteria	
LTOT（long-term		NHCAP 治療区分	370		554
oxygen therapy）		NK-1 受容体拮抗薬 49		PR3-ANCA	661
	421	NOMI	200	ProGRP	267, 268
Ludwig angina	131	nonHDL コレステロー		protracted withdrawal	
		ル	631	syndrome	607
M		notch	288	PSA 267, 268, 689, 691	
M. abscessus	393	NPPV	421	PSG	438
M. avium	393	NSAIDs 過敏喘息	**413**	PSVT	**315**
M. intracellulare	393	NSE	266, 268	PTHrP	58
M. kansasii	393	NYHA 心機能分類327		PTH 類似ホルモン産	
MAC	393			生腫瘍	102
Mallory・Weiss 症候		**O**		PTSD	234
群 192, 201, 207		OA	753	PVC	**313**
MASCC Risk Index		OD	885		
スコア	54	old man's drip	241	**Q**	
MASH	**522**, 533	on turn	164	QFT	386
MASLD	**522**, 539	oncologic emergency		QT 延長延長症候群	
MASLD・MASH	253		52		278
McBurney	199	open-ended questions		Quincke 浮腫	106
MCI（mild cognitive			27		
impairment）	226	OPQRST	182	**R**	
MCLS	**856**	osteoarthritis	753	Rakitansky-Aschoff	
MCN	551	O 脚	753	sinus	297
MCTD	660			Ramsay Hunt 症候群	
MDS	701	**P**		137, 565	
Meigs 症候群	383	P1NP	757	random distribution	
MGUS	264, 265	PA-IgG	710		289
MIBG 心筋シンチグラ		PAC	**315**	Raynolds 5 徴	541
フィー検査 571, 587		PAD	**347**, 750	Reiter 症候群	224
Minds	32	PAF	**316**	Rinne 試験	245
MMP-3	757	Paget 病	736, 741	Rokitansky-Kuster-	
mMRC 息切れスケー		Palliative Prognostic		Hauser 症候群など	
ル	175, 414	Index	65		237
MMSE	12, 227	Palliative Prognostic		Rotor 症候群	111
MNA(Mini Nutritional		Score	64	RS ウイルス	841
Assessment)	103	PAN	661		
modified Centor		Patrick テスト	754	**S**	
Criteria	131	PCOS	105	SAS	**436**
MPA	661	PEF	404	SBP	537
MPO-ANCA	662	Pencil sign	840	SCC	266, 268
muffled voice	131	Perthes 病	892	SDB	796
myelopathy hand	744	PID	199, **721**	selectivity index	682
M 蛋白	713	Plummer-Vinson 症候		SGLT-2 阻害薬	
		群	167, 697		216, 622
N		PM	659	Sheehan 症候群	237
NAG	258	PMR	655	SIDS	39

946

事項索引

Simpson 徴候	733	
SJS	794	
SLE	273, 296, 657	
SLX	266, 267, 268	
SMA 血栓症	198, 207	
spasm	154	
spicula	288	
Spurling テスト	744	
SSc (systemic scleroderma)	659	
SSPT (Simple Swallowing Provocation Test)	374	
STI	**692**	
stiff-muscle	154	
STS 法	273	
SU 薬	623	
S 状結腸憩室炎	199	
S 状結腸軸捻転症	194	

T

T-SPOT	386
tandem gait	164
tarry stool	207
TAVI	336
Tb	**384**
TDM	894
TDS	40
TEN	794
TG	**260**
THA	756
Thyroglobulin	266
TKA	756
Tourette 症候群	890

TPHA	274
TRACP-5b	757
treatable dementia	587
Trendelenburg 徴候	754
Trichomonas vaginalis	694
TSAT	696
TSH 受容体抗体	639
TSH 受容体刺激抗体 (TSAb)	639
TTP	709
TUR-Bt	691
Turner 症候群など	237

U

UC (ulcerative colitis)	478

V

VIPoma	122

W

WAM NET	94
Wartenberg 徴候	745
Wegener 肉芽腫症	192
Wernicke 脳症	19, 140, 150, 609
wet bronchiectasis	429
WHO 3 段階除痛ラ	

ダー	68
WPW 症候群	278, 318

数字・他

I 型呼吸不全	376
I 度房室ブロック	278
II 型呼吸不全	376
II 度房室ブロック Mobitz 2 型	278, 319
II 度房室ブロック Wenckebach 型	278
III 度房室ブロック	278, 319
1 類感染症	922
2 類感染症	922
3 類感染症	922
4 類感染症	922
5 killer chest pain	182
$5-HT_3$拮抗薬	49
5 類感染症	922
10 秒テスト	745
23 価肺炎球菌ポリサッカライドワクチン (PPV)	374
24 時間自由行動下血圧測定	276
75gOGTT	259
α グルコシダーゼ阻害薬	622
β-hCG	267, 268
β_2 ミクログロブリン	258
γ グロブリン	863

947

薬剤索引 （**太字**は項目・見出し事項とその冒頭頁を示す）

あ

アーチスト　322, 928
アーテン　577
アイトロール　323
アイピーディ　775, 853
アイモビーグ　560
亜鉛華単軟膏　871, 873
アクアチム　783
アクトス　620
アクロマイシン　873
アコチアミド塩酸塩　462
アコファイド　462
アサコール　480
アシクロビル　566, 793, 825
アジスロマイシン　361, 372, 788, 797, 844
アシノン　929
アジョビ　560
アジルサルタン　311
アジルサルタン／アムロジピン　311
アスタット　783, 790
アズノール　50
アスパラ-CA　929
アスピリン　323, 557, 582
アスペノン　314, 316
アスベリン　929
アセタゾラミド　769
アセトアミノフェン　69, 353, 749, 793, 811
アゼプチン　400, 775
アゼラスチン　400
アゼルニジピン　311
アタラックスP　781, 928
アデスタン　718
アテノロール　312, 641
アドエア　408, 852
アドナ　210
アトルバスタチン　633
アドレナリン　840, 842
アナストロゾール　737
アノーロ　419

アピキサバン　899
アブストラル　73
アフタゾロン　784
アフタッチ　50
アプリンジン　314, 316
アベロックス　362, 373
アボルブ　689
アマージ　558
アマリール　623, 929
アマンタジン　103
アマンタジン塩酸塩　375
アミオダロン　162, 314, 317, 895
アミティーザ　485
アミトリプチリン塩酸塩　560, 561
アミトリプチン　238
アミノフィリン　411, 851
アミノレバン　537
アミノレバンEN　536
アムロジピン　311
アムロジン　928
アメナメビル　793
アメナリーフ　793
アモキシシリン　353, 355, 458, 828, 883
アモキシシリン・クラブラン酸　372
アラセナA　791
アラミスト　775
アリスキレン　312
アリセプト　591, 928
アリピプラゾール　594
アルサルミン　453, 929
アルダクトンA　330, 342, 537, 928
アルファカルシドール　673, 759
アルファロール　759, 929
アルプラゾラム　601
アルプリノール　637
アレグラ　775, 929
アレジオン　775

アレビアチン　152, 928
アレベール　430
アレロック　443
アレンドロン酸ナトリウム　759
アロチノロール　312
アロプリノール　103, 118, 928
アンカロン　314, 317, 928
アンデキサネットアルファ　901
アンテベート　782, 905
アンピシリン　721
アンブロキソール　420
アンペック　73

い

イーケプラ　583
イーフェン　73
イグザレルト　319, 899, 929
イクセロン　592
イスコチン　388, 397
イソコナゾール硝酸塩　718
イソジン　872
イソニアジド　388
イソプロテレノール　850
イダルシズマブ　901
一硝酸イソソルビド　323
イナビル　358, 359, 835
イブプロフェン　557
イブラグリフロジン　L-プロリン　622
イベニティ　760
イミグラン　558
イミダプリル塩酸塩　312, 374
イミプラミン　238
イリボー　486
イルソグラジンマレイン酸塩　784
イルベサルタン　311

948

薬剤索引

イルベサルタン/アム
ロジピン　311
インクレミン　698
インターフェロン　123
インターフェロンα
162
インダカテロール　418
インデラル
60, 559, 886

う
ウレチド　928
ウメクリジニウム　418
ウメクリジニウム・ビ
ランテロール　419
ウラリット　638
ウルソ　529
ウルソデオキシコール
酸　529
ウルティブ　419

え
エキザルベ　871
エサキセレノン　312
エストラーナ　726
エストリオール　719
エゼチミブ　634, 671
エソメプラゾール　446
エタンブトール塩酸塩
388
エディロール　759
エドキサバン　899
エナジア　409, 419
エナラプリルマレイン
酸塩　311, 330, 341,
374, 671, 683
エビスタ　759
エビペン　878
エブトール　388, 397
エフピー　574, 577
エプレレノン　312
エペリゾン塩酸塩
561, 749
エポエチンβペゴル
672
エムガルティ　560
エリキュース　899
エリザス　775

エリスロシン　420, 429
エリスロポイエチン
305
エリスロマイシン
420, 429
エルカトニン　759
エルカルチンFF　537
エルゴタミン酒石酸
塩・無水カフェイ
ン・イソプロピル
アンチピリン　562
エルシトニン　58, 759
エルデカルシトール
759
エルトロンボパグ　711
エレヌマブ　560
エロビキシバット　485
エンクラッセ　418
塩酸セルトラリン　601
エンペシド
718, 719, 871
エンレスト　331

お
オーグメンチン
53, 372, 929
オキシコドン　72
オキシコナゾール硝酸
塩　719
オキシコンチン
51, 69, 73, 929
オキナゾール　719
オキノーム　69, 73
オキファスト　73
オゼックス　845
オセルタミビル
358, 359, 835
オノン
400, 408, 775, 853
オパルモン　750
オピオイド　103
オプソ　73, 929
オマリズマブ　412
オメプラゾール　209
オランザピン　79, 594
オルメサルタン　311
オルメサルタン/アゼ
ルニジピン　311

オロパタジン　443
オンデキサ　901
オンブレス　418

か
過酸化ベンゾイル　785
ガスコン　195
ガスター　452
ガスモチン　462, 485
ガスロンN　784
カタリン　763
カチーフN　897
カプトプリル　311
加味逍遙散　726
カモスタットメシル酸
塩　549
ガランタミン臭化水素
酸塩　592
カリーユニ　763
ガルカネズマブ　560
カルバゾクロム　210
カルバマゼピン
562, 850, 910
カルベジロール
312, 322
カルボキシマルトース
第二鉄　698
カロナール
353, 793, 928
肝硬変用アミノ酸製剤
536
カンデサルタン　311
カンデサルタン/ヒド
ロクロロチアジド
311
肝不全用経口栄養剤
536

き
キシロカイン　50, 928
キプレス　775, 853
吸入ステロイド
407, 408

く
グーフィス　485
クエチアピンフマル酸
塩　80, 593, 594

949

クエン酸カリウム・ク
　エン酸ナトリウム
　　　　　　　　638
クエン酸第一鉄ナトリ
　ウム　　　　　698
クラビット
　53, 353, 355, 356,
　372, 474, 686, 687,
　688, 721, 929
クラリシッド
　356, 420, 429
クラリス　372, 397,
　458, 844, 929
クラリスロマイシン
　356, 372, 420, 429,
　458, 844
クリアミン　　　562
グリコピロニウム・イ
　ンダカテロール　419
グリセリン　　　70
グリメピリド　　623
クリンダマイシン　721
クリンダマイシン・過
　酸化ベンゾイル　785
グルコン酸カルシウム
　　　　　　　　797
クレストール　　672
クロチアゼパム　314
クロトリマゾール
　718, 719, 871
クロナゼパム　　894
クロニジン　　　103
クロピドグレル硫酸塩
　　　　　　　　582
クロベタゾール
　782, 795, 797, 798
クロラムフェニコール
　　　　　　　　718
クロルプロマジン
　　　　　　206, 238

け

桂枝茯苓丸
　722, 723, 726
ケイツーN　243, 897
ゲーベン　797, 802
ケトプロフェン　748
ケフラール　788, 873

ゲンタシン　　　721
ゲンタマイシン　895

こ

抗ヒスタミン薬
　　　　　775, 781
コートリル　60, 61, 902
牛車腎気丸　51, 752
コムタン　　　　577
コルヒチン　162, 636
コレスチミド　　634
コレバイン　　　634
コントミン　　　206

さ

ザイザル　　　　775
サイレース　80, 608
ザイロリック　　637
サインバルタ　76, 603
サクシゾン　　　849
サクビトリルバルサル
　タン　　312, 331
ザジテン　　　　775
ザナミビル　358, 359
サムスカ　538, 928
サラゾスルファピリジ
　ン　　　　　653
サリチル酸　　　872
サルタノール
　284, 407, 419
ザルティア　　　689
サルブタモール
　407, 419, 430, 848
サルブタモール硫酸塩
　　　　　　　　284
サルメテロール・フル
　チカゾン　408, 852
サワシリン　353, 355,
　458, 828, 883, 929
酸化マグネシウム
　　　　　　70, 195
サンピロ　　　　769
サンリズム
　　　316, 317, 928

し

ジアゼパム
　151, 583, 608, 858

ジェイゾロフト　601
ジクトルテープ　68
シグマート　　　324
シクロスポリン
　305, 682, 895
ジクロフェナクナトリ
　ウム　558, 684, 748
シクロホスファミド
　　　　　　　　220
ジゴキシン
　103, 318, 895, 928
ジゴシン　　　　318
ジスロマック　361, 372,
　788, 797, 844, 929
ジソピラミド
　315, 317, 895
ジダグリプチン　623
ジフェンヒドラミン・
　ジプロフィリン　79
ジプレキサ　　　79
シベノール　315, 317
シベンゾリン　315, 317
シムビコート　　408
ジメチコン　　　195
シメチジン　　　238
芍薬甘草湯　722, 723
ジャヌビア　623, 929
ジルチアゼム　311, 323
シルニジピン　　311
シロスタゾール
　348, 374, 582
シングリックス　45
シンメトレル　375, 577

す

スインプロイク　70
スーグラ　　　　622
スタチン　103, 162, 671
スタレボ　　　　577
ステロイド　　　235
ステロネマ　　　480
ストレプトマイシン硫
　酸塩　　　　388
スピール膏M　　872
スピオルト　　　419
スピリーバ　408, 417
スピロノラクトン　103,
　312, 330, 342, 537

薬剤索引

スプラタスト 853
スマトリプタン 558
スルタミシリン 364
スルピリド 238
スルファジアジン銀 797, 802

せ
セイブル 622
ゼチーア 634
セファクロル 788, 873
セファレキシン 865
セフカペンピボキシル 686
セリプロロール 312
セリンクロ 521
セルシン 151, 583, 608, 928
セレコキシブ 652
セレコックス 652
セレスタミン 775
セロクエル 80, 593, 594
ゼンタコート 482
センノシド 70

そ
ゾーミッグ 558
ソセゴン 684
ゾニサミド 894
ゾビラックス 566, 793, 825
ゾメタ 58, 78
ソラナックス 49, 601
ソリフェナシン 690
ソルデム 49
ゾルピデム酒石酸塩 80
ソルファ 775
ゾルミトリプタン 558
ソル・メドロール 849
ゾレドロン酸 78

た
ダーブロック 672
ダイアモックス 769
大建中湯 195
タクロリムス 305

タクロリムス軟膏 875
タケキャブ 446, 453, 458
タケプロン 69, 202, 929
タダラフィル 689
タナトリル 374
ダパグリフロジン 330, 342
ダパグリフロジンプロ ピレングリコール 673
ダビガトラン 899
ダブロデュスタット 672
タベジール 775
タミフル 358, 359, 835, 929
ダラシンS 721
タリオン 781, 782, 795, 799
炭酸Li 216
炭酸水素ナトリウム 674
炭酸ランタン 673
短時間作用性β_2刺激薬 406
タンボコール 317

ち
チアマゾール 641
チウラジール 641
チオトロピウム 408, 417
チオトロピウム・オロ ダテロール 419
チオペンタール 153
チザニジン塩酸塩 561
チミダゾール 719
チモプトール 769
チモロールマレイン酸塩 769
チャンピックス 42
長時間作用型β_2刺激薬配合剤 408
長時間作用型ニフェジピン 311
チラーヂンS 60, 644

チロキサボール 430

つ
ツロブテロール 853

て
テイコプラニン 895
テオドール 853
テオフィリン 103, 408, 853, 895
デカドロン 55, 56, 840, 851, 902
デカリニウム塩化物 352
デキサメタゾン 50, 411, 784, 840, 851
テグレトール 562, 928
デスモプレシン酢酸塩 889
テトラサイクリン塩酸塩 201, 873
テノーミン 641, 928
デノスマブ 78, 760
デノタスチュアブル 78
デパケン 560, 928
デパケンR 594
デパス 928
デフェラシロクス 702
デュアック 785
デュタステリド 689
デュロキセチン塩酸塩 76, 603
デュロテップ 929
デュロテップMT 73
テリパラチド 760
テリボン 760
テリルジー 400, 408, 419
テルネリン 561
テルミサルタン 311, 330, 340, 342, 671
テルミサルタン／アムロジピン 311
テルミサルタン／ヒドロクロロチアジド 311
デルモベート 782,

951

795, 797, 798, 905

と

当帰芍薬散　443, 726
ドキサゾシン　312
ドキシサイクリン　103
トコフェロール　799
トスフロキサシン　845
ドネペジル塩酸塩　591
ドパミンアゴニスト
　　　103
ドプス　577
トラネキサム酸
　　　210, 243, 431
トラフェルミン　802
トラベルミン　79, 138
トラマール　69
トラマドール塩酸塩
　　　69, 749
トラムセット　749, 928
トランサミン
　　　210, 243, 431, 929
トリアムテレン　312
トリクロルメチアジド
　　　312
トリプタノール
　　　560, 561
トリプタン　123, 557
トルバプタン　538
ドルミカム　152
トレリーフ　577
ドンペリドン　71, 79,
　206, 238, 473, 821

な

ナイキサン　636
ナウゼリン
　71, 79, 206, 473, 821
ナジフロキサシン　783
ナゾネックス　775
ナテグリニド　622
ナプロキセン　636
ナラトリプタン　558
ナルサス　73
ナルデメジントシル酸
　塩　70
ナルフラフィン塩酸塩
　　　537

ナルメフェン　521
ナルラピド　73

に

ニカルジピン　311
ニコチネル TTS　43
ニコランジル　324
ニトレンジピン　311
ニトログリセリン
　　　322, 323
ニトロペン　322, 323
ニフェジピン　311
ニュープロ　579
ニルマトレルビル　353
人参養栄湯　443

ね

ネオドパゾール　928
ネキシウム　446, 455

の

ノイロビタン　609
ノウリアスト　577
ノバミン　70
ノベルジン
　170, 443, 536

は

バイアスピリン
　　　323, 582, 929
ハイドレア　703
パキシル　601
バクロビッド　353
バクタ　929
バクトラミン　57
バルサルタン　311
バラシクロビル　566
バラシクロビル塩酸塩
　　　791, 825
パリエット　57, 452
バルサルタン/ヒドロ
　クロロチアジド　311
バルトレックス
　566, 791, 825, 929
バルプロ酸ナトリウム
　560, 594, 894, 910
パルミコート　407, 852
パルモディア　525, 634

バレニクリン　42
パロキセチン　601
ハロペリドール　238
バンクレリパーゼ　549
半夏厚朴湯　462
バンコマイシン
　　　474, 895
パンテノール　195
パントール　195

ひ

ピオグリタゾン塩酸塩
　　　620
ビクシリン　721
ビクトーザ　624
ピコスルファートナト
　リウム　70, 195
ビ・シフロール　578
ビスホスホネート
　　　103, 201
ビソプロロール　312,
　314, 315, 316, 318,
　322, 330, 339, 341
ビダラビン　791
ヒドララジン　312
ヒドロキシカルバミド
　　　703
ヒドロキシジン塩酸塩
　　　781
ヒドロコルチゾン
　　　411, 849
ヒドロモルフォン　72
ピノレキシン点眼液
　　　763
ビノレルビン　49
ピラジナミド　388
ピラマイド　388
ビランテロール・フル
　チカゾン　400, 408
ピリドキサール　388
ビルジカイニド
　　　316, 317, 895
ビレーズトリ　419
ピロカルピン塩酸塩
　　　769
ビンクリスチン　49

952

薬剤索引

ふ

ファスティック　622
ファモチジン　452
フィトナジオン　897
フィブラスト　802
フェインジェクト　698
フェジン　698
フェニトイン
　152, 894, 910
フェノール・亜鉛華リニメント　825
フェノバルビタール
　81, 894
フェブキソスタット
　637, 671
フェブリク
　637, 671, 928
フェロミア　698
フェンタニル　72
フェントステープ　73
フォイパン　549
フォサマック　759
フォシーガ
　330, 342, 673
フォリアミン　701
フォルテオ　760
複合ビタミンB剤　609
フシジン酸ナトリウム
　872
フシジンレオ　872
ブスコパン　928
ブデソニド
　407, 482, 852
ブデソニド・グリコピロニウム・ホルモテロール　419
ブデソニド・ホルモテロール　419
プラザキサ　899, 929
フラジラ　458, 474, 719, 721
プラゾシン　312
プラビックス　582, 929
プラミペキソール塩酸塩　578
プラリア　760
プランルカスト
　400, 408, 853

プリズバインド　901
プリンペラン　49, 70, 206, 473, 821
フルイトラン　928
プルゼニド　70
フルタイド　407, 852
フルチカゾン　407, 852
フルチカゾン・ビランテロール・ウメクリジニウム
　400, 408, 419
フルティフォーム　852
フルナーゼ　775
フルニトラゼパム
　80, 608
ブルフェン　557
フルボキサミンマレイン酸塩　603
フルルビプロフェンアキセチル　68
フレカイニド　317
プレガバリン
　76, 584, 746, 752
プレタール
　348, 374, 929
プレドニゾロン
　561, 565, 637, 682, 711, 849, 851
プレドニン　57, 561, 565, 682, 711, 849, 851, 902, 929
プレドネマ　480
フレマネズマブ　560
プレマリン　726
プロカインアミド　162
プロカテロール塩酸塩
　284, 853
プロクロルペラジン
　70
フロセミド　312, 330, 339, 341, 537, 682
プロテカジン　929
プロノン　317
プロパフェノン　317
プロピルチオウラシル
　641
プロプラノロール塩酸塩　103, 312, 559, 886

プロベラ　726
ブロマゼパム　81, 603
ブロマックD　49, 443
フロモックス　686, 929
フロリード　790

へ

ベイスン　929
ベザトールSR
　634, 929
ベザフィブラート　634
ベシケア　690
ベタキソロール　312
ベタニス　690
ベタメタゾン　76, 79, 411, 781, 782, 783, 795, 798, 799, 840, 851
ベニジピン　311
ベネトリン
　284, 430, 848
ベピオゲル　785
ベポタスチン
　782, 795, 799
ベポタスチンベシル酸塩　781
ペマフィブラート
　525, 634
ベラパミル　238, 314, 315, 318, 339, 561
ベラミビル　358, 836
ペリンドプリル　311
ヘルベッサーR　323
ベンズブロマン　638
ベンゾジアゼピン　103
ベンタサ　480
ペンタゾシン　684

ほ

防已黄耆湯　756
ホクナリン　853
ホストイン　152
ホスフェニトイン　152
ホスホマイシンカルシウム　817, 873
ホスミシン　817, 873
ボスミン　411, 840, 842
補中益気湯　442, 742

953

ボナロン　929
ボノサップパック　458
ボノピオンパック　458
ボノプラザンフマル酸
　塩　446, 453, 458
ポビドンヨード　872
ポラプレジンク　443
ポララミン　775
ポリカルボフィルカル
　シウム　486
ポリコナゾール　895
ポリフル　486
ボルタレン
　558, 684, 748
ポルトラック　70
ホルメテロール・フル
　チカゾン　852

ま

マーロックス　929
マイスリー　80
マグラックス　70
マドパー　576
マンニットール
　55, 769

み

ミオナール　561, 749
ミカルディス　330,
　340, 342, 671, 928
ミグシス　559
ミグリトール　622
ミコナゾール　790
ミダゾラム　152
ミドドリン塩酸塩　886
ミニリンメルト　889
ミノサイクリン
　361, 721, 786, 845
ミノマイシン
　361, 721, 786, 845
ミラベグロン　690
ミラペックス　578
ミルセラ　672
ミルタザピン
　76, 80, 603

む

ムコスタ　452

ムコソルバン　420
ムコダイン　420, 430

め

メイロン　138
メインテート　314,
　315, 316, 318, 322,
　330, 339, 341, 928
メキシチール　314, 928
メキシレチン　314
メコバラミン　701, 746
メサラジン　480
メソトレキサート
　652, 717
メチコバール
　51, 566, 701, 746
メチルコバラミン　566
メチルドパ　238, 312
メチルプレドニゾロン
　411, 849
メトグルコ　620, 929
メトクロプラミド
　70, 206, 238, 473, 821
メトホルミン塩酸塩
　103, 620
メトリジン　886
メドロール　902
メトロニダゾール　458,
　474, 718, 719, 721
メナテトレノン
　243, 897
メネシット　576
メバロチン　929
メプチン　284, 853
メポリズマブ　412
メマリー　592
メマンチン塩酸塩　592
メルカゾール　641

も

モーラス　748
モキシフロキサシン塩
　酸塩　362, 373
モサプリド　485
モメタゾン・インダカ
　テロール・グリコピ
　ロニウム　409, 419
モルヒネ　72, 73, 77

モンテルカスト　853

ゆ

ユナシン　364, 372
ユニフィル LA　408
ユベラ　525
ユベラ N　799
ユリノーム　638

よ

葉酸　701
抑肝散　594

ら

ラキソベロン　70, 195
ラクチトール　536
ラクツロース　536
ラゲブリオ　354
ラシックス　58, 330,
　339, 341, 537, 682,
　928
ラスクフロキサシン
　362
ラスビック　362
ラスミジタンコハク酸
　塩　559
ラニチジン　238
ラニナミビル
　358, 359, 835
ラノコナゾール
　783, 790
ラピアクタ　358, 836
ラベプラゾールナトリ
　ウム　452
ラボナール　153
ラミクタール　583
ラモセトロン塩酸塩
　486
ラモトリギン　583
ラロキシフェン塩酸塩
　759
ランソプラゾール
　202, 566
ランマーク　78

り

リアルダ　480
リーゼ　314

薬剤索引

リーバクト 536
リクシアナ 899
リザベン 775
リスパダール 79, 80, 593, 594, 595, 609, 928
リスペリドン 79, 80, 593, 594, 595, 609
リスモダン 928
リスモダンR 315, 317
リチウム 894
六君子湯 462
リトナビル 353
リナクロチド 485
リバーロキサバン 319, 899
リパクレオン 549
リバスタッチ 592
リバスチグミン 592
リピトール 633
リファキシミン 536
リファジン 388, 397
リファンピシン 388
リフキシマ 536
リフレックス 76, 80
リボトリール 928
リマプロストアルファデクス 750
硫酸ストレプトマイシン 388
リラグルチド 624
リリカ 51, 76, 584, 746, 752, 928
リレンザ 358, 359
リン酸ジヒドロコデイン 929
リンゼス 485
リンデロン 57, 76, 79, 480, 781, 782, 795, 798, 799, 840, 851, 902
リンデロン-V 783, 799, 905

る
ルビプロストン 485
ルボックス 603
ルリッド 786

れ
レイボー 559
レキソタン 603
レキップ 578
レクタブル 480
レセルピン 235, 238
レニベース 330, 341, 374, 671, 683, 928
レバミピド 452
レベチラセタム 583, 894
レボカルニチン 537
レボチロキシンナトリウム 644
レボドパ 103
レボドパ・カルビドパ 576
レボドパ・ベンセラジド塩酸塩 576
レボフロキサシン 353, 355, 356, 372, 474, 686, 687, 688, 721
レボレード 711
レミッチ 537
レミニール 592
レメロン 603
レルパックス 558
レルベア 400, 408

ろ
ロキシスロマイシン 786
ロキソニン 68, 69, 652, 928
ロキソプロフェン 68, 652
ロコイド 905
ロサルタン 311
ロスバスタチンカルシウム 672
ロチゴチン 579
ロピオン 68
ロピニロール塩酸塩 578
ロミプレート 711
ロミプロスチム 711
ロメリジン塩酸塩 559
ロモソズマブ 760

わ
ワーファリン 318
ワイパックス 49
ワコビタール 81
ワソラン 314, 315, 318, 339, 561, 928
ワルファリンカリウム 318, **896**, 908
ワンアルファ 673
ワンデュロパッチ 73

A
ABPC/SBT 356, 431

C
CAM 396
CPR 356
CTRX 364, 372, 373, 687, 688, 788

D
DOAC 898
D-マンニトール 769

E
EB 388, 396

I
ICS 407, 408, 855
ICS/LABA 855
IFN 235
INH 388

K
KM 396

L
L-カルボシステイン 420, 430
LABA 408
LAMA 408, 417
LAMA/LABA 419
LAMA/LABA/ICS 419
L-アスパラギン酸カルシウム 759

955

M

MEPM	356, 431
MS コンチン	73, 929
MTX	652

P

PL	352, 928
PZA	388

R

RFP	388, 396

S

S-1	465, 546, 553
SABA	406, 419
SM	388, 396
SP	352

T

TEIC	373
TZD	788

V

VCM	373

数字・他

5-ASA	480
25％アルブミン	538
30％硝酸銀	872
α-トコフェロール	525

外来医マニュアル 第5版

ISBN978-4-263-73230-4

2005年10月1日	第1版第1刷発行
2024年6月20日	第5版第1刷発行

編　者

小畑達郎　　近藤克則　　小松孝充　　加藤なつ江

河原林正敏　四方典裕　　井上賀元　　奥永　綾

竹田隆之　　宮阪　英　　小出正樹　　髙木　暢

中村琢弥　　城　嵩晶　　自閑昌彦

発行者　白　石　泰　夫

発行所　医歯薬出版株式会社

〒113-8612 東京都文京区本駒込1—7—10
TEL　（03）5395-7640（編集）・7616（販売）
FAX　（03）5395-7624（編集）・8563（販売）
URL　https://www.ishiyaku.co.jp
郵便振替番号 00190-5-13816

印刷・三報社印刷／製本・榎本製本

乱丁，落丁の際はお取り替えいたします

© Ishiyaku Publishers, Inc., 2005, 2024.

Printed in Japan

本書の複製権・翻訳権・翻案権・上映権・譲渡権・貸与権・公衆送信権（送信可能化権を含む）・口述権は，医歯薬出版（株）が保有します．
本書を無断で複製する行為（コピー，スキャン，デジタルデータ化など）は，「私的使用のための複製」などの著作権法上の限られた例外を除き禁じられています．また私的使用に該当する場合であっても，請負業者等の第三者に依頼し上記の行為を行うことは違法となります．

JCOPY ＜出版者著作権管理機構　委託出版物＞
本書をコピーやスキャン等により複製される場合は，そのつど事前に出版者著作権管理機構（電話 03-5244-5088，FAX 03-5244-5089，e-mail:info@jcopy.or.jp）の許諾を得てください．

memo

memo

memo

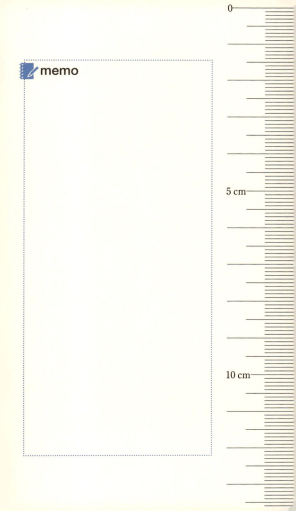

- 650 膠原病とその類縁疾患
- 667 腎・泌尿器疾患
- 695 血液疾患
- 717 女性疾患
- 744 運動器疾患
- 763 眼・耳鼻咽喉・皮膚疾患
- 804 小児疾患
- 894 資料

皮膚疾患（☞p.780〜803）症例写真
このQRコードよりアクセスしてご覧下さい

https://www.ishiyaku.co.jp/r/732300/